Pierre ZOBERMAN

# LES CÉRÉMONIES DE LA PAROLE

*L'éloquence d'apparat en France dans le dernier quart du XVIIe siècle*

PARIS
HONORÉ CHAMPION ÉDITEUR
7, QUAI MALAQUAIS (VIe)
1998

Diffusion hors France: Editions Slatkine, Genève

ISBN 2-85203-660-6 ISSN 1250-6060

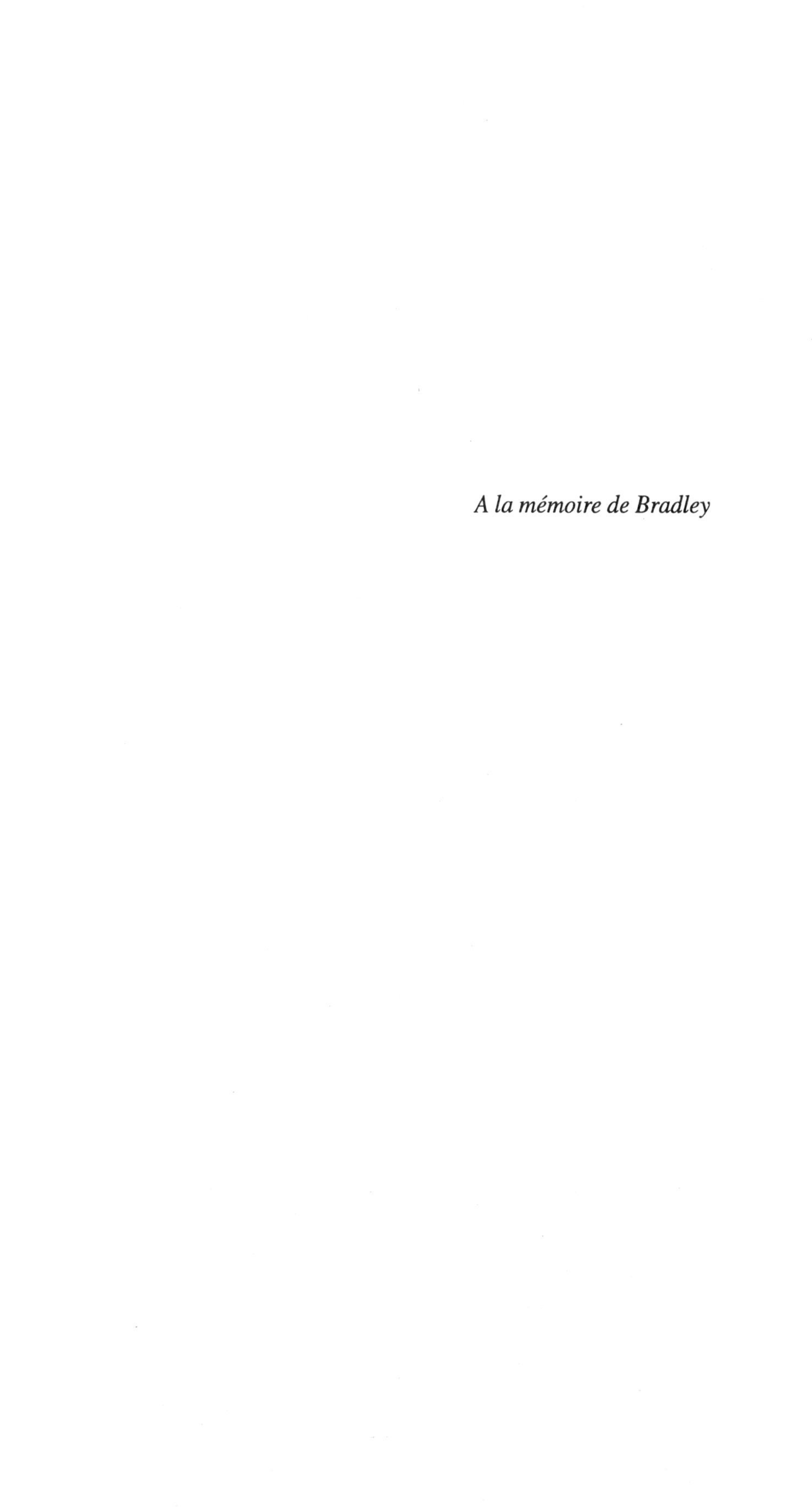

*A la mémoire de Bradley*

# REMERCIEMENTS

Ce livre représente la continuation des recherches dont les résultats initiaux ont été exposés sous forme de thèse d'État. Je voudrais exprimer ma gratitude à M. le Professeur Truchet qui a dirigé mes recherches universitaires avec confiance, patience et fermeté – et toujours avec gentillesse. Ses conseils de méthode m'ont été précieux et j'ai toujours pu compter sur sa profonde connaissance de la culture du XVIIe siècle pour guider mes intuitions. Je tiens également à témoigner de ma reconnaissance à l'égard de Mme le Professeur Ferrier-Caverivière pour l'amitié dont elle a bien voulu m'honorer et pour ses avis, si utiles en toutes circonstances. Mes remerciements vont aussi à MM. les Professeurs Bercé, Cahné, Mesnard et Zuber pour l'intérêt qu'ils ont porté à mon travail et pour les réflexions et les critiques dont ils l'ont enrichi.

Certaines étapes de la réalisation de ce projet ont été accomplies lorsque j'enseignais à Columbia University à New York. Mes collègues n'ont été avares ni de soutien ni d'encouragements, et je dois beaucoup, en particulier, à mes échanges, sur la rhétorique, certes, mais aussi sur la réflexion littéraire en général, avec Steven Winspur, dont l'amitié m'est précieuse aujourd'hui encore. Gita May, alors directrice du Département de Français, m'a aidé à obtenir des congés qui ont facilité mes recherches. Finalement, c'est pour moi un plaisir tout particulier d'évoquer l'amitié dont Michael Riffaterre m'a toujours honoré depuis bientôt vingt ans que nous nous connaissons.

Mais, au moment où cet ouvrage voit le jour, grâce au Professeur Philippe Sellier qui l'a accueilli dans sa collection – ce dont je te remercie très chaleureusement – c'est à tous ceux qui m'ont aidé aux différents stades de cette entreprise que je pense, heureux de pouvoir enfin rendre public le témoignage de ma reconnaissance. Sans l'affection de mes parents et leur bonne volonté à assumer des tâches matérielles parfois ingrates, point de *Cerémonies de la parole*. Mais il serait injuste de ne pas ajouter immédiatement que je place encore plus haut leur contribution conceptuelle, fruit de leur intérêt pour mon projet, et digne aussi bien de leur curiosité que de leur richesse intellectuelles. Si j'ai le bonheur de pouvoir poursuivre avec ma mère un dialogue toujours neuf, toujours passionnant et passionné, mon père n'est plus là pour recevoir ce témoignage – mais le présent ouvrage est indissolublement lié à son souvenir.

La mort m'a aussi séparé de Bradley Berke, à la mémoire duquel je dédie ces *Cérémonies de la parole*. Rétrospectivement, je suis incapable d'envisager la possibilité d'un tel livre sans son amitié. Tous ceux qui l'ont connu savent quels étaient son érudition et le caractère encyclopédique de ses intérêts. Soucieux à l'extrême de cohérence logique et dédaignant ce qui n'ouvrait pas la voie à la formulation d'idées générales, il apportait au débat intellectuel, qu'il affectionnait et où l'engageaient avidement ses amis et anciens professeurs ou collègues qui sollicitaient ses avis, passion et rigueur - et une manière exigeante et tenace, parfois narquoise. Plus que quiconque ces dernières années, j'ai eu le privilège de ces échanges. S'il ne me restait même qu'une aspiration à cette rigueur, à cette capacité de tirer de manifestations socioculturelles individuelles un concept unique, un sens général, alors ce long commerce ne serait pas sans fruit.

La liste est longue de ceux qui, en France et aux États-Unis, ont apporté leur pierre à l'édifice. Durant toutes ces années où l'usage des ordinateurs m'était parfaitement étranger, Nicole Grégoire a préparé version après version, avec une conscience professionnelle qui s'est vite transformée en un dévouement amical, que les défis les plus difficiles n'ont jamais rebuté. Quand j'ai finalement décidé de m'approprier la console de l'ordinateur, Bernard Crampé et Robert Schultz, par ailleurs au nombre de mes interlocuteurs en matière de XVII^e siècle, et Michael Flory ont également joué le rôle de conseillers personnels en informatique, toujours de garde, rendant ainsi possible le mise au net finale.

Que tous, ceux que j'ai nommés et ceux qui se reconnaîtront lorsque j'évoque collectivement mes amis, trouvent ici l'expression de ma gratitude, de mon affection et de ma satisfaction devant l'accomplissement d'un ouvrage qu'ils ont bien voulu faire aussi le leur.

New York, juin 1996

# INTRODUCTION

Écrit à l'avance ou improvisé, le discours public s'inscrit dans le contexte de rapports sociaux complexes. Haranguer un grand, c'est reconnaître à la fois sa distinction et son appartenance à un système social organique animé par la parole. Faire un sermon ou une mercuriale, c'est exercer une fonction de guide spirituel qui établit une autorité morale sur son public. Les structures sociales du Grand Siècle constituent un contexte propice à l'activité oratoire. Certes, ce n'est plus la démocratie athénienne, érigée en mythe, où pouvait s'exercer à loisir l'éloquence politique, meneuse d'hommes et instigatrice de décisions vigoureuses et lourdes de conséquences. Cependant, l'éloquence de la «Chose Publique» survit. «Car, affirme le P. Rapin, l'Éloquence peut regner par tout, quand elle est véritable, et qu'elle a de quoi se faire écouter». Sans juger la qualité de la production oratoire de la fin du XVII^e^ siècle, on doit reconnaître que l'éloquence fait mieux que survivre. Le discours public fleurit. Outre les deux pôles traditionnels de la parole que sont la chaire et le barreau, les académies, les cérémonies publiques, l'accueil de hauts dignitaires dans les villes sont autant de contextes où l'éloquence se manifeste dans toute sa vitalité.

Les historiens modernes de la littérature et de la culture n'ont pas manqué de reconnaître l'intérêt des pratiques oratoires de l'Ancien Régime. On découvre la rhétorique au fondement de la plupart des genres littéraires, comme l'ouvrage pénétrant de Kibédi-Varga l'a bien montré. Le renouveau de la rhétorique n'a pas coïncidé avec une théorie générale de l'éloquence. D'un côté, l'étude de la rhétorique permettait de donner un fondement traditionnel à la recherche de structures immanentes dans le texte, chère aux nouvelles écoles de la critique, telles que le *New Criticism*. D'un autre côté, elle venait s'ajouter à un courant bien établi dans les sciences humaines, celui de l'analyse structuraliste du langage. De Saussure à Jakobson, les linguistes avaient élaboré des méthodes pour identifier les règles de combinaison des unités pertinentes du système idéalisé de la langue. Les critiques textuels n'ont pas été longs à envisager une analogie entre la langue naturelle et la langue de la composition littéraire. Ainsi, dans les années 60, on voit apparaître deux tendances. Chez les littéraires les plus friands de «nouvelles approches», on constate une certaine précipitation à adopter des systèmes taxinomiques et des grilles d'analyse catégorielle, qui n'apportaient qu'un nouveau jargon à l'explication de texte. En revanche, pour les plus sérieux, l'apport conceptuel de textes sur la rhétorique longtemps oubliés a donné lieu à quelques travaux pénétrants sur les figures, de T. Todorov à P. Valesio. Les chercheurs les plus soigneux ont montré que la consultation d'anciens manuels et traités pouvait faire renaître un dialogue avec la tradition des rhétoriciens soucieux de l'intégrité de leur propre discipline. Parallèlement, des philologues, motivés par le besoin que les chercheurs éprouvaient de retrouver les richesses de la tradition, ont commencé à faire sortir de l'obscurité les trésors ensevelis du passé. A mesure que la culture rhétorique des époques révolues, telles que le XVII^e siècle, se découvre aux analystes du style, ils s'aperçoivent que la seule maîtrise des figures ne suffit pas pour comprendre l'insertion sociale de la rhétorique.

M. Fumaroli, dans son ouvrage magistral *L'Age de l'éloquence,* démontre qu'une considération des implications sociales du style est essentielle pour saisir la pensée rhétorique classique. Pour lui, le contexte institutionnel est étroitement lié avec la manière d'écrire. La confrontation des «styles jésuites» et du «Stile de Parlement», par exemple, met en valeur l'enjeu de la recherche du «meilleur style»[1]. De la même manière, les premiers signes d'une unification progressive des élites s'identifient dans le rapprochement de leurs conceptions esthétiques. Des milieux différents s'affrontent sur des valeurs qui s'expriment à travers leur style individuel. Un mythe de l'éloquence, parfaite expression du goût, contribue à l'harmonisation culturelle:

> ... la *res literaria* savante, méditant sur l'histoire de la culture romaine, et utilisant les concepts de la rhétorique, a traduit en français et fait partager à toute une société son mythe central, civilisateur et régénérateur, celui de l'*Eloquentia.*

Si les implications sociales, et plus précisément institutionnelles, de diverses pratiques rhétoriques sont clairement analysées par l'auteur, l'approche se centre sur les débats stylistiques et sur des formulations théoriques qui touchent au domaine de l'éloquence.

J'essaierai de montrer que ces pratiques méritent d'être étudiées dans la perspective d'une conception de l'éloquence comme activité

---

1 La notion de «meilleur style» pose un problème, que j'ai traité dans «L'Éloquence d'apparat et le style», *Littératures Classiques* 28 (automne 1996).

publique. Les manifestations de l'éloquence, comme *événements oratoires,* ont moins bénéficié du renouveau d'intérêt pour la rhétorique que les études essentiellement textuelles. Les circonstances pragmatiques qui entourent la production oratoire n'ont jamais fait l'objet d'une étude d'ensemble approfondie. Si l'éloquence fleurit à la fin du XVII^e^ siècle, ce n'est pas seulement grâce aux occasions où s'inscrivent la prédication ou la plaidoirie. Ce qui contribue à la culture de la parole, ce sont ses «cérémonies» publiques. Mort ou mariage dans la famille royale, entrée d'un grand dans une ville, paix: ce sont autant d'occasions qui font naître le discours. Compliments de condoléance, de conjouissance, de félicitations, oraison funèbre: autant de pratiques oratoires solennelles qui maintiennent l'usage du discours public. La société de l'Ancien Régime est éminemment ritualisée. Les rites sociaux s'accompagnent de discours solennels. Enfin, les manifestations cérémonielles de l'éloquence constituent, intuitivement, un ensemble cohérent. Quel que soit leur contexte propre, les discours solennels présentent des équivalences fonctionnelles. Tel est le point de départ d'une recherche sur l'éloquence d'apparat. Si le partage de la rhétorique dans la vie sociale a été étudié, il reste à examiner l'éloquence dans son aspect dynamique de liaison sociale et à formuler des concepts qui permettent une description vraiment adéquate des pratiques oratoires. Celui de l'éloquence d'apparat en sera le plus important. Les analyses qui suivent ont principalement pour objet de préciser l'extension de ce concept et les traits distinctifs de ses manifestations. En définissant un tel concept, j'espère faciliter l'exploration du champ oratoire, non seulement pour le XVII^e^ siècle que je prends comme époque de référence, mais plus généralement pour toute époque historique. En outre, l'analyse des pratiques oratoires solennelles de la fin du XVII^e^ siècle offrira une nouvelle approche de la vie institutionnelle et des traditions particulières à chaque groupe. Je me propose donc à la fois de définir un concept descriptif et analytique pour l'étude de mécanismes culturels et de rendre compte de toute une série de pratiques culturelles concrètes.

Pour mener à bien cette recherche, la richesse et la dispersion de la documentation rendaient impossible une étude exhaustive des pratiques oratoires solennelles au XVII^e^ siècle. L'abondance, en particulier, des oraisons funèbres, discours dont la pompe souligne nettement, *a priori*, le caractère solennel, invite à laisser de côté l'étude des discours sacrés, qui pourra faire l'objet de recherches plus approfondies. L'ampleur des travaux de J. Truchet et de J. Hennequin, n'est qu'un signe de l'attention que mérite ce domaine. Dans son ouvrage capital, *La Prédication de Bossuet,* J. Truchet nous a pleinement fait connaître les ressorts thématiques d'un œuvre sacré majeur, et, pour sa part, J. Hennequin nous a exposé l'unité et la diversité de la production autour d'un grand personnage. Dans le présent ouvrage, je ne tiendrai compte des discours sacrés que dans la mesure où ils interviennent dans la vie d'autres institutions que l'Église elle-même.

Même en se limitant aux manifestations profanes de l'éloquence d'apparat, l'exhaustivité serait impossible à ce stade de notre appréhension des pratiques oratoires. Les institutions productrices de discours sont, en effet, extrêmement diverses, et les rencontres de la vie officielle multiplient les occasions d'éloquence (on peut évaluer à plusieurs dizaines de milliers les discours prononcés pendant toute la période à partir d'études comme celles de R. Mousnier dans le deuxième tome des *Institutions de la France...*). Le culte de la personnalité, élevé à la hauteur d'un principe de gouvernement sous le règne de Louis XIV, a pour conséquence le profusion des discours dont il fait l'objet ou dont il est le destinataire. Il fallait donc choisir un certain nombre d'institutions sur lesquelles concentrer la recherche. Certaines s'imposaient d'elles-mêmes, du fait de leur importance culturelle. Les académies, par exemple, devaient figurer dans une telle étude. L'Académie française, institution nationale de la langue, occupe une place dans le développement culturel que plus d'un ont soulignée. L'Académie a connu, après que le Roi s'en fut déclaré protecteur, une vie cérémonielle brillante et riche de discours qui trouvaient de larges échos dans le *Mercure galant* et que l'Académie elle-même publia régulièrement. Les académies de province représentent un champ beaucoup plus neuf. Leur influence sur la culture a certes fait l'objet d'études parfois très approfondies, comme celle de D. Roche. Toutefois, si son ouvrage fournit de précieux renseignements sur les données d'ordre social apportées par les éloges funèbres d'académiciens, l'objet de l'auteur n'est pas de mettre les pratiques oratoires en rapport avec l'ensemble de l'éloquence dans la vie institutionnelle, ni même de les étudier en elles-mêmes. Dans la mesure où l'on possède un certain nombre de discours de réception ou de harangues émanant des milieux académiques provinciaux, il serait dommage de ne pas comparer les pratiques oratoires de la province avec celle de la Capitale. Outre l'intérêt d'apercevoir toutes les académies dans leur vie rituelle, on trouvera, à travers cette comparaison, un aspect essentiel du rôle des institutions dans la culture classique. Comme A. Viala l'a montré, la diffusion des Lumières et le développement de la notion d'écrivain se sont inscrits dans un réseau institutionnel. Tout en appréciant les tendances institutionnelles à fonder un conservatisme académique, A. Viala indique comment le mouvement a favorisé l'apparition d'un nouvel être social: l'homme de lettres. Ni la perspective d'A. Viala, ni celle de D. Roche, qui s'intéresse surtout aux données sociologiques que les discours peuvent fournir, ne nous permettent d'appréhender le rapport des discours à leur contexte cérémoniel. Par exemple, l'évaluation de leur réception, jusqu'ici négligée, sera d'une importance capitale. C'est dans ce sens que j'ai orienté une partie de mes recherches.

Une étude générale de l'éloquence d'apparat doit tenir compte de la vie institutionnelle provinciale, riche en pratiques oratoires solennelles et d'autant plus intéressante que l'interaction des différents groupes institutionnels y est forte. Les académies locales sont certainement les institutions provinciales dont les activités sont les plus connues. Cependant, on ne manque pas de ressources pour étudier les institutions judiciaires. Lorsqu'on évoque l'éloquence parlementaire, nous pensons le plus souvent aux membres de la grande robe parisienne et aux ouvertures des audiences et aux mercuriales du Parlement de Paris. En tant que corps constitués, les parlements de province et les présidiaux, ainsi que toutes les juridictions locales, ont une vie cérémonielle active, génératrice d'éloquence. Je ne négligerai pas, certes, les discours de la Capitale, comme ceux des Lamoignons, premier président et avocat général du Parlement de Paris, mais j'irai également puiser dans la documentation que fournissent les cours de justice provinciales les éléments qui permettent d'élaborer une théorie générale de l'éloquence d'apparat. Si les stimulantes analyses du «Stile de Parlement» que nous a offertes M. Fumaroli sont un précieux point de départ et un guide irremplaçable, il faut noter les suites de l'évolution qu'il décrit du robin à l'homme de lettres et surtout déterminer les caractéristiques des pratiques oratoires des robins de province. C'est en étendant la base institutionnelle de mes investigations que je propose de vérifier la fécondité de l'éloquence d'apparat comme catégorie analytique.

Dans une certaine mesure, les discours solennels dépendent de rythmes cérémoniels propres aux différentes institutions. Cependant, je traiterai aussi la réponse du rituel institutionnel à des impulsions venant de l'extérieur. Les institutions individuelles s'inscrivent dans une vie cérémonielle qui les englobe toutes. Le Roi est-il vainqueur? Il recevra des délégations des compagnies souveraines qui le haranguent pour lui manifester leur admiration et leur soumission. La Dauphine donne-t-elle au Roi un nouvel héritier, en la personne du duc de Bourgogne? La France comblée de joie multiplie les réjouissances publiques et des orateurs se lèvent dans toutes les compagnies et dans tous les corps pour célébrer l'événement. Un évêque arrive-t-il dans la ville où il a sa cathédrale? La population, dûment encadrée par les institutions locales, est là pour l'accueillir. Les représentants des corps et des compagnies ont diligemment aiguisé leurs plumes et composé les harangues qui lui manifestent la joie et le respect de tous. Tout le monde se réjouit par une grande cérémonie, qui est aussi celle de la parole, de l'arrivée du pasteur tant attendu. Il n'est pas question d'espérer saisir l'éloquence d'apparat dans ses manifestations polymorphes sans une étude des pratiques oratoires dans le cadre de la vie municipale. Cette vie municipale nous est connue de plusieurs façons. Souvent par souci de faire revivre les grands moments de l'histoire d'une ville ou d'une région à laquelle ils étaient attachés, les gardiens d'un passé local nous ont communiqué, sous forme de monographies (de valeur inégale) les traits principaux d'une atmosphère urbaine. De plus, des travaux d'histoire sociale moderne nous fournissent des analyses approfondies d'interactions urbaines spécifiques. Pourtant, à ma connaissance, l'éloquence des cérémonies municipales n'a jamais fait l'objet d'études qui cherchassent à en rendre compte comme d'un phénomène global. Or, l'éloquence est le domaine idéal pour étudier les cérémonies qui rassemblent la population et les institutions. Car les réjouissances, tout comme les deuils publics, sont des constituants fondamentaux de la vie de la ville. Lorsque les historiens modernes se sont intéressés aux cérémonies municipales de l'Ancien Régime, ils ont beaucoup privilégié les entrées solennelles, et parmi celles-ci, les entrées royales[2]. C'est d'ailleurs surtout le Moyen Age et le début du XVI$^{e}$ siècle qui ont retenu l'attention des chercheurs. Par exemple, B. Guenée et F. Lehoux ont réuni toute une documentation dans *Les Entrées royales françaises de 1328 à 1515*. Cependant, la documentation la plus abondante qu'on peut rassembler pour la fin du XVII$^{e}$ siècle concerne surtout les entrées de hauts dignitaires (évêques, princes du sang, grands nobles, etc.). D'ailleurs, il n'y a plus d'entrée royale solennelle à Paris après 1660. Je souligne qu'il y a d'autres occasions où l'éloquence fleurit. On célèbre par exemple la fête de la ville, le renouvellement du bureau de la municipalité et des événements extraordinaires comme des inaugurations de monuments.

Ayant parcouru le champ d'investigation que j'ai circonscrit pour cet ouvrage, je dois avouer à présent qu'il a fallu que je laisse de côté plusieurs institutions productrices d'éloquence. Cependant, ce champ s'avère tout à fait assez large pour caractériser l'éloquence d'apparat de manière adéquate. Il reste à préciser les bornes temporelles. Je l'ai dit:

---

[2] Certains ont cependant étudié d'autres cérémonies et festivités. Je voudrais mentionner, en particulier, le stimulant article de Nancy Freeman Regalado, consacré aux festivités de la Pentecôte à Paris et, plus précisément à la surprenante insertion, dans les célébrations, de tableaux vivants empruntés au *Roman de Renart* [«Staging the *Roman de Renart*: Medieval Theater and the Diffusion of Political Concerns into Popular Culture», *Mediævalia* 18 (1995)].

toute période eût convenu pour la définition d'une catégorie dont les manifestations se retrouvent à bien des époques et dans plus d'une culture. La cohérence intuitive d'un ensemble de phénomènes m'a encouragé à retenir le dernier quart du dix-septième siècle comme période de référence. D'ailleurs soutenu par la certitude que la moisson de pratiques oratoires solennelles n'y manquerait pas, j'ai décidé de prolonger mes recherches antérieures sur une période qui m'était déjà familière. Le foisonnement des académies, tout comme la multiplication des charges, engendre des cérémonies et des orateurs. De même, les faits ponctuels de la vie royale et de celle de la nation provoquent des célébrations publiques. Le mariage du Dauphin et celui de Mademoiselle d'Orléans, qui devient reine d'Espagne; la naissance du duc de Bourgogne; le décès de la Reine et celui de la Dauphine sont autant de circonstances génératrices de discours. Plusieurs chanceliers se succèdent rapidement: Le Tellier, Boucherat, Pontchartrain. Enfin paix et victoires fournissent maintes occasions de réjouissances générales. Pour les besoins de cette étude, je fixe comme limite heuristique la fin du siècle. Cette limite est commode et elle se justifie par un certain nombre de coïncidences. Du point de vue politique, on est entre deux guerres. Le traité de Ryswick vient de mettre fin à une guerre particulièrement difficile, et les Français ont manifesté leur joie dès l'annonce de la paix avec la Savoie et du mariage du duc de Bourgogne. Le duc d'Anjou hérite de la couronne d'Espagne, et la Guerre de Succession d'Espagne va éclater. Phélipeaux de Pontchartrain vient d'être nommé chancelier, ce qui entraîne la multiplicité des compliments d'usage. Du point de vue des institutions, le Parlement de Paris a vu son parquet complètement renouvelé en l'espace de trois ans – rythme inhabituellement rapide – et, lorsque d'Aguesseau devient procureur général, Le Nain vient, en 1700, rejoindre Joly de Fleury, qui a remplacé Lamoignon, et Portail, qui a remplacé Harlay, fils du Premier Président. En 1698, après l'achèvement de son Dictionnaire, l'Académie française rassemble, pour la première fois, tous les discours prononcés en son sein ou par ses membres qu'on a pu retrouver. Par un curieux hasard, on voit un académicien d'Arles, Barrême de Manville, et un académicien de Soissons, Hébert, publier leurs discours, le premier en 1698, le second en 1699.

Les années 1672-1675 constituent un bon point de départ. La Guerre de Hollande engendre des éloges sans nombre. L'Académie française passe sous la protection du Roi, fait capital pour sa vie cérémonielle. En 1674, l'Académie de Soissons est officiellement instituée; celle d'Arles reçoit, en 1677, de nouvelles lettres patentes, qui augmentent le nombre de ses membres. Toutefois, ce qui marque le plus la période, dans la perspective de ma recherche, c'est la naissance du *Mercure galant* qui, interrompu en 1674, paraît régulièrement après 1677. Outre des nouvelles de la Cour, l'annonce des naissances, des mariages et des décès, des poésies diverses et des nouvelles romanesques ou des essais, Donneau de Visé (j'emploie ce nom pour désigner le rédacteur du *Mercure,* par commodité, sans m'intéresser à l'identité réelle du rédacteur de tel ou tel compte rendu) publie, non seulement un nombre important de discours solennels, mais encore des descriptions souvent détaillées des conditions matérielles dans lesquelles les cérémonies se déroulaient. Il note aussi les réactions que les discours ont suscitées. Ouvertures de parlement ou de présidial, discours de réception dans les académies, sermons, compliments, panégyriques, tous les discours ont leur place dans le *Mercure*. Cette documentation à la fois la plus riche et la plus générale dont on dispose, est celle qui révèle le mieux l'atmosphère des pratiques oratoires. C'est donc une source essentielle pour l'éloquence d'apparat. Certes, elle permet au lecteur de se faire une image de Louis XIV à travers les textes de son règne. D'excellents travaux, comme ceux de N. Ferrier-Caverivière, ont déjà pleinement exploité les textes disponibles dans cette perspective. On pourrait même dire que le *Mercure* offre cette image à ses lecteurs. Donneau de Visé retient surtout les discours pour diffuser dans son journal l'éloge du Roi. Qu'il s'agisse là d'une forme de propagande semi-officielle, ou simplement d'un remerciement incessant au Roi pour ses bontés, le rédacteur prépare ses extraits en isolant les passages plus ou moins explicitement consacrés à la gloire de Louis XIV. D'ailleurs tout éloge est éloge d'une qualité ou d'une vertu, et, toute vertu se trouvant en Louis le Grand au degré le plus éminent, tout éloge est éloge du Roi. Les rapports qui font ainsi de toute louange celle du Roi sont multiples, et Donneau de Visé donne plusieurs formulations du principe. En décembre 1698, à propos de l'ouverture du Parlement de Grenoble, on peut lire:

> Les juges estant les Depositaires du pouvoir des Souverains, qui leur confient leur autorité pour rendre justice à leurs sujets, faire l'éloge d'un parfait Magistrat, c'est faire en quelque façon celuy du Prince dont il tient son pouvoir.

Cependant, notre promptitude à apprécier le *Mercure* comme source de discours unilatéralement axés sur l'éloge du Roi ne doit pas nous aveugler aux autres aspects informatifs de cette publication. Pour toute la période qui m'intéresse, je trouverai dans le *Mercure* tous les éléments nécessaires à une recherche sur l'éloquence d'apparat, comptes rendus thématiques, descriptions de cérémonies et jugements esthético-stylistiques.

Pour revenir sur le problème des formes, je tenterai de conceptualiser l'éloquence d'apparat en intégrant à la théorie du discours efficace déjà clairement formulée à l'époque des témoignages ponctuels qui aideront à expliquer la réussite de certains textes, non pas à la manière *a priori* des rationalistes, mais du point de vue de leur réception par un public spécifique. Les traités de rhétorique et les manuels scolaires sont fort abondants. On n'en manque pas moins, en se fondant sur ces seules sources, une perspective empirique qui permette de juger de l'adaptation d'un texte oratoire aux circonstances de sa présentation. Finalement, les classifications de la rhétorique traditionnelle ne fournissent pas les catégories pertinentes d'une éloquence d'apparat, activité sociale. La notion de contexte spécifique n'est certes pas inconnue des rhétoriciens. Ils suggèrent que la justesse du style relève du type de discours ou d'ouvrage qu'on entreprend, qu'un prédicateur, par exemple, ne saurait écrire de la même manière qu'un historien. Cependant, pour eux, l'éloquence réside entièrement dans les structures du texte et non pas dans le rapport dynamique entre texte et contexte. Les auteurs ont tendance à raisonner en termes de genre. Rapin propose ainsi une définition des panégyriques et des oraisons funèbres par un primat de l'ostentation, mais qui est toute de mots, et fait surtout consister leur spécificité dans le style:

> Les discours où il faut de l'esprit et du brillant, comme les Panegyriques et les Oraisons funebres, ne reüssissent jamais mieux que par la prononciation. Ce n'est qu'une éloquence de pure ostentation, qui ne va qu'à contenter l'esprit sans se soucier du cœur, & qui cherche plus à plaire qu'à persuader. Il est vray que le Panégyrique, qui n'a pas de grandes passions à exciter comme les autres genres, se doit renfermer dans l'expolition, l'amplification, et les figures. Car tout son but est d'affectionner les esprits à l'estime, à la veneration, & à l'admiration de ceux qu'il loue.

L'auteur, on le voit, propose une spécificité de genre, non un type d'éloquence qui réunirait toute une série de pratiques sociales analogues. C'est le contenu thématique ou l'objet du discours qui définit le genre, et le genre, en retour, impose un style et une fonction (émouvoir ou plaire).

Certains auteurs modernes ont pu au premier abord confondre l'éloquence d'apparat avec le genre épidictique, reconnu par les théoriciens, dans la ligne d'Aristote, comme celui où il s'agit plus de juger l'orateur et la qualité de son discours que d'être persuadé d'adopter une certaine conduite ou de juger un acte commis. Ainsi, Barthes définit l'apparition de l'épidictique, avec le passage des éloges funèbres du vers à la prose, comme «l'avènement d'une prose décorative, d'une prose-spectacle».

C'était méconnaître l'intérêt d'un concept théorique indépendant d'éloquence d'apparat.

Liste de lieux, liste de figures, qualités de l'élocution, comme la justesse: la rhétorique nous offre des instruments qui pourront être utiles dans les analyses de détail mais pas de principe synthétique. Rapin n'est qu'un exemple, mais, d'une manière générale, la rhétorique n'offre pas de modèle pour comprendre les pratiques oratoires d'une époque dans leurs fonctions didactiques et esthétiques communes.

Dans cette étude, j'analyserai les caractéristiques matérielles du contexte qui préside à chaque pratique oratoire afin de préciser les traits communs de l'apparat, ceux qui produisent la solennisation. J'étudierai donc la forme des rituels institutionnels pour comprendre la manière dont ils déterminent les discours qui s'y inscrivent. Qu'est-ce qui rend un lieu ou une date donnés propres à l'éloquence d'apparat? Quelle est la situation de l'orateur et à quel public s'adresse-t-il? Autant de questions auxquelles l'examen des pratiques oratoires institutionnelles s'efforcera de répondre, en dégageant toujours les principes généraux de la solennisation propre à l'éloquence d'apparat. Tout en inférant les circonstances propres au discours d'apparat, la discussion cherchera à faire revivre l'atmosphère des institutions à la fin du XVII^e^ siècle.

Une étude des discours eux-mêmes aidera à saisir comment ils répondent aux exigences de l'occasion qui les fait naître. Peut-on isoler des éléments thématiques et stylistiques propres à chaque institution, et des traits universels? Comment les éléments formels ou thématiques sont-ils déterminés par leur contexte matériel? En répondant à ces questions, on aura identifié les mécanismes fondamentaux de l'éloquence d'apparat, qui ne sont ni ceux de la composition rhétorique, ni ceux de l'organisation institutionnelle proprement dite.

Le plan de cet ouvrage répond à deux exigences méthodologiques. D'une part, il convenait d'étudier l'éloquence dans ses différents contextes institutionnels. D'autre part, une comparaison soutenue des pratiques oratoires à Paris et en province s'imposait, puisque leurs différences spécifiques laissaient voir mieux qu'à tout autre niveau l'unité profonde de l'apparat français à la fin du XVII^e^ siècle. Ainsi, chaque partie de l'ouvrage se centre sur les activités oratoires d'un milieu social particulier, académies, juridictions, municipalités. Dans les deux premières parties, j'ai consacré un premier chapitre à l'exposition des faits parisiens. En général, ils sont les mieux connus et les mieux documentés. Dans un deuxième chapitre, j'ai essayé de décrire et d'évaluer les variantes provinciales d'académies de belles-lettres et d'institutions judiciaires et de formuler une vue synthétique du contexte institutionnel commun. Quant à la troisième partie, qui traite du cadre municipal, une séparation nette entre la Capitale et les provinces ne pouvait pas être soutenue par la documentation. J'ai bien pu établir des contrastes pertinents sur des points significatifs et à travers certains types de discours. Cependant, je me suis retenu de faire des comparaisons sur des aspects de la vie rituelle en province qui n'avaient vraisemblablement pas de répondant exact à Paris, surtout quand des renseignements suffisants manquaient dans un cas ou dans l'autre. Les manifestations civiques de l'éloquence représentent un domaine très peu exploré. J'ai traité les pratiques oratoires des institutions municipales individuellement. Outre les corps de ville, j'ai parfois évoqué les bureaux des finances qu'on s'étonnera peut-être de voir classés ici plutôt que parmi les institutions judiciaires, mais ce choix était dicté par l'accent que la documentation met sur le rôle local de ces institutions. Ensuite, je me suis intéressé aux cérémonies qui rassemblent toutes les institutions locales. De la sorte, ce dernier chapitre amorce une synthèse provisoire.

L'éloquence d'apparat se manifeste avec un curieux mélange de richesse et de monotonie. Chaque institution a son rythme cérémoniel propre, mais, comme tout rythme, celui-ci dépend d'une régularité, voire d'une répétitivité qui mêle l'habitude à la surprise du spectacle. Chaque institution a son propre style, développé pour servir dans ses propres rites. Cependant, oubliant en quelque sorte leurs différences, toutes les institutions participent aux grandes occasions, chacune consciente des convenances que celles-ci imposent. Le lecteur moderne recule souvent devant la répétition des formes et des thèmes et s'etonne de la surabondance d'une production oratoire dont il ne comprend pas la fonction spectaculaire. Le plus souvent, les modernes n'ont retenu que quelques noms, ceux d'auteurs canoniques de la littérature française. Nous quitterons la compagnie rassurante des écrivains dont on a depuis longtemps reconnu la valeur littéraire et culturelle pour nous laisser porter par les textes eux-mêmes, qu'ils soient l'œuvre de représentants célèbres de la Grande Robe ou de petits officiers quasiment inconnus; de littérateurs admirés aujourd'hui encore, ou de gloires effacées que leurs titres n'ont pu arracher à l'oubli. Connaît-on encore M. Truc, procureur du Roi et de la ville de Paris, ou M. Thiot, avocat du Roi au Présidial de La Flèche, ou encore Nicolas Hébert, maire de Soissons et académicien de la même ville, dont les discours sont mentionnés avec une chaude approbation par le *Mercure galant*? Qu'on se rassure: ce catalogue n'a pas pour but de décerner à titre posthume des distinctions aux orateurs que le canon de la littérature française a laissés glisser hors de la mémoire collective, mais l'étude de l'éloquence d'apparat impose une démarche qui répare l'inégalité de la survie littéraire. Pour établir la contribution des orateurs à la tradition de l'éloquence, il ne faut pas dériver vers le culte de la personnalité. Au contraire, il faut apprécier d'un même œil critique l'inscription sociale des discours prononcés par les «grands» auteurs de canons contemporains et par les petits, les obscurs de l'histoire culturelle. De toute façon, dans cette recherche, les institutions tiennent la vedette. Ce sont leurs pratiques oratoires, leurs valeurs, leurs rituels qui comptent.

Finalement, il y a un parti pris de réhabilitation dans cette entreprise. L'étude de l'éloquence d'apparat peut nous apprendre quelque chose, si nous admettons que le discours fait l'homme autant que l'homme le discours, et que le discours n'est ni texte ni figure, mais acte social.

PREMIÈRE PARTIE

# LES ACADÉMIES

CHAPITRE PREMIER

# L'ACADÉMIE FRANÇAISE

Parmi toutes les institutions du XVIIe siècle, l'Académie française est peut-être la plus immédiatement liée à l'éloquence, dans la conscience de l'histoire moderne comme dans celle des contemporains de Louis XIV. Les statuts font d'ailleurs du discours en prose une activité ordinaire de l'académicien:

> 27. Chaque jour d'assemblée ordinaire, un des Académiciens, selon l'ordre du tableau, fera un discours en prose, dont le récit par cœur ou la lecture, à son choix, durera un quart d'heure ou demi-heure au plus, sur tel sujet qu'il voudra prendre et ne se commencera qu'à trois heures[1].

Même si la pratique de tels discours s'est perdue[2], l'Académie garde bien l'image d'institution de l'éloquence. L'art de la parole est son domaine. Après tout, c'est ce qui a donné à Rose l'occasion d'une boutade, lors d'une conversation avec le Roi. Par ce moyen, il obtint pour l'Académie le droit de venir haranguer le Roi lorsque Sa Majesté donnait audience aux compagnies. L'anecdote est assez révélatrice pour être reprise ici. Perrault en fait le récit dans ses *Mémoires*:

> Le Roi jouoit à la paume à Versailles, et après avoir fini sa partie, se faisoit frotter au milieu de ses officiers et de ses courtisans, lorsque M. Rose qui le vit de bonne humeur et disposé à entendre raillerie, lui dit ces paroles: «Sire, on ne peut pas disconvenir que votre Majesté ne soit un très-grand prince, très-bon, très puissant, et très-sage, et que toutes choses ne soient très-bien réglées dans son royaume. Cependant j'y vois régner un désordre horrible dont je ne puis m'empêcher d'avertir Votre Majesté. — Quel est donc, Rose, dit le Roi, cet horrible désordre? — C'est, Sire, reprit M. Rose, que je vois des conseillers, des présidents et autres gens de longue robe, dont la véritable profession n'est pas de haranguer, mais bien de rendre justice au tiers et au quart,

---

[1] Cité dans Pellisson et d'Olivet, *Histoire de l'Académie française*, t. I, p. 491.

[2] La pratique de ces discours se perdit, mais il existe des discours académiques des débuts de l'Académie. Voir le ms. BN anc. fr. 645, sous le titre «Discours académiques de M. le Marechal de Bassompierre en forme d'epistres à M. de Balzac», qui contient en fait des discours de Desmarest de Saint-Sorlin, de Bourzeis, de Chapelain, entre autres. Pour le détail de ces textes, voir M. Fumaroli, *L'Age de l'éloquence*, p. 709.

> venir vous faire des harangues sur vos conquêtes, pendant qu'on laisse en repos là-dessus, ceux qui font une profession particulière d'éloquence. Le bon ordre ne voudroit-il pas que chacun fît son métier, et que Messieurs de l'Académie françoise, chargés par leur institution de cultiver le précieux don de la parole, vinssent nous rendre leurs devoirs en ces jours de cérémonie où Votre Majesté veut bien écouter les applaudissements et les cantiques de joie de ses peuples sur les heureux succès qu'il plaît à Dieu de donner à ses armes? — Je trouve, Rose, dit le Roi, que vous avez raison; il faut faire cesser un si grand désordre, et qu'à l'avenir l'Académie françoise vienne me haranguer comme le Parlement et les autres Compagnies supérieures. Avertissez-en l'Académie, et je donnerai ordre qu'elle soit reçue comme elle mérite.»[3]

Raillerie ou non, l'argument est clair. Les académiciens font profession d'éloquence. Ils sont donc les plus propres à remplir le devoir de la harangue. Et tout le cérémonial académique suppose l'éloquence.

Le dernier quart du siècle est, pour l'Académie, une période significative. Son cérémonial se complète et se fixe. En 1675, la Compagnie est bien installée au Louvre où l'a appelée la protection royale. Depuis janvier 1673, elle a mis au point le déroulement des séances solennelles publiques au cours desquelles elle reçoit les nouveaux académiciens. Entre les harangues officielles et les séances publiques, le cérémonial de l'institution est établi. C'est ce cérémonial que j'étudierai d'abord, avant d'aborder les discours académiques eux-mêmes, en examinant la publication et la diffusion des divers types de discours aussi bien que leurs caractéristiques formelles et thématiques. Cela me permettra non seulement de dégager les traits spécifiques de l'éloquence académique, mais aussi de poser les jalons d'une théorie de l'éloquence d'apparat en général.

Étudier la vie cérémonielle de l'Académie française suppose que l'on retrace d'abord les étapes qui ont conduit à donner leur forme aux cérémonies. C'est ensuite qu'on peut analyser les conditions de l'éloquence d'apparat proprement dite, en s'intéressant à l'organisation des cérémonies: leur lieu (et leurs dates, si elles sont significatives), la nature et les réactions du public et le statut des orateurs.

Comme toutes les institutions du XVII^e^ siècle, l'Académie organise ses cérémonies selon un double calendrier. D'une part, elle a ses propres solennités; d'autre part, elle participe aux fêtes publiques, deuils et réjouissances, et aux événements de la vie politique et royale. Ce dernier aspect est d'autant plus net après 1667 que, nous l'avons vu, l'Académie a été assimilée aux compagnies supérieures du Royaume, c'est-à-dire qu'on lui a reconnu le droit et le devoir de haranguer le Roi au

---

[3] Cité par Pellisson et d'Olivet, *op. cit.*, t. II, p. 462.

retour de ses victoires ou en toutes sortes d'occasions où les compagnies sont reçues en audience solennelle pour marquer leur soumission et leur amour, ainsi que leur vénération, au Roi.

Mais ce n'est pas le seul indice de l'importance que l'Académie prend dans la vie publique. La protection royale, accordée en 1672 après la mort de Séguier, ajoute à l'éclat de la Compagnie, d'autant plus qu'elle s'accompagne d'un déplacement glorieux vers la demeure du souverain, le Louvre – qui reste le palais du Roi, même si le Monarque n'y réside plus en effet. Le premier logement fixe de l'Académie est aussi le plus glorieux auquel elle puisse aspirer! C'est cette grâce que le Roi lui a faite de s'en déclarer protecteur et l'établissement au Louvre qui déterminent un changement majeur du rituel académique: les séances de réception deviennent publiques. Malgré les affirmations de Perrault dans ses *Mémoires,* son rôle dans la transformation des séances de réception n'est qu'anecdotique – encore Perrault peut-il apparaître comme l'interprète des désirs de Colbert et de Louis XIV. De façon significative, c'est, d'après Perrault, l'intérêt pour le discours qui justifie l'ouverture des portes de la Compagnie à un public plus large que les Quarante:

> Le jour de ma réception, je fis une harangue dont la Compagnie témoigna être très-satisfaite, et j'eus lieu de croire que ses louanges étoient sincères. Je leur dis alors que mon discours leur ayant fait plaisir, il auroit fait plaisir à toute la terre si elle avoit pu m'entendre; qu'il me sembloit qu'il ne seroit pas mal à propos que l'Académie ouvrît ses portes aux jours de réception, et qu'elle se fît voir dans ces sortes de cérémonies lorsqu'elle est parée, de même qu'il est bon qu'elle les ferme lorsqu'elle travaille à son Dictionnaire[4].

Ce texte présente un certain nombre d'indications importantes pour comprendre la nature de l'éloquence d'apparat: le plaisir ressenti par l'auditoire, la reconnaissance du caractère de cérémonie dans une Académie «parée», etc. Il est clair qu'une fois au Louvre, l'Académie va pouvoir donner le spectacle de son éloquence.

Les portes de l'Académie s'ouvrent également en des circonstances autres que la réception d'un nouvel académicien. A partir de 1671, les prix de prose et de poésie sont distribués tous les deux ans[5]. On a régu-

---

[4] *Ibid.*, p. 467.

[5] Fondé par Guez de Balzac en 1653, le prix de prose sur un sujet de piété n'a pas été distribué avant 1671. Pour doubler ce prix, les académiciens (en particulier Pellisson) en créent un pour récompenser une poésie à l'éloge du Roi. Ce prix sera distribué, pour la première fois en 1671, comme celui de prose. Ce n'est qu'à partir de 1673 que la distribution des prix est bien documentée. Elle a lieu tous les deux ans, à la Saint-Louis, qui devient pour l'Académie un jour important, une fois que le Roi s'est déclaré son protecteur.

lièrement des renseignements sur la distribution des prix à partir de 1673: l'Académie organise, tous les deux ans, une séance publique pour l'occasion. Elle en organisera également une, extraordinaire, le 27 janvier 1687 pour célébrer la guérison du Roi. Cette dernière séance constitue d'ailleurs une sorte de pont entre cérémonies proprement académiques et participation aux manifestations solennelles qui accompagnent les événements de la vie royale, puisque toutes les institutions organisent des réjouissances[6]. L'Académie fait rentrer ses propres manifestations dans le cérémonial qu'elle a établi pour les séances de réception et qui lui servent dorénavant de modèle pour toutes les séances publiques.

Puisque l'Académie commence à tenir des séances publiques de réception en janvier 1673, avec la réception de Fléchier, de Racine et de l'abbé Gallois (12 janvier), il est logique de prendre cette date pour point de départ de l'étude des discours académiques, tout en se rappelant que le cérémonial qui se déroule au Louvre, avec les séances publiques, est l'aboutissement de l'évolution de la place de l'Académie parmi les institutions et les élites du Royaume.

On trouve à l'Académie française d'autres cérémonies qui lui sont propres, mais qui se déroulent hors de ses murs. Ainsi la compagnie organise un service lorsqu'un confrère meurt[7]; surtout, depuis 1677, l'Académie assiste à une messe dans la chapelle du Louvre, pour la Saint-Louis, messe après laquelle elle entend le panégyrique de saint Louis. Dès 1678, elle choisit elle-même son prédicateur, en compagnie exigeante sur la qualité du discours[8]... Comme les réceptions et la distribution des prix offraient à l'intérieur de l'Académie l'opposition entre une périodicité irrégulière et un retour cyclique, les services et la Saint-Louis présentent la même distinction pour les cérémonies hors des murs de l'Académie.

Si c'est en 1667 que le Roi a accordé à l'Académie le privilège de le haranguer comme les compagnies supérieures, la pratique des compliments et des harangues à des personnages importants remonte bien au-

[6] Pour plus de détails sur cette journée, voir mon édition des *Panégyriques du Roi prononcés dans l'Académie française* (Paris: PUPS, 1991), p. 13-15 et p. 191-233. L'introduction de cette édition donne des indications sur le cérémonial de l'Académie, mais il est essentiel d'examiner ici ce cérémonial dans son ensemble pour saisir l'inscription de l'éloquence d'apparat dans la vie institutionnelle.

[7] Ces services se faisaient en l'église des Carmes des Billettes.

[8] Sur le panégyrique de saint Louis prononcé devant l'Académie française, voir P. Zoberman, «Généalogie d'une image: l'éloge spéculaire», *XVII$^{e}$ SIÈCLE* 146 (janv.-mars 1985).

delà[9]. Le *Recueil des Harangues* de 1698 contient par exemple un «compliment fait par M. Pellisson à Monsieur le Chancelier Séguier le 6. Janvier 1656. lorsque les Sceaux lui furent remis pour la troisième fois.» et une «Harangue de M. Patru faite en 1656. à la Reine Christine de Suède, au nom de l'Académie Françoise.» Mais dans les deux cas, la circonstance entretient un rapport plus ou moins étroit avec la vie de l'Académie et ses intérêts. Dans le premier, il s'agit de haranguer le protecteur de la Compagnie; dans le second, la Reine *vient* rendre visite à l'Académie dans l'Hôtel Séguier. A partir de 1667, députations et harangues ne sont plus seulement liées à la vie de la seule Académie, mais à celle de la Cour et du Royaume aussi bien, même si des liens particuliers restent souvent perceptibles. C'est par le Roi, et non par le protecteur de la Compagnie que le droit de harangue a été conféré. Et c'est d'abord le Roi qu'on va haranguer, même si les deux fonctions sont réunies après 1672. Si l'on remercie Colbert de ce qu'il a fait pour l'Académie[10], on s'inquiète de ne pas laisser tomber en désuétude le privilège de haranguer le Roi, *lorsque les circonstances militaires ou politiques le permettent* (sans relation immédiate, donc, avec la vie propre de l'Académie). Le compte rendu des registres en date du 23 octobre 1673 est révélateur:

> Mr Perraud a dit à la Compagnie qu'il luy sembloit que toutes les autres allant faire leur compliment au Roy sur ses grandes victoires et sur son heureux retour, elle ne devoit pas perdre cette occasion de se confirmer la possession de cet avantage; qu'il osoit l'asseurer qu'elle seroit bien receue du Roy, et qu'il se chargeoit de luy faire sçavoir le jour qu'il plairoit à Sa Majesté luy donner audience. La Compagnie ayant mis la chose en deliberation, a trouvé qu'il estoit de son devoir et de son hon-

---

[9] Le mot *harangue* a plusieurs sens. C'est d'abord tout discours prononcé en public. C'est le sens qu'on retrouve dans le titre du recueil des discours académiques publié en 1698: *Recueil des harangues prononcées par Messieurs de l'Académie françoise dans leurs réceptions et en d'autres occasions*... (Paris: Jean-Baptiste Coignard). Furetière donne plusieurs exemples de cet emploi, extrêmement général: «Les Professeurs dans les Universitez font des *harangues* lorsqu'ils sont receus en leurs chaises. Les Presidents & advocats Generaux en font dans leurs assemblées aux Mercuriales, les Capitaines à leurs soldats avant la bataille.»

Furetière donne un autre sens qui permet de situer les harangues par rapport aux compliments:

> se dit aussi des compliments un peu estendus que les peuples, ou les Magistrats font aux Princes qui passent par leurs villes, ou en d'autres occasions, pour leur tesmoigner le respect, leur obeissance, ou la joye qu'ils ont de leurs victoires ou prosperitez. L'Academie Françoise va faire au Roy sa *harangue* à la suite des Compagnies Souveraines.

Dans la pratique, compliments et harangues sont mal distingués et les deux termes sont employés dans le *Recueil* et les Registres de façon équivalente.

[10] Voir par exemple *Registres de l'Académie,* 16 janvier, t. I, p. 53-54.

> neur de ne pas perdre cette occasion, et tout sur l'heure elle a chargé M. l'abbé Talman le jeune de travailler à faire ce compliment, ce qu'il a accepté avec beaucoup de joye[11].

De fait, les harangues se multiplieront: l'Académie fait usage de son droit à la parole. De ce point de vue également, l'Académie d'après 1673 est un champ riche pour étudier l'éloquence d'apparat[12].

Le rapprochement entre l'Académie et les Cours (Parlement, Aides) suggéré par les harangues au Roi souligne que l'on ne saurait considérer la vie des institutions isolée de tout contexte. La vie de différentes institutions s'interpénètre parfois. Si l'on peut rattacher au deuil général l'invitation faite à l'Académie par les députés de la Sorbonne à assister à l'oraison funèbre de la Reine que Hersant doit prononcer au collège du Plessis[13], c'est plutôt le rapport privilégié que l'Académie entretient avec le Roi ainsi que son image d'institution de l'éloquence qui expliquent la démarche du R.P. de La Baune, S.J.: il vient inviter les académiciens à entendre le panégyrique du Roi qu'il doit prononcer le 30 novembre 1683 au collège des Jésuites[14]. Si l'Académie produit de l'éloquence d'apparat directement, elle est également un élément, et un élément privilégié, du public qui crée pour d'autres institutions le contexte nécessaire à l'éloquence d'apparat. D'une manière plus générale, les deux exemples précédents montrent qu'un discours – oraison funèbre ou panégyrique – est un spectacle auquel les institutions s'entre-convient.

Entre les cérémonies propres à l'Académie et les exigences des événements historiques, les formes du cérémonial sont très vite en place après l'installation au Louvre, même si, à l'occasion, les académiciens éprouvent le besoin de revenir sur ces formes, ou se plaignent des manquements qui y ont été faits. Les discussions périodiques sur les préséances à l'intérieur de l'Académie ou sur le respect qu'on doit à la Compagnie dans les audiences ne font que souligner l'importance du decorum et des formes. Ce sont ces formes, ainsi que les conditions matérielles dans lesquelles elles se réalisent, qui constituent le contexte dans lequel apparaît l'éloquence d'apparat.

---

[11] *Registres*, t. I, p. 74.

[12] On compte dans le *Recueil des Harangues* de 1698, 108 discours conservés, après que le Roi se fut déclaré protecteur de la Compagnie.

[13] Voir *Registres*, lundi 27 octobre 1683, t. I, p. 216.

[14] Voir *Registres*, samedi 27 novembre 1683, p. 218.

# I. – LE CADRE SOLENNEL DE L'ÉLOQUENCE D'APPARAT À L'ACADÉMIE

Il faut distinguer deux cas: les cérémonies qui se déroulent dans l'Académie même, et celles où la Compagnie se déplace hors de son lieu d'assemblée. Dans la mesure où l'Académie avait été admise au nombre des compagnies supérieures avant qu'elle eût songé à tenir des séances publiques, je m'intéresserai d'abord à cet aspect de sa vie cérémonielle.

## 1. L'Académie hors de ses murs

Lorsque la Compagnie va haranguer un Grand, et plus particulièrement le Roi, la solennité est marquée – ou devrait être marquée – par le déplacement même. L'Académie se voit en effet assigner un jour particulier. Elle suit des formes conçues pour souligner son identité symbolique, soit qu'elle envoie quelques députés, soit qu'elle se déplace «en corps». La solennité de l'événement est renforcée par la qualité ou les fonctions du destinataire, qu'il s'agisse du Roi, de l'archevêque de Paris, ou de la reine d'Espagne[15], ainsi que par le lieu où le compliment est reçu par son destinataire, Versailles apparaissant comme le lieu des lieux, comme le Roi est le plus grand des destinataires possibles.

L'audience du 12 juin 1677 permet de mettre en lumière un certain nombre d'éléments circonstanciels importants, et elle est d'autant plus intéressante qu'elle a donné lieu à une mise en «forme» de ce type de cérémonies. Voici, d'après les registres de l'Académie, la manière dont elle se déroula:

> L'Académie Françoise en corps s'est rendue au chasteau de Versailles à neuf heures du matin, et a esté receüe dans la salle des Ambassadeurs où elle s'est reposée quelque temps. Monsieur de Rhodes et Monsieur de Saintot, grand Maistre et Maistre des cérémonies ont averty sur les dix heures la Compagnie que le Roy l'attendoit, et ils l'ont conduite dans la chambre de sa Majesté. Le Roy estoit assis dans un fauteuil. Monseigneur le Daufin, accompagné de Monsieur le duc de Montausier son Gouverneur, Messieurs les Princes de Conty et Monsieur le Chancelier estoient proches de sa Majesté, et toute la chambre estoit remplie d'un grand nombre de personnes de la Cour et du Conseil[16].

[15] Entre autres exemples, citons «Harangue au Roy à son retour de la prise de Mastric prononcée le 30. octobre 1673. par Monsieur l'Abbé Tallemant le jeune» (p. 236); «Compliment fait en 1672. par Monsieur Charpentier au nom de l'Académie à Monsieur l'Archevesque de Paris après que le Roy s'en fut déclaré Protecteur» (p. 202); «Harangue à la Reine d'Espagne prononcée en 1679. [11 septembre] par Monsieur Boyer, alors Chancelier de l'Académie» (p. 350).

[16] *Registres*, p. 167-8.

On voit déjà à ce stade du récit que les académiciens ont été introduits avec les formes et qu'ils ont été traités avec égard. Outre le rôle du grand maître et du maître des cérémonies, le texte mentionne l'affluence et la qualité du public: au destinataire primordial, le Roi, s'ajoutent le Dauphin et son gouverneur, les Princes, le Chancelier, et les «anonymes»... Cet auditoire est là, certes, par devoir envers le Roi, et pour tenir son rang ou occuper ses fonctions à la Cour; mais il est là aussi pour entendre le compliment et lui donner le surcroît d'éclat qu'il tient des circonstances. Comme il avait été introduit, Quinault, directeur de la Compagnie, est reconduit jusqu'à la salle des Ambassadeurs par le grand maître et le maître des cérémonies – pour souligner encore les marques de déférence qu'on avait eues pour la compagnie, les registres notent qu'à l'entrée du Directeur, «Messieurs de Rhodes et de Saintot ont fait ouvrir un passage au milieu de la foule».

En plus du récit du déroulement de l'audience, cette circonstance présente un autre intérêt: elle va donner l'occasion de fixer le cérémonial des harangues au Roi. Rose, qui semble avoir joué un rôle déterminant dans le développement de la vie publique de l'Académie française, expose à ses confrères la nécessité de donner une forme convenable au déplacement. Les registres en gardent la trace en date du lundi 14 juin, première séance après l'audience du 12:

> Ce récit fait par Monsieur le Directeur dans l'assemblée du Louvre le lundy ensuivant, Mons<ieu>r Rose a representé à la Compagnie qu'on avoit remarqué que dans cette cérémonie il avoit manqué quelque chose pour l'honneur et la dignité de la Compagnie, et par la faute des Académiciens mesmes, lesquels ne s'estoient pas tous rendus auprès du Directeur pour aller à l'audience. Que ceux qui s'y estoient rendus avoient marché confusément devant et derriere luy, qu'au retour ils l'avoient presque tous abandonné, demeurant dans la chambre du Roy dans les salles, ce qui pourroit enfin attirer le mespris sur l'Académie, et faire que Messieurs le grand Maistre et Maistre des céremonies voyant un si petit nombre de deputés dédaigneroient de les conduire et ne les traiteroient plus comme un grand et célebre corps, mais comme des particuliers. Et partant Mons<ieu>r Rose a requis et supplié la Compagnie de remedier efficacement à ce désordre[17].

Même le désordre ici décrit suppose l'ordre idéal, un ordre qui sera par la suite respecté. Mais l'élément le plus frappant, dans la vision catastrophique, c'est certainement l'opposition entre «un grand et célebre corps» et «des particuliers». Ce qu'il faut maintenir et préserver, c'est l'identité symbolique de l'Académie comme corps. L'Académie se range à ces arguments et organise son rituel:

---

[17] *Ibid.*, p. 168.

> Sur cela l'Académie ayant mis en déliberation de quelle maniere et dans quel ordre on iroit désormais à l'audience de sa Majesté les jours qu'elle fait l'honneur à la Compagnie de l'escouter, il a esté resolu qu'en arrivant au lieu où est sa Majesté on se rendra tous ensemble à l'endroit destiné pour l'assemblée, d'où l'on partira et l'on suivra Mr le Directeur, marchant tous suivant l'ordre du tableau et le Discours fait, qu'on retournera au mesme lieu dans le mesme ordre[18].

Ce type d'audience se *ritualise* donc progressivement. La solennité se confond ici avec le respect des formes et avec les honneurs accordés à la Compagnie. Soucieuse de maintenir sa position, l'Académie défendra fermement ses prérogatives lorsque des manquements pourront lui donner l'impression que ses droits honorifiques sont atteints[19]. D'une manière plus générale, qu'il s'agisse de Colbert ou de l'archevêque de Paris, la qualité du destinataire d'un compliment ou d'une harangue renforçait la solennité d'une occasion où l'Académie se déplaçait pour féliciter, remercier, partager joie et douleur... Porter la parole dans de telles circonstances pouvait bien être un devoir onéreux, c'était aussi un honneur enviable, et qui permettait à l'orateur de se montrer, tout en représentant la Compagnie. Certains, comme Charpentier, ont donné l'impression de chercher à monopoliser la parole. De fait, sur dix compliments et harangues conservés dans le *Recueil* de 1698 pour la période qui va de la mise de l'Académie sous la protection royale à la fin de 1674, trois sont de cet académicien, et, de 1675 à la fin du *Recueil,* cinq sur quatorze – et Charpentier a prononcé bien d'autres discours à l'Académie[20]. Mais, comme pour le déroulement de l'audience, les

[18] P. 168-169.

[19] L'archevêque de Paris se sent ainsi obligé de se plaindre d'un manquement, le 12 mai 1690, après que la Compagnie eut fait au Roi un compliment sur la mort de la Dauphine, par la bouche de l'abbé de Lavau, chancelier. Tout en insistant sur l'obligation que la Compagnie doit avoir à l'archevêque de Paris (alors directeur de l'Académie), le compte rendu précise que l'Archevêque marque particulièrement l'estime qu'il a pour ses confrères en soutenant l'honneur de la Compagnie:

> Il n'avoit rien oublié de tout ce qui pouvoit marquer davantage son estime et son attachement pour la Compagnie; et pour luy en donner encore une nouvelle marque, il voulut bien nonobstant la délicatesse de sa santé se trouver au repas que Mr le marquis de Livry premier Maistre d'hostel du Roy donna ensuite à la Compagnie. Il ne se contenta pas mesme de ces démonstrations publiques, car il prit son temps pour se plaindre au Roy de ce que Mr le Marquis de Seigneley n'avoit pas receu l'Académie à la porte de la salle des gardes (1) [1. En marge: «On a voulu dire à la porte de la Chambre du Roy.»] et ne l'avoit pas présenté (*sic*) à sa M<ajes>té suivant ce qui s'estoit toujours pratiqué en pareilles rencontres depuis qu'il avoit pleu au Roy d'admettre la Compagnie à son audience avec les mesmes prérogatives que les compagnies supérieures. (p. 302-303).

[20] Pour un récit pittoresque des efforts de Charpentier pour conserver la parole, voir Masson, *L'Académie française* (Paris: Paul Ollendorf, 2e éd. 1912), p. 16-20.

règles du choix de l'orateur furent bientôt fixées. Dès septembre 1674, une délibération les précise: c'est au directeur de porter la parole, puis, à défaut du directeur, au chancelier, puis au doyen, au secrétaire, et finalement aux académiciens par ordre d'ancienneté[21]. Les querelles de préséance qu'il peut y avoir n'obscurcissent pas le fait que la prise de parole est une *activité institutionnelle réglée,* et l'éloquence un devoir, même si certains ajoutent l'empressement personnel au devoir. La fonction occupée est déterminante.

Déplacement de l'institution, déroulement fixe des cérémonies, choix réglé des orateurs, qualité des destinataires et lieux où l'Académie se rend: tous ces éléments forment le contexte solennel de l'éloquence d'apparat[22]. Le déplacement de l'institution favorise la production d'éloquence d'apparat lorsqu'il s'agit pour l'Académie, non de haranguer, mais d'entendre un discours, dont elle sera l'auditoire privilégié, qu'on l'invite à assister à un discours qui doit être prononcé dans une église (oraison funèbre) ou dans un collège (panégyrique du Roi, par exemple), ou qu'elle organise une cérémonie où elle choisit celui qui remplira la fonction oratoire devant elle. C'est ce qui se produit à la Saint-Louis, et l'on peut, dans ce cas, parler encore d'éloquence académique, même lorsque l'orateur n'appartient pas à la Compagnie, puisque c'est la présence de l'Académie qui détermine le discours et lui donne ses caractères propres[23].

Mais l'Académie française a une riche pratique oratoire dans le cadre des cérémonies qui se déroulent au Louvre même, où elle tient ses séances. C'est là qu'elle produit surtout son éloquence d'apparat, au cours de séances solennelles.

## 2. Les séances publiques de l'Académie française

C'est la séance de réception qui sert de modèle de base pour toutes les séances solennelles que la Compagnie organise. L'Académie ouvre ses portes en ces jours où, abandonnant la définition des mots et les débats linguistiques en cercle fermé, elle s'adonne au discours et à la lecture de pièces de prose et de poésie[24]. Le fait de tenir une séance publique transforme radicalement les conditions matérielles. Les dis-

---

[21] Sur ce point, on peut consulter Masson, *op. cit.*, ch. II («Les Officiers») et, naturellement, les *Registres*.

[22] Le contexte est similaire pour toutes les institutions, quelles que puissent être les différences de détail (costume, désignation des orateurs).

[23] Sur tout ceci, voir mon article «Généalogie d'une image», *loc. cit.*

[24] Cela ne veut pas dire, naturellement, que les discours ne portent pas la trace des intérêts lexicographiques et, plus généralement, linguistiques des académiciens. J'y reviendrai.

cours doivent toucher, dès leur prononciation, non plus seulement les confrères présents, mais aussi le public mondain et cultivé qui a pris place dans la salle des séances. Si l'on en croit l'extrait de ses *Mémoires* déjà cité, Perrault aurait suggéré que l'Académie «se fît voir dans ces sortes de cérémonies lorsqu'elle est parée» et il opposait nettement cette ouverture de l'Académie au secret qu'elle devait tenir sur des séances de travail sur le Dictionnaire. Cette affirmation d'un caractère paré souligne précisément le contexte propre à l'éloquence d'apparat, contexte solennel qui lui donne son sens et sa valeur.

Dès les premières séances publiques, les académiciens insistent inlassablement et de façon très explicite devant leur auditoire extérieur sur la solennité et le caractère cérémoniel qu'elles revêtent. C'est par le biais d'un pléonasme que Benserade, répondant au président de Mesmes (qui, fait significatif, vient prendre place en robe)[25] évoque ce «jour de ceremonie & de feste» au cours duquel l'Académie montre «son lustre», «étale sa magnificence» et «se pare»[26]. Le mot de solennité, qui me paraît le mieux convenir à l'éloquence d'apparat, est employé par l'abbé de Lavau qui présente son discours, prononcé lors de la réception de Fontenelle le 5 mai 1691, comme un désir de «contribuer à la solennité de cette journée»[27]. Dacier, reçu en 1695 à la place de l'archevêque de Paris Harlay de Champvallon, évoque encore «ces jours solennels, qui ont toujours esté pour [les académiciens] des jours de Triomphe» (p. 732). On pourrait multiplier les exemples. L'exorde du discours de réception de La Chapelle développe de façon particulièrement intéressante les éléments de la solennité:

> Je m'y regarde [au plus haut degré d'honneur] exposé aux yeux de toute la France comme sur un Théatre magnifique, ou tout ce qui frappe mes yeux estone mon esprit et glace ma voix. Ce silence profond que gardent autour de moy tant d'hommes illustres, accoustumez à se faire admirer lorsqu'ils parlent, ce concours extraordinaire de toutes sortes de personnes à qui vous ouvrez aujourd'huy les portes de cet auguste Tribunal des Muses, tous ces regards attachez & confondus sur moy, qui presentent aux miens autant de Juges que j'ay d'auditeurs, Juges inflexibles & prests sur ce qu'ils vont entendre, à approuver ou à condamner vostre choix, enfin la dignité de ces lieux, & plus encore la majesté de celuy qui, quoy qu'absent, les remplit tousjours, dont l'image sacrée preside à toutes vos Assemblées, les échauffe, les anime

---

[25] «Monsieur le President de Mesmes estant en Robe, est venu prendre sa place à l'Académie Françoise.» (*Registres*, I, p. 155).

[26] *Recueil,* p. 292. De Mesmes fut reçu le 23 décembre 1676.

[27] *Ibid.*, p. 589 (sauf indication contraire, les discours de l'Académie française sont cités d'après le *Recueil des harangues* de 1698; et la référence figurera dorénavant dans le texte après chaque citation).

> de cet esprit de grandeur & de droiture qui éclate dans toutes ses actions. Quel spectacle pour un homme qui connoist sa foiblesse, & à qui vostre gloire est encore plus chere que la sienne! (p. 526-527)

C'est bien un spectacle réglé qui se déroule ici. Le discours s'ouvre sur un tableau de la cérémonie à laquelle la réception de l'orateur donne lieu. Cet extrait de l'exorde peut servir d'exergue à l'étude des conditions matérielles et symboliques de l'éloquence d'apparat, dans la mesure où les éléments qu'il présente permettent justement de comprendre le contexte des discours prononcés dans les séances publiques de l'Académie. En caractérisant le lieu de l'assemblée (et de la Compagnie elle-même) comme un «théâtre magnifique», il souligne à la fois l'aspect spectaculaire et la richesse et la beauté du lieu. Par la périphrase «auguste Tribunal des Muses», il fait allusion à la fonction de l'Académie, tout en introduisant, par l'adjectif «auguste», une référence implicite au Roi, dont c'est l'une des épithètes les plus courantes dans tous les textes historico-encômiastiques (le terme «tribunal» lui-même résonne d'ailleurs avec l'appellation de salle du Conseil donnée à l'appartement qu'occupe l'Académie avant qu'elle ne s'y installe). Le «concours de personnes» inscrit le caractère public de la cérémonie et sa réussite, ainsi que la double nature de l'auditoire, puisque La Chapelle mentionne également les académiciens. Enfin l'évocation de la séance présidée par «l'image sacrée» du Roi fournit une indication essentielle sur les composantes de la solennisation du lieu. Solennisation du lieu, public, et situation de l'orateur, telles seront donc les circonstances majeures de l'éloquence d'apparat, dans l'Académie comme d'ailleurs dans d'autres institutions.

### A. *Le décor des séances solennelles*

Le lieu de réunion de l'Académie se prête particulièrement bien à la solennisation d'où procède l'éloquence d'apparat. Le Louvre confère à l'assemblée un potentiel solennel *a priori,* ce dont les orateurs, qui insistent si souvent sur la gloire de l'établissement de la Compagnie dans la demeure royale, sont conscients: leur lieu de résidence est un thème fréquent des discours. La présence du public actualise tous les éléments qui sont de nature à solenniser le lieu de l'assemblée, que les académiciens décorent d'ailleurs tout particulièrement pour les occasions où l'Académie ouvre ses portes.

L'Avertissement à l'édition des *Registres* de l'Académie française affirme que c'est dès le début que l'Académie a disposé d'une salle réservée aux séances publiques[28]. L'idée d'un local séparé, uniquement

[28] «La salle la plus vaste servait pour les séances publiques. La plus petite, qui était à la suite de la première, était employée au travail du dictionnaire» (p. 8).

consacré aux séances publiques, les séances de travail se tenant dans une autre salle moins spacieuse, est fort séduisante pour le concept d'éloquence d'apparat – quoi de plus solennel que le passage dans une salle réservée aux cérémonies? Malheureusement, il semble au contraire que l'Académie ait longtemps utilisé la même salle pour ses séances particulières et les réceptions et autres cérémonies. Rien dans les ordres du Roi au capitaine du château du Louvre, par lettre en date du 24 mai 1672, ne suggère de distinction entre salle ordinaire et salle d'apparat:

> Mr Seguin ayant resolu de donner une chambre dans mon chateau du Louvre pour y tenir les assemblées de l'academie françoise dont j'ai bien voulu prendre la protection, Et ayant a cet effet destinée l'antichambre qui est entre le vieus apartement et l'apartement de la feue Reine M<adame>. Ma mere je vous ecris cete lettre pour vous faire sauoir que mon intention est que vous doniez liberté à ceux qui composent lad<ite> acad<émie> d'y tenir lad<ite> assemblée toutes fois et quantes que bon leur semblera.
> Et la piece n'aura autre fin[29].

Le compte rendu du 13 juin 1672 montre qu'en s'installant au Louvre, l'Académie n'envisage pas de disposer de plus d'une salle d'assemblée. Après avoir rendu les derniers devoirs à Séguier, les académiciens prennent congé de la chancelière et quittent l'hôtel Séguier pour le Louvre:

> . . . toute la Compagnie, suivant les resolutions qui en avoient esté prises dans les assemblées precedentes, s'est transferée au Louvre, où elle a esté conduite par M. Perrault, Chancelier, et introduite par le meme dans la sale qu'on appelle la sale du Conseil, et qu'il a plu à Sa Majesté luy accorder pour tenir desormais ses assemblées[30].

La description de Boissier, Franklin et Perrot est donc correcte: «Elle ... occupait deux grandes pieces du rez-de- chaussée. ... La première servait d'antichambre, l'Académie siégeait dans l'autre.»[31] Ce n'est qu'en 1713, pour la réception de M. de La Monnoye, que l'Académie disposa pour la première fois d'une salle spécifiquement réservée aux séances solennelles. Ce fut une conséquence d'un changement dans l'ameublement de la salle des séances. En effet, dans la délibération du 14 juin 1677, après avoir déterminé l'ordre qui devait présider à la désignation des orateurs, les académiciens avaient décrété que seul le directeur

---

[29] Bibliothèque de l'Institut de France, donation L.-H. Moulin, 2378 n° 2. La lettre, écrite à Saint-Germain, porte la signature de Colbert, dont on n'est guère surpris de voir apparaître le nom à propos de l'installation de l'Académie au Louvre.

[30] *Registres*, I, p. 57.

[31] G. Boissier, A. Franklin et G. Perrot, *L'Institut de France* (éd. de 1909) t. I, p. 57. Il s'agit des salles dites de Puget et des Coustou.

aurait un fauteuil, les autres membres de la compagnie ayant, sans distinction de rang, une chaise sans bras[32]. Mais si cette décision affirmait l'égalité de principe des académiciens, elle n'était pas tout-à-fait satisfaisante, étant donné le code des préséances de l'époque. En 1713, sur la demande de personnages de haut rang (surtout dans la hiérarchie ecclésiastique), le Roi accorda des fauteuils à tous les académiciens, ce qui contentait les demandes ainsi exprimées, sans choquer le principe de l'égalité des membres de l'Académie. L'attribution d'une nouvelle salle correspond alors à la solution d'un problème de place. Bien qu'il sorte du champ chronologique que je me suis fixé, le compte rendu qui mentionne la transformation utilise un certain nombre de termes révélateurs pour mon propos:

> Comme les sièges à bras que le Roy a bien voulu accorder à l'Académie occupent plus d'espace que les sieges ord<inai>res et rendent la sale ord<inai>re de ses assemblées trop petite pour les jours où elle ouvre ses portes, Mr de Callieres et Mr Dacier Secr<étair>e, au sortir de l'Académie, ont esté rendre visite à Mr de Fontanieu Intendant des meubles de la Couronne, pour le prier de vouloir pour ces jours extraordinaires, faire orner la sale d'entrée, qui est beaucoup plus grande, ce que Mr de Fontanieu leur a accordé avec beaucoup de politesse, de sorte qu'à l'avenir cette salle sera toujours préparée avec la mesme magnificence pour les jours de ses assemblées publiques[33].

De ce texte, je retiens les termes: «orner», «préparée» et «magnificence». Telles sont les caractéristiques de la salle qui sera réservée aux séances publiques. Or, la salle des séances a toujours eu, au moins en puissance, les éléments propres à engendrer l'apparat. Pour jouer sur les mots, il suffisait à l'Académie de quelques modifications pour offrir à son public l'*appareil* convenable à ses discours. Si l'on reprend les *Mémoires* de Perrault, on y retrouve le terme de «magnificence», qui s'applique cette fois, à la décoration des débuts:

> Le Roi ... voulut qu'elle tînt à l'avenir ses assemblées dans le Louvre, au même endroit où se tenoit le Conseil lorsque Sa Majesté y logeoit. M.Dumetz, garde des meubles de la couronne, eut ordre de meubler cet appartement; ce qu'il fit avec une propreté et même une magnificence qui marquoient l'amour qu'il a pour les belles-lettres et ceux qui en font profession[34].

On connaît une gravure représentant une séance de réception, et qui a

---

[32] *Registres*, p. 169.

[33] *Ibid.*, p. 568.

[34] Cité par Pellisson et d'Olivet, II, p. 464. D'Olivet parle, quant à lui, d'un «appartement magnifique» (p. 18-19).

été souvent reproduite[35]. Mais la disposition n'est pas celle de la fin du XVII^e siècle, en particulier parce que les sièges sont des fauteuils et non de simples chaises. Quant à la gravure représentant une séance de travail de l'Académie, également reproduite en plusieurs endroits, elle est plus symbolique que réaliste, comme l'a montré M. Fumaroli[36]. Cependant, entre les *Registres,* le *Mercure,* et les discours eux-mêmes, on ne manque pas de renseignements sur les séances publiques, sans oublier quelques relations. Plusieurs traits prennent une signification particulière les jours de séance publique.

C'est d'abord l'importance sociale et politique des confrères présents, importance marquée quelque temps par leur siège, jusqu'à ce que les sièges deviennent uniformes. La première séance publique, pour la réception de Fléchier, Racine et Gallois se tient sous la présidence de l'Archevêque de Paris, alors directeur, et en présence de Colbert:

> M. l'Archevesque, Directeur, estoit assis au haut bout de la table dans un fauteuil, Mr Colbert du costé de la cheminée dans un pareil siege, et le reste de la Compagnie sur des chaises sans bras. Les portes ont été ouvertes à plusieurs personnes de qualité et de belles-lettres[37].

Je ne m'arrêterai pas ici sur la double nature du public (deux caractéristiques: la qualité – la naissance – et les belles-lettres – le mérite «littéraire»). Ce qui frappe, c'est d'abord la conjonction fastueuse et rare d'un directeur prestigieux et d'un bienfaiteur de la Compagnie, qui est en même temps le ministre et l'homme de confiance du Roi, conjonction dont l'effet est renforcé par la marque d'honneur et de grandeur, le fauteuil. Cette impression est encore accentuée par la transformation symbolique du bureau de l'Académie, longue table autour de laquelle elle siège, en objet de décoration et de luxe. Une note du P. Léonard à propos de la réception du président Cousin en 1697 précise que la table est recouverte d'un «beau tapis», détail qui revient fréquemment dans les comptes rendus de séances publiques des académies de province, et qui est très significatif, en ce qu'il constitue un élément de la solennisation par la décoration:

> Le jour qu'un académicien est reçu, la porte du lieu de l'Académie, qui est au Louvre, est ouverte à tous les honnestes gens. Au milieu, il y a un grand bureau, sur lequel, ce jour-là, on met un beau tapis[38].

---

35 Dans Babeau, *Le Louvre et son histoire*, p. 193, dans Franklin, *op. cit.*, dans Masson, *op. cit.*

36 M. Fumaroli, «La Coupole», in *Les Lieux de mémoire*, sous la direction de P. Nora (Paris, Gallimard, t. II, 1986), vol.3, p. 328.

37 *Registres*, p. 52-53.

38 *Ibid.*, p. 344.

La précision «ce jour-là» introduit une distinction entre les séances ordinaires et les séances publiques.

Affluence des confrères, et de haut rang, table couverte d'un «beau tapis», voire, dans le cas de de Mesmes qui vient prendre sa place en robe, costume: à ces éléments circonstanciels, il faut encore ajouter une série de présences symboliques, par l'intermédiaire de portraits. Le discours de réception de La Chapelle, qui a lancé ces réflexions, montre qu'on ne doit pas négliger cet aspect du cadre physique et symbolique. Le portrait de Richelieu est un don du duc de Richelieu, et celui de Séguier est offert par Madame Séguier[39]. Le don fait par la Chancelière souligne le lien qui unit l'Académie et l'image de son protecteur. C'est après son transfert au Louvre que l'Académie est mise au fait des intentions de Madame Séguier (il est remarquable que l'Académie reçoive les portraits de ses anciens protecteurs précisément au moment où elle s'installe au Louvre):

> Ensuite M. de Villayer à fait rapport que Madame la Chanceliere luy avoit dit quelle desiroit donner à la Compagnie le portrait de feu Monseigneur le Chancelier, ne sçachant point de lieu au monde où il pust estre plus advantageusement placé, que là où cete Compagnie s'assembleroit et où elle l'auroit toujours present à ses exercices qu'il avoit tant aymez[40].

Cette présence symbolique ne sera pas isolée, puisque, tout en remerciant la généreuse donatrice, on prévoit de lui demander un portrait de taille à peu près égale à celle du portrait de Richelieu que le duc de Richelieu veut donner à l'Académie – symétrie oblige!

Le portrait n'est pas une chose sans conséquence: il crée une présence symbolique, qu'entourent respect et admiration. Exposé aux yeux de tous, lorsque l'Académie ouvre ses portes, il contribue à l'appareil, à la pompe. Les académiciens ont donc besoin de l'approbation du Roi pour accrocher les portraits qu'on leur offre dans la salle des séances: «on a arresté qu'on ne mettroit à l'un et à l'autre que des inscriptions fort simples, et qu'on ne les placeroit point dans la Sale du Conseil que sous le bon plaisir du Roy et par ses ordres exprès.»[41] Faire l'éloge des protecteurs de l'Académie, c'est donc aussi reproduire dans le discours une présence que le portrait installe dans la salle des séances.Les portraits sont, de toute façon, un sujet qui importe à l'Académie, peut-être

---

[39] Sur le don du portrait de Richelieu, voir *Registres*, 20 juin 1672 (on décide d'aller remercier le duc de Richelieu) et 27 juin, date à laquelle figure le compliment (imprimé par la suite dans le *Recueil* de 1698).

[40] *Registres*, p. 38.

[41] *Ibid.*

parce qu'elle y voit un symbole de sa continuité, elle qui aspire à l'immortalité – et à qui sa devise la promet. En 1685, on décidera de réunir les portraits des académiciens[42].

Mais le portrait le plus important, celui qui contribue le plus à produire l'effet de solennité que j'analyse ici, ce n'est pas celui des immortels ou de leurs protecteurs défunts. Le portrait du Roi confère par représentation la grandeur et la majesté du souverain aux cérémonies qui se déroulent devant lui. Comme le rappelle La Chapelle, le public est toujours en présence du Roi, «dont l'image sacrée preside à toutes [les] Assemblées» de l'Académie. Louis XIV n'assiste jamais aux séances de l'Académie[43], mais il est cependant présent aux séances, lui qui «quoy qu'absent, les remplit toujours.» Le portrait du Roi vient donner aux séances publiques toute la solennité qui s'attache à sa personne aussi bien qu'à son rang. Si l'allusion à ce portrait n'est pas un phénomène fréquent (elle n'était pas nécessaire, puisque les académiciens comme les spectateurs l'avaient sous les yeux et que le discours faisait du Roi l'éloge verbal que le portrait était visuellement), on trouve cependant un cas où le portrait du Roi est l'occasion d'un geste, qu'une note marginale a fixé. Dans son discours de réception, en mars 1688, l'abbé Testu de Mauroy fait allusion au portrait du Roi que les assistants ont devant les yeux, d'une manière qui permet de penser que l'éloge était implicitement lié aux portraits qui décoraient la salle. L'orateur évoque Richelieu et Séguier

> qui ne sçauroient estre mieux loüez aprés leur mort, que par l'honneur que leur a fait le Grand Roy que voila*, de se declarer leur sucesseur dans la protection de l'Academie (*note marg.: il montre le portrait du Roy). (p. 516)[44].

---

[42] Du 1er Octobre [1685]. Ce jour avant que de proceder à faire de nouveaux officiers au sort Mr l'abbé de Dangeau qui estoit encore en charge de Directeur a proposé que chacun de Messieurs donnast à la Compagnie le portrait de son précédesseur, et il a esté résolu à la pluralité des voix, que du moins on essayeroit de rassembler les estampes de ceux qui avoient esté tirez autrefois, et qu'à chacune l'Eloge de celuy qu'elle represente seroit adjousté par celuy qui luy avoit succedé. En mesme temps Mr l'abbé de la Chambre s'est offert de fournir douze portraits d'académiciens, et Mr l'abbé de Dangeau et Mr Perrault se sont chargez de faire les diligences nécessaires pour executer la déliberation de la Compagnie. (*Registres,* I, p. 265).

[43] Sa présence en 1682 à l'Académie des Sciences qui se réunit encore dans la bibliothèque royale qu'il est venu visiter est un événement singulier. M. Fumaroli, dans l'article déjà cité sur la Coupole, remarque, à propos de la gravure représentant une séance à l'Académie française, que le graveur a introduit des éléments fictifs qui rappellent le Parlement. On peut remarquer que Louis XIV a été aussi absent physiquement du Parlement, à la fin du siècle, qu'il l'a été des académies. Son image et ses symboles le représentent, mais il s'est retiré.

[44] Faut-il supposer un changement de décoration, qui aurait mis le portrait du Roi encore plus en valeur? Charpentier évoque, l'année suivante, le portrait que le Roi a offert à

Malgré la rareté de telles allusions au portrait du Roi, sa seule présence est un facteur essentiel de la solennisation du lieu. Ce rôle du portrait est d'ailleurs constant, et on le retrouvera pour d'autres institutions. Entre le portrait de ses protecteurs *et surtout du Roi* et la richesse du tapis qui est jeté sur la table et de l'ameublement en général, l'Académie est bien, pour reprendre le terme de Perrault, «ornée» et propre à produire des discours d'apparat. La présence du public actualise le potentiel solennel du lieu de l'assemblée.

B. ***L'auditoire***

Si tous les comptes rendus insistent sur l'affluence et la qualité du public, c'est que sa présence constitue un élément essentiel du contexte de l'éloquence d'apparat. On a montré l'importance du spectacle dans la politique de gouvernement de Louis XIV[45]: le transfert au Louvre semble précisément avoir ajouté à l'Académie une dimension spectaculaire. La Compagnie va se donner en spectacle. Or Perrault affirmait, dans le passage de ses *Mémoires* cité plus haut[46], que l'institution des séances publiques était motivée par le plaisir que les discours prononcés lors de la réception d'un nouvel académicien pourrait procurer à un auditoire plus large que les seuls Quarante – ceux du moins qui étaient présents pour la cérémonie. C'est donc le *discours académique* qui devient public.

Les indications sur le public des séances extraordinaires restent le plus souvent très générales. Le compte rendu de la première séance publique, le 12 janvier 1673, parle de «plusieurs personnes de qualité et de belles-lettres»[47], mettant ainsi l'accent à la fois sur la naissance et la culture. Le *Mercure galant* fait le récit de la séance de distribution des prix du 25 août 1673. Outre Colbert et l'archevêque de Paris – ce qui rappelle la première séance publique – il mentionne «presque deux cens Personnes de Qualité»[48], c'est-à-dire un auditoire de nature à rehausser l'éclat de la cérémonie. Peut-être les lettres doivent-elles encore trouver un soutien de leur légitimité et de leur valeur dans l'intérêt que leur

l'Académie, et qui le représente, non en guerrier, mais tenant le sceptre et la main de justice.

Pour une étude détaillée du rapport entre discours et portrait dans l'éloquence d'apparat, on se reportera à mon article, «Appareil et apparat: le discours cérémoniel en son lieu», *Actes du 1er Colloque du C.I.R. 17, Lieux de mémoire et fabrique de l'œuvre* (Tübingen: Biblio 17, 1993)

[45] Voir sur ce point, J. M. Apostolidès, *Le Roi-machine* (Paris: Éd. de Minuit, 1981).

[46] Cf. *supra*, p. 25-26, n. 3.

[47] *Registres*, p. 53.

[48] *Mercure*, 1674, t. VI, p. 63.

porte un tel public. En 1697, le P. Léonard donne du public une définition flatteuse, mais fondée sur le comportement et l'éducation plutôt que sur l'origine, avec le critère d'honnêteté: «la porte de l'Académie ... est ouverte à tous les honnestes gens.»[49] Il est probable que parmi ceux qui formaient le public, exclusivement masculin au XVIIe siècle, de l'Académie, on ait compté des gens de lettres, dont certains aspiraient eux-mêmes aux honneurs académiques. Lorsque La Bruyère évoque, dans son discours de réception, celui de Fénelon reçu lors de la précédente séance publique, les termes qu'il emploie sont ceux d'un spectateur présent en personne à la cérémonie:

> Toucheray-je aussi vostre dernier choix, si digne de vous? quelles choses vous furent dites dans la place où je me trouve! *Je m'en souviens,* & après ce que vous avez entendu, comment ose-je parler, comment daignez-vous m'entendre? (p. 642; mes italiques)[50].

Le récipiendaire et ses nouveaux confrères, aussi bien que le public, partagent un souvenir: le texte suggère bien que le futur académicien n'a fait que changer de place dans la salle. Du sein du public, qui entoure les académiciens sur deux rangs, alors que ceux-ci sont assis autour de la grande table, La Bruyère est passé au bout de la table, en face du Directeur. C'est de là qu'il parle.

L'occasion est donc d'autant plus solennelle que s'y presse un public remarquable par le rang ou les talents. Cet auditoire participe à la séance, non seulement par sa présence, mais aussi par ses réactions. Le *Mercure* signale dans ses comptes rendus des manifestations qui rendent parfois la tâche de l'orateur quelque peu difficile, même si c'est l'enthousiasme qui inspire ses auditeurs et provoque des interruptions. Ainsi, lorsque Tallemant le jeune prononce son panégyrique du Roi, le 25 août 1673, son public manifeste bruyamment son approbation:

> Monsieur l'Abbé Tallemant le jeune fit un Discours à la gloire du Roy, qui charma toute l'Assemblée, & je ne croy pas qu'on puisse rien faire de plus beau sur cette matiere. & les applaudissemens qu'il receut, furent si frequens, qu'à peine luy laissa-t-on le temps de parler[51].

Ce n'est là qu'un exemple parmi d'autres. Mais les discours eux-mêmes portent la trace de cette vivacité du public. La succession de plusieurs discours dans une même séance permet à un orateur de mentionner les réactions du public au discours précédent. Les marques d'approbation que le public donne à l'éloquence du nouvel académicien deviennent de

---

[49] Voir *supra*, n. 38.

[50] La Bruyère fut reçu le 15 juin 1693, Fénelon l'avait été le 31 mars de la même année.

[51] *Mercure*, 1674, t. VI, p. 63.

la sorte un thème récurrent dans les exordes de discours de réponse prononcés par les officiers (directeur ou chancelier) qui en sont chargés. Lorsque Boileau est reçu, le 3 juillet 1684, l'abbé de La Chambre répond à son discours. Son exorde souligne la place de Boileau dans la République des Lettres et l'estime qu'on fait de lui en insistant à la fois sur l'affluence et la qualité du public, et sur ses réactions:

> *MONSIEUR,*
>
> CE concours extraordinaire de tant de Personnes de qualité & de merite, que vostre grande reputation nous a attirées icy; ce doux & agreable murmure d'applaudissemens & de loüanges sur l'éloquent discours que vous venez de prononcer: cette demonstration de joye si bien peinte sur le visage & dans les yeux de la Compagnie, marquent assez que vous estiez tres-digne d'entrer dans cette lice d'honneur où nous courons tous à l'envi. (p. 452)

Même éloge de Charpentier à Callières et à l'abbé Renaudot, reçus le 7 février 1689. Les deux nouveaux académiciens ont confirmé par leur discours leur réputation:

> ... la voix publique vous avoit nommez depuis longtemps aux places dont aujourd'huy vous prenez possession. Ce grand concours de personnes distinguées accouruës pour vous oüir; Ce silence qui n'a esté interrompu que par des exclamations; Cette joye universelle respanduë sur tous ceux qui forment cette Compagnie, vous en sont un tesmoignage indubitable. (p. 558-559)[52]

L'inscription du public dans le discours de réponse devient un véritable lieu commun, mais elle souligne toujours l'importance de l'auditoire dans la cérémonie. En 1694 encore, Tourreil répond à l'abbé Boileau en partant des réactions des auditeurs, dont il fait d'ailleurs, outre les signes du succès oratoire ponctuel du nouvel académicien, le symbole de l'approbation que le public cultivé en général donne à tout ce qu'il fait:

> MONSIEUR,
>
> LES acclamations si constantes à vous suivre en tous lieux semblent ne vous avoir ici tant de fois interrompu, que pour faire mieux entendre combien, le Public se louë & s'applaudit de son choix. (p. 691)

---

[52] Le même orateur, s'adressant cette fois à Bignon, reçu le même jour que La Bruyère, infère des applaudissements de l'auditoire les sentiments de celui-ci:

> *MONSIEUR,*
>
> QUOY que nos applaudissemens vous puissent faire connoistre combien nous avons este touchez de vostre éloquence, je doute qu'ils soient suffisans pour vous découvrir tout ce que nous pensons du bonheur de l'Académlie, quand elle s'allie à un Nom aussi célèbre que le Vostre. (p. 648)

Que ces exclamations, que ces applaudissements aient été introduits dans le texte par anticipation lorsque l'orateur préparait le discours que sa fonction l'obligeait à composer ne retire rien à la réalité de telles manifestations, dont le *Mercure* fait état à plusieurs reprises. L'auditoire qui assiste aux séances publiques de l'Académie est intéressé, il réagit. Tout comme l'abbé Testu de Mauroy intègre en 1688 le portrait du Roi, élément essentiel de la décoration de la salle, dans son discours de réception, les officiers, comme Charpentier et Tourreil, tiennent compte des circonstances matérielles de prononciation des discours et font entrer les réactions du public dans leurs propres discours; ils justifient le choix de l'Académie en soulignant l'estime où tout le monde tient le récipiendaire. Le public occupe alors une double fonction: il est l'une des composantes de la solennité propre au contexte de l'éloquence d'apparat; la mention de son approbation fournit aux orateurs un élément de leur stratégie encômiastique.

Telles sont donc les conditions dans lesquelles l'Académie française produit des discours cérémoniels. En obtenant la protection royale, l'Académie a consolidé sa position parmi les institutions. Cette «élévation» entraîne un certain nombre de conséquences pertinentes pour l'éloquence d'apparat: installation au Louvre, ouverture des portes lors des séances dans une salle «ornée», diversification du calendrier cérémoniel. Devant un public de choix se déroule un rituel aux variantes relativement limitées selon qu'il s'agit d'une séance de réception, d'une distribution de prix, ou d'une séance extraordinaire pour toute autre fin.

Élément du rituel, le discours est encore déterminé par la situation de l'orateur. Comment les académiciens répondaient-ils à leur devoir oratoire en le reconnaissant? Quelle est la part de l'initiative *individuelle*?

### C. *Le statut des orateurs: devoir oratoire et plaisir du discours*

Lorsque l'Académie se déplace, l'ordonnance de la délégation se double d'un devoir oratoire, attaché à la fonction dans l'Académie. De la même manière, lorsque les Quarante accueillent le public pour une séance extraordinaire, la position entre comme composante dans le contexte de l'éloquence d'apparat.

Les académiciens considèrent la parole comme un devoir. On l'a vu à propos des audiences au cours desquelles le Roi reçoit les compagnies: les Quarante veulent exercer ce privilège, car il importe de conserver à l'Académie le prestige qu'elle s'est acquis. Surtout, sous la protection royale, il est de son devoir de manifester son intérêt pour tout ce qui touche le monarque. L'honneur de porter la parole est attaché à une règle de désignation de plus en plus stricte, où la fonction dans la Compagnie joue un rôle essentiel. De même, en séance publique, bien que certains discours dépendent de l'initiative des académiciens, les orateurs sont d'abord contraints de parler par leur situation (récipiendaire ou officier). La plupart des orateurs expriment clairement leur perception d'un devoir du discours, devoir qu'ils s'efforcent de remplir au mieux de leurs capacités. Le discours de réception, par exemple, est devenu le premier devoir de tout académicien reçu dans la Compagnie, bien qu'il ne figure pas dans les statuts de l'Académie. Les plaintes rhétoriques qui foisonnent au début des discours de réception ne font que le confirmer – de la même manière que les acclamations du public fournissent à ceux qui y répondent un argument pour faire l'éloge du récipiendaire! Rose, qui a accru le devoir oratoire des académiciens en le faisant reconnaître[53], n'en exprime pas moins ses regrets:

> Vos loix (que j'observeray toute ma vie) me seroient bien favorables, si elles obligeoient au silence les nouveaux Academiciens pendant les premieres années de leur réception, en cette illustre Compagnie. (p. 271)[54]

Cette formulation affirme implicitement que les lois de l'Académie imposent au contraire que l'on prononce un discours! Cette forme d'excuse, qui finit par constituer une sorte de *lieu* propre à l'Académie, se retrouve dans nombre de discours[55]. Peut-être parce qu'il est reçu le jour de la Saint-Louis, qui est aussi celui de la distribution des prix, l'abbé de Choisy amplifie son excuse d'une comparaison, aussi glorieuse pour lui que pour l'Académie, avec le collège des cardinaux (ce qui lui permet un rapprochement entre le profane et le religieux, rapprochement que les cérémonies de la Saint-Louis favorisent fréquemment à l'Académie):

> MESSIEURS,
>
> Si les loix de l'Académie me le permettoient, je garderois aujourd'hui un silence respectueux. J'imiterois les nouveaux Cardinaux, qui en prenant leur place dans le sacré College ont quelque temps la bouche fermée; & je ne songerois qu'à me taire jusqu'à ce que vous m'eussiez appris à bien parler. Mais il faut obeir à la coustume, il faut que ma reconnoissance paroisse. (p. 503)[56]

---

[53] Cf. *supra*, p. 25-26.

[54] Rose fut reçu en même temps que Cordemoy, le 12 décembre 1675.

[55] Voir encore l'abbé Colbert, le 30 octobre 1678: «Que vos loix me seroient favorables si elles m'obligeoient à ne vous parler qu'aprés vous avoir écoutez long temps» (p. 329).

[56] Le rapprochement est intéressant. Le rôle de l'Académie comme inventeur et fixateur de la langue royale parfaite évoque parfois les efforts de la Curie romaine pour établir un style latin qui lui convienne. Sur ce point, voir M. Fumaroli, *L'Age de l'éloquence*, première partie.

On ne saurait exprimer plus clairement le fait que le discours remplit une fonction établie par la coutume, qu'il est le résultat d'une convention devenue contraignante. Nous aurons l'occasion de voir qu'à cette «contrainte» correspond souvent un goût positif pour la pratique oratoire. Sans multiplier les exemples, je me contenterai de citer ici un passage du discours de Dacier qui a l'avantage de conjoindre la présentation de la séance publique comme contexte idéal pour le discours d'apparat et l'aveu traditionnel de faiblesse qui se traduit par le regret de devoir parler:

> N'esperez pas, MESSIEURS, que je justifie icy vostre choix par un discours qui responde à la grandeur de vostre present, à la reputation de vostre Compagnie, à la majesté de ce Lieu, & à l'attente de ce grand nombre d'Hommes choisis, que vous attirez par vostre éloquence, & qui dans ces jours solennels, qui ont tousjours esté pour vous des jours de triomphe, viennent vous rendre en public, par leur admiration, les hommages qu'ils rendent en particulier à vos écrits. J'aurois mesme pris aujourd'huy le parti de me taire si contre l'ancienne maxime, qui nous apprend que les Dieux enseignent le silence aux hommes, vous ne m'ordonniez de parler. Je vous obeïs donc, MESSIEURS... (p. 732)[57]

Le silence est interdit: le discours correspond donc d'abord à un impératif.

C'est que séances publiques et discours de réception ont fait l'objet, nous l'avons vu, d'une délibération en séance ordinaire, tout comme les devoirs oratoires des officiers ont été précisés par des délibérations[58]. Si le récipiendaire a pour premier devoir de prononcer un discours, les officiers comptent au nombre des leurs compliments et discours. Ainsi, la fonction qu'on se trouve exercer dans la Compagnie, voire l'ordre de réception, déterminent l'impératif de la parole. On retrouve, comme toujours, la trace du règlement institutionnel dans les discours académiques. Lors de la séance de réception de M. Verjus, comte de Crécy, laquelle fut particulièrement riche sur le plan oratoire, puisque Charpentier y prononça son «Panégyrique du Roy sur la Paix» (24 juillet 1679), c'est Boyer, alors chancelier, qui remplace M. de Bezons, le

---

[57] Dacier fut reçu le 9 décembre 1695. Pour un autre exemple, voir le discours de l'abbé de Caumartin (6 mai 1694):

> On vous doit un remerciement, mais qui peut s'en acquitter d'une maniere digne de vous? Le bienfait est tel que pour en parler dignement, il faudroit vous faire parler vous-mesmes, ou du moins il faudroit atendre le secours de quelques années, & que le commerce avec les maistres de la parole m'eust donné quelque legere teinture de l'Eloquence. (p 674)

[58] Voir *supra*, p. 28 sq., 33 sq., 34. Sur le devoir oratoire des officiers, voir Masson, *L'Académie française*, p. 11 sq.

directeur, absent ce jour-là. L'aveu de faiblesse qui ouvre l'exorde souligne l'effet produit par le fonctionnement de l'institution:

> AGREEZ, MONSIEUR, qu'au lieu d'applaudir d'abord à l'éloquent discours que vous venez de faire; au lieu de nous applaudir nousmesmes du merite de nostre choix, je vous plaigne de ne voir pas à la teste de l'Académie Monsieur de Bezons qui en est presentement le Directeur. Les obligations indispensables de l'emploi que le Roy luy a confié auquel il doit tous les momens, & la promptitude de vostre départ que les ordres de SA MAJESTE pressent incessamment, luy ayant osté l'honneur de vous recevoir, honneur qu'il se devoit & qu'il souhaitoit avec ardeur, il se trouve obligé de s'en décharger sur moy qui suis le moindre de ses Confreres, & que le sort aveugle a fait le second Officier de cette Compagnie. (p. 340)[59]

Les académiciens font apparemment assaut d'humilité rhétorique. Mais ce que ce texte rend explicite, c'est la succession réglée des orateurs officiels prévue par l'Académie. L'exorde présente bien d'autres éléments, qui doivent, pour reprendre le terme de Dacier, répondre à «l'attente» du public (éloge du récipiendaire, de Bezons).

Le directeur, puis le chancelier, puis le doyen, puis le secrétaire, doivent prononcer les discours officiels (harangues, réponse au récipiendaire, discours de distribution de prix). Mais un académicien peut également être *nommé* par la Compagnie pour prononcer un discours devant elle: Tallemant fut ainsi chargé de l'éloge funèbre de Colbert, ou du panégyrique du Roi qui devait être prononcé le 27 janvier 1687, lors de la séance extraordinaire organisée pour célébrer la guérison du Roi[60].

Même lorsqu'il s'agit de passer à la lecture des pièces de prose ou de poésie composées par les académiciens, et qui semblent dépendre de l'initiative individuelle, la notion de devoir revient. On voit par exemple Charpentier justifier par deux raisons le caractère public des séances de réception. La première, c'est que l'Académie «est persuadée que le merite de ceux qu'elle reçoit, luy en sera tousjours un dans le public», mais surtout:

> La seconde, & la plus importante, c'est que les louanges de son AUGUSTE PROTECTEUR faisant le principal entretien de ces Assemblées extraordinaires, elle iroit contre son *devoir* si elle renfermoit en elle-mesme les eloges de ce grand Monarque, elle qui doit autant qu'il luy est possible les publier par toute la Terre. (p. 543; mes italiques)

C'est, dans ce cas, l'impératif de la louange du Roi qui est mis en avant. Mais les orateurs ont tendance à rattacher le discours à une fonction.

---

[59] Le récipiendaire a été nommé plénipotentiaire du Roi auprès de la Diète de Ratisbonne.

[60] Sur ce dernier discours, voir. P. Zoberman, *Les Panégyriques du Roi prononcés dans l'Académie française* (Paris: Presses de l'Université de Paris-Sorbonne, 1991).

Lors de la réception de Fontenelle, plusieurs incidents permettent de distinguer le devoir oratoire et le plaisir du discours, qui pousse certains à prendre la parole. L'abbé de Lavau s'est chargé de lire des poésies, mais il les introduit par un discours de son cru, qu'il achève sur ces mots:

> Mais j'abuse de vostre patience, MESSIEURS, il faut revenir à la *fonction qui m'a été imposée,* & tascher par la lecture des belles choses qu'on vient de me mettre entre les mains, à reparer le temps que je vous ay fait perdre à m'écouter. (p. 591; mes italiques)

L'orateur, faisant parade d'une modestie de bon aloi, déprécie son discours qui est ramené aux proportions d'une introduction nécessaire dans la fonction qui lui a été attribuée; l'abbé de Lavau doit présenter les pièces qu'il va lire comme le directeur doit introduire les pièces primées lors de la distribution des prix. L'académicien reproduit la situation d'un officier accomplissant son devoir oratoire. La situation est ici fictive, car les registres notent:

> Ensuitte de quoy [la lecture d'un Compliment de Charpentier] M^r^ l'abbé de Lavau qui s'estoit chargé de la lecture de diverses pieces en vers a pris de là occasion de prononcer aussi un discours sur la réception de M^r^ de Fontenelle et sur la prise de Mons, Et puis a leu diverses pieces en vers faites par M^rs^ Le Clerc, Boyer et Perrault sur la prise de Mons; et une Epitre en vers faite sur le mesme sujet par M^me^ des Houillieres[61].

Le discours, initiative de l'académicien privé, qui, pourrait-on dire pour gloser sur les registres, profite de l'occasion pour se mettre un peu en avant, est mis implicitement en parallèle par lui avec la fonction directoriale... Clairement, le devoir oratoire n'est pas onéreux pour tous les académiciens. Certains n'hésitent pas à satisfaire le goût qu'ils ont pour l'éloquence, quitte à reproduire, fictivement, la situation officielle d'un orateur qui représenterait la Compagnie.

Si la dernière partie des séances publiques est consacrée à la lecture de diverses pièces par les particuliers de la Compagnie, la liberté n'est pas complète, et l'éloquence, plus encore que la poésie, est soumise à des règles. La réception de Fontenelle, le 5 mai 1691, eut précisément pour conséquence l'instauration d'un contrôle sur les pièces lues «spontanément» par les académiciens, lesquels durent se soumettre au jugement de leurs confrères. Surtout, le directeur en place eut soin de faire réaffirmer les privilèges qui contrebalançaient les devoirs oratoires des officiers de la Compagnie, à la suite de la lecture par Charpentier, orateur avide et impénitent, d'un «Compliment fait au nom de l'Académie

---

[61] *Registres*, p. 307.

Françoise, pour estre prononcé devant le Roy à son retour de la Conqueste de Mons», si la parole devait lui échoir – au cas où les officiers eussent tous fait défaut! Cette lecture, tout comme celle de l'épître de Mme Deshoulières, remet précisément à l'ordre du jour la question de la position des orateurs et des auteurs dans la compagnie, comme le montre la délibération du 19 mai:

> M. l'abbé Testu Directeur a representé qu'il avoit appris que dans la seance publique qui s'estoit tenue pour la réception de Mr de Fontenelle et à laquelle il n'avoit peu se trouver, il s'estoit passé diverses choses contraires aux formes et à l'usage de la Compagnie. Il a esté résolu que doresenavant dans les seances publiques de la compagnie, il ne seroit leu nul ouvrage en prose et en vers que de la composition des Academiciens, que nul particulier ne pourroit prononcer ny lire ces jours là aucun discours sur le mesme sujet que celuy sur lequel le President de la Compagnie avoit parlé. Et que ceux de Messieurs qui voudroient y lire quelques uns de leurs ouvrages, seroient obligez de les communiquer auparavant à deux ou trois personnes de la Compagnie, et d'en passer par leurs avis, sans quoi ils ne seroient point receus à les lire publiquement ny à les faire imprimer[62].

C'est-à-dire que le processus d'évaluation et de correction prévu par les statuts devra être automatiquement mis en œuvre pour tous les discours présentés en séance publique: tout académicien représente la Compagnie. On voit en même temps que les officiers sont très sensibles au phénomène d'«usurpation» de leurs devoirs, qui sont aussi leurs privilèges, ce qui confirme les analyses précédentes. Plus généralement, tout académicien, même lorsqu'il n'est pas déterminé par sa fonction à prendre la parole, engage l'Académie. Le désir que certains peuvent avoir de prononcer un discours doit alors être subordonné à une conception globale du rituel. Il est vrai que la lecture des comptes rendus, dans les *Registres* ou dans le *Mercure,* aussi bien que du *Recueil des harangues* de 1698 met en lumière le rôle de certains membres de la Compagnie dans la production oratoire. Tallemant le jeune est l'auteur d'un «Discours de l'utilité des Académies», d'un «Discours ... pour servir de réponse à celui du R.P. Lucas, Jesuite, qui soustenoit que les Monumens publics doivent avoir des Inscriptions Latines», de plusieurs panégyriques du Roi. Charpentier, dont la prise de position, en séance publique, en faveur du français dans les inscriptions des monuments publics avait suscité le discours du P. Lucas, et qui a prononcé divers discours (par exemple, en 1695, un «Discours de l'excellence & de l'utilité des exercices académiques») est un autre exemple particulièrement frappant du rôle des personnalités individuelles dans la production

---

[62] *Ibid.*, p. 397-398.

oratoire. S'ils offensent parfois les officiers en paraissant s'arroger un droit – abusif – à la parole, les membres de l'institution académique rivalisent entre eux sur un certain nombre de sujets[63]...

De toute manière, entre les orateurs qu'elle désigne ou que leur situation dans l'Académie oblige à prendre la parole, et ceux que le contexte des séances publiques suscite, l'Académie française est un milieu extrêmement favorable à l'éloquence d'apparat. Mais celle-ci suppose organisation, contrôle, respect des formes. Le «mystère» de l'Académie française[64] se célèbre par un rituel dont l'éloquence est l'une des pièces maîtresses. Et ce rituel académique confère aux séances publiques une profonde unité.

### D. *Le déroulement des séances publiques*

Il ne s'agit ici que de rassembler les éléments qui ont été isolés, afin de présenter les cérémonies académiques dans leur unité. Puisque c'est la séance de réception qui sert de modèle de base pour toutes les séances solennelles, il convient de rappeler son organisation. Après le discours que prononce le récipiendaire, le directeur, ou à défaut le chancelier répond par un discours[65]. Il invite ensuite les académiciens à lire des pièces en vers ou en prose, le plus souvent à la gloire du Roi. Tel est bien le schéma qui ressort du compte rendu de la première séance publique dans les registres:

> La Compagnie s'est assemblée au nombre de 28 pour la reception de M^rs^ Fleschier, Racine et Galois, le jour de cette ceremonie ayant contre l'ordinaire esté pris à un Jeudy, parce que M^r^ Colbert n'avoit point de temps les lundis; M^r^ l'Archevesque, Directeur, estoit assis au haut bout de la table dans un fauteuil, M^r^ Colbert du costé de la cheminée dans un pareil siege, et le reste de la Compagnie sur des chaises sans bras. Les portes ont esté ouvertes à plusieurs personnes de qualité et de belles-lettres. Tout l'auditoire estant dans un grand silence, M^r^ l'Archevesque s'est decouvert fort civilement, et a invité, par une inclination de teste, M^r^ Fleschier à parler, ce qu'il a fait aussy tost. Deux ou trois moments aprés qu'il a eu achevé, M^r^ le Directeur en a usé de mesme à l'esgard de M^r^ Racine, puis encore d'une pareille maniere à l'esgard de M^r^

---

63 Sur cette forme de rivalité entre orateurs, voir *Les Panégyriques du Roi*, *op. cit.*, notice des panégyriques sur la paix de 1679.

64 Je reprends ici le terme que M. Fumaroli emprunte à Valéry, dans son plaidoyer pour une reprise en charge de l'histoite de l'Académie française par l'histoire littéraire. («La Coupole», p. 328-329).

65 La tradition du discours de réception remonte à Patru. Les statuts ne prévoient qu'un discours exhortatif du directeur: «Lorsque quelqu'un sera reçu dans la Compagnie, il sera exhorté par celui qui presidera, d'observer tous les statuts de l'Académie et signera l'acte de sa réception sur le registre du secrétaire» (art.14, cité par Pellisson et d'Olivet, t. I, p. 491).

> Galois. Tous trois ayant ainsy parlé en son rang, il leur a respondu par un seul et mesme discours tres obligeant pour eux, et qui estoit fort selon sa dignité et celle de cette Compagnie. Puis il a invité tous ceux de Messieurs qui auroient quelques pieces à la louange du Roy d'en vouloir regaler l'assistance, et sur cela M^rs Perrault, Charpentier, Talman, Le Clerc, Cotin, Boyer, Furetiere ont lû plusieurs stances, sonnets et madrigaux de leur façon. Cette lecture finie, M^r l'Archevesque et M^r Colbert se sont levez, et M^r de Mezeray leur a presenté la bourse aux jettons où ils en ont pris chacun un pour leur droit d'assis tance, puis tous les autres de Messieurs en ont fait de mesme[66].

Dans la liste de ceux qui ont lu des pièces de leur composition, on retrouve le nom de ceux que la parole publique, au service de l'éloquence ou de la poésie, tente souvent: Perrault, et surtout Tallemant et Charpentier. La première séance semble ne s'être achevée que sur des poèmes, mais cette partie des séances publiques comporte souvent des interventions d'ordre oratoire. Il suffit, pour s'en convaincre, de se rappeler la manière dont s'est déroulée la réception de Fontenelle. Entre le compliment de Charpentier et le discours de l'abbé de Lavau, l'éloquence a sa place dans tous les moments de la séance académique[67].

Toute séance publique se déroulera sur le même modèle. S'il s'agit de distribuer les prix, le directeur introduira la séance par un discours sur ce sujet et présentera les pièces primées qui seront ensuite lues par un académicien. Après la lecture du tribut envoyé par l'Académie de Soissons[68], la séance se terminera par la lecture de pièces à la gloire du Roi – le plus souvent – de la main des académiciens. Lorsque l'Académie reçoit des délégations d'autres académies, l'échange de compliments entre un des députés et l'officier qui préside la séance remplace l'échange de discours entre le récipiendiaire et celui qui préside la Compagnie. La suite de la séance est semblable. Le parallélisme entre les deux types de séance est non seulement perçu, mais établi par l'Académie. La comparaison entre députés de l'Académie de Soissons et récipiendaire est faite explicitement dans la délibération du 20 mai 1675 qui organise la séance au cours de laquelle ces députés doivent venir payer leurs respects à l'Académie française: «ils prendront *leur place au bout de la table comme les récipiendaires*»[69]. Les députés se placeront comme des récipiendaires, et l'on peut élargir la comparaison à l'ensemble de la séance, qui, après la première partie, consacrée à l'échange

---

[66] *Registres*, p. 52-53.

[67] Voir *supra*, p. 49 et *Registres*, p. 307. Les registres insistent encore sur la «vraisemblance institutionnelle» du discours de Charpentier, qui anticiperait une situation oratoire possible.

[68] Sur ce point, voir *infra*, p. 295 sq.

[69] *Registres*, p. 111 (mes italiques).

de compliments entre les deux académies, offre aux académiciens l'occasion de lire des pièces de leur composition. Tallemant le jeune est préparé pour la circonstance et prononcera un discours pour célébrer «l'utilité des académies».

Rien d'étonnant dans ces conditions à ce que l'Académie adopte encore le même cérémonial pour se réjouir de la guérison du Roi le 27 janvier 1687. Après que le Directeur a brièvement expliqué le sujet de la séance, Tallemant le jeune prononce le panégyrique du Roi dont il a été chargé. La parole est ensuite donnée aux membres de la Compagnie pour entonner à leur tour les louanges de Sa Majesté. Outre le *Siècle de Louis le Grand,* récité par Perrault, et quelques poésies, les académiciens entendent Barbier d'Aucour lire son propre discours sur le rétablissement de la santé du Roi[70].

Ces quelques exemples montrent que le schéma fondamental des séances publiques est toujours le même. Si les académiciens travaillent à légitimer la langue française comme instrument de grandeur[71], leur rituel met l'éloquence au premier plan[72].

## II. – LES DISCOURS ET LEUR DIFFUSION

Avant d'aborder les caractéristiques formelles et thématiques des discours, rappelons brièvement les textes que les académiciens prononçaient ou entendaient dans le cadre des cérémonies académiques. Pour bien comprendre quelle est la portée de ces textes, et de quelle manière nous pouvons saisir leur influence et l'importance qu'on leur accordait, j'examinerai ensuite les conditions de leur publication et de leur diffusion.

### 1. Les discours académiques

L'Académie française, institution de l'éloquence, est à l'origine de pratiques oratoires variées. On se trouve par conséquent en présence de

---

[70] Sur l'évolution de la vie publique de l'Académie, voir les *Panégyriques du Roii*, p. 9-15. Pour la séance du 27 janvier 1687 et les discours qui y furent prononcés, voir *ibid.*, p. 177-233.

[71] Voir sur ce point M. Fumaroli, «La Coupole» et «L'Apologétique de la langue française classique», *Rhetorica* II, 2 (Summer, 1984), p. 139-161. Sur l'importance du travail linguistique, voir *infra,* p. 107 sq.

[72] Bien qu'éloquence, poésie et histoire soient le plus souvent associées dans les préoccupations de l'Académie et que poésie et histoire aient leur place dans la dernière partie des séances, l'éloquence reste la voie principale d'expression de la Compagnie, chez elle comme hors de ses murs.

divers types de discours, déterminés par la différence des occasions, par celle de la situation des orateurs, ou encore par le type de cérémonie. Tous ces critères seront pertinents lorsqu'il s'agira d'analyser les discours. Le classement qui suit tient compte d'oppositions telles que discours prononcé dans l'Académie / discours prononcé hors de l'Académie; discours commandé ou imposé par la fonction de l'académicien / discours «spontané»... La distribution obtenue n'est pas parfaitement systématique, dans la mesure où les limites ainsi tracées sont parfois franchies, certains discours tenant une place marginale, en transition entre deux catégories, ou s'inscrivant sous deux rubriques à la fois.

### *Discours prononcés dans l'Académie*

#### *Discours «obligatoires»*

- Discours de réception (orateur: le récipiendaire) et réponse au discours de réception (par le directeur ou le chancelier de la Compagnie).
- Discours commandés – l'Académie demande à l'un de ses membres de prononcer un discours dans des circonstances particulières:
  - éloge funèbre[73]
  - panégyrique du Roi[74]
- Discours pour la distribution des prix. Le discours prononcé en 1681 par Doujat est le seul dont le *Recueil* ait gardé la trace sous ce titre, même s'il contient plusieurs panégyriques du Roi prononcés par Tal-

[73] L'éloge funèbre de Colbert, seul exemple qui subsiste dans notre corpus figure dans le *Recueil* (p. 397 sq.). Les registres montrent que les académiciens attendaient de ce genre de discours un surcroît d'éclat pour leurs séances. Tallemant n'ayant pu prononcer l'éloge funèbre de Colbert l'après-midi du service, on décide de remettre ce discours à la séance publique où l'on recevra le successeur de Colbert (qui sera La Fontaine). Mais il se produit un nouveau retard, dont la cause est ainsi présentée:

> Cependant comme il avoit esté résolu que le jour de la réception publique de celui qui rempliroit la place de Mr Colbert, Mr l'abbé Tallemant prononceroit l'Eloge qu'il avoit composé en l'honneur de ce ministre, on a considéré que Mrs ses enfants estant absents maintenant à cause de leurs emplois, il estoit bon de differer cette solennité jusqu'à leur retour, et jusqu'à celuy de la cour, tant affin que l'action *se faisant en leur présence se passast avec plus d'éclat* qu'affin que la Compagnie pust estre plus nombreuse» (p. 221; mes italiques).

[74] Tallemant le jeune, pour la séance du 27 janvier 1687. D'une manière générale, je ne m'attarderai pas spécifiquement sur les panégyriques du Roi auxquels j'ai consacré une étude distincte (voir *Les Panégyriques du Roi*). Ils n'interviendront dans l'analyse que pour confirmer, ou pour nuancer s'il est besoin, les indications fournies par le corpus académique dans son ensemble.

lemant comme directeur le jour de la Saint-Louis. Mais la séance devait être introduite par un bref discours de présentation, si l'on s'en tient aux comptes rendus consignés dans les registres. Même le 25 août 1677, Tallemant fait précéder la lecture des pièces qui ont remporté le prix d'une présentation. Son panégyrique ne viendra qu'après:

> Le mesme jour de relevée, la Compagnie s'est assemblée pour la distribution des prix. Sur les quatre heures les portes estant ouvertes, et s'y estant rendu plus de trois cens personnes de qualité, et de belles lettres, Mr l'abbé Tallemant Directeur, a exposé en peu de mots quel estoit le sujet de cette célebre assemblée[75].

La visée du discours de Doujat, véritable panégyrique du Roi, semble bien extraordinaire. En 1675, comme en 1677, l'introduction du Directeur est décrite comme une simple présentation:

> Mr le Directeur a expliqué en peu de mots la maniere que la Compagnie avoit observée pour juger les pieces de prose et de vers; et aprés il a déclaré les deux qui avoient emporté le Prix les designant toutes deux par leurs sentences ...
>
> Aprés cela Monsieur le Directeur a prié Monsieur Regnier de lire la pièce de Prose et Monsieur Le Clerc celle de poesie[76].

*Discours spontanés*

Ce sont des discours sur des sujets divers, principalement:

- panégyriques du Roi,
- discours sur l'utilité des académies (ou des exercices académiques),
- discours sur l'excellence de la langue française.

A cette première liste, il faudrait encore ajouter les discours prononcés par des orateurs n'appartenant pas à l'Académie française: c'est le cas des députés des académies de Soissons, d'Arles et de Nîmes[77].

Pour le compliment fait à l'Académie par Bussy-Rabutin en réponse à celui que la Compagnie lui avait fait en avril 1682 sur sa rentrée en grâce[78], c'est une sorte d'*hapax*. D'ailleurs, sans le contexte cérémoniel de la séance publique, il est un peu en marge du reste des discours, même s'il aide à construire l'image des rapports qui se tissaient dans une société si attachée aux formes.

---

75 *Registres*, p. 175.

76 *Ibid.*, p. 120.

77 Sur les discours des académiciens de province à l'Académie française, voir ch. II, p. 299 sq.

78 Sur ce compliment, voir *Registres*, p. 206.

Le compliment que Charpentier prononça lors de la réception de Fontenelle et qui semblait usurper les fonctions du directeur (comme de Lavau faisait un discours dont la fonction introductrice reproduisait celle du discours de distribution de prix, tout en redoublant le discours de réponse au récipiendaire) constitue une sorte de transition entre discours prononcés dans l'Académie et discours prononcés hors de l'Académie: il est conçu comme une harangue au Roi, mais orne la partie de la séance publique réservée à la lecture des pièces d'académiciens.

***Discours prononcés hors de l'Académie***

- Compliments et harangues diverses
- Discours prononcés devant les académiciens: panégyrique de saint Louis prononcé devant la Compagnie dans la chapelle du Louvre, par exemple.

Les distinctions proposées ici sont toutes, dans une certaine mesure, réductibles. Même si l'opposition entre discours prononcé dans l'Académie et discours prononcé hors de ses murs est utile et pertinente, puisqu'elle permet de souligner la spécificité de la séance publique, par rapport au lieu de l'audience d'un grand ou de la pratique oratoire d'une autre institution, on a vu que le compliment de Charpentier transportait la pratique oratoire caractéristique des harangues hors de son contexte pour l'introduire dans celui de la séance publique. Tout en perdant sa fonction d'adresse au Roi, le compliment reste perçu comme la prérogative des officiers par un directeur aussi pointilleux que Testu de Mauroy...

En deçà de l'articulation *dans les locaux / hors des locaux de l'Académie*, les catégories ne sont pas parfaitement «étanches». Le discours de distribution des prix prononcé en 1681 se présente, on vient de le voir, comme un panégyrique du Roi, ce qui m'a conduit à lui donner ce statut[79]. De façon plus explicite encore, le discours que l'abbé de Dangeau prononce pour répondre à celui de La Loubère, reçu le 25 août 1693, c'est-à-dire le jour de la distribution des prix, comme celui de Doujat en 1681, se transforme finalement en discours de distribution des prix. L'orateur s'arrête brusquement, après un éloge du Roi:

> Mais où m'emporte la veuë de tant de grands succez? J'oublie que plus ce grand Prince mérite les loüanges, plus il les évite. C'est, MESSIEURS, le sujet que l'Académie avoit donné pour le prix de Poësie;

[79] Pour une présentation et le texte de ce discours, voir *Les Panégyriques du Roi, op. cit.*, p. 177-189.

vous allez entendre la lecture des pieces de Prose & de vers qui ont remporté les Prix.(p. 665).

Le passage présente une nette ressemblance avec le discours de Doujat:

> Mais où m'emporte l'ardeur de mon zele? où m'engage insensiblement le plaisir d'un si agreable entretien? Il me fait oublier que c'est icy l'heure de la distribution des Prix dont l'Académie est chargée, & que le temps qui nous reste est destiné à la lecture des Pieces qui les ont remportez, & à celles de bien d'autres ouvrages, qui vaudront incomparablement mieux que tout ce que je pourrois dire[80].

Or le titre du discours de Doujat, tel qu'il apparaît dans le *Recueil* publié par Le Petit en 1681, et qui lui restera est: «Discours prononcé à l'academie françoise pour la distribution des prix ... le jour de S. Louïs 1681» [81]. Le discours de Doujat et celui de Dangeau semblent ainsi actualiser un modèle commun de discours de distribution de prix [82]. Le compte rendu de la séance du 25 août 1693 confirme que le discours de réponse prononcé par l'abbé de Dangeau peut aussi être considéré comme un discours de distribution de prix. Aucun autre discours ne vient en effet s'intercaler entre la réponse au récipiendaire et l'identification des pièces primées:

> L'apres dinée du mesme jour la Compagnie a tenu une Seance publique pour la réception du M^r de la Loubère et pour la distribution des prix et M^r de la Loubere ayant pris sa place au bout de la table a fait son remerciment à la Compagnie auquel M^r l'abbé de Dangeau Directeur a respondu. Après cela M^r le Directeur a déclaré à toute l'assemblée que la piece de Prose qui a pour sentence *Dedit eis locum poenitentiae, et*

---

80 *Les Panégyriques du Roi*, p. 188.

81 *Recueil de plusieurs pièces d'éloquence et de poésie présentées à l'Académie françoise pour les prix de l'année 1681* (Paris: P. Le Petit, 1681).

82 La ressemblance est d'autant plus frappante que le prix de poésie de 1681 avait pour sujet: «on voit le Roy toûjours tranquille, quoy que dans un mouvement continuel». Cette proposition fournit à Doujat une longue amplification sur la tranquillité du Roi qui s'achève, juste avant le passage déjà cité, par:

> Il est toûjours le mesme, parce que, quoy qui puisse arriver, il n'arrive rien qui luy soit nouveau. Enfin cet esprit ferme et égal ne change jamais de situation, tandis qu'il fait changer de face à tous les Estats qui l'environnent; comme s'il estoit fixe hors de nostre sphere, & qu'il eust trouvé ce point fatal qu'Archimede demandoit hors du monde, pour en remuër à son gré toute la vaste machine.

Même si l'abbé de Dangeau a recours à une autre métaphore (il compare Louis XIV au soleil parce que cet astre donne le mouvement), il consacre le passage qui précède la transition vers la distribution des prix à l'amplification du repos toujours agissant du Roi. L'orateur puise-t-il dans une source que lui fournissent aussi bien le *Recueil* des prix de 1681 que le *Mercure*? S'agit-il d'un emprunt involontaire? Le rapport intertextuel qui lie les discours suggère bien de toute manière qu'ils actualisent un modèle de discours de distribution de prix.

> *ille abutitur eo in superbiam* estoit celle qui avoit remporté le prix d'Eloquence...[83]

Le Directeur intègre donc en un seul discours les deux fonctions de réponse au récipiendaire et d'introduction à la lecture des pièces primées, fonctions qui lui reviennent toutes deux, du fait de sa position dans la Compagnie.

Tels sont donc les discours qui composent le *corpus* de l'éloquence académique pertinent pour cette recherche. Mais on ne peut en rester à cette énumération. Car, si les discours sont déterminés par les circonstances dans lesquelles ils sont prononcés, leur influence durable et leur valeur à long terme viennent de ce que ce sont aussi des textes écrits, qui ont circulé par la lecture qu'on en faisait. Quelles ont donc été les formes de publication et de diffusion des discours académiques?

## 2. **Impression et diffusion**

Sous forme écrite, les discours académiques ont touché un public plus large que celui qui se pressait dans la salle des assemblées les jours où les portes s'ouvraient aux gens de «qualité» et de «belles-lettres». Tout en fournissant des indications sur la place de la pratique oratoire de l'Académie dans les belles-lettres sur une large échelle, l'étude des modes de publication permet de préciser les sources dont nous disposons aujourd'hui.

Ces sources sont de différents ordres. Certains discours ont été insérés dans les registres: ainsi le discours que Tallemant a prononcé à la réception du président de Mesmes le 23 décembre 1676 et qui reçut pour titre lors de l'impression: «Discours prononcé par Monsieur l'Abbé Tallemant le jeune, le mesme jour 23. Decembre 1676, pour servir de réponse à celuy du R.P. Lucas, Jesuite, qui soustenoit que les Monumens publics doivent avoir des inscriptions latines». Mais les discours académiques étaient souvent publiés, sous plusieurs formes: séparément (chez le libraire de l'Académie, s'ils étaient approuvés, ou chez un autre libraire)[84]; dans un recueil composé par l'orateur avec ses propres œuvres; dans un recueil académique ou dans des collections de source non académique. Le même discours peut ainsi se trouver dans plusieurs livres à la fois, d'autant plus que le *Mercure,* certainement l'un des principaux canaux de diffusion de l'éloquence académique comme de l'éloquence d'apparat en général, publiait souvent des extraits de

---

[83] *Registres*, p. 329.

[84] Sur les règles de publication, voir règlements n° 38-42 (cités par Pellisson et d'Olivet, I, p. 495) et *Registres*, I, p. 308.

dimension et d'exactitude variables. Le «Discours de l'utilité des académies» prononcé par Tallemant le 27 mai 1675 figure ainsi dans toute une série de recueils: parmi les *Discours prononcez à l'Académie françoise le 27. may 1675,* publié par Le Petit, libraire de l'Académie, en 1675; dans les *Panégyriques et harangues à la loüange du Roy prononcez dans l'Académie françoise* publiés par Tallemant le jeune chez P. Le Petit en 1680; dans les recueils intitulés *Recueil de diverses oraisons funebres, Harangues, discours, & autres Pieces d'Eloquence des plus célèbres Auteurs de ce temps*[85] avant d'être repris en 1698 dans le *Recueil des harangues* de l'Académie. Ce *Recueil* lui-même n'est que l'aboutissement d'une politique de publication entreprise assez tôt par l'Académie, mais qui s'est surtout développée après la publication du *Panégyrique du Roy Louis XIV* prononcé par Pellisson en 1671, et de toutes ses traductions[86].

Il ne faut certainement pas négliger le rôle du libraire de l'Académie dans la publication des discours qui sont prononcés par les académiciens ou en leur honneur. Ne pouvant attendre aucun profit immédiat du Dictionnaire que la Compagnie élaborait, il devait trouver, comme imprimeur, d'autres sources de gain[87]. Mais l'Académie ne se fit jamais beaucoup prier pour répandre les pièces d'éloquence qui naissaient en son sein. L'avertissement que Le Petit met en tête des *Discours prononcez à l'Académie françoise le 27. may 1675* affirme l'existence d'un public intéressé par ce genre de recueil:

> Ie me suis engagé de donner au public les discours qui se font à l'Académie françoise lorsqu'elle s'assemble pour quelque sujet extraordinaire. Ie m'acquitte volontiers de cette promesse, en luy faisant part de ce qui s'y est passé le jour que Messieurs de l'Academie de Soissons y sont venus luy faire compliment, ne doutant point que ce recueil que j'en ay fait ne soit tres-bien receu de toutes les personnes qui ont quelque goust pour l'Eloquence ou pour la Poësie. [88]

Un tel recueil offre au lecteur d'aujourd'hui une vision de la séance dans son déroulement, par la succession des pièces qui y ont été récitées ou lues:

---

[85] Il en existe plusieurs éditions, entre autres: 1680-1681 (Bruxelles: François Foppens, 2 volumes); 1689 en trois parties (L'isle: Jean Henry); 1695 (4 volumes, chez le même éditeur) et 1696, mêmes caractéristiques.

[86] Prononcé le 3 février 1671 à la réception de l'archevêque de Paris (Harlay de Champvallon), ce panégyrique fut publié la même année et traduit dans plusieurs langues. Voir *Les Panégyriques du Roi*, p. 22 et 96.

[87] Sur le libraire de l'Académie, voir Masson, *op. cit.*, p. 46 sq.

[88] «L'IMPRIMEUR AU LECTEUR», p. 3-4.

- lettres d'établissement de l'Académie de Soissons (p. 5-10);
- discours de Guérin au nom de l'Académie de Soissons (p. 11-20);
- réponse de Segrais pour l'Académie française (p. 21-28);
- «Discours ... de l'utilité des académies» de Tallemant (p. 29-62);
- lecture de pièces diverses:
  - Cotin: après une brève introduction, 5 madrigaux, des paroles pour un air A MONSIEUR DE TURENNE (et l'annonce d'une imitation de Lucrèce, en insistant sur la supériorité de la poésie française sur la poésie latine) (p. 63-73);
  - 2 épigrammes de Furetière (p. 70);
  - 7 sonnets de Le Clerc (p. 75-81);
  - Quinault: un madrigal, des paroles pour chanter, un madrigal (p. 82-84).

Le *Recueil* se termine sur un discours qui n'a pas été prononcé lors de cette séance, mais que le libraire considère comme lui étant lié, parce qu'il émane d'un académicien de Soissons, et qu'il a un rapport avec la vie de l'Académie de Soissons et celle de l'Académie française, puisqu'il s'agit d'un compliment fait à Colbert par Hébert:

> Ayant trouvé moyen de recouvrer le compliment que Monsieur Hebert Tresorier de France à Soissons, & l'un des Deputez de leur Académie, fit à Monsieur Colbert avant que d'aller à l'Academie Françoise, j'ay crû le devoir mettre dans ce Recueil. Le voicy qui suit[89].

En 1677, le libraire de l'Académie réunit les discours prononcés lors de la séance publique tenue pour la réception du président de Mesmes[90]. A cette occasion, il annonce au lecteur son intention de continuer à publier les pièces lues lors des séances publiques. Mais les distributions de prix avaient déjà donné lieu à la constitution de recueils. Aux pièces qui ont remporté le prix ou qui avaient été retenues pour la sélection finale, et qui avaient fait seules, d'abord, l'objet de la publication, s'ajoutent en premier lieu des pièces lues en séance (le *Panégyrique du Roy sur la campagne de Flandre* prononcé le 25 août 1677 par Tallemant le Jeune est inséré dans le recueil des prix de cette

---

[89] *Discours prononcez... le 27 may 1675*, p. 85, ce compliment figure aussi parmi les *Discours et harangues* de Hébert. Sur cet orateur, voir *infra*, les chapitres II et V consacrés aux académies de province et à la vie municipale.

[90] *Discours prononcez à l'Academie françoise. Le XXIII Decembre. M. DC. LXXVI à la reception de Monsieur de Mesmes Président au Mortier*. Paris: P. Le Petit, 1677.

année-là[91]) ou prononcées devant l'Académie le jour de la Saint-Louis: en 1691, le recueil des prix contient le panégyrique de saint Louis prononcé l'année précédente par Pezene.

Dès 1687, l'Académie décide de rassembler ses discours en un volume. La délibération du jeudi 2 octobre porte sur l'impression et la diffusion des discours académiques. La première décision est de faire envoyer par le libraire de l'Académie «un recueil imprimé de la seance du jour de St Louis» à l'Académie de Soissons[92]. L'Académie française diffuse ses discours dans les milieux académiques. Elle souligne le lien que la séance de la Saint-Louis crée entre les deux compagnies. C'est un point sur lequel j'aurai l'occasion de revenir. La discussion se porte ensuite sur l'éventualité de réunir des discours prononcés à l'Académie française pour les publier:

> On a déliberé ensuite si on rassembleroit dans un volume toutes les harangues faites dans l'Académie ou au nom de l'Académie; et il a passé à la pluralité des voix qu'on feroit un recueil de toutes les harangues que l'on pourroit avoir, et qu'après cela on delibereroit pour l'impression[93].

En publiant un tel recueil, l'Académie affirmait l'unité de sa pratique oratoire, au-delà de la diversité des orateurs et des circonstances dans lesquelles ils prononçaient leurs discours. Si les extraits et les comptes rendus du *Mercure* témoignent de l'inscription de la vie académique dans la vie culturelle de l'époque, l'élaboration par la Compagnie d'un recueil de ses harangues et discours permettrait de renforcer son identité institutionnelle. Le projet ne sera réalisé qu'en 1698, même si le privilège pour un tel ouvrage est obtenu dès 1693. C'est l'origine du *Recueil des Harangues prononcées par Messieurs de l'Académie Françoise dans leurs réceptions et en d'autres occasions différentes, depuis l'establissement de la Compagnie jusqu'à present,* publié en 1698 chez J.-B. Coignard. 1687 est d'ailleurs une date charnière: le recueil de la Saint-Louis comprend pour la première fois une petite sélection de discours sans rapport direct avec la séance du 25 août et remontant à 1670. Après un compliment de Quinault, on trouve le panégyrique du Roi prononcé par Pellisson en 1671. Le titre des recueils change: avant 1687, ils étaient intitulés *Recueil de plusieurs pieces d'éloquence et de poésie présentées à l'Académie Françoise pour les prix de l'année...*; en 1687, le titre devient: *Recueil de plusieurs pieces et discours et autres pieces*

---

[91] *Recueil de plusieurs pièces d'éloquence et de poésie... pour l'année 1677* (Paris: Le Petit, 1677), p. 143-164.

[92] *Registres*, p. 284-285.

[93] *Ibid.*, p. 285.

*d'éloquence prononcez à l'Academie Françoise en différentes occasions*[94]. La mort de Le Petit et le changement de libraire qui en résulte pour l'Académie entrent certainement pour une part dans l'évolution des recueils académiques. J.-B. Coignard, le nouveau libraire, pouvait vouloir se montrer plus «agressif» sur le plan commercial.

Après le recueil de 1698, l'Académie continuera de publier, au début du XVIIIᵉ siècle, des recueils mis à jour[95]. Mais celui de 1698 fait date: c'est le premier qui donne à la diffusion de l'éloquence académique une visée à la fois unitaire et exhaustive. Suivant un ordre parfaitement chronologique, même pour la table (alors que les tables des recueils suivants seront souvent alphabétiques), l'Académie présente tous les discours qu'elle a pu rassembler depuis le remerciement «inaugural» de Patru en 1640, comme une sorte de bilan de son fonctionnement depuis ses débuts et surtout de sa pratique oratoire. Même si les séparations entre siècles sont le plus souvent arbitraires, le *Recueil* de 1698, ainsi «placé» à la fin du XVIIᵉ siècle, fournit un ensemble de référence particulièrement utile pour étudier l'éloquence d'apparat dans l'Académie française dans le dernier quart du siècle. D'ailleurs, la présentation de l'ouvrage confirme l'importance qu'on doit lui accorder: alors que les recueils suivants entasseront, si l'on peut dire, les discours dans des petits volumes in-12 à l'impression serrée, le volume de 1698 déroule en caractères aérés sur les pages spacieuses d'un *in-quarto* les monuments de sa vie cérémonielle; chargée de fixer la langue française dans sa perfection, l'Académie fixe aussi dans son volume l'image de la grandeur du Roi et de celle qui lui est propre.

Entre les discours publiés séparément, les recueils publiés par la Compagnie, les textes parus dans d'autres collections et les extraits donnés par le *Mercure,* les discours académiques étaient largement diffusés hors de la Compagnie. L'Académie est probablement l'institution qui a eu le plus à cœur d'organiser la publication des discours que son cérémonial faisait naître (ce qui, malgré le contrôle que la Compagnie entendait exercer sur les textes publiés en son nom, est différent de la censure que les autorités ecclésiastiques ont pu exercer sur les textes émanant des membres de l'Église, comme sur l'ensemble de la production imprimée).

---

[94] L'exemplaire de la Bibliothèque Nationale porte comme éditeur: Jean Villette. Mais c'est Jean-Baptiste Coignard qui devient le libraire de l'Académie; la réédition de 1695 est imprimée chez lui.

[95] On trouve un *Recueil des harangues prononcées par MM. de l'Académie françoise…* (Amsterdam, 1709, en 2 tomes) et un *Recueil des harangues prononcées par MM. de l'Académie françoise dans leurs réceptions* (Paris: Jean-Baptiste Coignard, 1714, en 3 volumes). La collection sera rééditée et continuée.

## III. – LES CONSTANTES DU DISCOURS

Les discours académiques s'inscrivent dans un rituel: leur contexte est formé par des cérémonies réglées. De même que la prise de parole est soumise à certaines contraintes, les discours doivent répondre à des exigences qui sont d'ordre formel aussi bien que thématique. Les orateurs font parfois référence aux «loix» qui régissent le discours académique, lois qui correspondent d'ailleurs plutôt à des attentes reconnues empiriquement par la tradition qu'à des règles effectivement édictées. Les restrictions sont naturellement plus fortes sur les discours «obligatoires» que sur ceux qui dépendent de l'initiative individuelle (malgré les limites de cette notion, évoquées plus haut)[96]. Après avoir examiné la manière dont les orateurs ressentent l'existence de normes auxquelles ils doivent se conformer, et les attentes générales du public à l'égard des discours, j'étudierai la structure des discours académiques pour déterminer le degré de contrainte qui pèse sur la construction globale du texte, c'est-à-dire pour voir s'il existe un modèle de base que les orateurs doivent respecter.

### 1. Des lois du discours

Les discours académiques fourmillent de remarques qui sont de l'ordre de l'auto-commentaire. Même si l'on doit garder une certaine prudence à l'égard des observations que les orateurs font sur leurs propres discours, on voit se dessiner un ensemble de restrictions et d'exigences générales, d'ordre matériel et thématique, qui nous renseignent sur la conscience que les récipiendaires, aussi bien que les académiciens en place, avaient des attentes de leurs confrères et de leur public.

#### A. *Une durée limitée*

Cette conscience est évidente pour ce qui concerne la longueur du discours. Les remarques, fréquentes, que l'on rencontre sur ce sujet indiquent que les orateurs savaient ne disposer que d'un temps limité. Il y a peut-être une origine officielle à ce caractère, puisque, comme on l'a vu, les statuts avaient d'abord prévu que les assemblées ordinaires comporteraient des discours dont la durée était limitée par le règlement à un quart d'heure ou une demi-heure tout au plus[97]. La brièveté relative est devenue l'une des lois du discours académique, si l'on en croit La

---

[96] Voir *supra*, p. 49-50.

[97] Article 27, déjà cité (voir *supra*, p. 25).

Chambre, qui répond à Boileau (3 juillet 1684). Le récipiendaire succède à Bezons, qui avait lui-même occupé la place laissée vacante lorsque Séguier avait pris l'Académie sous sa protection. D'où l'éloge de Séguier par La Chambre:

> Vous vous appercevez sans doute, MESSIEURS, que je me fais icy une grande violence, & que j'ay toutes les peines du monde à me retenir sur la pente naturelle de mon cœur, qui me porteroit à dire quelque chose à la loüange de ce Grand Chancelier, dont je me confesseray éternellement redevable, quelques marques que je luy aye données de ma gratitude. *Mais il siéroit mal à un Directeur de l'ACADEMIE d'en enfraindre les loix, & de ne se pas contenir dans les bornes qu'il prescrit aux autres.* Ainsi je me renferme dans moy mesme, sans me répandre au dehors sur un sujet qui fait la plus douce de mes pensées, & je rentre dans ma matiere sans en plus sortir. (p. 455; mes italiques)

L'excursus, infraction aux «loix» de l'Académie, bien malséante pour un officier, étend le discours hors de son sujet, mais, du même coup, il le fait trop durer. Si l'éloge de Séguier est limité par les «bornes» du discours, combien l'éloge du Roi ne fera-t-il pas ressentir, à plus forte raison, la contrainte temporelle à l'orateur! Mais, comme en témoigne Testu de Mauroy lors de sa réception, la matière excédera toujours le temps dont l'orateur peut disposer:

> Ah! *si le peu de temps qui est prescrit à mon discours,* me permettoit de parler amplement de ce grand Roy, les délices de ses Peuples, combien d'exploits incroyables qui se presentent en foule à mon esprit, entreroient dans son éloge? (p. 518; mes italiques)[98]

La préoccupation du temps imparti à l'orateur est constante. Il faut noter cependant qu'au cours du siècle, les discours de réception et leurs réponses se sont progressivement allongés. Simples compliments dépassant rarement trois pages et se limitant souvent à une à l'origine, ils peuvent atteindre, à l'époque qui m'intéresse, dix pages et plus, même si la moyenne se situe autour de cinq ou six pages et si quelques orateurs se limitent à moins que cela (les éloges funèbres sont, naturellement, plus longs). Un tel développement peut être attribué pour une part à l'existence de séances publiques et à une plus grande solennisation du discours qui dépasse le cadre d'un simple compliment de remerciement[99].

Les discours académiques constituent donc un genre plutôt bref. Ce caractère est confirmé par des remarques fournies par d'autres sources.

---

[98] Il est reçu à la place du président de Mesmes, le 8 mars 1688.

[99] Le discours de réception de l'abbé Bignon fait moins de trois pages; Charpentier qui répond à La Bruyère et Bignon prononce un discours qui tient une dizaine de pages dans le *Recueil*.

L'auteur des *Remarques sur deux discours prononcés à l'Académie françoise sur le rétablissement de la santé du Roy,* qui critique – sans bienveillance il est vrai – le panégyrique du Roi prononcé par Tallemant le 27 janvier 1687 à la demande la Compagnie, s'exclame à propos de l'exorde:

> Nous voicy enfin arrivés à la fin de l'exorde, qui a, comme vous voyés, tout ce qu'il faut pour bien paroître exorde. On ne dira pas que celui qui l'a fait n'a pas leu les regles de la Rhetorique; Celle de captiver la bienveillance des Auditeurs en les loüant: Celle de représenter la grandeur du sujet qu'on entreprend de traiter: Celle de s'excuser de la hardiesse qu'on a de l'entreprendre. Mais qu'il y a de difference entre suivre des regles qui ont toujours beaucoup d'exceptions, & suivre le bon sens, qui est l'esprit des regles, & qui n'a jamais d'exception... Car à quel propos faire un exorde dans toutes les formes & avec tous les compliments pour un Discours *qui ne doit durer qu'un quart d'heure au plus*? N'est-ce pas se mocquer du temps & le perdre?[100]

Le passage souligne la brièveté du discours, et la durée qui lui a été assignée. Si l'attribution du texte à Barbier d'Aucour est bonne, c'est un académicien qui parle, et qui sait probablement de quoi il parle. De fait, le discours de Tallemant, qui couvre moins de dix pages imprimées, n'a guère dû se prolonger pendant très longtemps. L'auteur des *Remarques* suggère en même temps que, pour chaque discours, il existe des règles propres, qui s'éloignent des règles rhétoriques générales, et qui sont dictées par le bon sens. Ce bon sens permet d'isoler dans le contexte de chaque situation oratoire les exigences auxquelles le discours doit répondre. Car, selon le même auteur, «La plus fausse éloquence est de parler ... d'une manière qui ne convient, ny au temps ny au lieu, ny aux personnes»[101]. C'est une remarque qu'il faudra garder en mémoire pour comprendre le principe de l'éloquence d'apparat, en la renversant: la véritable éloquence est de parler d'une manière qui convient, et au temps, et au lieu, et aux personnes.

La préface que La Bruyère met en tête de son discours de réception lorsqu'il le publie apporte une autre preuve, non seulement de l'existence d'une norme «institutionnelle» (c'est-à-dire prescrite par la Com-

---

[100] *Remarques sur deux discours prononcés à l'Académie françoise pour le rétablissement de la santé du Roy* (Paris: P. Le Monnier, 1688), p. 31-32 (c'est moi qui souligne). Le privilège a été accordé à un certain Defrein, mais l'attribution à Barbier d'Aucour est traditionnelle. La longueur des discours que les académiciens prononcent de leur propre mouvement n'est pas aussi clairement limitée, mais il n'y a pas, à l'Académie, de discours très longs, sauf les oraisons ou les éloges funèbres. Rien de comparable, en tout cas, avec les discours prononcés dans les collèges (en latin) et les discours d'apparat parlementaires.

[101] *Ibid.*, p. 20.

pagnie, de façon plus ou moins explicite), mais aussi de celle d'un consensus esthétique sur la brièveté du genre. La Bruyère répond à ceux qui ont jugé son discours trop long, et cette défense aussi bien que les reproches qui ont pu être formulés montrent bien qu'on ressentait la nécessité de la brièveté, ou, à tout le moins, d'une durée raisonnable. Invoquant le fait que l'Académie constitue le refuge naturel de l'éloquence profane, chassée du barreau, selon lui, par un souci d'expédition, et de la chaire où elle n'a pas sa place, il s'explique:

> Sur ce qui concerne la harangue qui a paru longue et ennuyeuse au chef des mécontents, je ne sais en effet pourquoi j'ai tenté de faire de ce remerciement à l'Académie française un discours oratoire qui eût quelque force et quelque étendue. De zélés académiciens m'avaient déjà frayé ce chemin mais ils se sont trouvés en petit nombre, et leur zèle pour l'honneur et pour la réputation de l'Académie n'a eu que peu d'imitateurs. Je pouvais suivre l'exemple de ceux qui, postulant une place dans cette compagnie sans avoir jamais rien écrit, quoiqu'ils sachent écrire, annoncent dédaigneusement, la veille de leur réception, qu'ils n'ont que deux mots à dire, et qu'un moment à parler, quoique capables de parler longtemps et de parler bien.
>
> J'ai pensé au contraire qu'ainsi que nul artisan n'est agrégé à aucune société, ni n'a ses lettres de maîtrise sans faire son chef-d'œuvre, de même et avec encore plus de bienséance un homme associé à un corps qui ne s'est soutenu et ne peut jamais se soutenir que par l'éloquence, se trouvait engagé à faire, en y entrant,, un effort en ce genre, qui le fît aux yeux de tous paraître digne du choix dont il venait de l'honorer. Il me semblait encore que puisque l'éloquence profane ne paraissait plus régner au barreau, d'où elle a été bannie par la nécessité de l'expédition, et qu'elle ne devait plus être admise dans la chaire, où elle n'a été que trop soufferte, le seul asile qui pouvait lui rester était l'Académie française; et qu'il n'y avait rien de plus naturel, ni qui pût rendre cette Compagnie plus célèbre, que si au sujet des réceptions de nouveaux académiciens, elle savait quelquefois attirer la cour et la ville à ses assemblées par la curiosité d'y entendre des pièces d'éloquence d'une juste étendue, faites de main de maîtres, et dont la profession est d'exceller dans la science de la parole[102].

En partant d'un principe commun à tous, qui fait de l'Académie l'institution de l'éloquence (encore La Bruyère voit-il moins là une simple constatation de fait qu'un idéal), l'orateur donne à l'expression «juste étendue» un sens bien différent de celui que les autres discours ont appris à connaître. La présentation de La Bruyère est naturellement polémique: pour lui, la «juste étendue» n'a rien à voir avec la relative brièveté qu'on attend ordinairement des nouveaux académiciens (et des

---

[102] Préface au discours de réception, dans *Œuvres complètes* (Paris: Gallimard, coll. «Pléiade», 1951), p. 489-490.

officiers qui leur répondent). Si l'Académie est «le seul asile qui pouvait ... rester» à l'éloquence profane; si la profession des académiciens est «d'exceller dans la science de la parole», on devrait, pour que les discours confirment le talent oratoire de ceux qui les prononcent, leur laisser l'ampleur nécessaire et non tendre à l'envi vers une brièveté contraire à l'éloquence et décevante pour les spectateurs de la Cour et de la Ville[103]. Pourtant, en critiquant la tradition de brièveté qui prévaut à l'Académie, comme en introduisant les exemples qu'il a refusé d'imiter et le reproche de longueur qui lui a été fait, La Bruyère marque nettement l'emprise de la tradition qu'il rejette et la réalité de son influence.

### B. *La «matière» du discours*

Si la nécessité de respecter une durée limitée apparaît fréquemment dans les discours, ceux-ci font aussi référence à des normes qui concernent la matière à aborder et la manière de traiter cette matière, présentées sous forme de restrictions ou d'impératifs. Ainsi, si l'éloge joue, comme on le verra plus loin, un rôle important dans le discours, tout éloge n'est pas bon à faire. Inversement, il est des éloges qui doivent, pratiquement dans tous les cas, figurer dans le discours. Bergeret, reçu le 2 janvier 1685, le même jour que Thomas Corneille, montre qu'il a conscience d'un interdit sur l'éloge (interdit qui n'est peut-être, il est vrai, qu'une loi de bienséance):

> Mais je sçay, MESSIEURS, que dans les occasions comme celle où je me trouve, vous n'aimez pas qu'on parle de vous en vostre présence, & que *pour suivre vos intentions,* il faut, au lieu de vos loüanges, ne vous faire entendre que les éloges des Protecteurs de l'Académie, & de la personne à qui vous donnez un successeur. (p. 467; mes italiques)

L'orateur oppose à l'éloge inconvenant celui des protecteurs et celui du prédécesseur, qui sont, au contraire, des impératifs. De manière voisine, Fénelon, reçu le 31 mars 1693 à la place de Pellisson, remarque: «Mais je m'engage insensiblement au-delà de mes bornes; en parlant des morts je m'approche trop des vivants, dont je blesserois la modestie par mes loüanges.» (p. 621). Ce qui est présenté comme loi générale de l'Académie n'est, d'ailleurs, comme en témoigne la phrase de Fénelon qui vient d'être citée, qu'une application académique d'un impératif

---

[103] Il ne faut pas confondre brièveté du discours et brièveté du style. Ce dernier concept et son importance dans les débats rhétoriques sont discutés par M. Fumaroli, *L'Age de l'éloquence, passim.*

plus large. C'est en quelque sorte une loi du discours en général[104]. Je ne m'intéresse ici, précisément, qu'à ce qui constitue un trait commun aux discours académiques. Je réserverai donc l'interprétation de la présence de tel éloge particulier dans tel discours, et de ce qu'elle peut apporter à notre compréhension du concept d'éloquence d'apparat, pour la discussion des différentes valeurs de l'éloquence académique. N'apparaissent ici que les éléments qui semblent requis, ou bannis, par la pratique oratoire académique.

Tous les orateurs ne rendent pas explicite leur interprétation des règles du discours. Mais on peut déduire l'existence de telles règles aussi bien de l'infraction qui peut être faite que des discours qui les respectent. La Bruyère fait entendre, encore une fois, une voix discordante, à la fois par la définition qu'il donne dans son exorde du discours de réception, et par la stratégie discursive qu'il adopte. Sans m'attarder ici aux jugements qu'on a portés sur ce discours[105], je noterai simplement que les réactions vivement négatives qu'il a pu provoquer ne font que confirmer un consensus académique sur le discours et l'accord implicite sur des règles socio-rhétoriques, à mi-chemin entre la technique oratoire et l'impératif de la bienséance. Alors que la plupart des nouveaux académiciens insistent sur la reconnaissance qu'ils doivent exprimer et le remerciement comme fin de leur discours, La Bruyère affirme qu'on n'attend rien d'autre du récipiendaire qu'une série d'éloges:

> MESSIEURS,
>
> Il serait difficile d'avoir l'honneur de se trouver au milieu de vous, d'avoir devant ses yeux l'Académie française, d'avoir lu l'histoire de son établissement sans penser d'abord à celui à qui elle en est redevable, et sans se persuader qu'il n'y a rien de plus naturel, et qui doive moins vous déplaire, que d'entamer ce tissu de louanges qu'exigent le devoir et la coutume, par quelques traits où ce grand Cardinal soit reconnaissable, et qui en renouvellent la mémoire[106].

---

104 Par opposition au cas particulier qu'on rencontre lorsque Thomas Corneille préside l'Assemblée qui reçoit Fontenelle, son neveu. L'un et l'autre orateurs, par bienséance, limitent l'éloge de son parent (*Recueil*, p. 577, 581).

105 J. Benda résume bien les jugements négatifs sur le discours de La Bruyère (*OC*, p. 719). Pour un jugement contraire, sans arguments, voir duc de Castries, *La Vieille Dame du Quai Conti, une histoire de l'Académie française* (Paris: Librairie Académique Perrin, 1978), p. 69. L'auteur suggère d'ailleurs, curieusement, qu'on ne possède que peu de discours de cette époque de l'Académie:

Il reste malheureusement peu de discours du temps de l'Ancien Régime...

Le meilleur discours du XVII^e siècle est incontestablement celui de La Bruyère de même que le plus remarquable du XVIII^e siècle fut celui de Buffon...

106 *OC*, p. 493. L'image de Richelieu a joué un rôle important dans l'Académie française, mais d'un point de vue bien particulier: il servait de support à la réhabilitation de

Le discours de réception est ainsi cavalièrement présenté comme un «tissu de louanges». On sait comment, dans la suite du discours, La Bruyère fait l'éloge de plusieurs académiciens que leur anonymat n'empêchait guère de reconnaître. Si l'éloge de l'Académie en général est une constante – et un devoir -, l'éloge d'une série d'académiciens individuels est une singularité[107]. Julien Benda note qu'une telle proposition devait certainement indisposer les nouveaux confrères de l'orateur: «Les apologistes aiment croire que leurs louanges sont libres et non qu'on leur rappelle qu'elles sont un devoir»[108]. On peut certes penser qu'il devait être désagréable aux membres de l'Académie de s'entendre dire que les louanges qu'on *leur* adressait étaient un devoir. Mais rien ne permet de penser que les académiciens aient jamais reculé devant l'affirmation que l'éloge pouvait être un devoir. Bien au contraire, tout montre que les académiciens sont conscients de leur devoir oratoire et de la nature encômiastique d'un tel devoir. Qu'on pense au panégyrique que Tallemant prononça le 25 août 1677:

> Nous pouvons donc hardiment, MESSIEURS, donner à ce Prince incomparable le prix qui est si justement deu à sa vertu. Ce prix c'est la loüange, & c'est ici qu'il la doit recevoir;[109]

et ce texte, comme tant d'autres, souligne la dette des lettres à l'égard du Roi. La définition que La Bruyère donne du discours de réception et sa pratique d'une sorte de palmarès enfreignent la restriction suggérée par les déclarations d'autres académiciens comme Bergeret et Fénelon, et choquent à la fois la modestie et l'esprit d'égalité académique de ceux qui sont loués individuellement.

Quelles sont alors les constantes du discours académique? Pour répondre à cette question, je m'intéresserai plutôt aux discours prononcés en séance publique, plus spécifiques que les harangues: il existe une sensible ressemblance, par exemple, entre les compliments de Lamoignon et ceux de l'Académie sur les victoires royales.

Les constantes du discours académique sont assez peu nombreuses et bien connues. Rappelons le texte de Bergeret soulignant l'inconve-

---

l'homme de lettres [Voir mon étude «Le Cardinal de Richelieu, protecteur des lettres dans les discours de l'Académie française», *L'Age d'or du mécénat* (Paris, 1985)]. D'ailleurs son éloge sera le plus souvent subordonné à celui de Louis XIV (cf. *infra*, p. 179 sq.).

[107] On peut cependant louer un grand, bienfaiteur de l'Académie, lorsqu'on le complimente. Les compliments supposent l'éloge du destinataire.

[108] *OC*, p. 720, n. 2 de la page 493.

[109] *Les Panégyriques du Roi*, p. 138. Ce n'est qu'un exemple parmi d'autres.

nance de l'éloge des académiciens en place, donne en même temps la liste des éloges qu'on attend du nouveau confrère qui prend place en bout de la table: «pour suivre vos intentions, il faut, au lieu de vos loüanges, ne vous faire entendre que les éloges des Protecteurs de l'Académie, & de la personne à qui vous donnez un successeur.» Parmi les éléments fondamentaux, on trouve donc l'éloge du prédécesseur, ceux des protecteurs passés de l'Académie, Richelieu et Séguier. Il faut naturellement ajouter le protecteur présent, Louis XIV. Coignard présente d'ailleurs dans le *Recueil* de 1698, et d'une manière un peu excessive, comme on le verra dans l'analyse des différentes composantes du discours académique, l'éloge du Roi comme le seul but du discours:

> Tous ceux qui sont entrez dans ce Corps illustre depuis ce temps [la protection du Roi et le transfert au Louvre] se sont efforcez à l'envi de faire paroistre leur Eloquence. Les loüanges du Roy leur auguste Protecteur leur ont fourny une ample & riche matière; & l'on ne pourra voir sans estonnement & sans admiration qu'ayant eu tous à traiter le même sujet ils ayent suivi des routes si differentes & tousjours avec succés. (Avertissement non paginé)

De fait, on trouve fréquemment l'affirmation explicite du caractère primordial de l'éloge du Roi à l'Académie. Mais d'autres éléments, purement encômiastiques ou non, trouvent également leur place. La liste des éloges requis ne serait pas complète en effet si l'on ne mentionnait également celui de l'Académie dans son ensemble (qui ne se confond pas avec l'éloge de quelques personnalités). C'est à la fois au Roi et à l'Académie que se rattachent les réflexions sur la situation des lettres et sur la langue.

La fonction de l'orateur donne au discours de réponse des traits légèrement différents. Si les éloges et les considérations qu'il met en œuvre sont les mêmes que ceux qu'on trouve dans les discours de réception, la présentation du nouvel académicien diffère. Les récipiendaires insistent en général sur le décalage qui existe entre leur propre insuffisance et les qualités qu'on reconnaît aux académiciens auxquels ils vont se joindre, d'autant plus que l'éloge de soi est un fort interdit rhétorique, qui ne laisse à l'orateur qu'une marge de manœuvre très étroite[110]. Au contraire, les officiers qui accueillent les nouveaux académiciens se doivent de faire leur éloge et de justifier par là le choix de la Compagnie. Ainsi La Chapelle, répondant à l'abbé de Saint-Pierre, fait son éloge et conclut:

---

[110] Sur l'éloge de soi, voir Plutarque. *De se ipsum citra invidiam laudando* (*Œuvres morales*, Paris: Les Belles Lettres, coll. des Universités de France, VII, 2e partie, 1974). Quelques académiciens y ont cependant recours, avec prudence (voir par exemple Pavillon, discours de réception, p. 593).

> Voila, MONSIEUR, ce qui vous acquite envers nous, & ce qui vous fait obtenir une place, au dessus de laquelle la belle litterature n'a rien à souhaiter, l'esprit cultivé ne peut rien imaginer.

La suite montre que l'éloge du nouvel académicien fait partie des devoirs de l'orateur:

> On ne vous soupçonne point d'en ignorer l'éclat, vous l'avez souhaitée avec trop d'empressement pour ne l'avoir pas connu. Mais le témoignage involontaire de vostre conscience, qui vous force sans doute de vous avoüer à vous-mesme que vous en estes digne, vous a fait craindre les secrets reproches de vostre modestie, & vous a obligé de cacher, dans l'éloge que vous venez de faire des belles Lettres, une partie de cet éclat qui rejaillit sur vous.
>
> Il vous a esté beau de vous taire sur ce sujet, il me seroit honteux de n'en pas parler, puisque c'est faire vostre éloge que de montrer tout l'honneur accordé à vostre merite. (p. 709)

L'approbation apparente déguise-t-elle une critique du discours de l'abbé de Saint-Pierre? Quoi qu'il en soit, La Chapelle rend explicite deux constantes: le récipiendaire se présente, d'unc manière ou d'une autre, avec modestie; le directeur le loue. Le directeur doit aussi inviter celui qu'il accueille à remplir ses fonctions. Son discours n'est-il pas l'héritier de l'exhortation prévue par les règlements

> (14. Lorsque quelqu'un sera reçu dans la Compagnie, il sera exhorté, par celui qui présidera, d'observer tous les statuts de l'Académie, et signera l'acte de sa réception sur le rcgistre du Secrétaire)?

Nous aurons l'occasion de voir que, dans la plupart des cas, ces mentions ont perdu leur force didactique, si elles en ont jamais eu, sauf dans des cas exceptionnels. Car les «règles» que les académiciens mentionnent ou que les constantes permettent de formuler connaissent quelques exceptions, quoique rares. La plus éclatante concerne l'éloge du prédécesseur. Lorsque La Chapelle est reçu, le 12 juillet 1688, il occupe la place laissée vacante par Furetière. Or, même si le Roi n'a pas voulu que Furetière fût remplacé avant sa mort, l'Académie avait décidé sa destitution plusieurs années auparavant[111]. Les discours de La Chapelle et de Charpentier, qui répond, montrent que les éléments que j'ai qualifiés de constants représentent en fait des «cases» dont le contenu est suscep-

---

[111] En 1685, l'Académie avait voté l'exclusion de Furetière, mais le Roi n'avait pas encore donné son accord pour procéder à une nouvelle élection, lorsque Furetière mourut en 1688. Pour le récit des événements, voir Masson, *op .cit.*, p. 197 sq.; M. Fumaroli donne une interprétation de la «Querelle des dictionnaires» dans «La Coupole»: Furetière présenterait un tableau exhaustif de la langue (et de la culture) française dans sa longue durée, tandis que l'Académie se contenterait d'enregistrer le «bon usage» (p. 346 sq.).

tible de substitutions. La place de l'éloge du prédécesseur est en effet tenue, dans les deux discours, par le blâme de Furetière, qui n'est pas mort, si l'on peut dire, académiquement... La Chapelle oppose un passé heureux au temps où il lui faut déplorer les égarements de celui à qui il succède. L'insistance sur le caractère extraordinaire de la situation ne fait que mettre en lumière, *a contrario,* le caracatère normal de l'éloge du prédécesseur:

> Alors nulle infidelité n'avoit encore obligé l'Académie à retrancher aucun de ses membres, & nul autre avant moy en prenant sa place parmy vous, n'avoit esté reduit à déplorer les égaremens de son predecesseur, au lieu de donner des loüanges à son merite, & des pleurs à sa mémoire[112].

Si La Chapelle fait ainsi une allusion plutôt prudente à l'affaire Furetière, Charpentier, qui représente l'Académie, s'attarde beaucoup plus, dans sa réponse, sur le sujet, qu'on ne peut passer sous silence, alors que l'élection de La Chapelle aide la Compagnie «à remplir le vide fatal qui a si longtemps interrompu sa symétrie».

> Cette affaire a trop éclaté pour n'en rien dire aujourd'huy. N'attendez pas toutefois, MONSIEUR, que je vous fasse un long recit de la conduite odieuse de cet Académicien, qui succombant à la violence d'une ambition dereglée, & à la tentation d'un interest sordide, avoit projetté de s'attribuer à luy seul le travail de toute la Compagnie. (p. 537-538)

Charpentier n'a pas de mots assez durs contre celui en qui il voit un aussi «foible orateur en matiere d'Apologie qu'il a paru peu diligent Grammairien en matiere de Dictionnaire».(p. 541).

La place prise par l'éloge du Roi peut même provoquer l'effacement de l'éloge des protecteurs précédents. L'abbé Colbert suggère d'ailleurs une évolution dans la norme du discours: «Ce n'est plus le temps de s'estendre sur les loüanges de vos premiers Protecteurs. Ils me fourniroient à la vérité la matiere de plusieurs éloges» (p. 329). Cette affirmation n'empêche d'ailleurs pas l'orateur de s'acquitter des éloges qu'il rejette, avant de montrer la transformation apportée par la protection royale:

> Que si, MESSIEURS, vous vous estes acquis une si grande reputation sous ces illustres Protecteurs, que ne devons nous pas attendre de vous à present que vous estes sous la protection de nostre auguste Monarque? (p. 330)

Séguier, qui apparaît fréquemment sous la double figure du simple aca-

[112] La Chapelle, successeur de Furetière, et plus tard chargé de répondre à l'abbé de Saint-Pierre, fait ainsi curieusement le lien entre les deux exclus.

démicien et du protecteur de la Compagnie, comme c'est le cas dans le passage suivant:

> D'abord simple académicien, depuis Protecteur, tousjours également zelé pour nos exercices qu'il a si souvent honorez de sa presence (p. 533, réponse de Charpentier à La Chapelle),

se voit le plus souvent attribuer la gloire d'avoir sauvé l'Académie de la ruine, après la mort de Richelieu. Je ne citerai qu'un exemple de cette présentation, que je tire du discours de réception de La Loubère (25 août 1693):

> Ces avantages achevoient de faire oublier à cette Compagnie les traverses, parmy lesquelles elle estoit née, & qui sont inévitables aux establissemens les plus utiles, lorsqu'ils ont de l'éclat; ils la rendoient tous les jours plus florissante, quand la mort trop prompte du Cardinal de Richelieu luy fit envisager de prés sa ruine entiere. Dans cet ébranlement dangereux, je la voy, MESSIEURS, qui cherche un appuy, & qui le trouve heureusement dans son propre sein. Ce fut le celebre Chancelier Seguier l'un de ses enfans, qui estant d'ailleurs la parole vivante, par laquelle l'autorité Royale s'expliquoit alors, sembloit avoir un droit naturel de recuëillir, & de proteger les Maistres de l'art de parler. (p. 660)[113]

Or certains orateurs mettront en pratique la règle édictée par l'abbé Colbert, qui sacrifie au Roi les éloges des protecteurs passés: l'éloge de Séguier, en particulier, reste, à l'occasion, une case vide. Fontenelle, reçu le 5 mai 1691, fait l'éloge de Corneille, son oncle (mais recule devant celui de Thomas Corneille, qui doit répondre à son discours), celui de Villayer à qui il succède, celui du Roi et finalement ceux de Richelieu et de Louis XIII, celui-ci comme «le plus juste des Rois», celui-là comme le modèle des ministres. Séguier semble bien avoir disparu du catalogue:

> Que ne pouvons-nous rappeller du tombeau, & rendre spectateur de tant de merveilles, le grand Ministre à qui l'Académie Françoise doit sa naissance! Luy qui sous les ordres du plus juste des Rois, a commencé l'élévation de la France, avec quel estonnement verroit-il ses propres desseins poussez si loin au-delà de son idée & de son attente! Luy qui nous fut donné pour preparer le chemin à LOUIS LE GRAND, auroit-il crû ouvrir une si belle & si éclatante Carrière? (p. 580)

---

[113] Voir également la réponse de Rose à l'abbé de Clérambault:

> Quel heureux choix qui rend justice à tous les talens académiques réünis en vostre personne! & quel agrément de les avoir rencontrez dans un Sujet dont les illustres Ayeux ont eu tant de part à la gloire du Ministere de ce grand Cardinal qui forma nostre Compagnie, & de si nobles liaisons avec ce sage Chancelier qui la sauva du naufrage! (p. 717)

Le rapport téléologique qui s'établit entre Richelieu et Louis XIV ne laisse guère de place pour Séguier. J'aurai l'occasion de revenir sur ce rapport[114], mais on voit déjà que Richelieu subit, une sorte de déplacement: sa grandeur est celle du ministre «sous les ordres» d'un roi. On souhaiterait pouvoir le convoquer au spectacle des merveilles du règne du Roi-Héros qui fond en lui la double grandeur de Richelieu et du plus juste des rois en les surpassant tous deux. Un tel paradigme exclut Séguier. Son éloge, quand il ne disparaît pas, peut être très atrophié. Ainsi Fénelon, s'il consacre à «Armand, Cardinal de Richelieu» un éloge qui culmine sur la protection donnée à l'Académie («il la reçut en son sein») passe rapidement sur Séguier: «un magistrat éclairé & amateur des lettres» (p. 622).

Les constantes ainsi isolées constituent les éléments combinables dans tout discours académique. Ce sont les unités dont l'addition formera tout ou partie du discours: entre les différents éloges (prédécesseur, protecteurs, Roi, Académie, pour le récipiendaire; récipiendaire, prédécesseur, Académie, protecteurs, Roi, pour l'officier qui répond) et les considérations linguistico-littéraires (d'ailleurs souvent rattachées à l'éloge de l'Académie), on a l'idée de ce qui constitue le discours minimal, celui qui respecte les règles plus ou moins explicites du genre. Mais, si l'on peut déterminer un certain nombre d'éléments fondamentaux du discours académique, leur organisation est-elle soumise à des restrictions? Y a-t-il des normes structurelles comme il y a des normes thématiques?

## 2. **La structure des discours**

Le discours résulte de la combinaison des constantes mises en lumière ci-dessus et des éléments particuliers à chaque occasion. L'exemple du blâme de Furetière, qui tient la place de l'éloge du prédécesseur, rappelle que le texte rhétorique est régi par un principe de «substituabilité»: il résulte de la combinaison d'unités élémentaires qui forment un tout additif au sein duquel elles peuvent être permutées ou substituées[115]. La mise en évidence, dans les discours académiques, des règles d'organisation ou de l'absence de toute contrainte à ce niveau permettra des comparaisons avec les discours émanant d'autres institutions.

---

[114] Sur le rapport téléologique entre Richelieu et Louis XIV, cf.*infra*, p. 179 sq.

[115] Sur la conception rhétorique du texte comme un tout additif, où les éléments sont permutables et substituables, voir mon article, «Plagiarism as a Theory of Writing», *PFSCL* X, 18 (1983).

Les compliments et harangues au Roi ou à la famille royale sur des événements d'ordre général (temps forts de la vie politique, comme la paix, ou des victoires ou des événements qui touchent la famille royale et, par conséquent, le Royaume, comme les décès ou les mariages) ne sont pas spécifiques à l'Académie française. Je ne m'y attarderai donc pas ici, d'autant que leurs formules sont assez simples et limitées (en général: sentiments de la Compagnie liés à l'occasion, éloge(s) et, de façon facultative, vœux). Ceux qui émanent des milieux parlementaires ne sont guère différents. Les compliments s'épanouissent dans le cadre civique, et c'est dans ce contexte qu'ils seront analysés en détail[116].

Quant aux discours prononcés «spontanément» par les académiciens sur des sujets divers, ils n'ont pas valeur générale. Si l'on prend les panégyriques du Roi prononcés entre 1673 et 1689 (celui de Pellisson, en 1671, avant le transfert au Louvre, lorsque la Compagnie est toujours sous la protection de Séguier, est rendu plus complexe par le fait qu'il s'agit d'un discours de réponse), on voit plusieurs techniques à l'œuvre. Tallemant, en 1673, et Charpentier, en 1679, organisent leurs discours en deux points principaux, la guerre, puis la paix, dans la tradition du *basilikos logos*[117]. Mais d'autres sont simplement chronologiques, ou bien rassemblent les événements selon une cohérence thématique[118].

Dans un cadre ritualisé, on s'attend à trouver des constantes – voire des contraintes – au niveau structurel, aussi bien que pour les éléments de contenu (la rhétorique posant comme principe la distinction entre la matière et la forme du discours). On s'aperçoit en fait, à examiner quelques exemples, que la structure des discours de réception et de réponse est relativement libre. Alors que les discours d'ouverture de parlement, par exemple, se terminent le plus souvent sur un paragraphe adressé aux procureurs[119], les discours académiques organisent leur progression sans constante. Quelques discours suffiront à illustrer la variété des combinaisons possibles.

Le discours de réception de l'abbé de Choisy (25 août 1687) donne un modèle d'enchaînement simple:

---

[116] Voir les analyses des compliments dans le contexte de la vie municipale, p. 593 sq.

[117] La répartition des actions, qui illustrent les vertus, entre vertus manifestées à la guerre et vertus manifestées pendant la paix est même un impératif dans le cas de l'éloge d'un empereur (alors que les lieux tirés des vertus peuvent se présenter dans n'importe quel ordre). Sur ce point, voir L. Pernot, «Les *Topoi* de l'éloge chez Ménandros le rhéteur», *Revue des Études Grecques* XCIX, n° 470-471, p. 36.

[118] Pour une présentation plus détaillée de la structure des panégyriques académiques du Roi, on pourra se reporter à mes *Panégyriques du Roi*, *op. cit.*

[119] C'est particulièrement net pour les discours conservés dans le manuscrit de la Bibliothèque nationale Joly de Fleury 2359, «Mercuriales, discours de rentrée».

- Éloge de l'Académie (remerciement et regret d'avoir à faire un discours)
- Éloge du prédécesseur (Saint-Aignan)
- Éloge de Richelieu
- Éloge de Séguier (très bref)
- Éloge du Roi (et de l'Académie)[120].

La liste des éloges individuels, après l'exorde, s'ouvre sur celui du prédécesseur. Or, dans le discours de réception de l'abbé Renaudot, l'éloge de Doujat, à qui l'orateur succède, clôt au contraire la série des éloges (cette position est malgré tout assez rare)[121].

A cette structure de type séquentiel et quasi énumératif (les hommes et institutions qu'on loue apparaissant les uns après les autres), s'opposent les dispositions régies par un principe unificateur. Tous les éléments du discours sont alors enchâssés dans un éloge singulier ou dans une série de considérations générales sur un thème unique. Lorsque Fénelon est reçu, c'est l'éloge de Pellisson, dont il remplit la place, qui constitue l'armature de son discours. L'aveu de faiblesse, traditionnel dans l'exorde, introduit le nom de Pellisson: «j'aurois besoin de succeder à l'éloquence de M. Pellisson». Tout le discours se présente ensuite comme un éloge de Pellisson. Ce dernier ayant écrit l'histoire de l'Académie, et ayant été nommé historiographe du Roi, Fénelon peut présenter les récits et les éloges comme des morceaux que Pellisson aurait écrits s'il avait vécu plus longtemps:

I. *Éloge de Pellisson*

- auteur d'un ouvrage de jurisprudence[122],
- auteur de l'histoire de l'Académie. D'où:
  - Éloge de l'Académie
  - ARMAND, cardinal de Richelieu (éloge développé)
  - «un magistrat éclairé amateur des lettres» (Séguier, allusion brève)
  - Louis le Grand: pureté et délicatesse de notre langue, le sublime (le vrai sublime ne se trouve que dans le simple).

---

120 P. 503-507. L'éloge de Saint-Aignan combine des éléments très traditionnels: valeur militaire dès le plus jeune âge; élévation de l'esprit (intérêt pour les Muses, malgré ses charges); bonté du cœur et attachement au Roi; il est le digne héritier des aïeux.

121 P. 558. Renaudot fut reçu en même temps que Callières, le 7 février 1689.

122 S'agit-il de la *Paraphrase des Institutions de Justinien* (Paris: 1645)?

Conclusion de cette partie: «tel a esté le progrez des lettres que Monsieur PELLISSON auroit dépeint pour la gloire de nostre siècle, s'il eust esté libre de continuer sur l'histoire de l'Académie.»

II. *Suite de l'éloge de Pellisson*

- fidélité à son bienfaiteur
- malheur = heureuse captivité: conversion
- sa mort

Transition: ses travaux pour la magistrature et la religion ne l'empêchaient pas de se consacrer aux belles-lettres.

- historiographie du Roi, d'où:
  - Éloge du Roi
  - le Roi défend qu'on le loue
  - vœux pour le Roi[123].

Conclusion de cette partie: «Voila ce que Monsieur PELISSON auroit éternisé dans son histoire».

• Éloge de l'Académie et invitation à célébrer le règne de Louis XIV.

On voit donc qu'au lieu d'une suite d'éloges mis sur le même plan, l'orateur propose un éloge de Pellisson (fondamentalement traditionnel, puisqu'il contient les œuvres, les qualités, les événements marquants et la mort du personnage loué). Deux aspects de son œuvre, l'histoire de l'Académie et l'histoire du Roi, lui permettent d'organiser toute la matière de son discours (les éloges de personnes aussi bien que celui des belles-lettres et de l'Académie, sans oublier les considérations linguistico-littéraires).

L'abbé de Saint-Pierre élabore, lui aussi, un discours en deux parties, dont la division est rendue explicite au moment de la transition centrale. Ce n'est pas un éloge individuel qui sous-tend le discours, mais la valeur et les effets positifs des belles-lettres, en ce qui concerne les particuliers, d'abord, puis en ce qui concerne les États (cette structure rappelle d'ailleurs celle que Tallemant avait donnée à son discours «de

[123] Des vœux en fait bien ambigus: «puisse-t-il ne se fier jamais qu'en sa vertu, n'écouter que la vérité, ne vouloir que la justice» (p. 626). Le lecteur moderne perçoit la critique derrière le souhait.

l'utilité des Académies»: utilités secrètes pour les individus; utilité pour le public):

- Éloge de l'Académie; reconnaissance du récipiendaire

– *les lettres*: haute idée que l'orateur en a.

I. [*leur importance pour l'élévation des particuliers*]

- les connaissances qui servent à perfectionner la raison sont exemptes de deux taches fondamentales: elles ne portent la marque, ni de la misère de la condition humaine, ni de l'aveuglement des passions.
- La nature ne peut former de grands hommes si les lettres n'y mettent la dernière main.
  Illustrations: – Bergeret (prédécesseur)
  – Séguier
  – Richelieu, fondateur de l'Académie.

Transition: «Voilà, MESSIEURS, ce que peuvent les Lettres pour le bonheur & pour l'élevation des Particuliers qui les cultivent: Mais ... l'on sera persuadé qu'elles ne contribuent pas moins à l'élevation & au bonheur des États où elles fleurissent.» (p. 706)

II. [*le bonheur et l'élévation des États*]

- Supériorité intellectuelle de la France (plus importante que la supériorité militaire, que les ennemis ne tarderont pas à reconnaître...).
  – Cette supériorité est due à la prudence de Louis le Grand.
  – Prédiction: nos ouvrages vont faire des conquêtes en Europe.
  – Avantages plus solides: l'homme étant attiré par le plaisir, c'est à l'éloquence de parer la vérité et la vertu. Porter cet art à la perfection, c'est faire aimer la vertu et la vérité.
  – D'où un éloge de l'Académie: gage de félicité; deux fondements solides:
    – dictionnaire
    – grammaire.
- Éloge de Louis le Grand qui a vu l'importance des lettres. Conjonction ignorance-barbarie qui s'oppose au Christianisme qui ne reçoit jamais plus de soumission que des esprits éclairés.

Louis le Grand récompense les beaux-arts et les sciences.

Conclusion: La protection royale distingue l'Académie.
Estime que le Roi sage fait des belles-lettres.
Reconnaissance de l'orateur proportionnée à la grâce qu'il a reçue.

Même si on peut rapprocher deux ou trois discours par leur structure, les schémas sont variés: les quelques exemples examinés témoignent d'une grande liberté dans l'organisation générale du discours. La manière de combiner les éléments, même lorsque ceux-ci semblent requis par la situation, est libre. On tire une conclusion analogue de la lecture du discours de réponse. Tout au plus pourrait-on remarquer une tendance à commencer par une appréciation flatteuse portée sur le discours du nouvel académicien, et, plus largement, par un éloge du récipiendaire. A plusieurs reprises, le discours de réponse s'achève sur une exhortation – vestige, nous l'avons vu, des formes originelles de la réception des nouveaux académiciens. C'est ce qu'on trouve, par exemple dans le discours que Charpentier prononce pour répondre à Callières et Renaudot, et où il fait jouer à l'éloge du Roi le rôle de principe unificateur:

- Approbation du public aux deux discours; confirme la renommée.
- Éloge du *Panégyrique historique du Roy* de Callières[124]
- Importance de l'histoire du Roi, à laquelle Renaudot travaille (= éloge des deux récipiendaires)

D'où: Louis le Grand

- Rappel des hauts faits
- Accueil du Roi d'Angleterre
- Le Roi fait partir son fils à la tête de ses armées
  - d'où Louis Dauphin
  - Madame et ses enfants
- La Dauphine: éloge du Dauphin
  éloge de la Dauphine
- Leurs enfants: Duc de Bourgogne
  Duc d'Anjou
  Duc de Berry

[124] *Panégyrique historique du Roy, à MM de l'Académie françoise* (Paris: 1688), offert l'année précédente à l'Académie.

Transition: la protection du Roi sur l'Académie est dictée par le Ciel.

- Éloge de l'Académie
- Louis le Grand:
  - éloge militaire
  - arts: véritable affection du Roi pour les lettres
  - académies
  - prix d'éloquence et de poésie
- Richelieu
- Séguier (mention brève)
- Dictionnaire: sous les auspices du père de la patrie.
- Exhortation aux nouveaux académiciens: qu'ils répondent bien à l'attente de l'Académie[125].

Ce discours est plus complexe que ceux dont nous avons déjà présenté l'analyse. Outre les éléments qui sont des constantes du discours académique, on voit l'apparition d'éloges enchâssés. Mais, même sans tenir compte de ces ramifications encomiastiques[126], ni de la présence de deux récipiendaires, dont l'effet sur le discours est limité, on ne peut considérer cette disposition générale comme un modèle de base: la lecture de l'ensemble des discours de réponse tend à montrer qu'il n'y a pas de position contraignante de l'éloge du récipiendaire, et que ni l'exorde, ni la péroraison n'ont de forme fixe. Charpentier lui-même ne s'en tient aucunement à un type d'exorde et de péroraison proposé dans le discours de réponse à Callières et Renaudot. Lorsqu'il répond à Pavillon, il ouvre son discours sur une circonstance personnelle qui lui évite (quelle qu'ait été en fait son opinion) de faire le moindre commentaire sur ce qu'il vient d'entendre:

> APRES la dangeureuse maladie dont je fus frappé l'Esté dernier, je ne croyois pas, MONSIEUR, me trouver aujourd'huy en estat de vous introduire dans l'Académie Françoise, à la place vacante par le deceds de Monsieur de Benserade. (p. 576; discours prononcé le 17 décembre 1691)

L'éloge du récipiendaire est reporté, et suit celui de son prédécesseur. Dans la réponse à Tourreil, c'est la péroraison qui s'éloigne de celle que Charpentier avait écrite pour la réception de Callières. Il termine cette fois sur des vœux:

---

[125] Discours prononcé le 7 février 1689. Il figure aux p. 556-568.

[126] La stratégie encômiastique des orateurs fera l'objet d'une étude spécifique (voir *infra*, p. 48 sq.).

> L'Academie Françoise qui doit tout à Louis le Grand, ne doit jamais se lasser d'ouïr ses loüanges. J'ajouteray qu'elle ne doit point aussi se lasser de faire des vœux, pour attirer d'en haut la continuation des graces que Dieu a versées jusqu'à présent sur sa personne sacrée, sur sa maison Royale, sur son florissant Empire. Fasse le Ciel qu'il force encore un coup ses ennemis d'estre heureux & de recevoir de sa main la tranquillité qu'ils ne sauroient se donner à eux-mêmes. Enfin, qu'il remplisse pleinement son tres-glorieux & tres-singulier caractere, qui est d'estre NÉ POUR LE BONHEUR DE TOUT L'UNIVERS. (p. 612; discours du 14 février 1692)

Le même orateur compose donc des discours sur des schémas variés.

La recherche des normes du discours académique conduit à poser l'existence d'un certain nombre de constantes, auxquelles s'ajoutent des éléments variables selon l'occasion, qui sont organisés sans contrainte: leur position dans le discours semble libre. Les orateurs n'ont pas besoin, pour réussir leur prestation oratoire, de respecter un modèle de structure unique, fixe et prédéterminé.

On ne saurait toutefois quitter le terrain de la structure du discours, sans évoquer un phénomène qui se rencontre, certes, hors du corpus, mais que la conjonction d'une contrainte de durée assez stricte (le discours académique étant un genre relativement bref) et d'une relative liberté de la structure engendre fréquemment dans le contexte académique. Ce phénomène, je le qualifierai de figure de clôture ou de transition forte. C'est une variante de la *réticence*[127], surtout employée à propos de l'éloge du Roi, et dont on peut trouver l'exemple dans la réponse de Boyer à Verjus, comte de Crécy, «conseiller du Roy en ses conseils, Secretaire de son Cabinet, & Plenipotentiaire pour sa Majesté à la Diete de Ratisbonne», reçu le 24 juillet 1679:

> Mais que fais-je? J'oublie insensiblement que je vous dérobe les momens que vous devez à l'execution des ordres du Roy qui vous presse de partir. (p. 342)[128]

---

[127] J'emprunte à Fontanier la définition de la réticence (ou aposiopèse), qui est bien dans l'esprit des traités classiques: «La *Réticence* consiste à *s'interrompre tout à coup dans le cours d'une phrase, pour faire entendre par le peu qu'on a dit, et avec le secours des circonstances, ce qu'on affecte de supprimer, et même souvent beaucoup au delà.*» [*Les Figures du discours*, Genette éd. (Paris: Flammarion, 1968), p. 135]. Morier donne une précision intéressante en opposant deux cas: «soit que la phrase ait été brusquement interrompue..., soit que le diseur annonce son intention de ne pas tout dire» [*Dictionnaire de poétique et de rhétorique* (Paris: PUF, 2e édition 1975), p. 899]

[128] Le discours de Doujat pour la distribution des prix de 1681, déjà cité (*supra*, p. 57) fournit un exemple intéressant de ce phénomène, puisque le temps et l'heure y sont mentionnés et que l'interruption du panégyrique dans lequel l'orateur s'était lancé est due à l'impérarif de brièveté. Le «plaisir» que Doujat prenait à parler du Roi lui aurait ainsi fait perdre de vue son *devoir* d'officier: introduire la distribution des prix (et res-

L'éloge du Roi risque toujours d'entraîner l'orateur au-delà des bornes temporelles qui lui sont assignées. L'évocation de Sa Majesté devant l'Académie semble destinée à faire perdre aux orateurs la notion du temps ou des «convenances», puisque les panégyristes de saint Louis que la Compagnie charge de parler devant elle dans la chapelle du Louvre constatent inévitablement la dérive de leur discours et l'invasion du panégyrique par l'éloge de Louis XIV[129].

Cette forme de suspension apparaît dans les discours académiques comme figure de clôture lorsque l'éloge du Roi constitue la dernière rubrique de l'orateur. Ainsi, l'abbé de Choisy, qui termine sur une association de l'éloge du Roi et de celui de l'Académie, s'interrompt brusquement:

> Mais où m'emporte mon zele? A peine placé parmi vous, j'entreprens ce qui feroit trembler les plus grands Orateurs, & sans considerer mes forces j'ose parler d'un Roy dont il n'est permis de parler qu'à ceux, qui comme vous, MESSIEURS, le peuvent faire d'une maniere digne de luy. (p. 507)

Même si ce n'est plus le temps, mais la faiblesse de l'orateur qui est incriminée, le phénomène reste le même. Les termes employés rappellent ceux de Doujat: de cette façon, l'abbé de Choisy peut s'interrompre et mettre fin à son discours. Les rapprochements entre le discours de Doujat[130], celui de l'abbé de Choisy (prononcé également le jour de la Saint-Louis, en 1687) et les panégyriques de saint Louis pourraient amener à induire que la date du 25 août, jour de Saint-Louis, est un élément pertinent pour le phénomène ici décrit. En réalité la date n'a aucune influence sur la présence de la réticence. L'abbé Bignon est reçu le 15 juin 1693, et son discours se termine pourtant, comme le précédent, sur une suspension brusque:

> Mais où me suis-je laissé emporter? Charmé de vostre bonheur, ébloüi de vostre gloire; peut-estre trop sensible au plaisir nouveau de me trouver associé à l'un & l'autre, j'ay presque oublié ma foiblesse, & tenté des sujets dignes de toute vostre éloquence. Pardonnez, MESSIEURS, ces premiers transports. Le desordre où me jette l'honneur que vous

---

pecter l'horaire!). La formule employée («Mais où m'emporte l'ardeur de mon zèle?») a de la sorte pour fonction d'effectuer une transition entre le discours d'éloge et le discours de distribution des prix proprement dit. La réponse de Boyer à Verjus, comte de Crécy, met également l'accent sur le temps qui s'écoule.

[129] Cette «invasion» permet de définir la nature du rapport entre l'image de saint Louis et celle de Louis XIV. Je ne fais ici que présenter un trait de ces panégyriques de saint Louis. Pour une interprétation, qui tient compte de cette forme de réticence, voir mon article, «Généalogie d'une image: l'éloge spéculaire», *XVII^e^ SIÈCLE* 146.

[130] Voir *supra*, note 128.

> m'avez fait, est le plus fidelle interprete des sentimens que vos bontés m'inspirent. (p. 637)

Une interruption comme «Mais où me suis-je laissé emporter?», qui permet de mettre fin à un développement, peut, à n'importe quel moment du discours effectuer la transition vers un autre point. Doujat y a recours pour passer du panégyrique du Roi à la distribution des prix. On a vu que l'abbé de Dangeau, qui reçoit La Loubère, prononce un discours qui doit remplir deux fonctions (il sert de réponse à celui du récipiendaire; il introduit la distribution des prix) et qu'il a tout naturellement recours à cette forme d'aposiopèse, dont on voit qu'elle est relativement figée, pour faire transition vers une autre partie de la séance, plutôt que vers une autre partie du discours[131]. Mais Cordemoy l'utilise pour passer de l'éloge des exploits militaires du Roi à ses qualités intellectuelles, particulièrement l'éloquence:

> Mais où m'emporte mon zele? J'oublie que je ne dois maintenant parler de ce Heros, que comme étant la plus riche matiere que vous puissiez donner à vos écrits, & la plus capable de les faire durer. (p. 279)

La formule se retrouve sans grande variation dans de nombreux discours.

L'aposiopèse, figure de clôture ou de transition dans les discours académiques, joue ainsi un rôle dans l'organisation du texte. Le plus souvent, elle permet de passer de l'éloge direct du Roi à une autre partie du discours ou de la séance, un passage qui serait difficile sans marque forte, ou de réorienter l'éloge du Roi déjà commencé. Il arrive d'ailleurs que l'arrêt explicite ne soit qu'un moyen de relancer le discours. L'abbé Colbert, le futur archevêque de Rouen, reçu le 30 octobre 1678, annonce qu'il laisse à ses confrères, plus qualifiés, le soin d'achever le panégyrique du Roi qu'il n'aurait jamais dû commencer, tout en proposant sur deux pages le plan de l'éloge qu'il affirme renoncer à faire:

> Mais que fais-je, MESSIEURS? Dois-je entreprendre de parler devant vous de ce Prince qui épuisera toutes vos sçavantes meditations. (p. 531)

Se déchargeant sur ses confrères du panégyrique impossible, il leur expose longuement le programme qu'ils doivent suivre, les points de l'éloge qu'ils doivent aborder!

---

[131] Pour le passage en question, et le parallélisme avec le discours de Doujat, voir *supra*, p. 56-57.

Si le statut des orateurs[132] peut jouer un rôle dans le choix des éléments intégrés au discours, l'aposiopèse de transition ou de clôture est indépendante de la situation de celui qui parle. On l'a vue dans le discours de Doujat, où elle joue un rôle de transition forte. On l'a vue chez des récipiendaires et chez un directeur qui avait pour double mission d'accueillir un nouvel académicien et de présenter les prix. Mais, lorsque Tallemant prononce son discours «de l'utilité des Académies», il clôt le développement de son discours sur la remarque: «Mon zele me transporte» (p. 268), variante de l'interrogation: «mais où m'emporte mon zele?», plusieurs fois rencontrée. Tous les orateurs sont également démunis devant l'éloge du Roi, même si les récipiendaires trouvent là l'occasion de flatter la Compagnie à laquelle ils se joignent. Clérambault, reçu le 3 juin 1695, s'exclame soudain:

> Mais je ne m'aperçois pas, MESSIEURS, qu'emporté par mon zele, & séduit par l'éclat du sujet, je ne me souviens plus de l'inegalité de mes forces; peut-estre que la confiance prochaine d'estre reçu parmi vous me fait oublier que ces nobles matieres sont reservées à vostre seule éloquence. (p. 716-717)

L'interruption, qui résulte en un aveu de faiblesse, fournit à l'orateur une occasion de montrer sa déférence à l'égard de ses nouveaux confrères, en faisant leur éloge. Mais, de l'académicien blanchi sous le harnais à la plus récente recrue, tous regrettent de ne pas disposer d'expressions dignes de contribuer à l'éloge du Roi et capables de le représenter dans sa véritable grandeur. Tous aussi se laissent emporter par l'étendue du sujet et par le plaisir qu'ils éprouvent à l'aborder – et n'y avait-il pas un certain plaisir à proposer *encore une version* de l'éloge du Roi qui ne fût, chaque fois, ni tout à fait la même ni tout à fait une autre? Ainsi, Régnier-Desmarais qui vient d'enchaîner l'éloge du Dauphin à celui du Roi, et à celui du Dauphin ceux de ses trois fils, doit interrompre le déroulement de son discours pour revenir à l'éloge du récipiendaire:

> Mais je m'engage insensiblement dans des matieres qui ne sont pas de nostre ressort. Je reviens donc à ce qui concerne uniquement l'Académie, & l'acquisition qu'elle vient de faire. (p. 752-753)

Si la formule n'est pas identique à celles qui ont déjà été citées, l'analogie est cependant très nette: après un glissement, souligné par le terme *insensiblement,* si fréquent dans l'aposiopèse académique, la ré-orienta-

---

[132] J'entends par là que l'orateur peut être récipiendaire, officier chargé d'accueillir un nouvel académicien ou académicien parlant de sa propre initiative à la fin d'une séance.

tion du discours se marque par le verbe «je reviens» et le rappel de l'occasion qui rassemble l'Académie.

Tous les exemples étudiés montrent quelle peut être l'utilité rhétorique de la formule «mais où m'emporte...» et de ses variantes. Elles soulignent le caractère irrépressible de l'éloge du Roi, c'est-à-dire qu'elles permettent à l'académicien qui parle de faire son devoir encômiastique à l'égard de Louis XIV de façon hyperbolique (n'est-ce pas la seule façon correcte?).Elles offrent un moyen de passer du tribut encômiastique qu'on doit au Monarque à d'autres exigences de l'éloquence académique (éloge de l'Académie, éloge du récipiendaire, éloge des belles-lettres, distribution des prix) ou bien elles fournissent une figure de clôture lorsque la structure du discours fait de l'éloge royal l'élément final qui complète le «contrat oratoire» que toute personne parlant devant les académiciens doit implicitement remplir[133]. Enfin, elles étendent au-delà de l'exorde la *captatio benevolentiae,* l'orateur demandant à ses pairs, s'il est lui-même académicien, ou aux Quarante, s'il n'est pas membre de la Compagnie, de compatir à la difficulté de sa position. C'est en même temps pour lui l'occasion d'affirmer son zèle pour le Roi, un aspect que les panégyriques de Louis XIV prononcés dans l'Académie soulignent particulièrement. Sans prétendre que cette forme de transition ou d'arrêt soit réservée à l'Académie, il faut pourtant constater que les orateurs qui participent à son cérémonial y ont recours de façon singulièrement fréquente et cohérente. C'est qu'elle convient bien au discours académique, à ses normes et à ses contextes, ainsi qu'à la liberté de son organisation structurelle.

## IV. – L'ACADÉMIE, LA LANGUE, LE ROI: VALEURS ET FONCTIONS DU DISCOURS ACADÉMIQUE

Depuis le libraire de l'Académie, J.-B. Coignard, qui écrivait, dans l'Avertissement au *Recueil des harangues* de 1698:

> Les loüanges du Roy ont fourny une ample et riche matiere; & l'on ne pourra voir sans estonnement & sans admiration qu'ayant eu tous à traiter le même sujet ils ayent suivi des routes si différentes & tousjours avec succés,

jusqu'aux critiques modernes de toutes tendances, un large consensus met en lumière la place tenue par l'éloge du Roi dans l'Académie fran-

[133] Il y a «contrat», parce que l'orateur, en répondant aux *attentes* du public, sera *payé* en retour d'*approbation*.

çaise. M. Fumaroli écrit, à propos de la *Deffense de la langue françoise* de Charpentier[134]:

> Ce plaidoyer en faveur du grand style de la langue française est aussi un plaidoyer *pro domo sua* de l'Académie française, dont le genre majeur est devenu sous Louis XIV le panégyrique du roi[135].

Mais, si l'Académie présente bien l'aspect d'une machine à produire des éloges, éloges de Richelieu d'abord, puis de Louis XIV, son éloquence remplit une fonction qui dépasse la seule célébration royale, et pas seulement parce que, comme le remarque encore M. Fumaroli, grandeur du Roi et grandeur de la langue avaient tendance à être confondues. Les constantes qui viennent d'être analysées étaient surtout, il est vrai, de l'ordre de l'encômiastique (éloge de l'Académie, des protecteurs, du récipiendaire, des belles-lettres). Mais ces éléments ont des prolongements: l'éloge des belles-lettres, comme celui de la Compagnie, débouche sur une revalorisation sociale de l'homme de lettres, revalorisation qui permet à son tour de donner aux académiciens une image satisfaisante de leur institution. L'éloge du Roi et de sa langue amène les orateurs à préciser leur conception de la langue et de la culture en général, et de leur fonction dans le gouvernement. On ne saurait donc ramener le discours académique à un simple «tissu de louanges», comme le faisait La Bruyère.

Je considérerai ici le discours selon quatre perspectives majeures, dont la réunion permet de saisir globalement les fonctions et les valeurs de la pratique oratoire cérémonielle à l'Académie. Dans un premier temps, je montrerai que l'exhortation «éthique», celle qui concerne les devoirs des académiciens, joue, sauf exception, un rôle de faible importance. J'étudierai ensuite la manière dont les discours abordent les considérations linguistiques et littéraires, préoccupation essentielle de l'Académie. Cette étude permettra d'analyser la représentation que les discours académiques proposent de l'Académie elle-même. C'est un aspect important, puisque les immortels font partie du public, et qu'il est de la nature du discours d'apparat de combler l'attente de son auditoire. Je m'intéresserai finalement à la composante encômiastique en examinant la forme et la fonction des éloges: outre les éloges qui font partie des constantes du discours académique, chaque occasion engendre des développements encômiastiques dont la logique permettra d'éclairer le fonctionnement de l'éloquence d'apparat.

---

[134] *Deffense de la langue françoise pour l'inscription de l'arc de triomphe* (Paris: Claude Barbin, 1676).

[135] M. Fumaroli, «L'Apologétique de la langue française classique», *loc. cit.*, p. 153.

## 1. Les devoirs de l'académicien

Le règlement de l'Académie prévoit qu'à la réception d'un nouvel académicien, le directeur exhortera le récipiendaire à respecter les statuts de la Compagnie. La lecture des statuts au nouvel académicien et sa prestation de serment restent une part importante de la cérémonie de réception dans certaines académies de province[136]. Si le discours de réponse, dont il sera particulièrement question, est l'héritier de cette pratique, modifiée par l'introduction d'un compliment de remerciement, on s'attendrait à ce que les officiers consacrassent une large part de leur discours à une exhortation «éthique», qui développerait les devoirs de l'académicien et engagerait les nouveaux confrères à les remplir. De fait, on trouve à plusieurs reprises une exhortation embryonnaire. Encore son caractère éthique n'est-il pas toujours clairement marqué. L'abbé Galois s'adresse à l'ensemble de l'Académie, et non au seul récipiendaire, lorsqu'il accueille l'abbé de Dangeau:

> C'est maintenant à nous, MESSIEURS, à chercher des expressions qui répondent à la dignité du sujet sur quoy nous devons travailler: C'est à nous à faire en sorte que la Posterité en admirant dans nos ouvrages les actions heroïques du plus grand Roy du monde soit satisfaite de la maniere dont nous les aurons traitées. (p. 375; 26 février 1682)

Plus nettement, Charpentier termine son discours à Callières et Renaudot sur une exhortation explicite:

> Mais, MESSIEURS, qu'ay-je affaire de vous entretenir plus longtemps d'un travail dont vous allez estre tesmoins. Il ne me reste qu'à vous exhorter de respondre à l'attente de l'Académie, qui vous ayant donné tous les suffrages, ne peut pas vous dissimuler qu'elle s'est promis un grand secours de vostre assiduité & de vos lumieres. (p. 568)

Malgré le verbe «exhorter» et le terme «assiduité» qui définit au moins un des devoirs de l'académicien, nous avons affaire à un éloge autant qu'à une exhortation éthique: les devoirs à remplir sont aussi l'attente de l'Académie, fondée sur l'estime pour les nouveaux venus. Même type de formulation chez Doujat, lorsqu'il répond à Barbier d'Aucour:

> Comme elle [l'Académie] a beaucoup de satisfaction de vous voir entrer dans ses exercices, elle espere que par votre assiduité vous respondrez à son attente & que vous contribuerez beaucoup par les lumieres de vostre esprit à la perfection des ouvrages qu'elle a voulu entreprendre. Elle espere mesme que vous joindrez vos nobles efforts à ceux de ces grands et beaux genies qui taschent de se prevaloir des incomparables actions de nostre auguste Protecteur, pour relever par

---

136 Voir, sur ce point, chap. II, p. 224.

> leur prose ou par leurs vers la gloire de nostre nation & la beauté de nostre langue. (p. 392)

Dans les deux cas, le récipiendaire se voit invité à l'assiduité. Mais c'est le seul point qui ait encore à voir avec les règlements de l'Académie. Le plus souvent, les exhortations restent vagues, et contribuent à l'éloge de ceux à qui elles sont adressées. Régnier-Desmarais, après avoir fait l'éloge de Conrart et Balledens, à qui Rose et Cordemoy succèdent, affirme aux académiciens:

> Mais ce n'est pas à moy à tascher de vous les faire oublier; c'est à ceux que vous avez choisis pour les reparer [les pertes que l'Académie a faites]; & qui ont déjà si bien répondu à vostre choix par la politesse, & par l'éloquence de leurs discours.
>
> C'est donc à vous que je m'adresse, MESSIEURS, c'est à vous de faire en sorte, que quelques grandes que soient nos pertes, nous ne nous appercevions pas d'avoir rien perdu; & que ne pouvons-nous point nous promettre de tant de qualitez academiques que vous possedez l'un & l'autre? (p. 282)

Le nouvel académicien entre bien dans une institution qui a ses règles et dans laquelle il doit contribuer à mener à bien une tâche (la défense et l'illustration de la langue française, à travers l'élaboration d'un dictionnaire en particulier). Mais c'est plutôt par la constatation ou l'espoir que ce que l'on a déjà vu du nouveau confrère présage son assiduité future et le respect qu'il aura pour la Compagnie et son mode de fonctionnement que s'expriment en général ces considérations.

Les véritables mises en garde sont rares. Il est pourtant des occasions où l'officier chargé de la parole met en avant l'autorité de sa position pour donner un avertissement, soit au récipiendaire, soit même à la Compagnie dans son ensemble. Lorsque La Fontaine est élu, le 15 novembre 1683, le Roi diffère son agrément[137]. Ce n'est

[137] Le Roi prend prétexte d'une dissension apparente parmi les académiciens.

> Mr Doujat Directeur a rapporté à la Compagnie qu'il avoit esté à Versailles pour rendre compte au Roy de ce qui s'estoit passé dans l'assemblée du 15, et pour sçavoir s'il agreoit que l'on procedast au second scrutin sur Mr de la Fontaine qui avoit été admis au premier sous le bon plaisir de Sa M<ajes>té. Que Sa M<ajes>té luy ayant fait l'honneur de l'entendre avec beaucoup de bonté, luy avoit dit ensuite qu'elle avoit appris qu'il y avoit eu du bruit et de la cabale dans l'Académie. Qu'il avoit respondu qu'il estoit vray que quelqu'un avoit tesmoigné publiquement n'agreer pas le choix qui avoit esté fait de Mr de la Fontaine à la pluralité des voix, et en avoit parlé avec un peu de chaleur, mais que du reste tout s'estoit passé avec tranquillité et dans les formes ordinaires. Que là dessus ayant voulu expliquer à Sa M<ajes>té quelles estoient ces formes, elle l'avoit interrompu en luy disant qu'elle les sçavoit fort bien, mais pour ce coup, elle n'estoit point encore bien déterminée, et qu'elle feroit sçavoir ses intentions à l'Académie.» (*Registres*, p. 217-218).

qu'au mois d'avril suivant que Louis XIV autorise l'Académie à procéder à la réception, qui a lieu le mardi 2 mai 1684. La Chambre, alors directeur, met en garde le récipiendaire, qui vient occuper la place de Colbert:

> A vous dire le vray, MONSIEUR, nous avions besoin d'un bon sujet pour adoucir les amertumes d'une separation aussi douloureuse à nostre égard, qu'est celle de Monsieur COLBERT, auquel vous succedez. Nous avions besoin de quelque illustre qui le remplaçast, pour nous aider à nous consoler de la perte d'un Confrere, dont la mémoire nous sera à jamais chere, dont les bontez ne s'effaceront jamais de nos cœurs.
>
> Vous devez, MONSIEUR, l'oublier moins que personne. Car je suis en droit de vous dire avec toute l'autorité que ma Charge me donne (Charge que le sort qui ne fut jamais plus aveugle m'a imposée bien loin de mes desirs, & qui convenoit mieux à tout autre dans une Reception comme celle-cy). Vous devez, dis-je, MONSIEUR, vous souvenir sans cesse de celuy dont vous occupez la place pour remplir parfaitement vos devoirs, & pour satisfaire aux obligations que vous contractez indispensablement en prenant seance dans cette Assemblée, aujourd'hui que vous entrez en société <avec> nous. (p. 443-444)[138]

La conjonction d'un prédécesseur dont le rôle a été essentiel dans l'évolution de l'Académie et d'un récipiendaire qui n'est pas, pour l'Académie et pour le Roi – lequel fait attendre son agrément – sans reproche, provoque l'affirmation de l'autorité de l'officier, et sa mise en garde[139]. Encore l'orateur prend-il grand soin de mêler l'éloge à l'avertissement (qui suit aussi des remarques élogieuses): la parenthèse, où l'orateur fait avec modestie l'aveu de son peu de valeur, souligne la qualité de la réception...

Charpentier, s'adressant à La Chapelle, lui donne quelques conseils:

---

[138] Le texte porte «... société vous nous», qui est une faute évidente.

[139] Clérambault, qui succède à La Fontaine, fait ainsi son éloge:

> Comment vous faire oublier cet homme incomparable, dont la simplicité & la douceur étoient encore plus estimables, que l'esprit & la capacité! Cet homme singulier, qui n'ayant jamais compté les biens de la fortune parmy les véritables biens, sçeut avec ce tour naïf & ingenieux qui luy estoit si propre, élever jusqu'au sublime les choses les plus abjectes de la nature, sans neanmoins leur faire rien perdre de leur caractere; Genie seul semblable à luy-mesme, qui surpassant ses modelles avoit saisi l'air original avec tant d'avantage, & d'une maniere inimitable aux siecles suivans. Heureux d'avoir expié dans les dernieres années de sa vie, par les larmes sinceres de sa penitence, le scandale qu'il avoit pû causer par des écrits qu'un naturel facile avoit produit, sans aucune mauvaise intention, & presque sans y avoir pensé. Mais ne parlons icy que de ces ouvrages immortels... (p. 713).

La problématique de l'individu qui surpasse ses modèles tout en étant lui-même insurpassable est familière à l'Académie, qui en fait une des composantes de l'éloge du Roi (voir *infra*, p. 179-188 sq.).

> Vous n'avez plus à craindre, MONSIEUR, que la Fortune qui se declare si favorablement pour vous, & qui presente ordinairement au cœur humain des douceurs qui l'emportent sur les charmes de l'esprit. On n'a veu que trop de gens qui aprés s'estre élevez par le secours des Muses, se sont vantez de les avoir quittées lorsqu'elles ne pouvoient plus contribuer à leur aggrandissement. (p. 533)

S'agit-il pour l'orateur de rappeler au récipiendaire que la protection du prince de Conti, qui l'a recommandé à l'Académie, ne le dispense pas d'un devoir plus général à l'égard des lettres? La difficile succession de Furetière joue certainement le rôle le plus important dans cette brusque saillie éthique. Aussi bien le récipiendaire que celui qui lui répond soulignent, on l'a vu, le caractère exceptionnel de la situation. Charpentier consacre à Furetière une partie considérable de son discours. Un tel précédent ne peut que pousser le directeur à retrouver un ton sententieux et autoritaire.

On peut encore ranger dans la catégorie des devoirs des académiciens les remarques sur les élections d'académiciens, dans lesquelles Dacier, qui répond au président Cousin, transmet les volontés du Roi. L'orateur s'adresse ici à toute la Compagnie:

> Qu'il me soit permis de rapporter icy publiquement ces paroles comme je les ay entenduës de cette bouche sacrée que la douceur & la majesté ne quittent jamais; Vous le sçavez, MESSIEURS, le Roy m'a ordonné de vous dire qu'il aime beaucoup mieux les Sujets que l'Académie choisit elle-mesme que ceux qu'elle prend par complaisance & par deference pour des recommandations. (p. 763)[140]

Cette mise au point renvoie à des cas comme celui de La Chapelle, dont la réception avait précisément été l'occasion pour Charpentier d'un développement moral. On pouvait y lire une invitation à ne pas se reposer seulement sur la faveur d'un grand (la fortune, qui plaçait La Chapelle entre les immortels, s'étant manifestée sous la forme d'une recommandation pressante). Nul rapport, naturellement, entre la protection individuelle dont les grands peuvent faire bénéficier tel ou tel, et la protection sage et glorieuse que Louis XIV accorde aux arts et aux sciences. Il est vrai que, si le Roi doit donner son agrément aux élections et aux destitutions, il ne fait pas, à proprement parler, de recommandations. D'où l'exhortation de Dacier:

> Il n'y a point d'ordre que vous deviez regarder comme souverain, & vous ne devez reconnoistre d'autre pouvoir que celuy du merite. Jus-

[140] Il s'agit d'une allusion à l'élection de Testu de Mauroy et à celle de La Chapelle. J'aurai l'occasion de revenir sur ces deux élections lorsque l'étudierai la dimension encômiastique de l'éloquence académique.

> qu'icy les recommandations, ausquelles vous avez quelquefois deferé, n'ont fait que vous soulager du choix en vous presentant des Sujets que vous auriez choisis vous mesmes; mais le Roy qui par sa prudence & par sa sagesse prevoit tout & pourvoit à tout, sçait bien qu'un si grand bonheur ne peut pas durer; le vray merite ne sera pas tousjours l'objet de la protection & de la faveur; ny le juste discernement le fidele compagnon du credit & de la puissance. Ne vous servez donc jamais que de vos lumieres, MESSIEURS, pour appeler à vous des hommes qui soient dignes de vous, & qui puissent vous aider à soustenir le grand poids dont vous estes chargez[141].

Le grand poids dont parle Dacier, c'est naturellement la célébration de la gloire royale. Cette invitation à respecter les formes académiques pures débouche sur le devoir de célébrer le Roi. De façon caractéristique, puisque ce discours est le dernier que contienne le *Recueil des harangues,* et que ce passage n'est suivi que de quelques lignes qui définissent les grands hommes par analogie avec le Roi[142], le volume se clôt sur une quasi-citation des paroles du Roi, après s'être ouvert sur un avertissement qui mettait son éloge au centre de tout discours.

Les phénomènes de mise en garde restent très limités. Ce n'est pas là que réside le sens de l'exhortation académique. Il s'agit moins de respecter les règlements que de remercier et de louer le Roi. C'est ce que Doujat engage Rose et Cordemoy à faire:

> Il n'y a qu'une seule chose qu'elle [l'Académie] ne se peut promettre de vous, qu'elle ne se peut promettre d'elle-mesme, & qu'elle regarde cependant comme la principale & plus crutialle de ses obligations: c'est de repondre à tant de graces, dont la bonté du Roy l'a comblée, & d'y répondre comme le merite la grandeur de ses Bienfaits. (p. 283)

Bien que ni les plus aguerris des académiciens ni les nouveaux confrères ne puissent satisfaire à cette obligation de façon adéquate, l'orateur la traduit aux récipiendaires en apostrophes successives, en commençant par Rose:

> Vous, MONSIEUR, par qui ce grand Roy s'explique si souvent aux Rois, & aux Princes, & qui avez le bonheur de l'approcher de si prés, appliquez-vous à le faire connoistre aux autres, comme vous le connoissez vous-mesme. Songez que vous devez rendre compte à la

---

141 Sur la notion de *mérite,* voir *infra,* «L'image de l'Académie dans les discours académiques».

142
> Comme le Roy s'est eslevé au dessus de son Art [de règner] par la grandeur de son genie, sa gloire ne peut estre seulement qu'entre les mains de ceux qui s'esleveront au dessus du vostre par leur esprit: car dans tous les Arts les grands Hommes ne sont pas ceux qui les exercent en suivant les règles que leurs Maistres leur ont enseignées; mais ceux qui les surpassent, & qui s'éloignant des routes ordinaires trouvent des chemins que leurs guides n'ont pas connus. (p. 763-764).

> posterité des moindres choses que vous aurez remarquées en luy, & que vous n'en sçauriez laisser échaper aucune, sans dérober aux hommes quelque exemple de douceur, de bonté, de modestie, ou de quelque autre vertu de la vie privée. (p. 284)

Respecter les lois de l'institution, c'est alors contribuer, selon sa profession, à l'éloge du Roi. Une telle exhortation est encore l'occasion de souligner l'importance de la fonction du récipiendaire («Vous ... par qui ce grand Roy s'explique si souvent aux Rois»). Cordemoy est de même invité à poursuivre sa tâche d'historien:

> Et vous, MONSIEUR, qui travaillez pour le jeune Prince à l'histoire de la plus auguste Monarchie du monde, hastez-vous d'achever vostre travail ... passez rapidement sur tant de Regnes pour venir à celuy d'un Roy qui rëünit en luy seul tout ce que ses predecesseurs ont de plus grand.(p. 284-285)

Être bon académicien, dans le cas de Cordemoy, ce sera abréger l'histoire de France jusqu'au règne de Louis XIV, pour donner toute son importance à celui-ci.

Conseils et exhortations ne sont pas absents du discours académique, mais, le plus souvent, ils prennent la forme d'une invitation à travailler à l'éloge du Roi. On n'engage que très marginalement les récipiendaires à respecter des règles de fonctionnement de l'Académie (ce à quoi l'invitation à l'assiduité peut être rattachée). Les bénéfices qu'on attend de l'entrée d'un nouveau membre à l'Académie sur le plan du travail linguistique, par exemple, s'expriment plutôt par l'éloge du récipiendaire et les marques de la satisfaction que l'Académie éprouve à le voir dans ses rangs. Qu'elle débouche sur l'éloge du Roi ou sur celui du récipiendaire, l'exhortation académique n'est pas fondamentalement éthique ou didactique: il ne s'agit que marginalement d'instruire le destinataire de ses devoirs académiques. Même si les discours portent la trace d'affaires aussi sérieuses pour la Compagnie que les démêlés avec Furetière, même si les officiers éprouvent parfois le besoin de faire des mises en garde sur des points précis, les aspects essentiels des discours académiques sont ailleurs.

Si l'on considère les exemples étudiés dans les pages qui précèdent, ainsi que les éléments quasi constants, la dimension encômiastique ressort nettement. D'autre part, les orateurs élaborent, selon leur situation, une représentation de l'Académie, pour elle-même aussi bien que pour le public qui assiste aux séances solennelles et plus largement pour tous ceux qui en reçoivent les échos (par la correspondance de ceux qui ont été présents, ou par le *Mercure*). Surtout, si l'on se rappelle que l'Académie française est par définition l'institution de l'éloquence et, plus généralement, de la langue, on attend des orateurs des remarques d'ordre linguistique et littéraire, qu'ils multiplient effectivement. Il reste peu de place pour un didactisme d'ordre éthique.

## 2. L'Académie et la question des langues

L'Académie ne perd jamais de vue son caractère d'institution de la langue et de la parole. Les discours qui en émanent accordent une large place aux considérations linguistiques et littéraires. L'Académie affirme ainsi l'importance de sa fonction linguistique. Il ne s'agit pas pour elle d'apporter à son auditoire des propositions nouvelles sur la langue, mais de définir, de façon répétitive, la place de la langue vulgaire et les traits qui caractérisent sa perfection, et d'utiliser sa doctrine linguistique pour élaborer une représentation d'elle-même. L'image que l'on recevra de l'Académie, c'est d'abord celle du Parnasse des Muses françaises, pour reprendre une expression chère aux académiciens. Tout comme ils sont soucieux de rappeler qu'en fondant l'Académie française, Richelieu voulait porter la langue française et les productions littéraires en français à leur perfection, les Quarante illustrent par leurs discours la langue qu'ils glorifient.

### A. *Le discours académique et les langues savantes*

Le débat se réduit naturellement à l'opposition du latin et du français, aucune institution ne pratiquant de façon régulière l'éloquence en grec[143]. Les citations en grec, si on en trouve dans les ouvrages écrits, sont rares, elles aussi, quoique attestées (dans les mercuriales d'un Denis Talon, par exemple). C'est par rapport aux muses latines que les muses françaises affirment leur propre grandeur. L'abbé Gallois oppose précisément dans son discours de réponse à l'abbé de Lavau, reçu le 4 mai 1679, les deux pôles des belles-lettres, les lettres latines et les lettres françaises, à travers deux troupes de Muses:

> Il estoit de la justice de cette Compagnie d'avoir esgard dans ce choix à la charge que vous exercez dans le Palais où elle a l'honneur de s'assembler; car puisque vous estes le Bibliothéquaire de ce Palais, c'est à dire l'hoste & le favori des Muses, le gardien des pretieux monumens de l'antiquité, & le depositaire des thresors des sciences, nous ne devions pas aller chercher ailleurs ce que nous trouvions dans le lieu mesme de nos assemblées, & il estoit raisonnable que les Muses de l'Académie Françoise ayant esté receuës dans le Louvre, les Muses du Louvre fussent aussi receuës dans l'Académie Françoise. (p. 334)

[143] Bien que le *Mercure* signale, à propos d'un orateur, qu'il avait prononcé, à l'âge de douze ans, un sermon en grec (*Mercure*, août 1700, p. 239).

Qu'il y ait dans cet exorde l'affirmation d'une grandeur de la langue française, qu'il y ait là l'assertion que la langue française est maintenant égale, sinon supérieure à la langue latine, la suite du discours, qui met l'accent sur la rivalité entre les deux, le confirme:

> La jalousie que les lanques sçavantes que parlent tous les anciens Auteurs de vostre Bibliotheque portoient à la langue Françoise, rendoit auparavant cette union presque impossible. Ces langues ambitieuses ne pouvoient souffrir que notre langue qu'elles traitoient autrefois de barbare, entrast en comparaison avec elles. Fieres d'avoir esté les langues des Vainqueurs du monde, elles pretendoient avoir seules le privilege, non seulement de traitter de toutes les sciences, mais encore de faire l'éloge des Heros. (p. 334-335)

L'orateur, fait ironique, n'est autre que celui qui a succédé à Bourzéis, membre, comme Charpentier, de la petite Académie – l'Académie des Médailles – et partisan du latin dans les inscriptions... L'allégorie des langues permet à Gallois de poser le principe: «la fortune des langues suit toujours celle des États». A partir de là, il peut présenter ce qui est la position officielle de l'Académie: «Les Victoires de LOUIS le conquerant ne se peuvent mieux expliquer que dans la langue mesme qu'il parle» (p. 335), ce qui revient à poser que les référents d'une culture donnée ne peuvent s'exprimer que dans sa langue maternelle. On connaît assez bien la querelle des inscriptions, qu'une étude récente a replacée dans le contexte plus général de «L'Apologétique de la langue française classique»[144]. C'est entre 1675 et 1677 que les academiciens prennent une part active au débat. Charpentier ayant régalé la Compagnie, pendant une séance publique, d'un extrait de sa *Deffense de la langue françoise pour l'inscription de l'arc de triomphe* qui sera publiée en 1676, le P. Lucas répond à cette publication par un discours *De monumentis publicis latine inscribendis,* publié l'année suivante. Lors de la réception du président de Mesmes, le 23 décembre 1676, Tallemant le jeune prononce un discours qui doit servir de réponse à celui du P. Lucas. Cette réplique ne satisfait pas Charpentier, qui se sent alors obligé de reprendre la parole et la plume. Le discours qu'il prononce fut intégré dans le traité qu'il publie en 1683 sous le titre *De l'Excel-*

---

[144] M. Fumaroli, *loc. cit.* L'auteur remonte aux origines extra-académiques du débat, au XVI^e^ siècle. Il étudie les textes de Le Laboureur, Cordemoy, Charpentier. Desmarets de Saint-Sorlin a lui aussi porté sa pierre à l'édifice, avec des textes comme la *Comparaison de la langue et de la poésie françoise avec la latine* (1670) et la *Defense de la poesie et de la langue françoise* (1675).

[145] Charpentier, *Deffense de la langue françoise* (Paris: C. Barbin, 1676); le P. Lucas, *De monumentis publicis latine inscribendis* (S. Bernard, 1677); Charpentier, *De l'excellence de la langue françoise* (Vve Bilaine, 1683). →

*lence de la langue françoise*[145]. On ne saurait négliger le fait que des discours ont été intégralement consacrés à la défense de la langue française et de ses droits vis-à-vis du latin. Mais, de même que l'existence des panégyriques du Roi ne fait qu'amplifier dans quelques discours exemplaires un élément présent dans tous les discours académiques, celle de discours dont la défense de la langue française fait tout le sujet n'est qu'un symptôme du caractère essentiel de cette problématique dans l'éloquence académique. C'est, en quelque sorte, l'ensemble de la production oratoire de l'Académie qui pourrait s'intituler *De l'Excellence de la langue française,* tant par sa pratique que par sa théorie, tant par l'abondance et la forme de son écriture que par l'affirmation constante de la grandeur de la langue française.

L'argument historique permet aux orateurs de donner à leur auditoire tout ce qu'il attend d'eux, puisqu'il associe la glorification de la langue à laquelle l'Académie est vouée par sa nature et sa propre histoire et par les fins qu'elle se propose, à l'éloge de la grandeur du règne de Louis XIV auquel tous sont tenus, mais particulièrement une institution à laquelle le Roi a accordé sa protection. Tallemant explique ainsi dans sa réponse au Père Lucas.

> D'où vient qu'une langue est plus universelle, & plus connuë qu'une autre? C'est qu'elle a été dans un certain siècle la langue du plus florissant Empire. D'où vient qu'on en fait plus de cas & qu'on y trouve des graces qu'on ne rencontre point dans les autres? C'est que la victoire, l'abondance & la paix ont amené plus de politesse dans un Royaume & ont donné aux Arts le moyen de s'accroitre. D'où vient enfin qu'une langue demeure dans un certain degré de perfection? C'est que de grands genies l'ont consacrée par des ouvrages immortels, qui demeurent les modeles desquels sans faillir on ne peut s'écarter & quoy qu'elle ne laisse pas de changer dans la suite, ce changement s'appelle corruption, & on estime qu'elle a esté parfaite dans le temps qu'elle a le plus fleury. (p. 300)

Les conditions et la définition de la perfection d'une langue, martelées par une double anaphore qui les rend plus frappantes, ne sont qu'un prélude pour aborder la seule langue qui intéresse vraiment l'orateur: le français. A trois caractères (universalité, beauté, perfection) correspondent trois conditions: la situation de l'État, la paix et l'existence d'écrivains qui illustrent la langue en la fixant. Pour l'orateur, comme pour ses auditeurs, l'allusion est transparente, mais il ne se prive pas pour

---

Il existe incontestablement une rivalité d'orateurs entre Tallemant et Charpentier qui parleront également sur le même sujet en 1679 (chacun prononçant un panégyrique du Roi sur la paix). Charpentier est beaucoup plus systématique dans l'exposé de ses thèses linguistiques.

autant de rendre explicite une application qui permet de faire l'éloge du Roi et celui de l'Académie:

> Il n'est pas mal-aisé, MESSIEURS, de tirer de tout ce que je viens de dire, une consequence infaillible, pour la beauté, & la durée de nôtre langue. La France est le plus florissant Royaume de l'Europe, un Prince aussi vaillant que juste en a étendû les limites par sa valeur, & y a fait fleurir les Arts par sa magnificence. Les Malherbes, les Voitures, les Racans ont commencé à travailler avec succés pour la langue françoise, & j'ai autour de moy les garants assurez de son immortalité. Je voy dans nôtre siecle toutes les mêmes circonstances qui ont accompagné les plus fameux... Qu'on ne parle plus de changement dans nôtre langue, elle est fixée à jamais par tant de rares Ouvrages, & le ciel preserve ceux qui nous suivent, de la voir changer, car elle auroit le mesme sort, que les autres, qui durant plusieurs siècles n'ont fait que se corrompre de plus en plus. (p. 301)

L'évocation des autres siècles les plus florissants, comme points de référence dans les questions de langue, est très fréquente dans les discours académiques. Le grec, le latin et le français connaissent leur plus haut développement à trois époques qui sont, dans chaque cas, l'apogée d'une culture: le siècle d'Alexandre, celui d'Auguste et, sous les yeux mêmes des académiciens émerveillés, celui de Louis XIV. Il apparaît très vite, cependant, que les orateurs ne cherchent pas à souligner l'équivalence entre les trois, mais bien la supériorité de Louis XIV. Dans le discours «de l'utilité des Académies» de Tallemant, on trouvait déjà la prédiction confiante: «Il y a apparence que nostre grand monarque plus travailleur qu'Alexandre, & plus aimable qu'Auguste trouvera aussi des Orateurs & des Poëtes qui surpasseront ceux de l'antiquité» (p. 268). L'histoire des Grecs et des Romains fournit à Barbier d'Aucour les exemples qui lui servent d'argument pour prouver que «les Nations les plus heureuses & les plus renommées» sont celles «qui ont eu l'avantage de bien parler» (p. 381). Charpentier rejoint Barbier d'Aucour sur l'argument tiré de l'histoire des civilisations, qui lui permet d'annoncer la fin des tribulations de la langue française:

> Nous y voici arrivez, MESSIEURS, malgré les malins augures de nos envieux, & c'est sous le regne de LOUIS LE GRAND, que la Langue Françoise si long-temps & si faussement accusée d'estre inconstante & douteuse, va devenir fixe & assurée... La Langue Grecque a esté dans son plus vif éclat sous l'Empire d'Alexandre; la Latine sous la Monarchie d'Auguste. Cela ne nous doit-il pas faire conjecturer que la Langue Françoise est pervenuë aujourd'huy au dernier degré de la perfection, sous le regne de LOUIS LE GRAND, qui est l'Alexandre & l'Auguste de la France (p. 652).

Louis XIV, à la fois Alexandre et Auguste, est plus grand que l'un et l'autre. Pour l'érudit Charpentier comme pour les autres orateurs, l'éloge du Roi et celui de la langue sont liés[146]. Lorsque Charpentier prononce ces paroles, lors de la réception de La Bruyère et de Bignon, le 13 juin 1693, le dictionnaire de l'Académie est enfin achevé, et il peut en annoncer la parution prochaine. L'existence de ce «Portrait fidelle» de la langue renforce encore la foi de l'orateur dans la grandeur de la langue française, langue du Roi. Sa tâche en est rendue plus aisée; il a un résultat concret à montrer. Mais il ne fait que son devoir d'orateur académique: insister encore sur la grandeur, la beauté et la stabilité de la langue française. Si l'Académie produit autant de discours, c'est d'abord parce qu'en prononçant un discours en français, on illustre la langue qu'on est chargé de porter à sa perfection. Tout applaudissement donné à un orateur et à son éloquence l'est aussi à la langue qu'il met en œuvre.

Les orateurs puisent dans leur science particulière pour soutenir la position de l'Académie. Régnier-Desmarais donne à Cordemoy, auquel il répond, des conseils sur la manière d'écrire l'histoire. Mais c'est que celui-ci avait parlé dans la perspective de l'histoire. C'est l'histoire, et plus particulièrement l'histoire de France, qui justifie la préférence qu'on doit donner au français sur le latin. Car, à bien y penser, la nation française a vaincu la nation romaine, et Cordemoy de s'indigner:

> [U]ne Nation comme la nôtre n'est-elle pas à plaindre, quand pour apprendre à ceux qui naissent d'elle les grandes actions de leurs peres, elle est obligée d'emprunter la Langue d'une autre nation, & d'une Nation qu'elle a soumise par les armes? (p. 274-275)

Comme cette proposition a besoin d'être prouvée, l'orateur décrit la victoire qui fonde la légitimité de la langue française:

> On a veu les François quatre cens ans aprés l'établissement de la Monarchie se rendre maîtres de l'Occident; maintenant encore ce n'est que sous leur nom que tous les Peuples de cette partie du monde sont connus à ceux de l'Orient, & ils ne peuvent avoir acquis cette grande reputation que par un grand nombre d'actions fort memorables. (p. 275)

Or c'est là qu'on doit regretter l'absence d'une langue française achevée dès ces premiers siècles, puisque le souvenir de ces actions pourtant mémorables, dont on peut logiquement supposer l'existence, est pratiquement perdu:

> Cependant que nous en reste-t-il? quelques-unes à la vérité se sont sauvées de l'oubly par ce qu'elles ont esté recüeillies en mauvais latin: mais que pouvoient exprimer nos premiers Auteurs dans une langue

[146] Sur ce point, voir les analyses de M. Fumaroli, «L'Apologétique...», *loc. cit.*, p. 141, 152 sq.

> qu'ils entendoient à peine; & que n'auroient-ils point dit des François s'ils eussent eu dès lors une langue assez épurée, & assez abondante pour faire bien entendre tout ce qu'ils en sçavoient? (*Ibid.*)

Cordemoy en arrive enfin au rôle de la royauté dans le renforcement du français, un rôle que l'Académie célèbre inlassablement. Ce rôle, elle trouve tout naturellement en Louis XIV le monarque idéal pour le jouer. On voit se constituer une sorte de paradigme des dirigeants qui ont prêté leur soutien à la langue et à son développement. Avant Richelieu et Louis XIV, la figure archétypique du monarque fondateur de la langue, c'est, à l'Académie, Charlemagne, qu'on voit apparaître chez Cordemoy après les passages cités plus haut. Charlemagne inaugure une attitude, dans une liste de rois et de ministres téléologiquement orientée vers le Roi-Soleil. Pour Cordemoy, Charlemagne a eu le triple mérite de rassembler les textes écrits en français, de commencer une grammaire de cette langue et de réunir une académie dans son palais, c'est-à-dire de préfigurer le fondateur et le protecteur actuel de l'Académie française:

> il jugeoit bien important pour la gloire des François, de mettre leur langue en état de servir à conserver la memoire de leurs actions. (*Ibid.*)

Dans la mesure où le paradigme du dirigeant-protecteur des lettres (qui prend les mesures nécessaires pour assurer le développement de la langue vulgaire) est particulièrement perceptible dans le discours de réception de Cordemoy, suivons son élaboration. De Charlemagne, on passe à Richelieu:

> La même raison poussoit sans doute feu Monsieur le Cardinal de Richelieu, lors qu'il engagea Loüis XIII à accorder les Lettres qui servirent à l'établissement de cette Académie. Il regarda cet établissement comme une affaire bien plus sérieuse que ne pensoient quelques personnes qui avoient de moindres vuës que ce grand Ministre. (*Ibid.*) [147]

Comme Charlemagne, Richelieu se préoccupe de la langue française alors que la France «paroissait exposée aux plus grands maux». Mais c'est qu'il n'y a aucun décalage entre grandeur de la France et grandeur de sa langue. Surtout, comme dans le cas de Charlemagne, une notion essentielle est mise en avant: celle de la gloire, qui prend tant d'importance dans la représentation royale à l'époque de Louis XIV:

> Il sçavoit qu'en conseillant cette guerre [avec l'Autriche], il ouvroit au Roy son Maître le plus beau chemin par où ce Prince pût aller à la gloire; & voyant qu'elle donneroit occasion à mille actions éclatantes

[147] C'est bien à Richelieu qu'est attribuée toute l'initiative de la politique de Louis XIII. Celui-ci ne bénéficie pas des majuscules qui grandissent le nom de «LOUIS XIV» à la page suivante.

> qui auroient besoin d'excellens Ecrivains, il crut devoir également s'appliquer à ce qui devoit servir de matiere à tant de triomphes, & à ce qui en devoit rendre le souvenir éternel. (p. 276)

Être écrivain, dans les discours académiques, c'est d'abord écrire la gloire, gloire du royaume qui se confondra avec celle de son Roi. Le «souvenir éternel» résonne clairement comme un éloge de la Compagnie dans laquelle Cordemoy fait son entrée.

Selon la perspective téléologique qui régit toujours ce genre de séquence historique[148], la gloire la plus grande était réservée au règne de Louis XIV, et si les premiers académiciens ont commencé l'entreprise de purification et d'enrichissement de la langue[149], ce sont ceux auquels Cordemoy se joint qui l'achèvent. Ces derniers l'emportent ainsi sur leurs prédécesseurs autant que le grand roi qui règne alors est supérieur au grand ministre qui avait fondé la Compagnie:

> Ils ont commencé à former nôtre Langue sous la protection d'un grand Ministre, vous la rendrez parfaite, j'ose dire plus, vous la fixerez sous la protection du plus grand Roy que le monde ait jamais vû. (p. 277)

Une antithèse martelée à tous les niveaux sous-tend la supériorité du présent sur le passé: «commencé à former»/«rendrez parfaite»; protection d'un ministre/protection d'un roi; et même à l'intérieur de cette antithèse l'opposition entre l'épithète «grand» et le superlatif «du plus grand Roy que le monde ait jamais vû». D'où la conclusion: «Ce qu'on a tenté vainement sous le regne de Charlemagne, s'achevera glorieusement sous le règne de LOUIS XIV».

On trouve une progression analogue chez Gallois, lorsqu'il répond à Dangeau, en 1682. Après avoir fait remarquer que le point faible des Français était de faire cas des langues étrangères et de mépriser la leur, il affirme: «Les plus grands Roys de nostre Monarchie se sont particulièrement attachez à remedier à ce désordre». Son premier exemple est, naturellement, Charlemagne:

> On sçait que Charlemagne avoit une si forte passion de perfectionner sa Langue naturelle, qu'il s'appliqua luy mesme à suppléer les termes dont elle avoit besoin; qu'il en fit pour signifier tous les mois de l'an-

---

[148] Sur la conception téléologique de l'histoire, telle que l'éloge royal la met en lumière, voir *infra*, p. 179 sq.

[149] Les académiciens semblent avoir considéré, dans leur prose «officielle» à tout le moins, que l'épuration de la langue n'a jamais nui à son abondance, bien au contraire. Les considérations de Fénelon sur l'appauvrissement de la langue et le droit d'employer des mots vieillis ou étrangers pour pallier les manques de la langue, dans sa *Lettre à l'Académie*, sont donc un peu en retrait de l'optimisme académique officiel de la fin du siècle.

> née; & que les mots *d'Est, Ouest, Nord & Sud,* dont nous nous servons encore aujourd'hui, sont de son invention. (p. 373)

C'est d'abord l'histoire qui fait progresser la langue. Cordemoy parlait d'actions mémorables; Gallois explique que la langue, illustrée par des histoires de hauts faits (de Louis le Gros à saint Louis) était restée imparfaite malgré tout, d'où de nouveaux efforts. L'orateur divise alors l'histoire de la langue en âges successifs, la langue fonctionnant comme un individu: les quatre siècles qui ont précédé Charles V peuvent être considérés comme son enfance; ensuite, jusqu'au règne de François I^er^, la langue est dans son adolescence. A ce moment, les guerres civiles provoquent un arrêt des progrès. Avec Richelieu, et surtout Louis XIV, on passe à l'âge adulte, qui n'est pas mentionné comme tel. L'orateur parle plutôt de sa dernière perfection. L'influence de Richelieu se marque de manière décisive: jusque là, les progrès des lettres étaient le fait de l'effort des particuliers, même si un Charlemagne avait montré le chemin. Avec le Cardinal, tout change; et voilà l'Académie qui entre en scène sur le théâtre de l'irrésistible ascension du français:

> Jusques-là divers particuliers avoient travaillé séparément à cultiver la langue Françoise: mais pour luy donner sa derniere perfection, il falloit que plusieurs personnes y travaillassent de concert. C'est ce que le grand Cardinal de Richelieu jugea si necessaire, qu'au milieu des plus grandes occupations où l'engageoit le Ministere, il forma le dessein d'establir l'Académie Françaіse. (p. 374)

Un groupe, constitué à cette fin, reprend maintenant en charge le travail d'établissement de la langue française, une langue que l'heureuse conjonction d'une institution et d'un roi qui saisit toute l'importance de la mission qu'elle remplit va porter à la perfection souhaitée. Car c'est finalement le Roi qui reprend le projet dont il réaffirme lui-même l'importance. La perfection de la langue est garantie par Louis XIV, et l'orateur le prouve en citant le Roi:

> C'est aussi ce que le Roy a jugé si important, qu'il a bien voulu joindre aux titres de Grand & de Conquérant celuy de Protecteur de cette Compagnie; & par l'autorité de ce jugement il a bien mieux confirmé que je ne le pourrois faire par toutes mes raisons, qu'*il est de la sagesse d'un grand Prince de s'appliquer à faire cultiver la Langue naturelle de ses Peuples.* (*Ibid.*)[150]

L'Académie, le Roi, la langue: trois éléments qui semblent de plus en plus inextricablement liés. Travailler à la langue, c'est encore glorifier

[150] Pour une autre présentation du paradigme des dirigeants qui ont joué un rôle dans le développement des lettres, voir le discours que Charpentier prononce pour répondre à Callières et à Renaudot, p. 567. Il y évoque Jules César, Charlemagne, Louis le Grand.

le Roi. Louer le sens de la grandeur des lettres qui habite de Roi, c'est faire l'éloge de l'Académie. L'Académie doit donc, logiquement, travailler à la perfec tion de la langue: «efforçons-nous de donner à nostre langue toute la beauté & toute l'abondance» (p. 278).

Ainsi, la langue française arrive à sa perfection quand la monarchie française atteint son apogée. Ce serait aller à contresens de l'histoire que de continuer à préférer le latin au français. La vision d'une histoire de la langue – et d'une histoire de l'Europe – tout orientée vers l'avènement de Louis le Grand ne disparaît pas des discours académiques. Dans cette logique, le nom même de Charle*magne* préfiguration du titre de Grand qu'a mérité Louis XIV, est d'un heureux emploi pour les académiciens. Le pôle d'arrivée ne fait que se renforcer. Si Charpentier note en 1691, dans sa réponse à Pavillon, que les premières alliances des armes et des lettres remontent à Charlemagne, il insiste sur les obstacles politico-historiques auxquels il s'est heurté. De toute façon,

> [i]l estoit reservé à LOUIS LE GRAND, de bastir le Temple de l'Eloquence Françoise, qui est un Ouvrage d'autant plus admirable, que c'est un Ouvrage de la Raison. (p. 598)

L'Académie française, au plus haut de son éclat porte la langue française au plus haut degré de perfection sous le plus grand des rois dans une monarchie à son apogée. Pourquoi alors s'obstinerait-on à faire de la langue française la suivante humiliée du latin?

La préférence de l'Académie pour le français est d'abord visible dans la rareté des citations latines, surtout si l'on ne compte pas celles qui figurent dans les oraisons et éloges funèbres (où elles sont appelées par le genre, quelle que soit l'institution d'origine de l'orateur) et la citation d'Horace qu'on trouve dans le compliment de Roubin, de l'Académie d'Arles («*Exegi Monumentum aere perennius / Quod non imber audax non aquilo impotens*», p. 316). On ne compte plus alors que deux ou trois citations latines. Celle que fait Gallois, dans sa réponse à Dangeau, est ironique, puisque l'orateur exprime par ce biais le «reproche que leur fait [aux Français] un sçavant Auteur qui vivoit au siècle de Charlemagne» (p. 373) de mépriser leur langue. La citation latine a pour rôle paradoxal de défendre la langue vulgaire dans la langue savante. C'est employer la langue des détracteurs du français pour relever la dignité de cette langue. La citation étant d'ailleurs proposée en traduction avant de l'être en latin, le texte original remplit une fonction de confirmation paradoxale:

> C'est une chose estrange, dit-il, que des gens si sages composent tous leurs ouvrages en latin; qu'ils renoncent à l'usage de leur langue natu-

> relle pour se servir de celle d'un autre peuple; & que comme s'ils avoient honte d'estre nez François, il[s] dedaignent d'employer dans leurs escrits le langage de leurs peres: *Res mira vires sapientià claros facta sua in alienae linguae gloriam transferre, & usum scripturae in proprià non habere*. (*Ibid.*)

Voilà nos tenants inconditionnels du latin en toute circonstance réduits au silence dans la langue même qu'ils portent au pinacle et à laquelle ils voudraient bien soumettre le français.

Quant à Charpentier qui cite aussi en latin, de façon extrêmement brève, dans la réponse à Callières et Renaudot, c'est pour montrer l'intervention du Ciel dans la décision du Roi de prendre l'Académie sous sa protection, acquérant ainsi des plumes pour écrire – en français! – les hauts faits dont les académiciens sont témoins:

> [C]'est une autre cause qu'un heureux hazard qui a mis cette Compagnie sous la protection speciale de LOUIS LE GRAND. Laissez-le moy dire, MESSIEURS
> *Non haec sine numi<n>e Divum*
> ... Il falloit donc que LOUIS LE GRAND eust des temoins tels que vous de ses actions heroïques, pour le mettre en estat de faire du bien dans d'autres siècles que le nostre. (p. 363)

Dans les deux cas, la citation latine ne saurait en aucune façon passer pour une apologie du latin. Charpentier est l'un des plus fervents apôtres de la langue française, qu'il a défendue en de nombreuses occasions, comme on l'a vu plus haut, et qu'il célèbre dans tous ses discours académiques. Pourquoi, étant donné l'extrême rareté de la citation en latin, en trouve-t-on chez lui? La question est anecdotique. On peut penser à une double influence: après tout, Charpentier a été formé pour le barreau; de plus il siège à la petite Académie, où l'éloge, sous forme d'inscriptions pour les médailles, se fait en latin (le choix du latin pour l'inscription des médailles n'a jamais vraiment soulevé de débat, probablement parce que le genre était déjà fixé, et que le latin offrait à la fois l'avantage de la brièveté et la garantie de la durée). Mais, même chez un orateur aussi érudit que Charpentier, qui fait allusion aux auteurs anciens sacrés et profanes de façon extrêmement fréquente, l'érudition se montre, comme chez tous les académiciens, en français, par le biais de la traduction. Si les parlementaires s'acheminent graduellement vers une éloquence qui a de moins en moins recours aux citations en langue savante[151], les académiciens français pratiquent régulièrement une éloquence rendue unie par la traduction des citations. Paraphrases et traductions ont toujours été regardées avec estime par l'Académie. Cette

---

[151] Sur ce point, voir chap. III, «L'éloquence parlementaire parisienne».

estime se manifeste, par exemple, dans l'éloge que Clérambault fait de Dacier qu'il accueille au sein de la Compagnie le 9 décembre 1695:

> ... vous avez estably entre elle [la langue française] & les précieux restes de la sçavante Antiquité, cet estroit commerce qu'on jugeoit presque impossible; vos traductions élegantes ont souvent fait voir que ces excellents Ouvrages n'estoient pas encore assez connus pour un siecle aussi éclairé que le nostre. (p. 743)

Si l'on ajoute à cet éloge celui de Madame Dacier, que l'orateur associe dans ses louanges à son époux, on voit que la traduction appartient de plein droit aux activités littéraires approuvées.

D'ailleurs, la langue vulgaire ne s'oppose nullement, pour les académiciens, au savoir, bien au contraire. Fleury, reçu à la place de La Bruyère, note que la multiplication des traductions est un remède à l'ignorance et que la connaissance n'est plus liée à la compréhension des langues savantes:

> Tant de fidelles Traductions, qui découvrent les thresors de l'Antiquité à ceux qui ne sçavent que nostre Langue: en sorte que ce n'est plus une excuse pour l'ignorance, de n'avoir pas appris les Langues sçavantes. (p. 745)

Voilà une position à la fois rassurante et exigeante: rassurante, pour un public mondain et, dans le cas des discours écrits, féminin, dont une partie au moins ignore le latin; exigeante, parce qu'elle dissocie connaissance des langues savantes et savoir, et invite à l'acquisition de ce savoir.

Si on examine l'emploi que les académiciens font des citations, on voit que celles-ci illustrent la foi que la Compagnie manifeste dans les traductions... Les discours citent bien quelques contemporains, et quelques personnages de l'histoire relativement récente. Outre le Roi, cité par Gallois et par Charpentier[152], et dont la parole a une valeur singulière, on trouve quelques auteurs du XVII^e^ siècle. Fénelon propose, on l'a vu, l'histoire de l'Académie sous le Règne de Louis le Grand et l'histoire des plus récentes conquêtes du Roi sous la forme d'une continuation fictive des œuvres de Pellisson (la *Relation contenant l'histoire de l'Académie française* et l'histoire du Roi dont il avait été chargé avant Boileau et Racine). Pellisson est, on le comprend, une source «canonique». Son histoire de l'Académie, qui lui a valu les égards de la Compagnie, n'a pas été oubliée. Répondant à Boileau, La Chambre évoque les débuts de la Compagnie, en reprenant le texte de Pellisson:

---

[152] Charpentier, *Panégyrique du Roy sur la paix, Les Panégyriques du Roi*, p. 159. Dacier évoque, on l'a vu, les paroles du Roi (Réponse à Cousin, p. 763).

> *Heureux temps! où* (pour me servir des propres termes tousjours si élegans de nostre fidele Historien) [note marg. Monsieur Pelisson Maistre des Requestes] *comme dans un age d'or, avec toute l'innocence & toute la liberté des premiers siecles, sans bruit & sans pompe, & sans autres loix que celle de l'amitié; l'on goustoit ensemble tout ce que la société des esprits & la vie raisonnable ont de plus doux & de plus charmant.* (p. 454)[153]

Charpentier, suivant ses penchants pour la «science», évoque, dans son éloge du grand Jérôme Bignon, la manière dont Descartes appelait son système «son roman de la Nature» (p. 656) et Perrault, répondant à l'abbé de Caumartin, cite un poème de Charles IX à Ronsard (p. 681). Toute citation n'est d'ailleurs pas élogieuse. Charpentier rapporte, pour les rejeter, les paroles de Furetière:

> N'admirez-vous pas qu'il allegue comme une maxime incontestable [pour excuser les torrents d'injures dont il a inondé ses écrits]: *Que de tout temps l'Empire des Lettres a joüy de cette agreable franchise de resjouïr quelquefois le Lecteur aux despens de son prochain, quand il est tombé dans le ridicule.* (p. 540)

Mais les citations de contemporains restent relativement rares, beaucoup moins fréquentes, à coup sûr, que citations et allusions renvoyant aux textes antiques et aux Écritures. Le trait majeur de la manière dont les académiciens français utilisent les citations, c'est, encore une fois, qu'ils les traduisent. Pour prendre un exemple de discours qui traite d'une question tout à fait contemporaine, il suffit de lire la partie du discours déjà mentionné où Charpentier fustige Furetière pour n'avoir pas voulu profiter des occasions d'accommodement que l'Académie lui a laissées. Ce moment du discours est beaucoup plus érudit que ce qui précède. Après la citation de Furetière lui-même, on trouve successivement des fragments d'Horace, de Porphyre, de Plutarque, d'Aulu-Gelle, de Vitruve. Même si Charpentier cite incontestablement beaucoup plus souvent que ses confrères, il le fait surtout en français. Tous les auteurs que je viens d'énumérer sont cités en français. La référence et le texte original sont renvoyés en notes marginales...

Charpentier n'est pas un cas isolé. Un Dacier convoque également auteurs sacrés et profanes (Ovide, Hippocrate) en français, quitte à mettre le texte latin dans la marge. Mais la méthode qui consiste à ne citer qu'en traduction se transforme souvent en paraphrase, ce qui permet d'intégrer l'élément étranger de façon plus unie que la simple cita-

---

[153] On est loin en effet d'une Académie «sans bruit & sans pompe». Voit-on ici un vrai regret s'exprimer devant l'institutionnalisation de la Compagnie?

tion. Pour le lecteur, la présence en marge du texte original permet de combiner exactitude et unité de la «diction». Le «Discours de l'Excellence & de l'utilité des exercices académiques» de Charpentier est voué, par son sujet, à une certaine érudition. L'auteur y justifie le «commerce» que les Chrétiens qui ont succédé aux premiers disciples des Apôtres ont avec les philosophes en faisant allusion au second livre de la *République* de Platon (p. 722-723). Le texte figure en marge. D'une manière générale, il semble bien, à regarder le corpus des discours académiques, que les académiciens préfèrent l'allusion à la citation qui se présente trop nettement comme un fragment étranger. L'abondance des citations proprement dites chez Charpentier, plus marquée que chez ses confrères, s'explique peut-être par sa formation d'avocat, ou par une tentative individuelle de conciliation entre érudition et bon goût. Il est clair, de toute façon, que l'Académie pratique une éloquence qu'elle veut française en préférant la traduction aux originaux grecs et latins pour ses citations, allusions et paraphrases. Son orateur le plus porté aux citations est aussi l'apôtre de la langue française et, s'il cite volontiers, il reste dans la problématique académique par la préférence donnée aux traductions.

B. ***Le français à l'Académie***

Si l'Académie française est, comme le montrent les positions exprimées par les orateurs et leur usage des citations, l'institution de l'éloquence française, elle s'inquiète du destin de la langue dont elle se considère comme dépositaire et dont elle cherche à développer l'empire. L'histoire des cultures grecque et latine lui fournit des exemples concrets de langues autrefois dominantes et qui ont connu le déclin. L'Académie française se fixe alors comme double mission de faire du français une langue parfaite et durable – voire éternelle. Seule une langue qui réalise toutes ses possibilités et qui atteint une totale stabilité peut immortaliser les actions du Roi et devenir la langue dominante de l'Europe. Car le français doit avoir un double rôle de transmission: sur le plan domestique, la langue doit porter à la connaissance des générations futures les miracles dont Louis XIV a été l'auteur et dont ses contemporains ont été témoins; sur le plan international, le français, doublant la conquête, jouera un rôle impérialiste.

Barbier d'Aucour, dans sa réponse à Testu de Mauroy, rappelle l'obligation qu'a l'Académie de doter le royaume d'une langue qui soit capable de servir, si l'on peut dire, de matière première à l'éloge du Roi, obligation dont l'orateur souligne, de façon caractéristique, qu'il est impossible de s'acquitter:

> Nostre obligation en general, est de former un langage qui puisse exprimer avec dignité la gloire de ses grandes actions, mais c'est ce que nous ne ferons jamais parfaitement, quelque obligation que nous ayons de le faire. (p. 524)

L'abbé Boileau, reçu l'année de la parution du dictionnaire de l'Académie, affirme très nettement la visée historico-encômiastique du travail linguistique de l'Académie:

> Vous estes, MESSIEURS, les dépositaires de cette gloire [celle du Roi]; non qu'il vous charge du soin de la publier; sa modestie ne cherche pas des Panegyristes. Mais parce que le Public vous regarde comme les Arbitres de l'usage des paroles; c'est assez que vous nous appreniez les termes pour fournir ses loüanges. Le seul embarras est le choix des expressions. Il suffit à un François de sçavoir bien parler sa Langue pour bien loüer son Roy; & c'est assez que vous soyez chargés de nostre langage pour l'estre de son éloge. (p. 688)

Bien parler, c'est donc louer le Roi. Si le fait que ces louanges sont aussi destinées à la postérité reste ici implicite, il apparaît dans de nombreux discours. Du Bois exhorte les Académiciens auxquels il vient se joindre: «Vous devez à la posterité, MESSIEURS, le portrait de cette grande ame» (p. 670). Et Clérambault, répondant à Dacier, se félicite de son entrée dans la Compagnie: «& quoy que la grandeur, & s'il faut ainsi dire, l'immensité de la matiere soit redoutable aux plus grands Maistres, soustenus neanmoins de cette longue habitude contractée par vos veilles avec tant de Heros, vous pourrez plus aisément instruire la postérité des merveilles de son Regne» (p. 742). Parachever la langue française, c'est donner un instrument qui permette de faire passer à la postérité la geste louis-quatorzienne.

Si la langue, rendue parfaite et stable, doit fournir le support de l'histoire du Roi (qui est en même temps son éloge) pour les générations futures, les académiciens et les orateurs qu'ils entendent mettent également l'accent sur la visée «impérialiste» de la langue. Boyer fait ainsi une harangue au nom de l'Académie à Boucherat, nommé Chancelier. La conclusion réunit l'éloge de Boucherat, la conception impérialiste du développement de sa langue naturelle (traditionnellement formulée par l'Académie, mais qui a cours, dans la période louis-quatorzienne, dans toutes les institutions) et l'importance d'une langue parfaite pour la transmission de l'éloge du Roi:

> Agréez sur tout que l'Académie Françoise, qui vous regarde comme le Chef & le second Protecteur des Sciences & des belles Lettres, se flatte de la douce pensée que vous voudrez bien jetter quelquefois vos regards sur une Compagnie qui travaille à polir une Langue que vous parlez si bien, qui doit estre la Langue de toutes les Nations, & qui ser-

> vira mieux à immortaliser LOUIS LE GRAND que ces bronzes, & que ces marbres qu'on luy prepare avec tant de magnificence. (p. 403)

Un tel choix thématique convient bien, il est vrai, pour s'adresser au garde des sceaux. Mais toute occasion est bonne pour lier la langue française à la conquête. Développer la langue française, ce n'est pas seulement renverser la hiérarchie des valeurs entre langue savante et langue vulgaire. C'est encore mettre le français au premier rang des langues européennes. Dangeau fait du développement de la langue le prolongement de la gloire et des conquêtes de Louis le Grand:

> & pendant que les Conquestes du Roy & l'éclat de sa gloire donnent à nostre langue une si grande estenduë, qu'elle est à present la langue de presque toutes les Nations, il veut que nous travaillions à tout ce qui peut la perfectionner, à tout ce qui en peut donner une connoissance exacte & parfaite. (p. 663)[154]

Le travail linguistique de l'Académie apparaît ainsi comme le pendant des conquêtes du Roi. L'extension de l'aire linguistique prépare ou confirme – et affermit – l'expansion territoriale. La Loubère avait anticipé les remarques de Dangeau dans son discours de réception, en montrant en Richelieu un homme d'État conscient du pouvoir de la langue:

> Il sçavoit qu'une Langue qui plaist s'insinuë aisément chez les Etrangers; & que les Nations estant plus séparées l'une de l'autre par la diversité des Langues, que par les plus grands fleuves & par les plus hautes montagnes, c'est estendre en quelque maniere sa nation, qu'estendre sa Langue: Que si ce n'est faire des Conquestes, c'est peut-estre les preparer; comme c'est affermir & naturaliser ses nouveaux sujets.

Et c'est par ce raisonnement que s'explique la fondation de l'Académie, organisme chargé de porter à l'existence les possibilités de la langue:

> Mais comment nostre Nation de tout temps plus glorieuse par les choses qu'elle a executées, que par celles qu'elle a écrites, pouvoit-elle acquerir la vraye éloquence, & porter la Langue Françoise à toute la perfection dont elle est capable, s'il n'y avoit un corps tousjours subsistant composé de personnes choisies, qui nous donnassent non seulement de bons preceptes, mais encore de bons modelles? (p. 660)

---

[154] Dans une perspective différente, l'historien de la Royal Society of London, Thomas Sprat, avait attribué aux guerres une puissance de création langagière, les inventions et les situations nouvelles qu'elles font naître entraînant l'apparition de nouveaux noms «In the Wars themselves (which is a time, wherein all Languages use, if ever, to increase by extraordinary degree; for in such busie (*sic*) and active times, there arise more new thoughts of men, which must be signifi'd and varied by new expressions) then I say it [la langue] receiv'd many fantastical terms» (*History of the Royal Society of London*, 1667; féimp.: Routledge and Kegan Paul, 1959, p. 42).

Comme dans le cas de la harangue à Boucherat, la problématique de l'extension de l'aire d'influence du français fournit l'occasion d'un éloge – ici celui de l'Académie. La diffusion de la langue peut donc préparer la conquête, en assurer la durée ou apparaître comme son équivalent fonctionnel, sa contrepartie pacifique. On trouve d'ailleurs dans le discours de réception de Du Bois une présentation légèrement différente de la diffusion pacifique du français, qui apparaît comme une sorte de suzeraine des autres langues vulgaires et introduit une variante dans la problématique expansionniste en matière culturelle:

> [La langue française] se fait voir dans ce haut point de pureté, de force, de noblesse & de delicatesse, où vous l'avez portée; & qui luy fait rendre par toutes les Langues vivantes, un hommage qui ne pouvoit estre mieux marqué que par l'honneur qu'on se fait dans toutes les Cours de l'Europe, de la sçavoir & de la parler. (p. 667-668)

Hommage volontaire ou conquête, le développement de la langue suppose sa diffusion à l'étranger en même temps que son perfectionnement.

Avec la double perspective historique et expansionniste, les orateurs assignent à l'Académie la double tâche de rendre la langue parfaite et de la fixer en cet état. L'insistance mise par les orateurs sur cette fonction de l'Académie ne peut que satisfaire les Quarante, puisque c'est leur répéter inlassablement que l'Académie remplit bien sa fonction, définie par l'article 24 de ses statuts:

> La principale fonction de l'Académie sera de travailler avec tout le soin et toute la diligence possible à donner des règles certaines à notre langue et à la rendre pure, éloquente et capable de traiter les arts et les sciences.

On ne s'étonnera pas alors de voir les orateurs reprendre ces termes dans leur éloge de l'activité linguistique de la Compagnie. Puisque la fonction de l'Académie est ainsi définie par ses statuts, il suffira, pour la louer, d'affirmer que la langue française a été rendue pure, éloquente, capable de traiter les arts et les sciences, et plus largement de traiter tout sujet en toute occasion, c'est-à-dire qu'il suffira de montrer que la Compagnie remplit bien sa fonction, en présentant comme accompli ce qui est prescrit dans les règlements, ou en suggérant l'imminence de cette réalisation. Cordemoy, parlant de la langue française, prédit à ses confrères: «vous la rendrez parfaite, j'ose dire plus, vous la fixerez sous la protection du plus grand Roy que le monde ait jamais vû» (p. 275). Toute étude linguistique sera alors mise au service de l'élévation du français. Dangeau montre ainsi le profit que le français peut tirer des études de La Loubère:

> Vous vous estes estudié particulièrement à discerner les differentes manieres de penser des hommes, & pour y mieux réussir, vous avez

> approfondi leurs differentes manieres de parler. Nous en profiterons, MONSIEUR, & par vostre moyen nous ferons servir à la perfection de nostre langue, les beautez & mesme les deffauts des Langues les plus étrangeres. (p. 662)

Tallemant, Charpentier, Bergeret[155]: tous les orateurs proclament, ou espèrent, que la langue française, ainsi portée à sa perfection, sera désormais fixée, et mise de ce fait à l'abri de la déchéance.

En quoi consiste donc, pour les académiciens qui l'exaltent l'un après l'autre[156], cette «perfection» de la langue française? Les termes qui servent à définir les améliorations apportées à la langue sont relati-

---

[155] Voir par exemple, Tallemant, discours «pour servir de réponse à celuy du P. Lucas Jesuite», p. 301-302; Bergeret, p. 631; Charpentier, réponse à Bignon et à La Bruyère, p. 652.

[156] La Bruyère est l'un des rares orateurs à ne pas faire l'éloge de la langue française. Peut-être faut-il voir là une manifestation de son *credo* «ancien». Charpentier ne se prive pas, dans sa réponse, d'évoquer la Querelle des Anciens et des Modernes dont les hostilités ouvertes se sont déclarées précisément au cours d'une séance publique de l'Académie, le 27 janvier 1687. Charpentier utilise les *Caractères* pour soutenir la cause des Modernes, en proposant une sorte de compromis où auteurs antiques et contemporains se voient reconnaître un génie égal:

> Cependant, MONSIEUR, il vous sera tousjours glorieux d'avoir attrapé si parfaitement les graces de vostre modele, que vous laissiez à douter si vous ne l'avez point surpassé. C'est ainsi qu'il falloit examiner la question qui s'est émeuë depuis peu touchant les Anciens & les Modernes. Loin d'affecter une preference ambitieuse en faveur des Autheurs de nostre siecle, il falloit se contenter de les comparer avec les Autheurs des siecles passez, suivant les regles d'une critique desinteressée, & appuyée de toutes les qualitez necessaires pour réüssir; je veux dire d'une érudition profonde, d'une parfaite connoissance des Langues des Anciens, de leur histoire, de leur politique, de leurs mœurs, & de leur goust. Ainsi, au lieu de s'amuser à chercher dans leurs plus fameux poëtes, & dans leurs plus celebres Orateurs, les deffauts qui n'y sont point, il falloit chercher la perfection où elle se rencontre parmy les nostres, & en faire la comparaison, & peut-estre auroit-on trouvé que les Anciens ne nous laissent pas si loin derriere eux, que quelques-uns se l'imaginent. ... [T]andis que les belles Lettres fleurissent en France avec tant d'esclat; qu'elles sont cultivées avec tant de succez, qu'elles sont aimées des Peuples, honorées des favorables regards du Prince, mocquons-nous de ce vain dégoust des adorateurs de l'Antiquité, qui ne sont point encore contens de nostre Siecle, & qui lui preferent tousjours des Siecles évanoüis. D'ailleurs, soyons tous-jours en garde contre l'injustice d'une préoccupation contraire, qui tend à payer de mespris ces fameux Anciens qui nous ont laissé dans leurs Ouvrages une idée de perfection accomplie, & qui ont eu jusqu'icy tant d'admirateurs, que c'est en quelque façon se revolter contre le genre humain que de se revolter contre l'authorité qu'ils ont acquise à si juste titre. (p. 653-656)

Mais c'est en s'adressant à Bignon, et non à La Bruyère, que Charpentier regrette que le nouvel académicien n'ait pas été admis plus tôt, pour aider à l'achèvement de son dictionnaire:

> Il eust esté à souhaitter, MONSIEUR, que vous y fussiez venu plustost, afin que nous eussions pu profiter de vos Lumieres, en composant LE DICTIONNAIRE DE LA LANGUE FRANCOISE, qui vient d'estre achevé. (p. 652)

vement vagues. Les qualités évoquées comprennent fréquemment l'abondance et la pureté, qui sont par ailleurs deux notions qui apparaissent souvent dans la terminologie des ouvrages rhétoriques, traités ou manuels, mais que les discours académiques emploient dans un contexte plus immédiatement linguistique. Le Cardinal de Richelieu lui-même s'inquiétait, d'après Cordemoy, de l'abondance et de la pureté de la langue, une langue destinée à garder vivant le souvenir des hauts faits de la monarchie:

> ... dans le temps qu'il méditoit ces hautes entreprises, il consultoit ... soigneusement l'Académie sur tous les moyens de rendre la Langue plus pure & plus abondante. (p. 276)

Pour Thomas Corneille, nul doute que ces efforts aient porté leurs fruits, même si le Roi rend vaine toute tentative d'expression adéquate de sa grandeur:

> Quoy que nostre langue abonde en paroles, & que toutes les richesses vous en soient connuës, vous la trouvez sans doute sterile, quand voulant vous en servir pour expliquer ces miracles, vous portez vostre imagination au-delà de ce qu'elle peut fournir sur une si vaste matiere. (p. 464)

L'éloge que Clérambault fait de Dacier, reçu en 1695, attribue au récipiendaire des qualités qui le rendent particulièrement propre à devenir académicien, en évoquant ses traductions, un travail dont nous avons vu que l'Académie ne le sous-estimait absolument pas:

> celle [la perte] de l'Académie n'est pas moins heureusement reparée par un Confrere aussi fameux dans les Lettres que vous; formé au bon goust par de grands Maistres, vous sçavez enrichir tous les jours nostre Langue par tant de doctes écrits. (p. 741)[157]

Abondance et richesse sont donc parmi les qualités primordiales de la langue. Le travail lexicographique, grammatical et rhétorique prévu par les statuts doit conférer au français ces qualités. Le langage officiel de l'Académie ne laisse aucune place au doute sur la réalité des progrès accomplis par la langue en ces domaines. On comparera avec intérêt le discours de réception de Fénelon et sa *Lettre à l'Académie*. Dans le premier, il n'évoque que les effets positifs du travail de l'Académie sur la langue, pour conclure:

> Tel a esté, MESSIEURS, depuis environ soixante ans le progrez des Lettres que Monsieur PELISSON auroit dépeint pour la gloire de nostre siècle, s'il eust esté libre de continuer son Histoire de l'Académie. (p. 625)

---

[157] Sur le rapport entre la traduction et l'usage des citations, voir *supra*, p. 101 sq.

Rien ne vient ici suggérer des manques ou des faiblesses dans la langue. La *Lettre à l'Academie,* au contraire, indique, avec tout le respect dû à la Compagnie, des progrès à faire, qui nuancent la satisfaction que les discours académiques affichent vis-à-vis de l'abondance de la langue française:

> Oserai-je hasarder ici, par un excès de zèle, une proposition que je soumets à une compagnie si éclairée? Notre langue manque d'un grand nombre de mots et de phrases. Il me semble même qu'on l'a gênée et appauvrie depuis environ cent ans, en voulant la purifier. Il est vrai qu'elle étoit encore un peu uniforme et trop *verbeuse.* Mais le vieux langage se fait regretter, quand nous le retrouvons dans Marot, dans Amyot, dans le cardinal d'Ossat, dans les ouvrages les plus enjoués, et les plus sérieux. Il avoit je ne sais quoi de court, de naïf, de hardi, de vif et de passionné. On a retranché, si je ne me trompe, plus de mots qu'on en a introduit. D'ailleurs je voudrais n'en perdre aucun, et en acquérir de nouveaux. Je voudrais autoriser tout terme qui nous manque, qui a un son doux, sans danger d'équivoque[158].

L'Académie célèbre la réussite de son travail linguistique, et ne veut pas que son éloquence officielle reflète l'idée d'un manque dans la langue. Le Fénelon qu'on reçoit dans la Compagnie ne propose aucune contrepartie négative à la purification de la langue, à laquelle l'Academie travaille sous l'égide de Louis XIV après l'avoir fait sous celle de Richelieu:

> LOUIS y a adjousté l'esclat qu'il répand sur tout ce qu'il favorise de ses regards. A l'ombre de son grand Nom, on ne cesse point icy de rechercher la pureté & la délicatesse de nostre langue. (p. 627)

La discussion du sublime et de la simplicité qui suit se déroule ainsi sur un fond positif, pour conclure: «le vray sublime dédaignant tous les ornemens empruntez, ne se trouve que dans le simple» (*ibid.*). Rien n'indique ici que pureté et abondance soient deux termes incompatibles. Le discours de Du Bois associe précisément l'abondance et le raffinement. En purifiant la langue, les académiciens, dont le récipiendaire peut faire l'éloge, l'ont rendue capable de pourvoir à tout discours:

> Combien avez-vous desja fait pour elle, & que ne vous doit-elle point? Vos premiers soins ont esté employez à perfectionner nostre Langue; & comme tout l'art de l'Eloquence ne sçauroit non plus rien tirer d'une langue informe & grossiere que le plus excellent Musicien, d'un instrument ingrat & sans harmonie, vous y avez pourveu, MESSIEURS, & non contens d'avoir purgé la Langue Françoise de tout ce qu'elle avoit encore de grossier, vous en avez fait une Langue de ressource, & capable de soustenir toutes les entreprises de l'éloquence. La preuve en

---

[158] *Dialogues sur l'éloquence en général et sur celle de la chaire en particulier, avec une lettre écrite à l'Académie Française* (Paris: A. Delalain, 1811), p. 211.

> est dans vos Ouvrages; & c'est là qu'elle se fait voir dans ce haut point de pureté, de force, de noblesse & de delicatesse, où vous l'avez portée.(p. 667)

Le lexique employé dans toutes ces discussions sur les qualités des langues rappelle aussi bien les tentatives de réforme de l'époque précieuse et de ses héritiers, que les textes comme les *Entretiens d'Ariste et d'Eugène* du P. Bouhours[159] et les critères esthétiques qu'ils mettent en œuvre pour évaluer les différentes langues. Dacier, qui peut dresser une sorte de bilan et offrir, de façon caractéristique, une vision téléologique de l'histoire de l'Académie et de ses protecteurs, montre comment la langue est sortie de sa gangue d'impureté:

> … cet Esprit [Richelieu] qui, comme une Divinité, changeoit à son gré la face de l'Europe, travaille de concert avec vous à changer nostre Langue, & à la tirer du nombre des Langues barbares, en la dépoüillant de tout ce qu'elle avoit de bas & de rude, & en luy donnant de l'harmonie, de la force, de l'élegance & de la majesté[.] (p. 733-734)

L'entreprise ne peut naturellement être menée à bien que sous la protection de Louis le Grand, qui confère rétrospectivement à Richelieu la gloire d'avoir mis en chantier un ouvrage auquel Louis XIV apporterait la dernière main:

> Quelle gloire pour vous, MESSIEURS! mais quelle gloire pour vostre Fondateur! & si dans la joüissance de la souveraine felicité, il estoit sensible à ce qui se passe sur la terre, quelle joye n'auroit-il pas de voir que le plus sage des Rois a adopté son ouvrage; que la Majesté de ce Prince, comme une flamme vive et pure, a consummé ce qu'il luy avoit laissé de mortel; que tous les traits de son origine sont effacez par des traits plus éclatans & plus augustes.(p. 734)

On voit que si des termes comme *bas* ou *majesté* hésitent entre qualification éthique et qualification esthétique, la liste des qualités que Dacier attribue à la langue française contient surtout des critères esthétiques («rude», «harmonie», «élégance»). Un terme comme *force* qui, comme tant d'autres du lexique linguistique des discours académiques, rappelle le vocabulaire rhétorique, suggère déjà que la langue n'est pas dissociable de l'emploi qu'on en fait. Mais avant d'aborder ce point, essentiel dans le corpus, il faut noter que l'aspect esthétique de la langue parfaite double souvent la notion d'abondance. Fleury, qui souligne le progrès que représentent le mépris des ornements superflus et l'accent

---

[159] Paris: S. Mabre-Cramoisy, 1671. Le deuxième entretien est consacré à la langue française. Voir en particulier p. 40-43, la discussion de la majesté, de la noblesse des langues.

mis sur le bon sens et la simplicité, associe richesse, correction, harmonie et simplicité dans sa caractérisation de la perfection du français:

> ... chacun doit principalement cultiver sa Langue naturelle; & ... l'estude mesme des langues mortes doit nous servir à l'enrichir & à la rendre plus correcte. J'ay tousjours pris un plaisir singulier à creuser dans les origines de nostre Langue, à la suivre dans ses différents estats; & à observer le progrez qu'elle a fait depuis cinq cens ans, pour arriver à la perfection où vous l'avez amenée... J'ay admiré ces Grands Hommes, principalement de vostre Corps, qui dans nostre Langue si longtemps negligée, & par là sterile & grossiere, ont sceu trouver tant de richesses auparavant inconnuës, demesler les expressions de tant d'especes differentes, simples, nobles, tendres, passionnées, fortes, agreables, harmonieuses. (p. 743-744)

On retrouve dans ce passage tous les progrès d'une langue, tels que les discours académiques les envisagent: passage de la stérilité et de la grossièreté à l'abondance et au raffinement; qualités esthétiques et capacité de s'adapter à tous les besoins des locuteurs. L'éloge que l'orateur fait d'un dépouillement relatif rappelle d'ailleurs le discours de réception de Fénelon. Les grands hommes que Fleury admire ont en effet appris aux locuteurs du XVII^e^ siècle

> à mettre tousjours pour fondement d'un Discours, le bon sens, le jugement droit, les sentiments vertueux; à s'expliquer nettement, à retrancher les ornemens superflus, affectez, embarrassants; à parler, non pour les oreilles, mais pour le cœur, & pour la raison. (p. 744)

On voit bien ici, comme dans la plupart des passages qui traitent de la langue, que les orateurs ont du mal à séparer la langue du discours.

Si la langue française trouve dans les circonstances historiques le fondement de son brillant éclat, puisque son développement est décrit en parallèle avec les miracles de la geste louis-quatorzienne, c'est aussi en tant que langue naturelle, par opposition aux langues savantes, que son développement trouve sa justification. Fleury affirme, nous l'avons vu, la nécessité pour chacun de cultiver sa langue naturelle. Mais c'est dans l'existence de la société que se fonde cette nécessité.

> J'ay reconnu depuis long-temps que puisqu'on ne peut vivre en societé sans parler, il est raisonnable de bien parler: que chacun doit principalement cultiver sa Langue naturelle. (p. 743)

Non seulement le français est, pour les académiciens, leur langue naturelle, mais il est, si l'on peut dire, la langue naturelle par excellence, comme le rappelle M. Fumaroli dans son article «L'Apologétique de la langue française classique»[160]. Porter le français à sa perfection, c'est

---

[160] A propos de la *Grammaire générale et raisonnée* et de la préface à la *Logique* de Port-

porter à son plus haut degré la langue de Louis XIV; mais c'est aussi permettre à la plus raisonnable des langues d'atteindre son point d'accomplissement.

Lorsque les académiciens évoquent dans leurs discours le perfectionnement de la langue française, ils s'intéressent surtout à l'usage que les locuteurs en font. Le discours de Fleury le montre déjà clairement, puisque, outre ses remarques sur le caractère fondamental de la langue naturelle dans la société, il compte au nombre de ses propres préoccupations linguistiques l'étude de «la diversité des stiles proportionnés aux sujets & aux occasions» (p. 744). Mais le discours de réception de Barbier d'Aucour met encore plus clairement l'accent sur cette manière d'envisager la langue. Lorsqu'il loue l'Académie de ce qu'elle fait pour la langue, il passe aussitôt à un développement sur la «parole»:

> C'est une assemblée d'esprits choisis, qui travaillent à mettre nostre langue dans sa derniere perfection. Et comme apres la raison, qui est l'essence de l'homme, rien ne luy est si propre ny si utile que la parole sans laquelle la raison mesme ne sçauroit se faire connoistre, Je dis, MESSIEURS, que l'application que vous mettez à polir & perfectionner cette parole est un des plus importants usages de la raison, & qui contribuë davantage à la gloire & à la prospérité des États. (p. 380)

Le discours de Barbier d'Aucour prend l'aspect d'une véritable consécration de la parole, qu'on pourrait rapprocher du *Discours physique de la parole,* où Cordemoy fait de la parole le signe de la présence d'une âme, le moyen de décider qu'on a affaire à une chose pensante (la parole ne se réduit pas, naturellement, à la capacité d'émettre des sons)[161]. Par-delà Cordemoy, c'est la cinquième partie du *Discours de la méthode* qui se profile. Or Descartes apparaît, nous l'avons vu, parmi les auteurs modernes cités par Charpentier[162], qui est certainement l'un des acadé-

---

Royal, M. Fumaroli écrit: «Naturellement, ni Arnaud ni Lancelot ne faisaient de ce rapport entre le bon usage de la langue et la bonne méthode pour bien penser un privilège de la langue française. Mais dans le contexte de rivalité encore vive entre le français et le latin, le français et les autres langues vulgaires, il était inévitable que la *Grammaire générale et raisonnée* offrît un argument neuf et de poids à l'apologétique de la langue à l'intérieur de laquelle elle avait été formulée.» (p.145). A propos du *Discours physique de la parole,* de Cordemoy (1668), le même auteur constate: «Là encore, il n'est pas question du français comme tel, mais de la parole en général... Mais il se trouve que Cordemoy, énumérant les sons des voyelles et des consonnes, et fournissant une scène célèbre à Molière, s'appuie tout spontanément sur la phonétique du français» (p. 145-146).

[161] Cordemoy est d'ailleurs l'un des ardents défenseurs de la langue française dans son discours de réception.

[162] Cf. *supra*, p. 104.

miciens à avoir célébré le mérite du français avec le plus d'assiduité et de cohérence.

Si c'est l'usage que les individus font de la langue qui importe, on ne s'étonne pas de voir apparaître parmi les qualités requises d'une langue la justesse et la propriété – deux autres termes qui appartiennent au vocabulaire de la rhétorique. Renaudot, entre autres, insiste sur l'impératif de justesse, lorsqu'il affirme que la langue, l'éloquence et la poésie sont arrivées au plus haut degré de perfection:

> Ainsi, comme Ciceron disoit autrefois que l'élegance Attique consistoit à escrire & à parler juste; nous pouvons dire que l'élégance, & mesme la pureté de la Langue Françoise ne peuvent subsister sans la justesse, sans la netteté & sans tous les autres avantages du bon stile. (p. 551)

Ce discours, s'il illustre l'exigence de «justesse», montre par là-même la cohérence de la représentation des qualités de la langue que proposent les académiciens. L'orateur y donne en effet une définition de l'abondance, une des qualités du français, qui implique aussi bien l'adaptation de l'expression à la pensée qu'une richesse absolue des termes. Une telle présentation, qui fait dépendre l'abondance de la propriété des termes, pourrait presque servir de réponse académique au reproche de pauvreté formulé par la *Lettre à l'Académie* de Fénelon:

> La perfection d'une langue ne consiste pas dans cette abondance de mots inutiles ou estrangers, qui fait la richesse imaginaire de la pluspart des autres langues vivantes; non plus que l'éloquence dans cette fécondité importune de paroles & de pensées, qui n'a distingué le stile Asiatique que pour le faire éviter. Une langue est assez riche, quand avec tous les termes nécessaires des Sciences & des beaux Arts, elle fournit abondamment des expressions heureuses, faciles & nobles selon la variété des sujets. On connoist assez la richesse de la nostre, puisqu'elle réüssit esgalement dans les matieres les plus differentes, & que les autres n'en peuvent representer toutes les beautez. (p. 553)

Comme il y a une véritable éloquence, il y a une véritable abondance qui s'oppose à ce que Renaudot appelle «richesse imaginaire» ou «fécondité importune». Le travail de purification de la langue est ainsi loin d'avoir appauvri la langue. La suite du discours de Renaudot peut d'ailleurs être rapprochée du discours du Fénelon récipiendaire qui rejetait toute assimilation du sublime et la multiplication des ornements. Renaudot continue ainsi:

> Elle seule ne peut souffrir ce faux sublime, autant admiré autrefois, que mesprisé presentement, & qui ne subsiste plus que parmy ceux qui n'ayant aucun commerce d'esprit avec la France, peuvent estre considerez comme barbares. Enfin, elle est ennemie de tout ce qui est

> contraire au bon sens, & cette perfection qui luy est toute particuliere, fait que la politesse & le choix des paroles ne font pas l'éloge d'un Autheur François, si le bon sens ne regle ses pensées et ses expressions. (p. 553-554)

La notion de propriété des termes combine des critères sémantiques et des impératifs pragmatico-rhétoriques (il faut que les expressions soient adaptées aux lieux, aux personnes, etc.). Cela apparaît, par exemple, dans la manière dont Dangeau expose l'activité de l'Académie:

> ... nous taschons à bien faire connoistre l'idée qu'un mot, qu'une façon de parler presente à l'esprit, ses veritables sens & les justes bornes de sa signification. Nous remarquons ces différences delicates, qui se rencontrent quelquefois entre deux mots qui paroissent signifier la mesme chose. Nous distinguons avec soin les manieres de parler, qui sont de l'usage ordinaire de la Langue, les propres, les figurées, celles qui sont réservées pour la Chaire ou pour le Barreau, pour la Poësie, ou pour le stile élevé; celles qui passent dans la conversation, celles mesmes qui n'ont d'usage que parmy le peuple. (p. 663)

Les expressions sont toujours celles qui conviennent à un milieu, à un genre, à une circonstance.

L'homogénéité des conceptions linguistiques qui se font jour dans les discours académiques n'empêche nullement la présence de tendances particulières. Le passage que je viens de citer suggère, parallèlement à la présentation normative du «bon usage», l'ambition d'une présentation beaucoup plus descriptive de «l'usage» de la langue. Dangeau conclut ainsi son paragraphe:

> Car pourquoy banirions-nous de la Langue, des mots qui en font veritablement partie, sous pretexte qu'ils ne sont pas assez nobles pour paroistre dans les Poëmes, dans les Sermons, ou dans les Panegyriques.

Usage et bon usage se mêlent dans ce passage de Dangeau, puisque l'orateur propose d'abord une catégorisation normative (avec une expression comme «les manieres de parler... qui sont réservées pour la Chaire ou pour la Barreau») pour accepter ensuite d'une manière générale toutes les tournures qui sont réellement employées (même si la notion de catégorisation impérative reparaît dans l'expression «pas assez nobles pour paroistre dans les Poëmes . . .»). L'effort de systématisation et de fixation de la langue pourrait par certains côtés se définir comme une tentative pour imposer à l'usage, tout en reconnaissant son empire sur la langue, les normes du bon usage. On le verra lors de l'examen des références concrètes au travail linguistique des académiciens que le public peut attendre des orateurs. De façon logique, le développement de Dangeau amène un éloge de la compétence linguistique du Roi, fondé en particulier sur la justesse: «Nous aurions besoin de la force & de la justesse de ses expressions» (p. 663-664). Sans m'arrêter ici à la représentation, sur laquelle je reviendrai, du Roi comme modèle de la parole, je soulignerai seulement que ces louanges montrent que l'accent est mis sur l'usage qu'un locuteur hors pair fait de la langue:

> . . . ayons la hardiesse de le prendre pour nostre modele, imitons en luy le juste usage qu'il sçait faire de la parole; il ne dit jamais rien d'inutile; il n'omet jamais rien de nécessaire; il proportionne si heureusement les termes dont il se sert, aux temps, aux lieux, & aux personnes, qu'il paroist que la Langue Françoise est tousjours preste à luy fournir toutes ses richesses & toutes ses graces. (p. 663)

C'est la *parole* du Roi qui manifeste la richesse de la *langue*.

En célébrant la perfection de la langue, l'Académie s'intéresse donc à la parole et à son efficacité, une préoccupation en accord avec la pratique oratoire dans laquelle elle se manifeste. Ce que l'Académie vise, c'est l'éloquence; ce qu'elle étudie, ce sont les aspects pragmatique et rhétorique de la langue[163]. Le discours de Barbier d'Aucour, que j'ai qualifié de «consécration de la parole», et qui fait, par là-même, un éloge particulièrement ample de l'Académie, illustre clairement cette manière d'envisager la langue:

> Voilà, MESSIEURS, quelle est la gloire que produit cet Art de parler dont votre Academie fait profession; une gloire qui n'est bornée, ni par les temps, ni par les lieux, & dont la beauté immortelle a tousjours esté le plus cher sujet des plus grands Heros, de ceux mesmes qui ont fait la conqueste du monde. (p. 381)

*L'Art de parler*, c'est le titre de la rhétorique de Bernard Lamy[164]; c'est aussi la définition de la grammaire, première phrase de la *Grammaire générale et raisonnée* d'Arnauld et Lancelot: «La Grammaire est l'art de parler»[165]. Pour l'Académie, l'art de parler c'est le parfait usage de la langue. La langue parfaite ne se manifeste que dans la perfection de la parole. Or la parole parfaite est une parole efficace. Barbier d'Aucour

---

[163] Par aspect pragmatique de la langue, j'entends la langue considérée par rapport à l'usage que peuvent faire des éléments qu'elle fournit des locuteurs qui veulent agir les uns sur les autres.

L'étude des notions du goût et de la critique du XVII^e^ siècle doit énormément à R. Zuber, depuis ses *Belles Infidèles* jusqu'aux articles les plus récents: atticisme, justesse, autant de termes sur lesquels on trouve de riches études dont certaines ont été reprises dans *Les Émerveillements de la raison* (Paris: Klincksieck, 1997).

[164] B. Lamy, *L'Art de parler*, 1^re^ éd. 1675 (Paris: Pralard). Cet ouvrage connaît de nombreuses rééditions, dont on n'a pas encore donné de liste satisfaisante. A partir de la troisième édition, le titre devient: *La Rhétorique ou l'Art de parler*, le «Discours sur l'art de persuader» constituant le 5^e^ livre.

[165] Arnauld et Lancelot, *Grammaire générale et raisonnée* (Paris: Republications Paulet, 1969), p. 7.

poursuit en définissant bien l'Académie comme une compagnie où l'on a «assemblé tant de sçavans hommes, pour travailler de concert à former une solide & veritable éloquence», mais, si la louange est leur récompense, il s'agit également de façonner des grands hommes

> qui le defendront [l'État] sans armes. Car n'est-ce pas ce qu'a fait une infinité de fois, & dans les Conseils & dans les negotiations, cet art de parler dont vous estes les Maistres? (p. 382)

L'abbé Boileau fonde précisément son éloge de Richelieu sur l'amour de l'éloquence et montre comment le Cardinal concevait le rôle de l'Académie française dans cette perspective:

> C'est le but de l'establissement le plus celebre qui ait jamais esté dans l'Empire des Lettres d'assembler une élite de beaux Esprits pour former les uns, pour perfectionner les autres, pour les rendre dignes de parler ou à la Posterité ou aux Tribunaux & dans les Chaires....
>
> Ayant basty la Sorbonne & fondé l'Académie, il a donné un Temple à la Religion & un Thrône à l'Eloquence. Il a conservé à la langue de l'Eglise ce qu'elle a de plus majestueux & il a procuré à celle de l'Estat ce qu'elle peut avoir de plus poly & de plus agreable. (p. 685)[166]

Les implications politiques et sociales d'un projet linguistique comme celui qui est défini par les académiciens dans leurs discours permettent d'expliquer pour une part la proportion importante, parmi les Immortels, d'hommes qui ne sont pas des écrivains. Si les Quarante doivent exercer un magistère sur la langue, il est normal de trouver parmi eux ceux qui participent à l'élaboration des modèles, hommes de Cour, hommes de robe, diplomates, tous ceux qui apparaissent comme des usagers privilégiés de la langue[167].

L'Académie trouve dans ses statuts de quoi donner à sa mission linguistique un but concret, puisqu'elle doit, par son institution, élaborer un dictionnaire, une grammaire, une rhétorique et une poétique. Logiquement, après la parution du dictionnaire en 1694, la Compagnie devrait se mettre à l'élaboration d'une grammaire. Mais l'insistance mise sur le dictionnaire montre que cet ouvrage reste considéré comme la tâche fondamentale de l'Académie. Après la première édition, les académiciens s'inquiètent de remettre à jour leur

---

[166] L'association de la fondation de l'Académie française et de la construction de la Sorbonne est un *lieu* de l'éloge de Richelieu dans le discours académique.

[167] Sur le lien entre les principes de Vaugelas et la composition de l'Académie, voir encore l'analyse de M. Fumaroli, «La Coupole», p. 335-339.

ouvrage[168]. L'importance de cette réalisation et la conjonction établie entre le service du Roi et la mise au point du dictionnaire sont clairement marquées par le fait que l'Académie vient présenter le *Dictionnaire* au Roi en grande pompe. Les Quarante, après quelque soixante ans, ont accompli leur mission linguistique; ils adressent alors au Roi un compliment qui en souligne le caractère officiel[169].

Les mentions du dictionnaire sont particulièrement nombreuses au moment où le travail s'achève, mais elles se multiplient déjà dans les premières années de la protection royale sur l'Académie, période pendant laquelle Colbert a plusieurs fois rappelé les académiciens à leur devoir lexicographique. Pour Cordemoy, c'est un ouvrage promis à l'éternité, au premier rang parmi ceux des académiciens:

> ...vos excellens ouvrages seront pour tous les temps des regles certaines de la maniere dont on devra parler.
>
> Sur tout, ce Dictionnaire où vous definissez si bien chaque mot, & où vous distinguez si bien les différentes façons de s'en servir. (p. 277)

Cordemoy propose une définition du travail lexicographique comme une sorte de jurisprudence de l'usage, qui permettra de fixer la langue française:

> Vous faites, MESSIEURS, en marquant avec tant de soin les mots & les frases qui sont du bon usage, ce qu'ont fait ceux qui ont rédigé les Coûtumes de France. (*Ibid.*)[170]

---

[168] On voit dans les registres que la révision du dictionnaire paraît plus importante à l'Académie que ses autres projets. Le 23 février 1696, on lit:

> Ce jour la Compagnie convoquée par billets pour déliberer de nouveau sur la matiere de son travail, et prendre une derniere résolution tant sur ce sujet que sur la forme de travailler est convenue premierement que la révision du Dictionnaire seroit son principal travail, qui se continueroit au premier bureau avec tout le soin et toute la diligence possible, et que lorsqu'il y auroit assez de gens dans la Compagnie pour travailler à deux bureaux le second bureau s'occuperoit à la décision des doutes qui s'offroient sur la langue. (p 339).

C'est le 16 janvier 1698 que l'Académie abandonne le projet d'une grammaire collective:

> il a esté résolu presque tout d'une voix: Qu'on travailleroit incessament aux deux bureaux à la révision du Dictionnaire, sans aucune interruption; et que quand aux doutes qui avoient esté proposez et résolus dans le second bureau, ceux qui les avoient resdigez par escrit pourroient les faire imprimer si bon leur sembloit *mais seulement sous leur nom* (p 349; mes italiques).

Tallemant use de l'autorisation et publie ses *Remarques et décisions de l'Académie françoise* (Paris: J.-B. Coignard, 1698).

[169] Sur cette présentation au Roi, voir *Registres*, p. 333-334.

[170] Le parallèle entre académiciens et jurisconsultes est à rapprocher de l'analogie entre l'Académie et un tribunal mise en œuvre à propos de Séguier ou à propos du président de Mesmes.

Les académiciens se placent dans une perspective qui reconnaît l'emprise de l'usage, perspective qu'on retrouve aussi bien chez Vaugelas:

> Ce ne sont pas ici des loix que je fais pour nostre langue de mon authorité priuée; je serois bien temeraire, pour ne pas dire insensé, car à quel titre et de quel front pretendre un pouuoir qui n'appartient qu'à l'Vsage, que chacun reconnoist pour le Maistre et le Souuerain des langues viuantes[171],

que dans l'*Art de parler* de Lamy, dont la première édition est contemporaine de le réception de Cordemoy, et dont un chapitre s'intitule précisément: «L'usage est le maître des Langues» [172]. Les orateurs qui parlent devant l'Académie la dépeignent clairement comme cette «élite des voix», garante aux yeux de Vaugelas de la correction de l'usage. L'Académie se voit accorder, et se reconnaît, le droit de partir de l'usage pour édicter des règles. Le dictionnaire permet de concilier la domination de l'usage et la fixation de la langue, en transformant la «tyrannie» de l'usage en une souveraineté réglée. A partir de l'usage, on arrive au «bon usage»:

> On retiendra toûjours celles [les façons de parler] que vous aurez approuvées; on comptera pour faute tout ce qui ne se rapportera pas aux regles, que vous aurez prescrites; & comme vous les prenez toutes de l'*usage,* il demeurera toujours le maître de la Langue: mais comme vous n'autorisez que ce qu'il a de *bon,* il cessera d'en être le tyran, & nôtre Langue ne sera plus sujette à ses caprices. Ouy, MESSIEURS, ce que vous écrivez presentement, & que nôtre âge admire, sera bien écrit dans mille ans. (p. 260; mes italiques)

Tout en conservant le principe qui met les langues vivantes sous la domination de l'usage, Cordemoy présente à ses pairs une image de leur activité lexicographique qui leur promet une possibilité de domestiquer l'usage, de l'astreindre lui-même à des règles, c'est-à-dire, de ne retenir de l'usage que le *bon* usage. Grâce au dictionnaire de l'Académie, la langue, comme la grandeur de la France, est promise à la durée:

> Ceux qui parleront bien alors parleront comme vous parlez, & il n'en sera pas de nôtre langue comme de celle des Romains. La France n'est pas sujette aux maux qui ont exposé l'Empire à tant de changemens, & qui ont fait le partage de tant de nations si différentes de langage aussi bien que de mœurs. Ce qui a fait subsister cet État depuis treize siecles, semble l'asseurer qu'il n'aura point d'autre fin que celle du monde, & nôtre Langue aura sans doute la même durée.

---

[171] Vaugelas, *Remarques sur la langue française, utiles à ceux qui veulent bien parler et bien écrire* (Paris: Droz, 1934, Préface, n. p.).

[172] Lamy, *La Rhétorique ou l'art de parler*, 4ᵉ éd. [en fait copie de la troisième éd. de 1688] (Amsterdam: 1699; réimp. Brighton: Sussex Reprints, 1699), Livre I, ch.XIV, p. 66.

Confiance dans l'avenir du royaume et optimisme linguistique se rejoignent. Pour la plus grande satisfaction des académiciens, l'orateur les présente à la fois comme des modèles du bon usage et les garants, par leur travail au sein de l'Académie, de la perennité de la langue.

Le dictionnaire constitue le point de repère qui concrétise le travail linguistique de l'Académie. Comme tel, il reste l'un des éléments importants, sinon indispensables, du discours académique. Après le discours de Tallemant qui doit servir de réponse à celui du P. Lucas, prononcé lors de la réception de de Mesmes, en décembre 1676, les mentions se font plus rares, peut-être parce que le travail ne progresse pas assez vite, et que le caractère concret s'estompe quelque peu devant le délai mis à l'achèvement... Mais ce n'est qu'une éclipse temporaire, et les orateurs mentionneront d'autant plus le dictionnaire qu'il sera plus près d'être terminé. On a vu que Charpentier, qui répond à La Chapelle, reçu à la place de Furetière, concurrent de la Compagnie en matière de dictionnaire, critiquait l'académicien exclu, «aussi foible Orateur en matiere d'Apologie, qu'il a paru peu diligent Grammairien en matiere de Dictionnaire»[173]. Il fait au contraire l'éloge de l'Académie et de son travail lexicographique qui s'achève:

> Venez donc, MONSIEUR, nous aider à finir cet excellent Ouvrage qui soustiendra la longue attente qu'on en a euë. (p. 545)

Le même orateur fonde sur l'élaboration du dictionnaire la supériorité du français sur les langues antiques dont les dictionnaires n'ont été établis qu'une fois passé le temps de leur splendeur. Le dictionnaire, donnant une image de la langue française dans sa perfection, représente le choix de la norme à adopter:

> ... l'Académie acheve ce fameux Dictionnaire, dont on ne peut assez loüer la beauté & l'utilité. Athenes ny Rome ne nous ont rien laissé de si parfait en ce genre. Car les Dictionnaires de leurs langues que nous avons aujourd'huy n'ont point esté composez par les anciens dans les bons siecles; dans les siecles à faire autorité mais par des Modernes, ou bien par des Auteurs qui ont véritablement vescu en des temps où l'on parloit encore Latin & Grec; mais c'estoit en des temps où l'on avoit desja perdu le bel usage de ces Langues. L'Académie au contraire nous donne une image de la Langue Françoise, en son estat de perfection; non point comme elle estoit autrefois. (p. 567-568)

Discrètement, Charpentier propose ici une manière de régler la querelle des Anciens et des Modernes: la faiblesse des langues anciennes, si l'on peut l'appeler ainsi, vient de ce qu'elle n'ont pas eu les anciens eux-mêmes comme lexicographes. Leur culture a brillé, certes, mais ce sont

---

[173] Cf. *supra*, p. 72.

les modernes qui ont fourni des instruments pour l'étude de leurs langues, ou, lorsque ce sont des anciens, ils appartiennent à une période de décadence. La supériorité des modernes (une supériorité spécifiquement française, on le sent bien) vient de ce que l'étude systématique de leur langue et de leur culture est contemporaine du plus haut degré de leur développement. Charpentier, qui proposera de reformuler d'une manière plus sereine la querelle des anciens et des modernes, offre ici aux modernes un soutien original.

Le dictionnaire apparaît bien comme un élément central, auquel peuvent s'articuler toutes sortes de réflexions. Son achèvement ne le fait pas disparaître des préoccupations des académiciens. Une fois publié, il est présenté au Roi, le 24 août 1694, et Tourreil porte la parole en tant que directeur de la Compagnie. Curieusement, ni les registres, ni le *Recueil* ne gardent la trace de la présentation du dictionnaire au Roi et du compliment de Tourreil, dont le *Mercure* donne des extraits[174]. Après cette cérémonie, les discours continuent de faire l'éloge de l'ouvrage enfin achevé[175], puis évoquent la seconde édition, à laquelle l'Académie songe immédiatement et pour laquelle elle organise des séances[176].

La grammaire tient, comme le dictionnaire, une place relativement importante dans les discours académiques, même si les Quarante renoncent assez vite à composer une grammaire de l'Académie. Le projet figure dans les statuts, et il est logique que l'Académie le mette en œuvre, et, par suite, évoque cette mise en œuvre pour donner au public une image de son activité en matière de langue, après la réalisation du dictionnaire. Lorsque Du Bois est reçu, le 12 novembre 1693, Testu de Mauroy évoque le nouveau travail de l'Académie. Fidèle à ses règlements, la Compagnie est passée de la définition des mots à la grammaire:

> C'est ainsi, MONSIEUR, que vous entrez dans l'Académie. Vous la trouverez appliquée à composer une Grammaire de nostre Langue, & sur le point de publier son Dictionnaire, qui est imprimé. Ce doit estre votre premier travail. (p. 673)

Image d'une Académie qui remplit sans faillir ses devoirs linguistiques. En fait, ce n'est que dans le temps de l'achèvement du Dictionnaire,

---

[174] Voir sur ce point *Registres*, I, p. 353, n. 2.

[175] Bergeret, dans sa réponse à Fénelon, annonce la parution du *Dictionnaire* (p 631); Charpentier l'évoque en s'adressant à Bignon (p. 651); Du Bois en fait également l'éloge dans son discours de réception (p. 659); il apparaît encore dans le discours de l'abbé de Saint-Pierre (p. 707) et chez Fleury (p. 745).

[176] Dacier, s'adressant à Cousin, p. 760.

période charnière où l'Académie doit orienter son activité dans une nouvelle direction, que les orateurs semblent envisager la grammaire comme une discipline distincte devant conduire à une publication analogue à celle du dictionnaire. C'est alors que la grammaire, considérée sans relation directe avec la lexicographie, reçoit de vibrants éloges. La Loubère, reçu à la Saint-Louis 1693, quelques mois avant le discours de Testu de Mauroy que je viens d'évoquer, montre que la grammaire doit précéder l'art oratoire, que seuls les Académiciens, grands maîtres ès éloquence, peuvent donner. L'orateur rappelle, en lui donnant un ordre logique, le programme académique:

> C'est à vous à donner les regles de cet art sublime [l'art oratoire] suivant vos anciens projets; & toute la France impatiente vous les demande. Mais les plus justes proportions de l'Architecture, ses colonnes, ny ses voutes ne sçauroient empescher la chûte d'un edifice dont les fondements sont mal posez: & les leçons qui forment les Orateurs et les Poëtes, seroient inutiles, si elles n'estoient preparées par celle de la Grammaire.
>
> Sa simplicité apparente cache beaucoup de capacité & de profondeur. La seule explication des mots, qui n'en est qu'une partie, est une entreprise presque sans bornes. De combien de Langues mortes ou vivantes ne demande-t-elle pas, pour sentir les graces & le pouvoir qu'un mot acquiert dans les différentes manieres de la placer? Et ce goust si rare de quelle attention sur le bon usage, de combien de lecture, de combien de compositions, n'est-il pas le prix? de combien de traductions? car en traduisant nous enrichissons nostre langue de belles expressions, que les ouvrages que nous traduisons nous fournissent, & qui peuvent aisément perdre l'air étranger . . .
>
> Il est aisé de voir qu'une Compagnie moins éclairée que l'Académie Françoise & moins asseurée de sa gloire, auroit rejetté une occupation beaucoup plus laborieuse qu'éclatante: mais vous sçaviez que la Grammaire est nécessaire à tout le monde, que personne ne la néglige impunément, qu'une partie de l'opinion qu'on prend de nous, dépend de nostre langage, & que la connoissance exacte du fonds de la langue fournit à la Rhétorique & à la Poëtique les expressions propres, qui sont si essentielles à la beauté des Vers & de la Prose. De quoy serviroit une adresse singulière à faire des Guirlandes, si l'on manquoit de fleurs, ou si l'on ne sçavoit faire le choix des plus belles? (p. 658-659)

Il fallait citer tout le passage (dont je n'ai retranché qu'une comparaison entre l'activité linguistique et le jardinage, à laquelle la dernière phrase fait écho) parce que ce discours réunit, de façon particulièrement remarquable, toute une série de traits caractéristiques. Prononcé le jour de Saint-Louis, jour où l'Académie célèbre à la fois le Roi et sa langue, à un moment de transition pour l'Académie, qui, ayant terminé le grand ouvrage du dictionnaire, s'apprête à trouver d'autres voies pour poursuivre sa tâche linguistique, il exalte la grammaire, dont on peut supposer que la Compagnie va maintenant s'occuper, et qui doit donc lui être présentée sous son plus beau jour; il souligne le lien d'inclusion entre grammaire et explication lexicale («La seule explication des mots, qui n'en est qu'une partie, est une entreprise presque sans bornes»), ce qui est une manière de faire l'éloge du dictionnaire, ouvrage de colosse... L'orateur peut encore louer l'Académie, capable de reconnaître la vraie valeur des disciplines. Il trouve enfin l'occasion de replacer la grammaire dans la perspective d'un projet à long terme de la Compagnie, qui vient de terminer son premier ouvrage, le dictionnaire, rendant ainsi quelque vraisemblance aux autres projets de ses règlements, la rhétorique et la poétique, après la grammaire, d'où le rappel: «la connaissance exacte du fonds de la langue fournit à la Rhétorique & à la Poëtique les expressions propres qui sont si essentielles à la beauté des Vers & de la Prose». Que fait l'orateur dont Dangeau soulignera la compétence en matière de langues, sinon offrir à la Compagnie qui l'accueille une image positive de son activité et l'assurance qu'elle mènera à bien un projet qui a été défini dès sa fondation?

De toute façon, le travail lexicographique est conçu comme un travail de grammairien. Charpentier, répondant cette fois à Renaudot, justifie le travail du dictionnaire par un éloge de la grammaire:

> Il me semble que j'entends desja dire que c'est trop faire de cas des Minuties Grammaticales qui composent le premier fonds de ce Dictionnaire qu'on regarde comme vostre principal ouvrage. Je veux bien, MESSIEURS, qu'on le dise; Je ne m'en estonneray point; il n'y a rien de si beau dans le monde qui ne puisse estre l'objet d'un mespris injuste. Mais que l'envie ou l'ignorance en fremissent, je ne craindray point d'avancer que ce que ces gens-là appellent Minuties de Grammaire, est à le bien prendre la partie de la Litterature la plus nécessaire & la plus excellente. C'est ce qui nous fait entrer dans la connoissance des plus secrets ressorts de la raison, qui a tant de rapports avec la parole, que dans la Langue la plus sçavante de l'Univers, la parole & la raison n'ont qu'un mesme nom . . . Ainsi l'homme le plus grossier sçait bien qu'il parle, qu'il se fait entendre aux autres; mais il n'y a que les esprits du premier ordre, qui veulent connoistre les différentes idées sur lesquelles nos paroles se forment, ce qui en fait la justesse ou l'irrégularité, la beauté ou l'imperfection, la certitude ou le doute. (p. 566-567).

Et l'orateur est intarissable sur le sujet, n'oubliant ni l'éloge: «les sages admirent ces profondes meditations qui les font penetrer ["ceux qui s'appliquent à ces prétenduës Minuties"] dans l'artifice du plus merveilleux ouvrage de la Divinité», ni les exemples (Jules César, Charlemagne). Ici encore, la grammaire est un sujet qui permet à l'orateur de louer l'Académie, en soulignant la valeur de ses exercices, une valeur que seuls les heureux génies peuvent saisir. De la sorte, c'est non seulement pour s'adonner à de si nobles exercices que les immortels sont admirables, mais surtout pour percevoir la noblesse de ces exercices. Tous ceux qui partageront cette évaluation de la grammaire formeront ainsi une élite de la littérature, doublement caractérisée par l'érudition et la compétence linguistique[177].

L'abbé de Saint-Pierre, reçu en 1695, c'est-à-dire quand le dictionnaire est non seulement achevé, mais publié, montre, comme La Loubère, l'Académie engagée dans des recherches grammaticales, et fait, d'une manière qui rappelle le passage de Charpentier que je viens d'analyser, de l'activité linguistique, dans ses étapes concrètes, la pierre de touche des qualités de l'esprit. Écrire une grammaire, comme rassembler les éléments d'un dictionnaire, est un travail que seuls les esprits de premier ordre apprécient à sa juste valeur:

> Vous l'avez bien reconnu, MESSIEURS, de quelle importance il estoit pour le bonheur & pour la gloire de la France, de perfectionner l'éloquence: vous avez judicieusement pensé que pour élever ce bel édifice, il falloit poser des fondemens fermes et durables, & pour cela fixer la valeur des termes, & faire connoistre les constructions les plus simples, & les plus naturelles de ces termes. Vous avez conçu un de ces ouvrages, & vous travaillez à l'autre. Ce sont à la vérité de ces travaux dont les esprits vulgaires n'ont garde de tenir aucun compte, mais dont les esprits du premier ordre voyent la beauté, l'importance & la nécessité (p. 707)

Si l'évaluation du travail linguistique et l'éloge des académiciens qu'il permet font penser au discours de Charpentier, la relation entre dictionnaire, grammaire et éloquence, celle des fondations à l'édifice qu'elles soutiennent, rappelle La Loubère, mais on voit déjà s'estomper l'idée de la poétique, et la composition de la rhétorique n'a guère de réalité.

L'éloge de la grammaire et du dictionnaire, et l'importance qu'on leur attribue, sont inséparables de la protection royale. Le discours de l'abbé de Saint-Pierre se poursuit par la remarque: «C'est ce que veut ce Genie que la Providence a mis sur nos testes». Non seulement Louis le Grand est du nombre des grands esprits qui perçoivent la valeur des travaux sur la langue, mais il est le meilleur de ses usagers. Tous les orateurs associent considérations linguistiques et éloge du Roi. Si Testu de Mauroy rappelle à Du Bois que l'Académie a une tâche double, composer une grammaire et travailler à la gloire du Roi, le Roi apparaît dans les discours de l'Académie comme le modèle de la parole.

---

[177] Pour une réévaluation de la notion de langue d'élite, voir M. Fumaroli, «La Coupole», *loc. cit.*. Le terme de «littérature», dans le texte, est à entendre au sens d'«érudition».

## C. *La parole du Roi*

> Dans sa forme imaginaire superlative, l'éloquence princière *répand* grâce, justice et richesse. L'utopie de Thélème n'est que le dernier *fiat* d'une éloquence elle-même tout utopique[178].

Grandgousier apparaît, dans l'analyse de J. Starobinski, comme le détenteur d'une éloquence princière efficace, pour laquelle «dire, c'est faire»[179]. Mais, chez Rabelais, cette éloquence princière qui, à l'instar de la parole de Dieu, est tout agissante et donne l'existence à ce qu'elle nomme est «utopique». Tout comme il fait coïncider par sa nature exceptionnelle le panégyrique et l'histoire (puisque écrire son histoire, c'est faire son éloge), Louis le Grand, qui surpasse la fable par sa réalité propre, apparaît dans les textes encômiastiques comme le détenteur d'une parole efficace, qui le distingue de tous les autres hommes et de tous les autres monarques. Par les qualités du Roi, plus encore que par sa position, sa parole se fait acte, privilège singulier qui résume son caractère exceptionnel. Ce caractère s'exprime au moyen d'une terminologie qui anticipe sur la théorie des actes de langage, élaborée par des philosophes et linguistes comme Searle[180]. La même vision se retrouve d'ailleurs dans un texte comme les *Entretiens d'Ariste et d'Eugène*[181].

---

[178] J. Starobinski, «La Chaire, la tribune, le barreau», *Les Lieux de mémoire, op. cit.*, p. 434.

[179] *Quand dire, c'est faire* (Paris: Le Seuil, 1972) est le titre français de l'ouvrage d'Austin, *How to Do Things with Words* (Cambridge, Mass.: Harvard Univ. Press, 1962), où il expose la théorie des verbes «performatifs» (par exemple, un verbe comme promettre, employé à la première personne du singulier: l'acte de promettre s'effectue en disant: «je promets»). Cette théorie a eu de nombreux développements dans la linguistique et la critique contemporaines, avec la théorie des actes de langage.

[180] Sur les actes de langage, voir par exemple, John Searle, *Les Actes de Langage. Essai de philosophie du langage* (Paris: Hermann, 1972).

[181] Eugène explique ainsi à Ariste:

> Il se voit à la Cour plusieurs personnes de ce caractere, qui sans avoir jamais beaucoup étudié la langue, parlent comme les maistres, & peut estre mieux; avec le seul secours de la nature ils gardent exactement toutes les regles de l'art. Mais sçavez-vous bien que nôtre grand Monarque tient le premier rang parmi ces heureux genies, & qu'il n'y a personne dans le Royaume qui sçache le François comme il le sçait. Ceux qui ont l'honneur de l'approcher admirent avec quelle netteté, & avec quelle justesse il s'exprime. Cet air libre & facile dont nous avons tant parlé, entre dans tout ce qu'il dit; tous ses termes sont propres, & bien choisis, quoy qu'ils ne soient point recherchez; toutes ses expressions sont simples, & naturelles; mais le tour qu'il leur donne est le plus delicat, & le plus noble du monde. Dans ses discours les plus familiers, il ne luy echape pas un mot qui ne soit digne de luy, & qui ne se sente de la majesté qui l'accompagne par tout; il agit & il parle toûjours en Roy, mais en Roy sage, & éclairé, qui observe en toutes rencontres les bienseances, que chaque chose demande. Il n'y a pas jusqu'au ton de sa voix qui n'ait de la dignité, & je ne sçay quoy d'auguste qui imprime du respect & de la veneration. Comme le bon sens est la prin-

Si, comme le rappelle M. Fumaroli, Bouhours relève «un autre garant de la langue et de son éloquence que le roi et l'Académie», en accordant «aux femmes l'autre place stratégique dans l'élaboration et le maintien du "meilleur style" français identifié à la langue du royaume»[182], c'est le Roi qui, pour les Académiciens, peut incarner éminemment l'excellence linguistique. Non seulement les panégyriques de Louis XIV[183], mais encore l'ensemble de la pratique oratoire académique soulignent la cohérence de cet aspect de la représentation de la grandeur royale.

Charpentier, dans son «Discours de l'excellence et de l'utilité des exercices académiques», analyse bien le caractère singulier de la parole de Louis le Grand, en rappelant que les rois, qui sont maîtres, n'ont pas à persuader par la discours, puisqu'ils commandent; en ce sens, l'éloquence leur est inutile. Cependant, le Roi est le plus éloquent de tous les hommes, en ce que l'usage qu'il fait de la parole est le plus juste. L'orateur s'adresse à l'évêque de Noyon (Clermont-Tonnerre), bien que le discours ait été prononcé lors de la réception de Clérambault:

> Vous l'avez loüé de courage, de bonheur, de justice, de prudence, d'activité, d'amour pour ses peuples, en un mot de toutes les vertus Royales; cela sied bien à un homme d'Estat comme vous; souffrez qu'après vous, MONSEIGNEUR, je le loüe d'Eloquence; cela sied bien à un Académicien comme moy, & c'est un avantage qui n'est pas si peu considérable . . . que les Rois ne sont pas faits pour persuader par le discours. L'usage de la puissance souveraine que Dieu leur a mise entre les mains, est plus utile aux peuples mesmes, quand cette puissance absolüe est reglée par la justice, que si le Monarque estoit obligé de persuader ceux dont il se doit faire obéir; mais ce sera tousjours une loüange à LOUIS LE GRAND, qu'on puisse publier avec vérité, qu'il n'y a personne dans son Royaume, qui parle avec plus de justesse, plus d'élégance, plus de grace, plus de dignité, plus d'énergie. (p. 730-731)

Louis XIV est ainsi le locuteur le plus compétent. On ne s'étonne pas de voir les réflexions sur la langue mener régulièrement à l'évocation de la

---

cipale regle qu'il suit en parlant, il ne dit jamais rien que de raisonnable; il ne dit rien d'inutile, il dit en quelque façon plus de choses que de paroles: cela paroist tous les jours dans ces réponses si sensées & si precises, qu'il fait sur le champ aux Ambassadeurs des Princes, & à ses sujets. Enfin pour tout dire en vn mot, il parle si bien, que son langage peut donner vne veritable idée de la perfection de nôtre langue. Les Rois doivent apprendre de luy à parler. Si la langue Françoise est sous son regne ce qu'estoit la langue Latine sous celuy d'Auguste, il est luy-mesme dans son regne ce qu'Auguste étoit dans le sien; entre les grandes qualitez qui luy sont communes avec cet Empereur si celebre, il a l'avantage d'être né éloquent, comme il faut qu'vn Prince le soit. (note marg. Augusto prompta ac profluens, quae deceret principem, eloquentia fuit. Tac. Ann. lib. II). (Deuxième entretien, p. 52-54).

[182] «L'Apologétique», p. 157.

[183] Voir, sur ce point, *Les Panégyriques du Roi*, p. 30.

parole du Roi, puissqu'il fournit le modèle du parfait usager du français, tout en apparaissant comme une sorte d'incarnation des qualités de la langue qui font, pour les académiciens, sa perfection: si l'Académie travaille à perfectionner et à fixer la langue française, elle le fait sous la protection d'un monarque qui maîtrise cette langue mieux que quiconque. Dangeau donne comme modèle «le plus juste usage qu'il sçait faire de la parole» (p. 663)[184]. En 1675, Cordemoy s'étant laissé aller à faire l'éloge du Roi, termine sur un sujet qui intéresse particulièrement l'Académie, l'éloquence, et note: «Le prince qui fait si bien parler de luy, parle mieux que personne au monde» (p. 279), ce qui l'amène, comme Tallemant, à affirmer que le Roi a toutes les qualités pour être le protecteur d'une académie d'éloquence. Le même éloge revient périodiquement dans les discours académiques[185].

Mais ce n'est pas seulement sa perfection formelle qui fait de la parole du Roi un objet d'admiration. Ce n'est pas non plus le fait que le Roi n'a «pas une seule parole, qui pust contrister le moindre de ceux qui ont l'honneur de l'approcher» (p. 669), un trait que Pellisson avait déjà relevé dans son *Panégyrique de Louis XIV,* prononcé le 3 février 1671[186]. Ce que les académiciens admirent dans la parole du Roi, c'est son efficacité. Elle apparaît comme ce «*fiat*» auquel J. Starobinski fait allusion. Perrault fait l'éloge de la force de la parole royale et de sa brièveté majestueuse, qui fait qu'on ne peut rien en retrancher. Cette parole transforme les êtres, ce qui l'apparente implicitement à la parole de Dieu, dont elle produit l'effet:

---

[184] C'est d'ailleurs dans la compétence linguistique de Louis XIV que Tallemant fait résider en 1673 la justification de la décision qu'a prise le Roi de prendre l'Académie sous sa protection:

> L'éloquence naturelle de LOUIS, l'heureuse facilité qu'il a à s'exprimer, le choix & la pureté des termes dont il se sert, & le charme inexplicable qu'il repand dans toutes les choses qu'il dit, l'ont fait à juste titre Protecteur de l'Académie. (*Les Panégyriques du Roi*, p. 123)

[185] Ainsi, Testu de Mauroy affirme: «Nostre grand Roy parle mieux qu'aucun homme de son royaume» (p. 514). Et La Loubère de s'exclamer:

> Il mérite plus que personne cette loüange qui semble vous estre plus propre que toutes les autres, je veux dire, celle de bien parler: & personne n'a plus d'interest que luy à protéger non seulement l'éloquence puisqu'elle luy est si naturelle, mais encore, tous les arts, qu'on employe à conserver la mémoire des grands hommes. (p. 661)

[186]
> Où est l'homme de sa Cour, qui se plaigne d'un mot un peu moins concerté, ou d'une raillerie piquante? Qui est-ce qui n'en point été écouté, & en tous lieux, avec patience & douceur? Qui est-ce qu'il n'a point obligé, même dans ses refus? Qu'on me montre le malheureux & l'infortuné. Qu'ay-je dit? Qu'on me fasse voir l'importun & le fâcheux, à qui il ait jamais dit une parole dure & fâcheuse. (*Les panégyriques du Roi*, p. 103)

> Si le glorieux avantage de regner sur les esprits par la force de sa parole a jamais esté donné à un Monarque dans toute sa plenitude, c'est à celuy à qui nous obeïssons. Ses discours tousjours dans les bornes d'une brieveté majestueuse & dont on ne sçauroit rien retrancher, comme on le disoit de ceux de Demosthenes, de mesme qu'on n'y peut rien ajoûter, comme on l'a dit de ceux de Ciceron, renferment en peu de mots, plus de choses, plus de sens & plus de substance que tout l'ambitieux amas de periodes nombreuses des Orateurs. Il n'y entre de paroles qu'autant qu'il en faut pour exprimer la pensée. . . . Telle est l'Eloquence, lorsqu'elle part d'une matrice de premier ordre, lors qu'elle est le fruit de la Sagesse, ou plustost qu'elle en est la fleur qui s'épanche au dehors. . . . Qu'on interroge ceux qui reçoivent ses instructions sur les affaires dont il les charge, ils diront qu'aprés les avoir receuës, ils se sont trouvez comme changez en d'autres hommes, tant les paroles du Roi avoient répandu de lumiere dans leur esprit, & y avoient fait germer de grandes & de nobles pensées. (p. 681-682)

La contrepartie de cette toute-puissance de sa parole, c'est le soin que le Roi prend de la ménager. Le juste usage de la parole, ce n'est pas seulement le choix des expressions justes, c'est encore le fait de ne parler qu'à propos. Perrault conclut:

> Après avoir remarqué l'usage merveilleux que notre Prince sçait faire de la parole, n'oublions pas de dire qu'il ne luy arrive jamais d'en abuser, & que jamais (parce qu'il en connoist trop & la force & le poids) il ne l'a prestée ny à sa colere ny à son mespris. (p. 683)[187]

Cette force agissante, les académiciens lui accordent une place importante. On n'est pas surpris d'en voir des mentions dans les panégyriques du Roi prononcés devant la Compagnie. A propos de Nimègue, Charpentier s'exclame: «LOUIS parle, Et la paix est faite.»[188]

---

[187] Cette remarque, qu'on peut rapprocher du passage où Pellisson affirme que la «raillerie piquante» est un genre inconnu du Roi, rejoint une préoccupation extrêmement courante au XVIIe siècle. De Descartes à B. Lamy, nombreux sont ceux qui mettent en garde contre la raillerie, obstacle à l'honnêteté mondaine aussi bien qu'à la charité chrétienne. On ne saurait attendre du Roi, modèle de l'honnête homme et du Chrétien, autre chose qu'un rejet de la raillerie moqueuse, contraire à ces deux qualités. Voir Descartes, *Les Passions de l'âme,* 3e partie, art. 178-181, en particulier 180, «De l'usage de la raillerie», où elle est associée à l'honnêteté. Lamy, dans sa *Rhétorique*..., précise: «L'Orateur doit garder la bien-séance dans les railleries, & ne s'arrêter jamais aux choses que l'honnêteté oblige de passer sous silence» [Livre V, ch.XVI (Sussex Reprints, 1969), p. 351]. Sur la raillerie au XVIIe siècle, voir mon étude «Entendre raillerie», dans *Thèmes et genres littéraires... Mélanges ... Truchet* (Paris: PUF, 1992).

[188] *Panégyriques du Roi*, p. 160. Voir aussi Tallemant, donnant sa vision de la Révocation:

> il parle, & les Temples de l'erreur tombent en peu de jours, les Ministres fuïent de tous costez, les Villes entieres courent aux pieds de nos Autels, & il se trouve à peine quelques esprits rebelles qu'une fausse réputation de constance retient encore, mais que la patience & la bonté du Roy forceront enfin de se reünir. (*ibid.*, p. 211)

Dans tous ces passages, le *fiat lux* sous-tend implicitement un rapprochement avec la parole divine. En revanche, Barbier d'Aucour établit explicitement la comparaison, en rapportant, dans son discours de réception, la soumission de Strasbourg:

> Le Roy dont la puissance n'est plus bornée que par sa justice, ayant considéré que cette place lui appartenoit par un Traité de Paix, & ne voulant point troubler cette paix par le bruit des armes, il a seulement prononcé: Que Strasbourg se soumette, & Strasbourg s'est soumis. Puissance plus qu'humaine! & qui ne peut estre comparée qu'à celle qui en creant le monde, a dit: Que la lumiere soit faite, & la lumiere fut faite. (p. 388)

En proposant une transcription au style direct de la déclaration royale, l'orateur peut adopter une forme d'expression qui rendra encore plus nette la parenté de son énoncé avec la formule de la *Genèse*. La mise en rapport avec le texte biblique n'en est que plus redondante. Comment mieux affirmer que ce qui occupe l'Académie, la parole, est aussi ce qui rend le Roi semblable à la Divinité, ou plutôt est ce qu'il y a de divin dans le Roi? De la prise de Strasbourg, Barbier d'Aucour généralise, en faisant de la parole l'un des quatre pôles, opposés deux à deux, qui permettent de cerner la grandeur du Roi:

> en quelque estat que ce Prince puisse estre, il paroist tousjours avec une grandeur infinie. S'il parle, c'est une parole effective, qui semble produire les choses mesmes qu'elle signifie. S'il ne parle pas c'est un silence qui etonne, & dans lequel on sçait bien que se forme le destin des Estats. S'il fait la moindre démarche, son action donne le mouvement à toute l'Europe; s'il n'en fait aucune, son repos tient tout l'Univers en suspens. Enfin quoy qu'on regarde en luy, parole, silence, mouvement, repos, tout y est grandeur, gloire, puissance, autorité. (*Ibid.*)

Si la parole du Roi manifeste perfection, politesse et «honnêteté», sa grandeur lui vient encore de son efficacité créatrice. La parole du Roi étend à tous les énoncés les propriétés qui permettent aux linguistes contemporains de définir les performatifs[189]. Une telle parole permet naturellement de justifier des préoccupations linguistiques qui n'ont, avec une telle garantie et si l'Académie vise, en étudiant les composantes de cette parole, à immortaliser les miracles qu'elle accomplit, rien de futile.

L'Académie française se présente donc comme l'institution de l'éloquence, l'institution qui se voue à l'étude de la langue. En soulignant la grandeur de l'objet de ses exercices, la Compagnie propose une certaine image d'elle-même. Ou plutôt, cette préoccupation linguistique est

---

[189] Sur cette notion, voir *supra*, n. 179.

l'une des composantes de la représentation plus générale que les orateurs transmettent de l'Académie dans leurs discours.

### 3. L'image de l'Académie dans les discours académiques

Comme toutes les institutions qui produisent de l'éloquence d'apparat, c'est-à-dire dont le rituel comporte le retour périodique de discours cérémoniels, l'Académie élabore et transmet dans ses discours une représentation d'elle-même. C'est l'un des éléments majeurs que le public attend, comme il attend l'éloge du Roi ou l'évocation du dictionnaire – laquelle constitue déjà l'une des composantes de la représentation de l'Académie, institution qui se consacre au travail linguistique. Institution du langage, elle permet d'atteindre à l'immortalité. On voit alors apparaître une sorte de contrat d'immortalité entre les académiciens et le Roi. Surtout, les discours révèlent une stratégie sociale visant à la revalorisation de l'homme de lettres.

Il est clair, à considérer les différentes périphrases, métaphoriques ou non, qui caractérisent l'Académie et ses membres dans les discours académiques, que cette image d'une institution des lettres ne va pas à contresens des choix de la Compagnie en matière de représentation de soi. «Temple de Minerve» et «sanctuaire de l'éloquence» pour Testu de Mauroy (p. 514)[190], l'Académie est présentée à Pavillon par Charpentier comme le «Temple de l'Eloquence française» (p. 598). «La sçavante Republique», comme Fleury l'appelle lors de sa réception (p. 748), avait été présentée comme le premier tribunal des lettres par l'abbé de Saint-Pierre, formulation où l'on reconnaît le désir de l'Académie de se hausser au rang de cour de justice:

> C'est ainsi, MESSIEURS, que sont estimées les belles Lettres par un Prince qui a receu du Ciel le caractere du Sage, le don precieux de mettre le juste prix à chaque chose. Pourrois-je craindre après cela de m'estre trompé sur le rang que j'ay creu qu'elles meritoient dans le monde? Pourrois-je n'avoir pas une haute idée de cette compagnie qui en est le premier Tribunal? (p. 707)

C'est ainsi que les académiciens et leurs hôtes s'adressent à la Compagnie devant elle et son public. Même orientation dans la manière dont les académiciens sont caractérisés. Bergeret, reçu en même temps que Thomas Corneille, nomme ses nouveaux confrères les «oracles de nostre langue» (p. 467). Ces «genies les plus sublimes» (La Loubère, p. 657) sont les «arbitres souverains de l'éloquence» (abbé Boileau, p. 689), les «Anges visibles de la science» (évêque de Noyon, p. 697).

---

[190] L'expression «sanctuaire de l'éloquence» se retrouve chez La Loubère, p. 657.

Bignon peint le bonheur qui l'attend de siéger parmi les académiciens, dont il fait se succéder des présentations périphrastiques plus qu'élogieuses:

> Desormais je me verrai assis au milieu de cette élite des Sçavans, nouveaux Heros de l'empire des Lettres, qui font revivre en nos jours ce qu'Athènes & Rome ont eu de plus merveilleux. (p. 635-636)

Nommer, définir ou décrire l'Académie et ses membres, c'est toujours, d'une manière ou d'une autre, faire référence à la langue, à l'éloquence, aux belles-lettres. Mais cette référence est, pour les orateurs, un moyen de faire l'éloge de l'Académie, d'en donner une image avantageuse. Car les lettres fournissent un chemin pour aller à l'immortalité. Fidèles à la devise de l'Académie, les orateurs en font le «Temple de l'immortalité» (La Chapelle, p. 709). Ce temple de l'immortalité consacre à la fois la langue française, les auteurs qui la parlent et la fixent, les ouvrages qu'ils écrivent et le Roi qui «étend» la langue et donne le modèle de son bon usage et qui fournit tant de matière aux discours et aux écrits des académiciens. La Chapelle, qui parle au nom de l'Académie, puisqu'il est chargé de répondre à l'abbé de Saint-Pierre, donne son évaluation de la Compagnie:

> N'en doutons plus, & ne craignons plus de le dire; l'Académie est comme le gage & le sceau de l'Immortalité assurée au Nom François. Sa fortune a marché d'un pas égal avec celle de la Monarchie; le mesme Ministre a jetté les fondemens de la puissance de l'une, & a donné la naissance à l'autre. Le mesme Monarque invincible a achevé l'un & l'autre ouvrage, & les a portez tous deux à ce point de grandeur, & de perfection où les vuës du Ministre n'avoient pû atteindre. (p. 711)

Si l'Académie est l'assurance de l'immortalité, c'est parce qu'elle travaille à la perfection de la langue d'un État lui-même au sommet de sa gloire. Les académiciens mettent en lumière l'existence d'une liaison entre la langue et les grandes actions, qui pourrait être définie comme un don réciproque d'immortalité. L'abbé Gallois l'affirme nettement. Il faut rendre la langue parfaite, pour qu'elle puisse transmettre aux générations futures les exploits de Louis XIV. Mais les hauts faits immortaliseront à leur tour la langue. D'où l'importance du travail de l'Académie; d'où sa grandeur:

> Puisque nous avons l'honneur, MESSIEURS, d'estre choisis pour travailler à cette glorieuse entreprise; efforçons nous de donner à nostre Langue toute la beauté & toute l'abondance nécessaire pour pouvoir expliquer à la postérité les grandes actions de Sa Majesté. Si les Langues servent à immortaliser les choses memorables; il est certain que les choses memorables servent aussi à immortaliser les Langues. Il ne tient plus qu'à vous que la nostre ne soit immortelle: car pour des

> choses memorables, il y en a assez dans l'histoire de LOUIS LE GRAND, pour faire l'estonnement de tous les siecles. (Réponse à Dangeau, p. 375)

Institution linguistique, l'Académie est une institution royale qui a le pouvoir de donner l'immortalité, tout en la recevant de ceux à qui elle la donne. Car la langue sert par-dessus tout à immortaliser les belles actions des héros, et surtout *des rois*. Tout le discours de Gallois le répète:

> *il est de la sagesse d'un grand Prince d'apporter une application particuliere à faire cultiver la Langue naturelle de ses Peuples*: Rien ne fait mieux valoir les belles actions des Rois: rien ne contribuë davantage à en rendre la memoire immortelle. (p. 367)

Et il généralise plus loin: «le secours des langues est necessaire pour perpetuer la memoire des grands Hommes» (p. 368). Le règne de Louis XIV foisonnant en belles actions et en faits remarquables, il s'établit un commerce d'immortalité entre le Roi et les académiciens, à travers les ouvrages qu'ils écrivent: l'abbé Colbert explique ainsi qu'il y a un intérêt pour le Roi à protéger l'Académie française, puisque celle-ci contribuera à donner l'immortalité aux grandes actions du Monarque. Mais, en donnant l'image d'une institution productrice d'immortalité pour le Roi, l'orateur donne aussi l'immortalité à ses confrères. Le Roi, par la perfection de ses qualités, conférera l'immortalité aux écrits qui traitent de lui:

> . . . mais j'ose assurer que ce Prince invincible avoit aussi quelque interest de faire cet honneur à l'Académie Françoise. Il protège une Compagnie qui contribuera à donner à ses Grandes actions l'immortalité qu'elles ont si justement meritées. Mais je me trompe, MESSIEURS, ce sont les exploits de LOUIS LE GRAND, c'est cet assemblage de vertus militaires & politiques qui donnera l'Immortalité à vos ouvrages. La derniere postérité, après avoir esté prevenuë par la renommée, les recherchera avec soin pour y trouver les recits veritables de la vie du plus grand Roy du monde. (p. 330)

Les dernières remarques sont présentées comme l'atténuation d'une affirmation qui peut paraître trop présomptueuse (lorsque Colbert semble suggérer que les actions royales pourraient avoir besoin d'un support extrinsèque – les ouvrages des académiciens – pour atteindre à l'immortalité). Mais l'orateur fait miroiter à ses auditeurs privilégiés l'espoir de l'immortalité à laquelle ils aspirent et que leur devise désigne comme leur essence.

Les orateurs qui parlent devant l'Académie renvoient cette image à leurs auditeurs de façon quelque peu tautologique, par des jeux qui doivent les satisfaire, malgré leur mépris si souvent affirmé pour les vaines subtilités... Dans son panégyrique de saint Louis, prononcé le 26 août 1689 dans la chapelle du Louvre, Riqueti exhorte ses auditeurs à louer le Roi, d'une manière qui rappelle ce que les académiciens eux-mêmes disent de leurs préoccupations:

> continuez d'appliquer vostre Eloquence à bien mettre dans son jour ce que LOUIS LE GRAND, votre Auguste Protecteur, a fait de surprenant pour l'État, & ce qu'il continuë de faire tous les jours pour la Foy; par là, vous ne louërez que des actions Heroïques & des actions de pieté, c'est le moyen d'immortaliser vos ouvrages. Si appliquez à remplir de nouveaux volumes de ses nouveaux Prodiges, vous contribuez à perpetuer la gloire de son Regne, ses Prodiges perpetueront le merite de vostre Eloquence, la Posterité admirera en les lisant, & le Heros qui en aura fourni l'excellente matiere, & les excellens Ouvriers qui l'auront si bien mise en œuvre, & ainsi L'IMMORTALITE de vos Ecrits se trouvera dans ses LAURIERS[191].

Ce n'est qu'un exemple parmi d'autres. Il montre que les académiciens aiment qu'on leur représente leur mission encômiastique en soulignant sa grandeur et le glorieux prix qu'ils en recevront, par des allusions à leur devise d'autant plus claires dans le cas de Riqueti qu'une note marginale en développe les implications, qui n'ont pu échapper aux auditeurs: «*L'Académie Françoise a pour Devise, une Couronne de Laurier, avec ce mot au milieu,* A L'IMMORTALITE». La notion de «commerce d'immortalité entre LOUIS LE GRAND & l'Académie Françoise» revient encore chez le panégyriste de 1690, Pezene, qui la résume ainsi: «Les Vertus que vous louëz, vous mettront entre les mains de tous les Rois; la maniere dont vous les louëz, le mettra entre les mains de tous les Sçavans»[192]. L'aspiration à l'immortalité, ou plutôt l'assurance d'y atteindre, et le rapport de réciprocité qui en découle entre le Roi et l'Académie sont omniprésents. Sans m'attarder davantage, je remarque simplement que, dans la subordination de l'écriture à la grandeur royale, les académiciens trouvent une voie pour obtenir l'immortalité à

---

[191] Riqueti, *Panégyrique de S. Louis, roy de France* (Paris: Amable Auroy, 1689), p. 50-51. Pour une analyse de l'image du Roi dans les Panégyriques du Roi prononcés devant l'Académie française, voir mon étude: «Généalogie d'une image: l'éloge spéculaire», *XVIIe SIÈCLE* 146 (janv.-mars 1985).

[192] Pezene, *Panégyrique de saint Louis* (Paris: Vve J.-B. Coignard et J.-B. Coignard fils, 1690), p. 34. Cette phrase conclut l'exhortation aux académiciens, qui vaut la peine d'être citée:

> Traitez modestement une matiere, où rien ne peut manquer que la vraysemblance. Cette moderation sera difficile: Mais vous êtes les Maîtres d'un Art qui peut tout, & vous donnerez par là des modeles d'une Eloquence qui n'étoit pas encore connuë. On proposera les Anciens, à ceux qui ignoreront le secret de persuader des prodiges (p. 33-34).

laquelle ils aspirent... et que les actions de Louis le Grand pourraient bien avoir besoin du support de l'écriture et de la langue, sans lesquelles la mémoire en serait perdue[193]. Et c'est là le domaine de l'Académie, et son triomphe.

L'affirmation du pouvoir qu'a l'écriture de conférer l'immortalité n'est qu'une facette de la stratégie des académiciens lorsqu'ils élaborent une représentation de leur institution. D'une manière plus générale, ils cherchent à donner de l'homme de lettres une vision valorisée. Cette valorisation peut se situer sur le plan spirituel, comme pour l'abbé de Saint-Pierre, qui voit dans la pratique des lettres une activité exempte de la misère de la condition humaine:

> Presque toutes les occupations des hommes portent la marque de la misere de leur condition, ou de l'aveuglement de leurs passions; mais les connoissances qui servent à perfectionner la raison, sont exemptes de ces deux taches. (p. 703)[194]

Les lettres sont par excellence des connaissances de cette nature, au point que l'orateur affirme:

> En vain la nature s'efforce de former de grands Hommes, en vain elle les pare de ses dons & de ses richesses: son ouvrage demeurera tousjours défectueux, si les Lettres n'y mettent pour ainsi dire la dernière main. (p. 704)

Mais c'est le plus souvent à la définition du rôle social de l'Académie et des académiciens que les orateurs se consacrent. Dès les premiers discours de réception, dans les années 1640, l'éloge de Richelieu et de la fondation de l'Académie avait servi à proposer un «redécoupage» de la société dans lequel les hommes de lettres faisaient pendant à ceux qui exerçaient la profession des armes et se plaçaient au premier

---

[193] Voir le discours prononcé par Gallois à la réception de Dangeau:

> Ce ne sont pas les bastimens superbes, ny les arcs-de-triomphe, ny les trophées, qui immortalisent le nom des grands Hommes. Y a-t-il jamais eu de plus superbes monumens que ces fameuses Pyramides que l'on met au rang des merveilles du monde. Les Rois qui les ont élevées, ont crû que leur memoire dureroit autant que les monumens qu'ils croyoient ne devoir jamais perir: & ils ne se sont pas entierement trompez. Ces masses énormes ont résisté au temps qui a destruit tout le reste: Elles subsistent depuis plus de trois mille ans, & elles sont en estat de subsister encore plusieurs siecles. Mais qu'ont-elles servy à la gloire des Princes? Comme elles ne sont accompagnées d'aucune inscription, qui puisse faire connoistre en quel temps, à quelle occasion, & par qui elle<s> ont esté construites; on n'a aucune connoissance des actions des Rois à la memoire de qui elles ont esté eslevées; & si l'on sçait leurs noms, ce n'est pas à ces monumens que l'on en est redevable, mais à quelques Historiens Grecs dont les ouvrages ont tiré de l'oubli la memoire de ces Princes, que leurs somptueuses Pyramides n'en avoient sceu garantir. (p. 368)

[194] Pour un aperçu de l'organisation de ce discours, voir *supra,* p. 77-78.

rang, formant un «ordre» qui, bien que chronologiquement le dernier, et composé d'individus de tous les ordres, aurait la première place dans une nouvelle hiérarchie des valeurs[195]. Si l'Académie française est la seule qui puisse se vanter de composer le dictionnaire de la langue française, son combat pour la réhabilitation sociale des gens de lettres est celui de toutes les académies, qui peut prendre des formes variées.

Pour donner une idée de leur propre grandeur, les académiciens soulignent celle des lettres, en rejetant l'opposition traditionnelle entre les armes et les lettres, et entre les lettres et les diverses activités politiques. On a vu comment Barbier d'Aucour amplifie, dans son discours de réception, l'importance de l'éloquence des ministres et des ambassadeurs[196]. Entre sa réception et celle de Testu de Mauroy, en 1688, sa vision n'a guère changé, puisque, dans son éloge du président de Mesmes, auquel le récipiendiaire succède, il note que le mérite des lettres est la meilleure qualification des ambassadeurs:

> Une si belle succession dans cette Famille, n'est point le droit d'un mesme sang, mais l'effet d'une mesme vertu, & principalement du merite des Lettres, qui est le plus propre pour les Ambassades, & le plus capable de traiter avec les Estrangers, parce que les Lettres ne sont estrangeres nulle part; estant, pour ainsi dire, de tous les temps & de tous les Païs.(p. 521)[197]

Bergeret, dans le même esprit, souligne l'importance de l'amour des lettres pour un prince, à qui elles permettent de vaincre ses ennemis dans la négociation aussi bien que dans la guerre:

> Vous sçaurez, MONSIEUR, vous servir heureusement d'une si belle inclination, pour luy parler [l'orateur s'adresse à Fénelon, précepteur du duc de Bourgogne] en faveur des Lettres, pour luy en faire voir l'importance & la necessité, dans la politique; pour luy dire que c'est en aimant les Lettres qu'un prince les fait fleurir dans ses estats; qu'il y fait naistre de grands hommes, pour tous les grands emplois, & qu'il a tousjours l'avantage de vaincre ses Ennemis par le discours & par la raison; ce qui n'est pas moins glorieux, & souvent beaucoup plus utile, que de les vaincre par la force & par la valeur. (p. 531)

Une telle remarque renforce la suggestion du rôle impérialiste de la langue et de la culture, aspect que l'association des armes et des lettres sur laquelle les orateurs insistent souvent rend cohérent à l'Académie.

---

[195] Voir mon étude: «Le cardinal de Richelieu, protecteur des lettres...», *loc. cit.*

[196] Voir *supra*, p. 114, 118.

[197] La famille du président de Mesmes a compté des ambassadeurs. On trouve dans les *Discours et harangues* d'Hébert, académicien et maire de Soissons, un compliment pour la ville à M. d'Avaux, plénipotentiaire (p. 68-71).

Le sujet de poésie pour le prix de 1675 est d'ailleurs ainsi formulé: «La gloire des Armes & des Lettres sous Louis XIV».

Le rapprochement des armes et des lettres permet de revaloriser, non seulement les lettres en général, mais les individus qui les pratiquent. On trouve fréquemment chez Charpentier l'association des deux termes, comme dans cette évocation de Charlemagne:

> La premiere alliance des Armes & des Lettres a paru parmy nous sous le regne d'un grand Roy & grand Empereur dont les glorieuses inclinations auroient eu sans doute tout le succés qu'on en devoit attendre, si les guerres qui se leverent entre ses propres Enfans, n'eussent empesché ces heureuses semences de germer. (p. 598, réponse à Pavillon)[198]

Mais on voit mieux comment l'Académie participe activement à la revalorisation des lettres dans une formulation telle que celle de l'abbé Bignon qui, succédant à Bussy-Rabutin, montre l'importance du choix de ce dernier. Ce choix allait à l'encontre de l'antipathie traditionnelle des lettres et des armes, qu'il annule en quelque sorte:

> Icy se forme ce beau concert de Muses, serieuses, enjoüées; severes, badines; sçavantes, agreables, où toutes les voix peuvent se faire entendre.
>
> Vous le sçaviez, MESSIEURS, lorsque sans craindre l'ancienne antipathie des Lettres avec les Armes, avec la Cour, vous allastes y choisir l'illustre Académicien, à qui j'ay l'honneur de succeder. (p. 636)

Avec une sorte d'œcuménisme social, l'Académie permet de rassembler les conditions jusqu'alors incompatibles.

Dans l'Académie française, un homme plus que tout autre semble avoir incarné l'alliance des armes et des lettres, comme il l'a fait à la tête de l'Académie d'Arles dont il était le protecteur: le duc de Saint-Aignan. C'est lui qui, plus que tout autre, fut la figure du soldat-homme de lettres. Lui-même souligne le caractère apparemment paradoxal de sa position d'orateur, lorsqu'il doit, en qualité de chancelier de la Compagnie, haranguer la Dauphine. Après avoir remarqué que les qualités de celle à qui il s'adresse sont si variées qu'il y aurait de quoi provoquer l'embarras des plus éloquents, l'orateur poursuit:

> Que ne fera-t-il point en moi, MADAME, qui, outre l'admiration & le respect qui me devroient oster la parole, me vois choisi pour un honneur auquel raisonnablement je ne devois jamais m'attendre? Moy qui ay tousjours plus aspiré à cueillir les Lauriers de Mars, que ceux d'Apollon, & que ma profession devroit avoir instruit à monter plustot à l'assaut, qu'au Parnasse. (p. 360)

---

[198] Voir aussi p. 652, dans la réponse à La Bruyère et à Bignon: «Il y a une certaine fatalité qui joint ordinairement ensemble l'excellence des Armes et celles des Lettres».

L'association paradoxale, fruit des efforts de l'Académie française, entre les armes et les lettres, se marque par les deux oppositions métonymiques: lauriers de Mars/lauriers d'Apollon; assaut/Parnasse. La plume devient un attribut aussi convenable à un noble que l'épée, sous l'égide de Louis le Grand. Saint-Aignan dit plus loin:

> Ainsi j'ose me flatter que vous écouterez, avec quelque indulgence, le peu de politesse du discours d'un Soldat, à qui son Auguste Protecteur a permis d'essaïer la plume lorsque ce glorieux Vainqueur, par la Paix qu'il a donnée à l'Europe, luy a osté l'espérance de le servir de son épée.(p. 361)

Prendre la plume, c'est servir le Roi en temps de paix, comme prendre l'épée, c'est le servir en temps de guerre. En parlant de «son Auguste protecteur», Saint-Aignan se place déjà en position d'académicien, comme si sa prise de plume, si l'on peut parler ainsi, avait été la conséquence de son entrée à l'Académie, laquelle l'autorise. L'Académie rend l'écriture honorable, avec la caution royale. Les autres académiciens insistent sur le même rapprochement. Pour Bergeret, qui répond à l'abbé de Choisy, successeur de Saint-Aignan, en 1687, «joindre les Lettres avec les Armes» est le moyen qu'a trouvé Saint-Aignan pour ajouter le mérite personnel à sa qualité, à sa naissance:

> Il estoit bien éloigné de la vaine erreur de ceux qui s'imaginent que tout le mérite consiste dans le hazard d'estre né d'une ancienne Maison, & il ne regardoit l'avantage d'avoir tant d'illustres Ayeux, que comme une obligation indispensable d'augmenter l'éclat de leur nom par un merite personnel. . . .
>
> Il jugea que le meilleur moyen de parvenir à ce comble d'honneur, estoit de joindre les Lettres avec les Armes, par une alliance qui n'est pas moins naturelle que celle de l'esprit avec le cœur, & se voyant attaché au service d'un Prince dont les vertus heroïques donneront plus d'employ aux Lettres, que n'ont fait tous les Héros de l'Antiquité; il en prit encore plus d'affection pour elles. Il acquit une maniere de parler & d'écrire noble, facile, élegante, & fit voir à la France cette urbanité Romaine, qui estoit le caractère des Scipions & des plus illustres Romains. (p. 508-509)

La référence romaine est bien adaptée pour un soldat-homme de lettres. Les trois qualités de sa manière de parler, noblesse, facilité, élégance, résument le caractère de l'*honnêteté,* dont l'orateur donne un équivalent latin, l'urbanité romaine, ce qui lui permet de montrer la réussite du français, qui fait renaître le plus parfait équilibre de la langue antique. L'antagonisme traditionnel s'efface:

> Monsieur le duc de saint Aignan a fait voir tant de fois qu'un Lieutenant General des armées du Roy, pouvoit estre Poëte, Orateur & Historien; que faisant luy-mesme des actions de la plus grande valeur, il

> sçavoit encore les loüer dans les autres; & qu'avec ce mesme cœur qui ne demandoit qu'à se sacrifier pour le service du Roy, il formoit chaque jour des sentimens exprimez de la maniere la plus delicate & la plus éloquente. (*Ibid.*)

Saint-Aignan rassemble ainsi en lui toute la valeur du soldat – et du chef d'armée – et tous les domaines de l'écriture (éloquence, poésie, histoire) que l'orateur fait d'ailleurs entrer dans la catégorie de l'éloge. En fait, ce sont les mêmes qualités qui entrent en jeu dans les armes et dans les lettres. L'expression «avec le mesme cœur» est significative: *cœur,* métonymie pour le courage, est aussi à prendre comme le siège de tous les sentiments en général. L'orateur joue sur l'identité du terme pour mettre en valeur l'unicité de l'homme dans toutes ses activités.

La référence au mérite personnel qu'on trouve chez Bergeret est importante: l'Académie cherche bien à opposer le mérite à la naissance et à présenter celui-là comme le seul critère dans le choix des nouveaux académiciens. Cela n'empàche pas, il est vrai, certains académiciens, dans leur stratégie diversifiée de réhabilitation de l'homme de lettres, de souligner le rang de leurs confrères. Dans le compliment qu'il adresse au cardinal d'Estrées de retour de Rome, le 24 avril 1677, Charpentier souligne l'importance du changement qui s'est produit en l'absence du Cardinal: l'Académie s'est transportée au Louvre. L'orateur enchaîne sur un éloge des nouveaux académiciens dont il relève le rang:

> VOSTRE EMINENCE nous retrouve dans le Louvre, dans la Maison sacrée de nos Rois, & nos Muses n'ont plus d'autre séjour que celuy de sa MAJESTE. Il faut ne vous rien celer encore de tout ce qui peut tenir rang parmy nos heureuses aventures, puisque VOSTRE EMINENCE y prend quelque part. Un Archevesque de Paris qui honore sa Dignité par sa Vertu, par son Eloquence, & par la noblesse de sa conduite; Un Evesque d'une Erudition consommée, & que mille autres rares qualitez ont fait choisir pour cultiver les esperances d'un jeune Héros, de qui tout l'Univers attend de si grandes choses; un Duc & Pair également recommandable par son Esprit & par sa valeur; & avec qui toutes les Graces ont fait une alliance éternelle; des Gouverneurs de Province; un President du Parlement; plusieurs personnages celebres en toutes sortes de sciences, sont les nouveaux Confreres que nous vous avons donnez, sans parler de ce Grand Homme, que l'intime Confiance du Prince, un Zele infatigable pour le bien de l'Estat, & une Passion ardente pour l'avancement des belles Lettres, distinguent. (p. 308-309)

On reconnaîtra Harlay de Champvallon, Bossuet, Saint-Aignan, de Mesmes. Le personnage mentionné le dernier pourrait être, chronologiquement, Rose; mais, même si l'Académie reconnaît sa dette envers lui, le caractère hyperbolique de l'éloge convient mieux à Colbert reçu en

1660. Cependant, si le rang des académiciens est mis en valeur, comme un élément propre à exalter la grandeur de la Compagnie, on voit que Charpentier n'en reste pas à l'énumération des honneurs. Il y joint aussitôt des qualités et des vertus qui viennent confirmer le rang par un mérite personnel: vertu, éloquence et noblesse de conduite pour l'archevêque de Paris; érudition et rares qualités pour Bossuet, récompensées par le poste de précepteur du Dauphin; esprit et valeur, pour Saint-Aignan, autre manière de le représenter comme l'incarnation de l'alliance des armes et des lettres[199]. Même si le rang des académiciens peut rejaillir sur la Compagnie, l'accent est mis sur le fait que de grands personnages ont voulu ajouter à leurs rangs et titres la qualité d'académicien. Thomas Corneille évalue la grâce qu'on lui a faite de l'élire en jetant les yeux sur ses confrères:

> Pour bien concevoir de quel prix elle est, je n'ay qu'à jetter les yeux sur tant de grands Hommes, qui élevez aux premieres Dignitez de l'Eglise & de la Robe, comblez des honneurs du Ministere, distinguez par une naissance, qui leur a fait tenir les plus hauts rangs à la Cour, se sont empressez à estre de vostre Corps.

Tous les termes visent à mettre l'accent sur la position et la réussite sociales, qu'il s'agisse des participes «élevez», «comblez» et «distinguez» ou des adjectifs «premiere», «les plus hauts». Mais l'orateur vise à montrer en même temps que, même pour ceux dont la position sociale était déjà assurée par la naissance ou la faveur, voire l'achat de charges, l'Académie confère, en la reconnaissant, une autre dignité, qui vient du *mérite*. Le terme, essentiel dans la représentation que les institutions donnent d'elles-mêmes, apparaît naturellement sous la plume de Thomas Corneille:

> Ces Dignitez éminentes, ces honneurs du Ministere, la splendeur de la naissance, l'élevation du rang, tout cela n'a pu leur persuader, que rien ne manquoit à leur merite. Ils en ont cherché l'accomplissement dans les avantages que l'esprit peut procurer à ceux, en qui l'on voit les rares talens qui font vostre heureux partage, & pour perfectionner ce qui les mettoit au dessus de vous, ils ont fait gloire de vous demander des places qui vous égalent à eux. (p. 459)

---

[199] Caumartin, d'une manière analogue, justifie la position qu'occupent les académiciens par leur génie:

> Sous ces illustres Protecteurs, vous estes parvenus à ce haut rang que vous possedez avec justice. On voit icy de ces Genies superieurs qui dans les premiers postes de l'Estat, à la teste du Clergé, dans la deffense de l'Eglise contre les Heretiques, dans la Chaire de verité, au milieu de la Cour, dans les negociations avec les Estrangers, font sentir ce que peut un homme de l'Académie françoise, pour plaire, pour persuader, & pour convaincre. (p. 676-677)

Voilà l'Académie mise à sa vraie place. Et quelle place! Dans le trait final, on reconnaît l'affirmation de la grandeur des lettres et de l'institution qui les incarne et les fait fleurir à la fois. A la place de la fallacieuse hiérarchie de la société traditionnelle, l'orateur établit celle que l'Académie propose avec complaisance et de façon répétitive. La supériorité du rang et de la naissance («ce qui les mettoit au dessus de vous») a besoin d'être perfectionnée. Une place d'académicien égale aux plus hauts rangs. Le terme essentiel, c'est celui de *mérite*. Le mérite résulte des accomplissements individuels, des qualités dont on fait preuve et de la conduite qu'on adopte. A la différence de la qualité, qui vient de la naissance, donc de la lignée, le mérite est de toutes les conditions. C'est lui qui permet à tous d'être égaux dans la Compagnie. L'Académie se représente de façon constante comme une *élite du mérite*.

Fort opportunément, le corpus académique offre aussi des variantes de cette affirmation qui présentent ce qu'on pourrait appeler son versant subjectif. Un personnage de haut rang révèle alors, avec toute la candeur qui s'impose, les motivations de son désir d'entrer à l'Académie. L'évêque-comte de Noyon reconnaît la supériorité du génie de l'Académie, et présente cette supériorité comme le seul motif de sa «candidature»:

> Il est vray, je l'avouë, & qui ne le sçait pas? Le sublime Genie qui anime & soustient cet illustre Corps, m'a seul inspiré le glorieux dessein, d'en estre Membre; & *comme estant superieur à tout*, il n'a que de grandes veuës, j'en reçois heureusement celles, que je n'aurois osé prendre de mon chef, & que vous avez bien voulu rendre effectives. (p. 694; mes italiques.)

Bel hommage du Prélat à l'Académie, puisqu'il place le «sublime Genie», inspiration de la Compagnie, au-dessus de tout. Et c'est à ce mérite de l'esprit qu'il aspire: voilà, affirme l'orateur, le seul motif qui lui a fait souhaiter appartenir à la Compagnie. Charpentier, qui adresse à ce prélat son «Discours de l'excellence et de l'utilité des exercices académiques», confirme en quelque sorte l'analyse que celui-ci avait faite en affirmant qu'il a acquis un surcroît d'honneur en entrant à l'Académie:

> Mais si vous avez fait honneur à cette Compagnie, permettez-moy, MONSEIGNEUR, de vous dire que vous vous en estes fait aussi beaucoup à vous-mesme. (p. 719)

L'Académie française, comme les académies de province, mais aussi comme les parlements, c'est-à-dire les compagnies en général, vise à définir pour ses membres une valeur fondée sur les accomplissements de l'individu lui-même plutôt sur sur la lignée familiale. Le mérite s'acquiert, se gagne par les accomplissements personnels. Les hauts faits, vertus et fonctions des ancêtres prennent l'allure d'une «prime», d'un heureux supplément. Lorsque Clérambault succède à La Fontaine, Rose l'accueille ainsi:

> Quel heureux choix qui rend justice à tous les talens académiques reünis en vostre personne! & quel agrément de les avoir rencontrez dans un Sujet dont les illustres Ayeux ont eu tant de part à la gloire du Ministere de ce grand Cardinal qui forma nostre Compagnie, & de si nobles liaisons avec ce sage Chancelier qui la sauva du naufrage! (p. 717)

Le choix dépend des talents du récipiendaire. Les liens des ancêtres avec Richelieu et Séguier sont un plaisir supplémentaire. Quel que soit le poids réel du rang et des relations sociales, l'Académie ne les reconnaît pas comme des critères suffisants, ni même nécessaires.

La conséquence formelle de ce choix thématique, c'est la présence d'un certain nombre de passages de commentaire, les orateurs précisant les traits qu'ils retiennent et ceux qu'ils rejettent, en accord avec la doctrine académique, pour faire l'éloge de ceux dont ils parlent. Ces commentaires prennent parfois la forme de prétérition. Ainsi, lorsque Pavillon succède à Benserade, le 7 décembre 1691, il fait de lui un éloge qui refuse explicitement l'amplification de la noblesse de son origine:

> Ce n'est pas icy le lieu où l'on doive faire valoir la noblesse du sang de cet illustre mort, icy le hazard de la naissance ne fait estimer, ni mépriser personne, aussi dans la pompe funèbre des deffunts, on n'y fait point marcher devant les images de leurs ancestres, on n'y expose que leurs talens, on n'y montre que leurs ouvrages. Que partout ailleurs on pare l'éloge du deffunt du nom des anciens Seigneurs de Maline... (p. 593)

Ce passage présente plusieurs éléments intéressants. Il confirme que la préférence donnée aux talents individuels sur l'histoire familiale correspond à une attente de la Compagnie, à une vision qu'elle veut donner d'elle-même et que les orateurs doivent refléter. L'opposition entre les images des ancêtres, c'est-à-dire le symbole de la lignée familiale, et les talents et les ouvrages des académiciens, c'est-à-dire ce qu'ils ont été et ce qu'ils ont produit individuellement, résume bien la position de l'Académie sur la définition du mérite. La prétérition qui s'amorce par «Que partout ailleurs on pare l'éloge... » permet à l'orateur de conserver dans le discours l'éloge de la noblesse du sang qu'il rejette explicitement. Mais les discours affirment que la culture des lettres l'emporte sur la naissance, donc le mérite académique sur la qualité et le rang social. Tel est bien le sens des remarques par lesquelles l'abbé de Saint-Pierre introduit l'éloge de Bergeret à qui il succède:

> ... la naissance la plus heureuse est vaincue par ceux qui ont fortifié les avantages naturels du secours des lettres. Tel a esté celuy dont j'occupe la place. (p. 704)

L'orateur parle aussi bien des talents naturels que du rang social, de la «naissance», mais il reflète bien la doctrine de l'Académie, et contribue à renforcer la cohérence de sa représentation.

Les académiciens peuvent à la fois affirmer la grandeur de leur institution à partir du rang et des fonctions de certains de ses membres et célébrer l'égalité de tous à l'intérieur d'une communauté de mérite littéraire, qui disqualifie les distinctions purement sociales. On a vu, avec l'éloge de Benserade par Pavillon, que les orateurs inscrivent malgré tout l'éloge de la naissance qu'ils prétendent rejeter, par exemple par prétérition (ce qui permet de donner à celui dont on parle ou à qui l'on parle, outre l'éloge académique, l'éloge social qu'il est en droit d'attendre!). L'Académie réunit des hommes venus de tous les milieux et de diverses conditions (bourgeois lettrés, robe, noblesse, Église...); en même temps, l'Académie n'est formée que d'académiciens que leur appartenance à la Compagnie rend tous égaux en dignité. Benserade, dont la naissance est moins un titre d'éloge, pour les académiciens, que ses talents et ses ouvrages, invite le président de Mesmes à reconnaître la dignité du travail académique et des académiciens auxquels il vient se joindre:

> Examinez quels sont les autres sujets qui composent ce tout dont vous devenez une partie: il y entre de ce que l'Eglise a d'auguste & d'éminent, de ce que la Cour & le reste du Royaume ont de Titres éclatans, & de Charges principales, de ce qu'il y a de sçavant et de poly parmy les gens de Lettres; ce mélange de conditions & d'esprits formant une espece de societe entre nous, où tout est egal, & sans aucune distinction de rang ny de preseance. (p. 293)[200]

Cette égalité, les académiciens ne cesseront de la vanter dans leurs discours. C'est encore une manière de célébrer la grandeur de tous les hommes de lettres que l'Académie rassemble quelle que soit leur origine. Pour La Chambre, l'Académie est devenue

> cette ACADEMIE glorieuse & triomphante qui a pris un si grand vol, revestuë de la pourpre des Cardinaux & des Chanceliers, protégée par le plus grand Roy de la Terre; logée dans son propre Palais, remplie des Princes de l'Eglise & du Sénat, de Ministres, de Ducs & Pairs, de Conseillers d'Estat, de Plenipotentiaires, de Gouverneurs de Pro-

[200] On se rappellera que l'organisation physique de la salle traduit cette égalité qui n'est rompue que par les fonctions occupées *à l'intérieur de la Compagnie*: au XVII$^{e}$ siècle, le directeur a seul une chaise à bras (voir *supra*, p. 37-38).

> vinces, de Chevaliers de l'Ordre, qui se dépoüillant tous de leur grandeur, & quittant leurs qualitez à la porte de cette Salle, se trouvent heureusement confondus pesle-mesle dans la foule d'une infinité d'excellens Auteurs, Historiens, Poëtes, Philosophes, Orateurs, sans distinction & sans preséance quelconque. (p. 453)

L'amplification par l'emploi des pluriels indéfinis, qui multiplie les académiciens de haut rang et dotés de fonctions importantes, montre bien que l'orateur joue, si l'on peut dire, sur les deux tableaux: la grandeur de l'Académie se marque par celle de ses membres; mais elle réside surtout dans le fait que tous ces hauts personnages se dépouillent de leur grandeur en entrant dans l'Académie. Combien d'hommes de haut rang ne trouve-t-on pas à l'Académie! Mais tous les académiciens sont égaux sous le signe de l'excellence et de la grandeur *littéraires*. Quelques exemples suffiront à montrer l'omniprésence de cette proposition. C'est l'un des points fondamentaux de la représentation que les discours académiques donnent de l'Académie. L'abbé Boileau l'aborde dès l'exorde en quelques formules décisives:

> Les Personnes les plus éminentes n'y ont que des égaux, & les plus habiles y trouvent des Maistres. La dignité ne donne pas de rang, ny la reputation de superiorité. La litterature ennoblit, la critique égale, l'esprit brille, & le bon sens décide. (p. 684)

Voilà, en termes plus sobres que ceux de La Chambre, une belle vision du caractère fondamentalement égalitaire d'une assemblée d'hommes de lettres. L'esprit seul a force de loi; l'esprit seul peut introduire des distinctions. L'égalité de tous les académiciens élève encore plus l'Académie que la présence d'hommes haut placés, pour La Chapelle, comme pour les autres orateurs:

> . . . nous rassemblons en un seul Corps ce que toutes les conditions differentes ont de grand & de respectable, & . . . tant de dignitez parmy nous confonduës relevent d'autant plus celle de cette Compagnie.(p. 709)

De réception en réception se renforce l'image d'une égalité qui confond toutes les conditions au sein d'une dignité qui n'est conférée que par un mérite défini par l'amour des lettres et la production d'ouvrages en prose et en vers[201].

---

[201] On pourrait multiplier les exemples. L'abbé de Choisy représente l'Académie comme une assemblée où ni la naissance ni la dignité ne donnent de privilège: «C'est icy que les premiers hommes de l'Estat se dépoüillent de tout le faste de la grandeur, ne cherchent de distinction que par la sublimité du Genie & par la profonde capacité, car MESSIEURS, ce n'est ni la naissance, ni les seules dignitez qui rendent vostre Compagnie si celebre» (p. 503); le terme *égalité* apparaît explicitement dans le discours de réception de l'abbé Testu de Mauroy:

Le désir qu'éprouvent les hommes déjà pourvus de hautes charges de venir prendre place autour de la grande table des académiciens donne aux orateurs le fondement d'une fierté d'hommes de lettres dont la condition – hors de la hiérarchie traditionnelle des ordres – est ainsi relevée au plus haut point. Une telle élévation, qui donne aux académiciens l'occasion de se faire voir et d'obtenir des avantages réels, peut en outre se définir comme un substitut de la promotion sociale proprement dite. Les discours académiques fournissent bien des développements qui justifient cette analyse. Il suffit de penser à la manière dont Charpentier, généralisant les reproches qu'il fait à Furetière, évoque les ennemis de l'Académie:

> Le moyen qu'une Compagnie establie sur le merite de l'Esprit soit sans ennemis, ou du moins sans jaloux? L'esclat que le nom du Roy y a adjousté, fait mal aux yeux à tous ceux qui n'y peuvent aspirer. Le nom d'Académie sonne mal aux oreilles de plusieurs personnes, & *particulierement de ces nobles imaginaires, qui demeurant sans vertu & sans action, pretendent autoriser leur oisiveté par la vaine ostentation de leur naissance, ou de ces riches Plebeiens & de ces hommes nouveaux, qu'un caprice de la fortune élève en des places qu'ils n'occupent que pour se rendre mesprisables. Il leur déplaist qu'on se puisse distinguer par quelque autre moyen que par les richesses,* par ce qu'ils ne reconnoissent que celuy-là, & le menu peuple qui leur est soumis par la necessité du commerce, ou par le secours qu'ils tirent de leurs grands biens, entre assez ordinairement dans leurs sentiments, & se laisse conduire à leur exemple. (p. 543; mes italiques.)

Non seulement les gens d'esprit ont leur propre noblesse et leur propre élévation, mais encore ils sont seuls capables de saisir la grandeur des lettres. Les académiciens mettent une grande insistance sur leur affirmation de grandeur. Les qualificatifs négatifs abondent dans le texte de Charpentier (*vaine, imaginaire, sans vertu et sans action*). Il procède à une sorte de révision du jugement social pour établir sur de justes bases le mérite académique. Naissance et richesse n'appartiennent pas aux valeurs académiques. On voit foisonner les formules telles que «caprice de la fortune», «hasard de la naissance». Au contraire, le mérite, attaché à la personne, et résultant de ses qualités individuelles et de son action, est une valeur positive. Il est la garantie de la grandeur de l'homme de lettres.

---

quand je me represente l'égalité judicieuse, qui est establie entre les membres de vostre illustres Corps; quand je conçois qu'elle fait oublier, du moins pour un temps, la difference de la fortune des hommes, les prerogatives du sang, les avantages des premieres dignitez de l'Eglise et de l'Estat; & que je remarque, que de toutes les Assemblées qui sont au monde, le Corps de la Religion, celuy de l'Académie, sont les seuls, dont les membres sont si heureusement confondus, je ne puis que je ne m'escrie, en admirant cette surprenante égalité: Qui suis-je, pour me voir entre tous ces grands Hommes? (p. 515)

Dans cette représentation d'une élite égalitaire du mérite, l'Académie française est la première et la plus prestigieuse des académies, qui cherchent toutes à formuler cette élévation des lettres. Les académiciens, tout en développant la grandeur des lettres en général, sont soucieux d'affirmer la primauté de leur corps sur les autres académies, surtout vers la fin du siècle, quand les académies se sont multipliées. La protection royale fournit aux orateurs un argument décisif. Le Roi ayant vu toute l'importance des lettres, explique l'abbé de Saint-Pierre,

> il recompense libéralement ceux qui excellent dans les beaux Arts & dans les Sciences. Il comble de ses bienfaits ces hommes rares qui ont mérité par leurs Ouvrages la plus grande reputation, d'éloquence. Il a pris le nom de Protecteur de l'Académie Françoise, nom qui la distingue de toutes les Compagnies du Royaume, & qui vous donne un droit plus particulier d'attendre des marques de sa bonté. (p. 707-708)

La grandeur de l'Académie lui vient donc aussi de la protection du Roi. Mais c'est que le Roi reconnaît le mérite des lettres. Directement ou indirectement l'Académie incarne l'élévation des lettres. Cette élévation est confirmée par la place que la protection du Roi donne à l'Académie parmi les institutions. Dacier, qui fait entrer dans l'éloge de l'Archevêque de Paris auquel il succède la part qu'il a prise dans la décision du Roi de mettre la Compagnie sous sa protection, s'exclame:

> Par quels soins, par quels monumens de votre reconnoissance éterniserez-vous ce qu'il a fait pour cette Compagnie, en obtenant pour elle l'auguste protection dont elle jouït, & qui a esté suivie de la glorieuse distinction qui l'égale en quelque maniere aux premieres Compagnies de ce Royaume, à ces Compagnies auquelles le Roy confie sa Justice, & une partie de son autorité? (p. 736-737)

Faut-il voir dans cette déclaration un écho lointain de l'opposition du Parlement de Paris à la création de l'Académie, qui s'était traduite par sa résistance à l'enregistrement des lettres patentes? L'Académie, arrivée à pleine maturité, constate qu'elle est sur un pied d'égalité avec une cour qui avait fait obstacle à sa fondation, sinon même en position de supériorité, par la protection royale. Mais l'antagonisme entre les deux institutions s'est bien atténué. Le premier président Potier de Novion, comme le président de Mesmes, a siégé à l'Académie. En 1697, le président Cousin, qui appartient, il est vrai à la Cour des Monnaies, vient prendre place parmi les Quarante. Les magistrats, comme les avocats, sont reçus au sein de l'élite du mérite des lettres. Si les parlementaires ont craint, à l'origine, de voir ériger une autre institution dotée d'un certain pouvoir de censure, on verra plutôt, à la fin du siècle, les deux compagnies dans une sorte de rivalité pour la première place dans l'éloquence française. C'est un point qu'on retrouvera lorsqu'il s'agira d'analyser l'image que les discours parlementaires présentent de l'institution judiciaire[202]. Je retiendrai seulement ici que la protection royale fournit à l'Académie l'une des bases de sa primauté dans l'empire des lettres.

A cette glorieuse singularité, s'ajoute naturellement celle que confère à l'Académie l'élaboration du dictionnaire. C'est à l'Académie qu'on devra donc le monument où apparaîtra, fixée dans la perfection à laquelle elle a contribué à la porter, la langue française. Dans ces conditions, il est normal que les orateurs insistent sur leur grandeur, comme représentants d'une assemblée dont les préoccupations linguistiques et littéraires ont une valeur aussi élevée, reconnue par un Roi incomparable et manifestée par les productions de l'Académie et des académiciens.

Tous les éléments qui viennent d'être étudiés sont adaptés au discours, c'est-à-dire qu'ils répondent bien aux attentes de l'auditoire. Le directeur, ou le chancelier, recevant un nouvel académicien, lui propose une sorte d'abrégé de ses devoirs, même si cette facette du discours semble bien n'être que le vestige d'une exhortation prévue par les règlements de la Compagnie et se transforme souvent en éloge du récipiendaire ou en élément de la représentation de l'institution. L'Académie se définissant comme l'institution qui a la charge de perfectionner et de fixer la langue, tâche qui comporte comme étapes concrètes la publication d'un dictionnaire et d'une grammaire, les orateurs doivent souligner dans leurs discours la noblesse et la valeur des exercices académiques. La Compagnie se donne en spectacle à elle-même aussi bien qu'aux «*honnêtes gens*»[203] qui sont présents lors de ses séances publiques; les orateurs proposent une image de la Compagnie qu'ils représentent, dans laquelle ils entrent ou devant laquelle ils parlent; cette représentation doit satisfaire les académiciens aussi bien que leur auditoire.

Mais c'est dans la dimension encômiastique de l'éloquence académique que l'on peut le mieux suivre les principes de l'adaptation du discours aux circonstances de sa prononciation, une caractéristique que l'éloquence municipale mettra pleinement en valeur. Car, si l'impératif d'intégration du discours à la cérémonie académique requiert de tous les orateurs un éloge des lettres, par exemple, chaque situation particulière va modifier les exigences encômiastiques.

---

[202] Voir *infra*, deuxième partie, p. 422 sq.

[203] J'emploie ce terme au sens social de l'époque, où il désigne une élite mondaine définie plus par le comportement que par l'origine de ses membres – élite qui peut apprécier le *Mercure galant*, par exemple.

## 4. L'éloge dans les discours académiques

L'éloge est une composante fondamentale du discours académique en général. Une étude des éléments récurrents de la pratique oratoire des académiciens a permis de dégager quelques règles simples dans la pratique encômiastique. Certains éloges, qui se rapportent à l'histoire de l'Académie et de son élévation, apparaissent comme des éléments constitutifs du discours, des quasi-constantes: ce sont, nous l'avons vu, ceux de Richelieu, de Séguier et du protecteur actuel de la Compagnie, Louis XIV. Le récipiendaire et celui qui lui répond loueront le grand ministre, le sage chancelier et l'incomparable monarque... Si l'éloge des protecteurs passés peut trouver quelques exceptions, celui du Roi est incontournable. Un nouvel académicien et l'officier qui lui répond doivent en outre un tribut d'éloge à l'immortel que le récipiendaire remplace[204]. Le blâme de Furetière, exception unique à cette règle, ne fait que montrer la nécessité de s'adapter à la circonstance particulière. A cela, il faut ajouter l'éloge du nouvel académicien, qui justifiera le choix de l'Académie. Un orateur qui harangue un grand personnage fera son éloge dans sa harangue. Enfin, tout orateur qui s'adresse à la Compagnie, ou qui parle devant elle (récipiendaire, officier qui répond, prédicateur qui prononce le panégyrique annuel de saint Louis, député d'une académie de province) inclura naturellement dans son discours l'éloge de l'Académie.

Si les sujets de ces éloges peuvent être considérés comme des constantes, leur forme, leur étendue et même, malgré certaines récurrences, les éléments qu'on y met en valeur varient grandement[205]. L'orateur peut consacrer quelques mots ou un véritable mini-panégyrique aux personnages qu'il loue. Il existe d'ailleurs, outre ces éloges communs à l'ensemble du corpus, des éléments qui dépendent de chaque situation particulière. Énumérer les quasi-constantes ne suffit donc pas à rendre compte de l'aspect encômiastique de l'éloquence d'apparat à l'Académie, ni même à comprendre le fonctionnement cérémoniel. Car, si le retour périodique des thèmes et des formes produit indéniablement un sentiment de répétition – normal si l'on envisage les cérémonies académiques et les pratiques oratoires qu'elles engendrent comme une sorte de rituel –, les discours varient cependant. On ne peut que répéter les derniers mots de l'avertissement au lecteur du *Recueil* de 1698, qui met

---

[204] L'existence de ces constantes encômiastiques a été établie plus haut (voir p. 69 sq.).

[205] Les éloges de Richelieu et de Séguier, par exemple, peuvent varier d'une simple mention à un développement qui, dans le cas de l'éloge de Richelieu, peut prendre beaucoup d'ampleur (dans le discours de La Bruyère, ou chez l'évêque de Noyon, qui propose même une prosopopée de l'Église de Luçon (p. 696).

l'accent sur la multiplicité des *manières* de louer le Roi (l'éloge du Roi constituant la matière essentielle des discours après 1673):

> Les loüanges du Roy leur auguste Protecteur leur ont fourny une ample & riche matiere; & l'on ne pourra voir sans estonnement & sans admiration qu'ayant eu tous à traiter le même sujet ils ayent suivi des routes si differentes & tousjours avec succès.

Il faut étendre le champ de cette remarque à la matière même du discours. C'est que l'éloquence d'apparat est fonction des circonstances: non seulement celles-ci peuvent déterminer la forme des éloges «obligés» des discours académiques, mais elles amènent encore parfois l'orateur à introduire d'autres éloges.

### A. *Des éloges adaptés aux circonstances*

Chaque occasion singulière peut entraîner l'apparition d'éloges qui dépendent de plusieurs facteurs: le contexte historique, la personne de l'orateur, sa fonction, la personne du destinataire ou sa position... Dans tous les cas, on voit que les manifestations de l'éloquence d'apparat sont conditionnées par un réseau circonstanciel complexe, mais dont la connaissance est en général partagée par l'orateur et la plupart des auditeurs. Un discours «réussi» tiendra compte des particularités de chaque situation. C'est ce qui lui permet d'être adapté, «juste».

Les événements historiques, au sens large, jouent un grand rôle dans ce contexte, à l'Académie comme dans toutes les institutions. Les orateurs doivent toujours être ouverts à l'actualité. C'est ce qui rend l'éloquence d'apparat beaucoup plus vivante qu'on ne le pense ordinairement. Ainsi Quinault ajoute à une harangue au Roi un éloge de Turenne sous forme de condoléance. Le compte rendu des registres met bien en lumière la nécessité de s'adapter à toutes les modifications de la situation, quitte à transformer le discours de façon improvisée:

> M^r Quinault, Directeur, a fait rapport à la Compagnie que M^r Colbert ayant obtenu audience de sa Majesté pour la deputation de l'Académie au mardi trentieme de juillet, il s'estoit rendu à Versailles ce jour là: Qu'y ayant recueilly quatorze ou quinze de Messieurs qui s'y estoient trouvez, il estoit entré avec eux dans la sale, où M^r Bontemps, capitaine de Versailles, les avoit placez, à costé d'une autre sale où estoient Messieurs les deputez du grand Conseil; pour attendre l'heure de sa Majesté: Que sur la funeste nouvelle de la mort de Monsieur de Turenne, il avoit ajousté quelques periodes à son compliment[206].

---

[206] *Registres*, p. 116. Voici les phrases en question:

> La guerre est un Theatre où les plus belles vies ne sont pas exemptes de donner des spectacles funestes. La foudre qu'on y entend éclater, y frappe sans aucune

Le passage est intéressant à plus d'un titre. On y voit clairement l'un des traits majeurs de l'éloquence d'apparat lors qu'elle s'inscrit dans le cérémonial trans-institutionnel, lié aux événements touchant le royaume et le Roi (victoires aussi bien que maladies, mariages dans la famille royale). Les registres précisent que les académiciens ont attendu dans une salle qui se trouvait «à costé d'une autre sale où estoient Messieurs les deputez du grand Conseil». Les académiciens ne forment donc qu'une députation parmi d'autres. Les audiences solennelles impliquent ainsi la répétition, les compagnies se succédant pour porter au Roi leur hommage et le témoignage de leur admiration, aussi bien que de leur obéissance. Les grands événements rassemblent ainsi les compagnies autour du Roi. Les harangues, dans ce genre de situation, valent par leur inscription dans un ensemble de discours. La harangue de Quinault est à la fois singulière, en ce qu'elle émane d'une institution particulière, l'Académie, et indifférenciée, en ce qu'elle n'est qu'un élément dans une succession[207]. En second lieu, et c'est ce qui m'intéresse ici, le compte rendu décrit le processus de modification du compliment sous la pression des événements. La harangue est née d'un fait: le Roi est de retour de l'armée. La nouvelle d'un événement pousse l'orateur à altérer son discours. L'*événement,* ici la mort de Turenne, *a priorité.*

Dans l'exemple précédent, on voit la trace d'une modification faite à l'improviste à la suite d'une nouvelle inattendue. Mais les éloges «circonstanciels» n'impliquent pas, le plus souvent, ce caractère improvisé. Ainsi, l'éloge du Dauphin apparaît plusieurs fois dans les discours académiques, à l'occasion de ses hauts faits d'armes. La fin de 1688 a vu la prise de Philippsbourg et les victoires du Dauphin en Allemagne. On fera alors d'autant plus son éloge dans les discours académiques que le louer, c'est encore louer le Roi, ce dont les académiciens affirment faire leur principale occupation! Callières et Renaudot, reçus le même jour en 1689, ne manquent pas de faire l'éloge du Dauphin[208], ni Charpentier, qui leur répond. Charpentier amplifie cet éloge par une justitication des actions militaires du Dauphin, qui débouche sur l'éloge de Madame, de ses enfants, de la Dauphine et de ses trois enfants mâles, avec une insis-

---

distinction, et n'y respecte point les lauriers, qui couvrent les plus nobles têtes. On y voit des Heros mille fois vainqueurs tomber à la fin eux-mesmes en élevant de nouveaux trophées, et, sans chercher dans des temps éloignez, nous en avons de tristes exemples qui en sont trop recens, et qui ne touchent vostre Majesté que de trop prés.

[207] C'est un élément important des cérémonies qui engendrent des compliments. J'aurai l'occasion d'y revenir dans la troisième partie, consacrée à l'éloquence dans le contexte municipal.

[208] Sur le discours de Callières et la comparaison qu'il fait entre le Roi et le Dauphin, voir *infra,* p. 176 et n. 243).

tance logique sur le duc de Bourgogne, héritier présomptif du trône après le Dauphin, et qui reproduira certainement, au second degré, l'image du Roi (p. 561-563).

Une fois introduit dans les discours sous la pression des événements, l'éloge du Dauphin n'en disparaît pas totalement: l'éloge de la famille royale, ou plutôt de la descendance de Louis le Grand, se naturalise en quelque sorte. Il revient par exemple sous la plume de Charpentier, à propos de l'éducation du duc de Bourgogne. L'orateur note alors que c'est l'éducation que le Dauphin a reçue (et qui avait fourni de la matière à bien des louanges) qui explique son obéissance aux volontés royales et sa grandeur – et le bonheur dont jouit le Roi![209] Dans sa réponse au discours de La Loubère, l'abbé de Dangeau représente encore le Dauphin en lieutenant de son père:

> Nous emportons des places en Espagne & en Allemagne: Le Vainqueur de Philisbourg paroist sur le Rhin, rien ne s'oppose à son passage, la terreur marche devant luy, & les Peuples estonnez viennent implorer sa clemence & demander sa protection. (p. 664)

L'éloge du Dauphin est lié aux campagnes militaires; mais la famille du Roi étant celle du protecteur, il est logique que les académiciens en fassent mention dans leurs pratiques oratoires. L'éloge du Dauphin est ainsi produit par la rencontre de l'actualité historique et des impératifs propres à l'éloquence académique. Les mentions du Dauphin, de la Dauphine, de leurs enfants et, plus généralement, de la descendance du Roi et de la famille royale créent un contraste entre les discours académiques en général et les panégyriques du Roi prononcés dans l'Académie. Les panégyriques exaltent le Roi dans un splendide isolement, brisé seulement par une référence à Louis XIII et à l'éducation du Dauphin (chez Pellisson, qui parle en l'hôtel Séguier, avant la protection royale), par l'évocation de la Régence d'Anne d'Autriche sous la conduite de Mazarin – évocation qui n'a d'ailleurs d'autre fin que de permettre de dresser un parallèle entre le Roi et saint Louis, devenu la figure de référence pour l'éloge royal – et par l'évocation de la prise de Philisbourg et des victoires du Dauphin (chez Tallemant).

Si l'éloge du Dauphin tient à la fois à l'institution (il est le fils du protecteur de l'Académie) et aux événements historiques, les éloges circonstanciels dépendent de l'orateur ou du destinataire. Dans les cas les

[209] L'éducation du Dauphin était l'un des point majeurs du *Panégyrique* de Pellisson. Elle avait fait le sujet du prix de poésie en 1677: «Sur l'Education de Monseigneur le Dauphin & le soin que sa Majesté prend d'écrire Elle-mesme des Memoires de son Regne, pour l'instruction de son Fils».

plus simples, il s'agit seulement d'une forme de politesse. Ainsi, quand des députés de l'Académie de Soissons viennent complimenter l'Académie au sujet de l'établissement de l'Académie de Soissons, en 1675, Segrais intègre à sa réponse un éloge de la ville et des acédémiciens de Soissons:

> Soissons est celebre pour avoir donné le nom à des princes du sang, pour avoir été la capitale d'un Royaume, & la demeure de grands Rois; il le sera encore pour estre habité par des Citoyens aussi doctes & aussi parfaits que vous. (p. 257)

Faire l'éloge de Soissons, c'est encore donner une marque d'intérêt à ceux à qui l'orateur s'adresse. Mais Segrais ne peut pas faire l'éloge de Soissons et de ses académiciens sans y ajouter aussi celui du cardinal d'Estrées, son protecteur, qu'il introduit en évoquant «l'illustre Cardinal que vous avez choisi comme protecteur»: «il vous éclairera par ses lumieres, il vous animera par son exemple» (*ibid.*). Le triple éloge de la ville de Soissons, de l'Académie de Soissons et de son protecteur se rattache à l'origine géographique et à l'appartenance institutionnelle de ceux à qui l'orateur s'adresse. Or la personne et les fonctions du destinataire jouent un grand rôle dans la stratégie encômiastique des orateurs, qui retrouvent ici la topique de l'éloge élaborée par la tradition rhétorique (les lieux de l'éloge comprennent, entre autres, la famille et les emplois)[210]. Si l'on se rappelle que la descendance fait également partie de la topique encômiastique, on voit que la référence au Dauphin et à ses enfants combine tradition rhétorique et exigence de l'actualité. Distillée entre tous les discours, c'est toute la topique de l'éloge qu'on pourrait retrouver. Mais, tandis que, dans un panégyrique, un orateur parcourt la grille que lui fournit la topique, les académiciens, ou ceux qui parlent devant eux, choisissent un ou deux traits essentiels, qui produisent dans le discours l'apparition de l'éloge d'une personne liée au destinataire ou à celui qui fait le sujet du discours. La topique devient alors une logique qui permet l'introduction d'éloges «secondaires» – secondaires au sens où ils dépendent de la présence d'un autre éloge qui, lui, est primaire. Naturellement, l'effet apparent de ce genre de phénomène est l'abondance, une des fins des *lieux*. Mais nous verrons que les académiciens marquent par là leur perception de l'existence de

---

[210] Pour une présentation très claire des différents éléments de la topique encômiastique dans les textes antiques qui servent de base aux auteurs du XVIIe siècle, voir L. Pernot, «Les *topoi* de l'éloge chez Ménandros le Rhéteur», *loc. cit.* et «Lieu et lieu commun dans la rhétorique antique», *Bulletin de l'Association Guillaume Budé*, octobre 1986, p. 253-284. On trouve dans Bary, *La Rhétorique françoise* (1re éd. 1653, 2e éd. 1659) une topique très proche de celles de l'antiquité. Bary suit d'ailleurs Aristote de près.

réseaux sociaux que l'éloquence encômiastique doit inscrire dans ses pratiques.

Si le thème des hautes alliances est un *lieu* traditionnel, on trouve dans la réponse de Clérambault à Dacier une de ses variantes. L'éloge dérivé n'est pas fondé sur l'origine sociale, mais sur le mérite dans les lettres. L'orateur évoque en effet Madame Dacier. Ayant énuméré les travaux de Dacier, il conclut: «heureux dans des recherches si laborieuses d'avoir pour compagne une Personne qui fait tant d'honneur à son sexe & à nostre siecle» (p. 741). Madame Dacier est la seule femme d'académicien dont on puisse reconnaître le mérite littéraire – mais non la seule femme de lettres que l'Académie ait jamais reconnue, puisque Mlle de Scudéry aussi bien que Mme Deshoulières, entre autres, ont été lauréates de prix de l'Académie. Il est normal que le fait soit relevé par l'orateur[211]. La seule noblesse de l'alliance est celle des lettres: l'Académie transforme le *lieu* dans le sens de sa propre problématique.

La famille permet, d'une manière plus générale, l'introduction d'éloges secondaires, malgré la restriction souvent placée sur l'amplification de la naissance. De façon caractéristique, Fontenelle se réclame d'un «grand Nom»... dans les lettres. Sa parenté avec Corneille – ainsi peut-être que le fait que c'est Thomas Corneille qui lui répond – amène le récipiendaire à consacrer des lignes élogieuses à son oncle. Un tel développement, qui ne correspond à aucun des éloges fondamentaux du discours académique en général, est justifié par l'origine familiale de Fontenelle:

> Je tiens par le bonheur de ma naissance à un grand Nom, qui dans la plus noble espece des productions de l'esprit efface tous les autres noms, à un nom que vous respectez vous-mesmes. Quelle ample matiere m'offriroit l'illustre *Mort [note marg.: Mr Corneille, son Oncle) qui l'a ennobli le premier! Je ne doute pas que le Public, penetré de la verité de son Eloge, ne me dispensast de cette scrupuleuse bien-séance, qui nous défend de publier des loüanges où le sang nous donne quelque part, mais je me veux épargner la honte de ne pouvoir, avec tout le zele du sang, parler de ce grand Homme, que comme en parlent ceux que sa gloire interesse le moins. (p. 577-578)

Le nom, ici, c'est celui d'un grand homme de lettres. Fontenelle mentionne Corneille comme un homme de lettres fameux, qui se trouve être de sa famille. D'une manière analogue, Charpentier, qui évoque les

---

211 Peut-être est-ce l'annonce d'une certaine ouverture de l'Académie aux femmes. L'Académie est en retard sur les élites provinciales, puisque quelques femmes ont reçu des lettres d'académiciennes (par exemple Mlle L'Héritier à Toulouse); les académies italiennes ont aussi accueilli les femmes de la République des Lettres (en particulier les Ricovrati). Les femmes assistent aux séances publiques des académies provinciales, alors qu'à Paris, il faudra attendre le début du XVIII^e^ siècle.

aïeux de Bignon, a d'abord associé le mérite individuel de Bignon au nom de ses ancêtres:

> Quoy que nos applaudissemens vous puisse<nt> faire connoistre combien nous avons esté touchez de vostre éloquence, je doute qu'ils soient suffisans pour vous découvrir tout ce que nous pensons du bonheur de l'Académie, quand elle s'allie à un Nom aussi celebre que le vostre, & qu'elle entre en partage des grandes & glorieuses esperances où le merite doit vous élever. (p. 648)

Ce n'est qu'après avoir montré son respect pour la vision académique de la hiérarchie, que l'orateur peut généraliser de l'éloge du récipiendaire à celui de sa maison:

> Mais que dis-je, MONSIEUR, de vostre genie, c'est celuy de toute vostre Maison d'aimer les belles LETTRES & d'y exceller. Vostre Illustre Pere, aprés avoir esté longtemps l'Oracle du Parlement, est aujourd'huy l'un des Oracles du Sanctuaire du Prince; digne Fils & digne Successeur de Monsieur Bignon vostre ayeul. Il faudroit estre tout-à-fait étranger dans la littérature, pour ne pas connoistre le grand JEROSME BIGNON, ce celebre Avocat General au Parlement de Paris, si fameux par sa Sagesse, par son integrité, & par sa profonde Erudition. (*Ibid.*)

Mais, de même que l'orateur avait insisté sur le mérite de l'abbé Bignon et les récompenses qu'il pouvait en attendre («Nous vivons dans un siecle où il n'est pas permis à une Vertu extraordinaire, de demeurer dans une fortune mediocre»), c'est d'abord sur l'érudition et les belles-lettres qu'il centre son éloge de Jérôme Bignon. Ce sont ces qualités qui le font valoir auprès des souverains Henri IV et Louis XIII – deux rois qui apparaissent rarement dans le discours académique, surtout Henri IV:

> Ce fust dans un âge à peu prés pareil au vostre, qu'il publia ses excellentes Notes sur les Formules de Marculfe, que tous les Sçavans leurent avec admiration. Il n'avoit que dix neuf ans lorsqu'il presenta au Roy Henri IV, son Traité de l'Excellence des Rois & du Royaume de France: & ce sage Monarque qui receut son present avec de grandes marques d'estime, luy commanda de voir Monseigneur le Dauphin, qui depuis a esté Louis XIII, jugeant que les entretiens d'un jeune homme qui estoit desja si éclairé, ne pouvoient estre que tres-utiles au Prince que Dieu destinoit à la premiere Couronne de l'Univers. (p. 648-649)[212]

Les éloges successifs se ramènent à celui de Bignon et de ses ancêtres, à celui des lettres et à celui de la royauté.

[212] L'auteur fait allusion à l'édition des *Formularum libri duo* (1613), rééditée en 1665, sous le titre *Formulae veteres. Accessit liber legis salicae.* Pour un autre exemple, voir p. 597, l'éloge de Pavillon, évêque d'Aleth, dans la réponse que Charpentier fait à Pavillon.

Louer Louis XIII à propos de Bignon est certainement un geste adapté. En parler, comme le fait La Bruyère, pour faire l'éloge de Richelieu est certainement plus discutable, dans la mesure où le Roi semble subordonné à son ministre (alors que l'éloge académique de Richelieu, après 1673, tend à insister au contraire sur la position de ministre au service du Roi). Peut-être est-ce là une indication de plus, chez La Bruyère de l'incapacité d'adapter son discours aux attentes de ses nouveaux confrères[213]. Voici le passage en question:

> Suivez le regne de Louis le Juste: c'est la vie du Cardinal de Richelieu, c'est son éloge et celui du prince qui l'a mis en œuvre[214].

Et La Bruyère poursuit par un long éloge de Richelieu et de son *Testament politique*. L'ampleur peu commune du passage consacré à Richelieu et la manière de présenter la relation entre Louis XIII et son ministre semblent ne pas correspondre aux canons du discours, même si Richelieu, le *Testament politique* (dans le discours de l'évêque de Noyon en 1695)[215] et Louis XIII[216] ont leur place dans le discours. Si l'on compare la présentation que La Bruyère fait de Richelieu avec celle que donne Charpentier dans son compliment au duc de Richelieu sur la mort de la Duchesse (juin 1684), on voit nettement la différence de perspective. Richelieu apparaît naturellement dans le compliment, puisqu'il est comme le point commun entre la Compagnie au nom de laquelle Charpentier parle et son destinataire. Richelieu (n')est (qu')un précurseur de Louis le Grand; c'est là son titre de gloire et sa limite:

> MONSEIGNEUR,
>
> Tout ce qui porte le nom du Grand Cardinal de Richelieu sera tousjours en veneration à l'Académie Françoise. Elle luy est redevable de la premiere idée de son establissement aussi bien que des premieres faveurs de LOUIS LE JUSTE, & à juger de sa destinée par le cours ordinaire des choses, elle ne seroit point parvenuë à la gloire où nous la voyons, si ce Ministre incomparable ne luy en avoit preparé les voyes. (p. 447)

Médiateur entre l'Académie et Louis XIII, Richelieu prépare la gloire de la Compagnie sous Louis XIV. Mais les rois sont clairement en position d'autorité. Voilà qui diffère de la présentation que choisira La Bruyère.

---

213 Sur ce point, voir *supra*, p. 65-66.

214 *OC*, p. 493.

215 P. 698.

216 Louis XIII est mentionné par Barbier d'Aucour (p. 381), et Fontenelle évoque, p. 580, «le plus juste des Rois» (mais c'est sous son règne que Corneille a connu le succès).

Les charges ou fonctions du destinataire, ou d'ailleurs de l'orateur, peuvent engendrer de la même manière des éloges dérivés. Si un nouvel académicien exerce une fonction auprès d'un grand personnage, il le louera dans son discours, et l'officier qui lui répond en fera de même. L'année 1688 fournit deux exemples très significatifs, parce qu'on y voit les pressions dont l'Académie faisait à l'occasion l'objet et qu'ils montrent le caractère essentiel des éloges que j'ai qualifiés de «dérivés»: la réception de l'abbé Testu de Mauroy et celle de La Chapelle. L'abbé Testu de Mauroy, reçu le 8 mars 1688, paie son tribut à Monsieur, frère du Roi, qui l'a recommandé pour remplir la place laissée vacante par le président de Mesmes:

> En un mot, quoy que ces soins esclatans me peussent faire prétendre aux honneurs qui resultent des belles lettres, je n'aurois neanmoins jamais osé demander d'estre receu dans vos Assemblées, si le Vainqueur de Cassel n'eust daigné m'en ouvrir la porte, de la même main, dont il a si glorieusement triomphé des ennemis de la France. (p. 517)

Et ce n'est là que le début d'un long éloge. Entendons: Testu de Mauroy, précepteur de Mademoiselle, ne peut omettre de faire l'éloge de Monsieur, son protecteur. Barbier d'Aucour, qui accueille le nouvel académicien, ne saurait de même exalter le mérite de Testu de Mauroy sans y ajouter les vertus et la conduite de Monsieur:

> Nous voyons aussi que le Prince qui vous a confié ces deux belles ames plus precieuses que toutes les Couronnes, vous accorde si publiquement l'honneur de sa protection & de son estime, qu'il a bien voulu en faire assurer l'Académie lorsqu'elle estoit assemblée, en quoy il a fait pour vous une chose qui n'avoit encore esté faite pour personne, & qui est une preuve infaillible du merite qu'il a trouvé en vous.(p. 523)

Après ce prologue, l'orateur se lance dans l'éloge de Monsieur, qui répond à celui qu'a fait le récipiendaire:

> Et qui peut mieux juger du merite, & mesme du merite Académique, qu'un Prince qui a donné aux Lettres un des plus beaux sujets d'histoire qu'elles ayent jamais eu. (*Ibid.*)

Il est inutile de s'attarder sur l'évocation de la bataille de Cassel. Mais, en introduisant Monsieur et ses hauts faits dans leurs discours, les orateurs ne font qu'enregistrer l'existence de rapports sociaux qui rappellent ceux de la clientèle.

Même scénario lors de la réception de La Chapelle, recommandé, lui, par le Prince de Conti auprès de qui il a la charge de «Secrétaire des commandements». Ce noble patron apparaît dans le discours de La Chapelle, où il est présenté comme ce qui donne à l'orateur de la hardiesse au moment d'aborder les hauts faits du Roi:

> C'est . . . en ce moment que je deviens plus hardy, & que je trouve qu'il m'est permis de vous dire que j'ay merité la place que vous m'avez accordé. Je me souviens que le Prince à qui je dois vos bontez, a l'honneur d'appartenir à LOUIS LE GRAND, & delà me vient cette espèce de presomption qui sied si bien quelquefois & au vray merite & à la vraye vertu. Oüy, MESSIEURS, quand je songe à celuy qui me donne à vous, je suis digne de vous.
>
> Au lieu des talents que vous cherchez & que vous ne trouvez point en moy, je vous apporte l'amitié de ce grand Prince dont il m'a ordonné de vous assurer; Amitié precieuse, qui faisoit autrefois la joye & et les delices du fameux Heros son Oncle [le Grand Condé], dont la France pleure encore la perte, & dont tous les siecles publieront la gloire sans la pouvoir jamais égaler (p. 530)

Ce texte montre bien comment les éloges s'enchaînent: la position de La Chapelle implique qu'on parle du Prince de Conti; le rang de ce dernier impose qu'on mentionne le Grand Condé! Charpentier n'est pas en reste. Il met en garde le nouvel académicien:

> L'Académie espere bien trouver en vous cette facilité de Genie, que vous satisferez à toutes nos obligations, sans abandonner le service du Prince; auprès de qui vous estes. J'ose respondre, qu'il ne vous sçaura point mauvais gré d'estre assidu parmy nous, puisqu'ayant montré quelque empressement pour vous y voir, il doit estre en quelque façon garand de vostre fidelité à l'observation de nos loix. (p. 534)

Voilà qui est bien fait pour établir la situation dans laquelle le récipiendaire se trouve. Cela posé, on peut aborder l'éloge de ce haut personnage:

> C'est l'attention que ce Prince a fait paroistre pour l'Académie en cette rencontre qui me fournit une seconde reflexion. En effet, quelle plus grande marque d'amitié pouvoit-il nous donner, que de vous partager avec nous, & cesser d'estre Maistre de vostre temps tout entier, en voulant bien que vous nous en donnassiez une partie? Je sçay, MONSIEUR, que ce ne sera pas sans peine que vous vous éloignerez de luy pour quelque peu de temps que ce soit; car le moyen de perdre de veuë un Prince qui vous aime, & qui merite tant d'estre aimé, un Prince en qui toutes sortes de vertus eclatent, une penetration d'esprit infinie: une bonté extraordinaire, une grandeur d'ame digne de sa naissance? (*Ibid.*)

L'orateur prend tout juste son élan et s'élance sur le terrain encômiastique, où je ne le suivrai pas plus longtemps. Le lien familial pousse l'orateur à associer le prince de Condé à Conti. Charpentier n'hésite pas, on l'a vu, à rappeler que La Chapelle est au service du prince de Conti. Si les récipiendaires reconnaissent ce qu'ils doivent à leurs protecteurs – pour qui une recommandation auprès des académiciens est une manière de récompenser leurs familiers –, ceux qui leur répondent et qui inscrivent dans leurs discours les éloges de ces patrons haut placés enregistrent la relation qui existe entre le nouvel académicien et tel haut personnage. La stratégie encômiastique rejoint ici la problématique du devoir oratoire. Car les orateurs ne sont pas libres, en réalité, d'inscrire de tels éloges à leur gré. Ils satisfont à une obligation qui leur est imposée par l'intérêt que les protecteurs en question ont porté à la vie de l'Académie, par leurs recommandations. Dans le cas de Testu de Mauroy et de La Chapelle, on se trouve en face d'une véritable lutte d'influence. Celui qui se trouve auprès du personnage de plus haut rang l'emporte. Le compte rendu de la séance du 16 janvier 1688 nous apprend en effet que le prince de Conti avait écrit une lettre au directeur, une autre au chancelier et une troisième au secrétaire de la Compagnie pour recommander La Chapelle comme successeur du président de Mesmes. Sur ces entrefaites, le premier valet de chambre de Monsieur est introduit, porteur d'un message de son maître. Monsieur souhaite pour sa part que l'abbé Testu de Mauroy, précepteur de Mademoiselle, succède au président de Mesmes; c'est également le vœu de Mademoiselle[217]. Lutte inégale! L'élection de La Chapelle est remise. Il succèdera

---

[217] Voici le compte rendu de la séance:

> Ce jour, Mr Barbier D'Aucourt chancelier a dit à la Compagnie qu'il avoit receu une lettre de Mgr le Prince de Conti luy demandant son suffrage en faveur de Mr de La Chapelle Sec<rétai>re de ses commandements, pour la place d'académicien vacante par la mort de Mr le Président de Mesmes; et qu'il se croioit d'autant plus obligé d'en rendre compte à la Compagnie que la lettre luy avoit esté escrite comme au chancelier de la Compagnie, et qu'il apprenoit par Mr l'abbé Regnier Sec<rétai>re qu'il en avoit aussi receu une, et que Mr Despreaux Directeur en avoit receu une autre pour le mesme sujet. Les deux lettres ont esté ensuite leues [celles qui ont été reçues par le Chancelier et le Secrétaire]; et comme celle qui s'addresse au Sec<rétai>re de la Compagnie est remplie de marques d'affection et d'estime pour l'Académie de la part de Mgr le Prince de Conti, il a esté jugé à propos d'en inserer la copie dans les Registres. La Compagnie estant ensuite séparée pour travailler à deux Bureaux, elle a esté advertie que le Premier valet de Chambre de Monsieur demandoit à parler à la Compagnie de la part de son Altesse Royale. Aussitôt tous Messieurs se sont rassemblez dans le premier Bureau, où ayant esté introduit, il a dit à la Compagnie que Monsieur l'avoit chargé de venir tesmoisgner à la Compagnie qu'elle luy feroit un singulier plaisir de vouloir jetter les yeux sur Mr l'abbé Testu de Mauroy Precepteur de Mademoiselle, pour remplir la place vacante par la mort de Mr de Mesmes; et ensuite il a adjousté que Mademoiselle l'avoit aussi chargé de tesmoigner la mesme chose de sa part à la Compagnie, et qu'elle luy recommandoit instamment son Précepteur. Mr le Chancelier a respondu à cela au nom de la Compagnie, que l'Académie recevoit avec respect l'honneur qu'il plaisoit à Monsieur de luy faire au sujet de la place vacante; et que quand il s'agiroit de la remplir elle tascheroit de mériter par sa conduite la bienveillance et l'estime de son Altesse Royale, que Mademoiselle en recommandant son Precepteur à la Compagnie faisoit voir son amour pour les lettres; et que la Compagnie feroit voir aussi le respect qu'elle avoit pour une recommandation comme celle de Mademoiselle (p. 285-286).

La copie de la lettre du Prince de Conti au Secrétaire de l'Académie suit le compte rendu:

à Furetière... Pour les récipiendaires, exalter Monsieur ou le Prince de Conti et les Condés est une manière normale de s'acquitter envers leurs «patrons». Pour les officiers de l'Académie, ce phénomène représente non seulement la reconnaissance du rapport de patronage, mais encore la traduction oratoire de l'intervention des princes. Les tractations du 16 janvier sont comme l'envers des discours prononcés lors des réceptions de Testu de Mauroy et de La Chapelle[218]. Les éloges dérivés liés aux emplois que peut occuper auprès d'un grand l'orateur ou le destinataire manifestent dans le discours les réseaux complexes du tissu social.

Dans les exemples que je viens d'analyser, on remontait de la mention d'un grand à son intervention en faveur d'un protégé. Mais une telle recommandation n'est pas indispensable à la manifestation d'éloges dérivés. Le préceptorat (ou d'ailleurs toute fonction de direction ou de conseil) semble jouer un rôle particulièrement important dans cette perspective, ce qui s'explique assez facilement, puisque l'Académie se présente comme une institution du savoir et des belles-lettres et qu'un précepteur doit précisément transmettre les belles-lettres et en donner le goût à ceux dont il a la charge. Fleury a été ainsi précepteur des princes de Conti et du comte (le discours de réponse le nomme *duc*) de Vermandois, avant d'être le sous-précepteur des enfants du Dauphin. Le récipiendaire ajoute naturellement à l'éloge du Roi celui des trois princes dont il a la charge, en insistant sur le duc de Bourgogne, aînesse oblige. Après avoir souligné la piété de Louis XIV, l'orateur enchaîne:

> C'est dans cet esprit qu'il fait élever ces jeunes Princes, qui sont dés à present la joye des Peuples, & en feront un jour le bonheur. Rien n'est tant recommandé à ceux qui ont l'honneur de les approcher, que de leur inspirer la Religion & la Justice.(p. 748)

L'éloge des Princes est en quelque sorte doublement déterminé. La tradition rhétorique a depuis longtemps mis la descendance au nombre des

---

> Si j'avois peu aller aujourd'hui à Paris, Monsieur, je vous aurois prié chez vous d'accorder vostre suffrage au S<ieu>r de la Chapelle, secretaire de mes commandements pour la place de l'académie qu'avoit feu Mr de Mesmes. Je croy qu'il n'en est pas tout à fait indigne, et il souhaite avec passion que mon crédit luy fasse obtenir cette marque d'honneur et de distinction dont je connois parfaitement tout le prix, ayant une estime infinie pour le corps illustre dont vous estes secretaire, et pour tous ceux qui le composent. Je vous seray tres sensiblement obligé si en attendant que je puisse vous voir, vous voulez bien avoir égard à la priere que je vous fais et estre persuadé que je regarderay ce qui sera fait pour la Chapelle en cette occasion, comme s'il estoit fait pour moy mesme qui suis, Monsieur, avec beaucoup de vérité entierement à vous.
>
> François Louis de BOURBON (p. 286-287)

[218] Dans le dernier discours du *Recueil,* Dacier, qui répond au président Cousin, cite les paroles du Roi encourageant l'Académie à ne choisir les académiciens que par son suffrage, sans se laisser prévenir par les recommandations (p. 763).

éléments de la topique encômiastique; c'est donc amplifier l'éloge du Roi que d'y associer ses descendants. Mais Fleury occupe auprès de ceux-ci la position de sous-précepteur; il inscrit sa fonction sociale dans son discours. Ne prend-il pas dans leur éducation le prétexte dont il a besoin pour insérer ses jeunes élèves royaux? Quant à Régnier-Desmarais qui lui répond, il respecte l'ordre chronologique des emplois du récipiendaire; il évoque les princes de Conti et le duc de Vermandois, dont il avait eu la charge, avant les trois fils du Dauphin:

> Vous avez fait voir dans celle [la personne] des Princes, à l'instruction desquels vous avez esté autrefois employé (note marg.: Messieurs les Princes de Conti, & M. le duc de Vermandois), ce que des qualitez si loüables & des sentiments si vertueux, joints à une érudition profonde, peuvent sur de jeunes Plantes, qu'on s'attache à cultiver; on en voit encore tous les jours d'illustres marques, dans celuy de ces Princes qui nous est resté; Prince appliqué à tous ses devoirs, sçachant obeïr, sçachant commander, plein de douceur, de bonté, de justice, de valeur, & de fermeté; & enfin aussi distingué par son merite personnel, que par sa naissance. (p. 750)

Entendons: un prince digne d'être loué par un académicien, puisque l'orateur souligne son mérite. Et celui qui a formé un tel prince est lui-même taillé du bois dont on fait les académiciens. L'orateur retrouve alors les préceptes rhétoriques, en inférant de la réussite passée les succès à venir[219]:

> Quelles esperances aprés cela, ne peut point donner la part que vous avez maintenant à l'instruction des trois jeunes Princes, qui doivent faire un jour le destin public; & sur l'exemple desquels le premier Royaume du monde doit se conformer! (p. 750)

Les succès passés du nouvel académicien en matière d'instruction et les qualités dont il va doter les princes garantissent l'avenir.

Mais le précepteur du duc de Bourgogne et de ses frères, c'est Fénelon. Lors de la réception de celui-ci, Bergeret, après avoir rappelé cette importante fonction, fait l'éloge des trois jeunes princes, et plus particulièrement celui du duc de Bourgogne Cet exemple nous ramène à la problématique de ce que j'ai appelé plus haut la double détermination. L'éloge dérivé des Princes, lié aux fonctions de Fénelon, débouche également sur celui des lettres, si cher à l'Académie, et l'un des traits rares du duc de Bourgogne, c'est précisément son amour des lettres:

---

[219] Aristote va jusqu'à écrire: «Les actes sont des indices de l'*habitus*, aussi pourrions-nous faire l'éloge d'un homme qui n'aurait pas accompli de belles actions, si nous avions l'assurance qu'il est de caractère à en accomplir» [*Rhétorique* (Paris: Les Belles Lettres, coll. des Universités de France, 1932) 1367 b, t. 1, p. 113].

> Quel sujet d'esperance & de joye pour tous ceux qui suivent les Lettres, de voir ce jeune Prince, qui se plaist ainsi à les cultiver luy-mesme, & qui dans un âge si tendre semble desja vouloir partager avec Cesar la gloire que ce Conquerant s'est acquise par ses escrits. (p. 630)

Les lettres apparaissent comme le point culminant des qualités du jeune élève de Fénelon. Fonctions du destinataire et préoccupations de la Compagnie concourent ainsi à produire l'apparition de l'éloge du petit-fils de Louis le Grand. Elles sont d'ailleurs réunies dans le paragraphe suivant:

> Vous sçaurez, MONSIEUR, vous servir heureusement d'une si belle inclination, pour luy parler en faveur des Lettres; pour luy en faire voir l'importance & la necessité, dans sa politique; pour luy dire que c'est en aimant les Lettres qu'un Prince les fait fleurir dans ses Estats; qu'il y fait naistre de grands hommes, pour tous les grands emplois, & qu'il a tousjours l'avantage de vaincre ses Ennemis par le discours & par la raison; ce qui n'est pas moins glorieux, & souvent beaucoup plus utile, que de les vaincre par la force & par la valeur. (p. 630-631)

On ne peut louer Fénelon sans louer le précepteur du duc de Bourgogne. Mais c'est l'occasion de rappeler l'importance des lettres, et

---

[220] Toute fonction de direction ou de conseil peut être l'origine d'une dérivation encômiastique. A la réception de Goibaud du Bois, Testu de Mauroy rappelle que son nouveau confrère avait été choisi pour être le gouverneur d'un prince dont il fait l'éloge par sa lignée, le duc de Guise, mort trop jeune pour qu'on puisse développer son éloge par ses actions personnelles. Pour louer celui à qui il s'adresse, l'orateur signale qu'il a été élu à l'unanimité, et ajoute que le Roi a agréé celui qu'il avait déjà agréé,

> il y a plusieurs années, pour Gouverneur d'un jeune Prince, dont le sang après avoir coulé dans les veines de tous les Souverains de l'Europe, s'estoit glorieusement réuni au sien en la personne d'une des plus vertueuses Princesses de la terre (p. 672).

Si l'on compare ce passage à la notice que d'Olivet donne sur Goibaud du Bois, on voit comment les mêmes circonstances pouvaient produire des développements tout à fait différents. Car pour l'abbé d'Olivet, il s'agit d'illustrer la puissance des lettres comme moyen d'ascension sociale et le caractère indifférent des origines:

> Puisqu'il n'a point laissé d'enfants, à qui la connoissance que l'on aura de son origine puisse nuire ou déplaire, et que d'ailleurs nous devons . . . faire sentir à ceux dont la naissance est obscure, qu'il ne tient qu'à eux de s'élever par la voie des lettres, je ne me ferai pas un scrupule de dire que M. Du Bois, cet auteur de tant d'ouvrages si graves, commença par être maître à danser. Il fut produit en cette qualité auprés du duc de Guise, qui, dans sa plus tendre enfance, s'accoutuma si bien à le voir, et prit tellement d'amitié pour lui, qu'il ne voulut point d'autre gouverneur. Ce n'est pas une chose rare, qu'il y ait dans les hommes de tout autres talents, et des talents bien plus essentiels que ceux dont leur profession leur donne lieu de faire usage. On ne fut pas longtemps à l'éprouver dans M. Du Bois; et si, par son premier métier, il étoit propre à former son disciple aux exercices du corps, la suite fit voir qu'il l'étoit infiniment plus à lui donner des leçons de morale, à lui inspirer l'amour de la vertu.» (II, p. 284-285).

d'inviter le récipiendaire à en faire prendre conscience à celui dont il a la charge[220].

Il est des cas où le lien entre le sujet de l'éloge et l'orateur peut paraître moins personnel. Lorsque Cousin, président en la Cour des Monnaies, donc un magistrat, est reçu, il ajoute à l'éloge de Séguier celui de Boucherat, qui a succédé à Le Tellier comme chancelier, c'est-à-dire comme chef de la justice et premier magistrat du Royaume (la présence de l'éloge suggère que l'orateur a dû bénéficier de l'appui de Boucherat):

> Le chef de la justice suivit les sentimens, & les inclinations du premier Ministre, entra dans la Compagnie qu'il avoit formée, & en fut après luy le Protecteur. Souvent il descendoit de son Tribunal pour assister à vos Conferences, & après avoir prononcé des Arrests dans le Conseil il alloit vous proposer ses doutes, & écouter vos décisions.
>
> La France voit revivre aujourd'huy toutes ses grandes qualitez dans le celebre Magistrat qui remplit sa place, & qui preste comme luy au Roy des paroles dignes de la majesté de l'Empire. Les Lettres reçoivent en toutes occasions des marques de son estime, & les sçavans en toutes professions ressentent des effets de sa bienveillance. (p. 756)

Aucune mention, ici, de Le Tellier, ce qui montre bien qu'il ne s'agit pas simplement d'énumérer les chanceliers successifs (sans parler d'Aligre, qui n'a été garde des sceaux que peu de temps). Séguier est l'un des bienfaiteurs de l'Académie, et son éloge apparaît dans la plupart des discours de réception et de réponse. Mais l'orateur prend appui sur l'emploi prestigieux que le second protecteur de l'Académie a tenu pour mentionner à sa suite le chancelier d'alors, dont l'éloge convient à sa profession.

Dans tous les exemples que j'ai examinés jusqu'à présent, les éloges dérivent des fonctions que l'orateur ou le destinataire occupent hors de l'Académie et inscrivent dans le discours un certain type de réseau social où se mêlent rapports familiaux et rapports de patronage. Il est un cas particulier, où l'orateur se fonde sur sa position dans l'Académie pour introduire un éloge. A la réception de Fontenelle, c'est Thomas Corneille, son oncle, qui, en tant que chancelier, lui répond. En guise d'excuse – figure traditionnelle – sur la faiblesse de son éloquence, il évoque le discours que le directeur, Testu de Mauroy, aurait prononcé, s'il avait pu être présent pour la cérémonie. Et Thomas Corneille d'exalter celui dont il remplit le devoir oratoire:

> Dans le mesme temps [que vous êtes élu], cette mesme Académie change d'Officiers selon sa coustume. Le Sort qui decide de leur choix, n'auroit pü qu'estre applaudy s'il l'eust fait tomber sur tout autre que moy, & quoy qu'incapable de soustenir le poids qu'il impose, c'est moy qui le dois porter. Il est vray qu'il a fait voir sa justice par l'illustre

> Directeur (note marg. Mr l'Abbé Testu) qu'il nous a donné. La joye que chacun de nous en fit paroistre, luy marqua assez que le hazard n'avoit fait que s'accommoder à nos souhaits, & je n'en sçaurois douter; vous ne le pustes apprendre sans vous sentir aussi-tost flaté de ce qui auroit saisi le cœur le plus détaché de l'amour-propre. La qualité de Chef de la Compagnie, l'engageant dans la place qu'il occupe, à vous répondre pour elle, il vous auroit esté doux qu'un homme dont l'éloquence s'est fait admirer en tant d'actions publiques, vous eust fait connoistre sur quels sentimens d'estime pour vous l'Académie s'est déterminée à se déclarer en vostre faveur. Son peu de santé l'ayant obligé à s'en reposer sur moy, vous prive de cette gloire. (p. 581)[221]

Thomas Corneille présente en quelque sorte les excuses du directeur, absent pour raison de santé. A l'aveu de faiblesse, si fréquent, l'orateur mêle l'éloge de celui que *sa fonction l'oblige à remplacer dans la carrière oratoire.* Le passage rappelle d'ailleurs une caractéristique importante de l'éloquence d'apparat: le discours dépend de fonctions officielles et l'orateur a un devoir oratoire à remplir («La qualité de Chef de la Compagnie, l'engageant dans la place qu'il occupe, à vous répondre»).

La composante encômiastique joue un rôle très important dans les discours académiques. Comme les considérations littéraires et linguistiques, les éloges sont des éléments du discours auxquels tout orateur est tenu. Mais c'est moins dans les constantes (éloges du prédécesseur, des protecteurs, et surtout de Louis XIV, et exaltation de la Compagnie, sans oublier, pour l'officier qui répond, les remarques élogieuses à l'adresse du récipiendaire) que dans les éloges dérivés de la particularité de chaque occasion que l'on peut saisir le sens de la stragégie des académiciens et de leurs hôtes en matière de louange. Les *lieux* de l'éloge ont certes leur rôle à jouer dans la logique qui fait apparaître certains éloges dans le discours, mais ils rencontrent les problématiques propres à l'Académie. La composante encômiastique permet de mettre en lumière une caractéristique essentielle de l'éloquence d'apparat: son adaptation au contexte, aux circonstances. Ritualisation et ouverture à l'actualité apparaissent comme les deux faces de cette adaptation[222]. Le cérémonial a ses règles et le discours ses éléments constants; mais ces règles veulent qu'outre les points du discours qui renvoient aux caractéristiques générales de l'institution, on tienne compte des éléments singuliers de chaque occasion. Ceux-ci peuvent dépendre de l'actualité militaire (la

---

221 Pour un autre exemple d'éloge du directeur absent, voir Boyer, réponse à Verjus, comte de Crécy (24 juillet 1679), dont l'exorde est cité plus haut (p. 48).

222 La problématique de l'adaptation (ou «convenance») fera l'objet d'une étude systématique dans la troisième partie,à propos des manifestations de l'éloquence dans le cadre municipal.

mort de Turenne, par exemple) ou de la personne ou des fonctions de l'orateur ou du destinataire. L'ensemble des discours académiques montre ainsi que les orateurs et leur public évoluent dans une société où se dessinent des réseaux plus ou moins complexes de relations, reconnus par tous les participants du rituel institutionnel. Grâce à la documentation annexe constituée en particulier par les registres, il devient clair que les allusions à des «patrons» n'ont rien de fortuit, ni de vraiment libre. De telles allusions se répètent du discours de réception à celui de réponse, ce qui souligne, jusque dans les traits individuels de chaque cérémonie, le caractère de ritualisation de l'éloquence d'apparat. Celle-ci se définit alors dialectiquement comme une éloquence à la fois ritualisée et vivante. Ritualisée, dans son déroulement répétitif, dans le respect de règles plus ou moins explicites; vivante, car l'exigence même d'adaptation oblige les orateurs à tenir compte de l'actualité et des particularités de la situation qu'ils ritualisent.

Il est cependant un éloge adapté *a priori* à toutes les circonstances, et qui constitue d'ailleurs la constante essentielle des discours de la fin du siècle: celui de Louis XIV. La place qu'il occupe matériellement dans les discours ainsi que son caractère quasi universel à l'époque obligent d'autant plus à s'y arrêter que les orateurs en font souvent le point de rencontre de toutes leurs préoccupations. Aussi bien le libraire de l'Académie que les orateurs affirment qu'il fait la principale matière des discours – ou plutôt, les orateurs le présentent comme le principal objet de leurs entretiens, et la matière de leurs travaux.

## B. *L'éloge du Roi*

L'éloge du Roi est l'un des passages obligés, voire *le* passage obligé du discours académique. C'est, nous l'avons vu[223] la constante majeure des discours postérieurs à 1672. L'importance de la place que cet éloge occupe est justifiée à l'Académie par le fait que le Roi s'est déclaré protecteur de la Compagnie, titre qu'il n'a pas dédaigné d'ajouter à tous ses autres sujets de gloire. Ses louanges sont donc particulièrement appropriées à l'Académie française. De facon caractéristique, le discours par lequel Charpentier répond à La Chapelle se conclut sur le mot même de «Protecteur». L'orateur, après avoir évoqué l'élaboration du dictionnaire, tâche académique fondamentale, presente au recipiendaire un autre travail, «qui ne finira jamais»:

---

[223] Voir *supra*, p. 70 sq.

> C'est, MONSIEUR, ce que nous sommes obligez de faire pour marquer incessamment nostre reconnoissance, mais d'une maniere digne de nous, à nostre grand, à nostre Auguste, & nostre Magnifique PROTECTEUR.(p. 545) [224]

Travail linguistique ou revalorisation de l'homme de lettres: tout s'appuie sur l'éloge de Louis le Grand et débouche sur lui. En s'acquittant de leur devoir encômiastique à l'égard du Roi, devoir dont ils ont une pleine conscience, les orateurs dépeignent ce qu'on pourrait appeler le versant académique de la grandeur royale. Comme l'éloge des lettres offre l'occasion de réhabiliter ceux qui en font profession, l'éloge de Louis XIV vient soutenir la grandeur des lettres. Ainsi, Charpentier montre la valeur du désir manifesté par l'évêque de Noyon d'entrer à l'Académie en dressant un parallèle avec la décision du Roi de mettre l'Académie sous sa protection:

> Mais si quelqu'un [parmi ceux qui ne comprennent pas le désir de l'Évêque] meritoit qu'on luy fist response, je luy demanderois à mon tour, Qu'adjouste le Titre de Protecteur de l'Académie Françoise en la personne de LOUIS LE GRAND, aux noms augustes de Monarque, de Roy Tres-Chrestien, de Conquerant, de Legislateur, d'Invincible, de Sage, de Pere du Peuple? Qu'adjouste cette nouvelle Qualité à tant d'Épithetes glorieuses . . .? (p. 719)[225]

---

[224] Ce n'est qu'un des innombrables exemples. Tourreil, qui répond à l'abbé Boileau, fait, par égard pour son destinataire, l'éloge du Roi sur un plan religieux et le peint en «unique deffenseur que les Autels & leurs Ministres ayent sur la terre». L'officier de la Compagnie fait culminer l'éloge du Roi sur la protection de l'Académie:

> Fidele à renvoyer ainsi sa gloire toute entiere au supreme dispensateur des graces, il en attire chaque jour de nouvelles; & pour tout dire, il remplit la mesure des titres qu'il porte de GRAND, & de TRES-CHRETIEN.
>
> Des titres si augustes, & si légitimes ne lui font pas dédaigner celui de nostre Protecteur; & pendant qu'il se partage, pendant qu'il se multiplie sans relâche au gré de nos besoins, seul autheur de ses projets, seul garant de ses entreprises, seul chef de ses Conseils & de ses Armées, il veille encore sur la Republique des Lettres, & veut bien luy donner les momens d'attention necessaire pour la maintenir. (p. 693).

[225] Le fait que Louis XIV succède à Richelieu et à Séguier comme protecteur, c'est-à-dire dans une fonction occupée par des sujets, inspire beaucoup les orateurs. Charpentier s'écrie:

> N'oserois-je dire, messieurs, que ce grand Cardinal s'applaudit jusques dans le Ciel . . .? Mais avec quel estonnement remarque-t-il que le Fils [&] l'Heritier de son cher Maistre, & de son magnifique Bienfacteur, a bien voulu prendre après luy la qualité de Protecteur de l'Académie Françoise, & se declarer par un effet de l'amour des Lettres, le Successeur d'un de ses sujets? (p. 596-598)

Et Bignon, lors de sa réception, s'exclame:

> Mais quoy? Les titres pompeux de CONQUERANT luy feroient-ils oublier celuy de nostre PROTECTEUR? (car je me haste de partager avec vous un tel honneur.) Pourroit-il oublier un nom qu'il ne dédaigna pas d'hériter d'un de ses

Certains points majeurs de l'éloge académique du Roi ont dejà été discutés plus haut, en particulier l'unicité de la parole royale et le lien qui unit célébration de la langue et célébration du monarque français. Par ailleurs, c'est un aspect relativement bien connu du discours académique[226]. Je ne chercherai donc pas ici l'exhaustivité, mais je me limiterai à quelques éléments fondamentaux, dont certains permettront de préciser, voire de corriger, les conclusions tirées de l'étude d'un corpus restreint et de comparer les composantes de l'éloge académique du Roi avec l'image qui se dégage des pratiques oratoires d'autres institutions.

a) *Une vertu royale essentielle: la modération*

Dans l'ensemble, les panégyristes développent des sujets d'éloge qu'on trouve dans tous les discours, en orientant la topique dans les directions prescrites par l'actualité. La présentation de la guerre et de la paix, par exemple, est cohérente à travers l'ensemble des textes. Le discours de l'abbé Colbert, reçu le 30 octobre 1678, au milieu des traités, peut sembler déterminé par la seule actualité. L'orateur y affirme que le Roi ne fait la guerre que pour rendre heureux les peuples en se les assujettissant et que la paix est donnée par le Roi qui s'arrête au milieu de

---

sujets? Sujet veritablement illustre mais qui tiroit son plus grand esclat de sa fidelle obeïssance aux Loix de son maistre. (p. 637)

[226] Voir, entre autres références, N. Ferrier-Caverivière, *L'Image de Louis XIV...*, M. Fumaroli, «L'Apologétique...» ou encore L. Marin, *Le Portrait du roi*. Les thèmes retenus par les panégyristes du Roi à l'Académie font l'objet d'une étude détaillée dans mon Introduction à l'étude des panéryriques (*Les Panégyriques du Roi,. op. cit.*). La présente section s'appuie d'ailleurs, explicitement ou non, sur les analyses que j'ai faites dans cette édition.

Voici en quelques mots, ce qu'on peut dire du contenu thématique de ces panégyriques. Leur étude permet de distinguer deux moments complémentaires dans la geste louis-quatorzienne. Le Roi a d'abord été chanté comme le parfait héros conquérant et dispensateur de la paix. Ses qualités physiques et ses vertus morales sont illustrées par sa conduite: le Roi accumule les miracles dans la guerre et dans a paix, qu'il impose toujours glorieusement à ses ennemis; son gouvernement intérieur fait passer le royaume d'un chaos originel à l'ordre le plus parfait. Dans un deuxième temps vient s'ajouter l'image d'un «saint Louis XIV», roi très-chrétien qui se place sous le signe de son aïeul canonisé dont il est comme l'image, mais une image parfaite (pour une analyse plus poussée de cette problématique de l'image parfaite, voir mon article «Généalogie d'une image: l'éloge speculaire», *XVII^e^ SIÈCLE* 146). On voit se dresser des analogies entre le panégyrique du Roi prononcé dans l'Académie et le panégyrique de saint Louis prononcé chaque année dans la chapelle du Louvre, devant la Compagnie. Les panégyristes retiennent un certain nombre de traits représentatifs et d'épisodes édifiants: la conduite du Roi devant sa maladie (à partir de 1687); la réception du roi d'Angleterre (en 1689 et dans les panégyriques de saint Louis des années suivantes); la croisade, tant la croisade extérieure (les orateurs louant le zèle de Louis XIV, quel qu'ait pu être le peu d'empressement mis par le Roi à la guerre contre les Turcs: Doujat prophétise la prise des lieux saints...) que la croisade intérieure, thème exploité à propos de la politique protestante de Louis XIV et plus particulièrement à propos de la Révocation.

ses conquêtes, ce qui est précisément la vision de la paix que les panégyristes amplifient:

> Enfin après que vous aurez couronné ses exploits, & que vous aurez fait l'éloge de toutes ses qualitez Royales, vous acheverez son Panegyrique en publiant cette grandeur d'ame qui luy fait oublier sa propre gloire, & qui l'arreste au milieu de ses conquetes pour faire sentir pleinement à ses sujets la felicité de son regne dans les douceurs de la paix. Content d'avoir fait connoistre qu'il peut tout vaincre par sa valeur, il veut faire voir aussi qu'il se peut surmonter luy-mesme; & ne craignez point de dire que cette paix qu'il donne à ses ennemis est un plus beau trophée que celuy qu'il auroit elevé après les avoir entierement subjuguez. (p. 333)

Et l'orateur poursuit en représentant à ses confrères le caractère unique du Roi:

> Mais, MESSIEURS, attendez que ce Grand ouvrage soit achevé, il ne faut rien d'imparfait dans l'Eloge d'un Monarque que le Ciel a fait naistre pour accomplir le bonheur de toute la terre, d'un Monarque inimitable dans la guerre, inimitable dans la Paix, luy seul comparable à luy mesme. (*Ibid.*)

Ces derniers mots montrent que l'orateur suit l'actualité. Mais la paix permet dans tous les cas de faire l'éloge de la modération de Louis XIV, même dans un contexte où la signature des traités n'est pas aussi actuelle. De fait, l'opposition que Charpentier établit dans son «Panégyrique du Roy sur la Paix», prononcé le 24 juillet 1679, entre valeur et modération,

> Toute la Terre est pleine des Monumens de sa Valeur, il en faloit aussi un de sa Moderation, & il l'a dressé luy-mesme de ses propres mains, par cette lettre glorieuse qui quelque jour contribuera plus à son éloge que le gain de quatre batailles[227],

apparaît dans de nombreux discours. Fontenelle, par exemple, rejette sur les ennemis la responsabilité de la reprise des hostilités:

> Il avoit renoncé par la Paix à se rendre maistre de l'Europe, & l'Europe rallume une guerre qui le restablit dans ses droits, & l'invite à reparer les pertes volontaires de sa moderation. Il tenoit sa valeur captive, ses ennemis eux-mesmes l'ont dégagée, & l'Univers lui est ouvert. (p. 579)[228]

---

[227] *Les Panégyriques du Roi*, p. 160.

[228] Bergeret avait déjà montré en Louis XIV l'association de la modération et de la valeur: «De sorte que par un évenement tout singulier, cette fameuse ville sera tousjours par la gloire du Roy, un monument eternel, non seulement de la plus grande valeur, mais aussi de la plus grande moderation dont on ait jamais parlé.» (p. 473).

Toutefois, si les panégyriques présentent des listes de vertus conformes à la tradition du *basilikos logos* (principalement la prudence, la valeur, la modération et la justice) en distinguant souvent entre vertus de guerre et vertus de paix[229], l'ensemble des discours académiques ne gardent pas la balance égale entre valeur et modération. Cette dernière vertu reçoit une approbation plus générale, parce qu'elle est de l'essence même de la royauté, pour les académiciens à tout le moins. Dans sa réponse à Testu de Mauroy, Barbier d'Aucour définit ainsi la hiérarchie:

> Je ne parle point de cette valeur extresme qui n'a fait que des prodiges, tant qu'elle a esté forcée d'agir, & qui enfin a cédé librement à *une modération plus glorieuse encore, & plus digne d'un esprit souverain, qul est ne pour rendre les hommes neureux en leur commandant* (p. 524; mes italiques).

La modération donne au Roi plus de grandeur que la puissance. Vertu royale par excellence, elle est aussi en Louis XIV à son plus haut degré. La péroraison de la réponse de Bergeret à Choisy l'exprime fortement. On n'est guère surpris de trouver un éloge hyperbolique du Roi le 25 août 1687, puisque c'est la Saint-Louis, jour de sa fête:

> ... l'Espagne allarmée a promis de rendre ce qu'elle avoit pris; & le Roy qui s'en est contenté, a paru encore plus grand par sa moderation que par sa puissance; car il est vray que rien n'est si admirable sur la terre que d'y voir un Prince qui pouvant tout ce qu'il veut, ne veuille rien qui ne soit juste.
>
> Mais c'est le caractere naturel de LOUIS LE GRAND, c'est le fonds de cette ame heroïque où toutes les vertus sont pures, sinceres, solides, veritables, & font toutes ensemble par une admirable union, qu'il est non seulement le plus grand de tous les Rois, mais encore le plus parfait de tous les hommes. (p. 513)

L'importance accordée à la modération se marque précisément dans la position finale de son éloge, position qui met cette vertu en valeur[230].

---

[229] Sur le *basilikos logos*, voir Laurent Pernot «Les *topoi* de l'éloge chez Ménandros le rhéteur», *Revue des études grecques,* t. XCIX, n° 470-471 (janv.-juin 1986) p. 33-53. La division qui fait succéder vertus de guerre et vertus pacifiques est traditionnelle et remonte à l'antiquité. Bary dans sa *Rhétorique françoise*, énumère les vertus suivantes: prudence, justice, force (valeur), tempérance (ce sont les quatre vertus cardinales), libéralité, magnificence, magnanimité, (*Rhétorique françoise*, 2e éd. 1659, p. 167).

[230] Bergeret n'est ni le seul, ni le premier, qui termine ainsi, puisque La Chambre, dans sa réponse à Boileau, en 1684, avait conclu sur l'écriture de l'éloge du Roi:

> Nous en comptons heureusement plusieurs dans notre Corps [des Homères pour écrire l'éloge du Roi], qui animez d'une noble et généreuse ardeur se joindront à vous dans un si beau dessein, & que tous ensemble s'ils ne peuvent égaler leurs éloges à ses vertus héroïques comme nous en desesperons, font du moins connoistre à toute la terre, par leurs efforts impuissans, que LOUIS LE

Présentée comme la plus louable et la plus essentielle des vertus du Roi, la modération apparaît même parfois comme le principe de toute sa politique. C'est ce qu'on voit dans le discours de réception de Tourreil, par exemple:

> Politiques, vous murmurastes contre cette moderation qui se fit une loy de negliger des conjonctures trop avantageuses, & dédaigna des conquestes trop faciles. Ignorez-vous encore, que les puissances les plus jalouses de la France sont en possession de la desarmer par leur foiblesse. (p. 602)

L'expression «souveraine modération», qui revient a plusieurs reprises[231], peut d'ailleurs s'interpréter a la fois comme plus haut degré de la modération et la modération du souverain. Louis XIV réunit en lui les deux sens.

Plus nettement que les panégyriques, les discours académiques mettent en lumière le caractère dominant de la modération dans l'image que la Compagnie présente de son protecteur. Cette vertu permet au Roi d'atteindre à la grandeur des héros: «Triompher & ne conserver que des pensées de Paix au milieu de ses triomphes, c'est le dernier effort de la vertu des plus grands Héros» (Dacier, p. 762). La qualité distinctive des grands héros est aussi celle qui sépare Louis le Grand des autres princes. L'abbé Boileau conclut:

> Il y en a eu qui ont poussé plus loin leurs conquestes: mais c'estoit une espece de gloire inconnuë pour eux que celle de la moderation. Il y en a qui ont eu un Empire plus estendu, mais il n'en fut jamais qui en eut un plus souverain sur les cœurs des Peuples. (p. 690)

---

> GRAND n'a jamais pû estre égalé par qui que ce soit; pas mesme par le sublime & le merveilleux de la Poësie qui n'y aura pû atteindre: qu'il a glorieusement surmonté tout le monde, & qu'il s'est encore rendu aussi maistre absolu de luy-mesme, que des autres, par une moderation sans exemple inconnue à tous les conquerans. (p. 458)

[231] Voir en particulier le discours de réception de Du Bois:

> Quel prodige que l'alliance qu'il a sceu faire dés ses premieres années, du souverain pouvoir, & de la souveraine moderation! (p. 669)

On retrouve l'alliance du «pouvoir» et de la «moderation» si fréquente dans les discours académiques. Thomas Corneille peint le combat du Roi et de la Victoire que Louis XIV vainc par les armes de la modération:

> La victoire... tasche de toucher son cœur par ses plus doux charmes. Il a tout vaincu, il veut la vaincre elle-mesme, & il se sert pour cela des armes d'une moderation qui n'a point d'exemple. Il s'arreste au milieu de ses triomphes; il offre la Paix... La Victoire qui cherche tousjours à l'éblouïr, luy fait voir que cette prise [celle de Luxembourg] luy respond de celle de toutes les places du Païs-Bas Espagnol. Elle parle sans qu'elle puisse se faire écouter. (p. 465).

Voir aussi Cousin, p. 757, qui évoque «la moderation du Vainqueur».

Faut-il penser que, malgré les justifications «expansionnistes» données à l'étude de la langue, les lettres sont une activité de paix et que le milieu académique se doit de mettre en avant la modération, qui permet la transition entre la guerre et la paix? La modération apparaît bien, chez les académiciens, comme la vertu royale primordiale[232].

b) *Un miracle sans amplification: la Révocation*

Les analyses précédentes précisent la perspective définie par les panégyriques sans la contredire profondément. Dans d'autres cas, on voit des différences beaucoup plus sensibles. Parfois, le caractère occasionnel d'un sujet d'éloge justifie sa disparition du corpus. C'est le cas pour les traits extraordianires de la maladie du Roi, dont la guérison avait donné lieu à une séance publique de réjouissances, le 27 janvier 1687. La conduite et les vertus du Roi lors de cette cruelle épreuve ne font que brièvement partie du répertoire encômiastique[233]. Le thème a ainsi une durée de vie relativement limitée. Encore n'est-il pas fréquent dans la période où il apparaît.

Si le caractère ponctuel de la maladie du Roi peut expliquer sa faible place dans les discours, il n'en va pas de même pour la Révocation,

---

[232] Les panégyristes, s'ils donnent une présentation plus équilibrée des vertus belliqueuses et des qualités pacifiques, ne négligent cependant pas ces dernières. Les exhortations à la paix qui ferment le panégyrique prononcé par Tallemant en 1673 montrent bien le lien entre activités académiques et valeurs pacifiques (voir *Les Panégyriques du Roi*, p. 124-125).

[233] La maladie suggérait aux orateurs divers éléments de la topique encômiastique: soumission du Roi aux volontés divines, bonne contenance dans l'adversité et exercice exemplaire du gouverment malgré l'inconfort et la douleur. Mais les discours académiques dans leur ensemble n'exploitent guère les directions ainsi ouvertes. Barbier d'Aucour reprend bien, dans sa réponse à Testu de Mauroy, l'un des épisodes édifiants:

> Mais avec quelle force, quelle attention n'agit-il pas continuellement dans le repos public dont il est la seule cause? Et n'avons-nous pas vu avec le dernier estonnement que la violence mesme d'un mal tres-sensible, qui dura plusieurs mois, ne put l'empescher un seul jour d'estre present à son Conseil? (p. 525).

Mais l'orateur est précisément l'un de ceux qui ont prononcé un discours à la séance du 27 janvier 1687. Si Tallemant avait été choisi par la Compagnie pour assumer la charge oratoire, Barbier d'Aucour avait prononcé un discours de sa propre initiative et ce discours lui tenait assez à cœur pour qu'il le fît publier et qu'il se chagrinât de la retenue avec laquelle le *Mercure* l'avait encensé (voir *Les Panégyriques du Roi*, p. 196 sq.). Il est logique que Barbier d'Aucour intègre à son discours de réponse, le premier qu'il ait prononcé depuis le panégyrique du 27 janvier 1687, lors de la seconde séance publique qui se soit tenue depuis, un élément de la topique qu'il avait contribué à mettre en œuvre.

On retrouve encore des allusions à la maladie du Roi dans le discours de l'abbé de Choisy, reçu le 25 août 1687, jour de la Saint-Louis et première séance publique après celle du 27 janvier et, dernière occurrence dans le corpus, dans la réponse de Charpentier à Tourreil, le 1er février 1692 (voir *infra*, n. 236).

thème dont les échos retentissent fort et longtemps dans d'autres institutions. Or, alors que son importance aurait pu laisser supposer qu'elle constituerait l'un des points majeurs de l'éloge académique, la Révocation est loin d'avoir tout le développement possible. Si la rapidité avec laquelle Tallemant passe sur l'événement dans son panégyrique de 1689

> (Nostre Auguste Monarque sur la bonne foy des Traitez vivoit dans une tranquillité profonde, cet ordre admirable estably dans tous ses Estats, l'erreur bannie pour jamais, ne luy laissoient presque plus de nouveaux sujets de gloire à esperer)[234]

peut s'expliquer par le retour au premier plan de valeurs «guerrières» et par l'actualité qui fournit d'autres matières pour louer Louis XIV, en particulier le soutien qu'il apporte au roi d'Angleterre et l'accueil qu'il fait à toute la famille royale, les discours académiques ne font que confirmer l'impression d'un certain effacement. Il est vrai que Charpentier et Thomas Corneille associent la destruction de l'hérésie et la protection offerte aux rois opprimés (en l'occurrence le roi d'Angleterre, martyr de la religion catholique), mais le dernier ne loue la Révocation qu'en deux mots, dans une énumération qui rappelle celle de Tallemant dans le panégyrique de 1689:

> Quand nous pourrions oublier cette longue suite d'évenements merveilleux qui est l'effet d'une intelligence incompréhensible, l'Heresie destruite, la protection qu'il donne seul aux Rois opprimez, trois batailles gagnées encore depuis peu dans une mesme campagne, il nous suffiroit de regarder ce qu'il vient de faire pour demeurer convaincus, qu'il est le plus grand de tous les hommes. (p. 583)

Bien qu'elle soit isolée de tous les merveilleux événements rappelés antérieurement par l'orateur, la Révocation est à peine mentionnée: l'orateur s'acquitte de son devoir, mais reste très mesuré dans son éloge. Quant a Charpentier, qui régale l'assistance, lors de la même séance de réception de Fontenelle, d'un compliment au Roi sur la conquête de Mons, il ne s'attarde guere plus:

> Mais enfin, Dieu a prononcé sur ce grand differend [entre le Roi et ses ennemis]. Il s'est expliqué par vos Victoires, & tant d'avantages remportez en divers endroits, ont esté la recompense de votre Pieté, & de vostre Justice. De vostre Pieté, SIRE, pour avoir relevé tant d'Autels, rebasti tant d'Eglises, & renversé jusqu'aux plus creux fondemens, les Temples d'un Culte Etranger. De Vostre Justice, pour avoir tendu les bras à un Roy trahi et persecuté par ses sujets, & par ses propres Enfans, & avoir esté le seul Monarque de toute la Chrestienté qui n'avez pû souffrir qu'il fust dépoüillé de son Royaume. (p. 588)[235]

---

[234] *Les Panégyriques du Roi*, p. 243.

[235] Il est vrai que Fénelon fait allusion à la Révocation, mais, ici encore, avec quelle conci-

Les orateurs insistent bien sur la grandeur toute chrétienne du Roi, image de Dieu. Mais la brieveté des allusions à la Révocation et la faiblesse de l'amplification de l'événement, voire leur fréquente absence, amènent à conclure que ce n'est pas un trait essentiel de l'éloge académique du Roi, peut-être parce que les académiciens sont conscients du fait qu'elle n'a pas eu tout le succès espéré, ou parce qu'une institution si proche du Roi était sensible à la délicatesse d'un tel sujet[236].

Curieusement, «l'extirpation de l'hérésie» est l'un des rares points sur lesquels l'éloge de Richelieu est égal à celui de Louis le Grand. Pavillon inscrit parmi les travaux du Ministre le fait qu'il a «désarmé l'heresie» (p. 594). C'est Richelieu que Fénelon, avant de parler si brièvement de la Révocation, peint «domptant l'heresie tant de fois rebelle» (p. 622). L'évêque de Noyon mentionne les guerres contre les Protestants et la construction de la digue de La Rochelle:

> Et n'a-t-on pas veu le feu de la Rebellion éteint avec celuy de l'Heresie dans le sein du Royaume, l'eau de la Mer retenuë par la force d'une digue insurmontable . . .? (p. 697)

Louis le Grand et Richelieu se partagent ainsi l'honneur d'avoir réduit l'hérésie! Si Fleury, que son état engage à louer la religion de Louis XIV, s'arrête sur la Révocation (qu'il ne peut d'ailleurs évoquer dans la problématique de la victoire toute pacifique, sans verser une goutte de sang, qui était celle du «Discours sur le rétablissement de la

---

sion, et avec quelle restriction! La guerre de la Ligue d'Augsbourg lui en fournit l'occasion:

> Mais que vois-je, MESSIEURS? Une nouvelle conjuration de cent Peuples qui frémissent autour de nous pour assiéger, disent-ils, ce grand Royaume comme une seule place. C'est l'Heresie *presque* déracinée par LOUIS qui se ranime, & qui rassemble tant de Puissances. (p. 624-625; mes italiques)

[236] Il suffit de comparer les deux mentions de la Révocation signalées plus haut pour voir le recul de l'événement comme matière d'éloge. Reçu le 25 août 1687, l'abbé de Choisy présente la Révocation:

> Que diray-je encore? Ce Heros Chrestien attaque ouvertement ce Parti formidable de l'Heresie, qui avoit fait trembler les Rois ses prédecesseurs; il acheve en moins d'une année ce qu'ils n'avoient osé entreprendre depuis prés de deux siecles, & le monstre infernal reduit aux abois entre pour jamais dans l'abysme d'où la malice des Novateurs & les mœurs corrompües de nos ayeux l'avoient fait sortir. Heureuse France. . . (p. 507)

Rien d'original dans ce développement, sinon son ampleur relative. Charpentier, cinq ans plus tard, est déjà beaucoup plus rapide:

> C'est sur l'exemple de ce Roy vrayment Tres-Chrestien, qu'il passera pour constant qu'un Prince doit avoir un zele ardent pour sa Religion; & l'on racontera sur ce sujet tout ce qu'il a fait pour étouffer l'Heresie qui avoit si longtemps infecté la France de son poison.

L'orateur passe ensuite à l'établissement des missions (p. 609-610).

santé du Roi» de Barbier d'Aucour par exemple[237], le dernier récipiendaire dont le discours figure dans le *Recueil* de 1698, le président Cousin, peut louer à la fois Richelieu et Louis XIV pour la lutte contre les Protestants. Après avoir dit de Richelieu:

> . . . ses Conseils avoient dompté la Rebellion, desarmé l'Heresie, abbatu les Ennemis de la France, reculé ses Frontieres, secouru ses Alliez, augmenté l'Autorité du Roy, & imprimé la terreur de son nom à toutes les Nations (p. 755),

énumération où l'on reconnaît la formule déjà employée par Pavillon pour résumer l'activité anti-protestante de Richelieu, l'orateur propose une liste vague des hauts faits du Roi, où entre la Révocation. La formule qu'il utilise est plus définitive, certes, mais tout aussi brève que l'expression qu'il avait employée à propos de Richelieu, et les deux hommes d'État se partagent un sujet de gloire, sur lequel les orateurs insistent de moins en moins:

> Animez par les évenemens extraordinaires du Regne de SA MAJESTE, vous redoublez votre zele pour en instruire le siecle present, & la posterité la plus éloignée, & pour leur apprendre qu'elle a aboli les combats singuliers, reprimé le luxe, refrené la licence, reformé les Loix, restably le Commerce, banny l'Heresie, assuré le bonheur de ses Sujets, & rendu plusieurs fois la Paix à l'Europe. (p. 756)

Sans disparaître tout à fait, la Révocation joue un rôle effacé, après les discours de 1687, où elle tient encore une place importante. Certains orateurs sont plus tenus, par leur profession, de l'évoquer, mais la simple mention peut suffire pour que le devoir oratoire sont rempli. La problématique de la victoire toute pacifique sur la «Religion prétendue réformée», qui avait nourri les discours du 27 janvier 1687 et qu'on retrouvait plus généralement à propos de la politique religieuse de Louis XIV dans les panégyriques, n'a plus cours[238].

---

[237] «Quoy ce formidable Party qu'on avoit veu se multiplier dans le sang & le carnage, est entierement dissipé, sans qu'il ait esté répandu une seule goutte de sang?» (*Les Panégyriques du Roi*, p. 228). Fleury affirme:

> . . . je le laisse [le panégyrique du roi] à ces mauvais François qui ont mieux aimé renoncer à leur Patrie qu'à leur fausse Religion. Quel est le pretexte de leurs murmures; la matière de tant de libelles dont leurs Docteurs les repaissent? C'est que le Roy Tres-Chrestien, le Fils Aisné de l'Eglise a voulu purger son Royaume des nouveautes prophanes, introduites depuis le dernier siècle; réunir tous ses sujets dans la Religion de leurs pères. (p. 747-748)

L'orateur amplifie la Révocation par deux phrases qui font anaphore avec la dernière («C'est qu'il...»).

[238] La présentation de la Révocation dans la littérature encômiastique a été analysée de façon très convaincante par N. Ferrier-Caverivière, qui souligne le «fanatisme»

c) *Roi-Soleil ou roi divin?*

Le symbolisme solaire est une autre composante de l'image royale dont on aurait pu supposer qu'elle tenait une place importante. Dans la mesure où ce symbolisme, choisi par le Roi qui a fait du soleil le corps de sa devise, est susceptible d'être utilisé par tous ceux qui font l'éloge du Roi, il fournit un bon point de comparaison entre les manières dont différentes institutions abordent les louanges de Louis XIV. Les panégyriques académiques suggèrent que le Roi n'est pas représenté par les Quarante comme le Roi-Soleil. L'Académie accorde beaucoup plus d'importance à une vertu comme la modération qu'à la reférence solaire. Si, dans l'ensemble du corpus académique, l'association symbolique entre le Roi et le soleil ne disparaît jamais totalement, les rares allusions qui y sont faites confirment sa faible importance idéologique.

Sans employer le terme de *soleil,* Charpentier l'évoque dans sa réponse à Callières et à Renaudot: «Quel changement dans le Royaume depuis que les favorables influences de ce grand Astre se sont respandues sur les beaux Arts!» (p. 574). L'interprétation est déterminée par une remarque antérieure de l'orateur qui demande à ses nouveaux confrères:

> Ne le representerez-vous point aussi sous l'Image de l'Apollon du Parnasse Francois, & tel qu'il paroist à vos yeux dans cet auguste tableau dont il a voulu honorer l'Académie? (*Ibid.*)[239]

Astre et Apollon du Parnasse à la fois, Louis XIV est le soleil. Mais l'allusion fait que, précisément, le terme attendu n'apparaît pas. L'orateur ne recule pas devant le mot *soleil*, lorsqu'il définit le rôle de l'histoire, ce qui lui fournit un moyen de louer l'abbé Renaudot, auquel il répond dans cette partie de son discours:

> Vous faites une Image de LOUIS LE GRAND qui n'est pas moins precieuse que celles des Orateurs, & des Poëtes, quoique vous y employiez moins d'or & de pierreries. Vous l'exposez à nos yeux avec

général. Elle montre bien que même les panégyriques de saint Louis prononcés devant l'Académie et le tribut de l'Académie de Soissons participent de cette tendance générale (cf. «La littérature encômiastique et la Révocation de l'Édit de Nantes»). En ceci, les discours composés par les académiciens, comme membres de la Compagnie, constituent un ensemble particulier. Quand il écrit un compliment au Roi pour le second fils de Colbert, Racine adopte, comme le montre N. Ferrier-Caverivière, l'attitude qui a cours hors de l'Académie (*loc. cit.*, p. 292-295). Sur l'aptitude d'une simple mention à remplir le devoir orqtoire, voir mon article; «L'Eloquence d'apparat et le style», *Littératures classiques* 28, automne 1996.

[239] On voit ici une autre mention du portrait du Roi dont il a été question au début de ce chapitre, p. 41.

> la mesme adresse que ceux qui nous donnent un moyen pour regarder le Soleil sans qu'il nous éblouïsse. (p. 560)[240]

Cependant, si l'on ne peut lire ce passage sans percevoir une allusion à la représentation solaire, Charpentier a choisi de maintenir distincts les deux membres de l'analogie: l'histoire produite par Renaudot est au Roi ce que sont au soleil les instruments d'optique fabriqués par d'habiles artisans. Dans son malencontreux compliment sur la prise de Mons, l'orateur associe cette fois le Roi, la défense de la Religion et le soleil, par l'intermédiaire d'une citation de l'*Apocalypse* dont la référence (ch. 9) et le texte latin figurent en marge:

> Avec vos seules forces, SIRE, vous dissipez cette fameuse Ligue qui a moins eu pour objet d'arrester le progrès des armes de VOSTRE MAJESTE, que de s'opposer à l'avancement de la Religion Catholique. La fumée du puits de l'Abisme s'est élevée dans l'air & l'a obscurci. Elle a caché le Soleil à une partie des hommes, & ce qu'il y a de plus surprenant, c'est que les deux branches de la Maison d'Autriche . . . se sont laissées aveugler à ces Tenebres fatales. . . (note marg. Ascendit fumus putei abyssi sicut fumus fornacis magnæ, & obscuratus est sol & aër de fumo putei *Apoc.* 9). (p. 587)

Là encore, le rapprochement entre le soleil et le Roi suggère que le symbolisme solaire fonctionne comme une référence implicite, mais il n'y a même plus, comme dans l'exemple précédent, d'analogie rigoureuse entre le Roi et le soleil. Il s'agit plutôt d'une sorte de référence lointaine à un symbolisme dont les orateurs s'écartent. C'est peut-être dans cette perspective que les clichés qui emploient le terme *soleil* doivent être interprétés en liaison avec l'association Louis XIV-soleil. Si l'affirmation: «Il n'y a rien de nouveau sous le soleil», qui apparaît dans la réponse que Charpentier fait à Bignon et à La Bruyère (p. 655)[241], peut sembler anodine, l'éloge que le même orateur fait de Benserade, «Il a montré qu'il se pouvoit faire encore quelque chose de nouveau sous le soleil» (p. 596) s'entend à double sens: le premier sens, donné par le cliché, de la possibilité de la nouveauté, d'une création originale, se double de la précision sur ce qui rend possible une telle création, le règne du Roi (sous le Roi-Soleil aussi bien que sous le soleil). Si Charpentier formule ici une position résolument «moderne», il le fait sous le signe du Roi. Un auditoire du XVII^e siècle, habitué à saisir les allusions

---

[240] Comparer cette remarque avec la maxime 26 de La Rochefoucauld, «Le soleil ni la mort ne se peuvent regarder fixement» [*Maximes et réflexions diverses* (J. Truchet éd., Paris: Garnier-Flammarion, 1977), p. 47].

[241] Faut-il voir là un écho des premiers mots de la section des *Caractères* de La Bruyère intitulée «Des ouvrages de l'esprit»: «Tout est dit, et l'on vient trop tard depuis sept mille ans qu'il y a des hommes, et qui pensent.» (*Œuvres complètes, op. cit.*, p. 65).

dont fourmillent les discours, hésitait certainement d'autant moins à comprendrel'expression à double sens qu'il s'agit de l'éloge du poète qui composa le livret du *Ballet de la nuit* (1653), où le Roi dansa sous le costume d'Apollon, dieu solaire. On lit dans l'*Histoire de l'Académie francaise*:

> Les ballets . . . faisoient alors un des principaux divertissements [de la cour]; et M. De Benserade fut, durant plus de vingt ans, presque seul chargé de composer les vers qui s'y récitoient. Il prit un tour nouveau et hardi. Ce fut de confondre, mais finement, le caractère des personnes qui dansoient, avec le caractère des personnages qu'ils représentoient. Je m'explique. Si le Roi, par exemple, représentoit Neptune, les vers convenoient également à Neptune et au Roi . . . . Autant de recits, autant d'allégories[242].

Même si les orateurs de l'Académie affirment à plusieurs reprises que le travail de la Compagnie a contribué à bannir les jeux de mots inutiles, le public devait être sensible aux associations implicites ou explicites entre le soleil et le Roi, d'autant que, dans les deux derniers exemples, Charpentier se place dans le débat qui oppose anciens et modernes, où la grandeur du Roi et de son siècle apporte aux partisans des modernes un indéniable soutien.

Toutefois, l'association est en quelque sorte désengagée. Au lieu d'insister sur l'assimilation entre le Roi et le soleil – à l'exception peut-être du jeu de mots de Charpentier qui permet de lire à la fois «soleil» et «Roi-soleil» –, les académiciens rappellent qu'il s'agit d'un symbole, voire d'une simple comparaison. Dans l'oraison funèbre de la Reine, par exemple, La Chambre mentionne le «Prince qui a le soleil pour symbole» (p. 425). Si Callières dresse un parallèle entre le Roi et le soleil, entre le Dauphin et un parhélie, c'est sous la forme d'une comparaison analogique: le Roi forme le Dauphin, qui est

> un HEROS NAISSANT animé de son esprit & de son courage [et qui] prend au milieu des Hyvers les places les plus imprenables; il sousmet en moins d'un mois de grandes & riches provinces, & *semblable* à cette vive image que le Soleil imprime de luy-mesme dans la nuë & qui fait paroistre a nos yeux un second Soleil, il montre à la terre un autre LOUIS. (p. 550; mes italiques)

Comme le soleil, le parhélie est un corps de devise[243]. La Chambre rappelait la devise du Roi, Callières en suggère une pour le Dauphin En

---

[242] Pellisson et Olivet, *Histoire de l'Académie française*, II, p. 241-242.

[243] Ainsi parmi les devises décrites dans l'opuscule intitulé «*Au Roi, marques de respect & d'estime dont la ville de Tournay essaie de reconnaître l'honneur qu'elle reçut de la visite de Sa M.*» (3 août) (Tournai, 1680), on trouve pour le Dauphin un parhélie: «Un parhélie formé dans une nuë par le rejaillissement du soleil». L'âme de la devise est:

fait, pour souligner la dépendance du Dauphin au Roi, il transpose en une comparaison une devise couramment employée pour représenter l'héritier du trône. Mais, de toute façon, l'orateur a recours à une analogie, qui reste en deçà de la métaphore et maintient distincts les deux termes qu'elle associe.

Il faut d'ailleurs remarquer que la dernière proposition, dans sa trompeuse simplicité, est merveilleusement adaptée a la problématique du Roi modèle des rois et de ses images. Car, de même que le parthélie est à la fois un autre (ce n'est pas le soleil) et le même (c'est une image du soleil), «un autre LOUIS» introduit une sorte de jeu de mots: la formulation suagère qu'«autre LOUIS» signifie *un autre Louis le Grand* (c'est-à-dire une image ressemblante de Louis le Grand); mais, litteralement, le «HEROS NAISSANT» montre bien a la terre un autre Louis, «LOUIS DAUPHIN», comme il est explicitement nommé par Charpentier (p. 561). Mais il est en même temps, parce que le fils est l'image du père, un *autre Louis le Grand*...

On trouve un choix stylistique analogue à celui de Callières dans la réponse que l'abbé de Dangeau fait à La Loubère, où l'orateur préfère la comparaison à la métaphore – la métaphore est d'ailleurs un phénomène relativement rare dans cette éloquence. Dangeau ne prend pas pour base de comparaison la brillance ou l'ubiquité du soleil, mais sa caractérisation comme principe de mouvement:

> Ces mesures [des ennemis] paroissent bien prises, mais le Roy les a bientost déconcertées. Aprés avoir fait par luy-mesme tant d'heroïques actions, il fait la guerre par ses Lieutenans, il est dans le centre de son Estat, pour donner le mouvement à un si grand Corps.
>
> Semblable au Soleil, qui placé dans le centre du monde, selon la sage & ingenieuse Philosophie des derniers siecles, sans se mouvoir, donne à tout ce qui l'environne le mouvement & la vie. (p. 664)

Cette belle déclaration d'héliocentrisme montre que le soleil sert bien de comparant pour le Roi, à l'occasion, mais qu'on garde les deux réalités distinctes. La dernière allusion au soleil, dans le *Recueil*, se trouve dans le discours de réception de l'évêque de Noyon; c'est toujours sous la forme d'une comparaison, qui finit cependant en métaphore, par le biais d'une référence à Tertullien:

> Telles sont les graces de LOUIS LE GRAND; graces semblables aux influences du plus beau des Astres, & qui me donnent droit de dire avec plus de justice, à l'honneur du Roy, que Tertullien n'écrit pour flatter les Princes de l'Afrique; L'Estat & le Ciel ont le mesme sort, & doivent

---

«Solis Imago». On voit ici le lien qui existe entre l'éloquence encômiastique et les devises.

> leur bonheur à deux Soleils; L'un surveillant à tous nos besoins, ne se repose jamais icy-bas, l'autre agit tousjours au dessus de nous,& l'Empire est aussi content de son Soleil, que le Ciel l'est du sien. (p. 694)

Mais en reconnaissant son emprunt et en affirmant la propriété de l'analogie dans le cas de Louis le Grand, l'orateur maintient la distinction entre les deux termes. Surtout, il s'intéresse moins au parallèle entre le Roi et le soleil qu'à celui qu'on peut dresser entre Louis le Grand et Dieu. La suite le montre clairement. Le Roi, comme Dieu, laisse aux hommes leur libre arbitre et préfère transformer leur cœur pour qu'ils agissent comme il le désire, plutôt que d'user de son autorité absolue:

> Cependant, MESSIEURS, toutes ces Royales protections conservent la liberté de vostre choix sans aucune atteinte. la seconde Majesté garde les mesmes mesures que la premiere; prepare les cœurs, ne les force pas, pour n'en point blesser la delicatesse, par le devoir absolu de ses ordres. (*Ibid.*)

Il s'est produit un glissement dans l'analogie. Cette fois, le Roi est à l'égard des académiciens ce que Dieu est à l'égard des hommes en général. Le soleil ne permet, en comparaison, qu'une analogie moins glorieuse! La formulation du rapport entre «première» et «seconde» majestés confirme l'analyse des réflexions sur la parole du Roi: l'image du Roi qui se dessine dans les discours académique apparaît accompagnée des attributs de la divinité. L'examen des pratiques oratoires des académiciens permet de compléter et de généraliser la vision que donnent les panégyriques académiques: ceux-ci en font sur plusieurs plans une parfaite image de la divinité, allant parfois très loin dans l'assimilation entre le Verbe royal, double du Verbe divin, et l'organisation du chaos originel, voire la domination du monde. Si l'on ajoute toutes ses vertus et sa capacité de préparer les cœurs plutôt que de les forcer à l'obéissance par son pouvoir absolu, le Roi peut être plus aisément confondu avec Dieu qu'avec le soleil. D'ailleurs, si l'on remarque que Charpentier est l'auteur d'une grande partie des discours où le symbolisme solaire se manifeste, on peut voir là une idiosyncrasie – qui va peut-être de pair avec son goût pour la citation. Le soleil est donc pour l'ensemble des orateurs, si l'on excepte Charpentier, un comparant encore plus rare qu'il n'y paraissait d'abord. S'il y a jamais dans les discours académiques de confusion possible, c'est bien entre le Roi et Dieu. De fait, selon Testu de Mauroy,

> l'amour & l'obeïssance de toute la France pour la personne du Roy, vont aujourd'huy si loin, que ses Peuples, qui le tiennent pour une seconde divinité, estiment que leur amour & leur fidelité sont pour eux

> une seconde religion, & qu'ils ne sçauroient manquer à leur devoir, sans commettre un second sacrilege. (p. 518)

Une telle affirmation est-elle bien orthodoxe? Quoi qu'il en soit, la rareté des références solaires se perçoit d'autant plus que les rapprochements entre le Roi et Dieu sont plus fréquents. Plus même que «saint Louis XIV», le Roi est une image de Dieu, qui présente parfois des ressemblances parfaites avec son modèle.

d) *Une présentation téléologique de l'histoire*

Image de Dieu, le Roi se définit aussi comme le favori de la Providence divine, celui en qui s'actualise ce qui est resté en puissance dans les efforts de ses prédécesseurs et vers qui toute l'histoire de la France et du monde est orientée. En d'autres termes, les discours académiques révèlent une vision téléologique de l'histoire.

Les manifestations de la conception d'une histoire orientée apparaissent dans plusieurs contextes. L'Académie doit à Richelieu son existence officielle. Les académiciens et les orateurs qui parlent devant la Compagnie font son éloge, qu'ils tempèrent cependant par l'affirmation que ce grand ministre n'a fait que préparer les voies du plus grand monarque qui ait jamais été. D'un autre côté, c'est avec saint Louis que le Roi trouve un prédécesseur de même rang et de même nom. Louis IX est alors présenté comme le modèle que son descendant a imité et perfectionné à la fois. Les panégyristes de saint Louis devant l'Académie française développent une interprétation téléologique de la succession saint Louis-Louis XIV, qui montre que ce dernier accomplit ce que son ancêtre n'avait qu'ébauché. Le duel aurait ainsi disparu dès le règne de saint Louis si Dieu n'avait réservé ce succès à Louis le Grand[244]. Téléologie et problématique de l'image et du modèle sont liées dans la présentation d'un Louis le Grand rendant actuel tout ce qui était resté jusqu'alors en puissance.

C'est dans cette perspective que le lien qui existe entre le Roi et Richelieu mérite d'être approfondi. Quelques exemples permettront de montrer comment la réhabilitation académique du Cardinal s'accompagne d'une «remise à sa place». Pavillon affirme que, après tout ce que «cet incomparable Ministre» a fait «sous les auspices de son Maistre», c'est la fondation de l'Académie qui est l'accomplissement de son œuvre, une tâche qu'il lui restait à mener à bien:

> Aprés tant d'heureux succez voyant qu'il luy restoit encore plus à faire pour l'honneur & la sureté de sa patrie, je crois que ce grand homme

[244] Pour des exemples plus détaillés, voir «Généalogie d'une image», *loc. cit.*

> éclairé par son genie connut enfin, s'il est permis de parler ainsi, qu'il n'estoit né seulement que pour préparer les voyes à celuy qui devoit venir; je crois que dans cette veuë, comme si le destin mesme l'eust fait lire dans l'avenir, seur du Heros qui devoit bien-tost paroistre, de toutes les actions de sa vie, celle dont il s'applaudit davantage fut d'avoir fondé cette celebre Académie, où l'on trouveroit dans le temps des Poëtes, des Orateurs & des Historiens dignes de rendre compte à la posterité des merveilles qui devoient suivre son ministere. (p. 594)

Ce passage illustre bien l'intrication thématique propre au discours d'apparat: éloge de Richelieu, éloge du Roi et exaltation de l'Académie (c'est ce dont Richelieu s'est le plus applaudi!) se mêlent à la présentation téléologique de la succession des hommes d'État. Richelieu n'a plus d'existence autonome. Il est le ministre qui travaille pour le compte de la royauté, représentée par son maître, Louis XIII. Surtout, il est «seulement né . . . pour preparer les voyes de celui qui devoit venir». Tout naturellement, on retrouve la tendance que j'ai mise en lumière à assimiler le Roi à la divinité. La conception académique de l'histoire s'exprime en effet à travers une formulation qui renvoie aux premiers temps du christianisme: Richelieu, nouveau saint Jean-Baptiste, prépare les voies du nouveau Messie: Louis XIV! L'orateur fait admirer au passage la «foi» du ministre «seur du Heros qui devoit bien-tost paroistre»...

D'une manière plus nette encore et moins marquée par des références scripturaires, les orateurs soulignent que Louis XIV a réalisé ce qui n'avait pu être qu'ébauché par Richelieu. Le *Testament politique* est ainsi présenté par l'évêque de Noyon comme une liste de prescriptions qui n'ont été écrites que pour être réalisées par Louis le Grand:

> Voilà, MESSIEURS, la noble idée du Testament politique d'Armand le Legislateur de la France, où il a prevû & prescrit tous les devoirs des Ordres & des Emplois de l'Estat. Le Prince doit estre tel que celuy que Dieu nous a donné, la Maison Royale unie, le Clergé parfait, la Noblesse genereuse, la Justice inflexible, le Peuple fidele, le Conseil secret, le Ministere éclairé, le fonds des Finances asseuré; l'abondance procurée, la Cour modeste, la Guerre juste, la Milice disciplinée, la Paix honorable, la Vertu récompensée, le vice puny, le merite estimé, la science cultivée, & l'Académie florissante. Testament dont la divine PROVIDENCE avoit réservé l'execution au seul regne de LOUIS LE GRAND, qu'on peut dire justement avoir plus & mieux fait en qualité de Maistre, qu'Armand n'a pensé & écrit en celle de Ministre. (p. 697)

Non seulement il était réservé à Louis le Grand de faire être en acte ce qui n'était qu'en idée, mais l'antithèse finale met en regard les deux états, celui de monarque et celui de ministre, ce qui, tout en faisant l'éloge de Richelieu, le subordonne en réalité aux rois. Plus l'éloge du

Cardinal prend d'importance, moins il reste autonome. Les académiciens concilient leurs différents impératifs oratoires – parler de leur fondateur et parler de leur protecteur – en respectant la hiérarchie des valeurs et ne vont arracher au silence du rejet celui que bien des contemporains considéraient comme un tyran qu'en montrant les bornes de sa grandeur, bornes qui sont définies par la majesté de Louis le Grand. Ainsi, Clérambault, reçu en 1695 à la place de La Fontaine, multiplie les circonstances élogieuses à l'égard de Richelieu, mais c'est pour les tourner à la gloire de Louis le Grand, comme la conclusion du développement l'indique:

> Enfin il merita par tant de faits memorables de preparer l'execution des merveilles que nous voyons, sans que sa gloire diminuë en rien celle de LOUIS LE GRAND, la maligne posterité ne s'estant jamais avisée de rien oster à Alexandre, parce que Philippe estoit son predecesseur.(p. 714)[245]

On voit bien l'orientation de l'éloge: tout mène à Louis le Grand. Les orateurs doivent s'assurer qu'aucun éloge ne peut porter ombrage à celui de Louis XIV. Richelieu n'a fait que préparer sa venue et, si on lui reconnaît de la gloire, elle est toute dans cette préfiguration du monarque parfait qu'il annonce, et dont il donne, comme ministre, une version ébauchée.

Même vision enfin, chez Dacier, qui succède à Harlay de Champvallon, archevêque de Paris. C'est à nouveau la protection donnée à l'Académie, alors dans ses premiers balbutiements et sans existence officielle, qui fait éclore la présentation téléologique. Richelieu est ainsi loué à la fois parce qu'il a su protéger un corps promis à un grand destin et parce que cette protection (comme toutes ses grandes actions) est le signe qu'il préparait l'avénement des temps héroïques de Louis le Grand:

---

[245] Les discours académiques fournissent plusieurs exemples de comparaison entre le Roi et Alexandre, bien que la figure d'Alexandre ait perdu, semble-t-il, beaucoup de ses traits positifs à la fin de ce siècle. Sur ce point, voir Ch. Grell et Ch. Michel, *L'escole du Prince ou Alexandre disgrâcié. Essai sur le mythe monarchique de la France absolutiste*, Paris: Les Belles Lettres, 1987). Il est vrai que, le plus souvent, les orateurs insistent sur la supériorité de Louis le Grand. De plus les académiciens trouvaient un avantage à la comparaison: Alexandre a regretté de ne pas avoir d'Homère pour faire le récit de ses hauts faits. C'est un manque que le Roi ne saurait ressentir, car l'Académie lui en fournit assez... Voir par exemple Callières, discours de réception, p. 547. Pour Charpentier, qui répond à Callières, le *Panégyrique historique* que celui-ci a écrit est analogue au portrait d'Alexandre par Apelle. On trouve encore une analogie où l'Académie est au Roi ce qu'Apelle était à Alexandre (Charpentier, réponse à Tourreil, p. 604). La supériorité de Louis le Grand sur Auguste et Alexandre est affirmée par Tallemant («Discours de l'utilité des Académies», p. 268) et par Charpentier (réponse à La Bruyère et Bignon, p. 654) entre autres.

> Contre l'ordre des choses humaines, dont les plus grandes n'ont d'ordinaire que de foibles commencemens, cet illustre Corps parut si considerable dés son berceau qu'il attira les yeux du Grand Armand de Richelieu. Ce Ministre, qui faisoit mouvoir avec tant de force & d'adresse tous les ressorts de l'Estat, & qui par sa vigilante activité, & par sa prévoyance secondoit si heureusement un Maistre qui humilioit l'orgueïl des Couronnes trop superbes, étouffoit la Rebellion, & par ses coups aussi glorieux qu'utiles *preparoit les merveilles dont la Providence avoit reservé l'accomplissement à ce Regne,* ce Ministre, dis-je, fut ravy que la Fortune l'eust prévenu en lui presentant un objet si digne de son attention, & si necessaire à ses grandes veuës. Persuadé qu'inutilement il auroit jetté les fondemens d'une Puissance superieure à toutes les autres, s'il ne luy asseuroit par les Lettres . . . une gloire qui ne finist jamais. (p. 733; mes italiques)

De plus en plus, si Richelieu tient une place importante, c'est comme ministre au service d'un maître (ce que marquent les expressions que l'on trouve dans les différents exemples: «sous les auspices de», «secondoit»...). Sa grandeur n'est que l'annonce d'une grandeur royale supérieure qui accomplira tout ce que le grand ministre n'avait pu que mettre en chantier en attendant sa venue.

La protection royale sur l'Académie apparaît bien comme le point d'aboutissement d'une évolution prédéterminée. La vision d'une histoire orientée vers le règne de Louis XIV ne s'applique pas seulement au passage de l'époque de Richelieu à celle de Louis le Grand. Elle s'étend bien au-delà dans le passé. Saint Louis lui-même n'est pas le point de départ. Dans sa réponse à Pavillon, Charpentier, à coup sûr un des orateurs qui ont le mieux articulé le rapport qui existe entre le Roi, la langue et l'histoire, fait remonter, on l'a vu, à Charlemagne les premières tentatives pour cultiver les lettres[246]; mais la réussite complète était, dit l'orateur, réservée à Louis le Grand – et le terme *réservé* présuppose une intelligence telle que la providence divine:

> La premiere alliance des Armes et des Lettres a paru parmy nous sous le regne d'un grand Roy & grand Empereur, dont les glorieuses inclinations auroient eu sans doute tout le succés qu'on en devoit attendre, si les guerres qui s'éleverent entre ses propres Enfans, n'eussent empesché ces heureuses semences de germer. D'ailleurs la matiere mesme de l'Eloquence n'estoit pas encore bien disposée à produire de grands effets. La Langue des François, à qui je n'aurois pas osé pour lors donner le nom de Langue Françoise, n'estoit composée que d'un bon Allemand & d'un méchant Latin; & que pouvoit-il sortir d'excellent de ce mélange? Il estoit reservé à LOUIS LE GRAND, de bastir le Temple de l'Eloquence Françoise, qui est un ouvrage d'autant plus admirable, que c'est un pur Ouvrage de la Raison.(p. 598)

---

246 Voir *supra*, p. 101 sq.

En se fondant sur l'histoire de l'Académie et sur son rôle dans l'établissement de la langue française, les orateurs qui parlent devant la Compagnie font coup double: ils font comme il se doit l'éloge de Richelieu et, surtout, de Louis le Grand; ils soulignent, comme les Quarante l'attendent, la grandeur de l'Académie. Il n'y a pas, pour l'Académie, de séparation entre grandeur de la Compagnie et grandeur du Roi.

e) *Modèle et images: éloge de Louis XIV et instruction des princes*

La vision téléologique de l'histoire s'associe souvent à une problématique de modèle et d'image dans laquelle s'inscrit l'éloge de LOUIS XIV. Les panégyriques de saint Louis prononcés dans la chapelle du Louvre, devant les académiciens, présentent un curieux phénomène: si saint Louis est le modèle des rois, Louis XIV est un exemplaire qui a parfait le modèle dont il est l'image, au point de s'ériger lui-même en modèle, celui-là insurpassable. En imitant son ancêtre, Louis le Grand a atteint à la perfection du monarque. Le discours que Doujat prononce en 1681 pour la distribution des prix s'ouvre d'ailleurs sur un parallèle entre Louis XIV et Louis IX, qui montre en celui-là la réplique du modèle des rois et associe à ce redoublement une expression de la conception de l'histoire dynastique chère à l'Académie. L'orateur explique à son auditoire le sens de la journée du 25 août:

> Nous avons employé la matinée à rendre à Dieu les graces que nous luy devons, pour avoir donné à la France en des siecles differens ces deux grands Rois de mesme nom, si dignes de gouverner le premier Royaume du monde. Nous avons en mesme temps imploré l'intercession du Saint pour la Personne sacrée de son incomparable Successeur, qui marchant sur ses glorieuses traces, ne souhaite l'accomplissement de nos vœux que pour la gloire du Tout-puissant; & dont le Regne a tant de conformité avec celuy de ce modele des Rois[247].

L'interprétation académique de l'histoire fait que, si Louis le Grand suit les traces de «ce modele des Rois», son règne doit porter à leur perfection les actions de saint Louis. Il en va ainsi pour le duel, fléau que saint Louis aurait extirpé si le succès total de l'entreprise n'avait été réservé par Dieu à Louis XIV, du moins si l'on en croit les panégyristes de saint Louis que l'Académie commissionne[248]. La même problématique joue de façon prédictive chez Doujat, qui, se rappelant sans doute les indica-

---

[247] *Les Panégyriques du Roi*, p. 185.

[248] Entre autres exemples, voir Pezene (1690): «& le duel, condamné à des peines rigoureuses, eût été aneanti, si la Providence n'eût reservé ce miracle à un Prince, dont elle s'occupoit par avance, & dont elle meditoit déja la grandeur» (*Panégyrique de Saint Louis, op. cit.* p. 26).

tions d'Aristote, se fonde sur le passé du Roi pour annoncer le succès de la croisade où Louis IX avait échoué:

> Si S. LOUIS, suivant la pieté de son siecle, alla chercher les ennemys de la foy jusques aux extremitez de l'Orient & du Midi, pour essayer d'arracher de leurs mains impies la possession des pays consacrez par les mysteres de nostre salut, ce que LOUIS LE GRAND a deja fait, & ce qu'on luy voit faire tous les jours avec tant d'avantage contre les Pirates, ennemis jurez du nom Chrestien, n'est-il pas comme un gage assuré qu'aprés qu'il aura achevé de rendre à la France ses anciennes limites, la Providence reserve à la gloire de son Regne ces conquestes lointaines, que par des secrets, qu'il ne nous est pas permis de penetrer, elle a refusé dans les siecles passez aux efforts de tant de Rois & de tant d'Empereurs?[249]

L'inférence des actions futures à partir du passé est traditionnelle dans la théorie rhétorique. Et il n'est pas difficile, d'après ce que dit Doujat, de deviner les «secrets qu'il ne nous est pas permis de penetrer»: la croisade n'a jamais abouti, parce qu'il fallait que Louis XIV vînt pour en assurer le succès. Tous les autres n'étaient là que pour préparer sa venue... Comment s'en étonner, d'ailleurs, puisque le Roi agit «à l'exemple de Dieu, dont il est l'image vivante» (discours de réception de l'abbé de Choisy, p. 506). Accomplissant ce qui n'était qu'en puissance chez saint Louis et les autres héros et hommes d'État, Louis XIV, incomparable monarque, roi inimitable, devient à son tour le modèle absolu. Quinault, dans la harangue qu'il fait au Roi à son retour de la campagne de 1677, tourne cet éloge au profit des ouvrages des académiciens:

> Quel bonheur pour nous d'avoir un Protecteur si glorieux, & qui nous donne à celebrer des évenements si memorables! Nous n'avons pas besoin de chercher ailleurs qu'en luy-mesme un modele parfait de la Vertu heroïque, & nous sommes certains que l'éclat immortel de sa gloire se répandra sur nos Ouvrages, & leur communiquera le privilège de passer jusqu'à la derniere Posterité. (p. 312)

Mais c'est aussi souvent au sens d'exemple à suivre que Louis XIV est proposé comme modèle, pour toutes les conditions – un trait qui rapproche l'imitation du Roi de celle de Jésus-Christ, prêchée en chaire à toutes les conditions, chacune à sa manière et dans ses limites. J'ai montré, en étudiant les préoccupations linguistiques de l'Académie, comment les académiciens affirmaient la nécessité d'imiter la manière dont le Roi parle. Mais il est surtout un modèle proposé aux rois. Du Bois combine les deux caractéritiques d'image de Dieu (dont Louis XIV suit le modèle) et de modèle proposé aux rois:

---

[249] *Les Panégyriques du Roi*, p. 188.

> Quelles graces n'avons-nous donc point à rendre au Ciel, de nous avoir donné un Prince qui n'oublie point qu'il est encore plus Pere qu'il n'est Maistre, et qui mesme ne le veut estre que de cette sorte, non plus que Dieu, qui en nous ordonnant de l'appeler Nostre Pere, nous fait voir à quoy il reduit le souverain pouvoir qu'il a sur nous par tant de titres! Quel tresor pour les Peuples, qu'un Prince qui se regle sur un tel modele; & qui se souvenant qu'un Pere doit la subsistance à ses enfans, pourvoit à celle de ses Sujets, comme Dieu aux besoins de ses creatures; & dresse, jusques dans son Palais ce qui est necessaire pour la leur fournir.
>
> Vous devez à la posterité, MESSIEURS, le portrait de cette grande ame. Ses exploits y passeront par la seule voix de la Renommée, quand vous ne prendriez pas soin de les luy conserver; mais c'est à vous à luy transmettre, pour l'instruction des Rois, ce que nous admirons le plus dans le nostre. (p. 670)

Le portrait du Roi remplira donc une fonction d'instruction auprès des monarques futurs. L'abbé Colbert oppose les modèles fabuleux que proposait l'éloquence grecque et romaine à Louis XIV, dont le portrait fidèle portera l'éloquence française au-delà de la grandeur qu'ont pu atteindre les orateurs antiques:

> Tirez seulement, si vous le pouvez, des images fidelles des actions de ce grand Monarque: il vous a fourni des miracles & des prodiges qui feront naistre dans vostre esprit des pensées et des expressions extraordinaires. Et c'est ainsi que vous porterez l'éloquence Françoise au dessus de la Grecque et de la Romaine, moins soutenuës par la dignité de leur sujet que par l'esprit des Orateurs qui estoient souvent obligez de loüer dans leur Heros des vertus qu'ils leur souhaittoient, plustost que celles qu'ils y voyoient. Ils faisoient sous des noms empruntez des modeles fabuleux où tous les Princes pouvoient apprendre l'Art de regner: mais quelque belles que fussent leurs idées elles seront surpassées par la verité de vos écrits. Les Rois les auront toujours entre les mains; ils y apprendront à se bien conduire dans la paix, à restablir l'ordre dans la justice, & à réformer les Loix. (p. 330-331)

L'orateur se lance ensuite dans un long éloge justifié par avance par le rôle que le récit de la geste royale doit jouer dans l'instruction des souverains.

Le premier concerné par cette instruction, c'est naturellement le Dauphin, d'autant plus que le Roi est inimitable pour tout autre que ses descendants. Le discours de réception de Callières introduit, avec l'analogie du soleil et du parhélie, un rapport de modèle et d'image entre Louis le Grand et Louis, Dauphin de France[250]. Mais si le Dauphin peut presque égaler son père, il n'est plus possible de parfaire le modèle que Louis le Grand constitue. Ce dernier assume une stature unique et

[250] Voir *supra*, p. 176-177.

comme originaire, sans modèle antérieur, comme s'il avait instauré un nouveau type de grandeur, qu'il n'a appris de personne, comme s'il ne devait qu'à lui-même – et à Dieu – sa science de l'art de règner. La réponse de Régnier-Desmarais à Fleury montre comment s'organise, dans la famille royale, le réseau de modèle et d'images. Si, dans la conception de l'histoire dynastique, tout mène à Louis le Grand, dans la problématique du modèle et de ses images qui articule la fonction de l'éloge royal, tout part du Roi:

> Quel avantage pour eux [les trois fils du Dauphin], de n'avoir besoin d'aucun exemple estranger, pour estre un jour par leur merite, ce qu'ils sont desja par la prerogative de leur origine, les plus grands Princes de l'Univers!
>
> Ils sçauront en estudiant ce grand roy, ce que les Princes doivent à la majesté du maistre des Rois qui les a formez, à la dignité du rang suprème où il les a élevez, & au gouvernement des Peuples pour le bien desquels il les a fait naistre. Ils ont en luy de grands exemples de tout; d'une valeur que rien n'estonne, d'une fermeté que rien n'ébranle, d'une sagesse qui prevoit tout, qui pourvoit à tout & qui atteignant par tout en mesme temps, donne le mouvement & la regle à toutes les parties du vaste Estat qu'elle gouverne. Il n'y a qu'une chose dont ils ne trouveront point de modele pour eux dans leur Ayeul. Maistre de tout dés son plus bas âge, il n'a rien veu qui ne fust au dessous de luy, & qui ne dût estre soumis à ses volontez: Et ils ont à qui obeïr; ils ont à se former sur la sienne, & sur celle de l'auguste Prince à qui ils doivent la naissance.
>
> Mais en cela mesme ils ne manqueront pas encore d'un illustre exemple domestique: ils en ont un grand en sa personne, & d'autant plus considerable, qu'il le donne tous les jours, aprés avoir donné tant de marques éclatantes de ce qu'il est capable de faire en commandant. (p. 752-753)

Le Roi est un modèle pour le Dauphin et ses enfants. Le Dauphin est un exemple pour le duc de Bourgogne et ses frères. Mais, en cela même qui le distinque du Roi, le devoir d'obéissance, le Dauphin se place un degré au-dessous dans l'échelle des modèles. Cependant, cette obéissance est liée à sa position même: il ne peut donc remplir parfaitement sa place de dauphin qu'avec une obéissance parfaite! Ainsi tous les héritiers de Louis XIV sont inscrits dans la problématique d'image et de modèle. Mais, si Louis le Grand est un exemplaire qui dépasse tous les modèles en les parachevant, en les rendant parfaits, il devient à son tour un modèle parfait. Ce modèle, ses descendants peuvent en reproduire l'image, comme on peut voir un parhélie dans les nuages, mais la dynamique qui portait le Roi à la perfection est unique. Pour faire le portrait du modèle des Rois, les panégyristes de saint Louis affirment qu'ils doivent emprunter des traits à Louis

XIV[251]. Il est l'accomplissement du modèle. En se réglant sur lui, ses descendants peuvent espérer (presque) l'égaler. Les orateurs ne suggèrent pas qu'ils le surpasseront, car la dynamique qui fait qu'on parfait le modèle en l'imitant ne peut fonctionner que pour Louis XIV: l'éloge de la fin du siècle se centre sur Louis le Grand. La mention de ses descendants a pour but d'amplifier l'éloge du Roi, figure dominante des discours académiques, et, naturellement, dans le cas de Fénelon, par exemple, de satisfaire aux exigences des circonstances.

Lorsqu'ils organisent autour de la protection que le Roi donne à l'Académie française la téléologique qui fonde l'histoire et lui donne son sens académique; lorsqu'ils affirment que le Roi et l'Académie entretiennent un commerce de gloire et d'immortalité, le Roi fournissant les hauts faits mémorables pour servir de matière aux écrits des académiciens et les rendre immortels, ceux-ci composant des ouvrages qui rendront éternelle la mémoire des actions royales, les orateurs associent leur renommée à la grandeur royale. Si les académiciens ont intérêt à louer le Roi, celui-ci n'en a pas moins à protéger la Compagnie[252]. Cela définit finalement une sorte de narcissisme qui fait que, lorsque les orateurs louent le Roi, lorsqu'ils célèbrent la Compagnie ou lorsqu'ils exaltent les lettres, l'Académie, tout en remplissant son devoir vis-à-vis de son protecteur, entend chanter sa propre grandeur.

Si les pratiques oratoires qui ont été analysées peuvent être caractérisées comme des manifestations d'éloquence d'apparat, c'est qu'elles s'inscrivent dans un cérémonial qui les détermine et duquel elles constituent l'un des éléments. Dans ces conditions, c'est moins le contenu des discours proprement dit, que son adaptation aux circonstances et aux attentes du public qui importe: louer le Roi, protecteur de l'Académie qu'il loge au Louvre, est un impératif; exalter les lettres et l'institution qui les représente (et devant elle) et lui offrir, ainsi qu'à son public, une

---

[251] Voir par exemple Riqueti:

> Comme on ne peut se former une idée parfaite d'un Grand Roy, qu'en empruntant de ces traits qui relèvent VOSTRE MAJESTE, au dessus de tous les autres Princes de la Terre; je puis vous assurer, SIRE, qu'encore que saint Louis soit le modele de tous les Rois, vous estes neanmoins l'exemplaire sur lequel j'ay formé son Eloge. [*Panegyrique de saint Louis Roy de France*, (Paris: 1689), Épitre].

[252] Voir l'abbé Colbert:

> Il ne vous pouvoit arriver rien de plus avantageux: mais j'ose assurer que ce Prince invincible avoit aussi quelque interest de faire cet honneur à l'Académie Françoise. Il protege une Compagnie qui contribuera à donner à ses grandes actions l'immortalité qu'elles ont si justement méritée. Mais je me trompe, MESSIEURS, ce sont les exploits de LOUIS LE GRAND, c'est cet assemblage de vertus militaires et politiques qui donnera l'Immortalité à vos ouvrages.

image valorisée de son activité, la situation l'exige; célébrer l'avénement d'une langue parfaite pour être langue royale et nationale, alors que la Compagnie travaille sur le dictionnaire et prévoit de composer une grammaire, autre exigence indispensable. Ainsi se marque l'adaptation du discours au cérémonial académique en général. Mais, si tous les éléments précédents suggèrent une forte ritualisation, l'exigence d'adaptation est dialectique. En contrepartie des traits répétitifs et apparemment figés de l'éloquence académique, la logique qui veut que le discours soit approprié lui donne en même temps un caractère vivant: obligé de tenir compte de toutes les composantes de la situation, l'orateur doit prêter attention à l'actualité. Le discours réussi intègre toute une série de données contextuelles: la situation historique, la personne et les fonctions de l'orateur et du destinataire, la nature du public. Plus que les constantes du discours académiques (qui marquent plutôt les impératifs généraux), ce sont les éloges circonstanciels qui permettent le mieux de voir comment l'occasion détermine le discours et la «complicité» nécessaire entre le public et l'orateur qui doivent partager la connaissance des réseaux de relations plus complexes que les discours actualisent (rapports familiaux, relations de protection ou de patronage). Entre les caractéristiques du rituel académique et les réseaux circonstanciels propres à chaque situation oratoire se dessine, pour cette institution particulière, une problématique essentielle à toutes les manifestations de l'éloquence d'apparat, mais qui prendra un relief tout particulier dans l'éloquence engendrée par la vie municipale: le «bon» discours d'apparat convient au contexte qui le fait naître.

## CHAPITRE II

# LES ACADÉMIES DE PROVINCE

Le mouvement académique, qui constitue l'un des traits majeurs de l'activité intellectuelle de la fin du XVII^e^ siècle, n'est pas limité à la capitale, même si, outre les académies officielles, s'y tiennent de nombreuses réunions de gens de lettres et d'esprit[1]. On ne saurait alors comprendre les pratiques académiques sans étudier leurs variantes provinciales.

Les académies de province ne sont plus un domaine inconnu. Entre les monographies du dix-neuvième siècle ou du début de ce siècle, qui s'ajoutent aux histoires locales, et des ouvrages récents, tels ceux de A. Viala ou de D. Roche[2], le chercheur dispose d'instruments dont on ne doit pas sous-estimer la valeur. Mais, soit que les auteurs se soient surtout intéressés aux données sociologiques que l'éloquence académique pouvait fournir, soit que l'accent fût mis sur la vie d'une académie d'année en année, les manifestations académiques de l'éloquence d'apparat en province n'ont pas fait l'objet d'une étude synthétique[3]. Certains ouvrages fournissent, il est vrai, une documentation précieuse, par la publication de discours retrouvés dans des archives publiques ou privées, ou par des indications bibliographiques d'un détail tout à fait remarquable. Le livre de Rancé, *l'Académie d'Arles au XVII^e^ siècle*[4], fait preuve d'une précision et d'une recherche rarement égalées et dont les

1 Sur la vogue des académies et l'assimilation de certains cercles privés à des académies, voir A. Viala, *Naissance de l'écrivain* (Paris: Éd. de Minuit, 1985), chapitre I: «L'Essor des Académies».

2 Alain Viala, *Naissance de l'écrivain, op. cit.*. Daniel Roche, *Le Siècle des Lumières en province. Académies et académiciens provinciaux, 1680-1789* (Paris-La Haye: Mouton, 1978, 2 vol.).

3 D. Roche, par exemple, s'intéresse beaucoup plus aux *renseignements* fournis par les éloges académiques qu'aux éloges eux-mêmes comme pratique oratoire. Il faut dire que l'accent étant mis plutôt sur le XVIII^e^ siècle et sur la dynamique de diffusion des Lumières, l'aspect cérémoniel et traditionnel n'a pas, pour l'auteur, autant d'intérêt que pour mon étude.

4 Rancé-Bourrey, *L'Académie d'Arles au XVII^e^ siècle* (Paris: Librairie de la Société bibliographique, 1886-1890, 3 vol.).

résultats dépassent le seul cadre de l'éloquence académique et donnent d'utiles indications pour tous les domaines de l'éloquence. Les différents articles de l'abbé Uzureau, à propos de l'Académie d'Angers, constituent également des sources non négligeables[5]. Mais ces travaux, s'ils révèlent l'existence de toute une production oratoire, ne se sont pas donné pour but d'analyser cette pratique oratoire qu'ils découvraient. C'est cet aspect qu'il fallait encore étudier, et c'est à cela que ce chapitre est consacré.

Même si les académies ne sont pas une invention du XVII^e siècle[6], et si les provinces n'avaient pas attendu la protection royale pour former des réunions de lettrés, de savants et de curieux, puisque les académies de Soissons et de Nîmes, officialisées respectivement en 1674 et en 1682, avaient commencé leurs activités bien avant, le dernier quart du siècle constitue une période faste pour le mouvement académique. Surtout, avec la naissance du *Mercure galant,* qui a pour vocation de faire circuler toutes les nouvelles qui peuvent intéresser le public mondain, les exercices et les cérémonies académiques trouvent un écho sans précédent. Les académiciens de la France entière peuvent faire connaître aux élites de tout le Royaume leurs productions littéraires et oratoires.

Pour analyser l'éloquence d'apparat dans les académies provinciales, je m'appuierai essentiellement sur sept villes: Arles, Soissons, Villefranche-en-Beaujolais (Villefranche-sur-Saône), Nîmes, Angers, Caen et Toulouse[7]. C'est naturellement, la documentation qui a dicté ce choix. Cette liste comprend les académies«officielles» et celles qui font connaître leur activité sur le plan national.

---

[5] Certaines publications font, il faut l'avouer, double emploi, Uzureau publiant par exemple, les *Mémoires* de Grandet en plusieurs endroits. On peut regretter que D. Roche ne signale pas ce fait dans sa bibliographie si riche et si utile par ailleurs (on y relève, dans le cas d'Angers, quelques inexactitudes).

[6] Sur les académies du XVI^e siècle, voir l'ouvrage fondamental de Frances Yates, *The French Academies of the 16th Century* (Londres: The Warburg Institute, University of London, 1947).

[7] L'Académie royale d'Arles fut fondée en 1668; celle de Soissons, quoiqu'active dès le milieu du siècle, fut officialisée en 1674, date de ses lettres patentes; l'Académie de Villefranche est mentionnée dans le *Mercure* à partir de 1680, même si son officialisation fut beaucoup plus tardive. L'Académie Royale de Nîmes fut fondée en 1682. l'Académie d'Angers, fondée en 1685, tint sa séance d'inauguration le 1^er juillet 1686. L'Académie de Caen a eu une brillante activité dès le milieu du siècle, mais le *Mercure* n'en parle qu'une fois, en 1689, à propos d'un compliment à l'intendant Foucault. Le cas de Toulouse est complexe: aux Jeux Floraux, traditionnels, s'ajoutent l'Académie des Lanternistes, qui décerne des prix de bouts rimés. Le nombre de mentions dans le *Mercure* prouve que ces deux groupes étaient très actifs (le *Mercure* signale en 1695 que les Jeux Floraux deviennent une Académie). Mais c'est à l'Académie des Belles Lettres qui s'établit en 1689 que je m'intéresserai surtout, parce que c'est cette assemblée qui produit de l'éloquence.

Ces académies offrent un terrain d'étude d'autant plus intéressant qu'elles ont souvent inscrit l'éloquence dans leur programme et leurs statuts. Ceux-ci révèlent d'ailleurs la très forte influence du modèle de l'Académie française sur les académies qui se forment au cours du siècle. On sait que la tradition de prononcer un discours de réception à l'Académie française remonte à Patru. Après lui, les récipiendaires ont dû régaler la compagnie d'un compliment dont la longueur a varié, mais qui a eu tendance, au fil du temps, à s'allonger.

Les académies de province ont montré leur émulation à l'égard de leur «sœur aînée» sur ce point comme sur tant d'autres. L'article XIII des statuts de l'Académie de Soissons porte:

> Lorsqu'un Académicien viendra pour la première fois prendre séance dans la Compagnie, il sera présenté par le secrétaire et fera un discours sur le sujet de [sa] réception auquel le Directeur répondra; le discours du nouvel académicien sera laissé à l'Académie pour être veu dans les Assemblées suivantes et rester parmi les autres pièces de la Compagnie[8].

Les statuts proposent un schéma de réception semblable à celui que l'Académie française suivait, et qui, dans cette dernière institution, avait évolué de façon empirique. A l'origine, les réceptions à l'Académie Royale de Soissons n'étaient pas publiques; ce n'est qu'en 1705 que l'Académie instaura des séances publiques de réception. Si l'on songe que les premières séances publiques de l'Académie française remontent seulement à 1673, après le transfert au Louvre, lorsque Gallois, Fléchier et Racine furent reçus, on comprend qu'au moment où les statuts de l'Académie de Soissons sont rédigés, la tradition est extrêmement récente. Les séances extraordinaires publiques ne sont pas encore perçues comme étant de l'essence des académies.

L'Académie d'Angers insère dans ses statuts, comme l'Académie de Soissons, un impératif oratoire:

> XV. Quand un académicien sera reçu, on lui fera lecture des statuts de la compagnie, qu'il promettra d'observer. Il signera l'acte de sa réception sur le registre et fera un discours pour remercier la compagnie. Le directeur, ou un autre officier, en son absence, y répondra par un discours[9].

La parenté avec l'article 14 des règlements de l'Académie française est nette:

---

[8] *Bulletin de la Société archéologique, historique et scientifique de Soissons*, 3e série, 1921, p. 107.

[9] Abbé F. Uzureau, éd., «Séance d'inauguration (1er juillet 1686)», *Mémoires de la Société nationale d'agriculture, sciences et arts d'Angers*, 1903, p. 61. On trouve dans cet article la relation de Pétrineau des Noulis, publiée à l'époque, les discours de l'intendant de Nointel et de Gourreau, et les statuts de l'Académie.

> Lorsque quelqu'un sera reçu dans la Compagnie, il sera exhorté, par celui qui présidera, d'observer tous les statuts de l'Académie, et signera l'acte de sa réception sur le registre du Secrétaire,

mais, une fois encore, c'est l'inscription du discours de réception et de sa réponse qui introduit une variante. Les académies prennent acte du rôle de l'éloquence d'apparat dans leur fonctionnement. Et les statuts de l'Académie d'Angers présentent encore une variante qui deviendra pratiquement, au XVIIIe siècle, synonyme de la pratique académique: l'éloge funèbre, qui n'est encore, à l'Académie française, qu'une pratique occasionnelle:

> Lorsqu'un académicien mourra, deux de la compagnie seront choisis, l'un pour faire son éloge en prose, et l'autre pour le faire en vers, ou quelque autre ouvrage à sa louange[10].

Si les réunions ordinaires sont très fermées et la participation de personnes étrangères au cercle académique très limitée[11], les statuts prévoient, à la différence de ce qui se passe à Soissons, des séances solennelles publiques, ce qui ne peut que donner plus d'importance à l'éloquence d'apparat, à laquelle l'auditoire fournit un de ses traits essentiels:

> XXIII. On laissera neanmoins l'entrée libre à toutes les personnes de condition à la réception d'un académicien ou dans quelques autres occasions solennelles comme à l'adjudication d'un prix, ou à l'éloge d'un académicien[12].

Il est clair ici que solennité et éloquence sont liées, puisque, outre la réception d'un nouvel académicien, pour laquelle les statuts prescrivent la prononciation de deux discours, les «occasions solennelles» comprennent précisément l'éloge d'un académicien. En 1686, la tradition des réceptions publiques est bien établie à l'Académie française, et il est logique qu'une nouvelle académie l'intègre dans son fonctionnement. Cet article montre bien l'influence du modèle parisien, puisque, outre les réceptions et les éloges funèbres, les académiciens angevins envisagent, au moment de leur fondation, des distributions de prix. On voit d'ailleurs ceux-ci se multiplier à la fin du siècle, et le *Mercure* annonce périodiquement les concours, ou en publie les résultats. Certains de ces prix, comme les Jeux Floraux, ont une longue tradition. Quel que soit

---

[10] *Ibid.*, p. 62.

[11] L'article XXI permet cependant aux personnes considérables «par [la] naissance ou par [le] mérite, passant par la ville» d'être présentes, après proposition au directeur, le jour précédent. Uzureau, *loc. cit.*, p. 62.

[12] P. 63. On voit que cet article ne mentionne que les «gens de condition», alors que l'article XXI parlait de personnes considérables «par [la] naissance ou par [le] mérite»...

son prétexte, la séance publique est fort utile pour une académie, puisqu'elle maintient le contact entre la compagnie proprement dite et l'élite qui s'intéresse à ses travaux et à son rituel, et dont elle est l'émanation.

Si l'Académie française favorise dans son fonctionnement l'apparition d'éloquence d'apparat, c'est ainsi dans leurs statuts mêmes que certaines académies provinciales en inscrivent la nécessité. Types de discours, occasions et publics sont définis par le texte qui officialise une compagnie. Dans certains cas, les statuts rendent réglementaires des pratiques oratoires qui ne sont qu'épisodiques à l'Académie française, comme l'éloge funèbre en séance publique[13].

L'Académie participe aux événements majeurs de la vie et de la politique royales: le Roi l'a autorisée, on l'a vu, à venir le haranguer en corps, lorsqu'il reçoit les compagnies en audiences solennelles pour les victoires ou les mariages de la famille royale. Mais, si elle comprend bien des personnalités venues d'institutions diverses (du Parlement, de l'épiscopat, etc.) et si elle participe au réseau des activités qui font intervenir les institutions (réjouissances et autres cérémonies publiques), ce réseau, du seul fait de la dimension de la ville et de ses élites, est moins serré qu'en province où les liens entre institutions sont souvent très forts, et leurs rapports plus proches. Une académie sise dans une ville de province est une institution parmi d'autres. Elle participe à la vie cérémonielle de la ville comme toutes les autres. L'Académie de Soissons doit par exemple adresser un compliment au Roi qui passe par la ville pour le mariage du Dauphin. La vie municipale joue donc un rôle important dans celle des académies de province. De plus, celles-ci font apparaître, avant même l'étude des manifestations d'éloquence dans le cadre municipal, la notion de notable provincial. La composition des académies montre en effet que, si l'Académie française a pu rencontrer l'opposition initiale du Parlement, les clivages provinciaux ne sont pas de cet ordre. Les élites sont plus resserrées et s'interpénètrent: un même individu appartient souvent à plusieurs corps. L'étude de l'éloquence d'apparat dans les académies provinciales s'inscrit donc dans la perspective des rapports qui se tissent entre les diverses institutions, rapports concrétisés par ce phénomène d'appartenance multi-institutionnelle.

Pour que l'on puisse parler d'éloquence d'apparat, il faut, nous l'avons vu, que les pratiques oratoires s'inscrivent dans un contexte solennel. Puisque le discours est partie intégrante d'un rituel, j'exami-

[13] A la différence de l'Académie française, l'Académie des Sciences a systématisé l'éloge des académiciens morts dès le XVIIe siècle.

nerai d'abord les cérémonials des académies de province, en m'arrêtant sur les conditions matérielles (solennisation du lieu, nature du public). J'analyserai ensuite le statut des orateurs, autre facteur déterminant pour les discours qui m'intéressent ici. Dans ce contexte comme dans le cadre de l'Académie française, le discours correspond souvent à un devoir entraîné par une fonction, ou par le choix de l'institution. La convergence d'un impératif du discours et du plaisir de la parole apparaît comme un élément fondamental chez les *notables* provinciaux que les académies comptent dans leurs rangs. Cette notion de notable est d'une indéniable utilité pour comprendre la notion d'éloquence d'apparat et s'éclairera de l'analyse de l'appartenance multi-institutionnelle des académiciens. Tous ces éléments permettront de comprendre le sens et le déroulement des rituels académiques.

Ce n'est qu'après avoir ainsi dégagé les traits majeurs du contexte cérémoniel auquel s'intègrent les pratiques oratoires qui ne prennent de sens que par rapport à lui que j'étudierai les caractéristiques des discours proprement dits. Même si certaines académies combinent amour des lettres et curiosité scientifique, leurs préoccupations rejoignent celles des lettrés. On a vu, par exemple, que les statuts de l'Académie de Soissons prévoyaient l'examen et la critique des discours prononcés lors des réceptions. Quelles seront donc les positions des académies sur la langue vulgaire? Une étude de l'utilisation du latin et de la manière de faire des citations permettra de fructueuses comparaisons avec les résultats de l'enquête sur l'Académie française, et donnera un point d'ancrage pour saisir la dynamique du mouvement académique entre Paris et la province: quelles analogies, quels décalages verra-t-on se révéler? En examinant la manière dont les académiciens utilisent les mécanismes de citation et d'allusion, il sera possible d'évaluer l'effet de la circulation des discours et l'importance du plagiat.

Prononcés devant un public où académiciens et gens de l'extérieur doivent trouver de quoi se satisfaire, ou adressés à des destinataires privilégiés, dans le cas des compliments à des personnages de haut rang ou qui occupent de hautes fonctions, les discours transmettent une image des académies et de leurs exercices. En analysant cette image, il sera possible de déterminer les éléments qui appartiennent au mouvement académique en général, et ceux qui opposent Paris à la province.

Les académies de province sont d'abord des réunions d'élites locales qui prennent plaisir à s'assembler et à partager leurs curiosités et leurs intérêts, tout en marquant par là leur appartenance aux milieux privilégiés. Ce caractère déterminera certains aspects de l'image qu'elles donnent de leurs activités. Le mouvement académique trouvant une unité dans le lien qui s'établit entre culture des lettres et éloge du Roi, deux aspects des exercices académiques qui se distinguent mal dans certains discours, les académies fournissent un terrain de choix pour s'interroger sur les rapports entre éloge du Roi, diffusion de son image et propagande[14].

L'analyse des discours académiques provinciaux amène fréquemment à faire référence de façon générale à la notion de «mouvement académique» et à faire des comparaisons avec ce qui se passe à l'Académie française, qui constitue un modèle pour les compagnies de province. Il est donc logique d'étudier, pour finir, le rôle qu'ont pu jouer les relations entre académies dans la production de l'éloquence d'apparat.

## I. – LE CÉRÉMONIAL DES ACADÉMIES DE PROVINCE

On sent dans les statuts aussi bien que dans les pratiques des académies de province l'importance de la compagnie parisienne. Si l'éloquence d'apparat est liée à des rituels institutionnels, les rituels organisés par les assemblées de lettrés provinciales présentent de nombreux points communs avec celui de l'Académie française. Mais, d'une manière générale, la solennisation, c'est-à-dire toutes les transformations matérielles et symboliques qui visent à singulariser l'occasion, est plus marquée encore qu'à Paris.

C'est toujours, à quelques variantes près, la même cérémonie qu'une institution académique organise, tout comme les séances de réception fournissent à l'Académie française le modèle de base pour toutes ses séances extraordinaires. Pour étudier le contexte symbolique et matériel dans lequel les discours s'inscrivent, on dispose d'une source de documents très riche: le *Mercure galant* donne, en chroniqueur de toutes sortes de festivités et de cérémonies, une idée assez précise des cérémonies académiques et de leur sens. Deux éléments retiendront ici particulièrement mon attention: les lieux dans lesquels se déroulent ces rituels et le public qui y assiste, ou plutôt qui y participe, puisque c'est sa présence qui contribue à créer les conditions nécessaires à l'éloquence d'apparat. La décoration est à la fois riche et spécifique, et dépend souvent du sujet des cérémonies. Le public est à la fois choisi et nombreux.

---

[14] Les éloges, composante importante des discours, seront analysés dans les diverses sections (représentation des académies, par exemple). Le caractère limité du corpus empêche l'étude systématique. Par ailleurs, la convenance de ces éloges est un principe général, qui sera étudié dans le chapitre sur les municipalités. La différence majeure avec les discours de l'Académie française réside dans la fréquence de l'éloge de la ville où est établie l'Académie à laquelle chaque discours se rattache.

## 1. Le cadre physique des cérémonies académiques

Les comptes rendus que le *Mercure* donne de la célébration de la Saint-Louis à l'Académie de Villefranche-en-Beaujolais fournissent d'utiles éléments descriptifs sur le décor des séances solennelles des académies provinciales[15]. Si l'on s'en rapporte aux livraisons de ce périodique, l'Académie de Villefranche a eu une vie cérémonielle très brillante. La célébration du 25 août est aussi importante pour l'Académie de Villefranche que pour l'Académie française, parce qu'elle a choisi saint Louis pour patron. Elle s'assure donc la présence des«notables» en les invitant:

> Ceux qui la composent [l'Académie] avoient fait inviter quelque temps auparavant, tout ce qu'il y a de Personnes de qualité & de sçavoir dans la Ville, & dans tout le voisinage, pour assister aux Discours qui devoient estre prononcez à la gloire de S. Louis, & à l'avantage de Sa Majesté[16].

Les discours apparaissent clairement comme un élément essentiel du cérémonial. De plus, on reconnaît, dans ce passage, l'association traditionnelle entre saint Louis et son royal descendant. Cette présentation n'est pas sans rappeler le discours de distribution de prix de 1681 à l'Académie française, prononcé par Doujat[17]. De fait, on apprend que le cérémonial est le même que celui de l'Académie française, puisque, le matin, l'Académie assiste à une messe chantée en musique et, l'après-midi, elle organise une séance publique. En 1680, Donneau de Visé donne peu de détails sur la matinée, mais il s'attarde davantage sur la séance publique de l'après-midi. La salle de réunion est évoquée:

> Le lieu destiné pour l'Assemblée, fut la Salle de Mr Bessie du Peloux, Secretaire de l'Académie, qui est une des plus magnifiques & des plus spacieuses de tout le Païs. Elle fut disposée avec le somptueux appareil que méritoit la grandeur de l'Action, & la dignité de la Compagnie[18].

Les termes employés sont très révélateurs, et l'on pourrait dire, en insistant sur l'étymologie, qu'éloquence d'*apparat* implique *appareil,* matériellement et symboliquement (*appareil* est d'ailleurs le terme employé pour désigner les décorations du collège Louis le Grand, lorsque le Père de La Baune prononce son panégyrique du Parlement de Paris)[19]. Le

---

15 Numéros de septembre 1680; octobre 1681; octobre 1682 (2e partie); septembre 1686.

16 *Mercure,* septembre 1680, p. 252-253.

17 Voir chapitre I, p. 183.

18 *Mercure*, sept. 1680, p. 253.

19 *Explication de l'appareil pour la harangue prononcée en l'honneur du Parlement de Paris*. (Paris: G. Martin, 1685). Ce texte fait suite au Panégyrique du Parlement, en latin. Sur cette cérémonie, voir mon article, «Appareil et apparat: le discours cérémoniel

discours et son contexte matériel participent tous les deux à l'effet de grandeur, puisque le discours d'apparat suppose, pour être tel, un contexte solennel que la décoration contribue à créer, et réciproquement, «la grandeur de l'Action», comme donnée d'avance, impose un renforcement de la décoration. Le discours doit répondre aux exigences de la cérémonie, et la décoration aux caractéristiques du discours. L'un et l'autre sont des composantes de l'ensemble cérémoniel, et doivent convenir l'un à l'autre.

De très hauts personnages patronnent symboliquement les assemblées, par l'intermédiaire de portraits:

> Le Portrait du Roy estoit élevé sous un riche Dais de Velours rouge à frange d'or, sur un Fauteüil de la mesme Etoffe. De l'autre costé estoit celuy de Mr l'Archevesque de Lyon, Protecteur de l'Académie, sur un grand Tapis de Satin violet[20].

Tous les détails ici sont importants. Le velours est un tissu riche et noble (on en met, signale Furetière, dans les obsèques des grands); surtout, le portrait du Roi reçoit les honneurs royaux. Le dais est en effet réservé aux Rois, aux Princes, et aux ducs[21]. Quant au satin violet, c'est la couleur du camail des évêques. C'est donc la couleur adaptée à l'archevêque de Lyon protecteur de l'Académie. Le satin est un tissu fréquent des décorations d'apparat, puisque les thèses solennelles sont imprimées sur du satin.

La protection de l'archevêque de Lyon (Camille de Neuville de Villeroy) sur l'Académie explique la présence de son portrait (on a vu avec l'Académie française un phénomène analogue, puisque le portrait du Roi figurait en bonne place dans la salle des séances et était même, à l'occasion, mentionné dans les discours). La protection éminente du Roi sur les lettres et les arts, lieu commun de la littérature encômiastique de l'époque, ne suffit pas à expliquer la présence de son portrait, puisque l'actualité (ou le cérémonial) va amener les académiciens à exposer d'autres portraits les années suivantes. D'ailleurs, la protection éminente du Roi existe implicitement pour toutes les institutions de son

---

en son lieu», *Actes du 1er Colloque du C.I.R. 17, Lieux de mémoire et fabrique de l'œuvre (Kiel, 29 juin-1er juil. 1993)* (Tübingen: Biblio 17, 1993). Furetière précise d'ailleurs, dans sa définition du terme «apparat»: «anciennement *appareil*».

20 *Mercure*, sept. 1680, p. 253-254.

21 Furetière définit ainsi le *dais*: «Meuble précieux qui sert de parade & de titre d'honneur chez les Princes & les Ducs... Il n'y a des *dais* que chez les Rois, chez les Princes & les Ducs & sur ceux qui president aux disputes des Colleges.» Furetière ajoute, entre autres, deux exemples qui sont révélateurs: «On tend un *dais* à la Grande Chambre, quand le Roi y tient son lit de justice. Il y en a un au Chastelet de Paris, à cause que c'est le Roy qui est Prévost de Paris».

royaume. Pour la Saint-Louis 1680, l'Académie a demandé à Terrasson, le directeur, à Bessie du Peloux, le secrétaire, et à Mignot de Bussy, lieutenant général du bailliage de la province, de prononcer des discours sur le «Triomphe des Passions». Nul doute qu'un tel sujet fournisse aux orateurs l'occasion de faire l'éloge du Roi. Et comment imaginer plus sûr moyen, pour assurer «la grandeur de l'Action», que d'y mêler l'exemple concret du grand monarque de la France? Il y a un lien entre les portraits exposés et les sujets proposés. En 1681, ce sont les «loüanges de Son Altesse Royale Mademoiselle d'Orleans, Souveraine de Dombes, & Dame de la Province de Beaujolais» qui font le thème imposé aux orateurs. La séance publique se tient dans la même salle qu'en 1680, et la description qu'en fait le *Mercure* montre que c'est dans les portraits que réside la principale différence avec l'appareil de l'année précédente:

> Cette Salle estoit parée de Meubles tres riches. . . . Le portrait de cette Princesse [Mademoiselle d'Orléans] estoit d'un costé sous un magnifique Dais de velours rouge à Frange d'or, élevé sur un Fauteüil de la mesme Etoffe; & de l'autre on voyoit celuy de Mr l'Archevesque de Lyon, Protecteur de l'Académie, sur une toilette de satin violet[22].

Là encore, le portrait est dressé avec les honneurs réservés à une princesse du sang: velours rouge à frange d'or, dais. L'année suivante, c'est la naissance du duc de Bourgogne qui détermine le choix du portrait:

> La salle estoit tendüe d'une riche Tapisserie, & au milieu on voyoit le Portrait de Monseigneur le Duc de Bourgogne, sous un Dais de Velours cramoisy, relevé de Broderie d'or. Au dessous estoit un Trône environné d'Orangers, de Tubéreuses, & de Jasmins[23].

A Villefranche, comme à Paris, la Saint-Louis donne l'occasion de célébrer la naissance de l'héritier du trône[24]. Ce n'est certainement pas la représentation d'un enfant qui importe ici, mais toute son identité symbolique. On retrouve le dais, et d'un tissu encore plus riche et d'une plus belle facture que dans les cas précédents, puisque la broderie d'or, et non pas seulement une frange, s'ajoute au cramoisi. Le trône évoque la royale destinée du descendant de Louis le Grand et les fleurs peuvent évoquer la fraîcheur de l'enfance, mais c'est par le blanc de fleurs que Furetière compare au lys, de façon significative. Tout dit le rang et la promesse du trône.

---

22 Octobre 1681, p. 18-19.

23 Octobre 1682, 2e partie, p. 83.

24 Le dessin des illuminations du Louvre pour cette célébration du 25 août 1682 est reproduit dans J. de La Gorce, *Berain, dessinateur du Roi-Soleil* (Paris: Herscher, 1986), p. 122.

La jeunesse du personnage représenté semblerait interdire les discours à son éloge, mais il reste toujours aux orateurs la ressource de l'éloge «par association». Le sujet des discours est un problème proposé à M. de La Roche, avocat du Roy au bailliage, et à M. Valossières, avocat au parlement:«S'il faut fuir la Gloire, ou la rechercher.» Donneau de Visé montre comment le Roi et le jeune Prince sont tout naturellement évoqués par les orateurs:

> On ne pouvoit parler de la Gloire, sans parler du Monarque qui en est tout couronné, & du nouveau Prince qui en est déja tout couvert, par les grands Héros dont il descend. Aussi toute l'Assemblée fut tres-satisfaite de la juste & spirituelle application que l'on en fit[25].

Dans ce dernier cas, le portrait, plus entouré de décorations et de symboles encore que les autres, trône seul. L'Académie juge bon de concentrer sur lui ce que j'ai appelé le «patronage éminent». Il est vrai qu'à la présence par représentation du duc de Bourgogne s'ajoute la présence d'un personnage haut placé, présence dont le *Mercure* montre d'entrée de jeu l'importance, pour introduire son compte rendu:

> La Feste de Saint Loüis a eu cette année un éclat nouveau pour Messieurs les Académiciens de Villefranche en Beaujolois, par la présence de Mr d'Ormesson, à qui vous sçavez que l'Intendance de la Generalité de Lyon a esté donnée[26].

Après les activités du matin, l'Intendant se rend à la séance publique de l'Académie:

> & sur les trois heures il se rendit à la Salle de l'Académie dans la Maison du Secretaire, accompagné de leurs Deputez. Il s'assit dans un Fauteüil qui luy avoit esté préparé[27].

L'Intendant bénéficie d'un siège qui marque sa position dans la province. Le fauteuil est précisément le siège où l'on place les portraits des grands. Peut-être la présence de l'Intendant explique-t-elle l'absence d'un second portrait. Le *Mercure* ne mentionne pas la présence du protecteur de la Compagnie, qui aurait pu expliquer également l'absence de son portrait.

Quoi qu'il en soit, il est clair que les portraits et les représentations symboliques dont ils s'accompagnent jouent un rôle essentiel dans la solennisation du lieu qui caractérise la production d'éloquence d'apparat. C'est vrai dans toutes les institutions. On l'a vu pour l'Académie

---

[25] Octobre 1682, 2e partie, p. 84.

[26] *Ibid.*, p. 79.

[27] *Ibid.*, p. 83.

française; pour renvoyer encore au panégyrique du Parlement prononcé par le P. de La Baune, les décorations de la salle du collège Louis le Grand, où il le prononce, cherchent à reproduire l'ambiance du Palais, un effort où les portraits ont leur rôle à jouer:

> Au fond de la Salle, sous un Dais magnifique, était le portrait du Roy assis dans son Lit de Justice. Des deux costez estoient ceux de Mr le Premier Président & de Mrs les Présidens au Mortier[28].

Présence éminente du Roi, comme au Parlement de Paris même, et honneur rendu à l'auditoire spécifiquement invité. Dans ce dernier cas, patronage symbolique et assistance réelle se recouvrent, provoquant ainsi un effet de redoublement, où les membres du Parlement voient leurs portraits en entendant leur éloge, double renvoi d'image!

La relation de la séance inaugurale de l'Académie d'Angers fournit à la fois une autre description de salle destinée à recevoir une séance solennelle publique, et des commentaires de la plume de Pétrineau des Noulis. L'organisation de la cérémonie et des décorations n'a pas été laissée au hasard, ce qui en confirme le caractère fondamental: elle a été arrêtée au cours d'une délibération du corps de ville, ce qui prouve qu'à Angers, plus encore qu'ailleurs, la vie académique s'inscrit dans celle de la municipalité. L'inauguration de l'Académie est une affaire trop importante pour être confiée à l'initiative de certains membres de la municipalité; il est normal que ce soit cette dernière qui se charge de l'organisation matérielle[29]. La description comporte les riches tapisseries et les portraits que nous avons plusieurs fois rencontrés:

> . . . la grande salle de l'hôtel-de-ville, qu'on avait parée de riches tapisseries, de divers portraits de nos rois, de ceux des comtes d'Anjou, tiges illustres des deux maisons royales de France et d'Angleterre, et des portraits des hommes de lettres originaires de cette province[30].

---

[28] *Mercure*, décembre 1684, p. 296-297.

[29] Cette délibération est citée par Uzureau, «Séance d'inauguration (1er juillet 1686)», *loc. cit.*, p. 26, note:

> La salle sera tapissée. Le grand bureau, destiné pour l'Académie, y sera porté. On mettra trois fauteuils dans le lieu le plus éminent, pour Mgr l'évêque d'Angers, Mgr l'intendant et M. D'Antichamp; des chaises à la droite pour MM. de ce corps (de ville), et à la gauche pour MM. les académiciens; des chaises et des bancs pour les personnes de condition qui pourront s'y trouver. Afin d'empêcher la confusion et le désordre, mondit seigneur d'Antichamp sera prié par M. le maire de donner 10 à 12 soldats pour garder les portes et ne laisser entrer que les personnes de qualité. (p. 185-186)

On notera l'insistance sur la condition requise du public.

[30] *Ibid.*

Sont donc représentés à la fois le Roi (avec une sorte d'amplification par la multiplication des portraits royaux, qui s'explique peut-être par le fait que la séance est une séance royale, puisque l'Académie a l'aveu du Roi et que celui-ci est représenté par l'intendant de Nointel), la province, à travers les comtes d'Anjou dont le narrateur souligne bien la grandeur et l'importance historique (ce qui est tout à l'honneur de la province!) et ceux que la fondation de l'Académie élève, les gens de lettres. Si le Roi est doublement représenté, par son portrait et par l'Intendant, présence symbolique, ou par représentation, et présence réelle s'associent dans le cas des hommes de lettres et Pétrineau des Noulis décrit l'effet ressenti comme un plaisir, un «agréable spectacle»:

> Ce fut un agréable spectacle de voir en même temps les portraits de tous les souverains de cette province, ceux des hommes de lettres qu'elle a produits dans divers siècles et, dans le même lieu, les descendants de ces derniers qui formaient cette nouvelle Académie et que les images de leurs ancêtres excitaient encore à marcher sur leurs pas et à imiter leurs vertus[31].

La décoration donne son tribut d'éloges et d'honneur à tous ceux que la cérémonie concerne (y compris une entité comme la province).

La présence symbolique que le portrait introduit apparaît donc comme un élément fondamental de la décoration des lieux où se tiennent les séances publiques des académies, comme de tout décor solennel. Il faut considérer, outre le portrait lui-même, sa «mise en scène», les éléments plus ou moins symboliques dont il s'accompagne: dais, fauteuil, couleurs choisies... Les hauts personnages peuvent en effet être évoqués par leurs armes ou leurs devises (ou des devises composées pour eux). Les devises consacrées à Louis XIV, par exemple, rien que dans les cérémonies qui se sont déroulées dans le dernier quart du siècle, sont innombrables. Pour sortir un peu du domaine académique, on trouve dans le *Mercure* de novembre 1698 un cas très intéressant, avec la thèse soutenue par M. Desplaces Poulart le fils et dédiée au comte de Toulouse. Le compte rendu de Donneau de Visé inclut des remarques sur la décoration, sur la qualité du public et sur celle de l'action:

> L'Assemblée fut tres illustre tant à cause de Mrs du Parlement qui s'y trouverent, que d'un tres-grand nombre de personnes de qualité, & autres Gens de merite & de distinction, qui vinrent entendre avec une joye extreme les loüanges de ce grand Prince. Le lieu choisy pour cette ceremonie estoit richement tapissé & on y avoit élevé une Estrade avec un Dais magnifique de Velours cramoisy relevé en broderie d'or. On y plaça un Fauteüil avec un carreau magnifique sur lequel on posa la These qui estoit de satin, ornée d'un cadre doré, enrichy de plusieurs

[31] *Ibid.*

> Ornemens, qui marquoient la haute dignité d'Amiral de France, dont Monsieur le Comte de Toulouse est revestu[32].

Si c'est la thèse (en satin, signe qu'il s'agit d'une soutenance d'apparat) qui est placée sur le fauteuil, on reconnaît tous les éléments de l'évocation princière. Outre le luxe (marqué par l'adjectif «magnifique»), on trouve le dais, le fauteuil, le velours cramoisi relevé de broderies d'or: autant d'éléments qui apparaissaient dans la cérémonie qui, à Villefranche, célébrait la naissance du duc de Bourgogne. La thèse est mise en valeur de manière princière. Quant au comte de Toulouse, il est représenté symboliquement par les ornements qui se rapportent à sa charge[33].

L'exemple de cette thèse souligne l'importance des décorations symboliques telles que le dais ou les marques de la dignité. Il reste que les académies ne substituent pas les ornements symboliques au portrait, mais les utilisent pour mettre en valeur celui-ci et ajouter à la représentation picturale des insignes du rang et des fonctions du personnage représenté.

Les participants des rituels où l'éloquence s'intègre savent déchiffrer les symboles qui leur sont proposés – patronage éminent des personnages représentés, dignité évoquée par des insignes ou des couleurs: tout un réseau de fonctions et d'ordres sociaux. Surtout ils savent reconnaître, dans le spectacle qui leur est offert, dans la pompe qui est exposée à leurs yeux, l'essence même de l'apparat. Si Donneau de Visé ne décrit plus la salle de Bessie du Peloux pour la Saint-Louis 1686, année où les orateurs avaient été invités à faire le panégyrique du Roi sur le «Triomphe de l'Heresie», il note:

> La Compagnie fut invitée à se rendre le lendemain en la mesme Salle. On la trouva parée de deüil pour la Pompe funebre de M^r^ Bottu de la Barmondiere, Seigneur de S. Fonds, un des plus celebres Academiciens[34].

C'est-à-dire que la salle est décorée pour des cérémonies académiques spécifiques. Le terme «parée» revient très souvent dans ce genre de compte rendu.

---

[32] *Mercure*, novembre 1698, p. 184-185.

[33] Telles sont les conditions matérielles dans lesquelles la soutenance de thèse fait naître l'éloquence d'apparat. L'ouverture fut faite par M. de Guirsan, conseiller au Parlement, qui

> harangua avec un applaudissement general, apres que le Répondant l'eut fait d'une manière pleine d'esprit. Il se presenta tant de personnes pour argumenter, & pour faire l'Eloge du Héros dont on celebroit la Feste, qu'il auroit fallu huit jours entiers au Soutenant pour répondre à toutes les objections.

[34] *Mercure*, septembre 1686, p. 59-60.

Tous les récits de la cérémonie que l'Académie de Villefranche organise tous les ans pour la Saint-Louis permettent assez bien de saisir la manière dont les salles sont ainsi «parées» pour procurer la solennité propre à l'éloquence d'apparat. Le portrait, sur lequel j'ai jusqu'à présent concentré ma lecture, n'est qu'un élément, symboliquement fondamental, il est vrai, dans l'ensemble. La succession de la Saint-Louis et d'une séance pour honorer un académicien défunt, avec la transformation de la salle, montre que l'éloquence d'apparat implique une décoration spécifique, une solennisation qui peut venir d'une transformation réelle ou purement symbolique (le costume suffit parfois à produire cet effet, ou même la convocation d'un public choisi). Le luxe semble bien figurer parmi les éléments qui caractérisent le lieu de l'éloquence d'apparat, et les termes que Donneau de Visé emploie constamment le montrent: la première mention de la salle de l'Académie de Villefranche nous la dépeignait comme «l'une des plus magnifiques & des plus spacieuses de tout le Païs»[35]. Dans cette même relation de 1680, le gazetier poursuit en expliquant que les Académiciens «tous en habits de cerémonie»,

> sortirent d'une Bibliotheque qui est proche de cette grande Salle, & se placerent sur des Fauteüils le long d'une Table, couverte de riches Tapis de Turquie[36].

L'adjectif «riche» se retrouve en 1681, à propos d'autres éléments de l'ameublement: «Cette Salle estoit parée de Meubles tres riches»[37]. On notera ici la combinaison des deux déterminants «parée» et «tres riches». La table est recouverte avec le même luxe et la pièce ornée d'une tapisserie:

> Les Académiciens estant sortis de leur Bibliothèque, allerent prendre leurs Places le long d'une grande Table couverte d'un tres-beau Tapis de Perse. La Salle estoit tendüe d'une riche Tapisserie[38].

*Magnifique, riche*: les termes dénotant la richesse sont nombreux. Les composantes de la décoration ne varient guère: tapis sur la table, tapisserie au mur. Les tapisseries murales jouent souvent un rôle dans la solennisation du lieu. Lorsque le P. de La Baune prononce, en 1684, son panégyrique du Parlement de Paris, la salle est décorée de tapisseries fleurdelysées, une nouvelle allusion symbolique à la Compagnie qui est à la fois le sujet et le destinataire du discours. Et ce dernier exemple

---

35 Voir *supra*, p. 196.

36 Septembre 1680, p. 254.

37 Octobre 1681, p. 18.

38 *Ibid.*

permet précisément de mieux comprendre ce que je veux dire par une décoration spécifique. Le luxe ne suffit pas, en effet, à créer le contexte nécessaire. Les lieux, même riches d'eux-mêmes, sont ornés spécialement pour les cérémonies académiques. La cérémonie organisée par l'Académie d'Arles dans le cadre des réjouissances pour la guérison du Roi, en 1687, le montrera très clairement. En tant qu'institution, l'Académie Royale d'Arles se doit d'autant plus de manifester publiquement sa joie qu'elle est, précisément, académie *royale*. Le compte rendu du *Mercure* aide, par son détail, à saisir la différence qui existe entre richesse ou luxe d'un lieu et solennisation spécifique:

> On convint qu'elle se feroit [la séance] le 8. de Fevrier dans la Chapelle des Penitens gris, qui est l'endroit que ces Messieurs ont toujours choisi pour leurs Assemblées publiques, comme le plus convenable & le plus avantageux, par sa naturelle disposition, & par la magnificence de ses ornemens[39].

Dans son état habituel, la chapelle est déjà remarquable par la «magnificence de ses ornemens». Or, cette magnificence ordinaire, si l'on peut dire, ne suffira pas à l'Académie pour la cérémonie qu'elle veut organiser. A la richesse, dont le *Mercure* donne un aperçu, il faudra ajouter quelque chose qui soit propre à l'occasion:

> Mais quoy que ce lieu parust si favorable au dessein qu'ils avoient pris, tant par sa vaste étenduë, que par la richesse de ses peintures & de ses dorures qui l'embellissent depuis le haut de la voûte jusques au bas, Mrs de l'Academie prirent encore un soin particulier de l'orner magnifiquement & prierent Mr Giffon, l'un de leurs Confreres, de se charger de cette conduite[40].

Peintures et dorures décorent déjà l'endroit. Mais les académiciens veulent ajouter une magnificence qui soit propre à *cette* occasion, et non à la chapelle des pénitents gris. Malgré sa longueur, il vaut la peine de rapporter ici l'ensemble de la description du lieu finalement élaboré, car il réunit les éléments matériels et symboliques caractéristiques de la pompe souvent associée à l'éloquence d'apparat (métaux précieux, illuminations, portraits, riches tissus...):

> On avoit orné l'Autel de cette Eglise d'une si grande quantité d'argenterie, que tout le plat-fonds aussi-bien que le Tabernacle, les Pilastres & les Gradins en étoient remplis, & d'une infinité de bougies qui en relevoient l'éclat, & faisoient une illumination réflechie de tous costez, par l'opposition de quantité de Miroirs & de Lustres qui produisoient un effet admirable. Des Vases de Cristal et de Porcelaine remplis de

---

[39] Mars 1687, p. 68.

[40] *Ibid.*, p. 68-69.

> bougies occupoient les entre-deux des Pilastres, & le haut des Corniches, où l'on voyoit aussi quantité de bougies allumées. Un grand portrait de Sa Majesté de la main de Mr Mignard, estoit au milieu de la Chapelle sous un Dais magnifique de velours bleu, tout parsemé de Fleurs de Lys d'or en relief. A l'opposite de ce Portrait on avoit disposé un Bureau pour le Directeur de l'Académie, qui devoit prononcer un Discours sur cette ceremonie, & des deux costez estoient des fauteüils pour les Académiciens[41].

Les académiciens ont donc recherché la splendeur, à tous les sens du mot. Les illuminations, soutenues des miroirs et des vases de cristal, apportent l'éclat propre aux grandes cérémonies. Les numéros du *Mercure* du printemps 1687 offrent de multiples exemples d'églises ainsi illuminées. Les illuminations sont d'ailleurs également un élément important des cérémonies publiques qui se déroulent à l'extérieur. Splendeur aussi par le caractère précieux des matières utilisées (argent, cristal, porcelaine, riches tissus, broderies). Mais le luxe des matériaux n'est qu'un instrument dans une stratégie qui, à l'éclat, allie une pertinence symbolique. Si le directeur de l'Académie doit prononcer un discours sur *cette* cérémonie, le cadre doit y correspondre. De fait, la présence d'un portrait du Roi indique clairement à quel personnage la cérémonie est consacrée et sous les auspices de qui elle va se dérouler: l'Académie royale marque ainsi le patronage éminent du Roi et sa place centrale dans ce contexte précis. Le dais complète la mise en place du portrait. Pour les couleurs, ce sont celles de la monarchie française, les fleurs de lys sur fond bleu, comme au Parlement. Si le décor est grandiose – et comment pourrait-il en être autrement quand on se propose de glorifier le Roi? – il est spécifiquement prévu pour la cérémonie où l'on célèbrera par le discours la guérison du Roi. Le lieu solennisé n'est pas seulement un lieu luxueux. C'est un endroit «paré» pour une pratique oratoire donnée, pour une fonction rituelle particulière.

## 2. **L'auditoire**

A la décoration, qui combine ainsi luxe matériel et profondeur symbolique, il faut ajouter le public, autre élément déterminant de l'éloquence d'apparat. C'est devant lui et pour lui que se célébrera le rituel de la séance académique extraordinaire. Les invitations jouent un grand rôle, puisqu'elles placent certains auditeurs dans la position de destinataires privilégiés. Ces invitations s'adressent en général à des personnalités de haut rang social ou qui exercent de hautes fonctions. Elles concernent encore les membres d'un corps ou d'une compagnie plus ou

---

41 *Ibid.*, p. 70-72. J'abrégerai souvent ainsi mes références au *Mercure*.

moins prestigieuse: pour garder l'exemple que j'ai déjà utilisé, le P. de La Baune *vient inviter les membres du Parlement* à entendre le panégyrique qu'il doit prononcer. L'année précédente, en 1683, c'est l'Académie française qu'il était venu inviter à entendre le panégyrique du Roi qu'il devait faire.

En 1680, l'Académie de Villefranche s'assure, comme on l'a vu, un public choisi en procédant à des invitations: «Ceux qui la composent avoient fait inviter quelque temps auparavant, tout ce qu'il y a de Personnes de qualité & de sçavoir dans la Ville, & dans tout le voisinage». Les deux termes «qualité» et «sçavoir» recouvrent les qualifications des élites, qui, en province, sont relativement étroites. Mais, d'une manière générale, les élites n'ont pas à être invitées individuellement. Ce sont les personnes de haut rang ou qui représentent l'administration royale qui font l'objet d'invitations spécifiques. La présence de l'intendant d'Ormesson et la manière dont l'Académie a député deux de ses membres pour l'inviter la veille de la cérémonie marquent bien l'importance que les académiciens accordaient à la participation des dignitaires (qu'ils appartinssent à l'administration, à l'Église, ou simplement à la grande noblesse) et, par conséquent, la nécessité, pour l'historien de la culture, d'en tenir compte dans la définition des pratiques oratoires[42].

Lorsqu'on examine la manière dont le *Mercure* présente les séances publiques, on remarque deux types de considérations: d'une part, celles qui concernent l'affluence et la qualité des spectateurs; d'autre part, celles qui soulignent la présence des compagnies et corps locaux. L'auditoire n'est pas seulement composé d'individus représentant l'élite

---

42 Voici la présentation qu'en donne le *Mercure*:

> Son grand zele pour le service du Roy & du Public, l'ayant porté à se rendre dans les principales Villes du Gouvernement, pour y estre informé de la conduite de ceux qui en sont les Officiers & les Administrateurs publics, il arriva le 24. Aoust à Villefranche. Si tost qu'il fut descendu en son Logis, l'Academie luy deputa deux Personnes de son Corps, avec Mr Bessie du Peloux qui en est le Secretaire qui luy dit au nom de la Compagnie, *Que la profession particuliere de l'Academie, estant d'honorer la vertu des Grands Hommes, & de consacrer dans le Temps par des Ouvrages leur memoire à l'Immortalité, ils ne pouvoient voir naistre de plus dignes sujets de ces nobles exercices, ny de plus conformes à leurs desirs, que ceux que la belle & sage conduite de cet Intendant leur fournissoit*. . . .

Ce n'est que le début d'un véritable compliment, qui combine l'éloge du Roi et celui de l'Intendant, et ce n'est qu'après ce préambule que les députés invitent d'Ormesson, à la séance du lendemain:

> M. L'Intendant répondit aux Députez d'une si obligeante maniere, qu'ils se crurent autorisez à l'inviter d'honorer de sa présence les Entretiens de l'Academie qui devoient estre publics le lendemain, ce qu'il leur accorda (octobre 1682, 2e partie, p. 79-82).

sociale et intellectuelle de la région: à travers les individus, ce sont les institutions qui forment le public. Les réjouissances que l'Académie Royale d'Arles organise pour la guérison du Roi donnent une bonne idée de l'affluence et de la nature de l'auditoire:

> Il seroit difficile de representer quel fut le concours de toutes les personnes de qualité, des sçavans de tous les ordres & de tous les Curieux de la Ville. Mr le Coadjuteur d'Arles que l'Academie avoit invité à cette feste par une déptation particuliere, y vint en Camail & Rochet, accompagné de tous les Corps de son Chapitre. Mrs les Consuls, dont le premier est un des plus dignes membres de l'Academie Royale, s'y rendirent aussi, avec une si grande affluence de Noblesse, qu'il fut impossible d'empescher que la pluspart des Gentilhommes les plus qualifiez ne demeurassent sans sieges, quelque soins (*sic*) qu'on eust pris d'en reserver. Toutes les Dames du plus haut rang s'y montrerent avec leurs plus riches parures[43].

Ce texte rassemble tous les éléments que j'ai isolés comme caractéristiques du public de l'éloquence d'apparat académique. L'invitation par des députés de Grignan, coadjuteur, illustre l'importance des hauts dignitaires. Il vient d'ailleurs en costume de cérémonie, ce qui ajoute à la solennité de sa présence. Il représente la tête du diocèse. «Personnes de qualité», «sçavans de tous les Ordres», «Curieux de la Ville» constituent une élite hétérogène où naissance, culture et intérêt coexistent comme titres de reconnaissance. Mais la noblesse fournit un grand nombre d'auditeurs parmi ses représentants les plus considérables («Gentilhommes les plus qualifiez»). Public nombreux, élite locale: voilà donc les premières caractéristiques de l'auditoire. Ni la noblesse, ni la hiérarchie ecclésiastique n'hésitent à se faire voir.

En fait, les séances extraordinaires rassemblent les ordres et les professions et regroupent les différentes institutions locales, d'une manière beaucoup plus nette qu'à Paris. Ces cérémonies représentent donc des temps forts de la vie locale. Le compte rendu que je viens de citer montre bien comment les corps s'y retrouvent côte à côte et contribuent à faire de ce genre de réunions le point de convergence des milieux dirigeants de la province. Il est très significatif de lire que le coadjuteur d'Arles, invité par l'Académie de la ville, est venu assister aux réjouissances en grande tenue, et plus encore de découvrir qu'il était «accompagné de tous les Corps de son Chapitre». C'est l'Église, comme institution, qui se rend ici à l'invitation de l'Académie. Elle n'est d'ailleurs pas la seule à être présente, puisque les consuls y viennent, et, si l'un

[43] Mars 1683, p. 72-73. Une date suivie d'une pagination renvoie toujours au *Mercure*.

d'eux est loué par le gazetier comme académicien, c'est comme corps qu'ils sont présents. On voit apparaître un phénomène essentiel à la structure des milieux dirigeants de province: l'appartenance multi-institutionnelle, qui jouera un rôle important dans toutes ces analyses. Si les séances extraordinaires rassemblent les élites, le *Mercure* présente souvent celles-ci par le biais de listes des corps présents parmi l'auditoire. Les membres de l'Académie Royale d'Arles fêtent-ils la naissance du Duc de Bourgogne par une séance publique?

> Mr de Grignan Archevesque, Mr le Coadjuteur son Frere, Mrs du Chapitre, & Mrs les Consuls Gouverneurs de la Ville, y assisterent, avec un grand nombre de Personnes de qualité[44].

La présence des corps n'est pas fortuite. Le cas de Villefranche permet de saisir mieux encore l'inscription des cérémonies académiques dans la vie provinciale. La présentation du public est faite par Donneau de Visé en fonction d'une appartenance institutionnelle:

> A deux heures apres midy, tous les Corps de Ville se rendirent dans la Salle dont je vous viens de parler. Le Bailliage, l'Election, les Echevins, la Prevoste, les Corps Ecclesiastiques, & les Réguliers, y prirent les Places qui leur estoient *destinées*[45].

Non seulement les corps sont présents, mais leurs places sont marquées. La séance est prévue ainsi. On ne peut pas éviter un rapprochement entre un tel rituel et le passage d'un grand dans une localité de province, ou même l'arrivée de Bossuet dans son diocèse, qui occasionne des compliments successifs de tous les corps, en une liste qui rappelle celle des institutions qui assistent aux réjouissances académiques[46]. La liste de 1681 n'est qu'une variante[47], mais on peut souligner la remarque: «aprés que toutes les Compagnies eurent pris leurs places selon leur rang»[48], qui indique que l'organisation de l'espace prévu pour l'auditoire reproduit la hiérarchie institutionnelle. Tout semble donc déterminé par l'appartenance institutionnelle, jusqu'aux places. L'existence de places marquées pour les compagnies suggère une forme d'obligation de présence. Non seulement les séances solennelles des académies rentrent dans le cadre de la vie officielle locale, mais elles en reproduisent encore la structure. Le cas de Villefranche apparaît bien comme un

---

44 Novembre 1682, p. 291.

45 Septembre 1680, p. 254-255 (mes italiques).

46 Voir l'analyse de l'entrée de Bossuet à Meaux, troisième partie, p. 587 sq.

47 «Tous les Corps de Ville, le Bailliage, l'Election, la Presvosté, les Communautez Ecclésiastiques & Régulieres, la Noblesse du Voisinage, & un fort grand nombre de Dames qualifiées.» (oct. 1681, p. 17-18)

48 *Ibid.* p. 20.

cas-limite, puisque la sortie des académiciens de leur bibliothèque leur permet d'apparaître eux-mêmes comme un groupe unifié devant d'autres groupes solidaires:

> A trois heures après midy, les Academiciens en Corps se rendirent dans la Salle de Mr Bessie du Peloux, Secretaire perpetuel de l'Academie[49].

Or, si l'on se reporte aux comptes rendus de 1680, 1681 et 1682, on se rend compte que, pour se rendre en corps dans la salle de cérémonie, les académiciens n'ont qu'à sortir de leur bibliothèque. Cette perception de l'unité institutionnelle de la Compagnie est préparée par le fait qu'elle a fait chanter une messe solennelle le matin et renforcée par la disposition de la salle, puisque seuls les académiciens vont prendre place sur les deux côtés de la grande table couverte de riches tapis.

La définition des assemblées académiques ouvertes au public comme rencontres des institutions locales est, à coup sûr, un élément fondamental dans l'évaluation des pratiques oratoires qui s'y déroulent. On se rappellera d'ailleurs que les orateurs n'ont pas l'initiative du discours, mais que, dans la logique de la contrainte institutionnelle, l'Académie leur demande de parler sur un sujet donné.

Si l'on revient à la description des réjouissances organisées par l'Académie d'Arles pour la guérison du Roi, on doit relever un élément qui reparaît constamment dans les comptes rendus: la présence des femmes. A Arles, en 1687, «[t]outes les Dames du plus haut rang [se] montrerent avec leurs plus riches parures». Toutes les relations soulignent ainsi la place du public féminin dans les manifestations provinciales. Sur ce point, les académies provinciales sont bien en avance sur l'Académie française[50]. Le récit de la séance inaugurale de l'Académie d'Angers le montre bien, puisque, après avoir noté:

> Un très grand nombre de personnes remarquables, non seulement de la ville et de la province, mais aussi des provinces voisines, que l'éclat de cette fête avait attirées, se trouvèrent dans la grande salle de l'hôtel-deville,

et avoir décrit la salle, le narrateur précise:

---

[49] Septembre 1686, p. 57-58.

[50] On note pour la première fois un public féminin à l'Académie française pour la réception de M. de Chamillart, évêque de Senlis, le 23 septembre 1702. Voir les *Registres de l'Académie française*, t. I, p. 412, n. 1. Pour la première séance publique de l'Académie des Sciences enfin transférée au Louvre en 1699, il y avait des femmes, dans des tribunes fermées (voir *Mercure*, mai 1699, p. 4).

> On voyait . . . un très grand nombre de Dames qui semblaient partager avec l'Académie l'honneur de cette fête entre l'esprit et la beauté[51].

Le public féminin contribue à l'éclat et à la solennité des cérémonies académiques. L'insistance sur la parure des femmes la fait apparaître comme une composante de la grandeur et du faste de la célébration. C'est encore l'Académie de Villefranche qui fournit le plus d'exemples. En 1680,

> il y eut mesme grand nombre de Dames, qui y vinrent dans une tres-grande parure, avec plusieurs Gentilhommes[52].

En 1681, Donneau de Visé parle d'un «fort grand nombre de Dames qualifiées»[53], et en 1686, il écrit, plus fortement:

> La Salle estoit remplie d'un grand nombre de personnes sçavantes, & de la premiere qualité. Les Dames y vinrent dans une grande parure, & avec une propreté extraordinaire[54].

Cette dernière énumération des catégories qui composent le public donne une division nouvelle des élites: les hommes de savoir, les gens de qualité et les femmes. Celles-ci participent d'ailleurs à la vie académique, grâce aux prix que les académies distribuaient. Le public féminin a donc un «intérêt» personnel en assistant à certaines séances, d'après le gazetier:

> Il y avoit des sieges pour les Dames qui avoient quelque interest d'assister à cette action, quelques-unes ayant envoyé leurs Discours, & pour toutes les personnes de qualité & de merite qui s'y trouverent en grand nombre, avec tout ce qu'il y a de plus sçavant & de plus poli dans cette grande Ville [Toulouse][55].

Non seulement les femmes écrivent des pièces de prose ou de poésie qui sont souvent primées par les académies, l'Académie française aussi bien que ses émules de province[56], mais elles forment aussi, en province

---

51 Uzureau, «Séance d'inauguration», *loc. cit.*, p. 27-28.

52 *Mercure*, septembre 1680, p. 255.

53 Octobre 1681, p. 18.

54 Septembre 1686, p. 56.

55 Toulouse, remise du prix de prose, *Mercure*, juillet 1694, p. 257. On retrouve dans ce texte la division des élites entre les «Dames», les gens de «qualité et de merite» et «ce qu'il y a de plus sçavant & de plus poli». Les femmes représentent le bon usage *naturel* en matière de lettres et la culture mondaine; les gens de qualité et de mérite, l'élite sociale. Les savants forment l'élite de l'érudition qui complète celle de l'aisance mondaine.

56 La place des femmes dans la République des Lettres est un sujet de disputes académiques. Guyonnet de Vertron se pose en défenseur du droit des femmes à la reconnaissance littéraire. Dans son ouvrage, *La Nouvelle Pandore* (Paris: Vve C. Hazuel, 1698,

seulement, à cette époque, une composante du public qui rend la circonstance solennelle et festive.

Les auditoires peuvent se définir sur des critères socio-sexuels, qui permettent de classer les participants en diverses catégories (gens de mérite et de qualité – deux modalités de la situation sociale, innée ou acquise –; savants; femmes) dont la réunion forme ce public nombreux et choisi qui convient à la solennité de l'occasion et la renforce. Il faut ajouter à cette liste les hauts dignitaires, qu'on invite tout spécialement. Mais ces derniers introduisent l'autre dimension du public des pratiques oratoires académiques provinciales, qui n'est plus seulement sociale, mais plus précisément institutionnelle. Les corps et les compagnies ont leurs sièges réservés; ils viennent par ordre d'importance tenir leur place dans le rituel qui se célèbre en respectant toutes les formes de la vie locale. Les académies de province constituent un moyen d'approche de la vie institutionnelle d'autant plus intéressant qu'elles montrent que les différentes institutions ne sont pas séparées par des cloisons parfaitement étanches. Les académiciens appartiennent, on le verra, à d'autres corps. En 1686, à Villefranche, l'assemblée entend un poème latin de la main de Dubost, président en l'élection. Mignot de Bussy est lieutenant général du bailliage de la province. De La Roche, orateur en 1682, est avocat du Roy au bailliage et Valossières, autre orateur de la même année, avocat au Parlement. L'Académie de Villefranche et, par extension, les académies de province sont des institutions autonomes, qui ont leurs rituels, au cours desquels elles manifestent leur unité. Mais elles sont aussi comme l'intersection de toutes les autres institutions auxquelles leurs membres appartiennent individuellement. C'est pour cela aussi qu'on voit à ce point les compagnies assister à ces rituels, l'appartenance bi-institutionnelle ou multi-institutionnelle créant un réseau qui connecte les divers corps et compagnies entre eux. C'est un phénomène qui joue un rôle très important, non seulement en ce qui concerne le public des séances académiques, mais aussi dans la pratique oratoire des académiciens. Le mouvement académique trouve là l'un de ses traits les plus remarquables, dont les conséquences se font sentir dans la nature du public, dans la définition du notable-orateur pour lequel les impératifs oratoires se multiplient et jusque dans les choix stylistiques des orateurs.

---

2 vol.), il publie un discours de Madame d'Encausse «Sur la Moderation du Roy» et un autre de Madame de Pringy «A la gloire de Monseigneur le Dauphin». Cette dernière a eu plusieurs fois les honneurs de la publication dans le *Mercure* et la Bibliothèque nationale possède un exemplaire d'un recueil manuscrit de quelques-uns de ses discours sous le titre: *Pieces d'Eloquence à la gloire de Louis le Grand* (anc.fr. 2216).

La division du public entre individus de mérite ou de qualité d'une part, gens en vue qui viennent pour se faire voir ou attirés par la perspective d'une belle cérémonie et l'espoir de discours réussis, et membres des corps et compagnies d'autre part, dont les places sont réservées et qui sont présents parce que l'institution à laquelle ils appartiennent ne saurait manquer d'assister à une cérémonie où l'élite locale se rassemble et doit marquer sa présence dans le tissu social urbain, souligne encore la double caractéristique de l'auditoire de l'éloquence d'apparat. Si une partie du public peut y assister de façon libre, bien des auditeurs sont là aussi *parce que leur fonction les y oblige,* et cela beaucoup plus nettement qu'à Paris. Cela ne veut pas dire, naturellement, que la contrainte institutionnelle et le goût des cérémonies ne peuvent coexister chez les notables provinciaux, comme nous verrons qu'impératif oratoire et plaisir de la parole coïncident chez les orateurs. Mais cela signifie que, pour un auditoire si sensible aux formes, et dont la présence est, pour une part du moins, liée à des fonctions occupées, la réussite du discours dépendra beaucoup de son respect de certaines «convenances», de sa capacité de combler des attentes elles-mêmes presque ritualisées. Les orateurs devront toucher à la fois un public constitué de divers représentants de l'élite locale, aux qualifications diverses, et les compagnies et les corps locaux.

### 3. **Les orateurs**

Le cadre solennel et la présence d'un public dont les caractéristiques viennent d'être analysées contribuent donc à créer les conditions propres au discours d'apparat. Mais celui-ci est lié, comme l'exploration des pratiques oratoires de l'Académie française l'a montré, à un devoir de la parole. Élément d'un rituel, le discours est, comme la décoration, réglementé, plus encore dans les compagnies provinciales qu'à Paris. La compagnie qui siège au Louvre a formulé empiriquement cet impératif. Un geste individuel, celui de Patru, qui parlait bien en public et aimait parler, est à l'origine de la tradition oratoire des réceptions. Les académies de province, elles, inscrivent le discours dans leurs règlements. On l'a vu pour Angers, on l'a vu également pour Soissons. Dans les réceptions, la prononciation de discours est clairement associée à la position qu'on occupe dans la compagnie: récipiendaire ou officier présidant la cérémonie de réception. Les académies multiplient même parfois statutairement les occasions de discours et les devoirs oratoires qui en découlent: c'est ce qui se passe à Angers, avec les éloges d'académiciens défunts, tant en vers qu'en prose (aucun substitut n'étant possible pour l'éloge en prose, alors que l'éloge en vers peut être remplacé par tout ouvrage à la louange du défunt). L'indication qu'un discours doit être prononcé est importante, mais il faut surtout noter que cette règle entraîne la désignation d'orateurs: «deux de la compagnie seront choisis»[57].

Les académies, une fois qu'elles sont créées, s'inscrivent dans la vie locale. Elles ont le même devoir oratoire que tous les corps et compagnies. Cela implique qu'elles chargent un de leurs membres du soin de faire un discours: l'orateur est ainsi désigné par l'institution qu'il représente. Sans que l'on connaisse toujours le processus de désignation des orateurs, il est clair qu'ils sont nommés par l'académie à laquelle ils appartiennent pour la représenter. Encore une fois, la prise de parole est moins l'effet d'une décision individuelle que du choix des pairs, comme corps. La parole est alors une charge que l'on confie à un individu, lequel doit s'en acquitter au mieux de ses capacités et pour le plus grand honneur de la compagnie. On trouve précisément les termes «chargé (de la parole)» et «s'acquitter» dans la présentation d'un compliment que l'Académie de Villefranche adresse à l'archevêque de Lyon son protecteur. En recevant ce compliment, l'Archevêque consacre l'intégration de l'Académie dans la vie officielle locale:

> Comme tous les ans à son retour de la Cour, il reçoit les Complimens de tous les Corps des Villes de la dépendance de Lyon, il a agréé la députation de ces Messieurs au nom de leur nouvelle Assemblée, en sa belle Maison de Neuville, & a répondu fort obligeamment à Mr de la Fons, qui *estant chargé de la parole, s'en acquita en ces termes*[58].

C'est, naturellement, le directeur qui a, par sa fonction même, la responsabilité la plus lourde en matière d'éloquence. On lit régulièrement des formules telles que «le directeur fit l'ouverture», selon un rite qui rappelle celui de l'Académie des Sciences[59]. Ce ne sont pas seulement les séances sur un sujet exceptionnel, comme les réjouissances pour la naissance du duc de Bourgogne, qui obligent le directeur à faire un discours d'ouverture. Lorsque le président de Montmiral de Lubieres et

---

[57] «Séance d'inauguration», *loc. cit.*, p. 62.

[58] *Mercure*, juillet 1680, p. 30 (mes italiques).

[59] Lorsque l'Académie des Sciences fut transférée de la Bibliothèque royale au Louvre, elle tint sa première séance publique. Le *Mercure*, fidèle à sa politique de circulation des événements culturels et mondains, fait le compte rendu de la séance, dans son numéro de mai 1699:

> Ce lieu tout vaste qu'il estoit se trouva entierement rempli de spectateurs, & même il y avoit en haut des tribunes fermées de jalousies, où se mirent un petit nombre de Dames à qui il appartenoit d'être curieuses d'un spectacle qui auroit si peu touché toutes les autres. M. l'Abbé Bignon, nommé par le Roy pour estre President de cette Academie, *ouvrit la seance* (p. 4; mes italiques).

Faure-Fondamente furent reçus à l'Académie royale d'Arles, en qualité d'externes, les discours sont précédés de la lecture des statuts et du serment des nouveaux académiciens. Il faut alors que le directeur ouvre la séance:

> Mr de Beaumont qui se trouva Directeur, fit l'ouverture de l'Académie par un Discours si plein d'érudition & d'éloquence, qu'il charma tous ceux qui eurent le plaisir de l'écouter[60].

Il est vrai que, dans ce cas, le discours d'ouverture semble remplacer le discours de réponse que l'on trouve à l'Académie française, puisque le *Mercure* ne fait mention d'aucun discours après ceux des récipiendaires. Mais l'exemple d'Arles suggère que les principales fonctions du directeur sont précisément d'ordre oratoire, puisque le premier soin d'un nouveau directeur sera de créer les conditions nécessaires à l'éloquence et de s'acquitter du devoir oratoire ainsi établi. La séance précédente se termine sur l'élection d'un nouveau Directeur.

> Le sort tomba sur Mr d'Urbaye-Vachieres, qui ne songea plus *qu'à bien remplir son Employ. Il en commença les fonctions* le jeudy 9. de ce Mois, dans l'Assemblée la plus nombreuse qu'on eust veuë depuis longtemps. Ce fut un concours extraordinaire de Gens de mérite & de qualité, à qui l'Académie trouva bon de donner entrée sans consequence. Il fit l'ouverture de cette Séance par un discours si digne de luy, soit pour la force du raisonnement, soit pour le choix des termes & des pensées, soit pour la maniere de le prononcer, que ce ne furent qu'acclamations de toutes parts[61].

On notera l'élément caractéristique du contexte de l'apparat: abondance et qualité du public, dont les réactions positives sont la preuve de la réussite du discours et confirment sa qualité intrinsèque. Même si la séance n'est publique que par raccroc, si j'ose dire, elle donne au nouveau directeur le terrain necéssaire pour faire la preuve de son éloquence. Les choix lexicaux du gazetier («bien remplir son Employ», «commença ses fonctions»), qui raconte finalement: «Il fit l'ouverture de cette Séance» et fait l'éloge des qualités oratoires de M. d'Urbaye-Vachières, renforcent l'impression que la prise de parole est le premier, voire le principal devoir du directeur[62]. L'Académie d'Arles semble d'ailleurs demander une lourde contribution à ses directeurs en matière de discours. Lors des réjouissances qu'elle organise pour célébrer la

60 Janvier 1681, p. 223.

61 *Ibid.*, p. 225-227; mes italiques.

62 Les confrères d'Urbaye-Vachières doivent être sensibles à cette éloquence dont Donneau de Visé fait un si grand cas, puisque le même orateur prononce le panégyrique du Roi lors des réjouissances pour la naissance du duc de Bourgogne.

naissance du duc de Bourgogne, M. de Sabatier, alors directeur, fait l'ouverture de la séance. Le *Mercure* précise, après avoir présenté le déroulement de la cérémonie: «L'Assemblée finit par un Discours que fit encore le Directeur»[63].

Mais le directeur ne reçoit pas seul toute la charge de l'éloquence. L'Académie de Villefranche, pour célébrer la Saint-Louis, fête de son patron, nomme des orateurs et leur propose un sujet. En 1680, le directeur figure parmi les orateurs choisis:

> Trois d'entr'eux, sçavoir M^r^ Terrasson Directeur, M^r^ Bessie du Peloux Secretaire, & M^r^ Mignot de Bussy, Lieutenant General du Bailliage de la Province, discoururent sur le Sujet que l'Académie leur avoit donné[64].

Mais ce n'est pas une règle. Le trio d'orateurs peut ne pas comprendre le directeur. Le compte rendu de la Saint-Louis 1681 à l'Académie de Villefranche rend encore plus explicite la délégation de la parole que fait la Compagnie à quelques-uns de ses membres qui doivent ainsi assumer le devoir oratoire et s'en acquitter:

> Les Eloges de son Altesse Royale Mademoiselle d'Orléans . . . avoient esté donnez pour Sujet par les Académiciens à ceux de leur Compagnie qui devoient faire des Discours publics[65].

Le devoir oratoire incombe à l'Académie tout entière, qui ne fait que le déléguer à un de ses membres, quel que soit le mode de désignation des orateurs. A Angers, outre les discours de réception et leurs réponses, ainsi que les éloges d'académiciens morts, on trouve une pratique oratoire régulière, le panégyrique du Roi. C'est le corps de ville qui avait demandé qu'un membre de l'Académie, qu'elle devait choisir, fît un tel discours, à la première assemblée de mai, chaque année. Le discours devait être à l'éloge du Roi et à l'honneur de la province d'Anjou. Le corps de ville se faisait ainsi remercier pour la salle qu'il avait donnée à l'Académie et pour le fonds qu'il lui allouait chaque année[66].

Devoir parler n'empêche pas d'aimer parler. Il est clair que certains des académiciens ainsi confrontés à l'impératif oratoire sont tout disposés à s'y soumettre. Cette rencontre ou plutôt cette coïncidence entre

---

[63] Novembre 1682, p. 242.

[64] Septembre 1680, p. 266.

[65] Octobre 1681, p. 18-19.

[66] Voir Uzureau, «Ancienne Académie d'Angers», *Mém. de la Soc. nat. d'agric. sciences et arts d'Angers*, 1901. «Travaux de l'Académie», p. 292 sq. On trouve là la liste des Orateurs. On voit qu'entre 1687 et 1701, l'Académie choisit chaque année un orateur différent.

l'obligation de prendre la parole et le plaisir du discours est un phénomène dont j'ai donné l'exemple à l'Académie française, où un Charpentier devançait même, si je puis dire, l'appel en régalant l'assistance du compliment au Roi qu'il prononcerait si la circonstance lui en faisait un devoir! L'Académie d'Arles peut aussi se flatter de compter parmi ses membres un discoureur impénitent, et surtout insistant. Guyonnet de Vertron, reçu en 1680, intrigue en effet pour être nommé député de l'Académie d'Arles, pour haranguer en son nom la Dauphine. Elle ne reçut pas de compliments. Vertron fit cependant insérer le sien dans le *Mercure*[67]. Quant à l'Académie de Soissons, elle compte, elle aussi, parmi ses membres, un orateur assez prolixe pour avoir pu recueillir ses discours en un volume intitulé: *Discours et harangues de M. Hébert*[68]. Au nom de l'Académie de Soissons, comme au nom de plusieurs autres institutions de la ville, il fut un intarissable producteur d'éloquence, remplissant sans faiblir un devoir oratoire qui semble s'être multiplié presque à l'infini!

Mais l'exemple d'Hébert est extrêmement utile pour comprendre l'éloquence d'apparat dans ses manifestations provinciales. M. E. Storer, dans son article «Informations Furnished by the *Mercure Galant* on the French Provincial Académies in the Seventeenth Century»[69], mentionne le recueil d'Hébert avec ironie, en soulignant la vanité du discoureur avide de la gloire dérisoire que lui procurera la publication de ses petits compliments et harangues et autres discours. Pour qui s'intéresse aux manifestations de l'éloquence d'apparat, une telle attitude condescendante est sans fondement. Replacé dans la production de la librairie de l'époque, le recueil d'Hébert n'est qu'un volume parmi tant d'autres où se succèdent les exemples de productions oratoires. Les académiciens n'ont pas reculé devant la notion d'un tel recueil. Tallemant le jeune n'avait-il pas publié en 1680 ses *Panégyriques et harangues à la louange du Roy*?[70]

Mais le fait qu'il illustre un courant de la publication à la fin du XVII^e^ siècle ne suffirait pas, il est vrai, à faire du livre d'Hébert un ouvrage

---

[67] Voir *Mercure*, mai 1680, p. 255-262. On trouve à la Bibliothèque nationale un recueil manuscrit présenté par Vertron qui signe l'Épître au Roi. Le titre en est *Louis le Grand ou Le Parfait modelle des Vertus Royales Heroïques*. Ce volume contient des textes d'éloge en italien, en espagnol et en latin, une «Feste du Parnasse», un poème «L'Hercule François ou les Conquestes du Roy» et un dictionnaire des victoires du Roi (anc. fr. 2212).

[68] Soissons: Hanissey, 1699.

[69] *PMLA*, 1935, p. 444-468.

[70] Recueils des diverses académies, *Recueil des harangues prononcées par Messieurs de l'Académie Françoise*, 1698; *Harangues* de Vaumorière; *Recueil de diverses oraisons funèbres*..., entre autres. Le recueil de Tallemant parut chez P. Le Petit.

marquant. Ce qui doit retenir l'attention, c'est la variété des institutions au nom desquelles les discours imprimés ont été prononcés. Trésorier de France, Hébert a porté la parole au nom du Bureau des Finances. Maire de Soissons, il a harangué pour la ville. Académicien, il a pris la parole au nom de l'Académie. Hébert représente ainsi le type de notable de province qui appartient à plusieurs corps et compagnies, type que l'on trouve souvent dans les académies de province. Et, puisque les institutions sont souvent amenées à engendrer de l'éloquence, soit par leur cérémonial propre, soit du fait d'événements extérieurs, comme le passage d'un grand personnage ou les réjouissances publiques décrétées pour une victoire, une naissance ou tout autre fait heureux, leurs membres sont fréquemment invités à mettre en pratique ce qu'ils savent de rhétorique. Les discours académiques sont ainsi souvent le fait de gens qui ont par ailleurs une pratique oratoire variée, ou que leurs fonctions mettent en contact avec des manifestations d'éloquence dans les contextes les plus divers.

L'étude de la composition des académies de province a été menée systématiquement par D. Roche, dans *Le Siècle des Lumières en province*. Il a en particulier examiné l'importance proportionnelle des différents groupes sociaux. Mais, pour saisir les conditions dans lesquelles l'éloquence d'apparat se manifeste en province, il faut comprendre à quel point les individus des élites circulaient au sein de plusieurs institutions. Les académies, qui foisonnent de tels notables, sont ainsi comme les intersections de diverses institutions locales.

Ce phénomène d'appartenance multi-institutionnelle et l'inscription des académies dans un réseau serré, qui en est la conséquence, sont visibles dans le recrutement des académiciens, comme ils sont sensibles dans les discours que les académies ont produits. Dans le discours qu'il prononça pour l'inauguration de l'Académie d'Angers, Gourreau, lui-même conseiller honoraire au présidial et doyen des conseillers et échevins perpétuels du corps de ville, note le rôle que le corps de ville a joué dans l'établissement de l'Académie:

> MM. du corps de ville, qui ont toujours les yeux ouverts sur tout ce qui est avantageux au public, ne lui pouvaient rien procurer qui fût plus utile et plus honorable que ce nouvel établissement[71].

L'appartenance à des corps donne l'occasion de développer les qualités académiques. L'éloge des académiciens fournit en effet au même ora-

[71] «Séances d'inauguration», *Mémoires de la société nationale d'agriculture, sciences et arts d'Angers*, 1903, p. 42-43.

teur l'occasion d'énumérer les cadres institutionnels dans lesquels ils se sont rendus dignes d'appartenir à la compagnie:

> Que ne dirais-je point en cet endroit de la plupart de MM. nos académiciens, de ces parfaits orateurs qui ont paru avec tant d'éclat dans les chaires, dans les tribunaux, à la tête des assemblées du clergé, aux ouvertures du palais, à l'enregistrement de nos lettres au présidial et aux autres actions publiques, de ces auteurs célèbres qui ont donné de saints règlements pour la discipline ecclésiastique, de doctes traités de l'une et de l'autre jurisprudence, des origines et des remarques pour la pureté de notre langue et la langue italienne?[72]

Certes, les orateurs de l'Académie française faisaient aussi, à l'occasion, des énumérations pour classer les académiciens selon leur profession. Mais, en général, il s'agit plutôt pour eux de souligner le rang et la dignité des académiciens en les tournant à l'honneur des lettres. L'exposé de Gourreau, s'il n'est pas tout à fait dénué d'une telle exaltation du rang de certains académiciens, montre surtout à quel point les orateurs sont conscients du fait que leur compagnie réunit des éléments de divers corps. Ce discours, avec sa présentation «institutionnelle» des académiciens, n'est pas un cas isolé. Les autres académies en ont également produit[73]. Le «catalogue» de Gourreau offre l'avantage de lier l'appartenance à l'Académie et l'éloquence institutionnelle. Le terme d'*académiciens* est en effet repris par celui de *parfaits orateurs,* ce qui tend à prouver que la principale qualification de ceux qui ont été choisis pour composer la nouvelle compagnie est d'ordre oratoire. C'est leur éloquence qui leur a ouvert les portes de l'Académie. D'une certaine manière, le siège d'académicien apparaît comme la récompense des talents d'orateur dont on a fait preuve dans d'autres environnements. Pour l'un des orateurs, au moins, l'exemple de sa parfaite éloquence touche à l'Académie: «l'enregistrement de[s lettres de l'Académie] au présidial», c'est l'avocat du Roi, Martineau, nommé parmi les premiers académiciens, qui l'avait requis, comme Pétrineau des Noulis le signale, en mentionnant l'arrêt de vérification au Parlement de Paris et l'enregistrement au présidial d'Angers,

> où M. Martineau, premier avocat du roi dans ce siège, l'un des académiciens, avait porté la parole pour le réquerir avec sa grâce et son éloquence ordinaire[74].

---

[72] On trouvera plus loin le détail des académiciens qui ont appartenu à d'autres institutions. Pour une liste des académiciens d'Angers, voir Uzureau, «Ancienne académie d'Angers», *Mémoires de la société nationale d'agriculture, sciences et arts d'Angers*, 1901, p. 259 sq.

[73] Voir deux exemples (à Arles et à Villefranche), *infra*, p. 249-250.

[74] «Séance d'inauguration», p. 28.

L'Académie doit répondre à un impératif oratoire, elle est le sujet de discours et elle en produit.

Si l'on observe la composition des académies à la fin du XVII^e siècle, on voit que les académiciens sont aussi membres d'institutions judiciaires ou ecclésiastiques, qu'ils occupent diverses fonctions municipales, etc. Ainsi, même si Hébert semble avoir profité de sa triple appartenance à l'Académie, au bureau des finances et à la municipalité pour prononcer un grand nombre de discours, d'autres académiciens de Soissons ont aussi occupé des fonctions administratives ou judiciaires importantes[75]. Antoine Berthemet[76], l'un des fondateurs de l'Académie, était avocat au bailliage et siège présidial de Soissons. Charles Bertherand fut receveur général des gabelles, président et bailli du Comté de Soissons; Delfaut, président au présidial de Soissons, avait exercé les plus hautes magistratures de la ville; Louis de Froidour, admis en 1671 (c'est-à-dire avant l'officialisation de la Compagnie), était lieutenant général du bailliage de la Fère; Jean-Baptiste Guérin, conseiller, puis avocat du Roi au bailliage et siège présidial de Soissons; Etienne Morant, conseiller du Roi, lieutenant criminel au présidial, l'un des fondateurs de l'Académie; François Quinquet, chanoine de l'Église de Soissons, conseiller clerc au présidial. La liste n'est pas exhaustive, mais suffit à montrer l'inscription des académiciens dans un réseau social complexe. La plupart apportent une expérience et des valeurs acquises dans d'autres institutions.

On rencontre le même phénomène à l'Académie d'Arles, même si le recrutement est lié à la condition (les académiciens doivent être gentilshommes, au titre de l'art. 1^er des statuts)[77]. L'abbé de Barême est conseiller au Parlement de Provence, Magnin conseiller au présidial de Mâcon jusqu'en 1686, Nicolas Chorier, avocat au Parlement de Grenoble. L'Académie d'Arles possède un équivalent d'Hébert à Soissons, Jean-Baptiste de Barrême de Manville, qui fait paraître en 1698 un recueil intitulé: *Quelques Discours, plaidoyés et ouvertures de Palais*[78]

---

[75] Les indications qui suivent sont tirées du *Bulletin de la Société historique, archéologique et scientifique de Soissons*, t. XX, 3^e série, 1913-1921, p. 168 sq.

[76] Je reviendrai plus loin sur le «tribut» annuel envoyé à l'Académie française. On peut remarquer cependant que Berthemet et Hébert figurent parmi les auteurs de pièces envoyées (dont certaines furent produites dans un contexte autre que l'Académie).

[77] «L'Académie ne sera composée que de vingt personnes [ce nombre sera porté à trente en 1677] d'eslite et véritables amis (*originaires de la province* et GENTILHOMMES)» (cité par Rancé, *L'Académie d'Arles*, t. I, p. 88).

[78] Avignon: Michel Chastel, 1698. La Bibliothèque municipale de Lyon possède un recueil manuscrit de discours, sous le titre: «Harangues, ouuertures de palais et autres discours prononcés par moy, iean-baptiste Barreme De manuille, aduocat du Roy au siege d'arles. Tome premier», ms. 1162 (1038).

(mais la composition de l'ouvrage est beaucoup plus uniforme que pour celui d'Hébert, puisque le seul discours ne s'inscrivant pas dans le contexte judiciaire est l'éloge funèbre du duc de Saint-Aignan).

L'Académie d'Angers fournit un troisième exemple, extrêmement net, du phénomène d'appartenance multi-institutionnelle. L'existence d'académiciens d'honneur (c'est l'expression de Grandet dans ses *Mémoires*)[79] comme garantie offerte au Roi, qui aurait d'abord eu une réaction négative à la demande des Angevins visant à obtenir des lettres patentes pour une académie de belles-lettres, en est une première marque. Au Roi qui aurait répondu à Grandet venu présenter l'humble requête des Angevins:

> Je sais qu'il y a beaucoup d'esprit en l'Anjou, mais comme c'est un pays de doctrine, il serait à craindre qu'on ne se servît de l'occasion de ces sortes d'assemblées pour faire des désordres[80],

Grandet propose comme solution de choisir des personnalités comme académiciens d'honneur, qui, membres d'office de l'Académie, pourront exercer un prudent contrôle sur ses activités. Ce sont l'évêque, le premier président du présidial, le lieutenant général du présidial, le maire d'Angers, auxquels s'ajoutera presque immédiatement le procureur du Roi au présidial. C'est ainsi dans le principe de sa conception que l'Académie se trouve liée, sinon assujettie, à d'autres institutions: la hiérarchie ecclésiastique, le présidial, le corps de ville. On trouve dans la relation de la séance inaugurale faite par Pétrineau des Noulis une transposition de cette influence:

> ... on voyait ... à la tête d'une aussi belle assemblée, trois hommes qui se sont rendus célèbres: M. l'évêque dans l'Eglise, M. de Nointel [l'intendant] dans la Robe, et M. d'Antichamp dans l'épée[81].

La présence de représentants importants d'autres institutions apparaît donc dans une certaine mesure comme une précaution qui rend l'Académie sûre, donc possible. La présentation de Pétrineau des Noulis suggère d'abord que l'Académie est placée sous la tutelle des deux premiers ordres (le clergé et la noblesse, de robe ou d'épée). Mais la liste des académiciens d'honneur montre bien que la garantie qu'ils présentent est conçue en termes institutionnels. La composition du groupe d'où est partie l'initiative d'une réunion de belles-lettres (des gens

---

[79] Uzureau, «Memoires d'un maire d'Angers. François Grandet, conseiller au présidial», *Anjou historique*, 1900-1901, p. 264-274. Grandet mentionne les académiciens d'honneur au Roi, comme une garantie de la conformité spirituelle et de l'obéissance des académiciens, p. 272.

[80] *Ibid.*, p. 271.

[81] Charles de Beaumont d'Antichamp était lieutenant de Roi des ville et château d'Angers.

comme Gourreau et Grandet, qui appartiennent au corps de ville et au présidial) fait que, dans la pratique, la compagnie a confirmé cette orientation. Il suffit de parcourir la liste des premiers académiciens pour s'en convaincre. Mon but n'est nullement de donner ici l'histoire des fauteuils de l'Académie, comme l'abbé Uzureau le faisait dans son article sur l'ancienne Académie d'Angers[82]. Je proposerai seulement un classement des académiciens de la fin du siècle selon les institutions auxquelles ils appartenaient, ou auxquelles ils se sont rattachés à divers moments de leur carrière.

Académiciens ayant appartenu au présidial
(ou à une institution judiciaire) et au corps de ville

- Jean Verdier, conseiller au présidial, échevin perpétuel, professeur de Droit français (mort en 1689).
- Jacques Gourreau, conseiller au présidial, doyen des échevins perpétuels (mort en 1693).
- Moreau du Plessis, conseiller au présidial, échevin perpétuel (il dut mourir en 1694).
- François Grandet, conseiller au présidial, maire d'Angers, échevin perpétuel.
- Nicolas Cupif de Teildras, conseiller au présidial, maire et échevin perpétuel, élu le 17 juillet 1686, installé le 7 août.
- Nicolas Pétrineau des Noulis, président de la Prévôté, échevin perpétuel.

Académiciens appartenant à une institution judiciaire
et exerçant encore une autre fonction

- Abbé René Héart de Boissimon, conseiller au présidial, chanoine de la cathédrale.
- Claude Pocquet de Livonnière, conseiller au présidial, professeur du Droit français.
- Abbé Henry Arthaud, conseiller au présidial, doyen de la Faculté de Théologie, archidiacre et chanoine de la cathédrale.

---

[82] *Mémoires de la société... d'agriculture, sciences et arts d'Angers*, 1901, p. 259-362. La première partie est consacrée aux académiciens, honoraires, titulaires et associés, la seconde aux travaux lus en séance. Dans l'ensemble, les documents publiés par Uzureau dans differentes revues sont très importants pour l'étude de l'Académie d'Angers.

Académiciens ayant appartenu à une institution judiciaire

- François Boylesve de Goismard, conseiller au présidial, élu le 4 juin 1692.
- Gohin, premier président au présidial.
- Abbé Guy de La Bigotière de Perchambault, conseiller au présidial, mort le 12 juin 1696.
- René de La Bigotière de Perchambault (fils du précédent qui succède à son père), président des enquêtes au Parlement de Bretagne.
- Felix Gabriel Constantin, grand prévôt d'Anjou, élu le 27 novembre 1686, installé le 2 janvier 1687.
- Guinoiseau de la Sauvagère, conseiller au présidial.
- Martineau, avocat du Roi au présidial.
- Jean Frain du Tremblay, conseiller au présidial.
- Germain Nivart, avocat au Parlement.
- Daburon, avocat du Roi au présidial.
- Jacques Bazourdy, avocat du Roi au présidial, élu le 22 décembre 1694, installé le 26 janvier 1695.

Il faut se rappeler en outre ce que j'ai signalé plus haut: le premier président, le lieutenant général et le procureur du Roi étaient, ès qualités, académiciens honoraires (ce dernier à partir du 17 juillet 1686, les autres, dès la fondation).

Académiciens ayant appartenu au corps de ville

- Jacques Charlot, maire et échevin perpétuel d'Angers (il était maire au moment où l'idée d'une académie des belles-lettres commença de se faire jour).
- Germain Arthaud, échevin, élu le 9 décembre 1693, installé le 2 juin 1694.

Le maire d'Angers était, rappelons-le, académicien honoraire.

Outre cela, l'Académie comprenait des professeurs, des docteurs en médecine, le lieutenant du Roi des ville et château d'Angers, l'intendant de la généralité de Tours, un colonel du régiment de Plessis-Bellière, des chanoines, quelques nobles. Sur quarante-neuf académiciens nommés par le Roi et élus avant 1700, six ont appartenu à la fois au corps de ville et à une institution judiciaire; trois ont appartenu à une institution judiciaire et exercé d'autres fonctions; douze ont appartenu à une institution judidiciaire, soit au total vint-et-un ayant appartenu à une institution judiciaire. C'est surtout le présidial, institution locale, qui a fourni des membres, et, si l'on songe que trois de ses membres sont académiciens honoraires, on voit le poids de cette compagnie dans l'Académie. Deux académiciens sont présentés comme ayant appartenu seulement au corps de ville. Ce qui fait au total huit représentants de l'institution municipale. On a donc vingt-trois académiciens ayant appartenu à une institution judiciaire ou au corps de ville, ou aux deux, c'est-à-dire près de la moitié du total. Dans le reste, il faut encore compter les représentants de l'administration, et les membres des institutions religieuses.

L'Académie d'Angers donne bien une idée de ce que pouvait être la répartition des membres d'une académie, non seulement en termes de groupes sociaux, mais en fonction des institutions auxquelles ils appartenaient, avec dans ce cas particulier une sur-représentation des institutions judiciaires et surtout du présidial. Les quelques remarques, moins systématiques, que j'ai faites sur l'Académie d'Arles et sur celle de Soissons, indiquent que le cas d'Angers n'est pas isolé. Il illustre de façon particulièrement frappante le fait qu'en province, l'institution académique est liée aux institutions judiciaires et municipales, un trait qui distingue les compagnies provinciales de belles-lettres de l'Académie française, qui, si elle comprend des membres qui appartiennent à d'autres institutions, ne donne pas l'impression d'être au centre d'un réseau aussi serré. Elle est aussi d'essence plus littéraire. On voit l'influence de l'appartenance multi-institutionnelle sur les séances en constatant que, le 26 mars 1692, par exemple, Daburon fit un discours sur «l'excellence de la profession d'avocat...»

## 4. **Le déroulement des séances publiques**

Entre les registres des compagnies, les relations de séances publiées séparément et le *Mercure galant*, on a une assez bonne idée de ce que pouvait être le cérémonial des académies de province, ce cérémonial essentiel à la production de l'éloquence d'apparat. On peut également reconstituer le «programme» des séances, ce qui permet de se représenter la vie cérémonielle des académies provinciales. Le *Mercure* a sur les registres des compagnies l'avantage d'insister systématiquement sur la solennité, sur les discours et les réactions du public[83]. A titre d'exemples

[83] Mais on trouve dans les registres de la municipalité d'Angers le projet de décoratlin de la grande salle de l'Hôtel de ville pour la séance inaugurale de l'Académie. Voir Uzureau, éd., «Séance d'inauguration (1er juillet 1686)», *Mémoires de la société nationale d'agriculture, sciences et arts d'Angers*, 1903, p. 26, note. Pour la décoration, voir *supra*, p. 200, et n. 29.

et de points de repère pour replacer les discours dans leurs contextes, je présenterai ici un certain nombre de schémas de séances académiques, tels qu'on peut les déduire des relations du *Mercure*, et le déroulement de la séance d'inauguration de l'Académie d'Angers, particulièrement solennelle et suivie d'illuminations et d'autres réjouissances, d'après Pétrineau des Noulis.

A. Arles: réception de deux externes (1681)

Voici le déroulement de la séance organisée pour la réception du président Montmiral de Lubieres et de Faure-Fondamente en qualité d'externes, d'après le *Mercure* de janvier 1681.

- Les deux nouveaux académiciens sont conduits dans la salle d'assemblée.
- On leur fait la lecture des statuts et ils prêtent serment de les observer fidèlement.
- Le Directeur ouvre la séance par un discours (le *Mercure* fait donc de la lecture des statuts et du serment une sorte de prologue).
- Le président de Lubieres prononce un remerciement.
- M. de Faure-Fondamente prononce le sien.
- Comme on est au début de l'an, on tire au sort pour désigner un nouveau directeur[84].

---

[84] *Mercure*, janvier 1681, p. 221-226. Voici le texte complet du passage, qui montre la «procédure» des réceptions, et qui donne en même temps une bonne idée de la manière dont Donneau de Visé rend compte des «actualités académiques»:

> L'estime que cette mesme Académie s'est acquise par les soins continuels qu'elle prend de n'oublier rien, pour repondre aux desseins que Sa Majesté a eus en l'établissant, ayant fait souhaitter à M^r le Président de Montmiral de Lubieres, & à M^r de Faure-Fondamente, d'y estre reçeus en qualité d'externes, on en écrivit à M^r le Duc de Saint-Aignan, & à M^r le Marquis de Robias d'Estoublon, Secretaire perpétuel de la Compagnie, qui estoit alors en Cour. Leur Reception ayant esté résolüe dans les formes ordinaires, ces Messieurs furent conduits dans la Salle où se tenoit l'Assemblée, & apres la lecture des Statuts qui fut faite par M^r Giffon, Secretaire Substitut en l'absence de M^r le Marquis de Robias, & le Serment presté par l'un & par l'autre de les observer de point en point, M^r de Beaumont qui se trouva Directeur, fit l'ouverture de l'Academie par un Discours si plein d'érudition & d'eloquence, qu'il charma tous ceux qui eurent le plaisir de l'écouter. Il fit voir que tous les efforts de l'Antiquité n'avoient rien produit de si grand dans les Armes & dans les Lettres, que ce que nostre auguste Monarque nous fait admirer de jour en jour. Ce Discours fut suivy de celuy de M^r le President de Lubieres. Les pensées nobles & les vives expressions dont il estoit soûtenu, remplirent avec beaucoup d'avantage tout ce qu'on avoit attendu de luy. C'estoit un Remercîment à la Compagnie, de l'honneur qu'il recevoit d'y estre admis. M^r de Faure-Fondamente parla apres luy. C'est ce sublime & sçavant Génie, à qui M^r Pellisson adresse son Histoire de

On voit dans cette séance, comme dans toutes les séances académiques, l'influence de l'Académie française. Si, à Paris, les récipiendaires parlent les premiers, pour laisser au directeur le soin de répondre, dans ce cas-ci, les deux externes prennent la parole après l'officier de la Compagnie (les externes sont des académiciens non-résidents qui sont associés à la Compagnie. Ils jouent un grand rôle dans la diffusion du mouvement académique).

La ressemblance entre le programme des académies de province et celui de l'Académie française est encore plus nette avec l'exemple suivant.

### B. Villefranche-en-Beaujolais: la Saint-Louis 1681

Comme l'Académie française, celle de Villefranche accorde une grande importance à la célébration du jour de la Saint-Louis, puisqu'elle a choisi saint Louis comme patron. Comme pour la compagnie parisienne, la journée se passe en deux temps:

Matin: Grand'Messe chantée, à laquelle les académiciens assistent en habits de cérémonie.

- «Mr Saladin Ecclésiastique» et membre de l'Académie, prononce le panégyrique de saint Louis.

Après-midi: séance publique. L'Académie a donné à ceux qui doivent parler le sujet suivant: les louanges de Mademoiselle d'Orléans.

- M. de La Barmondiere: discours sur ce sujet.
- Mignot de Bussy: «recita une maniere d'Epistre en vers François sur cette mesme matiere»[85].

Matin comme après-midi, l'Académie est régalée de discours prononcés par ses membres: le panégyriste de saint Louis est académicien. Dans ce cas, l'Académie n'invite pas un orateur extérieur à briller à ses yeux. Elle marque sa solidarité institutionnelle en venant écouter un prédicateur tiré de ses rangs qui peut, devant elle aussi bien que devant le monde, faire la preuve de ses talents oratoires.

---

l'Académie Françoise. Il fit connoistre par tout ce qu'il dit, que peu de Personnes possedent aussi parfaitement que luy toutes les délicatesses de nostre Langue. Avant qu'on se séparast, comme c'estoit au commencement de l'année, Mr de Giffon proposa à la Compagnie de proceder, selon l'usage ordinaire, à l'élection d'un nouveau Directeur. Le sort tomba sur M[r] d'Urbaye-Vachieres, qui ne songea plus qu'à bien remplir son Employ.

[85] *Mercure*, octobre 1681, p. 16-20

### C. Arles: réjouissances pour la naissance du duc de Bourgogne

C'est une séance qui correspond à la contribution spécifique de l'Académie d'Arles aux réjouissances publiques. On pourra noter ici encore la similitude entre le déroulement de cette séance et le cérémonial de l'Académie française, en particulier si l'on songe à une séance comme celle du 27 janvier 1687, pour célébrer la guérison du Roi:

- Le Directeur ouvre la séance par un discours.
- M. d'Urbaye de Vacheres: panégyrique du Roi.
- Pièces de prose et de vers lues par les académiciens.
- Discours du directeur, qui clôt la séance[86].

### D. Nîmes: séance publique du 9 mars 1691

Voici encore un cas de séance de réception dont le programme est extrêmement voisin de celui d'une réception à l'Académie de Paris, jusque dans l'ordre de succession des discours:

- Ouverture de la séance par le Directeur.
- Trois nouveaux académiciens font leur compliment de réception. – Réponse du Directeur.
- «Oraison funèbre» de Séguier, évêque de Nîmes et premier protecteur de l'Académie.
- Pièces de vers et de prose[87].

### E. Arles: séance publique du 9 janvier 1681

Outre ces quatre exemples, qui donnent une claire idée de la succession des discours et des lectures, dans des séances publiques sur lesquelles le modèle parisien exerce une sensible influence, il faut en citer encore une, à l'Académie d'Arles, qui, promue au rang de séance publique parce qu'on a bien voulu ouvrir les portes aux spectateurs attirés par la qualité oratoire du nouveau directeur, présente un curieux exemple de ce qu'on pourrait appeler une séance ordinaire solennelle! Elle se déroula le 9 janvier 1681. Deux pièces furent lues à cette séance, le discours du Directeur (d'Urbaye-Vachières) dont le gazetier fait l'éloge:

---

[86] *Mercure*, novembre 1682, p 289-293;.Dans un autre compte rendu le gazetier appelle l'orateur «Urbaye-Vachières».

[87] Mars 1691, p. 132-136.

> Il fit l'ouverture de cette séance par un Discours si digne de luy, soit pour la force du raisonnement, soit pour le choix des termes ou des pensées, soit pour la maniere de le prononcer, que ce ne furent qu'acclamations de toutes parts,

et, par l'abbé Flèche, «un Entretien qu'il avoit esté prié de faire sur la nature des Cometes, à l'occasion de celle qui paroist depuis un mois»[88].

Ce sujet d'entretien marque-t-il l'existence de préoccupations plus scientifiques, plus variées, moins exclusivement linguistiques et littéraires qu'à l'Académie française? Il est tentant de le suggérer, dans la mesure où une curiosité moins uniquement centrée sur la langue semble en accord avec le caractère multi-institutionnel des membres des académies provinciales[89].

### F. La séance d'inauguration de l'Académie d'Angers (1er juillet 1686)

Il serait inutile de proposer encore un déroulement de séance, si la séance d'inauguration de l'Académie d'Angers n'offrait pas un certain nombre de particularités. Son caractère extrêmement solennel n'est pas en soi un critère pour la retenir. Mais cette séance souligne l'intrication institutionnelle (n'a-t-elle pas été organisée par le corps de ville, qui décide qu'elle se tiendra dans la grande salle de l'Hôtel-de-Ville?) et multiplie les occasions de festivités, puisque, outre l'inauguration de l'Académie, il y a celle d'une statue du Roi dans les jardins de l'Hôtel-de-Ville où se tient la séance (la salle réservée à l'Académie est un pavillon situé dans les mêmes jardins et dans lequel on a également installé un buste du Roi). Les personnes qui constituent l'auditoire n'auront qu'à sortir sur la terrasse pour admirer illuminations et décorations auxquelles l'inauguration de la statue donne prétexte.

Voici le déroulement de cette cérémonie, qui est placée sous la présidence de l'intendant de Nointel, représentant le Roi. Se succèdent:

- la lecture des lettres patentes;
- celle des statuts;
- celle de la liste des académiciens;
- l'arrêt de vérification au Parlement de Paris;

---

[88] Janvier 1681, p. 226-228.

[89] Même si les académies provinciales «officielles» ont pris l'Académie française et ses travaux pour modèle (cf. Viala, *Naissance de l'écrivain*, p. 24 sq.), une telle trace de «pluralisme disciplinaire» n'est pas invraisemblable dans le contexte du mouvement académique.

- l'enregistrement au présidial d'Angers;
- le discours de M. l'Intendant, qui préside la séance;
- la réponse qu'y fit Gourreau, conseiller honoraire au présidial, doyen des échevins perpétuels.
- On se disperse ensuite sur les terrasses et dans le jardin de l'Hôtel-de-Ville, où a été érigée la statue du Roi. Tout est décoré pour rendre la cérémonie plus solennelle. La fête se poursuit par un régal donné à l'Hôtel-de-Ville, tandis que des illuminations apparaissent à la cathédrale, à l'Hôtel-de-Ville. Enfin, la cérémonie s'achève sur un feu d'artifice[90].

La succession, sans aucune solution de continuité, de la séance académique proprement dite et de la mise en scène qui accompagne l'inauguration de la statue du Roi fait de l'Académie naissante une sorte d'émanation de la municipalité. Si l'on en croit les *Mémoires* de Grandet, déjà cités, l'Académie serait née de conversations entre Charlot et Grandet, et de l'existence d'un pavillon inoccupé dans le jardin de l'Hôtel-de-Ville. La lecture de l'enregistrement de lettres patentes au présidial et le fait que l'orateur qui répond à l'intendant de Nointel appartient à la fois au présidial et au corps de ville soulignent l'importance de ces deux institutions. Placée sous la triple tutelle de l'Église (en la personne de l'Evêque), du corps de ville (en la personne du maire d'Angers) et du présidial (puisque le premier président, le lieutenant général et le procureur du Roi en sont membres honoraires), l'Académie est inaugurée sous le parrainage de la municipalité, qui décide de la forme de sa séance inaugurale, qui lui fournit une salle pour cette manifestation d'apparat, qui lui donne un pavillon pour y tenir ses réunions (c'est-à-dire que toutes les séances se tiennent, d'une certaine manière, dans les murs de la municipalité) et qui, outre qu'elle est représentée parmi les académiciens, commandite chaque année un double discours d'éloge, à la gloire de la province et à celle du Roi, définissant ainsi la double vocation de l'Académie, comme compagnie royale et institution locale.

Ce ne sont que des exemples parmi d'autres, particulièrement brillants et riches en pratiques oratoires. On voit que certaines séances étaient très complexes. Les discours et pièces diverses qui pouvaient y être lus sont d'une grande variété.

---

[90] «Séance d'inauguration», *loc. cit.* Les rampes de l'escalier de l'Hôtel-de-Ville sont illuminées de bas-reliefs «où l'on avait représenté les actions les plus éclatantes de notre monarque et celles entre autres qui font les sujets des deux prix proposés par la ville: *Le triomphe de l'hérésie* et le *nouveau canal de la rivière Eure*».

Si l'influence de l'Académie française se fait nettement sentir, le déroulement de certaines assemblées présente des éléments qu'on ne trouve pas chez les Quarante, qu'ils aient disparu ou qu'ils n'aient jamais fait partie du rituel. C'est le cas pour la séance de réception de l'Académie d'Arles en 1681, qui se clôt sur l'élection d'un nouveau directeur. L'Académie française réserve cette formalité à ses séances ordinaires. La même séance s'ouvrait sur la lecture des statuts, et le serment des nouveaux académiciens. Cet élément, qui est dans la ligne du cérémonial originel des réceptions de nouveaux membres au sein de l'Académie française, semble absent des réceptions de la période. Peut-être faut-il voir là un surcroit de ritualisation propre à des compagnies provinciales si fortement intégrées au réseau institutionnel. Peut-être aussi s'agit-il de mettre l'accent sur l'engagement solennel: un petit groupe, qui se veut plus serré qu'à Paris, rend explicite le caractère strict des règles de son fonctionnement.

## II. – LES DISCOURS DES ACADÉMIES DE PROVINCE

Après avoir analysé le rituel dans lequel s'inscrivent les pratiques oratoires et vu comment elles étaient liées à la structure institutionnelle urbaine et régionale, et comment devoir oratoire et plaisir du discours contribuaient à faire des notables locaux, membres d'institutions diverses, des orateurs à toute main, on peut étudier les discours produits dans ce contexte. En m'intéressant à la diffusion des textes qui émanent des académies de province, j'évaluerai à la fois le rayonnement des institutions locales et les sources disponibles au chercheur contemporain. J'aborderai ensuite une question qui était au centre des exercices académiques à Paris: l'attitude des académies de province vis-à-vis de la langue savante. La nature des discours consultés m'amènera à envisager cette question à partir d'une analyse de l'usage que les académiciens font des citations. Je m'arrêterai ensuite sur une des fonctions du discours institutionnel: la représentation qu'il donne du mouvement académique, avant de conclure sur les éléments encômiastiques de l'éloquence académique, et plus particulièrement sur le portrait du Roi, qui permettra de se demander si l'on peut définir un décalage entre Paris et la province. C'est là, en effet, l'un des intérêts majeurs d'une présentation de l'éloquence d'apparat selon une division qui, outre la nature des institutions, suit également le clivage entre Paris et la province.

## 1. Diffusion et conservation des discours académiques

La documentation est beaucoup moins unifiée pour les académies de province que pour l'Académie française, et beaucoup moins abondante aussi. A défaut de publication collective par les académies elles-mêmes, on doit se reporter aux ouvrages publiés par certains académiciens, à des recueils d'éloquence, à des manuscrits (registres ou autres) et à quelques histoires modernes qui reproduisent certains discours.

La source fondamentale pour l'ensemble de la production oratoire dans les académies de province à cette époque, c'est le *Mercure galant*[91], qui signale les réceptions et les séances extraordinaires des académies, cite un certain nombre de discours et y ajoute parfois les réactions du public et un jugement sur le discours ou sur l'orateur qu'il cite. On trouve ainsi dans le *Mercure* des compliments ou des discours prononcés par des académiciens d'Arles, de Villefranche, de Caen, de Soissons, de Nîmes, de Toulouse. On observe d'ailleurs des périodes au cours desquelles certaines académies font plus parler d'elles, ou plutôt donnent plus de preuves d'une activité oratoire. Ainsi Arles et Villefranche donnent l'impression d'une plus grande production oratoire entre 1677 et 1685, Nîmes, à partir de 1691 et Toulouse à partir de 1693. Le *Mercure* avait signalé la fondation de cette dernière académie en 1689. Cette impression d'activité peut naturellement correspondre à l'envoi plus régulier de documents. A l'époque de sa fondation, l'Académie d'Angers fournit plusieurs articles au gazetier, mais on ne trouve qu'un discours présenté comme émanant de cette compagnie, un discours sur la devise du Roi, du chevalier de Longueil (octobre 1686)[92]. Les documents fournis par le *Mercure* sont intéressants en eux-mêmes, mais ils permettent surtout d'affirmer que les discours académiques de province étaient diffusés. La lecture des textes suggère, nous le verrons, que les diverses académies connaissaient les discours produits dans d'autres compagnies.

En l'absence de publication collective par les académies, on dispose de quelques recueils publiés par certains académiciens, comme celui d'Hébert, déjà mentionné[93], ou celui de l'Arlésien Barrême de Man-

[91] L'article de M.-E. Storer «Informations Furnished by the *Mercure galant...*» est ici un instrument fort utile. Mais l'auteur ne se limite pas aux discours ni aux cérémonies. Les références vraiment utilisables pour l'étude des pratiques oratoires sont beaucoup moins nombreuses que celles qu'elle indique.

[92] En fait, il semble plutôt s'agir d'un discours adressé aux Académiciens. D'après Uzureau, Longueil n'aurait pas été académicien avant 1699, date à laquelle il aurait succédé à Antoine Arnauld de Pomponne.

[93] *Discours et harangues de M. Hébert* (Soissons: Hanisset, 1699).

ville, qui, outre des ouvertures de palais et d'autres discours prononcés dans le contexte d'institutions judiciaires, contient l'éloge du duc de Saint-Aignan[94]. Les recueils de discours déjà évoqués à propos de l'Académie française sont des sources également utilisables pour les académies de province: le *Recueil de diverses oraisons funèbres* contient le discours que Vertron a adressé à l'Académie d'Arles[95]. Une telle publication dans un recueil où se trouvent également les panégyriques de Pellisson et de Tallemant confirme que les productions des académiciens de province circulaient – il est vrai que Vertron ne restait pas inactif et s'arrangeait pour faire parler de lui...

Certains discours étaient publiés séparément, comme *Le Parallele de Louis le Grand avec les princes, qui ont esté surnommez Grands dedié à Monseigneur le Dauphin*[96].

Enfin, on dispose de quelques éditions modernes, comme les discours de la séance inaugurale d'Angers, qu'Uzureau a publiés dans son article «Une séance inaugurale à l'Académie d'Angers (1er juillet 1686)». Y figurent le discours de l'intendant de Nointel, qui présidait la séance au nom du Roi, et celui de Gourreau, qui lui répondit. Pour l'Académie d'Arles, l'ouvrage de Rancé, que j'ai mentionné plusieurs fois, contient quelques discours, tirés en particulier du manuscrit de la Bibliothèque Méjanes[97].

La documentation manuscrite, pour cette période que Roche appelle celle des «fondations»[98], est très peu abondante, en ce qui concerne l'éloquence d'apparat en tout cas. Si les sources sont, dans l'ensemble, beaucoup moins riches que pour d'au res institutions, la variété des types de publication suggère cependant une circulation qui diffusait les productions des académiciens, sans parler des textes qui figurent dans le *Recueil des harangues* publié par l'Académie française en 1698. Il faudrait également tenir compte des contacts personnels qui devaient entraîner l'échange de discours et les faire connaître dans les cercles intellectuels. Cette diffusion, on pourrait en trouver la preuve dans la

---

94 *Quelques Discours, plaidoyés et ouvertures de Palais* (Avignon: Michel Chastel, 1698).

95 Voir *supra*, n. 67.

96 Paris: Jacques Le Febvre, 1685. Ce discours de Vertron aurait dû être prononcé devant l'Académie française, mais il fut remplacé par un discours sur la statue de Vénus, découverte à Arles.

97 Bibl. Méjanes, ms. 963 (1060), «Académie d'Arles». La première partie, qui m'intéresse ici, s'intitule «Abrégé historique de l'Académie Royale d'Arles». On y trouve un compliment de Roubin au chancelier Le Tellier à propos de l'octroi de nouvelles lettres patentes (1677). Le compliment, de 1678, est publié par Rancé et dans le *Mercure* (janvier 1678).

98 D. Roche, *op. cit.* C'est le titre du premier chapitre de la premiere partie.

parenté qui existe entre des discours émanant de cercles académiques différents. Ce sera l'un des enjeux de l'étude des citations dans les discours académiques de province.

## 2. **Style académique et citations**

La citation a fait l'objet de débats bien avant la fin du XVII^e siècle, et a constitué une des lignes de démarcation des choix stylistiques des XVI^e et XVII^e siècles, au sein d'institutions différentes. Nous avons vu comment l'Académie française traitait la citation. Dans le cas des académies de province, une telle étude permettra de présenter deux aspects de l'éloquence académique. Le premier touche aux choix académiques en matière de langue: quelle place occupent respectivement le latin et le français? La question se pose d'autant plus que la structure des académies de province suggère *a priori* que le rejet du latin sera plus nuancé que chez les Quarante. Si l'emploi des langues anciennes caractérise l'éloquence de la chaire et, dans une certaine mesure, on le verra, l'éloquence parlementaire, comment se situent les académies de province? Les prises de position directes, sans être totalement absentes, ne sont pas un élément sans cesse répété dans la documentation dont on dispose. L'étude des citations dans les textes disponibles constitue donc une bonne méthode d'approche.

Le second concerne la manière dont les académiciens utilisent les citations et les différentes pratiques qui en dérivent, du plagiat à la simple allusion.

### A. Le latin dans les discours académiques

L'Académie française répugne, par fonction ou par origine, peut-être, à l'emploi du latin[99]. L'éloquence parlementaire fait une large place aux citations latines, même pour les discours d'apparat[100]. On s'attendrait à voir les académies de province manifester la même réticence que la compagnie parisienne. Or, peut-être à cause de la composition des compagnies provinciales, le refus du latin n'est nullement une règle. De fait, si l'on associe intuitivement les académies avec l'éloquence française, l'Académie de Toulouse[101] fournit même un exemple de dis-

[99] A l'exception du *texte* des éloges funèbres, et des sentences qui permettent d'identifier les auteurs des pièces présentées pour les prix. Ces usages du latin sont la règle.

[100] Voir chapitre III, p. 422 sq.

[101] Il ne s'agit pas ici des Jeux Floraux, ni des Lanternistes. Le *Mercure* a signalé l'établissement d'une «académie des belles lettres» à Toulouse (oct. 1689, p. 20-41). En juillet 1694, Donneau de Visé rend compte de la distribution du prix de prose offert par cette académie (p. 155 sq.).

cours totalement en latin, un exemple rare, puisque, à ma connaissance, le *Mercure* n'en indique pas d'autre pour la période 1677-1701. Il s'agit d'un éloge funèbre de Pellisson, prononcé par «Mr de Rocoles, ancien chanoine de S. Benoist de Paris, qui est de leur Corps»[102]. Donneau de Visé précise: «Son discours qui fut latin, dura une heure»[103]. Les éloges funèbres sont un genre relativement long, même à l'Académie française, où les autres types de discours sont au contraire plutôt brefs.

Si ce discours latin peut apparaître comme un cas-limite, le latin n'est pas seulement réservé aux devises, que certains académiciens se plaisent à composer, ou aux poésies[104]. C'est précisément à la devise du Roi qui a pour âme «*Nec pluribus impar*» que le chevalier de Longueil, d'Angers, consacre son discours, reproduit dans le *Mercure*[105]. Le discours s'achève sur la répétition de la devise, «*Nec pluribus impar*». De façon plus surprenante, dans la mesure où aucune citation latine n'était apparue dans le corps du discours, Guyonnet de Vertron termine lui aussi son discours de remerciement à l'Académie d'Arles sur une citation latine, pour achever l'évocation du protecteur de la Compagnie:

> repetons sans cesse ce Vers admirable, qui fait son éloge & le nostre. *Solemque suum sua sydera* (sic) *norunt*[106].

Le latin a sa place parmi les exercices académiques. On peut penser que les académies de province, sans se limiter à des intérêts linguistiques et littéraires, ont aussi une curiosité plus ou moins scientifique. L'Académie de Toulouse, par exemple, s'intéressait à l'éloquence, à la poésie et à l'histoire, mais aussi à la physique et aux mathématiques. Les académiciens reçus dans une compagnie mettent tout naturellement la philosophie parmi ses préoccupations[107]. Gourreau, dans le discours qu'il prononce à l'inauguration de l'Académie d'Angers, donne une définition de la science des belles-lettres qui comprend les mathématiques:

> La science des belles lettres qui doit faire l'occupation de l'Académie, embrasse la connaissance des langues, de l'histoire, de la philosophie, des mathématiques, la parfaite intelligence des poètes et des orateurs sur lesquels on se puisse former à la poésie et à l'éloquence,

---

102 *Mercure*, mars 1693, p. 121.

103 *Ibid.*, p. 122.

104 Je ne donnerai pour exemple que le poème latin, lu le jour de la Saint-Louis 1686 à l'Académie de Villefranche par Dubost, president en l'élection. Vertron compose une devise pour le Roi. Le corps en est un soleil et l'âme: «Non surrexit major», *Mercure*, octobre 1686, p. 130-132.

105 Sur les problèmes que pose d'identification du chevalier de Longueil comme l'un des académiciens, voir *supra*, n. 92.

106 *Mercure*, août 1680, p. 35. C'est une âme de devise fréquente.

107 Voir par exemple le texte de Vertron cité *infra*, p. 249, n. 147.

> l'étude de ce qui peut nous apprendre à vaincre nos passions et à régler nos mœurs, tout enfin ce qui fait l'honnête homme, éclaire son entendement, élève son cœur aux grandes choses et le rend digne de tous les emplois où le service du roi et le bien de la patrie le peuvent appeler[108].

Le latin est alors une langue logique d'expression, si la philosophie, les mathématiques, voire la physique entrent dans les préoccupations académiques.

De façon plus convaincante, on peut expliquer la relative abondance du latin, au moins par rapport à l'Académie française, par la composition même des académies et leur caractère d'intersections d'institutions diverses. L'importance de la robe et des clercs favorise la conservation du latin dans ces académies de belles-lettres. L'Académie française est beaucoup plus clairement dévouée au français, d'autant plus que d'autres institutions, à Paris, défendent le latin (Petite Académie, Université)[109].

Un Vertron est d'ailleurs conscient du caractère un peu incongru de citations latines pour un public mondain parisien. L'Avertissement de son *Paralelle de Louis le Grand avec les Princes, qui ont esté surnommez Grands*..., discours qu'il avait eu l'intention de prononcer devant l'Académie française, le montre clairement:

> Je prie le Lecteur de considerer que le melange que j'ay fait du François avec le Latin en quelques endroits n'est pas un crime de leze Academie, ny un dessein de rallumer les feux de la guerre entre les Muses Françoises & les Latines, pour la preference; puisqu'on a decidé en faveur du Héros, & que ce Pere des Lettres a donné la Paix au Parnasse comme à toute l'Europe[110].

De fait l'académicien royal aura recours à plusieurs citations latines, ce qui doit d'autant moins surprendre que Vertron se plaisait à composer des devises pour le Roi. Dans une apostrophe au Roi, qui rappelle le «Panégyrique du Roi sur la Paix» que Charpentier avait prononcé le 24 juillet 1679, l'auteur demande l'autorisation d'emprunter la voix d'un poète latin et d'un auteur profane, et de «parler à son Roy»: «*MAXIME,*

---

108 «Séance d'inauguration», *loc. cit.*, p. 43.

109 L'histoire des inscriptions de l'Académie d'Arles montre que les choix de langue peuvent dépendre des institutions. A la suite de la publication du texte de Charpentier sur la *Deffense de la langue française*, l'Académie songe à abandonner les inscriptions latines déjà préparées. Aprrès différents contretemps et malentendus, le Corps de Ville finira par faire graver les inscriptions latines qu'il a fait approuver par Pellisson.

110 Vertron, *PARALELLE de LOUIS LE GRAND AVEC LES PRINCES, qui ont esté surnommez GRANDS*. Paris: chez Jacques Le Febvre, 1685, Avertissement non paginé. Ce discours avait précisément été concu pour être lu devant l'Académie française.

*qui tanti mensuram nominis implet*»[111]. Et ce latin profane n'est qu'une transition vers le texte sacré. La péroraison s'achève, comme c'était le cas pour le remerciement prononcé par le même Guyonnet de Vertron lors de sa réception en 1680, sur une citation latine conçue comme âme de devise:

> SIRE,
>
> Aprés un tel aveu, je ne croy pas que ce soit perdre le respect des choses saintes que d'attribuer à vôtre sacrée Personne, l'éloge que le Seigneur a fait de saint Jean-Baptiste. Si ce grand Saint l'emportoit infiniment au dessus de tous ceux qui sont nez des femmes, & même au dessus des Prophetes: VOTRE MAJESTE l'emporte au dessus de tous les Rois & des Grands du monde: Ainsi nous pouvons dire en sa faveur ces paroles divines qui feront l'ame de sa devise:
>
> *Non surrexit Major*[112].

Peut-être y a-t-il dans ce type de trait final en latin une idiosyncrasie qui va de pair avec le goût de l'auteur pour la composition de devises. Devise et discours d'apparat entretiennent, nous le verrons, des liens étroits. Le cas de Vertron établit déjà que le latin est introduit dans le discours par des références aux devises et des formules envisagées, explicitement ou non, comme des âmes de devises[113]. Et tout le discours du chevalier de Longueil, en 1686, est fondé précisément sur la devise du Roi, *Nec pluribus impar*. Amplifiant cette devise par un discours français, l'auteur procède en complètant la formule à la fois dans le latin original et en traduction française. La première occurrence de la double amplification, latine puis française, sert de modèle à tout le discours. Longueil va proposer une analogie entre le soleil et le Roi, ce qui ne fait qu'expliciter le principe de la devise, fondée sur une analogie symbolique:

---

[111] *Paralelle*, p. 58. Charpentier s'exclame, pour introduire sa péroraison:

> Mais, MESSIEURS, laissez moy oublier que je suis en vostre presence. Laissez-moy joüir de la douce imagination que je parle à ce grand Prince, & accordez à mon emportement un honneur que la fortune a refusé à mon zele. C'est donc à vous, O GRAND ROY, que j'adresseray désormais ma parole, & peut-estre que vous l'entendrez du haut de vostre Thrône.

Le panégyrique de Charpentier se termine précisément sur l'affirmation de la supériorité de Louis le Grand sut tous les autres monarques,

> un Prince, qui après avoir obscurci par sa valeur les plus hauts faits d'armes que ces Guerriers, que l'on a appelez les Lions, les Foudres, les Preneurs de villes, a surpassé en mesme temps par sa Justice, par sa Clemence, par sa Liberalité, tout ce qui s'est dit de ces Rois bien-faisants, à qui l'on a donné les noms aimables, de Bons, de Sauveurs, & de PERES de la Patrie. (*Les Panégyriques du Roi*, p. 161)

[112] *Paralelle*, p. 58-59.

[113] L'activité de panégyriste royal valut à Vertron le titre d'historiographe du Roy, tout comme Donneau de Visé l'avait mérité.

> Ne doutez point, Messieurs, que cette Devise Royale ne nous découvre toute la grandeur du destin & du merite de l'Auguste LOUIS, en le representant semblable au Soleil dans l'étenduë du paralelle qu'on en peut imaginer. Elle nous fait concevoir l'esperance de le voir commander à toutes les Nations; elle marque qu'il est digne de gouverner plusieurs Empires, comme le Soleil est capable d'éclairer plusieurs Mondes.
>
> SOL
> .........*Nec pluribus impar*
> *Orbibus.*
>
> REX
> .........*Nec pluribus impar*
> *Imperiis.*
> *A plus d'un Monde Entier le Soleil peut suffire; Ainsi le plus grand Roy qui soit dans l'Univers, LOUIS peut gouverner cent Empires divers Où l'Univers entier devenir son Empire*[114].

On ne sera pas surpris de voir la devise royale développée en une affirmation de la vocation universelle de la monarchie de Louis XIV. Mais, parce qu'il prend une formule latine comme point de départ de son amplification, l'auteur choisit de commencer par un développement latin (jusqu'aux substantifs «*sol*» et «*rex*» qui apparaissent sous leur forme latine). Il intègre donc à la fois à son discours des pratiques analogues à la recherche de courtes phrases latines qui caractérise la Petite Académie et la prose et la poésie françaises, ambitions de l'Académie française.

Il reste que les académies, qui suivent le modèle de leur consœur parisienne, célèbrent les muses françaises[115]. Elles sont d'ailleurs perçues dans cette perspective par les autres institutions, en particulier celles qui cultivent les muses latines. On en voit un très bon exemple, le 26 août 1683, lorsque l'abbé Prost, professeur de rhétorique, dédie à l'Académie d'Arles des thèses de son art que doit soutenir un gentilhomme. Le Professeur fait à l'Académie un compliment dans lequel on trouve à la fois la caractérisation de l'Académie comme institution vouée à la langue française et le rappel de la place qu'y tiennent les érudits en langues anciennes:

> *Il leur dit*, qu'il pourroit sembler étrange que les Muses Latines fissent hommage aux Françoises, & que les Aînées ne cherchassent avec tant d'empressement la protection de leurs Cadetes; Que cependant elles ne

---

[114] *Mercure*, octobre 1686, p. 135-136.

[115] Le terme même de muses revient plusieurs fois dans un compliment fait par l'Académie de Villefranche à l'archevêque de Lyon, son protecteur, à son retour de la Cour (*Mercure*, juillet 1680).

> croyoient pas se faire tort, ny ménager mal leur réputation, en se soûmettant à leurs Rivales, si elles pouvoient meriter par <là> leur protection; Que l'Académie Royale ne pouvoit leur refuser cette faveur, puis qu'elle leur estoit redevable de tant de grands Hommes consommez dans les sciences, & qui avoient cüeilli les Lauriers sur le Parnasse latin, avant que d'en cüeillir sur le Parnasse François. *Il ajoûta*, Que quelque fierté que dûssent avoir les Muses Latines, elles n'estoient pas si entestées de leur mérite, qu'elles n'avoüassent, que c'estoit à eux qu'on devoit la gloire d'avoir relevé celle des beaux Arts[116].

L'orateur suggère, certes, que l'érudition latine est le fondement de la renaissance artistique et littéraire. Mais, même pour un professeur de rhétorique, c'est-à-dire quelqu'un qui est en contact étroit, par tradition et profession, avec la culture et l'éloquence latines, c'est en français que les lettres brillent, et c'est cette langue que parlent les muses académiques. Plutôt que de parler latin, elles s'exprimeront modestement si leurs forces ne sont pas encore suffisantes, comme l'explique M. de La Fons, dans son compliment à l'archevêque de Lyon au nom de l'Académie de Villefranche, dont le prélat est protecteur:

> MONSEIGNEUR,
>
> Nos Muses naissantes ne peuvent que bégayer, ny paroistre en public, que tremblantes & mal assurées. Aussi n'ont-elles pas deû se mesler dans la foule de ceux qui se sont empressez de témoigner à Vostre Grandeur la joye dont son heureux retour comble tous les Peuples qui ont le bonheur d'estre soûmis à son Gouvernement[117].

Comme on le voit, toutes bégayantes qu'elles sont, les muses académiques ont à cœur de balbutier en français, même si la modestie de leurs commencements les contraint à se rabattre sur une excuse rhétorique... Les faiblesses dont parle l'orateur sont bien d'ordre linguistique, puisqu'il mentionne plus tard l'immaturité stylistique, qui ne peut s'appliquer qu'à la langue française. L'éloge de l'Archevêque est un projet que l'Académie devra, d'après l'orateur, remettre à plus tard:

> Mais il faudra, Monseigneur, pour un projet si fort au dessus de nous, que nous nous exercions longtemps sur de moindres sujets, & que des Héros d'un caractere moins relevé que ceux des grands Noms de Neuville, de Villeroy, & d'Alimourt, essuyent, pour ainsi dire, la sterilité de nos premieres pensées, & la rudesse de nostre stile. Ainsi, Monseigneur, jusqu'à ce que par nos veilles, par nostre étude, & par nostre application, nous ayons acquis assez de force & de lumiere, pour pouvoir faire éclater l'ardeur de nostre zele, nous ne pourrons donner à

[116] *Mercure*, novembre 1683, p. 160 sq.

[117] Juillet 1680, p. 31.

> nostre Protecteur que des marques de nostre soûmission & de nos respects.

Entendons: en attendant d'avoir assez poli leur style français pour l'adapter à l'éloge d'un grand personnage, les académiciens se contenteront d'utiliser la langue française pour exprimer leurs respects et leur soumission à leur protecteur. Comme c'est, de toute manière, le premier but d'un tel compliment, on pourrait dire que les muses académiques connaissent assez bien leur affaire pour s'acquitter parfaitement de leur devoir![118]

De fait, l'usage des citations confirme cette primauté du français. Il est vrai que les citations sont moins nombreuses dans les productions oratoires des académies que dans l'éloquence parlementaire ou la prédication: les académies n'engendrent pas au même degré un discours moral qui aurait besoin d'autorité. De plus les citations sont le plus souvent en français, même si la place du latin est plus importante que pour l'Académie française. Mignot de Bussy, dans un discours «sur la gloire», dit par exemple: «elle est la Mere des années, disoit un Sage de la Grece»[119]. On pourrait dire, en fait, que l'orateur prend soin, dans ce discours, d'éviter le latin, même pour les citations les plus connues. On le voit clairement lorsqu'il affirme la supériorité de Louis sur César:

> & les trois fortes Places de Valenciennes, Cambray, & S. Omer, conquises en trois semaines, ont renouvellé par trois fois en faveur de Loüis, ce que Cesar ne put dire qu'une fois, *Je suis venu, j'ay veu, j'ay vaincu*[120].

Porte-parole des Muses françaises, les académies de province manifestent, comme l'Académie française, une préférence générale pour le français, mais, même pour les auteurs qui reconnaissent, comme Vertron, le risque de paraître peu académiques, le latin n'est pas absent. Il tient même une place assez importante pour qu'on puisse dire que la province n'a pas, comme Paris, une attitude de rejet total du latin hors

---

[118] Ces «Muses naissantes» ne reculent pas, on l'aura noté, devant une métaphore assez hardie pour nécessiter une atténuation; «essuyent, pour ainsi dire, la stérilité de nos premieres pensées». La métaphore est un phénomène relativement rare dans l'éloquence d'apparat, en tout cas à l'Académie francaise. On n'aime pas, semble-t-il, la superposltion de deux sens, qui peut toujours résulter en confusion d'idées. La comparaison a la préférence des orateurs.

[119] *Mercure*, février 1688, p. 16. Le *Mercure* n'indique pas dans quelles circonstances ce discours fut prononcé, ni même s'il le fut jamais. Il l'annonce seulement comme un ouvrage de la main de «M^r^ Mignot de Bussy, Directeur de cette Académie, & lieutenant general de Beaujolois» (p. 15). Le discours a pour titre: «DISCOURS SUR LA GLOIRE» (p. 16).

[120] *Ibid.*, p. 35.

du discours. Les académies de province tiennent donc une position intermédiaire entre l'Académie française et les institutions qu'on pourrait qualifier de moralistes, comme le Parlement et l'Église. Si cette prudence linguistique peut se rattacher au fait que les académies accueillent les membres d'institutions diverses, où le latin occupe souvent une place importante, on peut se demander si l'élite provinciale n'est pas, par sa structure et ses traditions, plus fidèle à la langue savante que les élites parisiennes. C'est une question à laquelle la comparaison des pratiques oratoires des institutions judiciaires parisiennes et de leurs homologues provinciales contribuera à donner une réponse plus approfondie.

### B. Citation, plagiat et allusion

Les citations manifestent les préférences académiques en matière de langue. Mais elles permettent aussi de mettre en lumière la manière dont les textes produits par les milieux académiques provinciaux s'inscrivent dans un réseau de discours et de représentations.

Les académiciens envisagent parfois la citation comme un moyen de faire l'éloge de celui qui a prononcé des paroles remarquables. Guyonnet de Vertron évoque ainsi les paroles du duc de Saint-Aignan, protecteur de l'Académie Royale d'Arles (d'une manière qui rappelle Charpentier citant la lettre du Roi aux États-Généraux des Provinces Unies, dans son *Panégyrique du Roy* du 24 juillet 1679):

> Il me semble que je l'entens repéter ces paroles. *Si l'on me donne la Sagesse à condition de la tenir enfermée, je la rejetteray comme inutile, car le plus grand fruit que l'on puisse tirer de l'esprit, de la vertu, & de toutes sortes de perfections, est de les communiquer à tout le monde*[121].

Une telle citation n'est insérée ni comme preuve d'érudition, ni même comme l'autorité qui fonde un discours moral, malgré son caractère apparemment éthique. Elle fait à la fois l'éloge du protecteur, et le fond de l'aveu de faiblesse de l'orateur. C'est d'ailleurs dans ce dernier sens qu'elle est immédiatement exploitée.

---

[121] *Mercure*, avril 1680, p. 29-30. Comparer avec Charpentier:

> il ne s'est pas caché du penchant qu'il avoit pour ce Repos si souhaité de tout le Monde. Il ne s'est pas contenté de le dire; il l'a escrit publiquement & déclaré en termes formels *qu'il mettroit toujours sa principale gloire a faire tous les pas qui pouvoient conduire à la paix*. O paroles dignes du fils aisne de l'Eglise, Paroles qui doivent estre éternellement proposées en exemple à tous les Princes! (*Les Panégyriques du Roi*, p. 159)

> C'cst sur ces sages & belles maximes, Messieurs, que vous m'avez donné une Place dans vostre Académie Royale, qui est, pour ainsi dire, l'assemblée generale des Etats, des Sciences, & des Vertus[122].

Entrant dans une compagnie où la sagesse brille sous toutes ses formes, l'orateur espère y avoir bientôt part...

Peut-être, précisément, parce qu'elle n'utilise guère les citations pour fournir au discours l'autorité nécessaire à des développements éthiques (sauf peut-être dans le cas d'un discours comme celui de Mignot de Bussy «sur la gloire» dont le sujet s'y prête)[123], l'éloquence académique semble avoir moins recours à la citation proprement dite qu'à diverses formes d'allusion. Ce n'est pas seulement parce que le sens d'un passage est préféré à sa lettre, ce qui permet une plus grande unité de style (cet aspect n'est d'ailleurs pas négligeable comme dans le passage suivant, tiré d'un compliment de l'Académie de Caen au nouvel intendant Foucault, passage où est développé l'éloge de Louis le Grand:

> mais certes, si le plus fameux des Politiques nous apprend que le Prince qui se voit necessaire à ses Peuples, est arrivé au haut point de la grandeur & de la felicité, quel Monarque a jamais eu plus de droit de se croire en cet estat?)[124].

En fait, les formes de la citation montrent que l'éloquence académique se fait l'écho de tout un réseau de textes et de pratiques institutionnelles, qui constituent le contexte dans lequel on peut saisir sa richesse et sa vitalité.

L'exemple du Panégyrique du Roi sur Strasbourg et Cazal, adressé par Guyonnet de Vertron à l'Académie d'Arles en 1681, permettra de mieux comprendre ce point. On y retrouve l'énumération des vertus royales, qui sont des lieux de l'éloge devenus des lieux communs au sens trivial du terme, mais qui reprennent ici toutes les devises élaborées lors des cérémonies institutionnelles et diverses inscriptions:

> Oüy sans doute, renoncer à ses droits si legitimement deûs, donner sa voix contre soy-mesme, c'est s'enrichir en donnant, c'est estre à juste titre le *Pere & l'Amour de ses Peuples*; c'est triompher noblement de la Justice, qui triomphe de tout. Choisir avec jusgement parmy ses Sujets, les plus propres à remplir les charges importantes de l'Etat, c'est estre également *Puissant & Sage*. Faire fleurir les Académies, c'est estre le *Protecteur des Sciences, & des beaux Arts*. Vaincre en tous temps, en

---

122 *Mercure*, avril 1630, p. 30.

123 Encore a-t-on vu plus haut (p. 238) que si une citation n'était qu'une sentence morale (la gloire «Mere des années»), l'autre n'avait qu'une fonction encômiastique (les paroles de César).

124 *Mercure*, juilllet 1689, p. 206-207.

> tous lieux ses Ennemis, c'est estre *Invincible*. Se vaincre soy-mesme, c'est estre *LE GRAND* par excellence. Estre toûjours tranquille, quoy que dans un mouvement continuel (comme le marque l'une des Devises gravées sur nostre superbe Obélisque*, élevé à la gloire de LOVIS XIV.) c'est estre *Incomparable*. (note *: *Quieto similis*)[125]

Clairement, les termes soulignés sont les épithètes qui forment l'éloge-type du Roi. Avec la structure anaphorique, on perçoit bien l'effet d'âme de devise, explicité par l'auteur et précisé en note à propos de la tranquillité du Roi dans son mouvement perpétuel[126]. L'apparition dans ce contexte du titre, en capitales, «LE GRAND» montre qu'il faut accorder à tous les épithètes et syntagmes attributifs une valeur forte. Si certains d'entre eux, à force d'être employés, ont pris un peu l'allure d'épithètes de nature, ils constituent dans l'ensemble une sorte de réservoir d'inscriptions et de devises, tout un texte royal potentiel, auquel les artisans du langage à la recherche de matériau pour des vers, des devises ou des éloges peuvent puiser sous forme d'allusion ou de la manière qui leur convient.

Le plus intéressant, dans le texte de Vertron, c'est certainement l'insistance que la note du *Mercure* met sur l'expression: «Estre toûjours tranquille, quoy que dans un mouvement continuel». Car, au moins autant que la devise latine, «*quieto similis*», gravée sur l'obélisque élevé à la gloire de Louis XIV, le lecteur y voit le prix de poésie offert par l'Académie française la même année 1681. L'intitulé du sujet est précisément: «On voit le Roy toûjours tranquille, quoy que dans un mouvement continuel». L'Académie avait-elle eu besoin de l'obélisque arlésien pour formuler son sujet, qui apparaît comme un lieu commun de l'éloge royal? De toute façon, Vertron choisit de citer l'intitulé français du prix. Là ne s'arrête pas ce qu'on pourrait appeler le parcours de cette devise. Le *Mercure* annonce l'année suivante un prix d'éloquence proposé par l'Académie d'Arles. Pour diverses raisons, ce prix ne pourra pas être distribué comme prévu, mais le projet lui-même est intéressant: dans cette annonce, le rapport entre le sujet de poésie et la devise de l'obélisque est rendu explicite. Après avoir expliqué l'intention des académiciens d'Arles de donner un prix toutes les années où l'Académie française n'en distribuera pas, le *Mercure* poursuit:

> ... comme le dernier sujet de la poésie a esté tiré de l'une des devises gravées sur leur superbe obélisque, sur ce que le Roy paroist toujours tranquille, quoy que dans un mouvement continuel, ils proposent cette

125 *Mercure*, décembre 1681, p. 22-24.

126 Par structure anaphorique, ici, j'entends la répétition de la séquence: Infinitif (ou proposition infinitive) + «c'est...» + attribut (adjectif ou syntagme).

> année pour le sujet du discours d'Eloquence françoise, une autre devise à la gloire de Sa Majesté, qui est, *nec errat, nec cessat*[127].

Si ce dernier sujet marque l'ambiguité de la position des académiciens à l'égard du latin, puisque le sujet, dans la formulation qu'en propose le *Mercure*, est latin, pour un discours français, il confirme l'influence que pouvaient avoir les devises dans l'élaboration des discours. La concision spirituelle de la devise apporte son concours à l'abondance oratoire, et il se crée une sorte de fonds commun auquel les institutions viennent puiser. Inscriptions, devises et discours entretiennent ainsi un ensemble de relations dialectiques, les devises servant de modèle pour les inscriptions et de sujet ou d'occasion d'amplification aux discours, tandis que ceux-ci décrivent monuments et devises et font allusion aux inscriptions des premiers et aux âmes des dernières, que ce soit de façon explicite ou non.

On a d'ailleurs l'impression que le fonds des devises latines ainsi utilisé est relativement limité. Lors de la séance d'installation de l'académie d'Angers (qui coïncide, on l'a vu, avec l'inauguration d'une statue du Roi, dans les jardins de l'Hôtel-de-Ville), les décorations comprennent de nombreuses représentations accompagnées d'inscriptions latines, voire espagnoles. Près d'un soleil en feu, avec l'inscription «*unus et omnis*», on a représenté sur deux pilastres deux obélisques «qu'on sait être les figures consacrées au soleil», et sur l'un d'eux, un ciel étoilé de trente étoiles, évoquant les trente académiciens, avec le vers de l'*Énéide* sur lequel Guyonnet de Vertron terminait précisément son discours de réception: «*solemque suum sua sidera norunt*»[128]. Le soleil avait alors pour fonction de représenter le duc de Saint-Aignan «l'Apollon de vostre Académie Royale»[129], mais les astres évoquaient bien les académiciens, puisque l'orateur précisait: «ce Vers admirable, qui fait son éloge & le nostre». Ce genre de description confirme l'influence persistante du soleil dans la représentation symbolique du Roi en province, comme j'aurai l'occasion de le montrer plus loin[130]. D'une manière plus générale, un tel décor donne une idée de l'intrication des langages symboliques à l'œuvre dans toute cérémonie: monuments ou dessins de monuments symboliques et représentations picturales se combinent aux devises – associations d'une image et d'un texte. Le

---

[127] Cité par Rancé, t. II, p. 394-395. L'académicien Chalvet (auteur d'un discours sur la proposition d'ériger une statue de Louis XIV à Marseille dont il était assesseur) avait concouru pour le prix de 1681.

[128] Voir Uzureau, «Séance d'inauguration...», *loc. cit*, p. 31.

[129] *Mercure*, août 1680, p. 35.

[130] Voir *infra*, p. 287 sq.

discours académique et son contexte permettent d'affirmer qu'il existe un lien essentiel entre la forme développée et discursive de la représentation symbolique (les productions oratoires des institutions) et les formes mixtes et compréhensives que constituent les devises, envisagées non seulement comme fragment textuel, mais dans leur unité fondamentale, âme et corps. Rien n'interdit, dans le cas présent, de penser que le discours de Vertron a été connu par la version qu'en a diffusée le *Mercure*, mais, qu'il y ait eu ou non emprunt à ce discours, la relation entre devise et discours est manifeste.

Un tel phénomène est d'autant plus normal que les représentations de types variés (devises, estampes, etc.) circulent, comme les discours académiques parisiens, comme, nous le verrons, les discours parlementaires, comme les discours académiques provinciaux eux-mêmes. Le *Mercure* publie aussi bien l'obélisque d'Arles que le discours de Vertron. On aurait tort de croire à une vie compartimentée d'académies dont chacune aurait ignoré totalement les productions des autres. Le *Mercure galant*, par exemple, limitait certainement l'isolement. Les rapprochements qu'on peut faire entre certains discours, qui émanent pourtant d'académies différentes, renforcent la perception de l'unité fondamentale du corpus académique.

Certains discours ont fourni des modèles, voire des passages entiers à toutes sortes d'orateurs qui avaient besoin de prononcer des discours. Si c'est la devise latine de l'obélisque d'Arles qui a donné à l'Académie française le sujet de poésie de 1681, c'est la formulation de l'Académie française que Guyonnet de Vertron cite dans son panégyrique du Roi sur Strasbourg et Cazal. Un tel exemple met en lumière le rôle de l'Académie française dans le réseau de textes qui nourrit le fonds commun où tous les orateurs peuvent puiser. Les panégyriques du Roi prononcés par Pellisson et Tallemant devant l'Académie française furent ainsi plagiés ou transformés par des orateurs provinciaux[131].

L'influence du panégyrique de Pellisson semble avoir été durable dans les académies de province. Ainsi, dans le *Discours sur la devise du ROY*, le chevalier de Longueil, qui est, ou sera, membre de l'Académie d'Angers[132], écrit:

---

[131] Sur ce point voir Pellisson, «Panégyrique du roy Louis XIV», *Les Panégyriques du Roi*, p. 101, n. 20 et 22, et Tallemant, «Panégyrique du Roy prononcé le 25 aoust 1673», notice, *ibid*, p. 110 et p. 119 et n. 27.

Le discours «emprunteur» dû au R.P. Philippe de Sainte-Thérèse est le suivant: *Panégyrique de Louis le grand, prononcé par le R.P. Philippe de Ste Therese Assistant du trés-Reverend Pere Provincial des Carmes de la Province de France à l'Ouverture du Chapitre provincial, tenu dans le couvent des PP Carmes de Bourges le 13 de May 1688* (Bourges: 1688).

[132] Sur cette hésitation, voir *supra*, n. 92.

> Nos rois sont nos Astres, leurs lumieres nous éclairent, leurs regards, comme les influences des Astres, produisent nos inclinations & nos habitudes, les uns & les autres font la difference des temps & des Saisons dans le Gouvernement & dans la Nature. Les Empires ont leurs révolutions comme les Astres, mais tous ces changemens si divers, si prodigieux que l'on y remarque, sont les effets de la conduite de celuy qui les gouverne. La France en a veu de funestes, elle n'en voit plus que de glorieux. Elle a changé de face & de fortune en changeant de Maistre, & les François ont de nouvelles mœurs & de nouvelles maximes, parce que LOVIS, à qui le Ciel avoit réservé un Regne fecond en prodiges, a mis toutes choses dans leur perfection[133].

Il ne s'agit pas seulement de remarquer des expressions quasi-clichés comme «un Regne fecond en prodiges». Ce qui est plus intéressant, c'est que le début du développement de l'orateur angevin reprend l'aboutissement d'un passage de Pellisson:

> Ce qu'il y a de certain & d'indubitable, c'est que nos Rois sont nos astres; leurs regards, nos influences; leurs mouvemens & leur conduite, la premiere source sur la terre de nos vices & de nos vertus[134].

Il ne s'agit nullement d'un rapprochement arbitraire, et la ressemblance des termes n'est pas une pure coïncidence. On pourrait remarquer, tout d'abord, que Pellisson lui-même suggèrait qu'il y avait matière à discours pour les Académies autres que l'Académie française. S'il est vrai qu'il songeait probablement à l'Académie des Sciences, il impliquait par ses expressions les académies rassemblant gens de lettres et érudits scientifiques:

> D'où viennent, MESSIEURS, tant de changemens à la fois, & si remarquables? Y a-t-il quelque revolution extraordinaire, quelque conjonction & quelque constellation dans le Ciel? Dispensons-nous de l'observer: laissons-en le soin à ces nouvelles Académies Royales, filles ou sœurs de la nôtre, ouvrages encore de la même revolution, ou plutôt de la même main si magnifique & si puissante[135].

Un tel clin d'œil aux académies des Sciences et de province ne suffirait pas encore à rendre rigoureux mon rapprochement, si la liste même des transformations que le règne de Louis le Grand a rendues possibles ne s'inspirait, chez le Chevalier de Longueil, du texte de Pellisson. Le phé-

---

[133] *Mercure*, octobre 1686, p. 155-156.

[134] «Panégyrique du Roi Louis XIV», *loc. cit.*, p. 101.

[135] *Ibid.* En suggérant de laisser aux autres académies le soin d'observer le ciel, Pellisson donne un fondement supplémentaire à l'hypothèse que j'ai formulée plus haut sur la variété des intérêts dans les Académies provinciales, même lorsqu'elles prennent l'Académie française pour modèle. On se rappellera que l'Académie d'Arles avait demandé à l'abbé Flèche un «Entretien sur la comète...» (cf. *supra*, p. 227 et n. 88). L'Académie de Toulouse met les mathématiques à son programme...

nomène reste sensible, malgré le fait que certains éléments, comme la suppression du duel, sont des lieux communs:

> Le commerce n'est plus impossible aux François dans les Païs les plus éloignez, LOVIS LE GRAND l'asseure en le protegeant; il l'a rendu facile, parce que l'ambition qu'ils ont de luy plaire, leur a fait naistre de l'inclination pour la Marine[136].

Pellisson avait noté: «Le commerce maritime étoit impossible au François... Ce commerce, cependant, aussi bien que mille autres avantages, nous fait aujourd'huy autant de jaloux, que nous avons de voisins». Le rêve colbertien passe ainsi de discours académique en discours académique. La discipline et le travail sont les «prodiges» que l'Angevin note ensuite:

> Le François est accoûtumé à la discipline, il aime le travail, parce que le Prince est regulier en tous ses devoirs, & travaille au bien de l'Estat sans prendre d'inutile repos[137].

Pellisson consacrait deux paragraphes successsifs à ces thèmes, dans l'ordre inverse:

> En quel lieu du monde étoit-il autrefois plus permis & plus facile au particulier? En quel lieu du monde leur est-il aujourd'huy plus difficile & moins permis, de ne point faire leur charge, d'abuser de leur autorité, d'être dispensez des loix, de se dispenser eux-mêmes de leur devoir?
>
> Quelles histoires, quels livres, quelles Nations, & quelles Langues n'ont parlé de l'insolence du soldat François, & du peu de discipline de nos Troupes? Elles vivent maintenant; nous l'avons vû de nos yeux en Flandre, elles vivent, même dans les villes conquises, plus regulièrement que leurs propres habitans, pendant que les sujets d'Espagne, tremblans, craintifs, & renfermez dans leurs murailles, n'osent les perdre de vûë, & s'écarter à la campagne par la seule crainte de leurs propres garnisons[138].

Le duel, qui ouvrait la liste chez Pellisson, est la dernière rubrique des changements que mentionne le chevalier de Longueil.

Si le mot de plagiat venait naturellement à l'esprit lorsqu'on comparait les premiers passages rapprochés (sur les astres), il faut convenir qu'un tel plagiat est relativement créateur[139]. Ce n'est pas seulement

---

[136] *Mercure*, octobre 1686, p. 157.

[137] *Ibid.*, p. 158.

[138] Pellisson, *loc. cit.*, p. 100.

[139] En parlant de «plagiat créateur», j'entends un emprunt suffisamment tranformé par une ré-écriture pour entrer dans la logique propre au texte «emprunteur». Sur la notion de plagiat créateur, voir P. Zoberman, «Plagiarism as a Theory of Writing», *PFSCL* X, 18 (1983). D'une manière générale, on doit considérer que la création est indépendante de l'origine du matériau que le travail de l'écriture transforme en un tout cohérent et origi-

l'ordre des éléments qui est modifié (Pellisson: duel, commerce, travail, discipline, remarque conclusive sur le rapport rois-astres; Chevalier de Longueil: remarque générale et introductive sur l'assimilation rois-astres, importance du rôle de Louis Le Grand, commerce établi, discipline, travail, duel); l'accent mis sur les différents éléments change, ce qui se traduit par des amplifications de dimensions différentes: quelques lignes à peine sur le duel chez Pellisson, contre une page d'amplification chez Longueil, par exemple. La perspective se transforme également. Tout, chez l'Angevin, ramène au premier plan le parallèle du Roi et du soleil, mis en place par la devise royale, qui fait le sujet du discours, ainsi que l'auteur l'indique clairement:

> . . . j'ay ébauché quelques traits du Portrait de ce grand Prince, sans me hazarder de soûtenir témerairerement ses regards. Je m'en suis formé l'idée en considerant cette illustre Devise qui se presente sans cesse à nos yeux et qui a pour corps le Soleil, & ces mots pour ame, *Nec pluribus impar*[140].

Du discours de Pellisson à celui de Longueil, tout est remanié, jusqu'au niveau de l'écriture de détail, et ce qui, chez Pellisson, fournissait des antithèses opposant le passé et le présent et des interrogations oratoires est pour Longueil l'occasion d'anaphores unificatrices: «Le François est accoûtumé à la discipline, il aime le travail, parce que le Prince . . . Le François est sage en toutes choses, parce que connoissant aujourd'huy . . . »[141]. Une transformation aussi poussée, si elle ne fait pas disparaître la source où le second auteur a puisé, s'écarte du plagiat ou de l'emprunt pur et simple que les premières lignes sur l'influence des rois et des astres suggéraient. On pourra d'ailleurs comparer cette soigneuse manière d'intégrer un matériau textuel préexistant avec l'insertion quasi brute de morceaux de panégyriques dans le discours du P.

---

nal. C'est ainsi qu'il n'y a pas de contradiction absolue entre l'invention rhétorique par la méthode des lieux et la création, même si, dans la pratique, les *lieux communs* ou *particuliers*, au sens technique, se transformaient en «lieux communs» au sens trivial. Une telle contradiction n'existe que si l'on adopte la conception mythique de la création comme processus *ex nihilo*. De ce fait, même si les réalisations discursives de la recherche des arguments par la méthode des lieux, au XVII^e^ siècle comme dans l'Antiquité, suggèrent un parti pris de facilité, je ne saurais accepter la formule proposée par L. Pernot:

> [le] fonctionnement de l'εὕρεσις est riche d'enseignement sur le processus mental de la création oratoire; ou plutôt, il montre que la création, *au sens plein du terme*, n'a pas de place dans la rhétorique de l'invention. L'orateur ne crée pas (ce serait le mythe poétique de l'inspiration) . . . L'invention n'est rien d'autre que [le] *surgissement* [des idées possibles] *méthodiquement provoqué*. («Les *Topoi* de l'éloge», *loc. cit.*, p. 43; mes italiques.)

[140] *Mercure*, octobre 1686, p. 134.

[141] P. 158.

Philippe de Sainte-Thérèse, prononcé à Bourges en 1688, que j'ai déjà évoqué[142].

Il est parfois difficile d'établir s'il s'agit effectivement d'emprunt ou si deux textes puisent à la source du même lieu commun[143]. Ainsi, la révocation de l'Édit de Nantes a donné lieu à des amplifications souvent très proches. Il est extrêmement fréquent d'y voir la destruction d'une hydre toujours renaissante (peut-être le reliquat le plus tenace de la représentation de Louis le Grand en Hercule). A propos de la politique anti-protestante de Louis XIV, Mignot de Bussy, lieutenant général du bailliage, membre de l'Académie de Villefranche, écrit:

---

[142] Sur ce point, voir *supra*, n. 132. On peut, à titre d'exemple, comparer les deux passages suivants, le premier de Pellisson, le second de l'orateur plagiaire:

> Le Turc est déjà prés de Vienne avec cent mille hommes: il n'a plus de rivière qui l'arrête. Toute l'Allemagne tremble, presque toute la Chrétienté. Six mille François d'une valeur héroïque la vont délivrer, & dissipent cette épouvantable armée, méprisant leur vie, par la noble ardeur d'obéir & de plaire à leur Roy (*Les Panégyriques du Roi*, p. 101).

Je souligne dans le passage du discours du P. Philippe de Sainte-Thérèse les emprunts à Pellisson:

> *Le Turc* entré dans la Hongrie étoit *déja prez de Vienne avec* une armée de *cent mille Hommes, il n'y a plus de Rivières qui l'arrêtent, toute l'Allemagne tremble*, & n'attend plus que d'être accablée de l'orage qui la menace: mais LOUIS LE GRAND y envoye *six mille hommes d'une valeur héroïque*, qui *dissipent cette épouvantable armée* sur les bords du Raab, & rendent à l'Empire sa première liberté. (*op. cit.*, p. 6).

Et d'autres passages sont ainsi repris presque mot pour mot...

On parlera de source, ou d'allusion, lorsque deux textes présenteront, outre des ressemblances thématiques, des concordances lexicales et structurelles.

[143] C'est-à-dire de déterminer le point où s'arrête l'empire du lieu commun et où commence celui du plagiat ou de l'emprunt proprement dits. Le discours que prononce le marquis de Nointel, représentant, en sa fonction d'intendant, le Roi à la séance inaugurale de l'Académie d'Angers, le 1er juillet 1686, propose ainsi un programme d'éloge royal qui reprend les actions du monarque. L'énumération rappelle, certes, les panégyriques de Pellisson et de ses imitateurs, mais la brièveté de l'expression laisse supposer que l'orateur envisage les lieux reconnus par tous comme les plus importants et que d'autres que lui devront développer:

> Il nous suffira de décrire, simplement et sans art aucun, toutes les grandes places conquises par les armes du roi, aussitôt qu'il eut pris en main les rênes de son empire; la paix donnée ensuite à ses peuples et accordée à ses ennemis, dans le temps qu'il était le plus en état de pousser ses conquêtes. Nous n'aurons qu'à bien expliquer les suites merveilleuses de cette première et glorieuse paix, l'ordre remis dans les finances, les réformes, les arts cultivés, les sciences florissantes, l'exactitude de la discipline militaire portée jusqu'à un point inconnu avant son règne, la fureur des duels abolie et la noblesse détrompée de cette valeur criminelle s'accoutumant à ne plus combattre que pour la gloire de l'Etat, le commerce établi avec des nations inconnues auparavant, enfin les forces navales des Français relevées et signalées aussitôt par plusieurs combats fameux. («Séance d'inauguration», p. 39)

> Si les Temples qu'il a fait élever ou enrichir par son autorité & par sa magnificence dans les pays Orientaux, sont autant de monumens éclatans de sa gloire, les ruines & les débris de ceux qu'il a fait abattre dans ce Royaume, luy servent de trophées immortels[144].

On trouvait déjà, dans le «Discours sur le rétablissement de la santé du Roy» de Barbier d'Aucour, prononcé à l'Académie française le 27 janvier 1687 et publié la même année chez P. Le Monnier, quelques antithèses opposant la construction des monuments et la destruction des temples, en particulier celui de Charenton:

> Nous avons marché sur ses ruïnes. Heureuses ruïnes, qui font le plus beau Trophée que la France ait jamais veu! Ouvrage admirable de Louis le Grand! Ouvrage immortel & incomparable, qui est infiniment au dessus & des Statuës, & des Obelisques, & de tous les autres monumens qui publient les Vertus de ce Grand Prince! Cent arcs de Triomphe élevez à sa Gloire ne la porteront pas si haut, que ce Temple de l'Heresie abbatu par sa Pieté[145].

Ici encore, on a l'impression d'une parenté, mais il est probable que l'association entre *ruine, trophée* et *monument* dans ce contexte était fréquente. C'est le même Mignot de Bussy qui poursuit cependant, de façon très significative, en se justifiant de l'accusation qu'on pourrait porter contre lui d'être plagiaire pour la suite de son discours, ce qui montre à la fois que le rapprochement proposé plus haut n'a rien d'invraisemblable, et que les orateurs supposaient chez leurs auditeurs une certaine familiarité avec les textes en circulation:

> Comme ce n'est pas estre plagiaire que de l'estre à soy mesme, je puis me servir icy d'une pensée que je mis au jour il y a un an[146].

L'orateur affirme ne songer à piller que lui-même, mais cela implique la possibilité théorique de la référence à d'autres textes. Surtout, en prévenant ses auditeurs, il suppose que ceux-ci se rappelleront les discours qu'il a pu prononcer. Et un orateur peut toujours craindre que l'auditoire soit au fait des productions oratoires qui circulent, dans le *Mercure* ou sous une autre forme.

Mais les phénomènes de citation ou d'allusion ne font pas forcément référence aux textes émanant de l'Académie française. Les textes produits dans le contexte des académies de province circulent aussi, comme je l'ai montré en évoquant les publications et la diffusion des

---

[144] *Mercure*, février 1688, p. 28-29.

[145] *Discours sur le retablissement de la sante du Roy* (Paris: P. Le Monnier, 1687), p. 10. Je cite dans cette édition, qui est la seule que le public ait connue avant 1698 (avec les commentaires des *Remarques sur deux discours*, en 1688).

[146] *Mercure*, février 1688, p. 29.

discours. Certains discours présentent des affinités. Lorsque Guyonnet de Vertron, reçu à l'Académie d'Arles en 1680, et l'abbé Baudry, reçu à l'Académie de Villefranche en 1687, remercient leurs nouveaux confrères, chacun d'eux fait l'éloge de la Compagnie qui lui a donné une place en son sein. Tous deux énumèrent les conditions des Académiciens. Tous deux commencent par faire un éloge général de la compagnie qui les reçoit, Vertron d'abord:

> Vous m'avez donné une Place dans vostre Académie Royale, qui est pour ainsi dire, l'assemblée generale des Etats, des Sciences, & des Vertus, puisqu'elle peut se vanter avec justice d'avoir des Grammairiens versez dans toutes les langues sans confusion, des Orateurs agreables, sans affectation, des Poëtes charmans, des Historiens habiles, des Philosophes admirables[147],

puis l'abbé Baudry:

> Tout le monde sçait, Messieurs, que vostre Assemblée n'est composée que de personnes choisies, parmy lesquelles les vertus n'excellent pas moins que les Sciences, & que c'est une Ecole sacrée, où l'on apprend également, à vivre selon Dieu, & à parler selon les hommes[148].

Bien que certains termes soient communs aux deux passages, comme l'association des «Vertus» et des «Sciences», c'est à partir de ce moment que les deux orateurs évoquent diverses conditions, suivant un parallélisme qui mérite d'être relevé:

| Vertron | abbé Baudry |
|---|---|
| On voit dans vostre auguste Compagnie des Ecclesiastiques dont la vie est sans reproche, & la doctrine exempte de soupçon. | On y voit des Ecclesiastiques, qui ajoûtent tous les jours aux preuves qu'ils ont faites de leur Noblesse, celles de leurs Vertus. |
| Elle fait voir des Courtisans accomplis. Elle propose pour modelles d'équité des Iuges éclairez, qui n'ont point d'autres interests en recommandation que ceux du Prince, & de ses Sujets. | On y remarque des Jusrisconsultes consommez, & des Juges incorruptibles, qui entre les Loix, dont ils sont les interpretes & Prince, & les Depositaires, s'en font une de ne se jamais démentir du serment qu'ils ont fait à Dieu, de la fidélité qu'ils ont voüée au Prince, & de la justice qu'ils doivent au Peuple. |

[147] *Mercure*, août 1680, p. 30-31.

[148] *Mercure*, novembre 1687, p. 13.

Mais surtout elle fournit de ces hommes divins, qui sçavent accorder l'exercice des Armes avec la pratique des beaux-Arts, & ce qui est encore plus rare, avec celle de toutes les Vertus[149].

On y trouve de ces hommes rares qui montrent par leurs Ouvrages qu'il est des Muses Cavalieres, qui ont l'art de joindre les Lauriers de Mars avec ceux d'Apollon, & qui font l'alliance des Armes avec les Lettres[150].

Malgré les différences de détail, et l'obligation pour tout académicien reçu de faire l'éloge du Corps où il est admis, on sent dans le rapprochement plus qu'une rencontre arbitraire. Il faut remarquer que la seule différence des éléments énumérés (si l'on excepte le redoublement, en 1687, de *juges* par *jurisconsultes*) est constituée par la disparition de la phrase très brève sur les courtisans. Pour le reste, l'ordre est conservé. Chez Guyonnet de Vertron, il est en quelque sorte finalisé, puisque le développement aboutit à un éloge du duc de Saint-Aignan:

> Mais sur tout elle fournit de ces Hommes divins . . . à l'exemple de nostre illustre Protecteur, l'un des principaux ornemens de l'Académie Françoise, & de la cour[151].

Cette dernière remarque explique également la petite phrase sur les courtisans. L'abbé Baudry ne peut finaliser son énumération de la même manière, et c'est d'abord aux ecclésiastiques qu'il accorde une importance amplifiée: la protection de l'Académie de Villefranche est assurée par l'archevêque de Lyon. Homme d'Église, homme de cour (pour Vertron), homme de robe, homme d'épée et de plume, telle est la société que ces deux académiciens semblent proposer dans leurs discours. Si Vertron a énuméré les grammairiens, les orateurs, les poètes, les historiens et les philosophes, c'est-à-dire les occupations des gens de lettres, les académies de province, telles que les discours les représentent dans leur composition sociale, semblent faire peu de place à ceux qui ne seraient que des gens de lettres. Il est vrai cependant que les académies célèbrent le culte des Muses, et que Guyonnet de Vertron fut lui-même

149 *Mercure*, août 1680, p. 31-32 La disposition des deux passages, sans alinéa dans le texte, a été modifiée pour permettre la mise en regard des éléments pertinents.

150 *Mercure*, novembre 1687, p. 13-15. Vertron mentionnait déjà les «lauriers de Mars & ceux d'Apollon» (*Mercure*, août 1680, p. 33).

151 *Mercure*, août 1680, p. 32. L'éloge de ceux qui sont à la fois gens de lettres et gens de guerre est un lieu propre à l'Académie d'Arles, précisément parce que le duc de Saint-Aignan en est le protecteur: on en retrouve une variante dans le compliment de réception de Magnin, en 1685, où le protecteur de la compagnie est admiré comme homme d'esprit et guerrier. (*Mercure*, février 1685, p. 112).

L'académie d'Arles est parmi les plus aristocratiques. Sur la composition des académies de province, voir D. Roche, *Le Siècle des Lumières en province*, en particulier les tableaux 12 sq. (t. II, p. 381 sq.). Le règlement de l'Académie d'Arles (art. 1) lui prescrit de choisir ses membres parmi les gentilhommes.

historiographe du Roi, en récompense de ses talents de panégyriste. Mais surtout, la comparaison des discours de l'abbé Baudry et de Vertron, qui met en lumière une parenté dans l'ordre des conditions énumérées et dans le lexique employé, semble indiquer un phénomène de source, sinon de plagiat. L'impression est renforcée par l'écriture anaphorique, même si le discours de 1687 ne maintient pas l'élan produit en 1680 par la rupture du patron («On voit . . . . Elle fait voir . . . Elle propose . . . . Mais surtout elle fournit . . . .») Au «On voit» initial de Vertron, correspond le «on y voit» de Baudry. Mais alors que celui-là a recours à une anaphore brisée «Elle . . . . Elle . . . . Mais surtout elle», essentielle à sa finalisation, celui-ci conserve la structure initiale sans rupture: «On y voit . . . . On y remarque . . . . On y trouve . . . ». L'emprunt n'est pas brut. Il y a adaptation, même si la transformation n'est pas aussi poussée que dans le cas du chevalier de Longueil, qui puisait à la source du panégyrique de Pellisson, mais en l'intégrant à son propre projet[152].

Les différents exemples qui ont été analysés montrent donc que les textes émanant du milieu académique circulent. Les discours sont produits dans le contexte de cette circulation, qui apparaît ainsi comme un aspect fondamental de ce type d'éloquence, même si certains rapprochements ne permettent pas clairement d'établir si l'on a affaire à une relation de source ou à une ressemblance qui peut, dans le champ saturé de résonances, du fait de la multiplication des discours et des diverses formes de représentation et d'éloge, n'être qu'une coïncidence. Ainsi, la phrase de Mignot de Bussy, citée plus haut,

> & les trois fortes Places de Valenciennes, Cambray, & S. Omer conquises en trois semaines, ont renouvellé par trois fois en faveur de Loüis, ce que Cesar ne put dire qu'une fois, *Je suis venu, j'ay veu, j'ay vaincu*

semble rappeler le discours de Gourreau pour l'inauguration de l'Académie d'Angers:

> César n'a dit qu'une fois: «Je suis venu, j'ai vu, j'ai vaincu.»; le Roi l'a fait et l'a pu dire en mille et mille rencontres[153].

Emprunt retravaillé ou rencontre involontaire, mais à peine fortuite dans la mesure où Jules César appartient aux figures de référence pour

---

[152] On peut comparer ces deux listes avec celle que dresse pour l'Académie de Villefranche, le 3 décembre 1681, Terrasson, alors directeur: «L'Eglise luy a fourny ses Sçavans, la Justice ses Magistrats, la Jurisprudence, ses Oracles» (*Mercure*, janvier 1682, p. 229).

[153] «Séance d'inauguration...», p. 50.

le Roi et où la formule est si connue? Le discours de Gourreau ne semble pas avoir été publié dans le *Mercure*. A-t-il circulé autrement? Quoi qu'il en soit, un tel rapprochement confirme le caractère relativement limité des citations et des figures exemplaires auxquelles les orateurs académiques avaient recours. Mais l'impossibilité d'affirmer avec certitude dans certains cas qu'il s'agit d'un emprunt n'empèche pas qu'on puisse assurer, de façon générale, que les discours étaient lus et utilisés comme matériau à retravailler.

Les discours de l'Académie française circulaient, grâce au *Mercure,* certes, mais aussi par la publication individuelle ou l'insertion dans divers recueils. En ce qui concerne les académies de province, le *Mercure,* s'il n'est pas un facteur exclusif, constitue un élément fondamental dans la diffusion des productions d'éloquence: insérant comptes rendus de séances et citations de discours, voire des discours entiers, il servait en quelque sorte d'intermédiaire entre les académies. Nous verrons plus loin que les activités mêmes des compagnies de belles-lettres leur fournissaient d'autres occasions de contact, en particulier les prix d'éloquence ou de poésie.

Si les précautions prises par un Mignot de Bussy, qui se lave du soupçon de plagiat afin de pouvoir emprunter à l'un de ses discours une pensée qu'il veut reprendre, indiquent que les orateurs et leur public étaient conscients de l'existence – et de la fréquence – de la pratique du plagiat et de l'emprunt, les quelques discours que j'ai analysés montrent que les académiciens n'avaient guère recours à des formes naïves du plagiat, peu compatibles avec leur dignité d'hommes de lettres. Si certaines excuses et certains aveux de faiblesse qu'on trouve au début des compliments de réception (plus souvent appelés *compliments* que *discours* par le *Mercure*) ou d'autres discours ont un air de famille, c'est tout simplement parce que le procédé était un lieu commun et ses techniques relativement limitées. Les académiciens qui empruntent un trait à un autre discours académique le retravaillent, transforment sa visée, modifient le rapport d'amplification entre les différents éléments: en d'autres termes, l'emprunt est souvent utilisé comme une matière première qui sera retransformée par l'élaboration discursive. Les traces qu'on peut encore apercevoir sont des indications utiles pour décrire *a posteriori* les processus de composition et parfois pour établir les éléments constitutifs d'un discours académique (éloge de l'académie où l'on entre ou devant laquelle on parle; éloge du protecteur, éloge du monarque, aveu de faiblesse initial, etc.). Elles montrent en même temps que les orateurs ne méprisaient ni la mémoire de leurs auditeurs, ni leur capacité de reconnaître des sources et qu'ils prenaient au sérieux leur devoir oratoire.

La crainte d'être découvert pouvait aussi retenir l'orateur sur la pente du plagiat: l'article 13 des statuts de l'Académie de Soissons ne demande-t-il pas que les nouveaux académiciens laissent une copie de leurs discours de réception, pour les archives, mais aussi pour une étude lors des séances académiques? Règlementaire ou non, cette pratique pouvait bien se retrouver ailleurs. Par gloire d'hommes de lettres, par respect pour leur public ou par prudence, les académiciens, à la différence des orateurs d'autres institutions (Parlement, chaire), utilisent des sources plus qu'ils ne les pillent.

### 3. **Représentation de soi et célébration du mouvement académique**

L'éloquence d'apparat s'inscrit dans le rituel des institutions qui la font naître. Elle ponctue la vie «officielle» des corps et compagnies dont elle accompagne les cérémonies solennelles. Pour les académies, comme pour toute institution, les discours fournissent l'occasion d'élaborer une représentation d'elles-mêmes et le véhicule pour la transmettre. Les orateurs donnent une image de l'institution et de ses valeurs, à usage externe ausi bien qu'interne. On se présente aux autres, non pas pour dresser un portrait neuf de la compagnie, mais pour réaffirmer ses valeurs et la permanence de ses structures, dans la répétition ritualisée des formes cérémonielles, trait fondamental de tout l'apparat de l'époque classique. Mais la représentation que l'orateur donne dans son discours doit satisfaire les membres de la compagnie, laquelle cherche à se reconnaître et à s'estimer en elle, tout en la diffusant. C'est une dynamique que l'on retrouve dans beaucoup d'institutions, et qui joue un rôle très important dans l'éloquence des institutions «éthiques» comme les parlements.

L'Académie française reprenait à son compte l'image d'une institution du langage. Elle affirmait sa grandeur en liant son destin à celui du Roi et en mettant en lumière la valeur des lettres. Dans cette logique du mouvement académique qui tend à valoriser, ou à re-valoriser, l'activité de l'homme de lettres, les académies de province occupent une position particulière, qui diffère aussi bien de celle de l'Académie française que de celle des juridictions parisiennes par exemple. Les académies peuvent, on l'a vu, apparaître comme l'intersection de plusieurs institutions et conditions. Les académiciens de province n'ont pas aussi clairement tendance que ceux de Paris à marquer la supériorité absolue des lettres sur toute autre activité, puisque leurs compagnies sont formées de gens qui illustrent les autres exercices, et s'y illustrent. Les principes de choix de nouveaux membres font que, dans certains cas, les académies ne reçoivent que des personnes qui ne peuvent, par profession ou par état, mépriser les autres activités ou leur accorder moins de valeur qu'aux lettres. A la définition d'un mérite académique ou littéraire (et savant) s'ajoute alors l'idéal de l'homme d'épée-homme de lettres, qui n'est pas absent de la vision du mérite qu'on trouve à l'Académie française, mais qui prend ici une valeur exemplaire.

Je considérerai, dans ce qui suit, les académies de province comme un ensemble, quitte à souligner, à l'occasion, un trait propre à une compagnie particulière. L'absence de documentation aussi complète que pour l'Académie rendrait peu fructueuse la succession de monographies. Les rapprochements que j'ai présentés dans la section précédente soulignent d'ailleurs la cohérence du corpus académique provincial, en ce qui concerne les discours auxquels j'ai eu accès à tout le moins. Une présentation d'ensemble ne pourra que favoriser la recherche des spécificités parisienne et provinciale, tout en permettant de tirer des conclusions qui ne soient pas seulement locales.

### A. *Les «Muses Cavalieres»*[154] *ou l'idéal de l'homme d'épée-homme de lettres*

En faisant l'éloge du corps qui les reçoit, les nouveaux académiciens sont amenés à proposer une représentation de l'académie qu'ils louent comme rassemblement d'un certain nombre de types sociaux valorisés. Pour faire une sorte de synthèse du discours de Vertron, reçu à l'Académie d'Arles en 1680, et de Baudry, reçu à Villefranche en 1687, les académies de province offriraient l'image de réunions d'hommes d'Église, d'hommes de cour, d'hommes de robe et d'hommes d'épée et de plume. La conjonction de ces deux derniers caractères dans les mêmes hommes est importante. Elle est l'un des points majeurs de la revalorisation de l'homme de lettres à laquelle tend le mouvement académique, au moins dans une académie comme celle d'Arles. On pourrait dire, pour simplifier, qu'alors que les discours de l'Académie française renversaient symboliquement la hiérarchie des valeurs sociales, les académies de province, et plus nettement les académies aristocratiques, présentent les lettres comme une activité acceptable et convenable pour toutes les conditions, et en particulier pour les gentilshommes. L'Académie française glorifiait les lettres en rappelant que les plus grands dignitaires du Royaume aspiraient parfois à se voir accorder le titre d'académicien, et que le Roi n'avait pas dédaigné de prendre celui de protecteur de l'Académie. Les orateurs qui font l'éloge de Saint-Aignan devant les Qua-

[154] L'expression «Muses Cavalières» est de l'abbé Baudry (compliment de réception à l'Académie de Villefranche, 1687). Elle implique la noblesse du combattant à cheval. Ce n'est donc pas n'importe quel guerrier qui est loué!

rante soulignent bien en lui la coïncidence de la valeur militaire et de l'amour des lettres. Mais, d'une manière générale, les orateurs de l'Académie française cherchent, on l'a vu, à établir la primauté des lettres, à affirmer que les hommes de lettres forment un ordre qui, paradoxalement, est le premier de l'État. Avant même le mécénat organisé de Colbert, les membres de la Compagnie avaient utilisé le portrait de Richelieu pour célébrer la grandeur de l'homme de lettres. Le savoir linguistique et le maniement des armes sont mis en parallèle par les académiciens qui tendent même à faire de la langue française et de la culture qui s'y rattache – leurs armes – un équivalent ou un soutien de la politique militaire dans le rôle international de la France. Peut-être, pour certaines, parce que leur recrutement est, dans son principe, plus exclusivement aristocratique que celui de l'Académie française, ou parce que l'appartenance multi-institutionnelle de beaucoup de leurs membres les empêche de subordonner aux lettres toutes les autres préoccupations, les académies provinciales ne retiennent qu'une facette de la stratégie de l'Académie française et tendent, non pas à mettre en parallèle et à évaluer comparativement la profession des lettres et celle des armes, mais à les réunir comme le double et indissociable apanage des personnalités d'exception, qui sont les plus remarquables types d'académiciens. Qu'on se rappelle la remarque admirative de Vertron sur l'Académie Royale d'Arles:

> Mais surtout elle [votre académie] fournit de ces Hommes divins, qui sçavent accorder l'exercice des Armes avec la pratique des beaux Arts, & ce qui est encore plus rare, avec celle de toutes les Vertus, à l'exemple de nostre illustre Protecteur, l'un des principaux ornemens de l'Académie Françoise & de la Cour[155].

La suite du discours précise encore cette alliance des armes et des lettres dans les mêmes individus, qui, avec les unes comme avec les autres, se mettent au service de Louis XIV:

> On voit plusieurs de nos Académiciens dans le temps de la guerre, porter les armes avec ardeur, & dans le temps de la paix, employer leurs mains guerrieres, pour marquer les actions heroïques de l'incomparable LOUIS, apres en avoir esté les témoins genereux. Ces éloquens & braves Capitaines montent aussi agreablement à la Brêche qu'au Parnasse. Ils parlent aussi éloquemment dans les Académies, qu'ils commandent sagement dans les Armées. En un mot, nostre Académie apprend à cueïllir les Lauriers de Mars, aussi bien que ceux d'Apollon[156].

---

[155] *Mercure*, août 1680, p. 31-32.

[156] *Ibid.*, p. 32-33. Noter la manière dont les Académies évoquent le Roi comme «LOUIS». Voir, parmi beaucoup d'exemples, *Discours sur la devise du Roy* (*Mercure*, octobre 1686): «LOVIS seul a conquis par sa vertu ces titres qui dureront éternellement» (p. 138).

Faut-il penser que Vertron connaissait le compliment que Saint-Aignan avait prévu de faire à la Dauphine, mais qui ne fut pas prononcé parce que la Dauphine ne reçut point de harangues[157] et où on peut lire:

> Moy qui ay tousjours plus aspiré à cuëillir les Lauriers de Mars, que ceux d'Apollon, & que ma profession devroit avoir instruit à monter plustost à l'assaut, qu'au Parnasse[158].

Saint-Aignan avait soutenu la candidature de Vertron à l'Académie Royale d'Arles, comme celui-ci le rappelle dans son discours[159]. Rien n'interdit d'imaginer que Saint-Aignan a pu communiquer à Vertron, autre orateur déçu dans l'espoir de haranguer la Dauphine, le texte de son compliment. Cette filiation apparente n'empêche pas que la défense des lettres se fasse d'une manière qui diffère de la stratégie générale de l'Académie française. Saint-Aignan, de toute façon, parle de sa situation personnelle. Pour l'Académie française, tout homme de lettres est grandi par sa profession. Pour Vertron, qui décrit l'Académie d'Arles à laquelle il vient d'être reçu, les hommes d'épée ne répugnent plus à la profession des lettres, dont on ne doit pas avoir honte, parce qu'elle n'est que le prolongement du service du Roi pendant la paix. La défense des belles-lettres consiste donc à mettre en lumière leur caractère acceptable pour la noblesse. De façon détournée, on pourrait voir là la réponse à la vision robine de l'activité guerrière: elle est importante, soit, mais à la différence des magistrats, le devoir de la noblesse d'épée, et surtout ses travaux, sont bien réduits en temps de paix[160]. Vertron propose donc une image de ce que peut être l'activité des gens d'épée en temps de paix.

Vertron est d'ailleurs fidèle à l'esprit des règlements de l'Académie Royale. Celle-ci fait en effet partie des académies au recrutement aristocratique dont parle Roche. Mais l'insistance sur le caractère noble, et sur l'épée, y est très forte. L'article premier des statuts porte:

> L'Académie ne sera composée que de vingt personnes d'eslite et veritables amis (*originaires de la province* et GENTILSHOMMES).

---

157 Voir *Registres de l'Académie française*, t. I, p. 202, en date du 22 mars 1680:

> Monsieur le duc de St Aignan Chancelier est venu reciter à l'Académie une harangue qu'il avoit préparé (sic) pour la Dauphine, mais comme les autres Compagnies n'en avoient point fait, il avoit esté obligé de la conserver dans sa mémoire, et neanmoins il avoit crû qu'il ne devoit pas priver l'Académie d'un discours qui estoit digne de luy estre communiqué.

158 *Recueil tdes Harangues* de 1698, p. 360. Pour une autre occurrence de l'éloge de Saint-Aignan comme homme d'épée-homme de lettres, cf *Mercure*, novembre 1683, p. 176, dans un compliment de Romieu où tous leg académiciens sont loués sur ce modèle.

159 *Mercure*, août 1680, p. 29.

160 Voir chap. III, p. 438.

Une note marginale dans le registre de l'Académie indique: «Ce premier reglement a été interprété, et l'Académie a donné des lettres de noblesse au mérite des personnes.»[161]. Le duc de Saint-Aignan propose bien, dans la lettre qu'il joint aux lettres patentes de la Compagnie que les députés de l'Académie sont allés chercher à Avignon, une division des talents:

> Il [le Roi] a jeté les yeux sur nos épées et sur vos plumes, et jugeant sur ce qu'elles ont produit que rien de pouvait leur résister; Sa Majesté a eu agréable tout ce qui a été résolu dans une assemblée aussi illustre que la vôtre et aussi attachée à son service[162],

mais l'annonce de prix proposés par l'Académie Royale d'Arles, dans le *Mercure* de mars 1682, insiste sur l'importance des nobles d'épée dans l'Académie et sur la fusion qu'elle implique entre homme d'épée et homme de guerre:

> Leur dessein est de faire faire l'histoire de notre incomparable monarque en panégyriques, mais comme cette illustre compagnie est composée de personnes d'épée, qui, dans le temps de la paix s'appliquent aux belles lettres, et qui s'assemblent principalement pour parler, d'une manière solide, des merveilles de ce règne, plusieurs de ces éloquens capitaines quittant la plume, afin d'obéir aux ordres du roy, et le nombre de l'Académie royale qui est de trente, estant diminué par la marche des troupes, ces messieurs ont jugé à propos de ne proposer ce prix d'éloquence qu'en faveur de la ville d'Arles[163].

L'Académie d'Arles n'est pas la seule qui présente si favorablement le type de l'homme d'épée-homme de plume. On le voit apparaître dans le discours de Baudry déjà cité:

> On y trouve de ces hommes rares qui montrent par leurs Ouvrages qu'il est des Muses cavalieres, qui ont l'art de joindre les Lauriers de Mars avec ceux d'Apollon, & qui font l'alliance des Armes & des Lettres[164].

Mais, bien que ces lignes terminent la liste des catégories d'académiciens dressée par le récipiendaire, et que le terme *rares* soit fort laudatif, la personnalité du protecteur, le duc de Saint-Aignan, et la qualité des membres de l'Académie font que ce qu'on pourrait appeler l'association de la plume et de l'épée revient de façon insistante dans les discours de l'Académie d'Arles, et l'image est réfléchie par le *Mercure*

---

[161] Cité par Rancé, t. I, p 80. Les lettres patentes de 1677 portent à trente le nombre des académiciens.

[162] *Ibid.*, p. 149.

[163] Cité par Rancé, t. II, p. 395. L'expression «éloquens capitaines» apparaissait déjà dans le discours de Vertron cité plus haut, «ces éloquens & braves Capitaines».

[164] *Mercure*, novembre 1687, p. 14-15.

*galant*. En février 1680, Donneau de Visé évoque la mort de la duchesse de Saint-Aignan et ce que l'Académie Royale d'Arles a fait en cette occasion:

> L'Académie Royale d'Arles a député vers Mr le Duc de S. Aignan son Epoux; & Mr le Marquis de Chasteau-Renard, dont l'épée & la plume sont également recommandables, apres luy avoir fait un Discours tres-bien tourné, luy a donné de la part de cette Académie la lettre qui suit[165].

Saint-Aignan, Chasteau-Renard, et par extension les académiciens d'Arles sont doublement armés: de l'épée et de la plume. Les lettres atteignent leur plus louable statut quand elles sont, chez des gentilshommes, la contrepartie pacifique des armes. D. Roche a bien montré que les purs «littéraires» étaient peu représentés dans les académies; on décèle en particulier une faiblesse du côté des professeurs. Données sociologiques et représentation que les académiciens donnent de leur compagnie semblent bien correspondre, à tout le moins dans le cas d'Arles, où l'admiration se concentre sur la conjonction des armes et des lettres, sur l'habileté à manier l'épée et la plume.

On retrouve la même division de l'activité entre armes et lettres dans le discours «A LA GLOIRE des Academies d'Italie» prononcé en 1696 dans les conférences académiques de Toulouse par le secrétaire de l'Académie, Martel. La présentation, nettement positive, de l'Allemagne, de l'honneur qui y est fait à la conjonction de l'érudition et de l'art de la guerre, ainsi que de l'heureux effet de la pratique des lettres, y apparaît bien comme un modèle:

> Quoy que les esprits d'Allemagne soient naturellement pesans ils ne laissent pas neanmoins, par une application invincible, d'inventer & de faire des découvertes. Comme on y recompense des premiers Emplois & des titres les plus honorables ceux qui s'attachent à la belle Litterature, & à l'Art militaire, ils se font un métier & une occupation de ce qui sert d'amusement aux autres Peuples, partageant ainsi leur temps entre les Armes & les Sciences, & par de continuelles applications & par des voyages de long cours, ils ne manquent presque jamais de réussir dans ces nobles exercices[166].

Le mot «sciences» se substitue, dans l'expression «entre les Armes & les Sciences», à «lettres», mais c'est l'équivalent de «belle littérature», et la fonction est la même. En partageant son temps entre les armes d'un côté et la belle littérature, ou les sciences, de l'autre, on se livre, souligne l'orateur, à de «nobles exercices». Le terme *nobles* est important,

---

[165] *Mercure*, février 1680, p. 306.

[166] *Mercure*, juillet 1696, p. 13-14.

puisqu'il souligne l'absence de mépris pour les lettres, qui sont prises au sérieux, au lieu de constituer un simple amusement. Elles ne sont donc pas indignes des faveurs des grands. Dans le même discours, l'orateur souligne, à propos des académies d'Italie à la gloire desquelles il parle, que la vertu et la valeur littéraire déterminent les faveurs et les caresses des grands. On se rapproche, dans une telle présentation, de la vision académique d'une égalité entre tous ceux qui partagent l'amour des lettres:

> J'y remarquay aussi plusieurs cardinaux & des Princes Seculiers, qui à la fin de l'action firent des honneurs et des caresses extraordinaires à un Académicien, Soldat des Gardes du Pape, qui y avoit porté de tres-beaux Vers[167].

La vision de l'homme académique, homme de plume et d'épée, donne lieu à plusieurs variantes. On trouve la trace de ces héros bi-frons, mi-guerriers, mi-lettrés chantés par un Baudry, un Vertron ou un Martel, dans le compliment que l'Académie de Caen fit à l'intendant Foucault en 1689. Dans ce cas, c'est le même homme qui honore à la fois les héros guerriers et les savants illustres. Évoquant le cabinet des médailles de Foucault, le curé de Blainville, qui porte la parole, affirme:

> Tandis que vous vous appliquez à conserver dans vostre Cabinet l'air & les traits des Heros celebres pour la gloire des armes, vous honorez d'une manière encore plus glorieuse ceux qui se sont rendus illustres par les Sciences, en les faisant revivre dans vostre memoire[168].

L'intendant admirable partage son intérêt entre les héros militaires et les savants illustres, comme l'homme de lettres-guerrier est l'élite des académies. Mais la profession des lettres a sa grandeur propre, qui n'est pas négligeable. D'ailleurs les ecclésiastiques et les robins ne sont pas dédaignés, puisqu'on les voit figurer dans les «catalogues» de catégories d'académiciens présentés par Vertron, Baudry ou d'autres. L'association de l'état ecclésiastique ou de la robe avec les lettres semble cependant soulever moins d'enthousiasme, peut-être parce qu'il est plus naturel pour ces groupes d'être savants et que l'éloquence, entre autres choses, est comme appelée par la fonction.

L'éloge des belles-lettres trouve cependant une place autonome dans les discours académiques. La même académie de Villefranche, qui avait entendu en 1687 l'abbé Baudry célébrer les «Muses Cavalieres», eut les

---

167 *Ibid.*, p. 20-21.

168 *Mercure*, juillet 1689, p. 203. C'est Foucault, «intendant-dragonneur», qui obtiendra pourtant pour l'Académie de Caen des lettres patentes (cf. Roche, *op. cit.*, p. 22). Les compliments ne sont donc ni tout à fait menteurs, ni tout à fait inutiles.

honneurs du *Mercure* avec un *Discours sur la gloire* de Mignot de Bussy, qui se concluait sur la variété des chemins qui mènent à la gloire, parmi lesquels les exercices académiques:

> . . . Loüis renferme dans ses actions tous les exemples qui nous marquent les divers degrez par lesquels l'homme peut monter au Temple de la Gloire. Suivons-le dans les voyes qu'il nous a déja frayées, ne hésitons (sic) pas de courir après ce Heros, puisqu'il nous rend si faciles les routes qu'il a tenuës. Si nostre profession & les exercices que nous avons embrassez ne nous permettent pas de cüeillir comme luy des Lauriers ensanglantez, & d'orner nos Trophées des dépoüilles de nos Ennemis, ils nous offrent des prix proportionnez à nostre estat. Loüis est arrivé au sejour de la Gloire par tous les chemins qu'elle propose; contentons-nous de le suivre par les plus tranquilles & les plus doux; laissons les plus dangereux & les plus éclatans à tant de braves Guerriers, qui preferent les Jeux de Bellonne aux Concerts des Muses, & les Champs formidables de Mars aux aimables retraites du Parnasse. Continuons, Messieurs, nos Assemblées avec assiduité, entretenons nostre Commerce avec attachement, aimons la Gloire & ce qui peut nous l'acquerir, celebrons sans cesse les faits heroïques de nostre Monarque; que ce soit le premier, ou plûtost l'unique but de nos entretiens; & pour peu que nos Plumes s'exercent à toucher les traits de la gloire qui l'environne, soyons certains qu'il en rejaillirera (sic) assez de rayons sur nos fronts, pour les ceindre des couronnes de l'immortalité[169].

C'est avec une ombre de regret que l'orateur sépare les chemins pour aller à la gloire. Les «plus dangereux & les plus eclatans» sont ainsi laissés aux «Guerriers», ceux qui préfèrent les «Jeux de Bellonne» aux «Concert des Muses». Les habitants du Parnasse ne vont pas montrer leur valeur sur les «Champs formidables de Mars»; les valeureux capitaines ne montent plus à l'assaut du Parnasse... Pourtant, si la réunion semble impossible, les lettres offrent leur promesse de gloire, au moyen de l'assiduité aux exercices académiques, de l'amour de la gloire et de l'éloge du Roi, présenté comme le sujet essentiel des entretiens des académiciens, ce qui rappelle les discours de l'Académie française. Le rapprochement n'est pas arbitraire, puisque la fin du passage présente l'image divinisée du Roi qui apparaît dans les productions académiques parisiennes – ou plutôt une variante sanctifiée: le terme gloire, avec le verbe «environne» et l'expression «assez de rayons sur nos fronts», suggère le double sens de réputation honorable et de gloire des bienheureux. Surtout le trait final, avec les «couronnes de l'immortalité», présentées comme un substitut pour les «Lauriers ensanglantez», évoque la devise de l'Académie française dont l'Académie de Villefranche se déclare l'émule et, peut-être, l'égale. Un bel effet de la gloire des lettres!

[169] *Mercure*, février 1688, p. 38-41.

Si l'alliance des armes et des lettres apparaît dans plusieurs cas comme la caractéristique de l'académicien d'élite, les exercices académiques restent perçus comme une continuation pacifique de l'activité des armes. Mais activité littéraire ou savante de l'homme d'épée et exercice des belles-lettres conçu comme une alternative à celui des armes pour arriver à la gloire – au service de Louis le Grand – sont deux facettes d'un même effort pour définir un mérite propre aux gens de lettres, mérite qui diffèrera, naturellement, de celui de robins; ils ont cependant en commun d'être une valeur personnelle, individuelle, qui s'obtient par le travail, l'étude et la vertu.

## B. *Le mérite académique*

Présent dans les académies, ou regretté comme un idéal auquel on ne peut atteindre, le type de l'homme d'épée-homme de lettres apparaît comme l'une des facettes de la réhabilitation des lettres. D'une manière plus générale, les discours académiques, qui rejoignent en cela les préoccupations de l'Académie française, combinent cette revalorisation avec une exaltation du mérite. Le terme *mérite* apparaît très fréquemment, tant dans les discours académiques eux-mêmes que dans les comptes rendus de séances que l'on trouve dans le *Mercure*. D'une manière générale, son emploi suggère une valeur individuelle, qui peut se cultiver et s'acquérir, par opposition à la naissance. Ainsi, bien que l'article premier des statuts de l'Académie d'Arles exige que ses membres soient «GENTILSHOMMES», la pratique a, d'après une note marginale du registre de la Compagnie, autorisé quelques exceptions justifiées par le mérite[170]. Même une académie aristocratique comme celle d'Arles ne peut rester à l'écart du mouvement académique et de sa vocation à reconnaître un «mérite littéraire» ou savant.

L'association du mérite et des muses dans le style si redondant qui caractérise l'éloquence d'apparat, suggère bien que les lettres donnent du mérite à tous ceux qui les cultivent:

> Jamais le mérite ne fut si liberalement recompensé, jamais les Muses ne furent si honorées qu'elles sont aujourd'huy de LOUIS LE GRAND, qui marque une inclination particuliere pour ces beaux Genies, qui font fleurir les Sciences & les Arts,

s'exclame le chevalier de Longueil[171], qui fait à la fois l'éloge du Roi et celui des lettres qu'il honore. Le parallélisme de structure créé par

---

[170] Voir *supra*, p. 257 et n. 161.

[171] «Discours sur la devise du roy» (Angers), *Mercure*, octobre 1686, p.179. Le passage s'achève sur une comparaison entre le Roi et le Soleil:

l'anaphore («jamais le mérite ne fut... jamais les Muses ne furent...») souligne le rapport implicite établi entre les muses et le mérite. Les discours académiques marquent clairement que la pratique des lettres peut apporter à l'individu une valeur, toute valeur étant, naturellement, récompensée sous le règne du plus grand monarque qui soit! L'affirmation de cette valeur fait partie des attentes des académiciens devant qui les discours sont prononcés, ou à qui ils sont adressés. Elle appartient aux éléments constitutifs du «bon» discours, du discours réussi, qui répond à ce qu'on en attend.

Dans l'ensemble, les sociétés académiques restent relativement hétérogènes du point de vue de leur composition, ne serait-ce que parce que, dans la plupart, la robe, l'Église et l'épée sont représentées. Le mérite ne s'y définira pas exclusivement par une opposition avec la qualité ou la naissance. De même que l'exercice militaire et la pratique des belles-lettres apparaissaient comme deux facettes des mêmes individus, de même mérite et naissance vont pouvoir s'associer, le premier prenant l'allure d'une confirmation et d'un approfondissement de ce que la seconde confère (il serait peut-être excessif de dire que l'épée et la plume sont deux métonymies, la première pour la naissance, la seconde pour le mérite, dans la mesure où la valeur militaire individuelle peut apporter un mérite particulier; mais d'autres institutions ne sont pas loin de le suggérer...). On voit nettement l'idée d'une confirmation de la naissance par le mérite dans les éloges que les discours de l'Académie de Villefranche font de son protecteur, l'archevêque de Lyon. Pour l'abbé Baudry:

> Quel éloge ne merite point Monseigneur l'Archevesque de Lyon, cet illustre Prelat, dont la naissance & le merite en ont fait une des plus solides colomnes (*sic*) de l'Eglise?[172]

La répétition du terme «mérite», la première fois comme verbe, la seconde comme substantif, renforce la notion de valeur acquise, puisque même l'éloge, qui est dû à l'Archevêque socialement par sa position dans l'Église et académiquement par sa fonction de protecteur, le lui est aussi par un droit qu'il s'est acquis grâce à ses qualités personnelles, en associant précisément sa naissance et son mérite.

Si le mérite égale et confirme la naissance, une position cohérente dans le contexte de ce que nous avons déjà vu sur les académies de pro-

---

> semblable au Soleil qui ne voyant sur la terre de plus beau, de plus brillant que les fleurs, semble ne lancer sur elles que ses plus doux rayons, pour les peindre, que des regards favorables pour les embellir.

Je reviendrai plus loin sur l'importance du «Soleil en province».

[172] *Mercure*, novembre 1687, p. 17.

vince, les académiciens renversent parfois la perspective. La naissance semble n'être plus qu'un accessoire de ce mérite si louable, quand Bernard de Hautmont, de Saumur, remercie l'Académie de lui avoir donné une place. Dans l'introduction au discours que le nouvel académicien a prononcé, le *Mercure* omet toute référence biographique – peut-être, il est vrai, n'y avait-il rien de remarquable à signaler – et note seulement le mérite du nouvel académicien et la réputation qu'il s'est acquise par ses ouvrages:

> On y a receu depuis peu de temps un Academicien d'un grand merite. C'est Mr Bernard de Hautmont de Saumur. Il doit vous estre connu par diverses Pieces qu'il a données au Public, & qui ont receu beaucoup d'approbation[173].

Mais c'est le discours de réception de Hautmont qui m'intéresse ici. Dans l'éloge qu'il fait du protecteur de la Compagnie, c'est le mérite qui sert de point de référence, et non la naissance. C'est la naissance qui est à la hauteur du mérite, et non l'inverse. Le prélat est présenté comme une sorte de doublet du Roi-soleil, comme un soleil intermédiaire dont les rayons se répandent sur l'Académie:

> Quelle gloire, Messieurs, & quel avantage d'avoir à vostre teste l'auguste Primat des Gaules, *dont la haute Naissance égale le merite extraordinaire*, & qui par un assemblage de mille vertus éclatantes brille comme un Astre dans l'Eglise, & repand en mesme temps sur cette Assemblée une lumiere vive & feconde qui la rend si venerable[174].

La formulation suggère bien ici que c'est le mérite qui prime. C'est lui qui sert de fondement nécessaire. Si l'on compare, d'ailleurs, cette présentation de l'Archevêque avec celle de Fléchier à Nîmes, on se rend compte que les académies manifestent une vive émulation pour remporter la palme du meilleur protecteur et que la grandeur de l'Académie dépend du *mérite* de son protecteur. Voici le passage du discours de réception de Marsolier, chanoine de la cathédrale d'Uzès, consacré au protecteur:

> . . . une Académie conduite, & pour ainsi dire, animée par l'illustre Prelat qui en est le Protecteur, & qui seroit aujourd'huy celuy de tout l'Empire des Lettres, si cet Empire pouvoit se réunir sous un seul Protecteur, ou si cette qualité n'estoit jamais donnée qu'au merite & aux grands talents![175]

---

[173] *Mercure*, août 1688, p. 222-223.

[174] *Ibid.*, p. 228. C'est moi qui souligne. Cf. aussi le compliment de Romieu à l'abbé Prost qui a dédié des thèses à l'Académie: «Vostre Corps est autant recommandable par la haute naissance de ceux qui le composent que par la beauté de leur génie.» (novembre 1683, p. 176).

[175] *Mercure*, juin 1691, p. 55.

Au «mérite extraordinaire» de l'archevêque de Lyon correspond ici l'affirmation de la supériorité absolue de celui de l'évêque de Nîmes. L'hyperbole est logique lorsqu'un nouvel académicien loue le protecteur de la compagnie où il est admis. Elle paraît cependant un peu forte, dans la mesure où l'éminent protecteur des lettres, c'est le Roi. Mais il est vraisemblable qu'on ne percevait là aucune atteinte à la gloire royale, qui est d'un autre ordre. Quant à l'abbé Poncet, reçu le 30 janvier 1696, il se félicite d'entrer

> dans une Compagnie qui voit à sa teste un Preslat illustre que la sublimité de son genie met autant au dessus des autres esprits, que sa dignité sacrée l'éleve au-dessus des autres hommes, qui, joignant à la finesse du goust, la vivacité des pensées, à la delicatesse des tours, la politesse du langage, renferme dans luy seul mille talens, lesquels s'ils estoient partagez, pourroient faire mille personnes de merite[176],

le mérite apparaissant ici comme un résultat des talents: les mille talents qui, réunis, font de Fléchier un homme et un prélat extraordinaires, feraient, partagés, autant d'hommes de mérite...

L'affirmation qu'un grand personnage doit sa dignité à son mérite plutôt qu'à sa naissance peut bien apparaître comme un lieu de l'éloge; la manière dont le terme *mérite* revient dans les discours académiques montre l'importance que les orateurs y attachent. Le *Mercure* se fait l'écho de cette préoccupation, dans les comptes rendus qu'il fait des séances académiques et, en particulier, dans la description du public qui y assiste. On peut lire par exemple, à propos de la dernière réception qui a été évoquée, à Nîmes:

> Ils y trouverent une Assemblée de tout ce qu'il y a dans cette Ville de personnes considerables, soit par le rang, soit par le merite, & le sçavoir[177].

On pourrait dire que, au travers des formes rhétoriques comme la prétérition, les académiciens mêlent souvent le lieu commun et la préoccupation véritable. Il en va ainsi, lorsque l'Académie de Caen, qui vient de faire l'éloge des intérêts savants de l'intendant Foucault, affirme:

> Ce sont ces seules qualitez que nous admirons en vous, Monsieur, & sans penser aux alliances qui vous approchent des premiers Ministres de l'État, nous n'envisageons que le seul merite de vostre personne[178].

---

[176] *Mercure*, mars 1696, p. 34.

[177] *Ibid.*, p. 27.

[178] *Mercure*, juillet 1689, p. 203. Plus loin dans le discours le terme *mérite* reparaît, mais déterminé, et de ce fait, moins fort: «souffrez seulement que nous vous disputions le merite d'aimer parfaitement ce grand Roy» (p. 210). Mais n'est-ce pas là, dans le langage de l'adulation officielle, le parfait mérite?

Grâce à l'hypocrisie fondamentale de la prétérition, les académiciens, n'omettent *pas non plus* l'éloge des alliances de Foucault, c'est-à-dire, proprement, les lieux de l'éloge de personne, et ce qui donne la marque de son inscription dans les hautes sphères de la société. Mais ils choisissent de définir leur destinataire en termes de mérite, un mérite caractérisé par la vertu et l'amour des belles-lettres.

L'insistance sur la primauté du mérite devient ainsi une sorte de *lieu* propre aux académies, en tant qu'institutions qui pratiquent la cooptation, puisque, lorsqu'un orateur affirme que la compagnie qui le reçoit ne récompense que le mérite, il fait son propre éloge, tout en mettant en lumière les valeurs qu'il partage avec ses auditeurs:

> Il est vray que ces derniers moyens [amis, crédit, recommandations] ne sont guere propres à obtenir un rang que vous n'accordez jamais qu'à l'érudition et aux belles-lettres.
>
> ... C'est le merite seul qui donne l'entrée, c'est le sçavoir qui distribue les places dans cette illustre Assemblée,

remarque Marsolier lors de sa réception à l'Académie de Nîmes[179]. L'orateur établit une opposition entre la fortune et le mérite qui implique que toutes les qualités comme la naissance peuvent être données par le sort, alors que le mérite ne doit rien au hasard. C'est la mission des académies de faire donner au mérite sa vraie place. Martel, à Toulouse, va chercher chez les Italiens un modèle académique où naissance et crédit manifestent leur déférence au mérite:

> On y voit souvent ceux qui se tirent le plus du commun par leur naissance & par leur credit, montrer de la condescendance pour les gens de merite que la fortune semble leur avoir soumis[180].

Même opposition que dans le discours précédent entre la fortune et le mérite. La soumission (sociale) du mérite à la naissance et au crédit est l'effet de la fortune. En marquant leur condescendance (un terme auquel Furetière ne donne aucun sens péjoratif dans son *Dictionnaire*[181]) pour les gens de mérite, les grands lui donnent sa vraie valeur. Le discours qui rapporte ce comportement propose ainsi un modèle de «rectification» des effets de la fortune à l'éloge des gens haut placés qui l'établissent, des lettres qui en fournissent l'occasion et des gens de «mérite» qui en font l'objet.

Le mérite, qui n'est jamais clairement défini, apparaît cependant comme une alliance de la vertu et de la pratique des belles-lettres. C'est

---

179 *Mercure*, juin 1691, p. 59-60.

180 *Mercure*, juillet 1696, p. 17.

181 «CONDESCENDANCE, s f Complaisance, soumission, deference aux sentiments & aux volontez d'autruy».

l'un des chemins qui mènent à la gloire, laquelle, en retour, le recompense. On le voit dans le passage suivant, extrait du «Discours sur la gloire» de Mignot de Bussy (1688). Comme s'il ne pouvait être conçu que différentiellement, le mérite n'y apparaît, comme dans beaucoup d'autres discours, que dans une antithèse, qui met en regard la gloire et la nature:

> L'une s'attache au merite & à la vertu, l'autre enrichit aussitost le méchant que le sage, & l'hebeté que le spirituel[182].

La nature, comme la naissance, est indifférente. Elle ne discrimine pas. Le mérite, au contraire, offre un critère de sélection. Il permet un choix. Dans ce dernier cas, c'est la gloire qui le fait. D'une manière générale, les académies se présentent comme des institutions où l'admission dépend précisément d'une élection fondée sur le mérite. Lorsque le succès, social, littéraire, couronne les efforts d'un individu, le concept de mérite permet à la fois à celui qui réussit et à ceux qui l'aident, d'échapper à l'arbitraire. Ainsi, dans l'éloge funèbre que Rocoles fait de Pellisson, à l'Académie de Toulouse dont celui-ci a lancé les conférences, éloge funèbre dont Donneau de Visé fait l'anayse, on voit le lien entre le mérite et le succès, par l'intermédiaire éclairé du Roi:

> Enfin il parla de la *faveur* que le Roy, *tout juste estimateur qu'il est du merite*, ne luy accorda qu'aprés qu'il eut abjuré l'erreur[183].

Le mérite justifie ordinairement la faveur royale, toujours prête à s'épancher, quand des considérations d'ordre supérieur ne viennent pas la retenir. Le mérite académique rencontre ici un autre lieu commun de l'éloge royal: la capacité qu'a le Roi de choisir les hommes pour toutes sortes de fonctions.

Le concept de mérite joue donc un rôle fondamental dans les discours académiques. Le terme apparaît en relation avec plusieurs antithèses (mérite/naissance, gloire/nature, mérite/fortune)[184], qui lui donnent une caractérisation différentielle. Il permet de justifier le succès personnel sur des bases individuelles, non sur des données familiales ou sociales, présentées comme fortuites. Il constitue ainsi une sorte de point de rencontre lexical à partir duquel les orateurs peuvent ériger l'exercice des belles-lettres en valeur, reconnue et partagée par l'en-

---

[182] *Mercure*, février 1688, p. 17.

[183] *Mercure*, mai 1693, p. 127 (mes italiques).

[184] Voir encore, par exemple, Vertron, en 1688:

> N'est-ce pas faire tort, en quelque façon, à ces rares Génies qui m'ont proposé à vostre Académie royale que d'attribuer à la Fortune, ce que vous ne donnez jamais qu'au mérite? (*Mercure*, août 1680, p. 24-25).

semble du milieu académique, et, dans la mesure où ce milieu est officialisé à travers ses institutions et leurs pratiques rituelles, reconnue également par le pouvoir. C'est là qu'on retrouve le lieu commun de l'élection des hommes de mérite par le Roi. La contrepartie de la protection éminente du Roi sur les gens de mérite, c'est qu'une fois récompensés, les gens de lettres doivent continuer à mériter les privilèges qu'ils acquièrent, et le mérite se transforme alors en service. L'éloge du Roi, qui manifeste les talents de l'orateur, et donc son mérite académique, est aussi le service qu'il rend au Roi.

Bien que son concept ne soit jamais clairement défini, le mérite est lié aux belles-lettres et à leur pratique, puisque c'est par elles qu'on acquiert ce mérite et que celui-ci permet, en retour, d'accéder aux académies, qui s'y consacrent et cherchent à les promouvoir. Comment les discours présentent-ils donc les lettres et les exercices académiques?

### C. *Les exercices académiques*

C'est peut-être lorsque l'on aborde la représentation que les académies de province élaborent de leurs activités et de leurs fonctions que l'on regrette le plus la relative pauvreté de la documentation. Autant l'Académie française fournissait des indications claires et cohérentes sur l'image que la Compagnie voulait donner de ses exercices, autant on a, dans le cas des académies de province, l'impression d'un certain manque de précision et d'une dispersion des éléments visant à donner une représentation des travaux académiques. On peut cependant définir quelques caractères fondamentaux. Tout d'abord, certaines académies ont, comme je l'ai signalé, des préoccupations moins exclusivement linguistiques que l'Académie française, ce qui se manifeste dans les discours qu'elles produisent. Ensuite, on remarque que les discours académiques révèlent une certaine difficulté à projeter une image totalement cohérente, précise et structurée. L'image que les académies offrent de leurs exercices, même en matière de belles-lettres, présente parfois des linéaments flous. Le fait que le *Mercure* se contente à plusieurs reprises de mentionner le sujet du discours et de donner une appréciation générale sur le texte ou sur l'orateur qui l'a composé, voire de donner un bref résumé, n'est pas la seule cause de cette situation. De fait, on a par d'autres sources des textes complets, et Donneau de Visé lui-même n'est pas toujours aussi lacunaire. Cela tient aussi à ce que les académies ne parviennent pas toujours à fixer leurs préoccupations. Il y a d'ailleurs à cette constatation des raisons objectives: l'Académie française définissait ses préoccupations linguistiques, qu'elle concrétisait par un quadruple projet d'élaboration d'ouvrages de référence, dictionnaire, grammaire, rhétorique, poétique. Même si tous les points de ce programme n'ont pas été remplis, le dictionnaire constitue, tout au long des dernières années du siècle, une sorte de point de repère. La grammaire, qui n'a jamais vu le jour sous l'autorité de l'Académie française, n'en apparaissait pas moins comme sa prochaine production. On peut donc dire que l'Académie française, tout en affirmant son attachement au Roi et en soulignant le caractère essentiel de l'éloge de son protecteur dans ses exercices, trouvait dans la définition de son activité linguistique une manière de proposer une représentation de soi claire, à travers sa mission fondatrice et conservatrice (elle doit achever de parfaire la langue et la fixer). Par opposition, les académies de province apparaissent plutôt comme des cercles de rencontre de gens qui partagent des intérêts, en particulier l'amour des lettres, et se réunissent pour des échanges de vues, tout en conquérant un statut gratifiant qui confirme leur appartenance à l'élite locale. Elles font de la continuation de leurs réunions la fin de leur activité, et la représentation de leurs exercices, ne s'appuyant pas sur un projet autre que l'amélioration des individus et l'aspiration à une gloire culturelle, ne présente pas la cohérence qu'on trouve dans les discours de l'Académie française. Mais l'absence d'une «mission» linguistique comparable à celle de la compagnie parisienne est compensée par l'affirmation de l'inscription dans un projet royal de grande envergure de faire fleurir les belles-lettres et par la représentation du mouvement académique comme un instrument aux mains de la couronne. L'image des exercices académiques bascule alors dans une adhésion à un programme de propagande assez nettement défini comme tel par les orateurs mêmes qui l'assument.

L'aspect encyclopédique des intérêts de certaines académies et la dimension compréhensive de leurs projets apparaissent bien dans le discours que Gourreau prononça lors de l'inauguration de l'Académie d'Angers, en réponse à un discours du marquis de Nointel, qui n'apporte guère, lui, d'élément non encômiastique à la représentation des exercices académiques. Voici la manière dont Gourreau envisage les belles-lettres:

> La science des belles-lettres qui doit faire l'occupation de l'Académie, embrasse la connaissance des langues, de l'histoire, de la philosophie, des mathématiques, la parfaite intelligence des poètes et des orateurs sur lesquels on se puisse former à la poésie et à l'éloquence, l'étude de ce qui peut nous apprendre à vaincre nos passions et à régler nos mœurs, tout enfin ce qui fait l'honnête homme, éclaire son entendement, élève son cœur aux grandes choses et le rend digne de tous

> les emplois où le service du roi et le bien de la patrie le peuvent appeler[185].

Les belles-lettres comprennent ainsi, outre les trois branches de l'activité littéraire généralement retenues par l'Académie française (poésie, éloquence, histoire), des disciplines plus métaphysiques et scientifiques, comme les mathématiques et la philosophie, dont le domaine, à l'époque, était aussi bien pratique que spéculatif. A cela vient encore s'ajouter ce qui concerne la morale et la vie civique. L'expression-clé, naturellement, c'est celle d'«honnête homme». Le mouvement académique, tel qu'il apparaît dans cette manifestation, vise à inventer une érudition d'honnête homme. Le rôle d'une académie est en effet de faire partager à tous ses membres tout ce que chacun d'eux peut connaître. Opposant le soutien du monarque aux remarques d'un «grand personnage du dernier siècle», Gourreau explique:

> La politique de nos rois est plus excellente, leurs vues sont plus justes et plus étendues dans l'institution des Académies de belles-lettres; les hommes d'élite qui les composent, se communiquant dans des conférences réglées le fruit de leurs veilles et de leurs études, réunissent toute leur érudition, et de l'amas des différentes connaissances qu'ils ont acquises font comme un corps parfait de toutes sortes de sciences admirables, semblables aux abeilles qui ayant apporté dans la ruche qui leur est commune ce que chacune a tiré du suc des fleurs les plus parfumées, en composent le miel et la cire qui sont d'un si grand usage, ou à ces instruments de musique qui, par leurs sons différents, font cet agréable concert et cette harmonie dont l'âme est charmée[186].

La séance académique est ainsi une mise en commun du savoir, au profit, justement, de la communauté et de chacun de ses membres. La pluralité des disciplines qui retiennent l'intérêt de l'Académie engendre une forme d'«enseignement mutuel»:

> Vous le savez, Messieurs, les talents sont partagés; tel excelle dans un art, dans une science, et tel dans un autre. La société d'une Académie rend communs à tous ces divers talents. Il se fait entre eux une espèce d'échange de tout ce qu'ils savent. Chacun a pour disciple dans une science celui qu'il a pour maître dans celle qu'il ignore. L'esprit de l'un comme un acier préparé, aiguise celui de l'autre; et il arrive insensiblement, bien que la vie de l'homme soit courte, son intelligence bornée, qu'on se rend habile en toute sorte de littérature[187].

---

185 «Séance d'inauguration...», p. 43.

186 *Ibid.*, p. 43-44.

187 *Ibid.*, p. 44. La variété des domaines d'où sont tirées les comparaisons (histoire naturelle, techniques) confirme dans le style du discours la variété des intérêts et des talents idéalement mis en jeu par une académie.

Bel enthousiasme académique, qui montre bien, sur le plan théorique du moins, la différence entre une mission linguistique au service de l'État, et l'espoir d'une «polymathie» d'esprit humaniste – au sens où c'est l'amélioration de l'individu qui est d'abord visée. L'activité de l'académie est alors envisagée, sans précision de domaine, comme une sorte de critique amicale et «constructive»:

> Qu'un homme étudie seul les jours et les nuits, qu'il vieillisse et se consume sur les livres, s'il acquiert la théorie d'une science, il péchera dans l'usage qu'il en voudra faire, il n'aura ni la facilité de s'exprimer, ni la grâce de la prononciation. . . . La conférence, cette société d'esprits, donne tous ces avantages; c'est elle qui polit, redresse, raffine les études particulières. Quand un académicien a fait un ouvrage, l'Académie a l'autorité d'en juger; par l'intérêt qu'elle prend dans la gloire qui leur est commune, elle donne ses avis de bonne foi: point d'indulgence pour les plus légers défauts, point de complaisance pour ces mouvements d'estime que chacun sent pour les productions de son esprit. Cette critique est reçue sans chagrin et sans répugnance ....[188]

Les exercices académiques gardent à ce stade une généralité non différenciée. L'accent est mis sur les conférences et les profits que les individus peuvent en retirer.

En l'absence d'autres discours de la même académie pour confirmer que l'ambition d'un nouveau genre de *mathesis universalis* correspond à la représentation que l'Académie d'Angers donne collectivement à travers ses pratiques oratoires d'apparat, je me reporterai à la liste des pièces lues en séance. Les sujets traités sont relativement variés, et l'on y trouve des préoccupations littéraires, linguistiques, scientifiques, et même un discours de Daburon sur l'excellence de la profession d'avocat. Outre diverses critiques, voici ce qu'on rencontre:

- Gourreau a lu, le 26 novembre 1686, un discours sur les qualités requises pour être admis à l'Académie. Le sujet s'inscrit dans la perspective de son discours d'inauguration.
- Frain du Tremblay a lu, entre autres, ces quatre pièces: un «discours de la science des belles-lettres, qui doit faire la principale occupation de l'Académie», intitulé où l'on reconnaît, à l'adjectif «principal» près, une citation du discours de Gourreau; un chapitre de son traité de l'égalité des langues, dont le thème rappelle le titre d'un discours académique des débuts de l'Académie française, le «Discours contre la pluralité des langues» de Bourzéis (12 février 1635)[189] et qui

[188] «Séance d'inauguration...», p. 44.

[189] BN, ms. Anc. Frs. 648. Sur ce manuscrit, voir M. Fumaroli, *L'Age de l'éloquence*, p. 709.

marque des préoccupations plutôt linguistiques; un discours sur le bon goût; un discours «sur la nécessité d'inventer des mots pour suppléer à la stérilité de notre langue, et des règles qu'il y faut garder». Ce discours, prononcé le 18 juin 1687, suggère une position différente de celle de l'Académie française qui affirme que la langue, quoique épurée, est abondante. Frain du Tremblay rejoint ici les conceptions du Fénelon de la *Lettre à l'Académie.*

- Reyneau a lu deux pièces de caractère scientifique: il a expliqué le système de Copernic et fait un discours sur l'optique.
- Pour terminer, voici quelques titres qui finiront d'établir la variété des sujets abordés: un discours sur l'autorité des Livres Saints, un discours sur les devises, et, en 1700, un discours de Longueil sur l'avénement du duc d'Anjou à la couronne d'Espagne[190].

Si l'on ajoute des discussions sur divers ouvrages, comme celle qui eut lieu le 7 août 1697 sur la correction d'un vers de Mlle de Scudéry, on voit qu'effectivement les académiciens jugent bon de s'intéresser à un champ beaucoup plus vaste que les seules considérations linguistiques ou littéraires. L'Académie reste ainsi fidèle à l'image qui a été présentée d'elle dans le discours prononcé par Gourreau lors de l'inauguration: encyclopédisme des sujets abordés et présence de la critique d'ouvrages divers.

L'Académie d'Angers n'est certainement pas la seule qui présente les exercices académiques dans une perspective aussi large. Mais les textes que j'ai pu consulter ne le montrent pas aussi clairement. J'ai déjà évoqué l'entretien sur la comète demandé par l'Académie d'Arles à l'abbé Flèche, et lu le 9 janvier 1681.

L'image des académies comme des lieux où l'individu peut apprendre des disciplines et des sciences variées se retrouve dans le discours que Baudry prononça pour sa réception à l'Académie de Villefranche. Mais l'orateur propose une conjonction du savoir et de la morale et, après avoir associé les sciences à des profits éthiques et religieux, il les limite à l'art de parler:

> Tout le monde sçait, Messieurs, que vostre Assemblée n'est composée que de personnes choisies, parmy lesquelles les vertus n'excellent pas moins que les Sciences, & que c'est une École sacrée où l'on apprend également à vivre selon Dieu, & à parler selon les hommes[191].

---

[190] Sur tout cela, voir Uzureau, «Ancienne Académie d'Angers», *Mémoires de la société nationale d'agriculture, sciences et arts d'Angers*, 1901-1902.

[191] *Mercure*, novembre 1687, p. 13.

Dans ce passage, comme dans le discours de Gourreau, on est frappé par la vision «pédagogique» de l'activité académique. La première présentation des académiciens suggère aussi des intérêts larges et divers (les vertus et les sciences). Mais, en donnant le programme de cette «École sacrée» qu'est l'Académie, l'orateur resserre l'étendue des sciences à «parler selon les hommes». Ce qui l'intéresse, ici, c'est plutôt la conjonction entre la dimension éthico-religieuse et les disciplines d'esprit profane.

Cette réduction des sciences à l'éloquence et à la parole (et à l'écriture) se rencontre même à Angers, où après une présentation générale des belles-lettres, le modèle de l'Académie française amène Gourreau à évoquer surtout la perfection de l'expression. Après une transition par les productions d'une académie («par ces secours mutuels rien ne part d'une Académie qui ne soit suivant les règles et dans la dernière perfection»), l'orateur s'exclame:

> Que ne pouvons-nous, Messieurs, voir ce qui se passe en secret dans les conférences de cette illustre Académie de Paris, source et mère des autres, où les plus grands génies de l'Europe, ces hommes consommés en sagesse, en vertu, en science, réunissant leurs lumières, en font comme un globe qui éclaire toute la terre! Ne vous semble-t-il pas en lisant leurs pièces d'éloquence que le sublime et le merveilleux y règnent partout? N'y remarquez-vous point cette conformité de style, d'expression et de sentiments qui feraient douter si elles ne sont point toutes parties d'une même plume et d'un même esprit? et ne sortez-vous pas de la lecture de ces beaux ouvrages pleinement persuadés que ni l'Académie d'Athènes ni celle de Rome ne nous ont rien laissé qui les surpasse?[192]

Ce passage fournit toute une série d'éléments intéressants. On remarquera, pour l'anecdote, que l'Académie française, qui devait, en janvier suivant, voir s'affronter un champion des Modernes et un porte-parole des Anciens, sert globalement d'argument pour suggérer la supériorité de l'époque moderne. Mais ce sont les productions d'éloquence qui retiennent l'attention de l'orateur, ce qui confirme que l'image d'une institution de la parole, qui apparaît bien comme la représentation que l'Académie française donne d'elle-même dans ses discours, est perçue par ses lecteurs. Même si le terme *éloquence* a, au XVIIe siècle, une extension sémantique plus large qu'aujourd'hui, le discours de Gourreau prouve que les textes qui émanaient de l'Académie française étaient connus en province. Surtout, l'orateur souligne l'unité qui se manifeste dans les ouvrages oratoires de l'Académie française. Non seulement les discours donnent l'image de la perfection, mais encore ils

192 «Séance d'inauguration...», p. 45.

mettent en valeur la fusion des académiciens en véritable corps producteur d'un style uni et unitaire. La compagnie parisienne a pu former une doctrine unificatrice et la mettre en œuvre dans ses discours. C'est là que réside apparemment l'idéal académique. C'est cela que l'orateur pose comme la leçon de la réussite de l'Académie française, «source et mère des autres». Et, dans l'éloge d'Angers qu'on peut attendre d'un discours d'inauguration à Angers, Gourreau précise que la situation géographique de la ville est idéale pour le succès d'une académie de gens d'esprit et de lettres.

Que le profit majeur attendu de l'appartenance à une académie se situe dans une maîtrise de l'art oratoire, on en trouve la trace dans le remerciement de Vertron à l'Académie d'Arles. L'auteur y raconte la transformation qu'il a subie depuis qu'il a été choisi pour faire partie de l'Académie Royale. Plus les déclarations enthousiastes du nouvel académicien nous paraissent «rhétoriques» étant donné l'invraisemblance d'une métamorphose si prompte, plus elles mettent en lumière la vision académique des exercices des sociétés de belles-lettres (auxquels, il faut le rappeler, Vertron n'a pas encore participé):

> Quel prompt changement en moy, Messieurs, depuis que vous m'avez fait l'honneur de me recevoir parmy vous! Ie sens déjà mon imagination plus vive, mon esprit plus libre, ma mémoire plus heureuse, mon expression plus riche, mon stile plus fort. Ie m'aperçois par expérience que ma Langue est plus diserte, que ma Muse est plus féconde, que les Ouvrages me coûtent moins, & sont plus finis. Dites moy je vous prie, Messieurs, d'où vient cet heureux changement? Ah, c'est sans doute un effet de vostre influence, une effusion que vous avez faite en moy de vos lumieres. Ie sens mesme qu'insensiblement vostre Art a corrigé beaucoup de defauts, que la Nature, par une conduite secrete, sage, & admirable, sembloit avoir mis en moy par plaisir, pour vous donner la gloire d'avoir achevé son Ouvrage[193].

Une académie peut réparer les défauts de la nature. Plus spécifiquement, Vertron renvoie aux académiciens l'image de leur com pagnie en soulignant les «heureux» effets qu'elle a produits en lui. On reconnaît, dans l'énumération des transformations, ce qui touche à l'éloquence (imagination et esprit pour l'invention et la disposition, mémoire, et élocution: «expression plus riche, style plus fort») et à la poésie («ma Muse... plus féconde»). Qu'il s'agisse plus pour le nouvel académicien royal de satisfaire ses confrères que d'offrir ce qu'on pourrait appeler un «auto-portrait-vérité» importe peu. On retiendra que, pour exprimer sa reconnaissance à l'Académie d'Arles, Vertron lui propose une image qu'elle reconnaît et approuve.

---

[193] *Mercure*, août 1680, p. 26-28.

La pratique des critiques joue un rôle important dans l'activité académique, à en croire le discours de Gourreau. Les statuts de l'Académie de Soissons prescrivaient:

> Le discours du nouvel Académicien sera laissé à l'Académie pour être veu dans les Assemblées suivantes, et restera parmi les autres pièces de la Compagnie.

On a l'impression, en lisant le discours de Gourreau, aussi bien que les statuts de l'Académie de Soissons, que les académiciens de province envisagent cet exercice de façon beaucoup plus spontanée et immédiate que l'Académie française, dont ils s'inspirent. On lit en effet dans les statuts de cette dernière:

> 28. Aussitôt que chacun de ces discours [il s'agit des discours en prose originellement prévus pour chaque séance ordinaire] aura été récité dans l'Académie, celui qui présidera nommera deux commissaires pour l'examiner, lesquels en feront leur rapport un mois après pour le plus tard à la Compagnie, qui jugera de leurs observations[194].

Mais les règlements précisent l'esprit dans lequel doivent être faites et reçues les observations:

> 34. Les remarques des fautes d'un ouvrage se feront avec modestie et civilité, et la correction en sera soufferte de la même sorte[195].

C'est bien cet esprit que les académiciens de province dépeignent dans leurs compagnies. Mais ils donnent plus l'image d'un rapport direct de chaque académicien à toute la compagnie, dans leur représentation des académies comme une école où chacun apporte ses talents et s'instruit de ceux des autres.

Cela ne les empêche nullement d'aspirer, comme leurs homologues parisiens, à la gloire et à l'immortalité. On a vu comment Mignot de Bussy, dans son discours sur la gloire, faisait des lettres l'alternative des armes pour parvenir à la gloire. Gourreau a recours à la tripartition, traditionnelle dans la topique encômiastique, des types de biens entre biens extérieurs, biens du corps et biens de l'âme ou plutôt, ici, de l'esprit, pour affirmer la vocation des exercices académiques à procurer l'immortalité:

> Nous avons, Messieurs, dans la vie des biens de trois différentes natures, ceux de la fortune, ceux du corps et ceux de l'esprit. La même fortune qui nous donne les premiers, nous les ôte quand il lui plaît; les richesses, les honneurs sont des biens fragiles qu'on possède avec crainte et qu'on perd avec douleur. Les biens du corps ne sont pas

194 Pellisson et d'Olivet, t. I, p. 493.

195 *Ibid.*, p. 494-495.

> d'une plus heureuse condition; la beauté, la force, la santé, la vigueur, l'adresse, une légère maladie les altère, la mort les détruit. Mais, pour les biens de l'esprit, qui consistent dans les belles disciplines et dans les habitudes de la vertu, ils sont inaltérables et tellement propres à celui qui les possède qu'ils ne changent point de maître et qu'ils le suivent dans le tombeau. On ne dira pas longtemps: *c'est la terre d'un tel*, on la verra passer entre les mains d'un héritier ou d'une personne étrangère; mais on dira toujours après plusieurs siècles: *c'est la République de Bodin, c'est le Commentaire de Choppin, c'est l'ordre judiciaire de M. Ayrault*, et ainsi des autres, tant il est vrai que les biens de l'esprit acquièrent aux savants une vie à l'épreuve de l'oubli, qui se conserve après leur mort dans la mémoire des hommes et la rendent plus durable que les marbres et le bronze dont on pourrait orner leurs tombeaux[196].

Après avoir prouvé ces affirmations par le recours à quelques autorités et quelques exemples antiques, l'orateur passe à sa seconde partie, qui est consacrée à l'éloge de Louis le Grand. On voit bien dans ce passage que les Académies sont considérées comme le milieu où l'on peut le mieux exercer son esprit et lui faire acquérir ces biens qui lui vaudront l'immortalité, concrétisée par les ouvrages qu'on produira et dont la postérité gardera la mémoire. Gloire et immortalité apparaissent comme lé récompense qu'on peut attendre des exercices académiques. L'Académie de Soissons n'avait-elle pas choisi comme devise un aigle qui s'élance d'un vol rapide vers le soleil, avec l'inscription: *Maternis ausibus audax*?

On voit donc que, même lorsque les académiciens incluent dans leur définition des belles-lettres une variété de sciences, l'influence de l'Académie française, de l'exemple de laquelle ils se réclament, amène finalement à limiter la *mathésis universalis* qu'ils présentent à la production de beaux ouvrages et à une amélioration d'ordre littéraire. Mais, comme l'Académie française, les académies provinciales ont vocation à la gloire et à l'immortalité. Il reste que la définition du mérite académique et la représentation des académies et de leurs activités introduisent une dimension éthique beaucoup plus sensible que dans l'Académie française. Pour reprendre l'expression de Baudry, les académies apparaissent comme des écoles sacrées où l'on apprend non seulement à bien parler, mais aussi à bien vivre, au sens moral et religieux.

Mais, s'ils ont une vision de ce que représente pour l'individu le mouvement académique, les académiciens de province n'ont pas comme leurs modèles parisiens de mission linguistique distincte, qui leur permette de donner à leurs exercices une justification extérieure

---

196 «Séance d'inauguration...», p. 47-48.

transcendante et unificatrice. Ils ont un but, rendre les individus savants et faire fleurir les sciences, et un devoir, louer le protecteur éminent des lettres et des sciences, Louis le Grand. Mais, en l'absence d'un projet unificateur, comme la mission linguistique de l'Académie française, ils n'orientent pas la représentation de leurs exercices vers la réalisation d'un projet local plus précis que la culture des belles-lettres et, pour les individus comme pour les académies, une certaine gloire. Que la mission dont les discours parisiens donnent l'image apparaisse comme subordonnée à l'élaboration de la langue royale, d'une langue qui puisse permettre au Roi de manifester sa parole et servir à son panégyrique et à son histoire, n'empêche pas les orateurs de donner une image de leur travail linguistique claire et distincte, comme du projet général qui soutient leurs conférences. Pour les académies de province, au contraire, les exercices académiques sont justifiés par le profit individuel et la gloire de l'Académie qui s'y consacre. Poursuivre ses activités, dans le cas d'une académie de province, c'est, de façon tautologique, continuer de se réunir, parce que le principe de leur existence est le désir de réunion lui-même, le plaisir de converser sur des sujets divers et d'échanger des vues, le tout pouvant déboucher, naturellement, sur la production de textes, discours, traités, poèmes, de nature à faire connaître les académiciens et à leur apporter une certaine notoriété. En d'autres termes, alors que l'Académie française se voit investie d'une mission qui transcende ses exercices, mais que ceux-ci l'aident à remplir, les académies de province donnent l'image d'un type de rapports intellectuels et sociaux dont la durée prouve la réussite. Ainsi se combinent la variété des intérêts et le caractère quelque peu éclaté des pratiques académiques, qui mêlent diverses activités liées aux lettres et aux sciences et des manifestations encômiastiques.

On trouve, par exemple, dans le *Mercure* un «Discours prononcé à l'ouverture de l'Académie de Villefranche en Beaujolois, par Mr Terrasson, Directeur, le troisieme Decembre 1681»[197]. L'orateur invite ses confrères à poursuivre leurs efforts et à reprendre les conférences académiques avec la même ardeur que lors de la session précédente. Il leur propose comme fin l'immortalité et les exhorte, dans sa péroraison, à rendre la compagnie elle-même immortelle:

> Ne laissons donc pas, Messieurs, éteindre nos premiers feux. Fournissons toûjours quelque matiere à nos applications & à nostre zele. Soûtenons par nôtre perseverance nostre reputation. Ne permettons pas qu'on voye lâchement finir une entreprise qui a esté conceuë sous l'autorité d'un si illustre Protecteur, & employons toutes les regles de

[197] *Mercure*, janvier 1682, p. 214-234.

> nostre prudence & de nostre sçavoir, pour rendre cette Compagnie digne d'une gloire immortelle parmy les Hommes[198].

Le projet qui est proposé reste indéfini: ni encômiastique, ni linguistique, ni littéraire. Il s'agit seulement de «fourni[r] toûjours quelque matiere à [leurs] applications & à [leur] zele». Le bilan de ce que les académiciens ont déjà accompli, souligne la diversité des occasions d'exercer leur esprit:

> Vous avez, Messieurs, remply & soûtenu nos Conferences d'un si grand nombre de beaux discours, que si l'exercice en est continué d'une force égale, nos Registres pourrons fournir une assez riche & ample matiere pour former des Volumes entiers, & donner à nos Académiciens, un rang d'honneur & de gloire parmy les Autheurs les plus celebres. La décision des Problemes, la pointe des Epigrammes, les fleurs de l'Eloquence, la pureté du Discours, en un mot tout ce que la Poësie & l'Art Oratoire ont de subtil & de majestueux, commence d'estre en usage parmy nous[199].

L'orateur, très attaché à faire l'éloge de la Compagnie, parvient bien à montrer la gloire qu'elle s'est acquise, par l'intermédiaire des productions variées de ses membres, mais, s'il reconnaît comme un résultat positif les progrès en matière d'éloquence et de poésie, il ne formule pas d'autre projet pour l'Académie que de persévérer. Cette persévérance doit, dans la logique de l'exaltation des lettres, lui apporter la gloire. D'une certaine manière, la formulation d'un projet transcendant est remplacée par la recherche de l'approbation. De façon caractéristique, l'orateur évoque dans son exorde la séance de la Saint-Louis au cours de laquelle avaient été prononcés les éloges de Mademoiselle. S'il se félicite de l'approbation que Mademoiselle a donné aux discours prononcés, l'orateur implique que de tels discours sont justement les effets qu'on peut attendre des réunions académiques:

> Ceux qui eurent l'honneur d'y prononcer les eloges de Son Altesse Mademoiselle, répondirent si hautement par la force de leur éloquence au merite du Sujet & à la grandeur de l'Action, qu'ils nous ont acquis une réputation eternelle. L'approbation que cette grande Princesse a eu la bonté de donner à leurs discours, sera dans la suite des temps le plus auguste monument de nostre gloire, & le titre le plus illustre de nôtre établissement.
>
> Ce seul avantage, Messieurs, doit nous inspirer le genereux dessein de reprendre nos Conferences avec autant d'ardeur & de courage que nous les avons commencées, & de tâcher par de nouveaux effets à meriter une si glorieuse protection[200].

---

198 *Ibid.*, p. 233-234.

199 *Ibid.*, p. 226.

200 *Ibid.*, p. 215-216. Le discours met en avant, comme raison d'inquiétude, la lassitude

Les «effets» de l'assiduité et des efforts des académiciens, c'est la réussite de discours qui convenaient parfaitement à leur contexte cérémoniel, c'est-à-dire à la fois leur qualité même et le fait qu'ils ont été approuvés par celle qui en faisait le sujet. Il est logique que les académiciens paient ainsi leur tribut d'éloges à Mademoiselle, si elle a bien voulu manifester son approbation. Il reste que les éloges de Mademoiselle sont à la fois la marque du fruit tiré des exercices académiques et un élément de ces exercices qui contribuent à former des orateurs et des poètes. C'est ainsi dans le perfectionnement individuel, dans l'acquisition de la gloire, pour l'académicien aussi bien que pour sa compagnie, que se justifient les exercices académiques. Ceux-ci ne donnent pas l'image d'unité essentielle qui apparaissait dans le cas des travaux linguistiques de l'Académie française, mais plutôt de pratiques diverses centrées autour de la culture des lettres.

La difficulté à séparer exercices académiques et pratique de l'éloge est particulièrement sensible dans le cas de l'exaltation du monarque, qui sert si souvent de justification à Donneau de Visé pour l'insertion des discours qu'il publie dans le *Mercure*. De fait, l'éloge du Roi et le soutien de ses «desseins» semblent prendre la place laissée vide par l'absence d'un projet linguistique ou de toute autre justification transcendante aux réunions académiques, à tel point que les orateurs finissent par élaborer une véritable théorie du mouvement académique comme instrument de propagande. L'image des exercices académiques se distingue mal de la diffusion de la représentation du Roi et de sa politique.

## 4. **Propagande et image du Roi**

Officielles ou para-officielles, comme l'Académie de Villefranche, les académies participent à la diffusion de l'éloge royal et, à travers lui, de la propagande. Cet aspect ne doit pas être négligé, si l'on songe à la manière dont Grandet présente l'existence d'académiciens honoraires à Angers (comme garantie contre les désordres que pouvait occasionner le fait que la région était un pays de «doctrine») ou à la présence parmi les académiciens d'Angers d'un ministre converti, Gilly, dont le *Mercure* avait loué la conversion.

L'éloge du Roi apparaît souvent comme une préoccupation qui doit donner l'impulsion au travail académique, non plus conçu comme réunion d'hommes de lettres qui veulent se perfectionner par leur com-

---

inévitable et la difficulté de soutenir une activité pour l'esprit humain, lequel, à la différence des pures intelligences, est l'esclave du corps.

merce, mais comme l'accomplissement du devoir des hommes de lettres de contribuer à l'effort du Roi pour faire fleurir arts et sciences, par la production d'éloges et d'histoires.

Les académies de province ont leur rôle à jouer dans la diffusion de l'éloge du Roi. Cet éloge semble parfois justifier, en dehors même de toute préoccupation linguistique et littéraire exprimée de façon cohérente, la poursuite du travail académique. Après avoir examiné la place qu'occupe l'éloge royal, j'étudierai plus particulièrement l'un de ses supports symboliques, afin de pouvoir comparer le traitement que diverses institutions donnent au même thème: la représentation solaire.

### A. *Mouvement académique et propagande*

On retrouve, avec les académies royales, le même type de langage que dans les discours parisiens. Dans son discours de remerciement à l'Académie de Nîmes, Marsolier, qui vient de faire l'éloge de l'Académie qui le reçoit, aborde l'éloge du Roi:

> Ces avantages, Messieurs, sont particuliers à vostre académie. Ils sont grands, mais elle n'en a point qui la releve davantage, ny qui luy donne un droit plus solide à l'immortalité, que d'estre l'ouvrage du plus grand Roy du monde, d'avoir esté formée pour estre comme la dépositaire de cette gloire immortelle à laquelle il acquiert tous les jours de nouveaux droits[201].

Même si Guyonnet de Vertron, qui a écrit, entre autres, un panégyrique du Roi et un *Paralelle (sic) de Louis le Grand avec les Princes qui ont esté surnommez grands,* fait des lettres une activité pacifique pour prolonger le service du Roi, lorsque la fin de la guerre oblige à remettre l'épée au fourreau, il souligne précisément l'activité encômiastique des hommes d'épée-hommes de plume:

> On voit plusieurs de nos Académiciens dans le temps de la guerre, porter les armes avec ardeur, & dans le temps de la paix, employer leurs mains guerrieres, pour marquer les actions heroiques de l'incomparable LOUIS, apres en avoir esté les témoins genereux[202].

Pour le même orateur, ce n'est pas seulement comme protecteur éminent des lettres que le roi est un facteur d'union des gens de lettres. La difficulté de chanter les exploits de Sa Majesté oblige les plus savantes plumes à appeler à leur aide tous ceux qui peuvent contribuer à la tâche

---

[201] *Ibid.*, p. 215-216. Le discours met en avant, comme raison d'inquiétude, la lassitude inévitable et la difficulté de soutenir une activité pour l'esprit humain, lequel, à la différence des pures intelligences, est l'esclave du corps.

[202] *Mercure,* juin 1691, p. 55-56.

commune. Dans son «Panégyrique du Roy» sur l'affaire de Strasbourg, l'orateur justifie les alliances de l'Académie française avec celles de Soissons et d'Arles, par la nécessité de recruter des plumes pour contribuer à l'écriture de l'histoire du Roi:

> MESSIEURS,
>
> Toute la Terre est surprise des Actions de nostre grand Roy. En effet elles surpassent ce qu'on a vû de plus beau dans l'Antiquité, & ce Heros en fait plus en un seul jour, que les plus habiles Historiens, éloignez de tous les embarras, n'en pourroient écrire en un an dans leurs Cabinets. Strasbourg & Cazal sont des témoignages glorieux & assurez de cette vérité; c'est pourquoy je ne feindray point de dire, que la raison pour laquelle l'illustre Académie Françoise a bien voulu recevoir dans son alliance l'Académie Royale, & celle de Soissons, n'a pas esté pour donner à LOUIS LE GRAND son auguste Protecteur, le Sceau de l'Immortalité, que ses faits héroïques, & ses éclatantes vertus, luy avoient déjà si justement acquis, ny pour nous en faire part en qualité de Filles; mais ç'a esté pour avoir plus de mains qui écrivissent ses Conquestes & plus de langues unïes ensemble, qui publiassent ses loüanges[203].

C'est bien l'éloge du Roi qui peut donner aux académies un point de rencontre, et qui va, à travers Louis le Grand, imprimer de l'extérieur un grand dessein commun. L'Académie de Villefranche, dans sa pratique cerémonielle, accorde à l'eloge royal une place importante, puisque la célébration de la Saint-Louis s'accompagne d'un panégyrique de saint Louis et d'éloges de personnes liées au Roi (ou de discours sur un sujet qui permet de développer les louanges de Louis le Grand). L'Académie d'Angers désigne chaque annnée un orateur pour prononcer le panégyrique du Roi – adapté à la région, puisqu'il doit se combiner aux éloges de la province – sur la demande du Corps de Ville. Mais, dès l'inauguration de l'Académie, Gourreau avait marqué le lien entre l'activité académique et le Roi, en conclusion de sa seconde partie, consacrée à Louis le Grand:

> Employons, Messieurs, ce noble loisir à seconder la dessein qu'a le roi de faire fleurir plus que jamais les belles sciences dans son royaume. Efforçons-nous de répondre à la grâce qu'il nous a faite de nous appeler les premiers dans cette province à cet honnorable ministère. Il ne tardera pas ce héros à nous donner de nouveaux sujets de panégyriques. Poètes, orateurs, préparez-vous à célébrer ses actions sur le nouveau Parnasse que nous tenons de la libéralité de MM. du corps de ville qui, de leur côté, vont élever à ce monarque des statues de bronze pour immortaliser sa mémoire[204].

---

[203] *Mercure,* décembre 1681, p. 19-20.

[204] «Séance d'inauguration...», p. 56-57.

Cette célébration est présentée quelques lignes plus loin comme un «devoir si juste, si indispensable». Les académies sont donc un élément dans une stratégie royale, à laquelle les académiens vont se conformer.

S'ils ne le faisaient pas, d'allleurs, on le leur demanderait explicitement. On trouve ainsi dans un discours de Nicolas Hébert à l'Académie de Soissons un véritable programme d'écriture de l'histoire, fondé sur une incitation de Colbert. L'intitulé ou plutôt la présentation du discours dans le recueil publié par Hébert en 1699 est révélatrice:

> *MONSIEUR COLBERT aïant envoïé ici une lettre du Roy, par laquelle Sa Majesté exhortoit les Gens de Lettres à travailler, & principalement à l'Histoire, Monsieur Le Vayer alors Intendant de la Province, la communiqua à l'Académie de Soissons, & la pria de contribuer de sa part à ce travail: c'est ce qui a donné lieu à l'Autheur de faire ce Discours qui a été envoïé à L'Académie Françoise*[205].

L'orateur reprend à son compte les reproches implicites de l'exhortation royale. Son discours s'ouvre sur la constatation du silence des académiciens, célébrants du culte des muses. La fonction des académiciens est donc ainsi clairement posée; ce sont les thuriféraires royaux:

> MESSIEURS,
>
> D'où vient ce profond silence? Quand tout parle de notre incomparable monarque, d'où vient qu'avec tant d'admiration pour son merite, & tant de reconnoissance pour ses bien-faits, vos langues demeurent muettes, & vos plumes oisives? Ne ferons-nous pas enfin quelque effort?[206]

Comme pour rendre plus claires encore l'obligation et la difficulté de chanter le héros, le passage est immédlitement suivi d'une invocatlon aux muses:

> Et vous Divinités tutelaires de ces lieux, Muses par qui nous avons obtenu de ce Prince le glorieux & le solennel aveu de nos cheres études, ne nous accorderés-vous pas vos secours ordinaires?

Le discours est consacré à l'éloge du Roi et de Colbert c'est-à-dire qu'il répond, en partie, à ce que l'orateur demande. Mais la conclusion presente, par l'intermédiaire d'une sorte de prosopopée de Colbert qui reprend l'exhortation de la lettre montrée à l'Académie, l'histoire dynastique comme un substitut au panégyrique et une manière de s'acquitter de ce qu'on doit à Louis le Grand:

> & si avec tous ces avantages nous nous trouvons encore trop foibles; he bien nous dira-t-il, puisque ni vous, ni moy, ni les Muses, ne pouvons

---

[205] Hébert, *Discours et harangues*, p. 197.

[206] *Ibid.*, p. 197-198.

> celebrer dignement les vertus de mon prince, puisque toutes nos forces unies ne peuvent atteindre à la hauteur de ce sujet, que cette impuissance soit une marque éternelle de sa grandeur. Cherchés une autre matière à vos travaux. Faites fleurir les Arts et les Sciences. Surtout appliqués-vous à l'Histoire[207].

L'histoire est ainsi donnée pour tâche principale aux académiciens, de la bouche même de celui qu'on pourrait appeler le directeur des affaires culturelles et de la propagande. On voit que Colbert n'a jamais abandonné l'idée de mettre l'histoire dans le programme de la propagande royale. L'Académie de Villefranche, tout en reconnaissant dans la pratique, par la place accordée à la famille royale dans ses cérémonies, le caractère essentiel du Roi dans les exercices académiques, propose, sous la plume de Terrasson, une image de ces exercices qui place en eux-mêmes leur propre justification, une gamme de pratiques de valeur équivalente permettant à ceux qui s'y adonnent de progresser dans tous les domaines et d'atteindre à la gloire, ce qui, à travers le perfectionnement individuel et les productions des académiciens, fait fleurir les lettres et les arts. Les académies officielles substituent à une mission linguistique l'adhésion à un projet royal et colbertien de «faire fleurir les Arts & les Sciences» en une vaste entreprise de célébration du règne et de la monarchie. Et il s'agit bien d'une adhésion, car l'obéissance est toujours présentée comme spontanée. La proposopée du Ministre donne ainsi lieu à une exhortation d'Hébert à l'Académie de Soissons:

> Suivons . . . ce conseil . . . Écrivons l'Histoire. Mais pour ne pas le perdre tout-à-fait de vûë, écrivons l'Histoire de ses Predecesseurs. Recherchons ce qui s'est passé de plus memorable dans l'etenduë de son Empire. Ouvrons ces tombeaux venerables pour leur antiquité; plus venerables encore pour les cendres qu'ils renferment. Tirons-en, ces premiers Guerriers, qui firent pour la défense des Gaules, de si beaux & de si loüables efforts. Tirons-en ces braves Romains qui les gouvernerent avec tant de Sagesse. Tirons-en encore ces vaillans Princes, qui y établirent cette superbe Monarchie. Suivons d'âge en âge leurs augustes successeurs. Peignons-les de nos couleurs les plus vives & n'oublions aucun des évenemens qui peuvent enrichir leur Histoire. Ce travail ne sera pas inutile à la gloire de LOUIS. Ceux qui sur nos écrits le compareront à ces illustres morts concevront autant qu'il se peut l'idée qu'on doit avoir de sa grandeur. Ils apprendront qu'il n'est pas moins au dessus d'eux, qu'il surpasse en valeur & en vertu les plus fameux de ceux qui se font admiter aujourd'hui sur la terre[208].

L'orateur comprend l'appel de Colbert comme une entreprise de propagande, à peine voilée. Il propose alors un véritable programme

---

[207] *Ibid.*, p. 206.
[208] *Ibid.*, p. 206-208.

d'histoire, conçu dans la perspective d'une exaltation de Louis le Grand. Le passage est introduit par un désir de ne pas s'éloigner de l'éloge du Roi: «pour ne le pas perdre tout-à-fait de vûë». Il se clôt par la ré-orientation de l'histoire proposée: «Ce travail ne sera pas inutile à la gloire de LOUIS». Faire fleurir les belles lettres, c'est propager la geste louisquatorzienne. Réunir une académie, c'est rassembler les talents capables de mener à bien cette tâche. Cette implication se manifeste dans plus d'un discours et au sein de plus d'une académie. On peut ainsi lire dans le discours de réception de l'abbé Baudry à l'Académie de Villefranche:

> Ne semble-t-il pas, Messieurs, que LOUIS LE GRAND ait fait vostre Etablissement sur ce modelle [celui de l'harmonie des êtres dans la nature], & que ces sublimes Esprits qui remplissent vostre Academie, conspirent tous à faire son Tableau, & s'étudient à y appliquer des couleurs différentes, à proportion de la diversité de ses belles actions, & de ses vertus éclatantes?[209]

De façon très caractéristique, l'orateur présente maintenant l'Académie comme un ouvrage du Roi, et non comme la réunion spontanée de beaux esprits et de gens désireux de se perfectionner dans les sciences et les lettres. De ce fait, il peut établir une division des membres de l'académie en catégories de thuriféraires, voire de propagandistes, où les orateurs et les poètes s'effacent devant les gens d'église, les magistrats et, surtout, les historiens. En recentrant l'activité académique sur le Roi, les orateurs ont ainsi tendance à faire de l'histoire la composante majeure, voire unique, de leurs exercices:

> En effet, Messieurs, vostre sçavante Compagnie ne fournit-elle pas à Sa Majesté des sujets capables de faire le récit fidelle de ses Conquetes? Ne luy donne-t-elle pas des personnes distinguées dans l'Eglise, pour publier son zele & sa pureté? Ne luy presente-t-elle pas des Magistrats qui font valoir ses Loix et ses Ordonnances? Vous avez parmy vous, Messieurs, d'habiles Historiens qui travaillent à immortaliser ses merveilles par leurs Ecrits, & l'on peut dire que vos Plumes & vos Langues sont entièrement consacrées à la gloire du plus sage & du plus grand Prince de l'Univers[210].

Les exercices académiques sont alors tout entiers compris dans la fin proposée aux académiciens: l'exaltation du Roi. Louer le Roi est ainsi une activité qui englobe tout autre projet.

Le discours d'Hébert fut envoyé à l'Académie française en 1683, le discours de Gourreau fut prononcé à l'inauguration de l'Académie

---

[209] *Mercure*, novembre 1687, p. 15-16.
[210] *Ibid.*, p. 16-17.

d'Angers le 1er juillet 1686, le discours de Baudry date de 1687 (alors que le discours d'ouverture de Terrasson remonte au début de 1682). Bien sûr, il est difficile de définir précisément une évolution, étant donné le caractère fragmentaire de la documentation. Il semble cependant que la propagande royale se soit renforcée dans les pratiques oratoires académiques après 1681, et que les académies elles-mêmes aient de plus en plus clairement formulé leurs fonctions de relais de l'image royale. Le panégyrique du Roi sur l'affaire de Strasbourg que Vertron adresse à l'Académie d'Arles en 1681, et qui est publié dans le *Mercure*, apparaît déjà comme le signe que le «pouvoir royal» utilise en temps de paix la plume des thuriféraires de Louis le Grand pour diffuser et «expliquer» la politique de ce dernier. Il montre comment les lettres vont pouvoir reprendre en charge le service du Roi et confirme que l'éloge du Roi devient, dans la représentation même que les académiciens donnent du mouvement académique, le point focal de leurs exercices. De fait, l'exhortation de Gourreau à contribuer au grand dessein du Roi de faire fleurir les arts et les sciences suit immédiatement le point culminant de son éloge de la religion et de la piété du Monarque à quoi mène tout le reste, et où se manifeste le plus clairement la supériorité de Louis le Grand sur ses prédécesseurs, la Révocation:

> Je m'arrête uniquement à ce miracle, qui se continue et s'augmente de plus en plus dans la conversion des protestants. Chaque jour nous apprend les merveilleux effets de la grâce sur ces cœurs endurcis; des familles, des villes, des provinces entières ouvrent les yeux à la lumière de la vérité. Quel spectacle peut être plus beau que de voir nos prélats recevoir en foule ces ouailles séduites et égarées depuis si longtemps et de les réunir d'amitié et de sentiment avec les fidèles! Quelle joie de n'avoir plus dans ce royaume, aux termes précis de la prédiction de Jésus-Christ qu'un troupeau et qu'un pasteur! Ce sont là, Messieurs, les dernières mais les plus précieuses conquêtes de Louis le Grand, pour lesquelles il a proféré ces paroles toutes divines, *qu'il voudrait donner sa vie pour voir une fois tous ses sujets aussi parfaitement unis sous une même foi qu'ils le sont sous son obéissance.* Ce que les rois ses prédécesseurs avaient tenté vainement par la force de leurs armes et de la raison, Louis l'exécute par l'ardeur de son zèle et par les charmes de sa douceur. Qu'on ne cherche plus après cela les causes de sa grande prospérité! Le Ciel ne peut rien refuser à un prince si prudent, si juste, si religieux[211].

L'orateur a réservé à ce passage des armes rhétoriques de poids. D'abord, il l'a fait précéder d'une énumération rapide, ce qui met en

[211] «Séance d'inauguration...», p. 56. Un tel enthousiasme devant la Révocation apparaît clairement comme un gage de l'«orthodoxie» de l'Académie, mise en cause avant même sa création...

valeur le point qu'il va amplifier («Je m'arrête uniquement...»). Outre les expressions redondantes (para-anaphore sur l'exclamation, «Quel spectacle . . .! Quelle joie . . .!»; pléonasme: «séduites et égarées») et l'autorité de Jésus-Christ, on notera la comparaison proposée avec les prédécesseurs de Louis XIV, qu'il surpasse tous. Surtout, arme suprême, les paroles de Sa Majesté viennent soutenir son éloge. Bien sûr, on peut estimer que l'orateur partage l'illusion si répandue d'une France toute catholique, et rendue telle sans désordre. Mais il s'agit d'une séance officielle, ouverte et présidée par le marquis de Nointel, qui exerce les fonctions d'intendant et, en tant que tel, représente le Roi. L'orateur ne donne pas simplement une interprétation qui est la sienne et qu'il veut faire partager. Il diffuse une représentation de l'action royale qui doit contribuer à la faire accepter et à l'expliquer de la manière la plus conforme aux intentions du Roi et la plus utile à sa politique.

On se convainc qu'il y a bien là un élément de propagande, lorsqu'on constate qu'à l'orchestration de la décision et de ses effets correspond une préparation, que les discours académiques contribuent beaucoup plus à difffuser en province qu'ils ne le faisaient à Paris. Le discours que Magnin prononce lors de sa réception à l'Académie d'Arles (que son titre de Royale prédispose particulièrement à la transmission des desseins du Roi) révèle précisément un souci de mettre en valeur la politique religieuse de Louis le Grand. Ce discours date du début 1685. Or, l'établissement des académies y est présenté comme un moyen de faire reculer «l'Hérésie» et les lettres y reçoivent pour fonction immédiate de soutenir l'effort du Roi en matière de religion, et, à plus long terme, une mission éthique. Le texte est d'ailleurs sur-saturé de toutes les composantes de l'éloge du Roi (analogie avec Dieu, perfection du jugement, etc.). L'orateur établit d'abord que l'Académie d'Arles a été fondée pour consacrer ses exercices à Louis le Grand:

> Ne sçait-on pas que si les Noms que le Créateur voulut imposer à ses Ouvrages, exprimoient les qualitez & la nature des choses nommées, LOUIS LE GRAND dont la conduite est une Image si visible de la sagesse du Tout-Puissant, n'a donné le surnom de Royale à l'Académie d'Arles, que pour exprimer par ce beau Titre l'excellence des soins auxquels il l'a destinée, & parce que la Gloire & les Merveilles de son Regne le plus florissant & le plus auguste qui fut jamais, devoient estre l'objet de ses veilles, de ses études, & de ses ouvrages[212].

La culture des lettres se confond totalement avec l'exaltation royale. Plus qu'un collège où les académiciens pourront s'enrichir mutuellement de leurs talents, l'Académie devient un atelier où l'on s'apprête,

---

[212] *Mercure*, février 1685, p. 99.

consciemment, à produire l'éloge du Roi en série! Mais l'orateur poursuit en précisant l'orientation de l'activité des académiciens. La protection des arts est un moyen de supprimer l'hérésie, et l'établissement des académies, faisant triompher la raison, fera de même coup reculer, et finalement disparaître, l'erreur:

> ... ce grand Roy ... a bien jugé que le repos & le bonheur de ses États & de ses sujets dependoient de l'établissement des Sciences, & de la Culture des beaux Arts, & remontant par l'esprit de cette Sagesse, qui voit & penetre tout dans un si bel ordre, jusques à la source de l'Heresie, *dont l'extirpation fait le plus cher, le plus constant, & le plus assidu de tous ses soins*, il s'est bien aperçeu que cette Gangrène si maligne dans son origine, & si funeste dans son progrez, ne s'est introduite & n'a pris racine dans ses Etats, qu'à la faveur de l'ignorance; & pour combattre un mal si dangereux & si opiniâtre par un remède convenable, il ménage, il soûtient, il protège les Sciences par des établissements commodes, & des liberalitez genereuses, & necessaires,& les a mises enfin en état de triompher par tout des pièges & des fuites de l'[erreur] & du mensonge, & de faire comprendre à tout ce qui n'a pas abandonné le party de la raison & du bon sens, que celuy de l'Heresie n'a plus que l'obstination pour seule défense[213].

L'orateur peut fort bien définir la politique religieuse du Roi à cette époque: celui-ci n'a d'autre désir que de faire disparaître le Protestantisme. Puisque ce dernier est toujours traité en termes d'Hérésie et d'Erreur, tout ce qui peut contribuer à rectifer cette erreur sera utilisé. Les sciences peuvent aider à éclairer les esprits et à promouvoir la vérité. Les exercices académiques seront alors un instrument dans la politique religieuse du Roi. La dimension éthique de la représentation des académies trouve ici sa conséquence logique. Dans une entreprise de propagande exaltée comme l'avènement de la lumière, les exercices académiques se définissent comme un instrument de formation éthique au service du Roi:

> Après que les Sciences auront secondé les pieuses intentions de LOUIS LE GRAND en soûtenant les Droits Sacrez de la Religion & de l'Église, qui n'a jamais eu, & n'aura jamais de plus ferme appuy que son Fils aîné, elles serviront encore avantageusement au dessein qu'il a d'inspirer à tous ses Sujets l'amour & la pratique des vertus morales, & des mœurs honnestes[214].

Deux termes sont ici à retenir: «secondé» et «serviront». Un tel discours montre un orateur qui reprend à son compte l'affirmation d'une subor-

---

[213] *Ibid.*, p. 100-102. C'est moi qui souligne. J'interprète comme «erreur» un mot illisible dans l'exemplaire de la BN, mais logique à cette place et fréquemment employé en association avec «mensonge».

[214] *Ibid.*, p. 102-103.

dination des exercices académiques aux desseins religieux du Roi. La fonction de propagande est ainsi positivement valorisée et acceptée. L'Académie française, qui reconnaît que son travail linguistique a une dimension royale, souligne le plaisir que ses membres ont à s'entretenir des merveilles du règne de Louis le Grand et le devoir qui lui incombe de les célébrer. Les académies de province vont jusqu'à définir les exercices acédémiques comme un moyen de gouvernement entre les mains du Roi.

On peut donc parler d'une double image des exercices académiques. D'un côté, ils apparaissent comme un ensemble de pratiques diversifiées, qui visent à perfectionner les individus qui s'y adonnent en créant des réunions collégiales qui définissent un certain type de rapports interpersonnels. Une telle communauté trouve dans sa conservation sa propre justification et les progrès des individus, combinés aux plaisirs de la discussion, suffisent à définir la fin des académies. Mais, d'un autre côté, l'impulsion royale vient tenir la place d'une mission à remplir, qui permet de donner à la représentation du travail académique un point focal. Ce travail devient alors un instrument de la politique royale. Chargés de soutenir et de diffuser les «desseins» royaux, certains académiciens se transforment en propagandistes consentants, non pas parce que les discours académiques consacrent une large place à l'éloge royal, mais plus nettement parce qu'ils font du mouvement académique le véhicule et l'accessoire des intentions royales.

### B. *Le soleil en province*

L'image des exercices académiques a ainsi évoqué celle du Roi. Après avoir représenté le travail académique comme un instrument de la politique royale, le discours de Magnin, que je viens de citer, se poursuit par une comparaison entre le Roi et le soleil. On ressent, explique l'orateur, les effets de l'activité du Roi, quoique éloigné de la Cour, comme on ressent ceux des rayons du soleil malgré la distance. Cette comparaison suggère que les académies de province restent attachées à la représentation solaire du Roi. Seraient-elles monis sensibles aux modifications de l'image royale qu'aux impulsions de la propagande?

Louis XIV avait adopté comme devise le soleil avec, pour âme, les mots: *Nec pluribus impar*. Le Roi se donne donc le soleil pour support de son image symbolique. Cette représentation du Roi-soleil, si connue jusqu'à aujourd'hui, avait été orchestrée tant par les textes consacrés à la gloire du Roi que dans tous les domaines de représentation. J'ai souligné, en analysant les panégyriques du Roi prononcés dans l'Académie française, les glissements dans les supports idéologiques de l'image royale, en particulier l'abandon progressif du soleil comme symbole unique. Louis le Grand se veut plus proche de saint Louis que d'Apollon[215]. En poursuivant mon enquête sur tous les discours académiques parisions, j'ai pu confirmer la faiblesse de la composante solaire dans la représentation symbolique du Roi, due peut-être au désir d'établir une analogie entre le Roi et Dieu. Sur ce point, l'Académie française semble rester toujours «à la page». Proche du Roi et probablement tenue au fait des développements de la représentatioon royale par ses contacts avec Colbert et, plus généralement, par ceux de ses membres qui travaillent aux médailles, la compagnie parisienne répond bien aux changements d'inflexion de l'image royale[216].

Si les académies de province assument explicitement un rôle de propagande, en particulier à propos de la Révocation[217], elles semblent en général moins souples que l'Académie française, qu'elles cherchent cependant à imiter dans bien des domaines, dans le choix des supports symboliques de la représentation royale. C'est d'ailleurs un trait qui, au-delà des seules académies, paraît caractériser la province en général. Le meilleur exemple de cette différence, c'est certainement la permanence dans les discours académiques de province du mythe solaire, un accessoire mis plus ou moins au rebut à Paris (même si un orateur comme D. Talon peut encore proposer, dans ses mercuriales, quelques variations sur le thème).

Le discours de Magnin date d'une période où la figure de saint Louis a largement été exploitée par les milieux proches du Roi pour chanter sa grandeur. 1685, c'est l'année de la Révocation: le discours la prépare et l'annonce, en quelque sorte. Or, l'orateur multiplie les allusions au soleil. L'économie du discours est révélatrice. L'orateur fait se succéder une longue excuse sur sa faiblesse, un parallèle entre l'Académie française et celle d'Arles, toutes deux aspirant à l'immortalité, un parallèle

---

[215] Voir *Les Panégyriques du Roi prononcés dans l'Académie française*, Introduction, chap. II: «Sous le signe de saint Louis: le Roi très chrétien», p. 49 sq.

[216] Sur ce point, voir *supra*, chap. I, «*Roi-Soleil ou roi divin?*», p. 174.

[217] Dès avant 1685, la politique religieuse est un thème important, et la Révocation fournit à tous les orateurs un passage obligé. Sur la place des questions religieuses dans le mouvement académique, voir en particulier Viala, *Naissance de l'écrivain*, p. 47 sq.

L'éloquence d'apparat donne la vition ritualisée de la vie académique et diffuse une interprétation unique et favorable de la Révocation. Étudier cette éloquence, c'est donc entrer plus profondément qu'avec les seuls éloges d'académiciens dans la vie institutionnelle des assemblées provinciales. Les académies apparaissent alors dans un réseau non seulement de compagnies savantes, mais de corps de villes et d'institutions administratives. J'adopte ici une perspective qui complète celle de l'article de N. Ferrier-Caverivière déjà mentionné, «La littérature encômiastique et la Révocation de l'Édit de Nantes».

entre Dieu et le Roi (qui rappelle l'Académie française, puisque l'orateur souligne la parenté qui existe ente la manière dont Dieu nomme les êtres et celle dont le Roi nomme les académies), l'éloge des sciences dans la perspective de la rectification de l'erreur et de l'abolition de l'hérésie, à la disparition de laquelle Louis le Grand se consacre. La transition par la fonction éthique des sciences, que j'ai relevée dans la section précédente, conduit à la comparaison des effets de l'activité de Louis XIV, malgré la distance, et des rayons du soleil. Enfin, après un nouvel éloge des académiciens, un nouvel éloge du Roi et un éloge du duc de Saint-Aignan, protecteur de l'Académie d'Arles, Magnin conclut qu'il profitera des lumières de ses confrères, «sans y penser comme on est coloré par le soleil»[218].

L'analogie entre le Roi et le soleil n'est pas arbitraire, la comparaison entre les lumières des académiciens et le soleil non plus. Elle naît de l'attachement de l'Académie à la première représentation royale, trait commun aux académies de province. Il est déjà inscrit dans les devises que certaines se sont choisies. J'ai déjà mentionné la devise de l'Académie de Soissons: un jeune aigle volant vers le soleil, avec l'inscription: *Maternis ausibus audax*. Masson décrit la devise de l'Académie Royale d'Arles d'une manière qui souligne l'influence de la représentation solaire de Louis XIV:

> Rappelant la couronne de Laurier qui entoure la devise de l'Académie française: *A l'immortalité*, elle place, l'un à côté de l'autre, deux lauriers croissant sous un soleil louis-quatorzien et elle inscrit: *Sole favetur eodem*[219].

De fait, le discours de réception de Magnin montre que les orateurs qui parlent devant l'Académie d'Arles restent fidèles à ce «soleil louis-quatorzien». Mais on pourrait en dire autant des orateurs qui parlent devant toutes les académies de province. Le *Discours sur la devise du Roi* du chevalier de Longueil, présenté dans le *Mercure* comme un exemple de la qualité des productions de l'Académie d'Angers, prouve bien l'importance que le rituel académique accorde encore à cette devise. Pour l'auteur, la vision solaire du Roi reste l'expression la plus adéquate de sa grandeur actuelle (et future):

> Ne doutez point, Messieurs, que cette Devise Royale ne nous découvre toute la grandeur du destin & du merite de l'Auguste LOUIS, en le representant semblable au soleil dans l'étenduë du *paralelle* qu'on en peut imaginer. Elle nous fait concevoir l'esperance de la voir commander à toutes les Nations; elle marque qu'il est digne de gouverner plu-

---

[218] *Mercure*, février 1685, p. 112.

[219] Masson, *L'Académie française*, p. 212. Voir, ici même, illustration 2.

> sieurs Empires, comme le Soleil est capable d'éclairer plusieurs Mondes[220].

On notera l'association du symbolisme solaire et de l'éventualité de la monarchie universelle. Sans avoir disparu des textes encômiastiques et des diverses représentations du Roi, la monarchie universelle ne paraît plus faire l'objet d'une propagande cohérente. Le fait que le *Mercure* semble se tromper sur la qualité d'académicien du chevalier de Longueil, dont Uzureau place la réception à l'Académie d'Angers en 1699, est indifférent au regard d'autres témoignages confirmant l'influence persistante du soleil dans la représentation royale. Ainsi, Guyonnet de Vertron avait prévu d'apostropher les académiciens français en ces termes:

> Souffrez, MESSIEURS, pour expliquer en peu de mots tant de nouveautez surprenantes, que je joigne la Poësie avec l'Éloquence, & je m'écrie: *L'on voit sous ce Soleil mille choses nouvelles.* Cet Astre qui a esté adoré des Payens, fait le corps de la devise de LOUIS LE GRAND[221].

On retrouve la référence solaire dans la présence ubiquitaire des devises, dont le lien avec le discours académique provincial a déjà été souligné[222]. Charpentier, adressant à Pavillon un éloge de Benserade son précécesseur à l'Académie, disait simplement: «Il a montré qu'il se pouvoit faire encore quelque chose de nouveau sous le soleil»[223]. La figure apollinienne avait déjà servi au début du discours de Vertron à organiser une représentation du Roi et des académies qu'il protégeait, au moyen de figures conventionnelles de la mythologie littéraire:

> Heureusement pour nous, LOUIS LE GRAND est nôtre Apollon; les Académies de Paris, celles d'Arles, de Nismes, de Soissons, & de Villefranche sont les Muses, & ce Palais [le Louvre, siège de l'Académie française] est le Parnasse: ainsi nous devons avoir l'honneur & l'avantage d'y entrer en tous temps pour tenir nôtre partie dans ces concerts académiques[224].

La présence du discours du chevalier de Longueil sur la devise du Roi dans le *Mercure* montre que les références solaires se retrouvent chez

---

220 *Mercure*, octobre 1686, p. 134-134. Je souligne.

221 Vertron, *Paralelle...*, p. 55. Vertron avait conçu ce discours pour le réciter devant l'Académie française en août 1685. L'orateur, poussé par l'actualité, lut à la place une pièce sur la statue trouvée à Arles, en demandant à l'Académie de décider s'il s'agissait d'une Diane ou d'une Vénus. Voir *Registres de l'Académie française*, t. I, p. 227.

222 Voir *supra*, «Citation, plagiat, allusion», p. 239 sq.

223 *Recueil des harangues*, p. 596. Sur cette phrase, voir chap. I, p. 175.

224 *Paralelle*, p. 3-4.

ceux qui gravitent autour des académies sans forcément y appartenir et constituent ainsi un milieu académique homogène du point de vue de ses représentations – et que le titre d'académicien de province était un assez bon argument de promotion pour que le *Mercure* l'utilisât de façon un peu lâche!

Loin de disparaître, les échos solaires se répondent d'académie en académie. Lorsque Mignot de Bussy signale qu'il reprend une idée qu'il a déjà exprimée l'année précédente, c'est justement une variante du thème du Roi-soleil qui apparaît:

> Comme ce n'est pas estre plagiaire que l'estre à soy-mesme, je puis me servir icy d'une pensée que je mis au jour il y a un an, & soutenir que si le Soleil de la France a voulu fixer son cours pour favoriser les genereux Chefs du peuple de Dieu dans la défaite des Infidelles, s'il a cessé d'élever des nuages & d'en former des foudres & des tonnerres pour écraser ses ennemis, l'éclat de sa lumiere, la force & l'ardeur de ses rayons, la douceur & la serenité de ses influences n'ont pas laissé d'agir sur les cœurs endurcis & aveuglez de ses Sujets, & d'imprimer en eux les veritables semences de la Foy, & les doux fruits de la Charité[225].

Mignot de Bussy présente également la multiplication des académies sous le signe du soleil, d'une manière qui semble encore faire allusion aux devises des différentes compagnies:

> Jamais tant d'Academies & de Compagnies celebres ne parurent tout à la fois. L'on diroit que les Palmes & les Lauriers ne croissent qu'à l'ombre de ses lis, & que la blancheur & l'éclat de ceux-cy sont la seule cause de la verdure des autres. Le divin Auteur de la Nature crea le Soleil avant les Plantes & les Animaux, parce qu'il voulut que ce bel Astre fust consideré comme la cause seconde de tous les Estres; ne doit-on pas aussi dire que ce mesme Createur n'a fait paroistre qu'aprés la naissance de Loüis le Grand tout ce que l'esprit & la main peuvent faire d'excellent, afin que cet Auguste Prince en fust estimé le second principe et le principal agent[226].

Comment ne pas songer à l'aigle soissonnais se dirigeant d'un vol rapide vers le soleil, ou aux deux lauriers arlésiens croissant sous un

---

[225] Mignot de Bussy, de l'Académie de Villefranche, «Discours sur la gloire», p. 29-30 (sur le plagiat, voir *supra*, p. 245 sq.). On peut comparer avec le panégyrique du Roi prononcé par le P. Ambroise de Quimper, le second dimanche de Carême 1687, lors des actions de grâces pour le rétablissement du Roi. Un seul passage suffira à illustrer les développements qu'on accordait encore au soleil:

> Si les Rois sont les Images vivantes de celuy qui dans la Transfiguration paroist plus éclatant que le Soleil qui brille sur nos testes, il faut avoüer que LOUIS LE GRAND est l'Image la plus accomplie de ce Soleil de Justice, & moins par les brillants de sa Couronne, que par l'éclat de ses perfections [Quimper: Gaultier Buiting, s.d., (1687), p. 4-51].

[226] Mignot de Bussy, février 1688, p. 37-38.

même soleil? Peut-être la source du goût des académies de province pour la vision solaire du Roi réside-t-elle en partie dans l'abondance des devises qui peuvent être élaborées à partir du soleil comme corps, et qui l'ont été, effectivement. Les auditeurs étaient certainement friands de telles allusions. La devise de l'Académie de Nîmes était constituée d'une couronne de palmes, avec les mots *Æmula lauri,* en référence à la devise de l'Académie française: le texte de Mignot de Bussy foisonne d'allusions aux devises.

Les textes publiés dans le *Mercure* après 1688 ne portent plus de traces de la représentation solaire, mais le caractère incomplet de cette documentation ne permet pas d'en conclure qu'elle disparaît après cette date des discours académiques. La force qu'elle avait gardée jusqu'alors justifie l'hypothèse qu'elle y est demeurée. On constate que les textes émanant des élites proches des milieux académiques continuent de l'orchestrer. Madame de Pringy illustre la permanence du thème, permanence d'autant plus intéressante, répétons-le, qu'elle ne correspond plus, semble-t-il, aux orientations de la représentation officielle[227]. Dans son «Discours à la gloire du Roy de la grande Bretagne», publié par le Mercure d'avril 1689, et qui date de cette époque vu son sujet, elle écrit, associant comme Mignot de Bussy les lys et le soleil:

> Reposez, grand Prince, à l'ombre des Lys jusques au moment que LOUIS LE GRAND, comme le Soleil fecondant par sa clarté & par sa chaleur vostre lumiere & vostre force, vous fera vaincre par son secours, comme autrefois le Soleil fit à Josué, à la Bataille des Gabaonites, avec cette différence que le Soleil arresta un moment son cours pour le favoriser, au lieu que Loüis le Grand poursuivra le cours de ses victoires, pour contraindre cette partie du monde qui vous doit obeir, à confesser sa revolte & sa perfidie, & à chercher dans vostre bonté le pardon que leurs crimes ne meritent pas d'obtenir[228].

Le même auteur retrouve naturellement l'expression «Soleil de la France» que Mignot de Bussy avait employée, dans un «Discours sur la prise de Mons» que le *Mercure* publie en avril 1691. Parlant de l'envie des ennemis, Madame de Pringy explique:

---

[227] Madame de Pringy est l'une des femmes qui, selon Guyonnet de Vertron, dans sa *Nouvelle Pandore*, se sont illustrées dans les lettres. Cet ouvrage contient même un de ses discours («A la gloire du Dauphin sur son retour d'Allemagne»). Rappelons qu'on trouve des discours de Madame de Pringy réunis dans un recueil manuscrit, *Pièces d'éloquence à la gloire de Louis le grand*, 1689 (B.N. frs. 2216), et que le *Mercure* lui a souvent fait les honneurs de la publication (avril 1689, avril 1691 et juillet 1694). Ces discours fournissent un corpus pour s'interroger sur l'existence éventuelle d'une éloquence féminine spécifique.

[228] Avril 1689, p. 98-99.

> Ne pouvant souffrir la gloire du Lis, elle s'est animée à chercher les moyens de la ternir, & l'éclat du jour luy faisant horreur, elle vouloit obscurcir le Soleil de la France; mais elle est contrainte de cacher sa honte dans les Enfers, laissant les Ministres de sa rage couverts de sa confusion[229].

Le portrait de la «jalouse Envie» rappelle celui que Tallemant dresse en 1689, pour donner sa version de la situation internationale[230]. La présentation de Madame de Pringy est donc parfaitement conforme au récit académique parisien. Son imagerie se rapproche de celle des académies de province, et en particulier de celle d'Arles, à laquelle Vertron appartient. Rien n'indique que Madame de Pringy ait été académicienne, et ses discours sont plutôt des textes écrits[231]. Mais l'insertion d'un de ses discours parmi les discours académiques de Vertron dans la *Nouvelle Pandore,* où l'auteur réunit des discours sur les avantages respectifs des sexes, et la régularité même de sa pratique de l'écriture discursive montrent qu'elle appartient à l'élite académique. L'académie d'Arles envoie en 1689 des lettres d'académicienne à Madame Deshoulières, cas rare, mais non aussi unique que l'affirme D. Roche[232]. Mademoiselle L'Héritier fut reçue, en 1698, à l'Académie des Lanternistes, à laquelle elle avait souvent envoyé des bouts-rimés, s'il faut en croire le *Mercure galant*[233]. Les femmes évoluent donc bien dans l'élite académique: elles sont présentes aux séances publiques, en province; elles peuvent com-

---

229 14 avril 1691, p. 24.

230 Voir *Les Panégyriques du Roi*, p. 243-244.

231 Il existe des compliments prononcés par des femmes. Voir par exemple un «REMERCIEMENT des Filles de Sainte Catherine, à Messieurs les Recteurs de la Charité generale de Lyon, prononcé par une Fille de leur Communauté, le jour de leur Feste, en l'année 1694» (*Mercure*, janvier 1695, p. 238-253).

232 D. Roche voit dans l'association, en province, des intérêts linguistiques et littéraires et de la galanterie une raison pour la présence des femmes dans le milieu académique. L'exemple de Madame de Pringy montre que les femmes participent aussi à la glorification du monarque. Voici le texte où D. Roche relève

> la distance qui sépare ici encore Paris et la province, l'Académie française et ses imitations qui mêlent grammaire, littérature, préciosité et badinage. Il n'est pas étonnant de voir la femme représentée dans le cercle académique arlésien, au moins symboliquement, avec l'élection de Madame Deshoulières. C'est là un fait exceptionnel dans le mouvement académique qui repose sur une totale séparation des sexes, absolument ignorée par les formes mondaines et diffuses de sociabilité... (p. 25-26).

On ne sait si l'auteur parle ici spécifiquement de la Provence, comme il le fait tout de suite après ce passage, ou généralement de toutes les académies, comme les premières lignes le laissent supposer, auquel cas il se trompe, comme le montrent les livraisons du *Mercure*: on voit quelques femmes dans les académies.

233 Mai 1698, p. 98-118, le *Mercure* cite les lettres d'académiciennes qui furent envoyées à Mademoiselle l'Héritier, ainsi que la réponse qu'elle envoya à la Compagnie.

muniquer avec les académies, sans prendre part, toutefois, aux séances de travail; elles participent aux concours en envoyant pièces de prose et de poésie. Si bien que les femmes, même si elles ne sont qu'exceptionnellement académiciennes – les académies d'Italie étaient beaucoup plus ouvertes aux femmes, et aux Françaises particulièrement, comme l'Académie de Padoue[234] – s'inscrivent dans le milieu académique. Les exemples tirés des discours de Madame de Pringy sont donc significatifs. Ils montrent la diffusion que continuent d'avoir, dans les milieux académiques, les variantes des représentations solaires et de la devise du Roi. Il est difficile d'apprécier ce phénomène: s'agit-il d'un retard de la province sur Paris, ou faut-il parler d'une originalité de la province? On a bien l'impression, en fait, que tout en suivant l'évolution des points d'ancrage de ce qu'on peut appeler la propagande royale (en particulier la politique religieuse), les orateurs académiques provinciaux manifestent un certain conservatisme à l'égard des supports symboliques de l'image du Roi et ont du mal à abandonner les modèles d'expression qui se sont révélés fructueux et efficaces pendant toute la première partie du règne.

## III. – LES RELATIONS ENTRE ACADÉMIES

L'étude des discours des académies de province a montré que les productions oratoires circulaient, que ce fût par l'intermédiaire de publications périodiques comme le *Mercure,* par des publications collectives ou, très vraisemblablement, par des correspondances particulières. L'Académie française apparaît vraiment comme un modèle pour les institutions provinciales qui se déclarent volontiers ses émules. Mais il existe des relations plus directes entre l'Académie française et certaines académies de province d'une part, et entre les académies de province d'autre part, qui se traduisent par des pratiques oratoires et jouent un rôle important pour la détermination de l'éloquence d'apparat dans le contexte académique.

Il ne s'agit pas ici seulement de souligner que certains animateurs, certains protecteurs, certains membres importants sont aussi membres de l'Académie française. Le duc de Saint-Aignan, pour l'Académie d'Arles, Fléchier, qui succède à Séguier à l'évêché de Nîmes et au protectorat de l'Académie de cette ville; Pellisson, qui a tant œuvré pour la diffusion des académies, et dont le rôle est primordial à Toulouse, par

[234] Les Ricovrati, qui reçurent des académiciens comme Vertron ou Martel, comprenaient des femmes comme Madame Deshoulières, ou Mademoiselle de Scudéry.

exemple; Patru, sans être effectivement académicien de Soissons, a cependant soutenu l'effort de l'Académie de cette ville pour obtenir ses lettres patentes, etc.

Les lettres patentes de l'Académie de Soissons lui imposent un tribut littéraire qu'elle doit envoyer tous les ans à l'Académie française, pour y être lu le jour de la Saint-Louis (cette date a varié au gré de décisions diverses de l'Académie française)[235]. Les académies de province alliées à l'Académie française ont aussi l'occasion de lui envoyer des députés, qu'il s'agisse, pour Soissons, de présenter en personne le tribut de l'académie ou, pour Arles, d'offrir une estampe de l'obélisque au Roi. Les académies de province échangent elles-mêmes, à l'occasion, des députations, comme c'est le cas pour les académies de Nîmes et d'Arles, lors des négociations qui aboutissent à l'alliance des deux compagnies souhaitée par la société nîmoise.

Il ne faut pas non plus négliger l'importance des prix offerts par les diverses académies, y compris l'Académie française: les membres d'une académie participent volontiers aux concours académiques. Ce dernier type de liens crée une impression de réseau, même s'il n'est pas le plus important pour l'éloquence d'apparat proprement dite. Car, même si le discours primé est finalement lu en public, sa conception n'est pas proprement orale, et n'intègre pas le public dans sa composition, comme le font ceux qui sont composés en vue de la prononciation. Si son appréciation, par ailleurs, est formelle et esthétique, elle ne s'ins-

---

[235] L'attitude de l'Académie est, semble-t-il, hésitante, et à plusieurs reprises, le tribut reparaît à la Saint-Louis. Le compte rendu d'une séance de 1678, dans les registres de l'Académie française, suggère que les académiciens français n'étaient peut-être pas si anxieux de voir le tribut inscrit au programme de la Saint-Louis:

> Ce mercredy (24e) d'Aoust, Monsieur Perrault a fait rapport à la Compagnie que Messieurs de Soissons, selon leur institution, avoient envoyé non seulement une pièce de Prose à l'Académie, mais de plus une pièce en Vers. Sur cela quelques uns ont mis en avant qu'il les faloit lire le jour de la St Louis, comme on avoit fait l'année precedente. Mais pour d'autres raisons plus fortes, on a résolu qu'elles ne seroient plus lues à cette celebre journée, mais à la premiere ou seconde seance d'après, entre ceux de la Companie seulement. (*Registres*, t. I, p. 193).

Les académiciens laissent au tribut le soin de marquer la sujétion de l'Académie de Soissons, mais ne souhaitent pas lui faire place dans le cérémonial grandiose de la Saint-Louis. Il reste que l'envoi des Soissonnais y a figuré déjà à plusieurs reprises, et on l'y retrouvera. Ainsi, en date du 25 août 1678, on peut lire malgré tout:

> On a donné place selon la coustume aux Deputez de l'Académie de Soissons dans cette assemblée, où ils ont eu la satisfaction d'entendre lire par un de Mrs les deux pieces l'une de Prose, l'autre de Vers que leur Compagnie est obligée d'envoyer tous les ans à l'Académie Françoise. (p. 201)

En 1683, les pièces envoyées par l'Académie de Soissons ont été lues le 16 août. Il est inutile de rendre compte de toutes les années.

crit pas directement dans le contexte qui est celui de l'apparat, puisqu'il est jugé avant la lecture publique en séance solennelle et que l'approbation du public qui lui est alors donnée n'est plus que la confirmation d'un jugement d'experts, porté dans des circonstances qui sont celles d'un jury technique, qui peut modifier sa lecture au gré de ses désirs, et non les circonstances normales d'un public qui doit suivre le discours dans sa linéarité ininterrompue[236].

Le tribut de l'Académie de Soissons est un cas très intéressant. Les textes de prose qui sont envoyés à l'Académie française ou lus devant elle par les députés de l'Académie Royale de Soissons comprennent des lettres et des discours variés[237]. En 1675, le tribut est constitué par le discours que Berthemet avait prononcé lors de l'enregistrement des lettres patentes au présidial de Soissons. En 1676, Nicolas Hébert lit le discours qu'il avait fait à son successeur comme maire sur les «Devoirs et obligations de la charge de maire». L'année suivante Berthemet est l'auteur du discours «Des avantages des Conférences académiques et de l'utilité qu'il y auroit en prononçant parfois de pièces de sa composition» et Delfaut se demande «Si l'Etude du Cabinet est utile sans celle de la conférence». En 1679, on envoie un panégyrique du Roi de Berthemet[238] et, en 1683, Nicolas Hébert envoie le discours qu'il a prononcé à l'Académie de Soissons, à propos d'une lettre royale invitant les académiciens à travailler particulièrement à l'histoire[239]. Le tribut comprend aussi un «discours prononcé dans l'Académie de Soissons sur la mort de la Reine»[240]. Il semblerait *a priori* que l'on dût faire la même objection à ces discours qu'aux pièces qui ont remporté les prix. Mais la situation est en fait plus complexe. Lorsque les textes envoyés sont relus à l'Académie française après avoir été prononcés dans d'autres circonstances, ils ont été conçus

---

[236] Il suffit pour s'en convaincre, de lire le compte rendu des registres:

> Après cela Monsieur le Directeur a prié Monsieur Regnier de lire la piece de Prose et Monsieur Le Clerc celle de Poesie. L'un et l'autre s'estant bien acquittez de cet employ, il a semblé que toute l'assistance par ses applaudissements et par ses gestes a approuvé le jugement de l'Académie. (p. 120)

[237] La composition du tribut a parfois varié (deux pièces de prose, une pièce de prose et une de vers, ou seulement l'une ou l'autre).

[238] D'après le *Bulletin de la société archéologique, historique et scientifique de Soissons*, t. XX (3e série 1921), dans l'article: «Notice sur l'Académie de Soissons», p. 79-168. On trouve aux p. 168-259 la liste des académiciens.

[239] *Discours et harangues de M. Hebert* (Soissons: N. Hanisset, 1699), p. 197. Sur ce discours, voir *supra*, p. 281 sq. La «Notice» mentionnée à la note précédente indique pour la pièce de Nicolas Hébert qu'il s'agit d'une pièce de vers, mais les registres de l'Académie française montrent que cette affirmation est erronée (voir *Registres...*, en date du 26 août 1683, p. 211).

[240] Voir *Registres de l'Académie française*, p. 211.

comme discours, en vue d'être prononcés, et en général dans un contexte d'apparat, et ils sont porteurs de caractéristiques qui les feront apprécier comme objets littéraires. Ils n'ont peut-être pas, il est vrai, été composés en vue de la circonstance présente, et l'on pourrait dire qu'ils ne font alors que mimer la situation d'apparat. Mais ils s'intègrent directement au cérémonial, sans censure préalable. Même si seuls les compliments composés spécifiquement pour l'Académie française et prononcés devant elle par des députés sont intégrés dans le recueil de 1698 par la compagnie parisienne, les tributs font connaître aux Quarante les productions oratoires les plus prestigieuses de leurs émules soissonnais.

Or on voit que l'Académie de Soissons ne se limite pas à des discours prononcés dans le cadre de l'Académie, ce qui renvoie à la problématique de l'appartenance multi-institutionnelle des académiciens. Le choix, pour le tribut, de discours prononcés, certes, par des académiciens, mais hors de l'Académie de Soissons introduit une perturbation dans le classememt logique des textes selon les institutions dans le cadre desquelles ils ont été prononcés: l'Académie de Soissons envoie à Paris, comme représentatifs de sa production, des textes que ses membres ont pu présenter dans d'autres contextes institutionnels, mais qui, intégrés dans le cérémonial académique de la compagnie parisienne, devront représenter en quelque sorte la production académique en général. Ainsi, le premier tribut était, on l'a vu, le discours prononcé par l'avocat général au présidial de Soissons pour l'enregistrement des lettres patentes accordées à l'académie de cette ville. Un discours prononcé dans le contexte d'une institution donnée peut en quelque sorte être réutilisé et remplir ainsi une fonction différente dans un nouveau contexte.

On peut définir, cependant, la «pertinence académique» des pièces envoyées. Les Registres de l'Académie française résument ainsi le tribut de 1675:

> La piece contient trois points: l'Eloge des belles lettres avec leur utilité et leur necessité; les loüanges du Roy qui en est le Protecteur et remunerateur, et celles de l'Académie Françoise relativement à celles de Sa Majesté[241].

Les académiciens de Soissons envoient des pièces qui célèbrent les belles-lettres et leurs protecteurs, le Roi et Colbert. Si l'on songe qu'outre les pièces déjà indiquées ci-dessus, Hébert avait aussi composé le tribut de 1680, un éloge de Colbert à l'occasion de la

[241] Voir *Registres de l'Académie française*, t. I, p. 120.

paix[242], on voit toute la cohérence des textes ainsi envoyés. La célébration de l'éclosion culturelle se retrouve d'ailleurs dans les compliments prononcés devant l'Académie française ou devant Colbert, compliments qui constituent une autre facette de la place de l'éloquence dans les relations entre les diverses académies. Le compliment fait par Nicolas Hébert à Colbert, avec une délégation de l'Académie de Soissons, le 27 mai 1675, pour remercier le ministre de l'établissement de l'Académie de Soissons montre bien que les belles-lettres sont au centre des discours qui circulent entre les différentes institutions académiques. Selon une thématique mise si souvent en œuvre dans les panégyriques du Roi, le ministre se voit loué d'avoir su faire refleurir les belles-lettres et les arts malgré la guerre:

> Dans les temps de guerre, Monseigneur, on n'a vu que rarement les Ministres porter leur application plus loin que la conservation, ou l'accroissement des Empires. Tout occupés de ces soins, ils en negligeoient par necessité l'embellissement.

D'où un dépérissement des beaux-arts, des sciences et des lettres. Rien de tel en France, grâce à Colbert:

---

[242] D'après la «Notice sur l'Académie de Soissons». On trouve parmi les *Discours* de Hébert un compliment à Colbert, qui attribue à celui-ci le mérite de la paix (p. 53-58). Il est douteux, dans la mesure où aucune indication dans ce sens n'est donnée, qu'il s'agisse du discours envoyé au titre du tribut en 1680. Il reste que le compliment est intéressant, dans la mesure où il donne à Colbert une dimension habituellement réservée au Roi. Les académiciens de Soissons ont, à coup sûr, le sentiment de beaucoup devoir à Colbert pour leur établissement et les gens de lettres en général reconnaissent en lui l'inspirateur de la politique culturelle dans laquelle ils doivent s'inscrire. Voici en quels termes s'exprime la reconnaissance de l'Académie:

> Mais outre ces obligations generales [que toute la France lui a], nous vous en devons de particulieres. Nous n'oublierons jamais que nous vous devons cet établissement qui a rempli nos plus ardens souhaits: nous nous souviendrons éternellement que vous y avez joint des marques d'estime. (p. 56-57)

Les Académiciens se sont donc mis en devoir de célébrer ce protecteur et ce rénovateur des lettres. Mais la tâche est rude:

> animez d'un désir violent de vous la témoigner [notre reconnaissance], nous avons prolongé nos veilles, nous avons redoublé nos études... Mais si nos forces croissent vos vertus augmentent, & la même disproportion se trouve toûjours entre vos vertus & nos forces. (p. 57-68)

Le compliment continue sur le même ton jusqu'à la fin. Héricourt, dans son *De academia suessionensi*, donne très brièvement l'idée du discours de Hébert qui constitue le tribut:

> dicam paucis, Scriptorem id egisse, ut probet, indefessum Colberti laborem, rectamque ipso administrante AErarii dispensationem, in causa potissimum fuisse, cur Rex, gravi fervente bello, quietem Populis, & abundantiam, subministrasset qui & id plurimum, ineunde paci conduxisse, cum hostes prorsus & animum, & spem abiecissent, novis quasi Militibus, & copiis ex hoc inexhausto fonte in dies emergentibus. (p. 117-118)

> Aujourd'huy, Monseigneur, malgré cet obstacle, nous voïons toutes ces choses au dernier degré de perfectionnement, & de vigueur. . . . Nous remarquons avec joye, que dans les temps les plus difficiles, vous sçavés tout ensemble les conserver [les royaumes], les étendre et les embellir[243].

Discours sur l'utilité des académies ou discours prononcé pour l'enregistrement des lettres patentes de l'Académie de Soissons, ou encore compliments à Colbert, on voit là ce qui constitue la «pertinence académique» dont je parlais plus haut. Mais les discours envoyés sont plus variés (éloquence civique, par exemple, dans le cas du tribut de 1676, avec le discours d'Hébert à son successeur comme maire de Soissons). Et, lorsqu'ils sont présentés à l'Académie française, ces textes font connaître les pratiques oratoires des académiciens de Soissons.

De façon caractéristique, les académiciens provinciaux attendent de l'assemblée parisienne des remarques techniques sur leurs productions. On en a trace pour 1683, avec l'envoi du discours d'Hébert à propos de la lettre du Roi exhortant les hommes de lettres à travailler à l'histoire et de celui sur la mort de la Reine:

> Et d'autant que cette Academie dans la lettre qui les accompagne, presse instamment la Compagnie de vouloir bien luy donner ses avis sur ces deux pieces, on a résolu de luy accorder cette satisfaction quoy que jusqu'icy la Compagnie eust résisté à de semblables prieres par esprit de retenue[244].

Les discours sont ainsi dé-contextualisables, pour être considérés comme des supports d'analyses techniques. Cela ne veut pas dire, naturellement, que toute lecture de ces textes est toujours technique. Mais, dans la perspective rhétorique qui distingue une matière à mettre en forme et la forme donnée à cette matière, c'est, en fin de compte, la forme qui l'emporte dans ce cas. En d'autres termes, c'est moins un contenu informationnel qui importe que l'aptitude à combler des attentes thématiques, structurelles et stylistiques, qui sont finalement plutôt d'ordre formel.

Si l'Académie de Soissons est la seule qui soit ainsi soumise au «tribut», elle partage avec d'autres académies l'honneur d'entretenir avec l'Académie française des relations qu'on pourrait qualifier de «discursives». Outre l'Académie de Soissons, en effet, l'Académie d'Arles et l'Académie de Nîmes ont eu des liens avec l'Académie française, liens qui se manifestèrent en particulier par l'introduction au Louvre, siège de l'Académie française, de délégations de ces académies et par l'échange,

---

243 *Discours & harangues*, p. 48-49.

244 *Registres*, t. I, p. 211.

en ces occasions, de compliments, accompagnés d'une production oratoire complémentaire. Le *Recueil des harangues* de 1698 et les *Registres* permettent d'allèguer plusieurs exemples: le 27 mai 1675 (avant même le jour de la Saint-Louis où le tribut lui permettra d'être présente aux cérémonies académiques), l'Académie de Soissons vient complimenter, par le truchement d'une délégation, l'Académie française sur son propre établissement. Le 17 août 1677, c'est l'Académie d'Arles qui participe à la séance académique, en la personne de son député, Roubin, venu présenter l'obélisque trouvé à Arles et qui a été consacré au Roi[245]. L'Académie de Nîmes, enfin, a eu l'occasion de complimenter l'Académie française dans les murs de celle-ci, après qu'elle se fut vu accorder une association avec l'Académie française, grâce à Fléchier, protecteur de la compagnie nîmoise. Cette cérémonie eut lieu le 30 octobre 1692. Dans toutes ces occasions, l'éloquence fleurit. Les relations privilégiées qui s'instaurent entre l'Académie française et certaines académies de province sont donc génératrices de discours. Nous aurons l'occasion de revenir sur chacune de ces cérémonies. Peu importe que le contenu des compliments échangés varie en fonction des circonstances historiques et des conditions dans lesquelles se sont installées les relations inter-académiques. Le fait marquant, c'est l'expression oratoire. On peut d'autant mieux parler d'éloquence d'apparat que, même lorsque les députés des académies de province ne sont pas introduits au cours d'une séance publique, leur présence est soumise à certaines règles et correspond à un cérémonial particulier. Le discours que Vertron avait prévu de prononcer devant l'Académie française en août 1684, son *Paralelle de Louis le Grand avec les Princes qui ont esté surnommez Grands,* suggérait, je l'ai montré, que les académies de province devaient avoir accès au Louvre, siège de l'Académie française en tout temps[246]. Or l'Académie française a répondu par avance. L'introduction de députés ne serait jamais une chose anodine. On lit dans les *Registres*, à la date du 31 mars 1681:

> sur ce qui a esté représenté à la Compagnie que le jour de la reception de M. de Novion, il s'estoit presenté deux personnes d'une des Académies de ce Royaume instituées aussy par le Roy qui avoient tasché de prendre place dans les rangs de ces Messieurs, l'Académie avoit resolu qu'aucun ne pourroit y prendre place, ny estre receu dans aucune assemblée ny publique ny particuliere si ce n'est qu'il eust quelque deputation expresse pour quelque chose importante dont il feroit part à

[245] Ce n'est pas la première fois que l'Académie d'Arles est introduite à l'Académie française. Les registres indiquent que le marquis de Chasteau-Renard et Giffon sont venus saluer l'Académie française (*Registres*, t. I, p. 109-110).

[246] Voir *supra*, p. 290.

quelqu'un des Officiers, qui en feroit son rapport à la Compagnie, laquelle y auroit tel esgard, et verroit si elle devoit entendre ce deputé, et à quel jour. Il sera toujours dans une seance particuliere.

La présence des députés d'autres académies est ainsi liée à des règles formelles[247].

Le 27 mai 1675, jour où elle a aussi l'occasion d'adresser à Colbert plus particulièrement un compliment, l'Académie de Soissons participe à une séance académique au cours de laquelle plusieurs discours sont prononcés. On trouve successivement dans le *Recueil des harangues...* les trois discours suivants:

- *Discours prononcé dans l'Académie Françoise le 27. May 1675. par Monsieur Guerin, l'un des Députez de Messieurs de l'Académie de Soissons, lorsqu'ils vinrent luy faire Compliment, sur l'establissement de leur Académie* (p. 252-255);
- *Réponse de Monsieur de Segrais, alors Directeur, au Discours de Monsieur Guerin de l'Académie de Soissons* (p. 255-257);
- *Discours sur l'utilité des Académies, prononcé le 27. May 1675. par Monsieur l'Abbé Tallemant le jeune* (p. 258-268). Le discours de Tallemant fut inséré par lui dans son recueil intitulé: *Panégyriques et harangues à la louange du Roi. prononcez à l'Académie françoise* (Paris: P. Le Petit, 1680). Ce discours peut donc être interprété comme éloge de Louis XIV. Mais si l'on songe aux circonstances dans lesquelles il fut prononcé, son sujet, qui le rapproche de certains tributs, souligne à nouveau la célébration académique née de la rencontre des académies.

Même si la compagnie ne tient pas de séance publique pour recevoir la députation de Soissons, la réunion du 27 mai est inhabituelle. On y a convoqué les académiciens exprès, et on a arrangé le cérémonial à tenir, lors de la séance du 20 mai[248]. En particulier, on a décidé que les députés «prendront leur place au bout de la table comme les recipiendaires». Les académiciens s'inspirent donc de l'ordre observé lors des séan ces de réception. Le compte rendu de la journée du 27 mai donne des éléments intéressants. Le public y est relativement nombreux (23 académiciens) et, surtout, on y remarque la présence de Colbert, fait assez inhabituel et glorieux pour que les registres le signalent: «La Compagnie convoquée exprès, et estant au nombre de 23, du nombre desquels estoit Mr Colbert, on a fait entrer les deputez de l'Académie

[247] Voir *Registres de l'Académie française*, p. 204.
[248] Voir *Registres*, p. 111. Sur la séance du 27 mai, voir chap. I, p. 52-53.

de Soissons»[249]. Surtout, le reste de la séance se déroule comme les cérémonies publiques, sans travail de Dictionnaire, mais avec une succession de discours et de pièces diverses:

> ... on a fait lecture des lettres de leur Establissement...
> Aprés cette lecture, Monsieur Guérin, advocat du Roy à Soissons, et l'un des deputez, a parlé de cette sorte....
> Ce discours achevé, M. de Segrais ayant finy, a invité suivant la coutume ceux de la Compagnie qui auroient apporté quelque ouvrage d'en faire la lecture pour employer agreablement le reste de la seance, ce que plusieurs ont fait avec grand applaudissement de toute l'assistance.

Le Directeur a invité les académiciens à lire des pièces de leur main, «suivant la coutume», c'est-à-dire suivant le cérémonial des séances publiques[250]. L'Académie française considère donc cette journée au même titre que celles où elle s'ouvre sur le monde extérieur.

Le compliment de Guérin amplifie l'éloge du Roi, celui du protecteur de l'Académie de Soissons, le cardinal d'Estrées, et celui de Colbert, éloges introduits dès le début, dans une anaphore qui les intègre aux louanges de l'Académie française. Après avoir affirmé qu'il était impossible d'exprimer le respect et la reconnaissance que l'Académie de Soissons éprouvait, l'orateur précise:

> En effet, MESSIEURS, si elle [l'Académie de Soissons] se voit établie par un Prince également sage & magnanime, par un Prince digne de commander à toute la terre, elle ne sçauroit attribuer cet heureux événement qu'à l'approbation que vous avez accordée à ses exercices. Si un Cardinal, dont le merite rend à la Pourpre plus d'éclat qu'il n'en reçoit, en jette les premiers fondemens, & l'honore de sa Protection; si un Ministre au dessus de tous les éloges y met la derniere main, & l'anime aux grandes choses par de précieuses marques de sa bienveillance, c'est parmi vous, c'est dans cet Auguste Corps qu'elle trouve & ce protecteur illustre & ce Ministre incomparable. (p. 252-253)

Le corps du compliment est un éloge de l'Académie française. La notion d'émulation permet d'ailleurs de rappeler discrètement la marque de dépendance de la compagnie soissonnaise. Ayant distingué l'association avec l'Académie française de celle que les Romains offraient à ceux qui leur avaient rendu service, Guérin attribue au seul

---

[249] *Registres*, p. 111-112.

[250] *Ibid.*, p. 112. L'édition imprimée des registres ne cite pas les discours, mais renvoie au *Recueil des harangues* de 1698, auquel renverront, sauf indication contraire, les extraits de discours acédémiques suivants.

De façon caractéristique, Le Petit, imprimeur de l'Académie française, a pris part à la distribution des jetons et, surtout, il publie, la même année, un volume réunissant les discours prononcés ce jour-là (voir chap. I, p. 59-60).

goût commun des belles-lettres la faveur que l'Académie de Soissons vient de recevoir:

> . . . nous le devons à l'émulation que vous nous avez inspirée, nous le devons aux Livres inimitables & *immortels* dont vous avez enrichy le monde. & cette veneration que nous avons & pour vous, & pour tout ce qui part de vos mains sçavantes, qu'est-ce autre chose qu'un *tribut* necessaire qu'on ne sçauroit vous refuser sans injustice? (p. 253; mes italiques)[251]

Les deux termes «immortels» et «tribut» sont importants, à des titres différents. Le premier reprend la devise et les ambitions de la compagnie sise au Louvre; le second est comme un écho de l'obligation où se trouve l'Académie de Soissons d'envoyer un tribut annuel aux Quarante.

Après avoir introduit l'éloge du «divin genie du grand Richelieu», Guérin reprend successivement, comme une récapitulation, celui du cardinal d'Estrées, celui de Colbert et celui du Roi, cette dernière tâche s'avérant presque impossible, et beaucoup plus adaptée aux qualités des académiciens français qu'à celles de leurs collègues de Soissons. Ces derniers terminent donc en suppliant leurs aînés de bien vouloir les instruire et les soutenir:

> Achevez, MESSIEURS, achevez vôtre ouvrage, justifiez vos premieres faveurs & faites que nous puissions répondre à ce que toute la France attend de nous. Rendez-nous dignes de la gloire, & de vôtre alliance, & de nôtre établissement. Vous ne pouvez accorder ces graces à des personnes qui s'appliquent plus fortement à vous étudier, & qui ayent, ou plus de docilité & de soûmission, ou plus de reconnoissance. (p. 255)

La réponse de Segrais, alors directeur, ne présente guère d'éléments nouveaux. L'émulation lui permet de renverser pour un temps le rapport proposé par Guérin et de suggérer que l'Académie française est entraînée à l'émulation par le mérite de la compagnie soissonnaisse, tout en ayant pour elle les meilleurs sentiments du monde:

> Il n'appartient qu'à la Gloire de faire des rivaux & de les rendre amis. Si un mérite tel que le vôtre excite en nous l'émulation ordinaire entre les personnes qu'elle anime, il nous inspire aussi cette bienveilleance inseparable de l'estime & de la conformité des sentimens. (*Ibid.*)

---

[251] On notera ici le style anaphorique, fréquent dans tous les discours du corpus, mais qui ressort parfois, comme ici, avec plus d'acuité. Par ailleurs, à cette date, l'existence des académies semble plus liée à un désir local d'émulation qu'à la prise en charge d'un projet de propagande.

L'orateur prévoit une imitation en chaîne et le développement des belles-lettres dans d'autres villes, à l'exemple de Soissons. Segrais souligne la beauté du discours qui vient d'être fait aux académiciens, avant de faire l'éloge de ces derniers en rappelant que le Roi avait ajouté à tous ses noms (père de la patrie, victorieux, conquérant) celui de protecteur de cette académie. Il poursuit, à l'honneur des Quarante: «il n'y admet que les plus dignes sujets de sa Cour & de son Royaume» (p. 256). Suit un éloge de Colbert, qui débouche sur celui du Roi. Ce dernier éloge reprend tous les traits inlassablement loués par les panégyristes, qualités physiques, intellectuelles et morales. L'association des académies est alors présentée comme une entraide pour célébrer la gloire du Roi, tâche qu'une seule compagnie ne saurait seule mener à bien: «ne sommes-nous pas en droit de vous appeller à nôtre secours par l'union que vous nous offrez, & dans la juste apprehension de succomber sous un si pesant fardeau?» (p. 257)[252]et plus loin: «entrez avec nous dans ce champ vaste et fertile» (p. 258), le meilleur moyen de laisser son nom vivant étant naturellement de rendre à celui du Roi les honneurs qui lui sont dus. La rencontre des deux académies favorise la formulation de l'existence d'un mouvement académique voué à l'éloge royal

L'association entre académies est donc représentée là dans une double perspective: elle jalonne et garantit le développement des belles-lettres; elle facilite leur tâche première, célébrer la gloire du Roi. Développement des belles-lettres et gloire du Roi sont précisément les deux aspects que Tallemant reprend dans son discours sur l'utilité des académies, qu'il prononce le même jour. Le discours, qui s'ouvre sur une sorte de mise en regard de trois époques dominées par trois «héros», la Grèce de Platon, la Rome de Cicéron, et la France de Richelieu, affirme que ces personnages ont eu des disciples et ont été suivis de grands princes: «Quels instituteurs, Platon, Ciceron, Richelieu! Quels disciples! Quels siècles! . . . Quels princes . . .» (p. 258-259). Quels siècles en effet: Athènes florissante, Rome au sommet de sa gloire, la France triomphante. Quels princes aussi: Alexandre, Auguste, et Louis, non plus Louis le Juste sous les auspices duquel Richelieu a jeté les fondements de l'Académie française, mais Louis XIV qui porte à son comble, dans la paix comme dans la guerre, la grandeur de la France, au point que l'équation tripartite entre Alexandre, Auguste et Louis est finalement récusée, au profit de ce dernier, au profit également des membres de l'Académie française et de tous les gens de lettres: «il y a apparence

---

[252] C'est ici l'orateur de l'Académie française qui suggère la mobilisation de tous les représentants du mouvement académique pour célébrer le Roi. Mais nous avons vu plus haut que tout éloge ne peut pas se définir comme propagande.

que nôtre grand Monarque plus vaillant qu'Alexandre, & plus aimable qu'Auguste, trouvera aussi des Orateurs & des Poëtes qui surpasseront ceux de l'antiquité» (p. 268).

Ce n'est pas dans la présentation du Roi, pour laquelle l'orateur reprend la division guerre/paix qu'il avait déjà mise en œuvre pour son panégyrique de 1673, que l'on trouvera des éléments originaux. Plus intéressante est la récurrence du rôle de Richelieu dans la composition de ce parterre de fleurs variées qu'est l'Académie (p. 263)[253]. En contrepartie de son retour sur les rôles de l'éloge académique, Richelieu se voit reléguer à la position de précurseur de Louis XIV[254]. Le plus intéressant, ici, c'est l'image que Tallemant donne aux académiciens des deux compagnies du développement d'une académie: «Prenons une academie dans sa naissance; examinons ses utilitez secrettes, & le profit qu'elle porte même à ses disciples, & ensuite nous la conduirons jusqu'au comble de sa gloire» (p. 259). Tallemant développe ici la vision qui est celle des académies de province.

De façon très cohérente, la première utilité d'une société académique, c'est celle qu'apporte une conversation agréable et utile entre gens de talents divers qui, par une critique mutuelle judicieuse s'entraident à se former le goût. L'auteur se donne ici comme un contre-exemple: «Si j'avais sceu profiter de mon bonheur que j'aurois appris de belles choses parmi vous!» (p. 262). Mais, plus largement, les académiciens de Soissons doivent partager cette impression, puisqu'ils demandent à plusieurs reprises que l'Académie française consente à faire des remarques sur leurs ouvrages. Le terme d'*émulation* que semblent affectionner aussi bien les compagnies judiciaires que les académies se retrouve naturellement sous la plume de Tallemant lorsqu'il décrit le type de relations qui se nouent à l'intérieur d'une académie.

Le travail académique est d'une très grande richesse, car, si les académiciens traitent des questions de langue, les mots sont à la base de tout savoir: «Les questions de la langue sont des tresors infinis, les mots sont comme la semence de tout ce qu'il y a d'agreable & de profond» (*ibid.*). A la variété des académiciens correspond une sorte de division idéale du savoir et des arts sociaux: philosophes, grammairiens, orateurs, poètes, courtisans, historiographes, «ceux qui sont élevés aux premieres places dans les Ministeres ou les Tribunaux», prélats, d'une part; définition, construction, éloquence, poésie, politesse du style (pour les

[253] «Je regarde Richelieu, ce fameux cardinal, comme un curieux qui cherche les fleurs les plus précieuses parmi un parterre...»

[254] Sur ce point, voir chapitre premier, p. 179 sq.

courtisans), histoire, justice et politique, affaires ecclésiastiques, d'autre part, sans oublier la galanterie.

Les utilités «secrettes» de l'Académie ont formé les disciples, mais l'orateur montre aussi les avantages que le public en a retiré:

> Je dis encore plus, c'est elle qui banissant les métaphores, & les pointes ridicules, a formé le goût, & donné de l'esprit presque à tout le monde. Et enfin il est aussy vray que la politesse, & l'amour des sciences & des beaux Arts, & mille autres biens sont dûs à l'Académie; comme il est vray pareillement que l'Académie doit toutes ces choses, & se doit Elle-même au Monarque glorieux que le Ciel nous a donné. (p. 264)

A partir de là, l'orateur associe les académiciens et le Roi, puisque le Roi donne de la matière aux productions des académiciens: «Quelle gloire pour vous, d'être vous-même», dit-il au Roi absent mais rendu présent par l'apostrophe,

> l'Auteur de la grande reputation que vôtre siecle aura dans la posterité & de voir que ceux mêmes qui vous loüent vous doivent la beauté des Eloges qui servent à immortaliser vos grandes actions. (p. 266)

Il est inutile de s'attarder sur l'éloge du Roi dont j'ai déjà indiqué le caractère habituel. Je noterai simplement que le Roi, objet de l'éloge, n'est pas, pour les académiciens français, l'origine d'une propagande.

Les académies sont ainsi intégrées dans une dynamique de la France triomphante, les relations qui s'établissent entre elles marquant à la fois un accroissement de la demande en «panégyristes» et un progrès des lettres. Plus généralement, le développement des académies correspondrait à la diffusion et à la formation du goût et de l'esprit, à une extension de l'amour des sciences et des arts.

Tous les discours prononcés le 27 mai 1675 permettent en même temps l'échange de compliments et d'éloges rituels: éloge des académiciens de l'une et de l'autre compagnies, éloge de Colbert, éloge du Roi. Le discours de Guérin a répondu à ce qu'on pouvait attendre de lui, comme l'indiquent les remarques élogieuses de Segrais dans sa réponse. L'éloquence a ainsi célébré les belles-lettres, leurs protecteurs et leurs institutions.

Pour être particulièrement solennelle, la séance du 27 mai 1675 n'est pas la seule où une académie de province ait envoyé des députés à l'Académie française. Le discours que Roubin prononça le jour où il vint présenter à l'Académie française l'obélisque d'Arles est imprimé dans le *Recueil des harangues,* sous le titre: *Harangue à l'Académie Françoise, prononcée le 17. Aoust 1677. par Monsieur Robin, de l'Académie d'Arles, au nom de ladite Académie d'Arles en presentant à l'Academie Françoise l'obelisque trouvée sous la ville d'Arles* (p. 314-316). Quant au compliment prononcé au nom de l'Académie de Nîmes en 1692 par l'abbé Bégault, il figure également dans le recueil, sous le titre *Discours prononcé le 30. octobre 1692 par Monsieur l'Abbé Begault l'un des Deputez de Messieurs de l'Académie Royale de Nismes, lorsqu'ils vinrent remercier Messieurs de l'Académie Françoise de l'association qu'ils leur avoient accordée* (p. 613-618). Ces deux discours diffèrent entre eux comme ils diffèrent du compliment prononcé par Guérin en 1675. Mais, comme celui-ci, ils sont d'abord le résultat normal de la rencontre entre deux institutions, et, dans le cas présent, deux institutions qui partagent un champ culturel et des buts.

Les Nîmois viennent remercier l'Académie française, tout en se démarquant des autres académies provinciales:

> De toutes les Compagnies qui ont receu l'honneur que vous nous faites aujourd'huy, il n'en est point qui l'ait désiré avec plus d'ardeur, & recherché avec plus d'empressement que l'Académie Royale de Nismes. (p. 613)

Tout à leur bonheur d'être associés à l'Académie française, les Nîmois commencent donc par témoigner leur reconnaissance à leurs hôtes. Ils évoquent leur première tentative et les efforts de Faure-Fondamente «un de nos premiers fondateurs, à qui l'Histoire de l'Académie Françoise est dédiée» (*ibid.*), l'échec à cause des troubles du Languedoc. L'éloge du Roi envahit naturellement la célébration du repos favorable aux belles-lettres:

> Aujourd'huy que par la protection d'un Roy, aussi grand par sa pieté, que par sa valeur, les esprits & les cœurs estant réünis, les Muses joüissent dans nos Provinces & à l'ombre de ses Lauriers, d'un parfait repos, nous vous avons redemandé cette grace; & enfin nous l'obtenons par votre genereuse bonté. (p. 614)

Les députés nîmois ébauchent au passage l'éloge de leur protecteur, Fléchier, mais sa présence et sa modestie les ont obligés à ne pas s'engager trop avant dans cette voie. Ils se retiennent même de marquer trop leur reconnaissance envers l'Académie française, car il est un sujet plus important et plus noble: «Le recit des exploits glorieux de vostre Auguste Protecteur doit, ce semble, vous rendre indifferents à tout autre discours» (p. 615). Après avoir évoqué la prise de Namur et le combat de Steinkerque, Bégault renvoie la balle aux Quarante: «Mais il n'appartient qu'à vous, Messieurs, de faire un éloge qui remplisse parfaitement l'idée que nous avons de tant d'héroïques Vertus» (p. 617). Fléchier sera le canal par où les académiciens français leur communiqueront les «influences de la pureté de [leur] esprit». En promettant finalement la plus grande assiduité à suivre l'exemple que les Quarante leur montrent, les Nîmois marquent bien leur soumission à la grande compagnie parisienne. La réponse de Tourreil, civile et amicale, va bien dans le même sens. Les Nîmois doivent à l'éloquence de Fléchier et à leur propre réputation cette association qui ne fait que «serrer les nœuds que les Muses elles-mêmes avoient formez» (p. 619), mais c'est l'éloge du Roi, en particulier à propos du siège de Namur et de celui de Charleroi, qui occupe le discours. Terminant sur l'éloge de Fléchier, qui est comme le point commun entre les deux académies, Tourreil remarque: «Vous ne pouvez posseder un si digne Protecteur, que nous ne perdions en quelque sorte un si digne confrere», mais il se console en pensant aux avantages que l'Académie de Nîmes en retirera, aux progrès qu'elle fera (marquant ainsi son infériorité présente vis-à-vis de l'Académie française). Le compliment se clôt sur un trait dont le ton rappelle la déclaration de l'exorde (l'orateur affirmait qu'après avoir entendu le compliment de Bégault, il devait parler le langage du cœur): «Sacrifia-t-on jamais tant à l'amitié naissante?» (p. 620)

Les Arlésiens, quant à eux, se vantent d'avoir trouvé, avec leur obélisque, un «Livre» à l'abri des atteintes du temps, et des accidents. Bien sûr, l'Académie d'Arles se présente à l'Académie française comme une «fille bien née», qui vient rendre compte à sa mère. Mais, si jusqu'alors les muses arlésiennes n'avaient rien fait de très considérable pour la gloire du Roi,

> elles viennent de luy consacrer un Ouvrage, qui malgré l'injure des temps, & la violence mesme des élemens, est assuré de pouvoir durer autant que le monde. (p. 315)

Beau témoignage de l'émulation qu'inspire le désir d'immortalité. Laissant de côté toutes les difficultés qui l'ont opposée aux consuls d'Arles, à propos de la langue et de la formulation même des inscriptions qui devaient orner l'obélisque, l'Académie d'Arles célèbre sa propre ingéniosité. Certes, elle ne ménage pas ses louanges aux académiciens français, auxquels elle refuse de se comparer. L'obélisque n'a rien à voir en effet avec leurs œuvres «à qui la beauté du Stile, la sublimité des pensées, la force de l'Eloquence, la reputation enfin, & le merite de leurs autheurs sont comme autant de garands d'Immortalité»:

> Non, MESSIEURS, celuy dont je parle icy, doit estre regardé plustost comme un effort de nos mains que de nostre esprit où par un heureux artifice ayant fait suppléer la nature à l'Art & la matiere à la forme, nous avons trouvé le secret de sauver eternellement de l'oubli l'auguste nom de LOUIS LE GRAND, en le gravant sur le marbre & sur la granite, avec des caracteres ineffaçables. (*Ibid.*)

Cette modestie de bon aloi est démentie aussi bien par la promesse d'immortalité en germe dans l'obélisque («éternellement») que par le caractère aléatoire de l'immortalité à laquelle les Quarante sont promis, pour avoir écrit. Le papier est en effet un bien faible dépositaire «qu'un enfant dechire; que le vent emporte, que les vers rongent, que l'eau pourrit, & le feu consume avec tant de facilité» (*ibid.*). Un incendie aurait tôt fait de détruire la bibliothèque du Louvre et de réduire à néant le «fruit precieux de tant de sueurs & de tant de veilles que vous consacrés au public & qui devroient immortaliser vos illustres noms dans la memoire des hommes aussi bien que celuy de nostre auguste Monarque» (p. 315-316). Et curieusement, l'Académie d'Arles, qui avait, après quelques tâtonnements, adopté l'attitude pro-française dans la querelle des inscriptions, à la suite de l'Académie française et plus particulièrement de Charpentier (même si l'action des consuls avait limité la portée pratique de ce choix), retrouve cependant le latin dès qu'il s'agit d'opposer la pérennité du monument éternel au transitoire du texte écrit:

> Graces au Ciel, MESSIEURS, nous avons trouvé le moyen de le mettre à couvert de ces injustices de la fortune, & l'Académie Royale d'Arles peut dire maintenant avec raison de ce grand & superbe Livre qu'elle vient de consacrer à sa gloire ce que le Poëte n'a dit autrefois du sien que par vanité
>
> *Exegi Monumentum aere perennius*
> *Quod non imber audax non aquilo impotens...*
>
> Et le reste. (p. 316)

En reprenant à leur compte la fière affirmation d'Horace, les académiciens d'Arles laissent penser qu'eux, plus que toute autre compagnie, ont trouvé le secret de l'immortalité. Citation latine dans un compliment français, centré sur un monument de pierre, gravé d'inscriptions, dont les députés distribuent les estampes: langue savante et langue vulgaire, dessin, sculpture, archéologie, éloquence, les Arlésiens maîtrisent tous les arts qui peuvent célébrer le Roi. Même si les députés assurent leurs hôtes de la vénération et du respect que l'Académie française peut attendre de l'Académie d'Arles, comme d'une compagnie qui ne souhaite «que de se pouvoir rendre digne par ses services de cette adoption glorieuse dont il vous a plu l'honorer», on peut se demander s'ils n'expriment pas une fierté peu compatible avec leurs assurances de soumission.

Entre l'étrange célébration de la supériorité de la pierre sur le livre (étrange parce que l'orateur semble, sans nier la suprématie littéraire des académiciens français, faire dépendre la survie de leurs œuvres de ce qui est présenté comme une invention arlésienne, et plus précisément de l'Académie Royale d'Arles), et les remerciements des Nîmois mêlés d'une sorte de panégyrique du Roi, on peut bien dire que l'éloge, implicite ou explicite et développé, du Roi crée une similitude. Il reste que les deux discours sont bien différents. Ce sont cependant deux compliments prononcés par des délégations envoyées par des académies provinciales liées à l'Académie française. En publiant au nombre de ses discours académiques les compliments qui lui ont été présentés par ses consœurs provinciales, cette dernière montre qu'il se crée une sorte d'homogénéisation du corpus académique. Prononcés devant elle, tous ces discours sont considérés comme appartenant à son cadre institutionnel. Il est, certes, logique de classer ainsi ensemble les discours qui ont été prononcés dans le même contexte institutionnel. Mais c'est, par delà les différences que j'ai mises en lumière dans les analyses précédentes et quelle que soit par ailleurs leur importance, toute l'unité du mouvement académique qui se perçoit et qui s'affirme ici.

Les relations pouvaient d'ailleurs jouer dans l'autre sens. Sans parler même de la présence d'académiciens français comme membres, fondateurs ou non, des académies de province, on a relevé la visite de certains des Quarante dans des académies provinciales. Le *Mercure* relate ainsi, dans son numéro d'avril 1693, le passage de La Chapelle à l'Académie de Nîmes, qui fut l'occasion d'une séance publique et d'un échange de compliments. C'est La Chapelle qui

> fit l'ouverture de cette Assemblée, en leur disant en peu de paroles, qu'il recevoit l'honneur qu'ils luy faisoient comme estant rendu au Corps dont il avoit l'avantage d'estre, & qu'il craignoit qu'ils n'en prissent pas d'assez hautes idées, s'ils en jugeoient par le peu de merite qu'ils reconnoîtroient en luy; que cependant il rendroit compte à l'Académie Françoise des honnestetez qu'ils luy marquoient. Le tour spirituel & modeste qu'il donna à ce compliment, luy attira beaucoup de loüanges. Mr Cheiron, Directeur de cette celebre Compagnie, répondit par un autre Discours de même caractere. Ensuite on lut des ouvrages en Prose & en Vers de Mrs de la Baulme, & Banthan, Conseillers en la Cour Presidiale de Nismes, & Académiciens, ce qui fut suivit de la lecture de quelques Dissertations du sçavant Mr Graverol, sur des Medailles antiques[255].

La visite encourage éloquence, poésie et lectures diverses...

L'unité du mouvement académique se manifeste également par les rapports que les académies provinciales entretiennent entre elles. L'exemple le plus net est fourni par l'alliance entre l'Académie d'Arles et celle de Nîmes, conclue avant que l'Académie française n'eût accordé

[255] *Mercure*, avril 1693, p. 250-252.

à cette dernière l'association qu'elle lui demandait. Les académiciens d'Arles vont rendre à leurs confrères nîmois, en 1684, la visite que ceux-ci leur ont faite. L'arrivée des députés arlésiens va être solennisée un peu à la manière des passages de grands. J'emprunte ici à Rancé les détails de cette occasion, qui fut riche en éloquence d'apparat:

> On nomma MM. *Cassagnes, de Faure, Rouviere* et *Graverol*, pour aller au devant des députés avec deux carosses à peu près à la même distance «que leurs députés vinrent au devant des notres, lorsque la compagnie leur en envoya pour établir l'alliance entre les deux Académies»[256].

On doit donc aller à la rencontre des députés de l'Académie comme une municipalité va au-devant des grands personnages de passage (avec les personnalités locales). Les députés arlésiens arrivent le lundi 22 mai:

> «M. D'Ubaye de Vachères, M. le marquis de Robias, secrétaire perpétuel de l'Académie royale d'Arles, M. Momblan, lieutenant général au siège d'Arles, et M. Giffon, députés de ladite Académie, conduits par MM. Cassagnes, de Faure, Rouvière et Graverol» se rendirent à l'évêché vers les six heures du soir. Ils y trouvèrent réunis autour de l'évêque, MM. de Cabrières, directeur; Teissier, chancelier, Saurin, secrétaire; Chazel, avocat; d'Aiglun; Causse; Restaurant; Maltrait, de Merez; Ménard et de la Baume. M. d'Ubaye fit à l'évêque «un compliment fort poli de la part de l'Académie royale d'Arles, pour lui donner des assurances du respect de cette Académie et de la satisfaction qu'elle reçoit d'avoir contracté alliance avec la nôtre. M. l'évêque de Nîmes a répondu à ce compliment avec beaucoup de civilité, tant de son chef que de la part de notre compagnie, et a extrêmement caressé ces MM. les députés. . . .»[257]

Séguier, évêque de Nîmes, est protecteur de l'Académie de cette ville. Les compliments qui sont échangés le jour de l'arrivée des députés de l'Académie d'Arles sont déjà prononcés devant les membres de la compagnie nîmoise. Le compliment de l'Évêque, en particulier, a été fait, «tant de son chef que de la part de [la] compagnie [nîmoise]».

Mais, dès le lendemain, c'est à une séance académique publique que les députés arlésiens assistent. C'est dans l'académie de Nîmes, qu'ils prennent la parole au nom de celle d'Arles. L'alliance des deux compagnies se traduit par la participation des députés de l'une aux séances de l'autre et, naturellement, par du discours. Pour cette circonstance, l'Académie qui reçoit s'ouvre pour une séance extraordinaire, le 23 mai, à un public de choix:

---

[256] Rancé, *L'Académie d'Arles au* XVII*e siècle*, t. 2, p. 365. L'auteur tire certains détails des registres de la compagnie nîmoise.

[257] *Ibid.*, p. 365-366.

> Les consuls y assisteront en chaperon «avec un grand nombre de personnes les plus qualifiées de la ville de l'un et l'autre sexe»[258].

On reconnaît là plus d'un élément qui caractérise le cadre dans lequel est susceptible de se manifester l'éloquence d'apparat: public de choix, présence des dames, public institutionnel (les consuls) en habits de cérémonie («en chaperon»). Et si le déroulement de la séance ne diffère pas fondamentalement de celui de la plupart des séances académiques publiques, l'éloquence d'apparat y joue un large rôle:

> Les délégués de l'Académie d'Arles furent placés à droite du directeur, *M. de Cabrières*, M. d'Ubaye complimenta l'Académie, au nom de celle d'Arles, Mgr l'évêque lui répondit par quelques mots obligeants, puis M. de La Baume prononça un long discours[259].

On lut également des poésies latines, un éloge de Scaliger en français, des traductions de vers et de prose latins. Ce qui compte, dans une telle cérémonie, comme dans les cérémonies au cours desquelles l'Académie française reçoit des délégués, c'est moins le caractère extraordinaire des séances que le fait qu'elles sont normalement extraordinaires, c'est-à-dire qu'elles soulignent l'homogénéité des pratiques rituelles académiques, par-delà les différences superficielles, d'ordre formel ou stylistique, comme la présence plus attestée du latin dans les discours émanant des académies provinciales, un phénomène qu'on peut rattacher à la fois à la composition de ces académies et, souvent, à l'absence d'une distinction radicale entre lettres et sciences (au sens moderne).

Si l'on veut avoir une idée complète de ce réseau de relations qui unissait les académies, il convient de ne pas oublier un phénomène important dans la vie académique: les prix. Non seulement un même personnage pouvait remporter les prix de plusieurs académies, comme l'abbé de Maumenet, qui a remporté les prix de poésie à l'Académie française, à l'Académie d'Angers et à celle d'Arles[260], mais surtout les académiciens d'une ville participaient aux concours des académies des autres villes, qu'ils y fussent ou non vainqueurs. Le duc de Saint-Aignan, membre de l'Académie française et protecteur de celle d'Arles, avait remporté le prix de vers de l'Académie de Caen en 1668. Marc-Antoine Chalvet, avocat au Parlement et assesseur de Marseille, membre de l'Académie d'Arles, envoya en 1681 une pièce pour le prix de poésie de l'Académie française. Non primée, cette pièce eut cepen-

[258] *Ibid.*, p. 366.

[259] *Ibid.*

[260] L'abbé de Maumenet remporta les prix de poésie des 14 mai 1688, 1689, 1690 à Angers; à Arles, le prix initialement prévu en 1689, à Paris le 25 août 1689. Voir *Mercure*, novembre 1684.

dant les honneurs de l'impression dans le recueil de l'Académie cette année-là[261]. L'Académie d'Arles fournit, le 14 mai 1687, les deux lauréats de l'Académie d'Angers, Magnin remportant le prix de poésie sur le sujet suivant: «L'entreprise de l'aqueduc de la riviere de l'Eure», tandis que le prix de prose ou d'éloquence française revenait à l'abbé d'Arnoie, qui avait à traiter de «L'Extirpation de l'Hérésie». La remise des prix peut encore être l'occasion de marquer les liens qui unissent les diverses académies, et le vainqueur, membre d'une académie, peut recevoir des marques de considération adressées à l'académie dont il fait partie et se voir offrir une place dans celle qui vient de lui décerner un prix[262]. La structure des académies de province leur permet d'ailleurs, d'une manière générale, de s'ouvrir plus que l'Académie française à des non-résidents. On peut en effet être externe ou correspondant dans bien des académies provinciales, ce que l'Académie française ne permet pas, et les Quarante, hôtes admirés et enviés du Louvre, restent malgré tout au-dessus de leurs confrères provinciaux, dominant le monde académique dont ils ne sont pas, cependant, coupés.

Les relations entre académies sont donc un facteur favorable à l'éloquence d'apparat. Députés d'une académie et compagnie qui les reçoit échangent divers compliments et discours. Le réseau académique tisse ainsi, par des rencontres plus ou moins solennelles ou par les prix et les cérémonies qui les accompagnent, des liens plus ou moins serrés. On voit s'affirmer l'unité du mouvement académique, toutes les académies se retrouvant pour célébrer l'essor de belles-lettres en s'entre-louant. Les divergences qui peuvent exister dans la représentation des exercices académiques s'effacent derrière le consensus réalisé autour de thèmes généraux: l'état florissant des lettres et la grandeur royale.

L'étude des discours produits dans les milieux académiques provinciaux a confirmé l'importance du contexte rituel, de la préparation symbolique des lieux et de la solennisation globale de l'environnement dans lequel un discours est prononcé. Les éléments symboliques, tels que les portraits, les dais et la couleur des tissus employés interviennent dans l'interprétation générale de la cérémonie à laquelle chaque pratique oratoire est liée.

Mais les académies de province mettent en lumière un certain nombre de facteurs qui leur sont propres. Plus liées à la vie locale que

---

[261] Le prix de poésie offert par l'Académie française en 1681 a pour sujet: «On voit le Roy toûjours tranquille, quoy que dans un mouvement continuel». Sur ce sujet, voir *supra*, «Citation, plagiat et allusion».

[262] En décembre 1688, Livonnière lit à l'Académie d'Angers la pièce pour laquelle il a reçu le prix d'éloquence de l'Académie de Villefranche et qui lui a valu d'être nommé académicien honoraire par cette académie.

la compagnie parisienne, elles réunissent des notables que leur appartenance multi-institutionnelle a habitués à l'éloquence. En même temps, la rencontre au sein des académies de gens qui circulent dans divers corps et compagnies donne à leurs préoccupations un caractère moins exclusivement littéraire et linguistique, et se traduit stylistiquement par une exclusion beaucoup moins radicale du latin. La fréquence relative du latin s'explique aussi par l'influence des devises, dans le réseau que constituent les textes académiques. Les orateurs font en effet souvent allusion à des âmes de devises, aussi bien qu'à d'autres discours académiques qu'ils intègrent dans leur propre pratique oratoire.

La documentation est beaucoup plus lacunaire pour les académies de province que dans le cas de l'Académie française, et il n'est pas toujours facile d'établir la nature exacte des textes que le *Mercure* publie. Mais on peut, en contrepartie, établir l'existence d'un milieu académique où se produisent des textes d'une grande cohérence. On voit ainsi s'intégrer à la vie académique toute une élite de femmes de lettres qui contribue à transmettre les valeurs que partagent les membres de ce milieu. Dans l'ensemble, les femmes apparaissent comme un élément beaucoup plus important de la vie académique provinciale que des cérémonies correspondantes à Paris.

Si les académies de province se fondent moins que les Quarante sur une mission linguistique à long terme pour structurer la représentation de leurs exercices, elles semblent plus prêtes à intégrer une entreprise consciente de propagande à leur activité, en particulier en ce qui concerne les questions religieuses, dans la mesure peut-être où elles intègrent une dimension éthique à leur définition du mérite académique. Pourtant, elles sont moins sensibles que l'Académie française aux inflexions de l'image royale.

Toutes ces différences n'empêchent pas que les discours d'apparat soulignent l'unité du mouvement académique, rendue particulièrement visible lors des contacts entre académies, qu'il s'agisse de relations directes, par le biais de députations ou de visites, ou de regroupements autour d'un certain nombre de valeurs parmi lesquelles l'insistance sur un mérite que la culture des lettres procure joue un rôle fondamental. L'éloge du Roi apparaît alors comme un facteur d'unification, autour duquel se rassemble le mouvement académique tout entier. Les rencontres entre académies mettent également en lumière l'importance pour l'éloquence d'apparat du jugement du public sur la qualité et la nécessité du discours, un élément que l'habitude qu'a Donneau de Visé de mentionner les réactions des auditeurs et d'ajouter un commentaire d'ordre esthétique met nettement en relief.

Si cette étude des académies a permis d'établir les conditions nécessaires pour définir l'éloquence d'apparat, elle a aussi posé des jalons pour résoudre un certain nombre de problèmes qui pourraient se résumer par une série d'oppositions: la séparation traditionnelle entre Paris et la province constitue-t-elle une distinction pertinente pour rendre compte à la fois de la diversité des pratiques oratoires et de l'unité du concept d'éloquence d'apparat? A quel niveau se situent les différences entre l'éloquence académique et celles d'autres institutions? J'ai relevé des traits spécifiques des académies de province, qui dépendaient apparemment d'une sorte de «croisement d'institutions». Les pratiques oratoires des académies de province, qui confirmaient l'idée d'un mouvement académique relativement unifié, ne mèneront-elles pas à postuler en outre des liens et une parenté très forte entre discours académiques et discours d'autres institutions en province? A ces questions, les enquêtes qui suivent, sur l'éloquence parlementaire et celle qui s'inscrit dans le contexte de la vie municipale, permettront d'apporter des réponses.

DEUXIÈME PARTIE

# PARLEMENTS ET INSTITUTIONS JUDICIAIRES

# AVANT-PROPOS

L'éloquence d'apparat trouve dans les académies, leur cérémonial et leur attachement à faire progresser les belles-lettres un milieu très favorable. La multiplication des pratiques oratoires est en effet pour les académiciens le signe de la vitalité de leurs institutions, l'occasion de présenter leur image et leur mission (programme d'élaboration linguistique ou inscription dans une entreprise de propagande) et le moyen d'accomplir cette mission, par la production de textes français «réussis» et la diffusion d'une image du Roi et d'une interprétation de sa politique.

Face à ce premier ensemble se dresse l'institution judiciaire, qui, de même que les académies, se présente comme le sanctuaire de l'éloquence. Par leurs fonctions, les composantes de cette institution, parlements, présidiaux, etc., accordent une large place aux pratiques oratoires. Les plaidoiries constituent en effet une large part de la vie judiciaire. La plaidoirie pouvait d'ailleurs procurer à un avocat une solide réputation d'orateur. Un Patru a pu ainsi apparaître comme un modèle, entrer à l'Académie française, où il a instauré la coutume des discours de réception. Par leurs fonctions, également, ces institutions sont vouées, *a priori,* à une conception beaucoup plus éthique de l'éloquence que les académies, puisque leur attribution est la justice, et leur demeure, le palais de justice.

Dans cette partie, je ne traiterai pas de ce qu'on a coutume d'appeler éloquence judiciaire, qui concerne surtout les plaidoiries. A l'exception, précisément, des causes d'apparat, la plaidoirie n'appartient pas aux formes de l'éloquence qui fait l'objet de cette recherche. Prononcées sans contexte cérémoniel particulier, pour un public dont l'intérêt est lié à la décision des causes (qu'il s'agisse de les juger ou de subir la décision), et le discours n'étant qu'un instrument au service du gain de la cause, la plaidoirie ordinaire ne remplit aucune des conditions qui déterminent la manifestation de l'éloquence d'apparat. Je parlerai donc plutôt d'éloquence parlementaire, pour insister sur l'institution productrice (en généralisant à tous les types de juridictions l'adjectif qui dérive de l'institution judiciaire majeure), une qualification qui, par l'intermédiaire du jeu étymologique, offre l'avantage de souligner l'importance de la parole dans le milieu que j'aborde maintenant.

Tout en déterminant les traits majeurs de l'éloquence académique, la première partie a posé les jalons d'une caractérisation plus générale de l'éloquence d'apparat et organisé des oppositions que la deuxième partie permettra d'approfondir et dont elle aidera à vérifier la validité. Comme pour l'étude des académies, je procèderai en deux temps : les institutions parisiennes, d'abord, puis la province. Il était utile de reprendre la distinction pour généraliser ou nuancer les conclusions que l'analyse des discours académiques avaient apportées sur elle. Dans le cas de la justice, elle s'impose *a priori* du fait de la complexité des juridictions locales. On aurait pu, il est vrai, imaginer une distinction entre les parlements d'une part, et les autres institutions d'autre part. Mais il m'a paru préférable de conserver le critère local, plutôt que de poser, par principe, une spécificité de l'institution parlementaire provinciale face aux compagnies telles que les présidiaux. Celles-ci ont des cérémonies voisines de celle-là et contribuent largement à la production d'éloquence d'apparat.

Car les institutions judiciaires ont une riche vie cérémonielle. Le terme de rituel s'applique ici de façon très adéquate, et l'on pourrait même parler, étant donné les liens qui unissent célébrations parlementaires et cérémonies du rituel religieux, d'une liturgie parlementaire. L'éloquence d'apparat apparaît alors clairement comme un facteur essentiel de cette liturgie, à laquelle le discours appartient, mais qu'il peut en même temps exprimer et expliquer.

1. Salvti Lvdovici Magni felicitatiqve pvblicae academia aqvensis mdc;xxxvii [*Relation des rejouissances que l'Université d'Aix-en-Provence a faites pour le rétablissement de la santé du Roy*. (Aix-en-Provence : J. Le Grand, 1687)] (Cliché BN).

2. Protection des sciences et des beaux arts. [Ménestrier, le P. Cl.-Fr., *Histoire du Roy Louis le Grand par les médailles, emblèmes, devises, jetons, inscriptions, armoiries et autres monuments publics* (Paris : 1689)] (Cliché BN).

3. Obélisque de granite d'Egypte trouvé à Arles et élevé à la gloire du roy. Le 20 mars 1676. (*Ibid.*) (Cliché BN).

4a. «Sa Majesté visitent (*sic*) le collège des R. P. Jesuites est harangué en Grec, Latin et Anglois», en octobre 1687 (Estampes, BN) (Cliché BN).

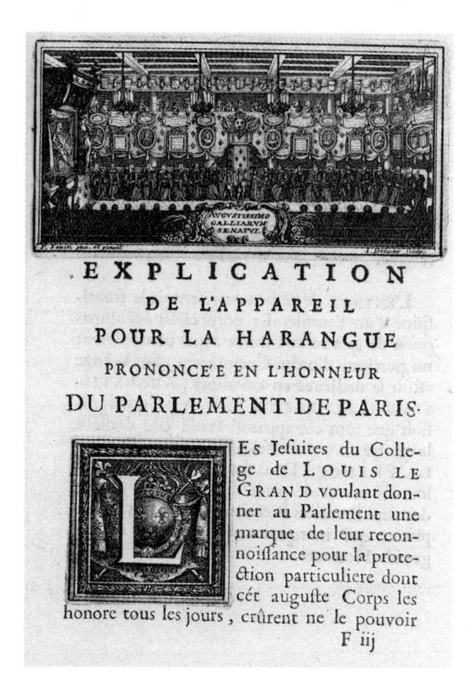


EXPLICATION
DE L'APPAREIL
POUR LA HARANGUE
PRONONCE'E EN L'HONNEUR
DU PARLEMENT DE PARIS.

LEs Jesuites du College de LOUIS LE GRAND voulant donner au Parlement une marque de leur reconnoissance pour la protection particuliere dont cét auguste Corps les honore tous les jours, crûrent ne le pouvoir

F iij

4b. Explication de l'appareil pour la harangue prononcée en l'honneur du Parlement de Paris (Paris : G. Martin, 1685) (Cliché BN).

5. XLV. Année du règne de LOUIS Le GRAND * 1687. (Estampes, BN) (Cliché BN).

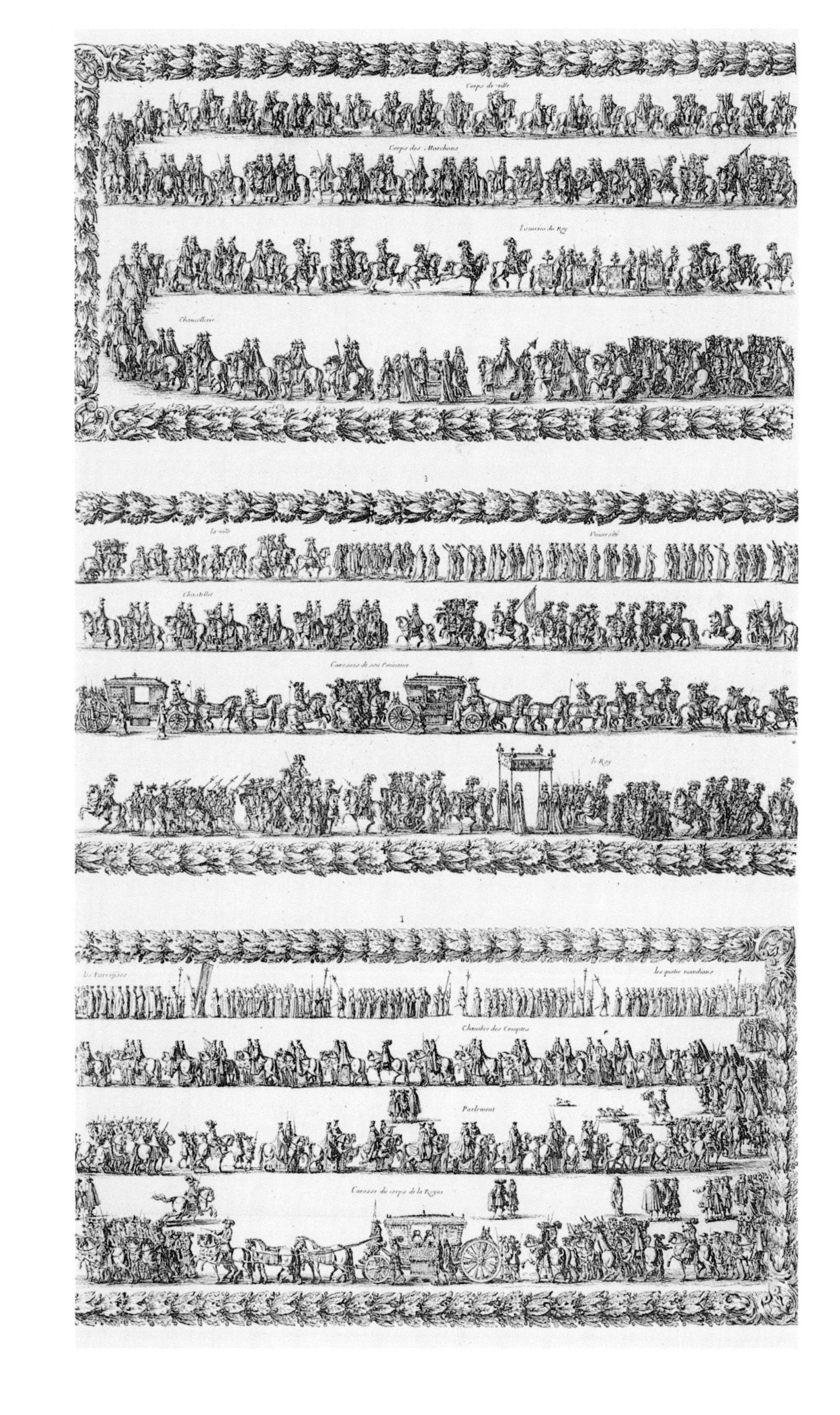
Corps de ville
Corps des Marchans
Chancellerie
3
la ville
Chastellet
Carosses de son Eminence
le Roy
1
les quatre mandians
Chambre des Comptes
Parlement
Carosse du corps de la Reyne

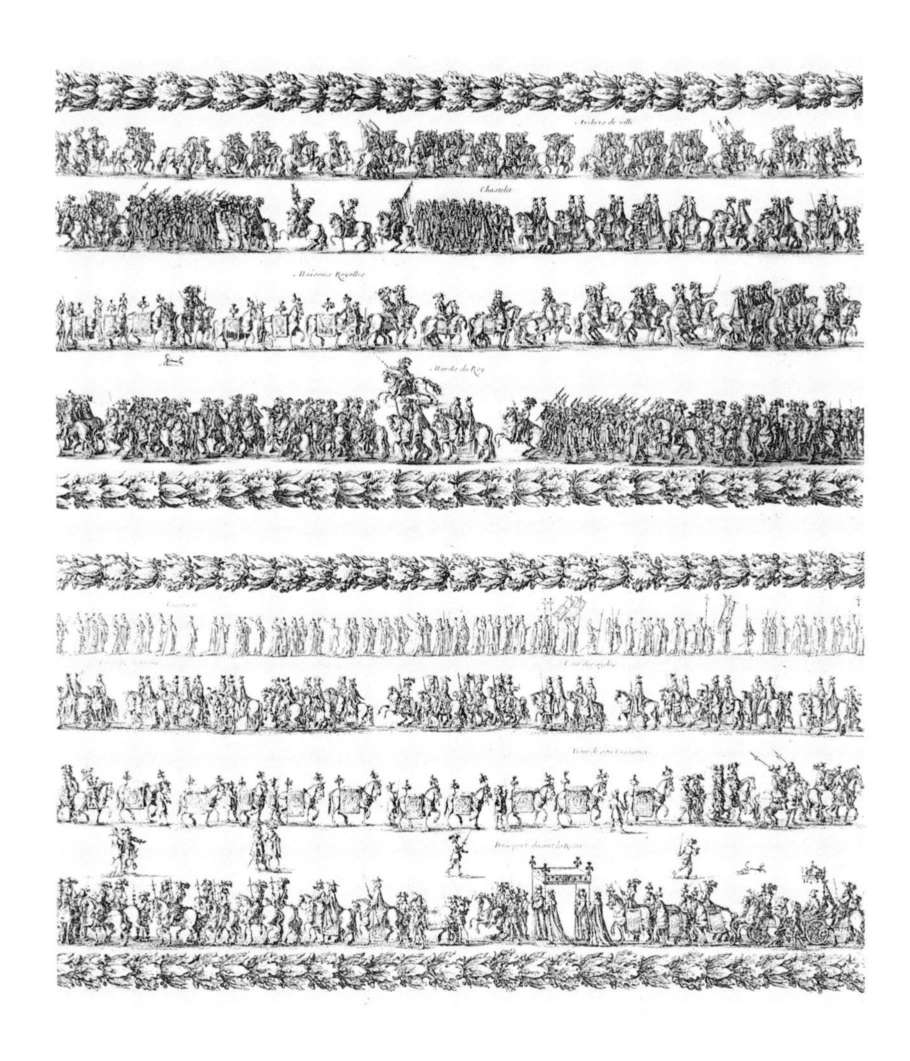


6-7. Marche à l'entrée de leurs majestés [*L'Entrée triomphante de leurs majestez... dans la ville de Paris* (Paris: P. Le Petit, 1662)] (Cliché BN).

Dessin du Feu d'Artifice dresse deuant l'Hotel de Ville de Paris pour la Publication
de la Paix entre la France et l'Empire le Ianuier 1698
L'on a Exprimé dans la decoration du dernier Feu d'Artifice les principaux effets de la Paix lon a taché d'exprimer en celuy Cy les Vertus heroiques du Roy a qui l'Europe est redeuable de tant de biens.
L'Obelisque est Surmonté du Globe de la terre et au dessus vn Aigle regardant le Soleil, et pour devise
Je trouue mon repos dans leurs jntelligences
La Valeur est reprêntée sur le 1er Angle du Piedestal et sa Deuise est vn grand fleuue estant jnterōpu dans sa Course par plusrs Digues se repand dans la Campagne auec ces mots.
L'Obstacle redoublé fait sentir sa puissance
Sur le 2e. Angle on a representé la Prudence sa deuise est vn Soleil au Zenith qui eclaire jusque au fond des puits auec ses mots
Rien n'est jnaccésible a ses viues lumieres
La fermeté est representée sur le 3e. Angle sa deuise est vn Rocher au milieu des flots auec ses paroles
Contre tous leurs efforts il est jnebranlable
Enfin lon a placé la Moderation sur le 4e. Angle sa deuise est vne chaussée d'Etang auec ces mots
J'arrette ainsy leffort de son juste courroux
Par Ordre de Monsieur le Prevost des Marchands
Echelle de 8 Pieds.
Ce vend Chez Guerard graueur rue St. Jacques a la Pomme d'Or
C.P.R.


8. Dessin du feu d'artifice dressé devant l'Hôtel de Ville de Paris [Décoration de la Cour de l'Hôtel de Ville de Paris pour l'érection de la statue du Roy, avec le dessein et l'explication du feu d'artifice [par le P. C.-F. Ménestrier]. (Paris: N. et C. Caillou, 1689) (Cliché BN)].

CHAPITRE III

# L'ÉLOQUENCE PARLEMENTAIRE PARISIENNE

Le Parlement avait utilisé le droit de remontrance pour manifester ses ambitions politiques. Il avait été, au XVI^e^ siècle et au début du XVII^e^, le théâtre de ce qu'on a appelé une grande éloquence parlementaire ou politique. Ambition politique et indépendance des hauts magistrats allaient de pair et donnaient leurs caractéristiques aux discours prononcés dans le cadre parlementaire. L'histoire et la signification de cette éloquence ont déjà fait l'objet d'une étude magistrale, et il est inutile d'y revenir ici[1].

Le règne personnel de Louis XIV correspond à un désir de la monarchie d'affirmer et d'affermir son pouvoir absolu et sans partage. La Fronde avait exalté les aspirations des parlementaires à prendre part au gouvernement de l'État; son échec avait sonné le glas de la capacité des parlements d'apparaître comme une force d'opposition politique. Louis XIV procède à une remise au pas, qu'il présente dans ses *Mémoires*:

> Il fallait par mille raisons, même pour se préparer à la réformation de la justice qui en avait tant de besoin, diminuer l'autorité des principales compagnies qui, sous le prétexte que leurs jugements étaient sans appel, et comme on parle, souverains et en dernier ressort, ayant pris peu à peu le nom de cours souveraines, se regardaient comme autant de souverainetés séparées et indépendantes. Je fis connaître que je ne souffrirais plus leurs entreprises. Et pour en donner l'exemple, la Cour des Aides de Paris ayant commencé la première à s'écarter du devoir, en quelque nature de sa juridiction, j'en exilai quelques officiers les plus coupables, croyant que ce remède bien employé d'abord m'empêcherait d'en avoir souvent besoin dans les suites; ce qui m'a réussi[2].

Entendons: les parlements et les diverses juridictions sont rentrés dans le devoir et y sont restés. Poursuivant sa relation, le Roi rapporte qu'il n'a pas hésité à dépouiller les magistrats du Parlement de Paris de privi-

---

[1] Voir M. Fumaroli, *L'Age de l'éloquence*, *op. cit.*, en particulier «Le Stile de parlement».

[2] Longnon éd., *Mémoires de Louis XIV* (Paris: Tallandier 1978), p. 54-55.

lèges qu'ils s'étaient abusivement octroyés, à diminuer leurs gages, et explique:

> Mes affaires n'étaient pas en état que je pusse rien craindre de leur chagrin. Il était plutôt à propos de leur témoigner qu'on n'en craignait rien, et que les temps étaient changés. Et ceux qui par divers intérêts eussent souhaité que ces compagnies s'emportassent, apprirent de leur soumission au contraire celle qu'ils me devaient[3].

Deux idées-clés, dans ce passage: les temps ont changé, les compagnies soi-disant souveraines ont fait leur soumission.

C'est au nom d'une théorie du pouvoir royal que Louis XIV cherche à affaiblir les compagnies en question, dont il fait par ailleurs l'éloge:

> L'élévation trop grande des parlements avait été dangereuse à tout le royaume durant ma minorité. Il fallait les abaisser, moins pour le mal qu'ils avaient fait que pour celui qu'ils pouvaient faire à l'avenir. Leur autorité, tant qu'on la regardait comme opposée à la mienne, quelque bonnes que fussent leurs intentions, produisait de très méchants effets dans l'État, et traversait tout ce que je pouvais entreprendre de plus grand et de plus utile. Il était juste que cette utilité l'emportât sur tout le reste, et de réduire toutes choses dans leur ordre légitime et naturel, quand même, ce que j'ai évité néanmoins, il eût fallu ôter à ces corps ce qui leur avait été donné autrefois[4].

La conséquence pratique de ces réflexions sur le rôle des parlements fut une série de mesures limitant effectivement leur pouvoir, comme la restriction de leur compétence, et surtout la limitation très stricte du droit de remontrance (édit de 1667, ou lettres patentes du 24 février 1673). Le Parlement s'inclina.

A la fin du XVII^e siècle, dans la période que j'ai définie comme époque de référence, le Roi a donc cherché à limiter le rôle des parlements à leurs fonctions judiciaires; pour ce qui est de la vérification des édits, les compagnies sont réduites à n'être que des chambres d'enregistrement, dont le droit de remontrance a été très limité. Cette situation influe fortement sur l'éloquence dans ces institutions. On ne peut plus parler de grande éloquence politique. Les discours parlementaires reflètent fidèlement l'image du parlement et des autres juridictions que Louis XIV a voulu imposer. Les magistrats qui parlent le font en juges. Ils s'adressent au barreau pour lui proposer une éthique judiciaire et à leurs pairs dans des termes voisins. Cela ne signifie pas que les pratiques oratoires disparaissent du milieu parlementaire. Le rituel se

---

[3] *Ibid.*, p. 57-58. Louis XIV se justifie immédiatement de l'accusation qu'on aurait pu porter contre lui, d'avoir agi ainsi pour se venger des Compagnies qui s'étaient opposées à lui pendant la Fronde.

[4] *Ibid.*, p. 59.

maintient avec constance et les discours succèdent aux discours. Dans ce cadre, comme dans toutes les institutions, la célébration royale s'introduit et occupe une place de plus en plus importante.

Comme toutes les institutions, les compagnies de justice transmettent dans leurs discours d'apparat une certaine image d'elles-mêmes. A bien des égards, la célébration de la magistrature peut résonner comme un chant nostalgique à la gloire des ambitions de grandeur que la reprise en main par le pouvoir monarchique a réduites à néant. Plus exactement, on peut décrire l'image proposée du pouvoir et de la réussite des parlementaires comme une satisfaction imaginaire offerte aux différentes catégories de professions qui composent le parlement en compensation de la perte de son pouvoir politique. C'est dans ce contexte que le concept de *mérite*, qui apparaît dans les discours parlementaires comme dans tous ceux où une institution élabore une représentation élogieuse de soi, joue un rôle essentiel par la promesse d'une réussite individuelle qui ne doit rien à la fortune ou à la naissance.

D'ailleurs, tout n'est pas négatif dans l'abandon, tout provisoire[5], de la capacité d'opposer une résistance aux décisions du Roi et à l'autorité absolue du monarque. P. Sagnac décrit une sorte de «remontée» du Parlement de Paris à la fin du règne de Louis XIV:

> Le Parlement de Paris semble grandir à la fin du règne. Le procureur et les avocats généraux reçoivent parfois des missions spéciales qui augmentent leur prestige et celui du Parlement. Ainsi, en 1697, l'avocat général Daguesseau, fils du conseiller d'État, contribue à élaborer le tarif qui règlera en 1699 les échanges entre la France et la Hollande[6].

Bien sûr, on pourrait dire que la situation générale explique un regain de pouvoir du Parlement. Mais il y a peut-être aussi une évolution dans la définition de sa position. Il s'était en effet traditionnellement posé en représentant des intérêts du peuple, même si cette image dissimulait en réalité bien des ambiguïtés; Louis XIV lui reproche précisément dans ses *Mémoires* de distinguer un prétendu intérêt du peuple et celui du Roi, qui n'en font qu'un. En abandonnant toute opposition au Roi, les parlementaires échangent un pouvoir politique de résistance contre la participation à l'autorité royale, ne serait-ce que comme rouage de l'administration. Bien que d'un autre ordre, cette situation s'accompagne d'un réel pouvoir, compatible avec l'autorité de la Loi dont les institutions judiciaires sont dépositaires.

---

[5] Marcel Marion, dans son *Dictionnaire des institutions de la France aux XVII^e^ et XVIII^e^ siècles* (Paris: Picard, 1979), met bien en lumière la dynamique qui existe entre la puissance des parlements et la force du pouvoir monarchique (art. Parlements).

[6] Lavisse éd., *Louis XIV* (Paris: Tallandier, 1978), t. 2, p. 390.

Louis XIV mentionne surtout, lorsqu'il évoque des compagnies parisiennes, le Parlement et la Cour des Aides. De fait, ce sont les deux institutions qui, par leur fonctionnement rituel, produisent le plus de discours dans la période qui m'intéresse ici. Ce sont leurs discours aussi qui sont le mieux diffusés. D'autres compagnies ou cours devaient certainement engendrer des pratiques oratoires, ne serait-ce que dans le cas d'audiences solennelles. Mais ces pratiques sont moins connues et moins abondantes, semble-t-il. Le Grand Conseil fournit parfois l'occasion de discours. Le *Mercure* publie par exemple les discours prononcés au Grand Conseil pour l'enregistrement des lettres de provision de Boucherat, nommé chancelier après la mort de Le Tellier[7]. On sait d'ailleurs que les députés de l'Académie française et ceux du Grand Conseil ont attendu dans des salles voisines d'être reçus en audience par le Roi le 30 juillet 1675[8]. Le présent chapitre portera sur ces institutions, à partir desquelles je dégagerai les traits qui constituent l'éloquence parlementaire en général, sans m'interdire de souligner à l'occasion des éléments spécifiques à chacune.

La vie cérémonielle des institutions judiciaires est encore plus ritualisée que celle des académies. Le discours fait donc partie d'un contexte solennel. En examinant les conditions de production du discours d'apparat dans les institutions judiciaires et le rituel auquel il s'intègre, on verra que le cérémonial parlementaire laisse peu de place aux discours spontanés. Si l'entrée en fonction d'un nouveau magistrat peut amener certaines catégories représentées au Parlement à faire un compliment, la prononciation est plus nettement encore qu'ailleurs attachée à l'exercice de fonctions. Elle fait partie de la charge de certains officiers. Il y a, au Parlement, un véritable ministère de la parole, et je m'attacherai à présenter du point de vue de leur activité oratoire ceux qui l'ont exercé dans le dernier quart du siècle.

On retrouve avec les institutions parisiennes, Parlement et Cour des Aides, un corpus abondant et chronologiquement continu. L'étude des textes, de leur présentation, de leur circulation et de leur conservation, permettra de mettre en lumière l'importance de l'éloquence parlementaire dans l'ensemble des pratiques oratoires.

Dans la mesure où ils émanent d'une profession qui se réclame de la justice, on peut logiquement s'attendre à ce que les discours prononcés dans le cadre du rituel parlementaire présentent des éléments éthiques et professionnels. Mais, souvent destinés à un public plus large que les

---

[7] Mars 1686, p. 244-261. Le numéro d'avril relate l'enregistrement des lettres à la Cour des Aides.

[8] Voir *Registres de l'Académie française*, t. I, p. 117.

seuls parlementaires, ils devaient remplir des fonctions variées, de l'exhortation éthique à une réussite d'ordre esthétique. Un équilibre s'établit entre discours d'éloge et considérations éthico-professionnelles, ce qui contribue d'ailleurs à l'élaboration d'une image de l'institution. Les parlementaires conservent l'idéal de l'Orateur, savant, vertueux et éloquent, mais ils inscrivent cette image dans une stratégie interprétable sur des critères sociaux, en mettant l'accent sur la grandeur et surtout l'originalité sociale des parlementaires. Le concept de *mérite* prend ici une force d'affirmation de soi et de promesse sociale qu'il n'atteint dans nulle autre institution.

C'est alors sur la définition et – par leurs discours – sur la pratique d'une *véritable éloquence* que les parlementaires fonderont leur supériorité sur les autres catégories. La fonction de censure du discours parlementaire s'efface au profit de l'affirmation de soi d'un groupe et de l'élaboration pragmatique d'une éloquence française, qui intègre les normes de l'*honnêteté* moderne et reste fidèle à l'identité traditionnelle des parlementaires.

Pour compléter cette présentation, je concentrerai mon analyse sur les ouvertures du Parlement de Paris. L'ouverture est en effet un temps fort du rituel, qui permet en outre d'explorer un des aspects des relations qui existent entre l'Église et le Parlement et semble avoir de plus en plus été perçu comme un événement essentiel du calendrier cérémoniel des élites.

## I. – CÉRÉMONIAL PARLEMENTAIRE ET ÉLOQUENCE D'APPARAT

Les cérémonials du Parlement et de la Cour des Aides de Paris accordent une large place à l'éloquence. On a même pris l'habitude d'appeler le jour où les audiences reprennent au Parlement le jour des harangues, parce que le premier président et un représentant du parquet y prononcent des discours. Et les discours prononcés au Parlement ou à la Cour des Aides offrent assez d'intérêt, aux yeux de Donneau de Visé, pour qu'il y consacre régulièrement une place dans son périodique, citant fréquemment de larges extraits des discours, se contentant à l'occasion de les résumer, mais sans omettre de rendre compte du déroulement de la cérémonie et des réactions du public. En d'autres termes, l'éloquence parlementaire reçoit de larges échos. Elle ne saurait donc se limiter à des considérations techniques et sa place dans le corpus de l'éloquence d'apparat ne doit pas être négligée.

## 1. Le rituel parlementaire

Comme la plupart des institutions, le parlement célèbre deux types de cérémonies: il a son calendrier propre, qui forme plus spécifiquement ce que j'appelle son rituel; il s'intègre aux manifestations qui rassemblent toutes les institutions (sauf indication contraire, je comprends, par commodité, la Cour des Aides sous le vocable *parlement*; si le détail des cérémonies est différent le principe est souvent le même. La cohérence se fera surtout sentir lorsque j'aborderai la représentation de soi des institutions judiciaires). Le parlement participe aux réjouissances et aux deuils publics; il est reçu en audience solennelle par le Roi qu'il va complimenter pour ses victoires, pour les événements heureux ou malheureux qui touchent sa personne et sa famille, en somme, en toute occasion où il peut marquer sa fidélité et sa soumission. On se rappellera que ce droit, qui est aussi un devoir, lui appartenait bien avant que l'Académie française le reçût[9].

Surtout, les compagnies ont un cérémonial qui leur est propre, et dont la complication varie avec l'institution. On distinguera des cérémonies régulières qui constituent le calendrier cérémoniel proprement dit et des occasions solennelles occasionnelles. Le Parlement de Paris a un calendrier plus chargé, en matière de rituel, que la Cour des Aides, même s'il existe entre les deux des similitudes marquées.

Le calendrier du Parlement de Paris présente trois temps forts: la rentrée ou ouverture, l'ouverture des audiences proprement dites et les mercuriales. La Cour des Aides n'a, parmi ses cérémonies fixes, qu'une rentrée, qui coïncide, à la différence de ce qui se passe au Parlement, avec l'ouverture des audiences. Il n'y a pas de mercuriales.

Le premier élément du rituel du Parlement de Paris, c'est la rentrée, après les vacations, à la Saint-Martin. Elle se fait en plusieurs temps, la «rentrée», où, paradoxalement, le Parlement ne rentre pas vraiment et l'«ouverture» des audiences, qui correspond à la rentrée effective.

La rentrée du Parlement se place sous le signe de la religion. Les membres du Parlement vont entendre une messe haute. Cette messe est appelée Messe Rouge, parce que «Messieurs du Parlement» y assistent en robes rouges. Donneau de Visé juge bon, en 1686, de rappeler les traits majeurs du cérémonial à sa correspondante fictive:

> Vous sçavez, Madame, que tous les ans le lendemain de la S. Martin, le Parlement se trouve en Robes rouges avec les Presidens au Mortier en

---

9 Par une coïncidence ironique, l'Académie fut admise comme une compagnie souveraine à l'audience royale l'année où un édit royal limitait encore plus le droit de remontrance. Une manière de revanche pour l'Académie si l'on songe que le Parlement avait tant remis l'enregistrement de ses lettres patentes.

> teste dans la grande Salle du Palais, c'est à dire dans la Salle des Marchands, dans laquelle il y a une Chapelle; Tout le costé que cet auguste Senat occupe & qui est celuy de la Chapelle est tapissé, & gardé par les Archers de la Ville. La Messe est chantée en Musique, & elle est toujours célébrée par un Evesque, qui en est prié quelques jours auparavant, de la part du Parlement[10].

Donneau de Visé indique un certain nombre d'éléments importants. La messe rouge est marquée comme solennelle puisque le fait qu'elle est chantée, le costume des parlementaires et la qualité de celui qui officie (et que l'on invite officiellement) soulignent son caractère cérémoniel. En fait, la messe peut aussi être célébrée par un officiant qui n'est pas un évêque mais à qui ses fonctions donnent un rang équivalent et qui a droit aux mêmes ornements. En 1691, c'est le trésorier de la Sainte-Chapelle, Floriot, qui, précise le *Mercure*, «officie avec les mêmes cérémonies qu'un Evesque»[11]. La place de la religion dans cette journée m'amènera à y consacrer une étude particulière[12]. Mais il convient de noter à la fois le caractère ritualisé de la cérémonie et l'éclat que le Parlement y met. La cérémonie n'intéresserait pas, cependant, cette enquête, si elle s'arrêtait là. Si, à la différence de ce qui se passe à la Cour des Aides, où l'on rentre le même jour, les audiences ne commencent pas le jour de la rentrée, cette cérémonie est tout de même l'occasion de pratiques oratoires.

Après la messe, l'évêque qui a officié est introduit dans la Grand'Chambre, où le premier président le remercie d'avoir célébré le sacrement pour la Compagnie. Le prélat répond au compliment du premier président par un autre compliment qui marque combien il a été honoré du choix qu'on a fait de sa personne pour une telle fonction. Ces compliments sont d'abord rapidement évoqués dans le *Mercure*, puis prennent progressivement de plus en plus d'importance vers la fin du siècle, au détriment parfois des autres cérémonies parlementaires. Les questions religieuses y tiennent une large place, et c'est peut-être l'écho donné à la politique religieuse de Louis XIV, ce qu'on pourrait appeler sa «visibilité», qui explique cette attention croissante du gazetier. L'échange de compliments entre l'évêque, qui a officié à la demande de la Compagnie, et le premier président, qui parle au nom de la Compa-

---

[10] *Mercure*, novembre 1686, p. 135-136. En 1684, le gazetier avait marqué explicitement le caractère solennel de la messe rouge:

> Vous sçavez, Madame, que cette Ouverture consiste en une messe du S. Esprit, que l'on chante solennellement en musique, à la Chapelle du Palais, & à laquelle le Parlement assiste en Corps, & en Robes rouges. Cette Messe est toujours celebrée par un Evesque. (Novembre 1684, p. 285-286)

[11] Novembre 1691, p. 192.

[12] Voir *infra*, «La rentrée du Parlement de Paris», p. 440 sq.

gnie, permet de voir comment les rapports entre l'Église et le Parlement, que la cérémonie de rentrée concrétise, s'inscrivent pratiquement dans l'éloquence d'apparat. La journée se termine avec la prestation de serment des avocats et des procureurs.

Les audiences reprennent entre une et trois semaines plus tard. On attend traditionnellement le lundi de la première semaine sans fête après la Saint-Martin. Mais le premier président de Harlay, qui avait exercé jusqu'en 1689 les fonctions de procureur général, raccourcit considérablement les délais (le procureur général ayant en particulier la charge de la discipline du corps, faut-il penser qu'il a gardé un souci d'efficacité qui s'accordait mal avec les délais de l'ouverture des audiences?). Comme je l'ai signalé, la journée où les audiences reprennent effectivement (les délais des procureurs ont commencé à courir dès la rentrée) est appelée le Jour des Harangues, parce que le premier président et les gens du Roi y prononcent des discours sur un sujet concernant la profession des avocats, mais où ils s'adressent parfois aux magistrats[13]. Le titre de ces discours d'ouverture leur donne souvent l'allure de dissertations morales. Ainsi Lamoignon, avocat général, fait en 1692 un discours sur «La Vérité». L'ouverture des audiences qui se fait dans la Grand'Chambre, est encore une occasion solennelle. Le public s'y presse. En décrivant le déroulement de la cérémonie, le *Mercure* explique l'abondance du public (et les rangs serrés des membres du Parlement) par la perspective d'entendre des discours qui plaisent. La notion de plaisir joue un grand rôle dans la réception des harangues:

> Ce jour-là est appellé *Jour des Harangues*, parce que M^r le Premier President & Mrs les Avocats Generaux en font chacun une. L'Assemblée y est toûjours fort nombreuse & cela vient de ce que la pluspart de M^rs les Ducs et Pairs, qui ont tous Séance au Parlement y sont attirez par le plaisir qu'ils sont seurs de recevoir de ces Harangues. Il s'y trouve aussi beaucoup de Personnes de qualité, & l'affluence du Peuple du premier ordre y est toûjours grande[14].

Ce passage est très utile pour comprendre la dialectique du discours d'apparat, tant du point de vue des orateurs que de celui des auditeurs. Les motivations que le gazetier prête aux auditeurs, qu'ils appartiennent ou non à l'institution parlementaire, sont d'ordre esthétique, ou peuvent à tout le moins être assimilées à des attentes esthétiques: «les Ducs et les Pairs . . . y sont attirez par le plaisir qu'ils sont seurs de recevoir de ces Harangues». Il y a, dans la plupart des discours d'apparat, un fort

---

[13] Le parquet des gens du Roy se compose du procureur général, qui occupe le premier rang, de trois avocats généraux et d'un personnel subalterne.

[14] *Mercure*, novembre 1687, p. 264.

élément de contrainte. On n'est pas libre de prononcer ou de ne pas prononcer un discours d'ouverture, dans la mesure où le calendrier parlementaire exige qu'il en soit prononcé tous les ans. On n'est pas absolument libre de se dispenser d'assister à la séance, dans la mesure où on est membre de l'institution. Mais en même temps, le *Mercure* met en valeur la force d'attraction des discours sur une partie du public institutionnel qui pourrait se dispenser d'être présent, mais qui attend avec confiance des discours esthétiquement satisfaisants. Une telle remarque, qui trouve bien des échos dans les pages du *Mercure*, définit l'ambiguïté fondamentale de l'éloquence d'apparat dans une institution d'orientation éthique, au sein de laquelle le discours devrait avoir une fonction de censure.

Le Parlement de Paris fait précisément de l'éloquence un instrument de censure, en théorie à tout le moins, lors des mercuriales, troisième temps fort du calendrier rituel. Deux fois par an, le Parlement tient une mercuriale: la première, le premier mercredi après l'ouverture des audiences, la seconde, le premier mercredi après la rentrée de Pâques (qui se fait certainement sans cérémonies solennelles, si l'on peut en juger d'après l'absence de comptes rendus dans le *Mercure*, ou de discours datés de ce jour). Lors de ces séances, le procureur général ou un avocat général et le premier président prononcent des discours pour dénoncer les abus qui se commettent, et font ainsi la censure du corps. Même si le *Mercure* n'indique le plus souvent qu'un seul discours pour le premier président, il est vraisemblable qu'il en faisait deux, l'un aux gens du Roi, l'autre aux présidents et conseillers. La livraison de décembre 1692 indique un déroulement qui comporte précisément trois discours, dont deux du premier président:

> Mr le Premier President les ouvre & les ferme [les mercuriales], & Mr le Procureur General en fait un entre ceux de M. Le Premier President, qui adresse dans le premier la parole aux Gens du Roy[15].

Bien qu'elles soient conçues à l'origine comme des discours de censure, les mercuriales offrent asez d'intérêt pour que Donneau de Visé les mentionne régulièrement, en donne le sujet, les résume, voire, souvent, en publie le texte. Leur fonction de censure apparaît le mieux lorsque n'entrent à la Grand'Chambre, où se tient la séance, que les présidents et les conseillers, ce qui se produit en 1697. Mais c'est un cas exceptionnel, comme on le voit d'après le *Mercure*. Cela n'empêche d'ailleurs pas le périodique d'en rendre compte:

---

[15] Sous la présidence de Harlay, la mercuriale suivant la rentrée de la Saint-Martin eut lieu d'autres jours que le mercredi, l'ensemble du cérémonial se trouvant resserré.

> Le lendemain Vendredy on fit les Mercuriales en la Grand'Chambre, où il n'entra que les Presidens & les Conseillers, suivant ce qui se pratiquoit autrefois. M^r de la Briffe, Procureur General, fit un beau Discours sur les abus qui se commettoient par la pluspart des clercs de M^rs les Conseillers, & sur les moyens de les arrester. Ce Discours fut suivi d'un autre, prononcé par Mr le Premier President sur ce même sujet, dans lequel il donna des marques de sa profonde capacité, de son zele & de son application continuelle à faire observer les Regles, & à conserver la pureté & le desinteressement dans la distribution de la justice[16].

Bien que le gazetier ne soit pas prodigue en louanges sur le discours de La Briffe, le seul qualificatif qu'il applique au discours est d'ordre esthétique: le procureur a fait un «beau Discours». Même si le sujet des discours est en accord avec leur fonction traditionnelle de censure, le *Mercure* les inscrit, en les évoquant, dans l'ensemble des événements mondains. Donneau de Visé fait d'ailleurs fréquemment la réflexion que les discours parlementaires ont beaucoup perdu de leur caractère de censure. En 1692, il note qu'on fait, le mercredi après l'ouverture des audiences, de nouveaux discours

> ausquels le nom de Mercuriale est demeuré, quoy qu'il ne s'en fasse plus, ces Discours estant presentement plutost des Eloges que des Remonstrances[17].

Ce qui se conserve, c'est la tradition du discours, plutôt que celle de la censure. J'aurai l'occasion de revenir sur les différentes fonctions des discours d'ouverture ou des mercuriales. Mais il est clair déjà que la mercuriale, qui avait fini par s'identifier au discours de réprimande (en perdant quelque peu le sens étymologique de discours prononcé le mercredi) peut voir son sens transformé radicalement.

Le cérémonial de la Cour des Aides, pour être plus ramassé et plus simple, ne diffère pas fondamentalement de celui du Parlement. Les audiences reprennent le jour de la rentrée de la Cour, et il n'y a pas de séance distincte qui corresponde à la mercuriale. Cependant, le déroulement de la journée montre que tous les éléments du cérémonial parlementaire sont présents. J'ai dit que la rentrée y était plus simple, parce que, si la Compagnie assiste bien à une messe, comme le Parlement, c'est une messe basse. Le premier président, les présidents et les

---

[16] *Mercure*, novembre 1697, p. 267-269. C'est un cas où la mercuriale s'est tenue le vendredi et non le mercredi. Le calendrier ayant été «resserré», la rentrée s'est faite le mardi, l'ouverture des audiences le jeudi et la mercuriale le lendemain.

[17] Novembre 1692, p. 319. Le gazetier avait signalé la même chose à propos des ouvertures aux avocats (qui ont perdu leur caractère de remontrance pour n'être que des discours sur des points qui les regardent). Sur ce point, voir *infra*, p. 362 sq.

conseillers y assistent en robe noire. On passe ensuite dans la première chambre, où se tient la séance d'ouverture. Le déroulement de la séance de 1700, le 12 novembre, est présenté par Donneau de Visé avec une structure plus nette que dans la plupart de ses autres comptes rendus, et permet de vérifier que rentrée et mercuriale coïncident. Le Premier Président rappelle à tous les officiers leur devoir. Le greffier lit les ordonnances qui concernent les diverses catégories et, à chaque fois, le Premier Président s'adresse au groupe dont il s'agit: successivement les gens du Roi, les magistrats, les avocats, jusqu'aux greffiers et à leurs commis. Après que le greffier a lu les règlements concernant les huissiers, le Premier Président s'adresse aux huissiers pour les exhorter à respecter les règlements et à faire leur devoir. Comme au Parlement, un membre du parquet lui répond, cette fois-ci l'avocat général Delpech.

L'organisation même de la séance implique apparemment des discours à visée professionnelle étroite. Mais il n'en est en fait rien. Le *Mercure* accorde régulièrement une place à cette cérémonie et laisse se déployer les traits de l'éloquence de Le Camus, premier président, et des autres orateurs. Le profit n'est pas tout éthique, puisque Donneau de Visé assortit les discours de commentaires évaluatifs: le Premier Président parla avec «la grace & l'eloquence merveilleuse» qui lui appartiennent. Quant au discours de l'Avocat Général, il avait «tout l'agrément imaginable»[18]. Comme c'était dejà le cas pour les cérémonies parlementaries, le *Mercure* attribue aux discours prononcés à la Cour des Aides lors de l'ouverture une valeur esthétique. Il souligne bien l'importance de la rentrée parlementaire, mais ce qu'il présente en même temps à ses lecteurs, ce sont de beaux discours. Le parlement, au sens large que je donne à ce terme, nous apparaît ainsi comme un contexte où sont produits des discours réussis, à la fois adaptés à leur environnement institutionnel, et lisibles comme beaux par les lecteurs du *Mercure*.

Donneau de Visé associe, le plus souvent, les relations des cérémonies de la rentrée du Parlement et de la Cour des Aides de Paris; il les présente sous un jour semblable; et, comme on le verra, les caractéristiques des discours émanant des deux institutions sont similaires. On voit ainsi se confirmer l'unité postulée entre les pratiques oratoires des deux institutions.

Outre le calendrier des cérémonies régulières, il existe au parlement un certain nombre d'occasions où l'éloquence d'apparat se manifeste. Réception de ducs et pairs, entrée en charge d'un magistrat, lecture et

---

[18] *Mercure*, novembre 1700, p. 110-114.

enregistrement de lettres de provisions: autant de circonstances qui font naître l'éloquence.

A l'entrée en charge de Harlay, qui succède à Pottier de Novion, en 1689, les avocats le complimentent, comme le montre le *Mercure*, qui profite de l'occasion pour présenter un peu plus les procédures du Parlement:

> A l'ouverture des Audiences aprés la S. Martin, M^r^ Erard, fameux avocat plaidant la premiere cause du rôle de Vermandois, par lequel on ouvre toujours les audiences, prit occasion de complimenter M^r^ le Premier President au nom du Barreau, sur la haute dignité où il avoit plu au Roy de l'élever[19].

La nomination d'un nouveau premier président est de toute évidence l'occasion de nombreux compliments. Le compliment de l'abbé de La Chambre, auquel Donneau de Visé fit les honneurs de l'impression, mais qui fut également publié séparément[20], s'ouvre sur la remarque suivante:

> Si nous sommes les derniers à vous rendre nos devoirs, & à vous témoigner la joye que nous ressentons; c'est que nous n'avons osé mesler nostre foible voix parmi les acclamations de tous les Ordres du Royaume[21].

La réception d'un duc et pair au Parlement donne également lieu à une cérémonie où l'éloquence a son rôle à jouer. A l'occasion de la réception de M. de La Force, en 1678, le *Mercure* décrit ce genre de cérémonie qui comprend tous les caractères d'un spectacle solennel:

> Vous aurez sans-doute entendu parler de Monsieur de la Force, qui a esté reçeu Duc et Pair depuis peu au Parlement. Monsieur le prince s'y trouva avec quantité d'autres Ducs. Je vous ay déja entretenu de plusieurs Receptions de cette nature, mais peut-estre ne sçavez-vous pas la Cerémonie qui s'y observe. La voicy en peu de mots. Apres qu'on a leu les Lettres à huis clos, le Conseiller Rapporteur fait l'Eloge du Duc et de sa Famille. On le fait ensuite entrer, il preste le Serment, & va apres cela à la Beuvete avec Messieurs. Il vient avec eux à l'Audiance, il prend sa place où il est mené par l'Huissier. L'Assemblée est presque toujours considerable, & ceux qui ont séance au Parlement, y viennent selon que le nouveau Duc est estimé. On plaide une Cause devant luy,

---

19 *Mercure*, janvier 1690, p. 179. On trouve un éloge allusif d'Érard dans l'ouverture que Joly de Fleury, devenu premier avocat général, prononcée en 1700 sur «La Sagesse qui consiste dans la science et la probité». Une note marginale précise l'identité des avocats loués (Manuscrit BN Joly de Fleury 2359 f° 85 r°).

20 *Mercure*, décembre 1689, p. 10-18; *Compliment fait à Monseigneur le Premier President par M. l'abbé de La Chambre curé de Saint Barthelemy. Le 14 Novembre 1689* (s.l.n.d.).

21 *Compliment fait à Monseigneur le Premier President*, p. 3.

> il opine pour la premiere fois. Mr Dorat estoit le Raporteur de Monsieur le Duc de la Force. Il parla avec beaucoup d'eloquence, & son Discours fut fort aplaudy[22].

Le discours du rapporteur est présenté comme un discours d'éloge. La fonction en est, théoriquement, de confirmer le mérite de celui qu'on va recevoir. Pratiquement la cérémonie est *pro forma*. Devant un public nombreux, le rapporteur prouve ses propres talents d'orateur plus encore que les qualités de celui dont il fait l'éloge. Là encore, le commentaire de Donneau de Visé est technique et esthétique: «il parla avec beaucoup d'eloquence». Les réactions que ce type de discours provoque sont d'ordre esthétique. A l'occasion, le premier président fera des remarques élogieuses sur les nouveaux ducs et pairs.

L'enregistrement des lettres de provision constitue un autre temps fort de l'éloquence d'apparat. En 1686, les lettres de Chancelier de Boucherat furent successivement enregistrées au Parlement, au Grand Conseil et à la Cour des Aides. Les trois cérémonies figurent dans le *Mercure*. On vérifie clairement l'identité des cérémonies. Les lettres sont présentées au Parlement par l'avocat Chardon et c'est l'avocat général Denis Talon, qui a plusieurs fois prononcé de tels discours, qui requiert l'enregistrement des lettres[23]. Donneau de Visé souligne l'affluence comme il le fera dans le cas du Grand Conseil. De la même manière, les lettres de Boucherat sont présentées au Grand Conseil par Le Maistre de Ferriere, et leur enregistrement requis par Enjorant, avocat général au Grand Conseil[24]. Enfin, la Cour des Aides procéda à l'enregistrement des lettres le 20 mars 1686. La manière dont Donneau de Visé introduit le discours de l'avocat de Tessé souligne, comme l'avaient fait les narrations de l'enregistrement au Grand Conseil et au Parlement, la solennité et le côté spectaculaire de la cérémonie:

> Je ne manquay pas de m'y trouver le jour d'une Action si celebre. Ce fut le 20. du mois passé. Comme pour ces sortes d'Actions qui sont d'un fort éclat, on choisit toûjours quelque personne distinguée dans le Barreau, pour faire l'Eloge de ceux que le Roy éleve à cette premiére Dignité de la Robe, Mr de Tessé, fameux Avocat du Parlement, fut chargé de requerir l'enregistrement des Lettres de Mr Boucherat.. . . . Il y a longtemps que l'on n'a fait un Discours public qui ait esté plus generalement applaudy que celuy qu'il prononça. Chacun fut charmé de son éloquence[25].

---

22 *Mercure*, février 1678, p. 267-268.

23 *Mercure*, février 1686, p. 177-187. Les discours sont brièvement résumés.

24 Mars 1686, p. 245-267.

25 Avril 1686, p. 74-75. Le *Mercure* donne de longs extraits du discours dont il analyse les parties non citées.

Tous les commentaires du *Mercure* vont, on le constate, dans le même sens. Un public nombreux et illustre assiste à ce genre de cérémonie et en retire un plaisir, né de l'éloquence de l'orateur. Le discours est apprécié, applaudi, en somme goûté comme un objet esthétique. D'ailleurs le rapporteur est choisi pour que l'action ait tout l'éclat qu'elle requiert. La notion de réussite oratoire joue un rôle essentiel dans l'évaluation de l'éloquence d'apparat. Ce genre de cérémonie n'est pas décrit dans le *Mercure* en terme d'exigence éthique, mais comme pure manifestation de solennité, où le discours remplit une fonction encômiastique. Rien n'indique que le *Mercure* se trompe!

Pour compléter le panorama des pratiques oratoires parlementaires, il faut rappeler que Parlement, Cour des Aides et Grand Conseil vont haranguer le Roi dans les grandes occasions où celui-ci reçoit les compagnies dites souveraines.

Le parlement apparaît alors comme un milieu extrêmement favorable à l'éloquence d'apparat, tant par son rituel propre, qui combine cérémonies annuelles et événements solennels extraordinaires (réceptions de magistrats ou de ducs et pairs, enregistrement de lettres de provision, ou de lettres patentes: on verra que la paix donnera lieu en province à de grandes cérémonies), que par son inscription dans le tissu institutionnel qui l'amène à prononcer des compliments au Roi et à des grands. L'éloquence parlementaire se définit dès l'abord comme un phénomène essentiel pour comprendre les pratiques oratoires cérémonielles, dans la mesure où elle révèle une ambiguïté fondamentale: ancrée dans une pratique professionnelle dont la référence est foncièrement éthique, elle est décrite et finalement jugée avec des critères qui sont également d'ordre esthétique. Elle doit satisfaire un double public et donner du *plaisir* à la fois aux parlementaires et à l'auditoire extra-professionnel. Elle doit s'adapter à la solennité des circonstances. C'est aux conditions dans lesquelles cette éloquence se manifeste que je m'intéresserai maintenant.

## 2. Les conditions solennelles de l'éloquence d'apparat

Plus encore que pour les institutions académiques, le lien entre éloquence d'apparat et solennité est manifeste dans le cas du parlement. Le discours est un élément prescrit dans un rituel organisé. Quelles sont donc les composantes de la solennisation? Le lieu a, ici, moins d'importance que le costume des participants, la nature du public et son affluence.

Le Palais de Justice n'était pas un lieu solennel, si l'on songe à toute la vie mondaine qui s'y déroulait. Mais il l'était, si l'on songe à la valeur même du Parlement qui est la cour «où est le siège du trône royal et le lit de la justice souveraine»[26]. La présence du trône royal est symbolique: le Parlement attend toujours la venue éventuelle du Roi qui peut à tout moment reprendre au Parlement la délégation qu'il lui a confiée pour assurer lui-même la justice. Il est vrai que, durant le dernier quart du siècle, Louis XIV ne vint jamais tenir son lit de justice (autre cérémonie dont le déroulement était soigneusement codifié, et où le Roi se tenait sous un dais avec un tapis de pied en velours violet fleurdelisé). Mais la justice y trône ainsi sur les lys de France. D'ailleurs, même pour la Messe Rouge, qui se tient dans la grande salle du Palais, la décoration vient souligner le caractère solennel de l'occasion:

> Tout le costé que cet auguste Senat occupe & qui est celui de la Chapelle est tapissé, & gardé par les Archers de la Ville[27].

La tapisserie est, on le sait, une des composantes de la décoration solennelle. Mais la Grand'Chambre n'est pas modifiée. Le costume des parlementaires, qui donne son nom à la messe d'ouverture, marque bien le caractère rituel de l'occasion. Manifestant ainsi leur appartenance institutionnelle et le caractère exceptionnel de la cérémonie, les magistrats lui donnent la solennité propre à servir de contexte à l'éloquence d'apparat, d'autant plus que l'évêque qui officie est lui-même revêtu des ornements pontificaux. Le rang et le costume de celui qui célèbre la messe contribuent à faire de la rentrée parlementaire une cérémonie particulièrement solennelle. Si la messe d'ouverture de la Cour des Aides est moins somptueuse, la couleur et la simplicité ne changent rien au principe de la solennisation: les magistrats de la Cour des Aides manifestent leur esprit de corps. C'est donc moins l'éclat que le respect de règles traditionnelles qui permet au costume de marquer le caractère solennel de l'occasion.

Mais l'élément majeur, si l'on examine les comptes rendus du *Mercure*, c'est à coup sûr le public. Et, dans celui-ci, il faut compter non seulement les parlementaires, mais également un auditoire plus large, extra-parlementaire. Deux caractéristiques apparaissent régulièrement: l'affluence et la qualité des spectateurs. L'ouverture des audiences se faisait habituellement devant un public nombreux:

> L'Assemblée y est toûjours fort nombreuse, & cela vient de ce que la pluspart de Mrs les Ducs & Pairs, qui ont tous Séance au Parlement y sont attirez par le plaisir qu'ils sont seurs de recevoir de ces Harangues.

---

[26] Déclaration de 1665, citée par Marion, *Dictionnaire, op. cit.*, art. *Parlement.*

[27] *Mercure*, novembre 1686, p. 235-236.

> Il s'y trouve aussi beaucoup de Personnes de qualité, & l'affluence du Peuple du premier ordre y est toûjours grande[28].

Les ducs et pairs ne sont pas des parlementaires professionnels, mais ils ajoutent à la Compagnie l'éclat du nombre et du rang. Le phénomène est le même du côté des auditeurs extra-parlementaires.

Toutes les cérémonies attirent ainsi un public aussi bien mondain que professionnel. Le rédacteur du compte rendu de l'enregistrement des lettres de Boucherat affirme s'être trouvé dans l'assistance d'une «Action si celebre». Au grand Conseil, pour l'enregistrement des mêmes lettres,

> [l]'Assemblée estoit aussi illustre que nombreuse, & jamais on ne vit d'ordres mieux observés pour empescher la foule extraordinaire qu'on avoit preveu, qu'attiroient le desir d'entendre l'Eloge d'un grand Homme, & la reputation de ceux qui le devoient faire[29].

On vient donc en foule entendre un orateur du barreau qui a la réputation de bien parler; on vient en foule entendre un discours d'éloge. On a vu que, dans le cas d'une réception de duc et pair, l'assistance était présentée comme une fonction de l'estime dont jouit celui qu'on reçoit[30]. Sont présents en foule ceux que leur rang ou leur fonction autorise à opiner sans être magistrats de profession, comme, précisément, les ducs et pairs. Le public des cérémonies parlementaires comprend parfois de très hauts dignitaires, puisqu'en 1684, le *Mercure* note que la messe a été célébrée par «M^r^ l'Evesque de Troyes, Fils de M^r^ de Chavigny & Ministre d'Estat. M. le nonce du Pape s'y est trouvé»[31].

Le public qui assiste aux pratiques oratoires impliquées par le rituel parlementaire comprend, on le voit, des catégories diverses: les magistrats eux-mêmes et les dignitaires qui ont le droit de siéger qu Parlement, mais aussi des «Personnes de qualité», du «Peuple du premier ordre» et des connaisseurs ou des curieux comme Donneau de Visé lui-même ou ses informateurs. Affluence et qualité du public sont certes un élément important de la solennisation, qui s'ajoute au costume des parlementaires, entre autres facteurs. Mais il implique du même coup une variété d'attentes de la part de catégories ainsi diversifiées. Les discours prononcés dans ces conditions ne sauraient être étroitement professionnels, et les applaudissements et les commentaires de Donneau de Visé mettent en lumière le plaisir que le public attend des discours et éprouve effectivement à les entendre.

---

[28] *Mercure*, novembre 1687, p. 264. Sur ce texte, voir *supra*, p. 328.

[29] *Mercure*, mars 1686, p. 244-245.

[30] Voir *supra*, p. 332 et n. 22.

[31] Novembre 1684, p. 286.

### 3. Les orateurs

Deux facteurs déterminent la prononciation d'un discours, selon les cérémonies: le renom et la fonction occupée. Dans le cas des événements singuliers, qui nécessitent l'enregistrement de lettres de provision ou de lettres patentes sur tout sujet solennel, un rapporteur est choisi pour présenter les lettres et demander leur enregistrement, qu'un avocat général requerra après lui. Le *Mercure*, à tout le moins, accorde beaucoup d'importance à la réputation comme facteur de choix. Il suffit, pour s'en convaincre, de se rappeler la manière dont sont rapportées les cérémonies d'enregistrement des lettres de provision de Boucherat au Grand Conseil et à la Cour des Aides. On veut s'assurer que l'orateur répondra à ce qu'on attend d'une telle circonstance, qui est clairement mise sous le signe de l'apparat: «Comme pour ces sortes d'Actions qui sont d'un fort grand éclat, on choisit toujours quelque personne distinguée dans le Barreau, pour faire l'éloge de ceux que le Roy élève à cette Dignité de la Robe, M^r^ de Tessé, fameux Avocat du Parlement, fut chargé de requerir l'enregistrement des Lettres de M^r^ de Boucherat». Et les qualificatifs qui accompagnent le nom des orateurs sont révélateurs. Devant le Parlement, les lettres sont présentées par «Mr Chardon, celebre Avocat, dont la reputation est connuë dans le Barreau»[32]. On a vu avec le compte rendu de l'enregistrement à la Cour des Aides, que la réputation de ceux qui prononcent des discours est un facteur dans l'affluence des spectateurs. Donneau de Visé précise:

> Les Lettres furent présentées par M^r^ Le Maistre de Ferriere, & il remplit avec beaucoup d'avantage l'attente qu'on avoit de luy[33].

Mais le choix d'un orateur sur sa réputation, donc sur l'expérience de son talent oratoire, n'est qu'une facette occasionnelle de l'éloquence parlementaire. Même dans ces séances, d'ailleurs, le rapporteur des lettres est suivi d'un avocat général, qui parle après lui pour en requérir l'enregistrement.

Car, au parlement plus encore que dans les académies, le discours d'apparat est une fonction attachée à une charge. Dans la mesure où les charges se conservent plus longtemps, en général, que les fonctions temporaires qu'on peut exercer dans une académie, il se dessine une certaine continuité. Le nombre de ceux qui ont prononcé des discours dans le dernier quart de siècle est relativement limité. La parole est, si l'on peut dire, concentrée sur quelques officiers et premiers présidents.

---

32 Février 1686, p. 178.

33 Avril 1686, p. 245.

Le premier président du Parlement de Paris prononce un discours à toutes les cérémonies du calendrier régulier: aux rentrées, il remercie l'évêque qui a officié; à l'ouverture des audiences, il prononce également un discours sur les devoirs des avocats et, lors des mercuriales, il s'adresse aux magistrats et aux gens du Roi.

Les gens du Roi n'ont pas une charge oratoire moins lourde mais, la partageant, ils prononcent chacun moins de discours que le chef du Parlement. Dans son étude sur le Parlement, Desmaze note que c'était aux avocats généraux de prononcer les discours publics, tandis que le procureur général avait pour fonction de lire les ordonnances. Les mercuriales et séances d'ouverture de l'époque qui m'intéresse montrent que l'auteur commet une erreur et que, quelle qu'ait été la théorie, en pratique, le procureur général exerçait un ministère de la parole comme les trois avocats généraux; il semble que, si son affirmation est vraie pour le jour des harangues, les mercuriales, peut-être parce que leur origine est liée à la censure des abus, sont prononcées aussi bien par le procureur général que par les avocats généraux. En 1690 et en 1695, La Briffe, procureur général, prononce la mercuriale des gens du Roi. La situation est analogue à la Cour des Aides, où le premier président prononce chaque année un discours à l'ouverture. L'un des membres du parquet lui répond. En 1696, par exemple, c'est le procureur général, Bosc du Bois qui prend la parole après le Premier Président.

On peut même dire que la tâche oratoire des gens du Roi s'est accrue sous Louis XIV. Desmaze signale en effet que le rôle des gens du Roi dans les députations a compris un devoir oratoire nouveau:

> ils se retiraient avant les autres députés, s'approchaient du roi et s'inclinaient devant lui. Autrefois, ils avaient coutume, en ces occasions, de dire seulement ces mots: «Sire, ce sont vos gens.» Depuis le temps de Louis XIV, ils ont pris, quand la députation est venue, pour complimenter le roi, la coutume d'adresser quelques mots au roi et à la reine[34].

Puisque les discours dépendent, dans la plupart des cas, des charges exercées, il est facile, pour la fin du XVII$^{e}$ siècle, de dresser la liste des premiers présidents et des gens du Roi, qui ont eu à exercer leurs talents oratoires.

*Parlement de Paris*:

- Premiers présidents:
  - jusqu'en 1678, Guillaume de Lamoignon exerce encore ses fonctions de premier président.

---

[34] Desmaze, *Le Parlement de Paris*, p. 166.

- de 1678 à 1689, Nicolas Pottier de Novion remplace Lamoignon, décédé.
- en 1689, Pottier de Novion se retire, et c'est Harlay qui le remplace, après avoir exercé les fonctions de procureur général.

- *Procureurs généraux*:
  - jusqu'en 1689, Harlay occupe la charge.
  - en 1689, La Briffe le remplace.

- *Avocats généraux*:

La situation est plus complexe, puisque trois avocats généraux sont en place en même temps:

- jusqu'en 1691 le *Mercure* ne mentionne guère que deux avocats généraux, Denis Talon et Chrétien de Lamoignon, le premier en charge depuis longtemps, le second beaucoup plus récemment installé[35]. Le père et le fils Lamoignon exercent leurs talents oratoires dans la même enceinte pendant quelques années.
- en 1691, Denis Talon devient président à mortier. Deux nouveaux avocats généraux entrent en charge, Harlay, fils du Premier Président (on retrouve alors la même structure qu'avec les Lamoignon) et d'Aguesseau.
- en 1697, Joly de Fleury rachète la charge laissée vacante par Harlay, devenu conseiller d'État. Il n'a que 28 ans lorsqu'il est agréé par le Roi.
- en mars 1698, Lamoignon ayant été reçu président à mortier à la place de son oncle Denis Talon, décédé, Portail est agréé comme Avocat général.
- finalement en 1700, d'Aguesseau ayant été reçu procureur général, Le Nain devient avocat général, et à l'aube du XVIII^e^ siècle, le parquet se compose de d'Aguesseau, procureur général, de Joly de Fleury, premier avocat général, et de Portail et Le Nain, deuxième et troisième avocats généraux.

*Cour des Aides*:

- Premier président: Le Camus qui reste en place pendant toute la période que cette enquête considère.
- Procureur général: le procureur général de la Cour des Aides, pen-

[35] Lamoignon a racheté en 1673 la charge d'avocat général du fils de Jérôme Bignon, et a été reçu, avec dispenses d'âge et de parenté, en 1674.

dant cette période c'est Bosc du Bois. Même si Donneau de Visé le qualifie d'avocat en 1688, il l'avait, en 1680, désigné par son titre de procureur général, aussi bien dans le *Mercure* de novembre, où il signale que c'est lui qui a prononcé un discours à la suite du premier président, que dans celui de décembre, où figurent des extraits de ce discours[36]. Il est bien procureur général quand il devient prévôt des marchands en 1692.

- Avocats généraux:
  - En 1678, c'est Ravot d'Ombreval qui prononce le discours d'ouverture des gens du Roi.
  - En 1686, Des Haguais (ou Deshaguais) succède à Monchal, décédé; il prononce le discours de cette année et parle encore en 1689, 1692, 1695, 1699.
  - En 1690,Bignon, fils du conseiller d'État, fait l'ouverture.
  - L'année suivante, Gueritot, frère de Des Haguais, parle pour les gens du Roi; le *Mercure* précise alors que ce dernier est premier avocat général[37]. Gueritot parle également en 1694 et en 1698.
  - 1693: Delpech (également en 1700).

En 1700, le parquet se compose donc de Des Haguais, de Gueritot et de Delpech, avocats généraux, et de Bosc du Bois, procureur général.

Tel est le groupe d'hommes sur qui roule, dans le dernier quart du siècle, la charge oratoire. Cette charge était variée et relativement lourde. Les *Harangues* de Vaumorière, aussi bien que les différentes éditions du *Recueil des diverses oraisons funèbres* incluent des compliments que le premier président Pottier de Novion ou le procureur général Harlay ont prononcés dans diverses rencontres avec d'autres institutions, occasions d'éloquence.

On ne peut qu'être frappé, en regardant la liste des parlementaires (premiers présidents, gens du Roi) qui ont eu à pratiquer l'éloquence dans des circonstances solennelles, par les liens familiaux qui unissent un grand nombre des orateurs. Il y a des familles de robe (et le titre complet de l'ouvrage de Vian déjà cité est précisément: *Les Lamoignon, une vieille famille de robe*) et les membres d'une même famille se succèdent dans les charges qui entraînent des fonctions oratoires ou se trouvent, en même temps, dans des positions qui supposent un

[36] *Mercure*, novembre 1680, p. 254; décembre 1680, p. 254-265.

[37] Novembre 1691, p. 145.

devoir de la parole. Les deux Lamoignon prononcent ainsi un discours d'ouverture en 1677. Le Premier Président parle sur «L'Habitude», son fils sur «le Serment». De la même manière, les deux Harlay prennent la parole, le lundi 19 novembre 1691, à l'ouverture des audiences. Denis Talon est, par ailleurs, l'oncle de Chrétien-François de Lamoignon qui lui succèdera dans sa charge de président à mortier. Joly de Fleury est d'une famille traditionnellement vouée aux hautes fonctions de la robe. Quant à Bignon, sa famille est bien connue. Si l'on note la présence des frères Des Haguais et Gueritot au parquet de la Cour des Aides, on voit qu'un certain nombre de familles monopolisent les charges. Conseillers d'État, premiers présidents, gens du Roi, il se tisse entre les parlementaires un réseau d'alliances et de parenté, qui caractérise la structure du parlement de l'époque. Ce réseau s'étend également, nous le verrons, aux hautes dignités ecclésiastiques.

Si ce phénomène est bien connu dans la robe, il est particulièrement remarquable en relation avec le discours d'apparat parlementaire, dans la mesure où les pratiques oratoires des institutions parlementaires insistent sur la notion de réussite individuelle et ignorent l'aspect «dynastique» du succès.

Puisque, à la différence des «offices académiques», les fonctions parlementaires étaient relativement stables, la fréquente récurrence du même type de discours sous la plume du même auteur, et les commentaires que ses actions oratoires suscitent permettent d'apprécier la réputation que valait aux divers officiers du parlement leur éloquence. Le *Mercure* fournit ici, sinon une évaluation rigoureuse de la valeur objective des discours, du moins un témoignage des réactions qu'ils provoquaient et des critères qu'on utilisait pour les juger.

Le premier président Lamoignon était un orateur disert et éloquent, qui soignait certainement ses discours. Plutôt qu'un témoignage contemporain, j'évoquerai, à titre d'anecdote, le jugement favorable, avec quelque mesure, que porte sur lui L. Vian, et le souci de la qualité qu'il rapporte à propos de ces discours

> que Lamoignon ne prononçait qu'après les avoir lus aux PP. Bouhours et Rapin. On sent un contemporain de Bossuet dans l'abondance, la solennité et le talent avec lesquels sont développés les lieux communs de la morale chrétienne. Il n'y a pas l'éclat du génie, mais rien n'est plus calme, plus honnête et mieux fait[38].

[38] Louis Vian, *Les Lamoignon* (Paris: P. Lethielleux, 1896), p. 92. Dans mes propres analyses, le terme «honnête» renvoie, le plus souvent, au caractère que se reconnaît l'élite mondaine du XVIIe siècle, celle qui lit le *Mercure*, par exemple...

En somme, l'image d'un orateur compétent et plein de qualités. Je ne commenterai pas ici la remarque sur les lieux communs de la morale chrétienne, dans la mesure où j'aurai plus loin l'occasion de revenir sur la version parlementaire des préceptes religieux. Ce qui me paraît le plus intéressant, c'est cette vision d'un Lamoignon faisant l'épreuve de ses discours sur deux autorités de la parole, l'auteur des *Entretiens d'Ariste et d'Eugène*, d'une part, lequel, sans magistère bien défini, peut cependant apparaître comme une sorte d'arbitre de l'«honnêteté» linguistique, et le P. Rapin, d'autre part, qui souligne, dans ses *Réflexions sur l'éloquence du barreau* comme pour tout l'art oratoire, la carence en orateurs complets, dont l'action corresponde aux besoins du discours (les *Réflexions* du P. Rapin sont, il faut le souligner, dédiées à Lamoignon). Cette vision met en lumière la recherche d'une perfection technique, un souci de réussite qui est aussi d'ordre esthétique. Le nom de Rapin revient à propos de Chrétien-François de Lamoignon, dont il fut, au collège de Clermont, le professeur de rhétorique. Vian établit, de la sorte, la compétence rhétorique (théorique) et la capacité oratoire (pratique) de ces dignitaires de la robe pour lesquels il éprouve une admiration évidente. Mais son jugement rejoint celui que portaient les contemporains.

Quant à l'avocat général Lamoignon, pour suivre la logique «dynastique», son éloquence est célébrée par le *Mercure* à plusieurs reprises. En 1694, Donneau de Visé commente ainsi sa mercuriale: «Mr de Lamoignon, premier Avocat General, par un discours eloquent & en des termes où toute la poli<tesse> se trouva, fit voir que les Magistrats devoient avoir une connoissance entiere d'eux-memes»[39]. En 1680, le gazetier avait déjà évoqué une ouverture en termes très flatteurs, quoique concis:

> Mr l'Avocat General de Lamoignon prit la parole aussi tost que Mr le Premier Président eut finy. Son Discours fut sur la vraye & sur la fausse Eloquence, mais il n'en parut que de veritable dans tout ce qu'il dit[40].

Mais c'est peut-être en 1692 que le commentaire, toujours bref, résume le mieux toutes les qualités de l'orateur, en montrant qu'il a accompli toutes les fonctions traditionnellement attribuées au discours oratoire:

> Enfin Mr de La Moignon soustint dans ce Discours la reputation qu'il s'est acquise. Il persuada, il plut, & satisfit son auditoire[41].

---

[39] *Mercure*, novembre 1694, p. 234-235.

[40] Novembre 1680, p. 326-327.

[41] Novembre 1692, p. 340.

Voilà en quelques mots, le portrait de l'orateur parfait, qui remplit la fonction d'instruction et la fonction de plaisir, tout en comblant l'attente de ses auditeurs et en confirmant sa réputation. Le discours est efficace, puisque l'orateur entraîne l'adhésion de son auditoire; il est esthétiquement réussi, puisqu'il produit de la satisfaction. Les Lamoignon s'acquittent de leur devoir oratoire *selon ce qu'on en attend.*

Pottier de Novion apparaît, au contraire d'un Guillaume de Lamoignon, comme un orateur concis. Le *Mercure*, tout en faisant régulièrement l'éloge des discours du Premier Président, ne cite pas les paroles de Novion, et insiste toujours sur un trait particulier à sa pratique oratoire: la brièveté de ses discours. En contrepartie de ce qui pourrait apparaître comme de la sécheresse, le gazetier souligne une densité d'effets:

> Mr le Premier Président fit ce jour-là un tres-beau Discours. Il ne fut pas long, mais brillant, serré, & si remply de pensées qu'on peut dire que chaque parole tenoit lieu d'une Sentence[42].

On a d'ailleurs l'impression que la singularité sur laquelle Donneau de Visé revient plusieurs fois sert d'excuse à la brièveté des discours. En 1681, on trouve la notation suivante:

> Celuy [le discours] de Monsieur le Premier Président, fut concis, brillant, & fort, & contenoit plus de choses que de paroles. Vous sçavez que c'est la maniere de ce grand Homme[43].

De fait, ce que le *Mercure* en cite fait à peine une page... Les mêmes qualificatifs reviennent régulièrement lorsque les discours du Premier Président font l'objet d'un commentaire. En 1688 encore,

> M. le premier President . . . parla peu, & se fit admirer à son ordinaire par son stile serré, vif, & brillant[44].

«C'est la maniere de ce grand Homme», «se fit admirer à son ordinaire»... L'éloge du Premier Président se fixe autour de traits individuels. Mais le *Mercure* est même parcimonieux dans l'analyse, la citation ou la reproduction des paroles de Pottier de Novion (dont il cite cependant, dans la livraison d'avril 1679, une mercuriale de Pâques). D'une manière générale, on a conservé, à ma connaissance, moins de traces de sa pratique oratoire que de celle des autres parlementaires importants. Il est difficile de ce fait, d'évaluer le jugement de Donneau de Visé. Une telle éloquence était-elle moins susceptible de plaire au

[42] Novembre 1680, p. 325-326.
[43] Novembre 1681, p. 290.
[44] Novembre 1680, p. 279.

public mondain et «honnête» du *Mercure*? De toute façon, l'éloge quelque peu figé que Donneau de Visé décerne à Pottier de Novion est bien éloigné de ceux qu'il réserve à Denis Talon, à Le Camus ou à Des Haguais.

Harlay est un orateur estimé, si l'on en croit toujours le *Mercure*, qui adresse des louanges dont le degré d'enthousiasme varie. En 1696, le discours qu'il prononce à l'ouverture des audiences est caractérisé par des «traits brillans & des sentimens élevez»[45]. Il prononce, en même temps que Lamoignon, une mercuriale. Dans ces mercuriales, «on admira la force de leur éloquence, la sublimité de leurs pensées, & l'érudition de leurs sentimens»[46]. Harlay avait, l'année précédente, prononcé un «Discours digne de luy»[47], et l'ouverture de 1697 est présentée comme un discours «rempli de cette vive & pathétique Eloquence, qui luy est si naturelle».

Mais les avocats généraux fournissent à Donneau de Visé la matière des plus grands éloges. C'est bien du parquet des gens du Roi que provient la plus remarquable éloquence. On a vu que Lamoignon était très estimé comme orateur. Mais le gazetier traite Denis Talon avec encore plus d'égards et d'enthousiasme. En 1681, l'avocat général parle sur les qualités que doit avoir un bon orateur. Le *Mercure* rapporte la réaction du public:

> Ce Discours reçeut beaucoup d'applaudissemens, & fit dire qu'il n'appartenoit qu'à un si grand Orateur de bien peindre les Orateurs[48].

Mais ce n'est encore rien en comparaison des louanges que lui vaut son ouverture sur la modération de 1687:

> Quoy que toutes les fois que Mr l'Avocat General Talon a parlé il ait toûjours charmé son Auditoire, on dit qu'il s'est attiré cette année des applaudissemens extraordinaires. Il a fait l'Eloge de la Moderation, ce qui luy a donné lieu d'entrer dans les differens états de la vie, où elle est le plus nécessaire, & de parler ensuite de ceux qui l'ont fait paroistre dans le plus haut degré. Vous jugez bien qu'il prit occasion de s'étendre sur la Moderation du Roy: la matiere estoit ample & belle, & l'on ne doit pas s'étonner qu'estant traitée par un si grand Orateur avec une éloquence admirable le bruit s'en soit repandu le jour mesme dans tout Paris[49].

Ce passage présente toute une série de remarques sur la qualité de l'orateur et sur son succès. Les termes qui marquent la satisfaction du public

[45] Novembre 1696, p. 312-313.

[46] *Ibid.*, p. 318.

[47] Novembre 1695, p. 282.

[48] Novembre 1681, p. 294-295.

[49] Novembre 1687, p. 264-265.

sont particulièrement forts: «charmé», «applaudissemens extraordinaires», etc. Talon est un orateur «admirable», qui fait parler de lui. Les deux éléments de commentaire, le plaisir ressenti et le bruit que le discours a immédiatement fait dans Paris, sont révélateurs de la tendance à évaluer esthétiquement tout discours d'apparat et de l'importance des cérémonies parlementaires parmi les pratiques oratoires solennelles. Mais l'éloge de Talon souligne aussi sa capacité de traiter sa matière spécifique, que le *Mercure* a tendance à réduire à l'exaltation du Roi.

Le parquet est une véritable pépinière de magistrats-orateurs. Harlay, fils du Premier Président, apparaît lui-même comme un orateur tout-à-fait capable. Donneau de Visé rend compte de la réception des deux nouveaux avocats généraux, à la suite de laquelle on appela une cause:

> Lors qu'elle fut finie, M. du Harlay prit la parole, & parla avec autant de facilité & d'érudition, que s'il avoit exercé pendant plusieurs années cette importante & pénible charge[50].

Les commentaires sur les discours de Harlay, comme tous les commentaires de ce type, soulignent que c'est d'abord en tant qu'orateur qu'un avocat général se fera remarquer. C'est pour cela que l'examen du «palmarès» que dresse implicitement le *Mercure* est intéressant. Il met en lumière l'existence d'une éloquence de spectacle et d'agrément au sein d'une institution qui *a priori* n'en a pas la vocation; il montre que l'éloquence n'a rien perdu de son éclat, aux yeux des contemporains, dans la «domestication» des parlementaires. Les termes dérivés d'*éclat* ou de *briller* reviennent fréquemment. En 1691, Donneau de Visé prête à Harlay, premier président, la même conception de l'éloquence solennelle:

> Mr le Premier President *ayant voulu laisser briller Mr du Harlay son Fils*, fit une remonstrance fort honneste aux Avocats[51].

L'ouverture aux avocats est une occasion pour un avocat général de briller. Le fils du Premier Président ne pouvait y manquer. Il ne pouvait pas non plus recevoir de tièdes louanges. En novembre 1694, son discours donne lieu au commentaire suivant:

> M. de Harlay, second Avocat General, qui suit si dignement les traces de M. le Premier President son Pere, & qui dans un jeune âge a toutes les qualitez necessaires à un grand Orateur, & à un parfait Magistrat, commença l'ouverture du Parlement[52].

---

50 Janvier 1691, p. 73.

51 Ouverture du lundi 19 novembre, *Mercure*, novembre 1691, p. 196. C'est moi qui souligne.

52 *Mercure*, novembre 1694, p. 220.

Aux âmes bien nées... L'éloquence, de fait, n'attend pas le nombre des années. Si le fils du Premier Président montre, «dans un jeune âge», autant de talent, d'Aguesseau étonne encore plus. Lorsqu'il fait, en 1693, l'ouverture aux avocats, il a «beaucoup de grace & toutes les parties d'un Orateur accompli», ce qui est, affirme Donneau de Visé, d'autant plus extraordinaire, que dès qu'il avait pris les fonctions d'avocat du Roy au Châtelet et d'avocat général au Parlement, avant 25 ans, il était devenu «l'objet de l'admiration de tous ceux qui l'entendoient»[53]. Le gazetier n'a que des compliments à adresser à l'avocat général. Pour souligner encore l'éloquence de d'Agueseau, il prévient sa correspondante que ce qu'il vient de résumer est beau, certes, mais que «cette maniere d'extrait n'approche pas des beautez de ce qui fut prononcé», et ne peut donner une idée assez forte «de la justesse avec laquelle M. Daguesseau parla»[54]. La réception est universellement favorable, puisque le Premier Président lui-même souligne la qualité du discours que l'Avocat Général vient de prononcer:

> ... il fit voir qu'... on ne pouvoit rien ajouter à l'éloquent Discours qui venoit d'être prononcé par les Gens du Roy. . . . Passant ensuite à l'Eloge de M^r^ Daguesseau, il dit que *l'action qu'il venoit de faire estoit glorieuse à sa famille, avantageuse au Public, & honorable pour le Parlement*[55].

Parler en public est une affaire de conséquence.

Joly de Fleury, qui ne prononce dans la période que peu de discours, est bien traité par le *Mercure*. Mais le nom qu'il porte est, comme il arrive souvent, une sorte de passeport pour l'éloge. Il s'exprime

> avec cette merveilleuse éloquence qu'il a hérité de ses Illustres Ancestres dont il occupe la place avec un merite distingué, & une reputation universelle[56].

Sans être tout à fait aussi dithyrambique au sujet de Portail, Donneau de Visé propose une vision d'un orateur compétent sur tous les plans, puisque l'éloge de son éloquence se distribue entre la beauté des expressions, la richesse de ses pensées et la grâce de sa prononciation[57]. On trouve là, en germe, toute la perfection oratoire: de la matière au style et à l'action... D'ailleurs, on possède un recueil manuscrit des discours de

---

[53] Novembre 1693, p. 301.

[54] *Ibid.*, p. 309-310.

[55] *Ibid.*, p 310-312. Les italiques indiquent dans le texte une citation par opposition aux caractères romains, qui marquent une reconstitution.

[56] Novembre 1700, p. 128.

[57] Novembre 1698, p. 294.

Portail, datant du XVIIIe siècle, et dont l'Avertissement confirme dans une large mesure le jugement favorable qui se dessine dans le *Mercure*:

> Tous ceux qui ont frequenté le Palais vers la fin du dernier siècle, et dans les commencemens de celuy où nous sommes, sçavent avec quelle Eloquence et quel profond sçavoir M. P<ortail>. a rempli pendant dix années le ministere Public[58].

Dans l'ensemble, donc, les gens du Roi sont bien armés pour leur ministère, et apparaissent à leurs contemporains comme des orateurs compétents, voire brillants et admirables, même si certains éloges du *Mercure* donnent parfois l'impression d'être un peu mécaniques, et, en règle générale, fort libéralement distribués. Le procureur général La Briffe ressort, de tous les membres du parquet, comme celui auquel le *Mercure* attribue le moins de talent oratoire, à en juger par la parcimonie des éloges qu'il lui décerne. La formule la plus élogieuse, à son propos, apparaît en 1692: «Mr le Procureur General y repondit [au discours du Premier Président] avec beaucoup d'éloquence & d'érudition»[59], mais, après deux phrases pour résumer le discours, Donneau de Visé revient à Harlay, premier président: «J'aurois encore beaucoup de choses à vous dire de Mr le Premier President»[60]. En 1697, le gazetier se contente de signaler: «Mr de La Briffe, Procureur General, fit un beau Discours»[61].

La Cour des Aides n'est pas plus mal partagée que le Parlement. Relation après relation, le *Mercure* met l'accent sur les qualités de Le Camus, comme magistrat et comme orateur. En 1700, par exemple, il évoque «la grace & l'éloquence merveilleuse» de «ce grand Magistrat qui s'est toujours distingué par un mérite singulier & par une affabilité, qui luy ont attiré une estime universelle»[62]. En 1692, une seule phrase suffit à résumer la haute réputation du magistrat: le Premier Président «parla en grand Magistrat, & en homme de qualité»[63]. La brièveté de la formule ne doit pas masquer son caractère très élogieux. Peut-être Donneau de Visé se souvient-il d'avoir cité l'appréciation portée par le Roi sur le discours du fils de Le Camus, venu porter à Versailles le scrutin pour l'élection des nouveaux échevins: «Le Roy luy fit l'honneur de luy

[58] «Portail, avocat général du Parlement de Paris, Sept discours (1698-1707) Mercuriales, discours de rentrée», Bibliothèque municipale d'Angers, ms.512 (492), f° 2 r°.

[59] *Mercure*, novembre 1692, p. 319.

[60] *Ibid.*, p. 320.

[61] Novembre 1697, p. 268.

[62] Novembre 1700, p. 114.

[63] Novembre 1692, p. 233-234.

dire, *qu'il avoit parlé en homme de qualité*»[64]. Le gazetier reprend le compliment pour l'appliquer au père de celui à qui il avait été fait, en l'adaptant par l'ajout de la remarque appropriée au «grand Magistrat».

Les gens du Roi ne sont que rarement loués avec effusion, mais le fait que leurs discours figurent fréquemment dans le *Mercure* suffit à montrer leur compétence. En 1700, on lit que Delpech prononce son discours avec «tout l'agrément imaginable»[65]. Gueritot est ainsi présenté en 1694:

> Le lendemain de la Saint-Martin, Mr Guerito<t>, troisième Avocat General de la Cour des Aides, & Frere de Mr des Haguais, prononça un tres-beau Discours[66],

mais le ton est beaucoup plus chaleureux en 1698, bien que la formule employée relève du cliché. Gueritot «fit un discours dans lequel par de riches expressions & remplies de cette vive Eloquence qui luy est si naturelle...»[67].

Cependant, l'orateur le plus remarquable, à en croire le *Mercure*, c'est précisément le frère de Gueritot, Des Haguais. Le discours qu'il prononce en 1695 est fort apprécié, et jugé «l'un des plus beaux discours que M. Deshaguais ait prononcez»[68]. Le *Mercure* ne fait pas là un mince éloge. En 1699, on peut voir que l'approbation va au-delà de l'éloquence, puisque l'Avocat Général apparaît comme un magistrat-modèle:

> Mr des Haguais, premier Avocat General, & qui est des premiers & des plus parfaits de son siecle, prit ensuite la parole, & fit voir dans des termes choisis & brillans que la Justice étoit une Divinité bienfaisante[69].

Pour prodigue que Donneau de Visé soit en éloges, il semble bien qu'il use à l'égard de Des Haguais de termes particulièrement forts.

Le Parlement de Paris n'a ainsi ni le monopole des grands magistrats, ni celui des grands orateurs. Si les deux institutions ont pu avoir des conflits de compétence en matière de juridiction, elles produisent des discours qui traitent souvent les mêmes thèmes. Leur *émulation* (c'est le titre de plusieurs discours d'ouverture) se traduit symboliquement par leur présence commune dans le *Mercure*, ou dans un recueil de

---

64 Août 1692, p. 301.
65 Novembre 1700, p. 115.
66 Novembre 1694, p. 214.
67 Novembre 1698, p. 263.
68 Novembre 1695, p. 276.
69 Novembre 1699, p. 200.

la collection Joly de Fleury[70] – comme les deux institutions partagent le Palais de Justice.

Le «catalogue» que je viens de dresser met en lumière un certain nombre de caractères fondamentaux. De toute évidence, la pratique oratoire dépend d'une fonction occupée dans la structure parlementaire. Les charges de procureur ou d'avocat général, aussi bien que la position de premier président s'assortissent d'un impératif oratoire qui n'est nullement négligeable. Les discours occupent une large place dans la vie cérémonielle du parlement.

Si la grande éloquence politique du parlement disparaît, les pratiques oratoires parlementaires sont un sujet d'intérêt pour un public mondain cultivé, qui attache beaucoup d'importance à la qualité des discours prononcés aussi bien qu'à la capacité professionnelle de ceux qui les prononcent. On voit se dessiner, à travers le *Mercure* et les sources dont on dispose, une image des magistrats de la fin du XVIIe siècle en fonction de leurs talents oratoires, qu'on évalue d'année en année, de discours en discours.

Si l'éloquence occupe une place importante dans le rituel parlementaire, l'éloquence parlementaire, par la régularité et l'éclat de ses manifestations, occupe une place essentielle dans l'ensemble de l'éloquence d'apparat: les premiers magistrats sont tenus de prononcer des discours pour maintenir les membres de l'institutions dans leur devoir, tout comme ceux-ci sont tenus d'y assister. Mais l'évaluation de ces discours se fait aussi en termes de satisfaction et d'agrément: l'auditoire est attiré par la perspective d'entendre de beaux discours, et ce sont les réactions de cet auditoire qui déterminent la réussite du discours. Les attentes du public sont esthétiques aussi bien qu'éthiques: elles mêlent des exigences formelles, des valeurs qu'il puisse partager avec l'orateur et une représentation de la magistrature. On pressent déjà que les fonctions de censure et d'instruction ne suffisent pas à décrire de telles pratiques oratoires. C'est lorsque leurs attentes seront comblées que les auditeurs pourront ressentir le plaisir spécifique de l'éloquence d'apparat.

## II. – CIRCULATION ET PUBLICATION DES DISCOURS PARLEMENTAIRES

Les discours parlementaires sont composés par un nombre relativement limité d'orateurs, même si les enregistrements de lettres, occasions dans lesquelles la prononciation de discours n'est pas seulement

[70] Ms. «Mercuriales, discours de rentrée», BN. Joly de Fleury, n° 2359.

attachée à une charge mais aussi à la réputation déjà assise de l'avocat-rapporteur, introduisent un élément de variété et étendent la pratique oratoire parlementaire d'apparat au-delà des seuls premiers présidents, avocats généraux et procureurs généraux. Les discours inscrits dans le fonctionnement rituel du parlement visent originellement les membres de l'institution. Mais le discours est un spectacle où l'on se presse en foule, et dont l'écho se répand bien au-delà du seul milieu parlementaire. D'ailleurs, il est toujours utile pour quelqu'un qui se destine soi-même à exercer des fonctions oratoires, de connaître les pratiques des autres – de la même manière que les sermons circulaient. Les discours circulent donc, parmi les magistrats et les avocats, certes, mais aussi dans de plus larges cercles. Sous quelles formes sont-ils diffusés? Quels sont les buts visés par cette diffusion? Pour reposer la question du point de vue du chercheur moderne: de quelles sources dispose-t-on pour étudier l'éloquence parlementaire, et que nous apprennent-elles sur l'intérêt que pouvaient présenter les manifestations de l'éloquence d'apparat au Parlement et à la Cour des Aides?

## 1. Les sources manuscrites

Mon étude de l'éloquence d'apparat n'a pas de fins proprement philologiques, et l'étude des manuscrits reste secondaire. Mais la plupart des textes parlementaires n'ont jamais été publiés intégralement, et la documentation manuscrite joue alors un rôle essentiel. Il est clair, de toute façon, que les discours, même sous cette forme, pouvaient circuler. L'examen des documents le montre aisément.

Les documents essentiels auxquels j'ai eu accès sont les suivants:

- «Discours de M. le premier président Lamoignon, et de Mr de Lamoignon avocat general, son fils». B.N., nouv. ac. fr. n° 2429-2430. Seul le deuxième volume intéresse le dernier quart du siècle. On y trouve des compliments au Roi (par exemple, p. 105, sur la prise de Maestricht, en 1673), un compliment à un évêque pour la messe rouge (p. 384), des mercuriales et des ouvertures des deux Lamoignon. On notera que les volumes sont paginés, et non foliotés. Ils sont reliés en cuir, et le titre doré.

- «Mercuriales, discours de rentrée». I. 1686-1709. B.N. collection Joly de Fleury, n° 2359. Ce volume de 309 feuillets contient quelques discours de la période qui m'intéresse. Il s'ouvre sur une liste de sujets de discours du XVIII^e siècle, dont voici un échantillon: «L'intérêt d'autruy», «La Reputation», «La Persévérance», «Perfection de son État», «La Cause», «L'Exemple», «Devoirs de l'avocat envers ceux contre qui il plaide»[71]. Les six premiers discours sont:

- F° 12 r°-f°17 r°: «Sur l'Autorité du magistrat». Ce texte ne porte pas d'autre indication que la date 1686. Il s'agit, en fait, non pas d'une ouverture du Parlement de Paris, mais du discours de Des Haguais, avocat général à la Cour des Aides.
- F° 18 r°-25 r°: «Sur la Satisfaction intérieure». Là encore, seule la date, 1692, est indiquée. Mais, comme le précédent, ce discours a été prononcé par Des Haguais à la Cour des Aides, cette année-là, bien que le *Mercure* lui donne pour titre «La tranquillité intérieure».
- Suivent trois copies d'un même discours (jusqu'au feuillet 61 v°), sous le titre: «Ouverture aux Avocats à la St Martin 1697. Sur la Magnanimité». Ce discours est de Joly de Fleury qui exerce les fonctions d'avocat général au Parlement.
- 62 r°-71 r°: «Sur l'interest d'autruy», 1699. Ce discours est de la même écriture que les deux premiers, et, faute d'indications supplémentaires, il serait tentant de s'appuyer sur cette ressemblance pour supposer que ce discours fut, comme les deux premiers, prononcé par Des Haguais, à l'ouverture des audiences de la Cour des Aides en 1699. Mais ce n'est qu'une hypothèse, assez vraisemblable cependant; le résumé-paraphrase du *Mercure*, s'il ne présente pas de contradiction avec le texte du manuscrit Joly de Fleury, ne me paraît pas non plus apporter d'éléments pour un rapprochement sûr.
- Suivent à nouveau trois copies d'un même discours, dont la version centrale sur grand papier à cadre rouge, est, comme c'était le cas pour le texte de 1697,mieux calligraphiée que les deux autres (72-105): «Ouverture aux avocats a la St Martin 1700. La sagesse qui consiste dans la science et la probité». C'est l'ouverture de Joly de Fleury.
- 106 r°-113 v°: Presentation des Lettres de Chancelier de M. de Pontchartrain. 1700.

Ce recueil contient des discours d'origines différentes. Il rassemble les ouvertures de la Cour des Aides et celles du Parlement. C'est un argument pour affirmer que les discours circulaient.

[71] Ces quelques exemples montrent que les sujets restent fondamentalement «ethico-professionnels», quelle que soit par ailleurs la primauté de l'évaluation «esthétique». Le répertoire est assez limité, et l'on retrouve des sujets qui sont traités dans mon corpus. Certains sujets sont plus techniques («La Cause»).

- «Portail avocat général au Parlement de Paris. Sept discours (1698-1707). Mercuriales, discours de rentrée». Bibli. municipale d'Angers, Ms. 512 (492). F° 2: Avertissement; f° 3- 24 «Rentrée de St Martin 1698. Sur la bienseance dans les discours».
  - Le discours suivant est la «rentrée de St Martin 1701: Sur la simplicité de cœur».
- Denis Talon, «Mercuriales et ouvertures» Bibl. de la Chambre des Députés. Ms. n° 994 et 996. Le volume 996 comprend une mercuriale (numérotée 5, au f° 76) qui n'a pas été reproduite dans l'édition des œuvres de Talon. Sans titre, elle commence par les mots «Monsieur, si les regles & les maximes de la morale . . .».
- «Pièces d'éloquence», B.N. anc. frs. 21148. Ce recueil contient des pièces diverses, qui concernent plusieurs institutions, parmi lesquelles le Parlement de Paris. On peut noter en particulier la présence d'un discours de Denis Talon, intitulé «Discours au Parlement. 1687». Il s'agit en fait de la mercuriale de novembre 1688 (le discours, originellement paginé de 1 à 41, a reçu dans le recueil une nouvelle pagination, de 5 à 45). La mercuriale est précédée d'une lettre de Denis Talon qui précise que le discours a été envoyé à un correspondant qui lui en avait demandé une copie:

  à paris ce mardi<br>au soir

  Monsieur<br>Je vous envoie le discours que vous mavés témoigné que vous nauriés pas desagrable de lire et ie profite de cette occasion pour vous assurer que ie suis avec beaucoup destime et d'atachement<br>Monsieur<br>uostre tres humble et tres obeisant serviteur.<br>Talon

  - Le recueil contient encore plusieurs ouvertures, avec, en général des indications assez sommaires sur leur nature. Un discours de Lamoignon à l'éloge du Roi qui pourrait correspondre à l'ouverture de 1686, malheureusement trop peu détaillée dans le *Mercure* pour l'affirmer avec certitude (f° 69 r°-73)[72]. Il serait surprenant que Lamoignon ait pu parler de la Révocation, comme le fait l'exorde du discours du ms. 21148, sans que Donneau de Visé le relève (alors qu'il insiste plutôt sur le silence que le Roi a gardé sur le jour de son opération). Ou bien faut-il voir là un «tri» volontaire parmi les sujets d'éloge à diffuser dans le *Mercure*?

---

[72] Voir *Mercure*, décembre 1686, p. 233-235.

– L'attribution des trois autres discours qui se présentent comme des mercuriales ou des ouvertures n'est guère plus aisée (79 r°-91 r°; 98 r°-105 r°;107 r°-115 r°). Des analogies dans le style et la composition suggèrent qu'ils sont de la même main, surtout les deux premiers, dont les exordes s'ouvrent d'une manière similaire. On lit dans le premier:

> Messieurs,
>
> S'il est vray comme le plus eloquent des Romains l'a dit, que les Magistrats ne sont pas moins obligez de rendre compte au public de leur loisir que de leurs occupations, nous pouvons dire que nous avons un plus grand compte à rendre que les autres hommes et qu'il n'en est point à qui le repos soit si necessaire et si peu permis qu'à nous,

tandis que le second s'ouvre sur la phrase:

> S'il est vray, comme a dit un Ancien que vivre, c'est penser, on peut dire avec plus de verité, que vivre c'est agir.

Même structure d'enthymème dans les deux cas. Dans les deux discours, la majeure est soutenue par l'autorité d'un ancien; dans les deux cas, la mineure est sous entendue; dans les deux cas, la conclusion, qui se rapporte aux magistrats, constitue la proposition du discours. Enfin, dans le premier comme dans le deuxième discours, l'orateur donne une même structure à son affirmation, lorsqu'il conclut l'enthymème: «nous pouvons dire que nous devons un plus grand compte» / «on peut dire avec plus de verité». Ce n'est là qu'un exemple de la similarité des discours, et, de toute façon, on peut toujours imaginer une sorte d'emprunt.

Le premier de ces deux discours présente de très nombreux points de convergence avec une mercuriale du premier président Lamoignon sur la flatterie, prononcée en 1675. On retrouve ainsi mot pour mot certains traits sur le besoin de trouver un ami sincère que ne flatte pas[73]. Mais la phrase qui introduit le passage identique présente une variante; dans la mercuriale de Lamoignon, on lit: «Que notre condition est malheureuse!», alors que celle du ms. frs. 21148 porte: «Que notre condition est deplorable»[74]. Le texte du ms. frs. 21148 pourrait fort bien n'être qu'un centon et un plagiat: il débute comme une ouverture sur le repos, pour s'achever comme une mercuriale sur la prévention. On pourrait alors avancer l'hypothèse que ce discours un peu hybride, reprenant à la fois les caractéristiques des ouvertures et des mercuriales, a été prononcé dans le cadre d'une ouverture des audiences de la Cour des Aides. En

---

[73] On retrouve par exemple «Mais cet homme sage et fidèle, quelque besoin que nous en ayons, nous ne le cherchons pas» (Lamoignon, p. 207) au f° 84 r°-v° du ms. frs. 21148.

[74] N. a. fr. 2430, p. 206; anc. frs. 21148, f° 84 r°.

1688, précisément, le Premier Président et Bosc du Bois, procureur général, font chacun une ouverture sur la prévention. Or, si l'on examine le discours que Du Bois prononça en 1696, on s'aperçoit que c'est un plagiat de l'ouverture que Guillaume de Lamoignon avait prononcée en 1676, et intitulée «L'Habitude»[75]. Peut-être le procureur général de la Cour des Aides avait-il fait des discours de Lamoignon une source où puiser son inspiration!

- Le recueil des «Pièces d'éloquence» contient encore, entre autres pièces concernant diverses cérémonies dans diverses institutions, un compliment au Roi (f° 123 r°-125 v°).

L'intérêt d'une telle documentation ne réside pas seulement dans les discours qu'elle fournit à l'analyse. Elle est révélatrice de la circulation des discours et des conséquences de la «pression oratoire». La présence dans le corpus de plagiats n'est pas surprenante du point de vue de la composition des discours. Le phénomène est relativement connu dans la prédication. par exemple, où la charge oratoire était aussi très lourde, et amenait les prédicateurs à reprendre, presque textuellement, des discours d'autres orateurs. Les logotachygraphes qui prenaient les discours en note, pour en vendre les schémas et le texte, remplissaient une fonction, sinon tout à fait honnête, du moins utile; et ils ne manquaient pas d'emploi[76]. Il apparaît donc que dans les institutions parlementaires, où les charges importantes demandent une pratique oratoire constante, le plagiat était, sinon la règle, du moins une possibilité, même à Paris. Après tout, le caractère limité des sujets moraux et professionnels disponibles pouvait y encourager les orateurs.

Mais ce qui m'intéresse plus ici, c'est qu'une telle pratique prouve que les discours étaient diffusés hors de leur institution propre, même quand nous n'en avons pas de trace imprimée. Cela confirme que l'impression n'était pas une condition nécessaire pour qu'un discours circulât et fût connu. S'il en fallait une preuve supplémentaire, la lettre qui accompagne la mercuriale de Denis Talon dans le manuscrit fr. 21148 l'apporterait. Talon envoie son discours à un correspondant qui le lui a demandé, à quelqu'un qui, pour reprendre les termes de Talon lui-même, a «témoigné qu['il] n'aur[ait] pas désagréable de lire». Les discours circulaient parce que les auteurs acceptaient (en général, du moins) de les communiquer. L'intérêt manifesté et l'agrément escompté d'une telle lecture ramènent encore à la problématique d'une évaluation

---

[75] N.a.fr. 2430, p. 278-293.

[76] Sur la question du plagiat dans la prédication, voir J. Truchet, «Pastiches, parodies, contrefaçons du discours religieux dans la littérature française du XVIIe siècle», *Écriture de la religion, écriture du roman*, (Groningue et Lille: 1979).

d'ordre esthétique[77]. Il y avait ainsi un public pour les discours, au-delà de la cérémonie elle-même, et qui s'intéressait à des discours dont le bruit, pour reprendre ici une expression du *Mercure* déjà citée, se répandait dans Paris... Dernier élément: la présence dans les papiers de Joly de Fleury, au milieu d'ouvertures du Parlement de Paris, d'ouvertures d'audiences de la Cour des Aides. Les cloisons entre les deux institutions n'étaient, on le voit, pas plus étanches au niveau de la conservation des discours qu'elles ne l'étaient au niveau du personnel (puisqu'un Bignon a occupé une charge d'avocat général à la Cour des Aides). Marque d'approbation, l'insertion des discours de Des Haguais parmi ceux de Joly de Fleury suggère encore ce qui apparaît comme un caractère essentiel: la *circulation* des discours et la similarité des pratiques oratoires des parlementaires de l'une et de l'autre institutions. Le fait qu'un procureur général de la Cour des Aides plagiait un avocat général du Parlement va dans le même sens.

De ces remarques, je tirerai deux conclusions. La première, c'est que les discours ont une existence qui dépasse leur réalisation orale dans la cérémonie qui les exige. Curieusement, si leur composition et leur caractère sont déterminés par les circonstances, et si leur réussite comme discours d'apparat dépend du contexte dans lequel on les prononce et de l'adaptation à ce contexte, cette réussite même leur donne une vie autonome comme objet d'admiration et d'évaluation. Leur réussite n'est concevable que dans le cadre rituel; mais, une fois acquise, elle permet de les décontextualiser comme objets susceptibles d'apporter une satisfaction, un plaisir esthétique. La nature rhétorique d'un tel objet ne posait guère de difficulté à une élite dont la culture restait éminemment modelée par la rhétorique[78]. Cela m'amène à ma seconde conclusion. La diffusion des discours parlementaires non publiés est ainsi liée à la fois à l'utilité professionnelle et à une curiosité d'ordre beaucoup moins utilitaire. La dialectique entre fonction éthique et fonction esthétique apparaît à chaque niveau de l'analyse.

## 2. L'impression

Les académiciens, pour qui la dimension «extravertie» de l'éloquence d'apparat était un caractère essentiel et explicitement postulé,

---

[77] J'ai traité ailleurs le problème d'une appréciation des discours d'apparat hors contexte, un plaisir réel; certes, mais qui,anque, précisément, la fonction du discours cérémoniel comme discours d'apparat. Sur cepoint, voir encore «L'Eloquence d'apparat et le style», *loc. cit.*.

[78] Sur ce point, je renvoie aux quelques études très pertinentes réunies dans «Points de vue sur la rhétorique», *XVII^e SIÈCLE*, n° spécial 80-81.

publiaient leurs discours, individuellement, ou, assez souvent, sous forme de recueils collectifs. En revanche, on ne trouve pas, à ma connaissance, d'impression séparée de mercuriales ou de discours d'ouverture, dans le dernier quart du siècle, ni de recueils qui correspondent à ceux qui avaient réuni les discours du début du siècle[79]. Le parlement, comme institution, ne commandite pas, si l'on peut dire, la publication des discours qu'il produit.

On dispose malgré tout d'un certain nombre de textes imprimés. Dans chaque cas, un but spécifique est visé. La voie normale de publication, pendant toute la période, c'est apparemment le *Mercure galant*. Fidèlement, pratiquement tous les ans, Donneau de Visé tient sa lectrice fictive informée de ce qui se passe aux rentrées du Parlement et de la Cour des Aides et aux autres cérémonies où des discours sont prononcés. Mais les discours parlementaires apparaissent également dans les recueils d'éloquence, à côté d'autres textes oratoires d'origines variées[80]. Ainsi, on trouve des discours parlementaires dans les *Harangues sur toutes sortes de sujets, avec l'art de les composer, dediées à Monseigneur le Chancelier* d'Ortigue de Vaumorière[81]. Outre des ouvertures, comme celle que Lamoignon a prononcée sur le serment[82], ou le discours prononcé par l'avocat de Tessé à la présentation des lettres de Boucherat à la Cour des Aides, le recueil de 1713 contient des discours de Pottier de Novion, qui a laissé par ailleurs fort peu de traces de sa pratique oratoire. Ces discours, dont la brièveté confirme au moins l'une des composantes du jugement du *Mercure*, montrent que les magistrats devaient prononcer des discours dans de multiples circonstances, puisque l'un est prononcé en l'assemblée de l'Université, un autre en l'assemblée de la Faculté de Théologie et un troisième en l'École de Droit canon. Le premier et le troisième discours sont d'ailleurs accompagnés d'une harangue faite par le procureur général Harlay[83].

---

[79] Tel, par exemple, le *Thrésor des Harangues et des Remonstrances faites aux ouvertures du Parlement* (Paris: M. Robin 1660). Une telle publication n'était d'ailleurs pas le fait d'une décision collective de l'institution. On trouvera dans *L'Age de l'éloquence* de M. Fumaroli une présentation de la diffusion des harangues de magistrats au début du siècle. Il s'agit déjà, démontre d'auteur, d'un «crépuscule» (voir p. 475-476).

[80] Cette inscription de l'éloquence parlementaire dans un ensemble plus large qui comprend toutes les pratiques oratoires solennelles ne fait que souligner l'unité profonde de l'éloquence d'apparat.

[81] Cet ouvrage a connu plusieurs éditions, chez J.-B. Coignard, en 1687, 1693, 1713. L'édition de 1713 contient un «Discours de Monsieur le Premier President de Novion, prononcé en l'Assemblée de l'Université aux Mathurins» (700), un autre «en la Faculté de Théologie en Sorbonne» (702) et un troisième «en l'Ecole de Droit canon» (714).

[82] Éd. de 1693, p. 670 (mais ce discours figurait déjà en 1687).

[83] Vaumorière, 1687, p. 294-308.

Les *Harangues* de Vaumorière ont une visée très pragmatique. Le compilateur vise à donner des préceptes et des modèles à ceux qui doivent prononcer des discours. On peut, de fait, penser que l'existence de recueils de discours divers facilitait la pratique du plagiat, les modèles finissant par être pillés plutôt que simplement étudiés ou imités de façon «didactique» afin de se former. L'avis du libraire au lecteur expose clairement la fin du recueil:

> J'espere qu'il ne sera pas inutile aux personnes qui sont obligées de parler en public, aux Officiers de toutes sortes de jurisdictions, & aux Avocats, aux Ambassadeurs, & aux Commandans des Troupes, aux Intendans des Provinces & aux Gouverneurs des Villes, aux Maires & aux Echevins.

Une telle remarque, s'il est vrai qu'elle souligne l'omniprésence du discours dans toutes les professions, suggère aussi que ceux qui ont l'éloquence facile ne forment pas la majorité de ceux qui ont à parler! Vaumorière a cependant, dans son Épître au Chancelier, donné une justification en quelque sorte plus bibliophile de son travail:

> *J'offre à* VÔTRE GRANDEUR, *un Recueil où l'on trouvera des* Harangues, *que l'on sera bien aise de voir, & que l'on n'auroit perdu qu'avec regret.*

Malgré cette déclaration, les harangues, précédées comme elles le sont, non pas par un traité rhétorique, mais par un art de composer des discours, suggère clairement une fin pragmatique. Ce sont bien des modèles proposés aux aspirants orateurs.

Ce qu'il y a peut-être de plus particulier chez Vaumorière, c'est son classement des discours, selon la tripartition traditionnelle: délibératif, judiciaire, démonstratif. En effet, s'il énumère bien, parmi les discours relevant du démonstratif, les compliments et les discours qu'on prononce «quand on reçoit un Docteur, un Académicien ou un Magistrat dans le Corps où ils veulent entrer»[84], il place les ouvertures (ainsi que les harangues déjà mentionnées) parmi les exemples d'éloquence judiciaire, donnant ainsi la priorité à l'appartenance institutionnelle de l'orateur sur la fonction du discours. Une telle attitude signale une

---

[84] Vaumorière, 1713, p. 120.

L'Avis du libraire au lecteur ainsi que l'Epître à Boucherat, cités plus haut, figurent dans les trois éditions; de 1687, de 1693 et de 1713, non paginés. En 1713, l'Epître s'intitule: «A MONSEIGNEUR LE CHANCELIER BOUCHERAT» au lieut de: «A MONSEIGNEUR LE CHANCELIER», tandis que «*LE LIBRAIRE au Lecteur* » devient: «*LE LIBRAIRE AU LECTEUR sur la premiere & la seconde Edition de ce Livre, faites en 1688* [réimpr. de la première éd. de 1687] *& en 1693*». Dans l'édition de 1713, le passage de l'avis est en italique, et contraste ainsi avec le reste du texte.

confusion entre genre judiciaire et discours prononcé dans le cadre d'une institution qui a des attributions judiciaires. Tout en révélant l'importance de l'institution qui produit le discours, ce classement reste flou. De toute façon, un tel critère, alors que le classement est explicitement fait selon les trois genres traditionnels, ne fonctionne pas bien. Les ouvertures devraient appartenir, soit au délibératif, si on les considère comme des exhortations à adopter une certaine conduite, soit, à la rigueur, au démonstratif, si on les considère comme les éloges qu'elles sont parfois. Cette «erreur» souligne les difficultés potentielles de la classification traditionnelle et l'intérêt de choisir d'autres critères, comme l'institution à laquelle est destinée le discours, ou le caractère des circonstances dans lesquelles un discours est prononcé. La notion d'éloquence d'apparat suppose précisément qu'on ne tienne pas compte de la classification selon les genres rhétoriques, les discours étudiés pouvant en effet appartenir aussi bien au démonstratif qu'au délibératif.

La perspective du *Mercure* se rapproche de celle qu'impliquait l'épître au Chancelier des *Harangues* de Vaumorière, par opposition à l'avertissement du libraire. En rapportant les manières dont le *Mercure* évaluait le talent oratoire des différents magistrats, j'ai eu l'occasion de souligner que le gazetier présentait les discours qu'il reproduisait en termes de réussite esthétique. Donneau de Visé se fait le canal par lequel les productions oratoires d'un milieu donné sont diffusées dans l'élite mondaine. Il est la preuve que l'intérêt pour les ouvertures et les mercuriales ne se limite pas au milieu professionnel des parlementaires.

Mais, dans ce domaine comme dans tous les autres, Donneau de Visé semble obéir à ce qu'on pouvait appeler la loi de l'éloge du Roi. Si certains discours sont insérés pour leurs qualités propres, on voit souvent que c'est l'inflexion d'une ouverture ou d'une mercuriale vers l'exaltation de Louis XIV qui détermine son insertion. Le passage que j'ai cité à propos de la mercuriale de Denis Talon sur la modération est caractéristique. Le discours est réussi, non seulement parce que Talon est un orateur à l'éloquence admirable, mais surtout parce que la modération lui donnait l'occasion de faire l'éloge du Roi, matière admirable pour un orateur hors pair. Et c'est cette conjonction qui fait la grandeur du discours. La lecture des discours comme la mercuriale de 1688, qui figure dans le ms. frs. 21148, montre que l'éloge du Roi avait effectivement pénétré les discours parlementaires. Mais Donneau de Visé met particulièrement l'accent – n'est-il pas, comme Guyonnet de Vertron porteur du titre d'historiographe du Roi? – sur les discours et les passages de discours qui sont plus particulièrement consacrés à Louis XIV. Le compte rendu de 1688, par exemple, évoque ainsi l'ouverture de la Cour des Aides:

> M. le Camus premier Président, & M. du Bois, Avocat general [en fait procureur général], parlerent tous deux sur la prevention. La matiere est belle, & rien n'est tant à craindre pour les Parties que des Juges qui se laissent prévenir; cette matiere est aussi du temps & sans les preventions de quelques Puissances, contre des personnes d'un merite éminent, la guerre ne seroit pas aussi allumée dans l'Europe que nous l'y voyons presentement<.> M. du Bois, aprés avoir fait un éloge du Roy convenable à son sujet, fit entrer fort à propos celuy de Monseigneur le Dauphin. Il marqua le bonheur du Roy d'avoir pour fils un Prince si digne de luy, & fit voir que ce bonheur avoit manqué à Auguste & à l'Empire[85].

Dans ce genre de relation, Donneau de Visé glisse souvent de l'analyse du discours qu'il rapporte à un commentaire laudatif de son cru. C'est ce qui se produit, lorsqu'il rend compte de l'ouverture de 1686 et qu'il résume le discours de Lamoignon, consacré au Roi, offert comme modèle aux avocats:

> Comme il vouloit les porter à la plus exacte observation de la Justice, & à n'epargner ny peines ny soins pour faire paroistre aux Juges dans la plus droite équité les droits legitimes des Parties, il fit un recit de toutes les actions pleines de Justice que ce Grand Monarque a faites, afin qu'en le voyant dans un travail sans relache, ils s'en fissent un modelle pour s'appliquer comme luy. En effet, on trouve tout dans la vie de Sa Majesté, & quoy qu'il y ait de grandes vertus particulieres aux Roys, & qu'on n'en ait jamais veu de plus éclatantes que les siennes, il est certain que les Particuliers en peuvent tirer de grands avantages pour se former chacun selon la conduite qu'il a à tenir. Mr de Lamoignon, entre plusieurs choses ..., fit remarquer qu'on luy estoit obligé du secret qu'il avoit gardé sur l'Operation qu'il s'estoit fait faire[86].

Il faut remarquer qu'entre le projet de Lamoignon et la mention de ce qu'il a dit, Donneau de Visé a jugé bon d'insérer une phrase à l'appui du projet, justifiant l'éloge du Roi dans les ouvertures, et le pratiquant du même coup.

Le *Mercure* permet ainsi d'affirmer que les discours parlementaires intéressent un public mondain relativement large. On vérifie en même temps le rôle du journal comme diffuseur de l'éloge du Roi et la perspective qui oriente ses relations de cérémonies.

Toutes les sources conduisent à la même conclusion: les discours parlementaires d'apparat, publiés ou non, circulaient, et leur diffusion intéressait un public bien plus large que les seuls magistrats et avocats.

---

[85] Novembre 1688, p. 277-278.

[86] Décembre 1686, p. 133-135.

Pris comme modèles, à cause de leur efficacité, c'est-à-dire, dans ce cas, de la satisfaction qu'ils ont produite, ils pourront être étudiés, voire plagiés. Mais, puisque leur réussite s'exprime en termes de plaisir, ils deviennent des textes qui circuleront pour le plaisir de la lecture. Le soin que prend le *Mercure* de préciser, très souvent, le déroulement des cérémonies où ils s'inscrivent rappelle que même l'évaluation esthétique peut dépendre de l'adaptation au contexte.

Le *Mercure* et Vaumorière entrent encore, si l'on peut dire, en concurrence pour la publication des textes relevant des parlements et des institutions judiciaires de province, avec les mêmes perspectives. Ce sont en fait deux publications qui font converger toutes les pratiques oratoires. Le *Recueil de diverses oraisons funèbres* effectue, de la même manière, une sorte de rassemblement de productions discursives émanant de milieux et d'institutions variés[87].

## III. – LE DISCOURS PARLEMENTAIRE ENTRE LA CENSURE ET L'ÉLOGE

On peut distinguer, *a priori*, deux types de discours dans les pratiques oratoires parlementaires: des discours à fonction ouvertement encômiastique et d'autres qui, inscrits dans le rituel fixe, ponctuent la vie de l'institution d'exhortations éthico-professionnelles.

Parmi les premiers, il faut compter les discours de présentation d'un duc et pair ou d'un chancelier. On se rappelle la manière dont Donneau de Visé présente le discours du rapporteur des lettres dans le cas de la réception d'un nouveau duc et pair: «Apres qu'on a leu les Lettres à huis

[87] Il faut dire également un mot sur les éditions modernes. Elles sont très rares. Notons cependant l'édition des discours de Denis Talon, par D. B. Rives, dans les *Œuvres d'Omer et Denis Talon* (Paris: A. Egron, 1821, 6 volumes). Le tome II contient les discours et mercuriales de Denis Talon (ses plaidoiries figurent aux t. V et VI). Les discours qui ouvrent le volume furent prononcés à l'occasion de la présentation des lettres des chanceliers successifs (Aligre, en 1674, p. 29-34; Le Tellier, 1677, p. 34-47; Boucherat, 1686, p. 48-61). L'édition est fondée sur les manuscrits mentionnés de la Bibl. de la Chambre des Députés. Mais, si elle est commode, parce qu'elle présente les discours sous une forme plus maniable, elle pose un certain nombre de problèmes. L'identification est parfois fautive (ainsi, ce qui porte le titre de mercuriale, pour l'année 1687, est une ouverture aux avocats); l'ordre ne correspond pas à celui des manuscrits sans qu'il soit bien clair que l'éditeur ait ainsi rétabli la chronologie (de là mon emploi de crochets droits pour renvoyer, dans la suite de mes analyses, à la numérotation de l'édition imprimée); enfin, ce qui serait extrêmement gênant pour une étude plus philologique, on trouve à l'occasion une correction stylistique, si infime soit-elle, pour rendre les discours plus «actuels» et accessibles aux lecteurs du XIX^e^ siècle, vraisemblablement, et pour mieux soutenir la haute opinion que l'éditeur veut donner de l'orateur…

clos, le Conseiller Rapporteur fait l'Eloge du Duc & de sa Famille»[88]. La précision est importante, parce que, dans le cas d'un duc et pair, la naissance et l'histoire familiale jouent un rôle qui souligne la qualité de ceux qu'on reçoit. Donneau de Visé explique encore, à propos de la présentation des lettres du Chancelier à la Cour des Aides: «on choisit toûjours quelque personne distinguée dans le Barreau, pour faire l'Eloge de ceux que le Roy éleve à cette premiere Dignité de la Robe»[89]. Le public ne s'y trompe pas, puisque, comme le dit encore le *Mercure*, c'est le plaisir de l'éloge qui attire la foule à la présentation des mêmes lettres au Grand Conseil: «jamais on ne vit d'ordres mieux observés pour empescher la foule extraordinaire qu'on avoit preveu, qu'attireroit le desir d'entendre l'Eloge d'un grand Homme»[90]. Il est clair que l'éloge sert une fonction dans la procédure, puisque les orateurs requièrent l'enregistrement des lettres; il faut donc qu'ils persuadent le corps devant lequel ils parlent de la qualité du sujet choisi. Naturellement, la procédure est *pro forma*, et fournit l'occasion d'un éloge. On sait que les lettres seront enregistrées... Donneau de Visé ne se trompe pas sur la nature des discours prononcés dans de telles circonstances. Dans l'exorde d'un discours intitulé précisément «Eloge de M. le chancelier Boucherat à la présentation de ses lettres», Denis Talon s'adresse au Parlement de la manière suivante:

> MESSIEURS,
>
> Quelque raisonnable que soit la coutume de faire en certaines occasions l'éloge des grands personnages, bien que l'hommage qu'on leur rend, quand on parle de leurs qualités héroïques, quand on fait le récit de leurs actions illustres, soit la plus précieuse récompense du mérite et de la vertu, et que par là on excite à les imiter ceux qui, se trouvant dans la même carrière, marchent sur leurs traces, ces discours ne laissent pas d'être d'autant plus difficiles que la vanité ne se persuade presque jamais que les parfums qu'on lui offre soient assez exquis, et que la flatterie garde si peu de mesures, qu'elle s'épuise dans des louanges excessives[91].

Je laisse de côté ici l'appel à l'émulation (thème constant dans les discours parlementaires, et qui souligne le glissement toujours possible de l'éloge au *délibératif*, à l'exhortation à adopter une certaine conduite), pour noter seulement que le discours est bien perçu et présenté comme un éloge, et que l'éloge est une récompense glorieuse, mais normale,

---

88 *Mercure*, février 1678, p. 267.

89 Avril 1686, p. 74.

90 Mars 1686, p. 244-245.

91 *Œuvres*, t. II, p. 34.

pour les hommes de mérite. Et l'éloge, confesse Talon, n'est pas un exercice facile!

Il faut aussi ranger parmi les discours encômiastiques les compliments au Roi et autres harangues. C'est le caractère habituel de ce genre de discours. Les marques de respect données aux grands officiers de la couronne sont d'ailleurs réglées. On trouve ainsi, dans un «Cérémonial du Parlement», la rubrique:

> Des honneurs que l'on rend aux grands officiers de la couronne. La Cour visite en corps Mrs les chancelier et garde des sceaux. Et dés qu'elle a reçu la nouvelle de leur nomination elle leur ecrit pour les feliciter, sans attendre que S<a>M<ajesté> le luy aye fait sça voir[92].

Les compliments font partie, on peut le constater, d'un cérémonial qui ne varie guère avec les institutions, lesquelles vont en corps haranguer un haut dignitaire.

Les ouvertures aux avocats s'étaient appelées des remontrances d'ouverture. Les mercuriales avaient, théoriquement, pour fonction de reprendre les abus commis et de remettre les magistrats sur la voie du devoir. On peut lire, dans l'un des discours des «Pièces d'éloquence», à propos des maux engendrés par la flatterie et par le sentiment que le magistrat éprouve de sa grandeur:

> C'est principalement pour se preserver d'un si grand mal, que ceux qui nous ont precedé ont sagement estably la coutume que nous observons encore en cette journée de s'assembler en ce lieu ou chacun examine sa conduite et faisant une reflexion serieuse sur les desordres publics, sur les fautes des particuliers sur les sienes propres, en proposoit librement les remèdes[93].

Et D. Talon définit les mercuriales comme «des jours destinés à la censure»[94]. Guillaume de Lamoignon avait de la même manière justifié les mercuriales par la nécessité d'examiner sa conduite[95]. Les ouvertures de la Cour des Aides sont aussi, dans leur principe, des discours destinés à raffermir les magistrats dans leur devoir, si l'on en croit l'avocat général Ravot d'Ombreval, en 1689, lequel dit

> [q]u'autrefois on s'estoit contenté de la simple lecture des Ordonnances, pour remttre devant les yeux des Iuges les regles de leur devoir au commencement du travail; Que les derniers temps avoient rendu

---

[92] Bibl. Mazarine, ms. 3438, p. 131. La langue des compliments dépend du destinataire. En 1664, le Parlement décide de haranguer le cardinal Chigi en latin.

[93] Ms. frs. 21148, 83 r°.

[94] *Ibid.*, f° 6.

[95] Lamoignon, *Discours*... (n.a. frs. 2430), p. 186.

> cette journée plus celebre, sans qu'on eust pourtant méprisé la méthode d'instruire ces mesmes Iuges par la voix du Precepte[96].

Instruction et censure sont ainsi posées comme fondement de ce qu'on pourrait appeler la liturgie parlementaire dont rentrées, ouvertures et mercuriales forment le rituel, et où sont glorifiés les devoirs et les valeurs des parlementaires, sous des titres qui définissent impératifs et interdits ou proposent, d'un nom ou d'un syntagme, les caractères d'une vertu ou d'un vice, et forment une dissertation morale et une réflexion sur les professions des avocats des magistrats: «Les Mœurs» (Ouv. parl. 1676), «Le Serment» (ouv. de Chr. de Lamoignon aux avocats; 1677) «La Modération» (ouv. de Talon, 1687), «La Fertilité de la vertu» (merc. Gens du Roi, 1676), «La Prévention» (deux ouv. Cour des Aides, 1688), «La Probité» (ouv. Aides, 1691), toute une série de vices et de vertus, de préceptes positifs et négatifs qui jalonnent ainsi le calendrier solennel des institutions parlementaires.

Or, dans la pratique de la fin du XVII^e^ siècle, les ouvertures et les mercuriales sont rarement des discours de blâme ou de remontrance dure; la fonction de censure et d'instruction, qui reste si souvent affirmée, n'est jamais exclusive, et semble même parfois s'effacer considérablement. Dans le compte rendu qu'il donne de l'ouverture des audiences du Parlement, en 1692, Donneau de Visé marque l'évolution des mercuriales (terme sous lequel il faut aussi comprendre, à cet endroit du moins, les ouvertures): elles sont devenues «plus douces & plus honnestes» et, au lieu de sévères remontrances ce sont des discours aux avocats, «sur des points qui les regardent»[97]. A propos des mercuriales encore, on apprend que ces discours sont «presentement plutost des Eloges que des Remonstrances.»[98]. On comprend alors pourquoi le *Mercure* peut régulièrement insérer des ouvertures et des mercuriales dans ses livraisons: au lieu de remontrances professionnelles, on aurait affaire à des discours «honnêtes», c'est-à-dire adaptés au public du journal, genre de discours auquel il fait largement écho dans ses pages.

Le cérémonial du parlement reconnaît d'ailleurs à l'éloge une place dans le discours d'ouverture:

> Un de M^rs^ les gens du Roy fait l'ouverture par un discours qu'il prononce, *à la fin duquel il fait l'Eloge de Messieurs de la Cour*, et une remontrance pour les avocats et les procureurs.

---

96 *Mercure*, novembre 1678, p. 242-243.

97 Novembre 1692, p. 238.

98 *Ibid.*, p. 319.

> Mr le P<remier> P<résident> parle ensuite, et il finit par une remontrance aux avocats et procureurs, aprés quoy le grefier fait la lecture des ordonnances[99].

La coutume a suffisamment défini la place de l'éloge dans le discours d'ouverture pour que le compilateur puisse le relever comme un trait fixe, une loi du genre.

Mais c'est le caractère même des discours qui semble se transformer. La présence d'un éloge de Turenne, dans l'ouverture du premier président Lamoignon sur «Le Bien Public» en 1675, pourrait ne constituer qu'un sacrifice à l'actualité, dont j'ai marqué, dans la première partie de cet ouvrage, toute l'importance pour l'éloquence d'apparat. On trouve de même un éloge de Condé dans l'ouverture de Talon sur la modération en 1687[100]. Les orateurs expriment ainsi leur respect à l'égard des grands héros décédés. Mais le poids de l'éloge semble aller bien au-delà de ce sacrifice à la mémoire des grands hommes. Lors de la mercuriale de Pâques 1679, Harlay, procureur général, prononça un discours qui, si l'on en croit le *Mercure*, s'éloigne bien de son principe de censure:

> Mr le Procureur General parla dans la derniere Mercuriale avec beaucoup d'éloquence. Il fit un Panegyrique du Roy, dans lequel il comprit toutes les Campagnes depuis le commencement de la guerre, & remarqua mesme qu'il y avoit eu des années pendant lesquelles ce Grand Prince en avoit fait deux[101].

La pression de l'actualité est si forte que la mercuriale perd son caractère propre. Le parlement participe au concert de louanges décernées au Roi. L'Académie française n'entendit-elle pas un panégyrique du Roi le 24 juillet, de la composition de Charpentier, et un autre, le 25 août, que l'on devait cette fois au zèle de Tallemant? Le procureur général est chargé de la discipline du corps, mais il substitue au discours de censure un panégyrique du Roi. La Briffe, qui succéda à Harlay dans la charge de procureur général, fut, semble-t-il, le plus fidèle à l'esprit de discipline qui a inspiré les mercuriales. Donneau de Visé résume ainsi son discours de 1697: «Mr de la Briffe, Procureur General, fit un beau Discours sur les abus qui se commettoient par la pluspart des clercs de Mrs les Conseillers, & sur les moyens de les arrester.»[102] Un tel discours ne promet guère de passionner les lecteurs et se prête malaisément à la publication dans le *Mercure*. D'où peut-être la tiédeur de l'approbation...

---

[99] «*Cérémonial du Parlement*» (Mazarine ms 3438), p. 131. C'est moi qui souligne.

[100] Talon, *Œuvres*, t. II, p. 482 sq.

[101] *Mercure*, avril 1679, p. 234-235.

[102] Novembre 1697, p. 268.

Or, au moment où il succède à Achille de Harlay, sa harangue est tout compliment: le nouveau procureur général

> commença par souhaiter d'avoir les qualitez de l'illustre Magistrat qui avoit exercé sa charge avant luy avec tant de gloire, & aprés avoir dit qu'il avoit besoin du mesme Flambeau dont les lumieres l'avoient si bien éclairé pendant sa course, il fit l'Eloge de tous les premiers Presidens qui avoient esté choisis par le Roy, dont il apostropha les Fils ou proches Parens qui sont dans le Parlement. Il commença par M^r Molé, & continua jusqu'à M^r de Harlay, aujourd'huy premier president, dont il reprit l'Eloge, en disant que c'estoit l'homme juste, & l'homme de bien. Il fit un Portrait de tout ce qui s'est passé dans la guerre presente, montra jusqu'où alloit la grandeur du Roy, & dit que si on pouvoit le voir dans l'interieur, on le verroit encore plus grand qu'il ne paroist[103].

Éloge de son prédécesseur, qui est en même temps le premier président actuel, éloge du Roi et des choix qu'il fait lorsqu'il nomme les premiers présidents (ce qui est encore faire l'éloge de Harlay), tableau de la grandeur du Roi: on est assez loin de la censure que le nouveau magistrat doit exercer sur le Parlement. Est-ce l'effet des circonstances? La nomination d'un nouveau premier président, la guerre, sa propre accession à la charge de procureur général, autant de causes possibles à la stratégie oratoire de La Briffe. Peut-être doit-il d'abord faire briller son éloquence (par laquelle, au demeurant, Donneau de Visé ne semble guère impressionné). Quoi qu'il en soit, le Premier Président, qui vient luimême de quitter la charge de procureur général, lui donne la réplique:

> M^r le premier President reprit la dernière Campagne, commançant par Monseigneur le Dauphin, qui a repoussé une multitude d'Ennemis. Il parla de la Bataille gagnée par le Duc de Luxembourg [Fleurus], du Combat Naval, dont l'avantage remporté par l'Armée du Roy l'avoit rendu Maistre de la Mer, de l'affaire de Savoye, & il finit en disant qu'ils se devoient estimer heureux d'avoir pû selon leurs fortunes contribuer à la grandeur de Sa Majesté, & au bonheur de l'Estat[104].

Les gens du Roi représentent les intérêts de la couronne. Le premier président est nommé par le Roi, et son autorité n'est, en quelque sorte qu'une commission. Peut-être cela suffit-il à expliquer l'insistante présence de l'éloge, et de l'éloge du Roi en particulier. D'autant plus que le Premier Président chante la collaboration à l'entreprise royale, qui doit faire le bonheur de la France. Mais ces attributions ne sont pas nouvelles. Et tous les orateurs n'ont pas toujours, on le sait, célébré ainsi la grandeur royale, au lieu d'admonester le corps dont ils ont eu la charge.

---

[103] Novembre 1690, p. 272-274.

[104] *Ibid.*, p. 274-275.

Le parti pris du *Mercure* peut amener, naturellement, son rédacteur en chef à ne donner des discours que ce qui entre dans sa perspective. Un discours comportant un éloge du Roi serait alors tronqué, et n'apparaîtrait que le fragment consacré à Louis XIV. Mais Donneau de Visé signale en général ce genre de pratique. Au plus, il déséquilibre l'analyse qu'il fait d'un discours pour donner plus d'importance à l'éloge du Roi, comme c'est le cas pour l'ouverture sur la modération que Talon prononce en 1687[105]. Si ce point de vue de Donneau de Visé et le rôle de propagandiste qu'il a assumé peuvent modifier les proportions des textes qu'il rapporte, il semble qu'il donne une image fidèle, malgré cela, de l'évolution du rituel parlementaire, évolution qu'il signale lui-même à plusieurs reprises. Les circonstances dans lesquelles un discours est prononcé en modifient le caractère, même lorsque ce discours s'inscrit dans un rituel extrêmement fixe et d'une inspiration apparemment contraire à une telle modification. Ainsi, lorsque le fils du nouveau premier président, prenant la parole pour faire l'ouverture, après son père, qui avait «voulu laisser briller M. de Harlay son Fils», évite de se poser en censeur du barreau, il trouve dans l'éloge du Roi l'issue logique. Son discours prend quelque peu l'allure d'un compliment de remerciement:

> M^r de Harlay, . . . Avocat General, prit ensuite la parole, & dit qu'il estoit trop jeune pour parler avec confiance aux Avocats, mais que le Roi avoit bien voulu qu'il fut pourveu de la Charge qu'il avoit l'honneur d'exercer, par une continuation de la bonté que Sa Majesté avoit pour ses Ancestres. Il prit de là occasion de faire l'éloge de ce grand Prince, & marqua plusieurs de ses actions. *Le seul recit qu'il en fit fut suffisant pour le loüer*. Il fit voir que ce vigilant & laborieux Monarque avoit fait dans son cabinet des projets de tout ce que nous voyons executer. Il parla de nouveau de sa jeunesse, qui l'obligeoit à suivre l'exemple des habiles avocats, qui luy fourni roient d'utiles leçons, & sur lesquels il tacheroit de se conformer[106].

On reconnaîtra au passage la manière dont le *Mercure* amplifie lui-même l'éloge du Roi. Le discours est, on le voit, centré sur l'éloge du Roi et sur la situation personnelle de l'orateur: il vient de débuter dans sa charge, il est trop jeune pour exercer la censure... Même si le nouvel avocat général présente son discours comme une exception due à son jeune âge, les autres exemples déjà évoqués montrent que les circonstances influent sur le discours et, plus généralement, que le contexte cérémoniel, générateur de l'éloquence d'apparat, affaiblit la fonction

---

[105] On peut comparer le résumé du *Mercure* (novembre 1687, p. 264 sq.) au texte de Talon, *op. cit.*, p. 469 sq.

[106] *Mercure*, novembre 1691, p. 197-199. Je souligne la phrase caractéristique des commentaires du *Mercure*.

professionnelle et y mêle d'autres aspects, comme la fonction encômiastique.

Il est important de souligner malgré tout que ce mouvement n'est ni total, ni linéaire. Le parlement conserve son identité d'institution «éthique». La mercuriale de la même année présente un caractère parfaitement traditionnel, et l'on comprend qu'il existe une dialectique entre éloge et exhortation morale et professionnelle:

> M. le Premier President fit voir qu'outre toutes les qualitez qui estoient necessaires à un Juge, il falloit qu'il eust de l'humanité & fut bon Chrestien. Il dit que les hommes estoient sujets à de grandes preventions, que l'on en prenoit presque toûjours contre son prochain, & qu'on l'accusoit des dereglemens qu'on avoit souvent soy-même. *Ce discours fut tres-édifiant & digne du caractere de l'Illustre Magistrat qui le prononça*[107].

Le commentaire de Donneau de Visé souligne la différence avec les discours précédents: au lieu de l'évaluation esthétique habituelle, c'est une réussite sur un plan moral et même religieux qui nous est dépeinte. L'effet répond ici au principe de l'institution. Peut-être certains magistrats sont-ils, plus que d'autres, attachés à une conception traditionnelle de la censure parlementaire. Denis Talon, dont le style, nous le verrons, semble particulièrement fidèle aux coutumes de l'éloquence judiciaire, défend une interprétation éthique des discours prononcés dans les cérémonies parlementaires. Dans la [dix-huitième mercuriale][108], Talon apostrophe ses auditeurs:

> MESSIEURS,
>
> Cette religieuse cérémonie qui nous assemble tous en ce lieu, avant que de nous restituer à la fonction de nos charges, ne se renouvelle tous les ans avec une modeste pudeur, que pour faire sur nous-mêmes une revue générale qui puisse tenir lieu de censure pour le passé, et d'avertissement pour l'avenir[109].

Il s'agit apparemment d'une profonde fidélité à une austérité de la robe qui s'exprime chez cet orateur. L'exorde de la mercuriale [19] propose encore, quoiqu'en passant, la même définition de la cérémonie comme une remontrance et une censure portée sur la conduite du corps parlementaire:

---

[107] *Ibid.*, p. 200-201 (mes italiques).

[108] Je conserve, par commodité, la numérotation de l'édition Rives, mais, dans la mesure où celle-ci s'écarte de celle des manuscrits et ne correspond, apparemment, à aucun classement systématique, je mettrai le numéro entre crochets pour rappeler son caractère arbitraire.

[109] Talon, *Œuvres*, II, p. 359.

> MESSIEURS,
>
> Pour profiter des regles de notre devoir, comprises dans les ordonnances dont on vient de faire la lecture, et tirer quelque fruit des remontrances qu'une louable coutume renouvelle de temps en temps en ce lieu, il est important d'examiner deux grandes maximes autant opposées en apparence qu'elles sont unies en effet[110].

Denis Talon oppose en fait la mercuriale aux autres cérémonies, comme une occasion susceptible de rendre la censure plus efficace. L'orateur reconnaît l'incompatibilité de la censure et du discours public:

> Mais comme cet ouvrage demande moins l'éclat et le bruit que le silence et le repos; comme les remontrances publiques sont superflues si l'on n'est disposé à les recevoir, si l'on ne forme en soi-même une généreuse résolution de les mettre en pratique, ce n'est pas dans les grands jours de cérémonies qu'il y faut appliquer le remède. Les assemblées particulières et les mercuriales dont on ne se peut dispenser sans violer l'ordonnance, y sont incomparablement plus propres, et capables d'un tout autre fruit[111].

Talon insiste continuellement sur l'efficacité éthique des discours de censure parlementaire. Le dernier passage fait apparaître la conscience d'une incompatibilité entre censure et cérémonies. Les discours parlementaires perdent leur caractère de remontrances en partie parce qu'ils deviennent des objets de curiosité et d'approbation esthétique pour un public de moins en moins exclusivement professionnel qui les envisage comme les éléments d'une cérémonie dont les caractéristiques se transforment à mesure que l'intérêt qu'elle suscite croît. On pourrait dire pour simplifier que, sans que le sens originel du discours soit totalement occulté, on en vient à l'admirer pour la manière plus ou moins habile dont la censure est formulée au lieu d'y voir un discours purement moral. La résistance d'un Talon aux transformations et sa tendance à stigmatiser ceux qui voudraient sacrifier à l'éclat et à l'éloge le profit éthique et le sens professionnel des procédures qui impliquent la pratique oratoire sont autant de signes de la réalité de l'évolution qu'il souligne en la combattant et qui rejoint les remarques de Donneau de Visé. Et c'est un avocat général attaché aux formes, mais dont l'idéal d'autorité s'allie à la clairvoyance, qui remarque:

> Nous savons combien il est difficile de faire revivre cette louable sévérité et par combien de mollesse ces rigoureux examens se sont changés en des actions de pure cérémonie, et les informations de vie et mœurs, en des panégyriques affectés. Mais il est temps de réformer ces abus; il est temps de réveiller l'ancienne vertu de cet assoupissement où une

[110] *Ibid.*, p. 374.

[111] *Ibid.*, p. 391.

> espèce de léthargie semble l'avoir jetée. Il faut rompre les charmes de la mauvaise coutume: il faut ressusciter dans nos cœurs ces premiers sentiments d'honneur et de courage[112].

Ce que le *Mercure* dit des ducs et pairs et leur réception s'applique, à en croire D. Talon, à la réception de tous les officiers. S'il le regrette, il doit bien le constater. Mais en même temps, il se pose en chantre de la discipline et des pratiques qui ont fait leurs preuves. Lui-même fait bien l'éloge des chanceliers que le Roi choisit, mais dans ce cas, le choix du Roi tient lieu d'examen de vie et mœurs. Et les éloges du Roi qu'il insère dans ses discours sont encore l'occasion de s'exhorter lui-même à remplir son devoir. C'est un curieux mélange de célébration royale et de conscience professionnelle qui achève ainsi l'exaltation de Louis XIV dans l'ouverture aux avocats de 1687:

> Si donc cette pensée est raisonnable, que la grandeur d'un Roi ne se mesure pas tant par le nombre et l'étendue des provinces assujetties à sa domination, que par sa valeur, par sa clémence, et par son équité; le prince qui nous gouverne n'est-il pas la source, le protecteur et le premier mobile de la justice? . . . n'est-ce pas à lui que doit appartenir mieux qu'à aucun autre de ceux qui ont jamais porté le sceptre, et le titre de Louis le Grand, et l'empire de l'univers?
>
> . . . La majesté des souverains désire la même retenue [que l'orateur vient d'exposer à propos d'une coutume persane]; et notre voix s'affoiblissant tous les jours, nous ne saurions lui rendre un hommage plus respectueux que de continuer, tant que nos forces nous le pourront permettre, l'exercice de la charge qu'il nous a confiée, et de lui consacrer ainsi, dans l'action ou dans le repos, et nos paroles, et notre silence, et tous les moments de notre vie[113].

L'Avocat Général prend, on le voit, les intérêts de la couronne très à cœur, comme il se doit; il évoque encore la monarchie universelle, dont Louis le Grand est certainement le plus digne... L'éloge du Roi est une variante de la quadripartition des vertus cardinales (courage, sagesse, justice, modération). L'ouverture dans son ensemble est consacrée à la modération, et Talon énumère en outre la valeur, la clémence (qui se substitue ici, par association antithétique avec la justice, à la prudence) et la justice. Mais c'est finalement en remplissant sa charge parfaitement et fidèlement qu'il s'acquittera le mieux des respects qu'il doit au Roi.

Un Denis Talon prêche une remontée aux sources de la discipline parlementaire pour rendre aux cérémonies, non pas leur éclat, mais leur sens d'antan. En fait, son combat est un combat d'arrière-garde, et l'on

---

112 *Ibid.*, p. 314.

113 *Ibid.*, [24], p. 485-486.

assiste à une mondanisation du discours parlementaire. Peut-on l'attribuer à l'usage qu'en fait un Donneau de Visé et à l'interprétation qu'il tend à donner des pratiques oratoires comme des cérémonies encômiastiques, en particulier vouées à l'exaltation du Roi? Ce serait certainement aller trop loin, et le *Mercure* ne fait qu'accentuer une tendance qui était déjà présente. De toute façon, on voit s'établir une sorte d'équilibre entre la fonction éthique et la fonction encômiastique. On comprendrait mal, d'ailleurs, que toute référence aux obligations de la profession disparût du discours parlementaire. Même un auditoire qui n'est pas fondamentalement «professionnel» (comme les gens qui ont séance au Parlement sans être proprement des magistrats) s'attendra à reconnaître dans le discours les traces de la fonction de remontrance. Mais, tout en développant un thème adapté aux valeurs parlementaires, les orateurs exaltent le Roi (souvent, mais pas obligatoirement, à la fin de leurs discours) et échangent entre eux des louanges sur leurs talents oratoires et leur capacité de magistrats. En 1697, Le Camus termine son ouverture des audiences de la Cour des Aides de la manière suivante:

> Il finit par un Eloge des merveilleuses qualitez du Roy; qui avoit sacrifié ses Victoires & ses Conquestes pour procurer la Paix à l'Europe, & faire joüir ses peuples des avantages qu'ils devoient attendre des effets de sa bonté & de sa justice[114],

tandis que Delpech achève lui aussi, en 1700, son discours par un éloge, mais qui n'est pas celui du Roi:

> Il finit par l'éloge qu'il fit de M. le Premier President, & de Mrs ses Enfans, & fit voir que l'on ne pouvoit trouver de modele plus parfait pour la Magistrature; & que leur profonde erudition, leur application laborieuse, leur zele de la justice, & leur moderation, leur avoit acquis l'estime universelle du public[115].

Tout cela confirme, dans une certaine mesure l'évolution résumée par Donneau de Visé. Les discours parlementaires ont acquis une composante encômiastique importante. Mais l'éloge joue, nous le verrons, un rôle essentiel aussi bien dans l'image que les discours parlementaires offrent des institutions qui les ont produits, que dans la méthode proposée pour arriver à la perfection.

---

[114] *Mercure*, novembre 1697, p. 257.

[115] Novembre 1700, p. 218-219.

## IV. – DU DISCOURS ÉTHIQUE À LA REPRÉSENTATION DE L'INSTITUTION

Premiers présidents et gens du Roi doivent régulièrement affronter un public exigeant, dont une partie est, par profession et par culture, formée aux lois de l'éloquence traditionnelle et dont une autre, chez qui les connaissances rhétoriques techniques peuvent varier, attend cependant des discours qu'elle trouve beaux et un spectacle réussi. L'orateur doit combler les attentes de l'auditoire. Le public parlementaire souhaite entendre développer des valeurs qu'il reconnaît et où il puisse se reconnaître. Mais l'ensemble de l'auditoire veut que le magistrat qui prononce un discours parle comme il le doit dans les circonstances présentes. Même si la perfection technique et les éloges occasionnels peuvent procurer au public un plaisir, l'orateur n'aura pas tout le succès possible, si son discours s'écarte trop des conventions du genre qu'il pratique et qui lui imposent une sorte de contrat tacite. Parlant en tant que membre d'un corps et pour ce corps, en même temps que pour des spectateurs qui n'y appartiennent pas, un représentant du parquet ou un premier président devra proposer, à travers les préceptes, les reproches et les éloges qu'il inclura dans son discours, une image de l'institution qui satisfasse tous ses auditeurs. La composante «éthico-professionnelle» fait ainsi partie des attentes du public. Un discours parlementaire ne serait pas adapté s'il ne présentait pas, sous une forme ou sous une autre, cet aspect.

Éloges, portraits abstraits, mises en garde, tout concourt à élaborer une image du parlementaire, cohérente à travers l'ensemble des discours, et qui implique une forte solidarité du groupe, quelles que puissent être par ailleurs les spécificités professionnelles des avocats ou des magistrats. Je distinguerai trois aspects majeurs qui déterminent l'image de l'institution et de ses membres: l'idéal du parlementaire parfait, la définition parlementaire de l'orateur et le lien que les discours établissent entre la perfection du parlementaire et sa réussite, qu'il ne doit qu'à lui-même. On voit se dessiner dans ce portrait de la réussite une extraordinaire affirmation de soi et du destin d'un groupe social. L'image du parlementaire qui est transmise dans les mercuriales, les ouvertures ou les compliments de rentrée n'est pas celle du représentant d'un groupe abattu, bien au contraire.

### 1. Le parlementaire parfait

Qu'ils fassent l'éloge de personnalités en place, qu'ils représentent les travers de certains magistrats et avocats – le blâme est en fait une pratique relativement limitée, sauf pour certaines catégories dont c'est le lot traditionnel, comme les procureurs, fréquemment dépeints comme des gens intéressés et sans scrupules, et les juges inférieurs – ou qu'ils dressent un portrait abstrait du Magistrat ou de l'Avocat idéal, c'est certainement la construction d'une représentation du parlementaire parfait qui préoccupe le plus les orateurs. Les discours évoquent souvent les qualités nécessaires: «La Probité» (Merc. de Lamoignon, 1691, et discours d'ouv. de Gueritot à la Cour des Aides, la même année); «Le travail continuel des magistrats» (ouv. Aides, de Bignon, avocat général, 1690). On peut aussi se rapporter à certaines affirmations des discours. Par exemple, Pottier de Novion, dans sa mercuriale de Pâques 1679, oppose deux visions de la magistrature, dont la plus haute est précisément celle qu'il veut exposer et qui conduit à la perfection de l'état de parlementaire. Selon l'une, la magistrature est un pesant fardeau;

> si l'on s'éleve davantage, on la regarde comme un état parfait, qui rend ceux qu'elle honore, participans de la plus noble fonction de la Divinité[116].

C'est donc à la définition de cette haute conception de la magistrature que contribuent ceux qui remplissent les fonctions oratoires. Ce qu'on retire des discours, finalement, c'est que les parlementaires, globalement, coïncident avec l'image qui est donnée de leur représentant idéal, ce qui justifie tous les succès qu'ils peuvent obtenir socialement, et autorise tous les espoirs.

### A. *Éloge, blâme et image du parlementaire idéal*

La fréquence des termes *avocat parfait, magistrat parfait* et de leurs variantes témoigne de l'importance de cette élaboration d'une figure du parlementaire idéal. En 1695, par exemple, les ouvertures de la Saint-Martin, aussi bien celle de d'Aguesseau, avocat général, que de Harlay, premier président, sont consacrées aux «qualités nécessaires à l'Avocat parfait». La mercuriale de La Briffe, en 1695, fait un portrait du vrai magistrat. Les vacations elles-mêmes sont présentées comme le moyen d'arriver à la perfection, si l'on en use comme il convient. Du Bois, procureur général de la Cour des Aides, fait en 1680 un discours sur l'usage que les juges doivent faire du temps des vacations. Elles sont, pour lui, comparables aux bornes du cirque,

[116] Avril 1679, p. 236-237.

> où il n'estoit permis de s'arrêter que pour reprendre haleine, & recüeillir de nouvelles forces pour mieux fournir la carriere; [il dit] que c'estoit de ce repos que le Juge retiroit toute sa perfection[117].

La Briffe, dont le «stock» de sujets semble relativement limité, fit encore en 1692 une mercuriale, que le résumé du *Mercure* place exactement dans la perspective de la présentation d'un magistrat parfait:

> M^r le Procureur General y repondit [au discours du Premier Président] avec beaucoup d'éloquence & d'érudition, & fit de tres-beaux portraits, pour representer les Magistrats tels qu'ils doivent estre[118].

C'est encore une expression voisine qui revient dans le résumé que Donneau de Visé fait du discours prononcé par d'Aguesseau en 1698 et que le *Mercure* qualifie de «discours des plus eloquens, qui luy attira l'admiration generale»:

> ... il fit le portrait d'un veritable Magistrat qui content de sa profession en remplissoit tous les devoirs avec tranquillité d'ame & une application continuelle à rendre la justice ... & finit par un bel Eloge de M^r le Premier President qui reunissoit en sa personne & dans toutes ses actions, les rares & sublimes qualitez d'un grand & sçavant Magistrat[119].

Cet hommage mutuel que les différents magistrats se rendent dans leurs discours fait certes partie d'un code de relations entre gens du Roi et premiers magistrats des institutions parlementaires. Mais, en même temps, il fournit régulièrement une sorte de correspondant concret à la présentation du magistrat idéal.

Le Camus incarne le magistrat parfait dans les discours que les gens du Roi prononcent à la Cour des Aides. Bignon, avocat général, achève ainsi son ouverture sur le travail continuel des magistrats par un éloge de Le Camus «qui fuit le repos». En 1693, Delpech, avocat général dans la même cour, prononce un discours sur l'utilité de l'exemple pour les juges qui cherchent à vaincre leurs passions. Tout naturellement, il évoque «l'exemple que M. le Premier President de sa chambre donne aux Juges»[120].

On peut d'ailleurs se demander comment les impératifs de l'exhortation morale pourraient subsister devant l'éloge du corps, lorsque l'on voit que Pottier de Novion assimile explicitement les magistrats réels au magistrat tel qu'il doit être, figure du parlementaire idéal:

---

[117] Décembre 1680, p. 131.

[118] Novembre 1692, p. 319-320.

[119] Novembre 1698, p. 303.

[120] Novembre 1693, p. 292.

> Voilà bien vostre caractere, vous conservez une ame degagée, au milieu d'un travail qui ne finit point, semblables à ces claires fontaines, que l'on ne peut ny tarir, ny troubler.
>
> Vous agissez toûjours d'un mesme esprit. Rien ne vous préocuppe[121].

On remarquera que la comparaison est en quelque sorte canonique, puisque Lamoignon l'employait, mais cette fois négativement, à propos des avocats présomptueux:

> N'espérés point de conseils raisonnables de ces ennemys de l'ordre et de la paix, fuïes ces sources impures, et empoisonnées qui ne feront qu'augmenter en uous une soif ardente de la chicane et uous engager dans des proces immortels[122].

Pottier de Novion poursuit son éloge des juges par une référence à l'Écriture:

> Aussi l'Ecriture remarque que Dieu remplit Moise d'un esprit singulier, lors qu'il le prépara pour juger son Peuple; & c'est sans doute ce mesme esprit qui s'est communiqué depuis à tant de sages Magistrats, qui a porté si loin, & qui augmente tous les jours la réputation de cette auguste Compagnie[123].

De façon tout à fait caractéristique, le seul discours de quelque étendue que Pottier de Novion ait prononcé, et que le *Mercure* ait conservé, conclut à l'excellence du corps des magistrats, en appuyant cette affirmation sur les Écritures. Après avoir représenté les traits qui constituent la perfection de l'état du magistrat, le Premier Président explique complaisamment à ses auditeurs qu'ils correspondent parfaitement au modèle qu'il a élaboré. Mais ce n'est pas seulement Pottier de Novion qui tourne ainsi son discours à l'éloge du corps qu'il dirige. Un partisan du retour à la censure parlementaire comme Denis Talon sacrifie lui aussi à cette obligation. Encore trouve-t-il la solution de présenter la perfection comme la règle et les abus comme des exceptions, au Parlement de Paris:

> Nous savons que cette compagnie est celle de tout le royaume où la justice s'exerce avec plus de désintéressement; elle a le plus religieusement conservé les anciennes maximes de sévérité, qui depuis tant de siècles, l'ont rendue si recommandable, même aux nations étrangères. Nous savons aussi qu'elle ne manque pas encore à présent, de personnes de cette première trempe, autant illustres par leur probité que

---

121 Avril 1679, p. 238.

122 Lamoignon, *Discours*, p. 135.

123 *Mercure*, avril 1679, p. 243. Les références scripturaires joueront un rôle essentiel dans l'éloge des magistrats en province.

> par leur suffisance, ennemies du relâchement, et zélées pour la discipline; mais cet or, tout épuré qu'il est, n'est jamais sans mélange; il s'y glisse toujours, par la complaisance et par l'usage, quelques abus, qui, bien que légers, ne laissent pas de produire des suites trop funestes, pour n'être pas étouffées dans leur berceau, et réprimées dans leur naissance[124].

L'orateur trouve ici une solution relativement harmonieuse pour combiner l'éloge du corps auquel il est tenu et la défense des remontrances auxquelles il croit.

Mais, d'une manière générale, tout portrait du parlementaire idéal est susceptible de trouver une application immédiate. Lorsque l'archevêque de Paris, qui a célébré la messe rouge en 1690, fait, dans son compliment au Parlement de Paris, le portrait d'un magistrat parfait, tout le monde reconnaît Achille de Harlay, récemment nommé premier président:

> Mr l'Archevesque en répondant à ce remerciment avec l'éloquence qui luy est si naturelle, fit l'éloge d'un parfait Magistrat, qui fut reconnu sans peine dans Mr le premier President, élevé aussi par un juste choix du Roy, à la dignité de chef du plus Auguste des Parlemens[125].

La représentation du magistrat idéal trouve son incarnation dans le Premier Président, et les auditeurs n'ont pas besoin des clés sans lesquelles les discours écrits perdent une partie de leur intelligibilité, l'allusion se perdant avec le temps. On le voit, par exemple, dans l'ouverture aux avocats de la Saint-Martin 1700, sur la sagesse, où Joly de Fleury peut se contenter d'un démonstratif, alors que le manuscrit ajoute des notes marginales:

> L'exemple de ces deux hommes qui par deux routes differentes se sont rendus celebres dans vôtre État doit vous exciter encore. (Note marg. Me Lasnon, sçavant dans la coutume de Normandie. Me Erard)[126].

Ce texte se poursuit par un éloge de d'Aguesseau qui vient d'être nommé procureur général, et l'allusion est, de la même manière, précisée par une note. Le discours de Joly de Fleury reproduit ainsi au niveau des avocats la structure que les mercuriales et les discours plutôt adressés aux magistrats établissent pour ceux-ci: à la représentation de l'avocat idéal correspondent des individus réels. Cela confirme que, de la même manière que les discours élaborent une représentation du magistrat parfait, ils en construisent une de l'avocat parfait. Les valeurs

---

124 Denis Talon, *Œuvres*, [19], p. 385-386.

125 *Mercure*, novembre 1690, p. 267.

126 Joly de Fleury, f° 85 r°-v°. Érard avait complimenté Harlay au nom du Barreau, lorsque celui-ci était devenu premier président. cf. *supra*, n. 19.

sont d'ailleurs communes aux deux, à travers les notions de sage et d'orateur.

La convergence des deux figures, celle de l'avocat et celle du magistrat parfaits, souligne la cohérence des valeurs et de la représentation du parfait homme de robe, qui sont partagées par les différentes institutions parlementaires, et, dans une large mesure, par les diverses professions qui s'y côtoient. Outre les deux ouvertures de 1695, celle de d'Aguesseau et celle du Premier Président, sur «les qualités nécessaires à un Avocat parfait», on trouve en 1698 une ouverture de Portail sur «la bienseance que les Avocats doivent avoir dans leur profession», c'est-à-dire un aspect du parfait avocat. La manière dont le compte rendu est formulé fait intervenir la notion de perfection:

> Il fit voir aux Avocats l'importance de leurs emplois, leur independance & les avantages qu'ils y rencontroient. Il entra dans l'examen de toutes les parties necessaires pour parvenir à la perfection, & fit une peinture des vices & des deffauts qu'ils devoient éviter[127].

Le rapprochement entre la magistrature et le barreau est explicitement fait par d'Aguesseau, qui chante la grandeur de la profession d'avocat dans son ouverture de 1693:

> [il dit que] leur Ordre estoit aussi ancien que la Magistrature, aussi noble que la vertu & qu'ils partageoient l'exercice de la justice; que leur profession estoit éclatante; & qu'en remplissant leurs devoirs avec honneur, & en s'attachant à la vertu, ils jouissoient de cette liberté qui les rendoient indépendans de leurs passions[128].

Éclat, ancienneté, vertu: la profession des avocats a les mêmes caractéristiques que la magistrature. En fait, l'idée d'un commun exercice de la justice est importante. Faire la censure des avocats est essentiel, même si cette censure est fondée sur l'affirmation de leur grandeur, parce que le barreau est une pépinière de magistrats. C'est ce qu'on voit bien dans la mercuriale [18] de Talon. L'Avocat Général y trace l'itinéraire d'un mauvais parlementaire, du barreau à la judicature. La profession d'avocat n'est qu'une étape vers la magistrature:

> Bien donc que ces défauts regardent seulement ceux à qui l'autorité et le crédit ont frayé le chemin de ces désordres, on ne doit pas espérer plus de secours et de fermeté de ceux qui n'ayant qu'une légère teinture du droit civil, moins encore de lumières dans la jurisprudence française, se trouvent revêtus de l'éclat de la pourpre, mais privés des qualités requises d'un magistrat. Au lieu de cinq ou de trois ans d'étude; au lieu des examens sévères et des rigoureuses épreuves qui

---

[127] *Mercure*, novembre 1698, p. 294-295.

[128] Novembre 1693, p. 303-304.

> se pratiquent dans toutes les autres conditions, nous voulons que des jeunes gens prennent des licences au sortir du collège et prêtent le serment d'avocat, non pour en faire la fonction, mais pour retenir le double d'un matricule, ensuite passer dans les charges et être adoptés dans cet auguste sénat, sans avoir ni paru sur les rangs, ni fréquenté le barreau, ni employé leur temps qu'en bonne chère, qu'en jeux, qu'en promenades, qu'en voyages et autres semblables divertissements[129].

Les avocats et les magistrats partagent en quelque sorte le blâme. Mauvais magistrats et mauvais avocats sont une seule et même chose, l'un n'étant que le devenir de l'autre. Ce blâme qui recouvre aussi bien la mauvaise formation des avocats que l'impréparation des juges, montre en même temps la communauté de l'idéal qui leur est proposé et sur lequel ils doivent se modeler – et qui est le propre de la robe, dont certains membres l'ont déjà atteint.

De fait, blâmer les parlementaires, tracer le portrait des abus revient encore à proposer en creux l'image de la perfection. Ainsi, lorsque d'Aguesseau, premier avocat général, fait, en 1699, un discours aux avocats pour l'ouverture des audiences, il établit un parallèle entre l'état brillant du barreau tel qu'il avait été et la décadence qu'il connaissait alors. Ce genre d'exercice pose précisément un état parfait, par rapport auquel l'état actuel serait en défaut. D'Aguesseau expliqua que le barreau semblait ne plus être que

> l'ombre de ce qu'il avoit esté autrefois, que l'ignorance avoit pris la place de l'érudition, la mollesse, & la negligence, celle de la science & de l'application: que les grands hommes mouroient et qu'il n'en renaissoit point d'autres[130].

Tout en affirmant le déclin du barreau, l'orateur prend soin d'en donner une image favorable, rejetée dans un âge d'or passé, mais proposée comme la perfection à laquelle les avocats doivent aspirer, et qui est l'essence de leur profession. La remontrance et la censure jouent ainsi un rôle fondamental dans l'élaboration et la transmission de l'image de l'institution. Tout vice aperçu est de plus comme la promesse d'une transformation radicale. On trouve chez Talon une théorie du renversement total, dans la conversion, qui renforce cette impression. La stagnation, dans le domaine de la vertu, est, nous dit l'Avocat Général en s'appuyant sur une formule sentencieuse, un recul aux conséquences dangereuses, alors que le vice ouvert peut toujours amener à une conversion complète:

---

129 Talon [18] p. 364-365.

130 *Mercure*, novembre 1699, p. 207.

> une maxime constante [est] que, dans le chemin de la gloire, c'est reculer que de ne pas avancer. Le sage doit être toujours content de sa fortune, mais jamais des soins qu'il donne à son devoir, persuadé que tout ce qu'il fait n'est rien en comparaison de ce qui lui reste à faire. Une pensée contraire à celle-là le réduiroit dans un état plus funeste que n'est celui des plus relâchés et des plus libertins. Ceux-là au moins, s'ils sont dans le désordre ont le reproche de leur conscience, la honte de vivre dans l'infamie, le désir de la réputation, et l'exemple des gens de bien, qui, de temps en temps, réveillent de telle sorte les semences de vertu restées dans leur âme, qu'assez souvent on les voit passer à une extrêmité contraire, et devenir autant recommandables par l'éclat de leur bonne conduite, qu'ils s'étoient rendus méprisables par leurs égarements et par leur chute[131].

De même que ces libertins endurcis ont plus de chance de passer d'un extrême à l'autre que des sages trop tièdes dans leur persévérance, on pourrait dire que le portrait du mauvais avocat ou du magistrat qui remplit mal son devoir est toujours évocateur de sa face positive. Si tel avocat ou tel magistrat s'écarte du droit chemin, l'Avocat et le Juge sont des êtres parfaits. De ce fait, les orateurs peuvent, presque indifféremment, peindre le magistrat parfait, faire le portrait des magistrats qui s'écartent du modèle et faire l'éloge des magistrats en place.

Comme les valeurs, les stratégies sont communes à la Cour des Aides et au Parlement. Gueritot propose ainsi en 1698 des «portraits de Magistrats qui se deshonoroient & deshonoroient leur famille» et ceux des «Magistrats heureux par leur genie aisé, sages, vertueux, mais paresseux, à qui leur raison servoit de loy et d'usage»[132]. Mais c'est parfois tout le discours qui, énumérant les abus et les vices, trace du même coup en creux la représentation de ce qu'est le vrai magistrat, digne de porter ce nom et d'être reconnu par ses pairs. Le Camus développe ainsi le négatif du parfait magistrat, qui implique logiquement le positif:

> ... il fit voir ... que comme l'homme estoit un veritable Tableau d'irresolutions, un Magistrat ne pouvoit trop s'appliquer à l'examen des engagemens de sa Profession; qu'il ne pouvoit y rëussir que par de profondes meditations, en réparant les fausses apparences, en cherchant la verité, en s'attachant à la vertu, & en se cachant pour ainsi dire, pour se mieux connoistre, faisant attention sur la foiblesse du cœur susceptible & en état d'estre forcé par ce nombre infini de passions qui l'attaquoient avec tant d'avantage, que dans cette étude on tomboit dans des erreurs, & on commettoit des injustices irreparables, qui entraînent par les delices flateuses de la prevention & de la presomption; que donnant dans des opinions chimeriques, un Juge tomboit dans des égaremens préjudiciables à sa propre reputation, & aux interests de ceux dont ils

---

[131] Talon, [19], p. 383-384.

[132] *Mercure*, novembre 1698, p. 269-270.

> estoient les Arbitres; que s'arrestant à des visions fastueuses, que l'on prenoit pour des veritez, toûjours dans l'ignorance, dans l'inapplication & dans la negligence, il ne falloit pas s'étonner si l'on n'avoit pas toute la consideration que l'on devoit avoir pour leurs personnes; & pour la dignité de leurs Emplois. Il fit ensuite le portrait des jeunes Magistrats, qui remplis des bonnes opinions qu'ils avoient seuls de leurs personnes, ne prenoient conseil que de leurs passions mal reglées sans faire des reflexions sur toutes les parties nécessaires pour rendre la justice & sur leur incapacité, qui ne leur faisoit douter de rien, tandis qu'ils devoient douter de tout. Il ajoûta que dans un âge plus avancé ils continuoient dans les mêmes habitudes, ils restoient dans l'impossiblité de pouvoir se corriger; que si par hasard ils passoient dans un rang plus élevé, les dignitez & les honneurs leur attiroient du mépris & de la confusion; que comme les passions agissoient avec plus d'<é>tenduë, à mesure que l'on avançoit en âge, on n'estoit plus le maistre de les terrasser[133].

Peut-être les magistats se reconnaissaient-ils dans ces portraits que les gens du Roi ou les premiers présidents dessinaient ainsi. Mais ici, pas de clefs, pas de doigt pointé. Si on les connaît, on ne les nomme pas. C'est que, clairement, ils ne correspondent pas à l'image qu'on veut donner du parlement. Ils ne sont là que comme repoussoirs pour faire briller, par contrecoup, l'honneur et la gloire du barreau et de la magistrature bien entendus. Et que ceux qui ne se conforment pas encore à cette image se réforment, ou soient ignorés! C'est ainsi que les orateurs, qui n'ont pas de reproches assez vifs pour les procureurs, dans les péroraisons des ouvertures (très couramment marquées par un «Quant aux procureurs» initial), n'ont pas assez de gloire à promettre aux magistrats et aux avocats parfaits. Talon leur promet, dans une péroraison:

> La fin de vos jours ne sera pas non plus le terme de vostre gloire: l'éclat de tant d'immortelles actions ne s'ensevelira pas dans l'oubli; vous vivrez encore dans la bouche des nations et dans la mémoire des siècles à venir[134].

Et, malgré l'énumération d'abus qui se commettent et auxquels il faudrait porter remède, c'est un chant à la gloire du Parlement de Paris que l'orateur entonne dans une autre péroraison:

> Ces règles et ces opinions ne trouvent pas moins leur application dans la justice que dans la religion, et vous les pratiquez, Messieurs, tous les jours avec tant de succès dans le soin que vous prenez de faire observer sans équivoque et sans dissimulations les anciennes et nouvelles

---

[133] Novembre 1697, p. 251-255.

[134] Talon, *Œuvres*, [16] p. 331.

> ordonnances, que nous n'avons pas besoin d'exemples étrangers pour former l'idée d'un magistrat accompli[135].

Quel portrait les discours ne tracent-ils pas du parlementaire parfait! Quelle combinaison de vertus et quel catalogue d'exigences! La probité, la justice, la magnanimité, la sagesse, la modération: à la base, naturellement les quatre vertus cardinales ou leurs variantes. Mais aussi l'érudition et le travail. Tout cela, naturellement, soutenu par la droiture d'esprit et la religion. Une égale attention aux pauvres et aux riches, aux faibles et aux puissants prouvera que l'on a bien compris l'essence de l'autorité du magistrat, qui place toujours l'intérêt d'autrui devant le sien propre, et qui se consacre au bien public. Quelques titres de discours suffisent ainsi à ébaucher le caractère moral du parlementaire parfait: «L'Autorité du magistrat», «La Probité»... Mais nous verrons qu'il faut, à toutes ces qualités, ajouter un élément essentiel: l'éloquence, et toutes les déterminations qui l'accompagnent.

Mais que d'obstacles sur la voie de la perfection! La présomption et la prévention sont deux écueils majeurs. Qu'il est difficile de rendre la justice quand l'intérêt personnel ou les sollicitations vous assaillent! Que l'ambition est dangereuse et la flatterie, surtout, pernicieuse, elle qui empêche de faire réflexion sur ses erreurs et ses défauts! Que de désordres ne doit-on pas déplorer lorsque la jalousie et l'envie prennent la place de l'émulation et de l'imitation! La paresse se transforme en une agitation turbulente, la mollesse dégénère en opiniâtreté dure et inflexible, l'ignorance paisible et voluptueuse risque toujours de prendre la place de l'étude et de la science... L'effondrement de la justice tout entière est en germe dans les moindres écarts. Comment naviguer avec tous ces écueils sur le chemin?[136] Pour les éviter, gens du Roi et premiers présidents offrent leurs conseils d'autant plus libéralement que, comme le note Talon, qui se comprend dans le corps parlementaire: «nos chutes . . . ne sont d'ordinaires ny frequentes ny mortelles»[137]. N'avait-il pas déjà affirmé avec indulgence: «l'on doit compter entre les gens de bien ceux dont les fautes ne sont ni frequentes ni mortelles»?[138] Mais surtout, les parlementaires se voient présenter une méthode, que l'on pourrait résumer par le sujet de l'ouverture aux avocats que Harlay prononça en 1696: l'émulation[139].

---

[135] *Ibid.*, [15] p. 307.

[136] La comparaison du magistrat ou de l'avocat avec un pilote de navire est extrêmement fréquente. Voir *infra* p. 392 sq.

[137] Mercuriale de 1688, ms.frs. 21148, f° 44.

[138] Ouv. 1687, [24] p. 472-473.

[139] C'est aussi le titre des ouvertures des deux Lamoignon à la Saint-Martin 1674.

## B. *L'exemple*

### a) *L'éloge justifié*

Si les discours présentent les devoirs et les qualités des parlementaires parfaits, c'est par le biais de l'imitation que leur acquisition et leur développement sont le plus faciles et le plus fructueux. En insistant sur la valeur et la force d'entraînement de l'exemple, et en exhortant magistrats et avocats à se choisir des modèles, ceux qui ont la charge d'instruire et de reprendre les membres du parlement justifient, implicitement ou explicitement, la place accordée à l'éloge dans les ouvertures aux avocats et dans les mercuriales. En prônant l'imitation, on se met à couvert du reproche de louer pour louer, on justifie sa démarche par l'utilité que les auditeurs peuvent retirer du discours. L'utilité de l'exemple est, de fait, une composante traditionnelle de l'éloquence encômiastique, et les auteurs d'inspiration moraliste et religieuse y font souvent référence. Fénelon, par exemple, affirme, dans son premier dialogue sur l'éloquence:

> Il ne faut parler que pour instruire: il ne faut louer un Heros que pour apprendre ses vertus aux peuples, que pour les exciter à les imiter: que pour montrer que la gloire et la vertu sont inséparables[140].

Ce genre d'affirmation s'inscrit dans le débat sur la vraie éloquence, qui oppose les éléments décoratifs de la rhétorique aux exigences d'instruction morale et religieuse[141]. Lorsqu'il loue un magistrat, celui qui parle procure à celui qu'il présente ainsi avantageusement le plaisir de l'encens; il peut mettre en œuvre son talent oratoire, tout en se protégeant des critiques qu'on pourrait lui faire de sacrifier au plaisir de la virtuosité rhétorique et à la pratique de l'éloge pour l'éloge. La définition de l'éloge comme position d'exemple l'exonère. Inversement, l'insistance théorique sur le caractère fondamental de l'exemple implique qu'on en propose aux auditeurs...

Les discours prononcés à l'occasion de l'enretgistrement des lettres de provision illustrent parfaitement l'utilisation de la notion d'exemple comme justification de l'éloge. J'ai eu l'occasion d'évoquer l'exorde du discours que Talon prononça à la présentation des lettres de Boucherat[142]. Mais une telle justification apparaît comme un véritable lieu de

---

[140] *Dialogues de l'éloquence*, *op. cit.*, p. 127.

[141] Voir, par exemple, un rapide résumé de cette question dans P. Zoberman, «Éloquence et communication: la question de la vraie éloquence en France à la fin du XVII<sup>e</sup> et au début du XVIII<sup>e</sup> s.», *Actes du XI<sup>e</sup> congrès de l'Association Guillaume Budé* (Paris: Les Belles-Lettres, 1985), II, p. 164-165.

[142] Cf. *supra*, p. 361 et n. 91.

l'exorde de ce genre de discours. Voici par exemple l'analyse que le *Mercure* fait du discours d'Enjorant, avocat général au Grand Conseil, toujours à l'occasion des lettres de Boucherat:

> [il dit] que c'estoit le propre de la Justice d'estre satisfaite d'elle-mesme, & que Mr le Chancelier estant au dessus des Eloges, il luy importoit peu d'en recevoir, puisque sa gloire estoit trop bien établie pour tirer aucun éclat des loüanges qu'on luy pourroit donner; mais que si elles ne pouvoient rien ajoûter à sa gloire, on ne devoit pas laisser de faire le détail de ses Vertus, parce qu'il seroit utile au public, & pourroit servir d'exemple à plusieurs[143].

On reconnaît là un mécanisme voisin de celui de la prétérition. L'éloge est inutile à celui qui en fait l'objet; il choquerait sa modestie; on le fera cependant, parce qu'il pourrait servir de modèle... Joly de Fleury ne s'écarte guère de cette ligne de justification lorsqu'il présente au Parlement les lettres de Pontchartrain, en 1700. Après avoir remarqué que les accclamations générales qui avaient accompagné la nomination du nouveau chancelier trouvaient leur suite dans toutes les louanges qu'il recevait, l'orateur poursuit:

> Mais ces loüanges qui n'ont ordinairement pour objet que de plaire à un seul homme; cet encens qui n'est qu'une vapeur agreable adressée à un seul autel, ne sçaurions-nous les rendre utiles pour nous-mesmes, ne nous sera-t-il pas permis de songer moins à faire un éloge pompeux, qu'à nous proposer un grand exemple?[144]

Tout éloge est ainsi potentiellement un exemple et, de ce fait, il trouve logiquement sa place dans le discours parlementaire, même lorsque la fonction éthico-professionnelle de ce discours est clairement affirmée par celui qui le prononce.

Les ouvertures et les mercuriales qui dressent le portrait du parlementaire parfait formulent, logiquement, une théorie de l'exemple comme moyen de se rapprocher de l'idéal décrit. La mercuriale [16] de Talon, intitulée «Un Juge ne doit point obéir à ses sens; il doit allier la sévérité et la clémence, selon les occasions», foisonne en réflexions sur l'émulation et la vertu des exemples et en exhortations à se choisir de bons modèles. Le discours met à plusieurs reprises en lumière la valeur des exemples. Il faut, dit Talon, se «proposer les exemples les plus rares et les plus sublimes»:

> rien n'est plus difficile à corriger que les mauvaises habitudes contractées pour s'être arrêté à des patrons defectueux; mais lorsque nous tra-

---

143 *Mercure*, mars 1686, p. 262-263.

144 Joly de Fleury, f° 106 r°.

> vaillons sur d'excellents originaux, nos fautes même servent à redresser notre imagination égarée et à nous rendre plus parfaits[145].

Les exemples ont ainsi une force déterminante, et constituent donc un thème particulièrement adapté à des occasions que l'Avocat Général définit comme des «jours consacrés au renouvellement de la première rigueur et de l'ancienne discipline»[146]. Le discours pose en quelque sorte que son efficacité n'est pas directe, en soulignant la toute-puissance de l'exemple et en offrant, à l'occasion, quelques modèles à suivre. Après avoir remarqué que «l'exemple a sur nous plus de force que la raison», Talon note:

> l'imitation qui paroît d'abord une espece de servitude, devient dans la suite une émulation glorieuse, et, comme la vigne appuyée sur un tronc, élève ses pampres plus haut que les branches de l'arbre qui la soutient, il arrive aussi très-souvent que, suivant les traces de nos guides, nous les devancions dans la course, et la poussons plus loin[147].

Bel espoir offert aux magistrats, de surpasser les modèles prestigieux qu'on leur propose!

De toute façon, même si l'on ne surpasse pas son modèle, suivre la bonne voie est toujours louable, à en juger d'après l'ouverture que d'Aguesseau, moins optimiste que Talon sur les résultats, prononce en 1693:

> [il dit] que s'il y avoit de la gloire à pouvoir parvenir au premier degré, il y en avoit aussi à suivre quoy que de loin les traces de ces premiers[148].

De façon caractéristique, d'Aguesseau n'a pas plus tôt fini de parler que le Premier Président, qui lui succède, fait son éloge. Naturellement, «il le proposa ensuite pour modele aux Magistrats & aux Avocats»[149]. On remarquera que, si l'idéal du parlementaire n'offre que peu de différence selon qu'on s'adresse aux avocats ou aux magistrats, les exemples qu'on leur propose leur sont également communs. Il est vrai que l'avocat général est traditionnellement considéré comme le chef du barreau.

Les exemples apparaissent, au même titre que les «maximes», comme des composantes du message que le discours doit transmettre. Achille de Harlay prononce ainsi en 1698 une mercuriale doublement réussie, puisque non seulement il se fait admirer, mais encore il persuade:

---

145 Talon, *Œuvres*, II, p. 308.

146 *Ibid.*, p. 309.

147 *Ibid.*, p. 309-310. On remarquera la parenté de cette comparaison avec celles qui servent d'arguments aux Modernes pour affirmer la supériorité des auteurs contemporains sur les Anciens. Rien ne laisse supposer, pourtant, que Talon soit un Moderne!

148 *Mercure*, novembre 1693, p. 305-306.

149 *Ibid.*, p. 312.

> Il parla sur le même sujet [l'amour qu'on doit avoir pour la profession qu'on embrasse, et surtout pour celle de magistrat], avec une elévation & une éloquence des plus vives. Chacun admira la force & la pureté de son discours, & demeura persuadé tant son raisonnement eut de poids, de la necessité où l'on devoit estre de suivre les exemples & les Maximes qu'il proposa pour acquerir la perfection necessaire au Magistrat dans tout ce qui dépend de ses fonctions[150].

Le passage est extrêmement significatif. La réussite de l'orateur y est définie par deux critères, l'admiration et la persuasion. L'admiration se fonde sur une évaluation «rhétorique» de la mercuriale («la force et la pureté de son discours»). Mais le discours est encore décrit en termes d'efficacité instructive («persuadé»). Maximes (ce que Denis Talon appelait la «raison») et exemples sont mis sur le même plan. Mais il est clair, dans l'ensemble des textes émanant du parlement, que l'exemple est privilégié, l'émulation étant la méthode pour mettre en pratique les maximes proposées.

L'identité fonctionnelle que j'ai déjà définie entre les discours du Parlement et ceux de la Cour des Aides est encore perceptible sur ce point. Pour l'avocat général Delpech, porte-parole des gens du Roi en 1693, la difficulté que tout homme éprouve à vaincre ses passions est telle que l'exemple est seul capable de l'amener à bon port, avec cette contrepartie que le mauvais exemple a autant d'efficacité, si l'on peut dire, que le bon, et que l'essentiel est de bien faire son choix:

> [Il dit que] tous les hommes veulent travailler à acquérir de la belle gloire, & à vaincre leurs passions, mais que rien n'est plus difficile; que l'exemple est ce qui peut le plus en cette occasion, & qu'il ne peut jamais manquer de produire de bons effets, puisque si l'on n'acquiert pas la perfection de ceux qu'on s'est proposé de surpasser, on peut parvenir jusqu'à les imiter; que rien n'anime davantage que l'exemple, mais que si le bon exemple excite à bien-faire, le méchant peut produire un contraire effet, & que le cœur foible & corrompu s'en laisse seduire tres facilement[151].

On retrouve ici tous les éléments de la «théorie de l'exemple» déjà rencontrés chez Talon, d'Aguesseau ou Harlay. C'est dans ce même discours que Delpech fait se succéder une série d'exemples, qui ramènent finalement à sa situation propre: il fait le portrait du Roi, qu'il donne en exemple; il évoque l'exemple que le premier président de sa chambre donne aux juges, l'exemple que les juges se donnent à eux-mêmes. Finalement, Delpech rappelle «qu'il en avoit un beau devant les yeux, qu'il s'efforçeroit de suivre, & qui estoit celuy de Mr Bignon, dont il

---

[150] *Mercure*, novembre 1698, p. 305.

[151] Novembre 1693, p. 295-296.

possedoit la charge»[152]. On a ainsi affaire à une gradation décroissante qui part de l'élément le plus important, pour revenir sur l'orateur. Le Roi apparaît de la sorte comme l'«archi-exemple». Tout en rappelant l'autorité des magistrats, Delpech la subordonne au Roi, premier exemble, modèle initial. Sans m'attarder ici sur la place qu'occupe le modèle royal dans les discours parlementaires, je voudrais souligner pour le moment la manière dont les premiers présidents et les gens du Roi se désignent les uns les autres pour modèles aux magistrats et aux avocats.

Des Haguais fait du Premier Président un exemple implicite en 1686:

> C'est un grand pas pour arriver à la gloire du juste que d'avoir cette pureté de cœur qui vient de vous être représentée, et qui ne l'étoit pas moins par les mœurs de celui qui parloit que par son discours[153].

On reconnaît ici la transcription de l'impératif formulé par les traités et manuels de rhétorique, concernant le caractère de l'orateur. Si le bon orateur doit, d'après la théorie, entraîner l'adhésion par la perfection morale de sa conduite, il est logique que Des Haguais, qui veut louer Le Camus, pose en principe la perfection morale du Premier Président. Le renvoi à l'exemple de l'orateur qui a précédé, ou, plus généralement, le fait, pour les gens du Roi et les premiers présidents, de se présenter mutuellement comme des exemples à imiter, est une pratique constante. Ainsi, en 1698, après un discours de Portail sur la bienséance nécessaire aux avocats dans leurs discours, Harlay fait l'ouverture sur le même sujet. Il y insère l'éloge de Portail ainsi que des deux autres avocats généraux. Ceux-ci, à la différence des Anciens qui s'étaient contentés d'exhorter les hommes à la bienséance, en ont donné, d'après le Premier Président, les principes à la fois par leurs discours et par leur exemple. De la même manière, l'année suivante, Le Camus s'adresse aux gens du Roi, et fait l'éloge

> de leur suffisance, de leur aplication, de leur capacité, de l'attention & de l'amour qu'ils avoient pour la justice & pour l'expedition des affaires du public & les proposa pour exemples[154].

A la nécessité théorique de choisir des exemples correspondent des éloges concrets. Il est ainsi rare qu'un discours ne comprenne pas, outre l'exhortation à se chercher de bons exemples, un ou plusieurs modèles plus ou moins proches des parlementaires. De façon caractéristique,

[152] *Ibid.*, p. 296-297.

[153] Joly de Fleury 2359, f° 15 r°.

[154] Novembre 1699, p. 191.

Joly de Fleury fait se succéder, dans son ouverture de 1700, l'élaboration d'un modèle abstrait, doté de toutes les qualités du parfait avocat, et la présentation d'exemples concrets. C'est alors qu'il fait l'éloge de deux avocats, Lasnon et Erard, éloge que j'ai déjà évoqué:

> Est-il un merite plus brillant que celuy d'un homme si accomply? Solidité d'esprit, bonté de cœur, employ utile de ces lumieres, exactitude à remplir les devoirs de la religion et de la Vie Civile: tant de vertus ne doivent-elles pas exciter vôtre zele, que leur éclat vous anime, achevés son éloge par vôtre conduite, et qu'un si rare modele trouve parmy nous des imitateurs. . . .
>
> L'exemple de deux hommes qui par deux routes différentes se sont rendus celebres dans vôtre État doit vous exciter encore plus[155].

Et Joly de Fleury lui-même a ses exemples à suivre. D'Aguesseau venant d'être nommé procureur général, l'orateur est devenu premier avocat général. Il s'engage à imiter l'homme auquel il succède:

> Le choix, que vient de faire le plus éclairé de tous les Roys, sera l'oracle qui vous enseignera où reside une sagesse qui reunit toutes les qualitez de l'orateur; nous tacherons, comme vous, de suivre, quoy que de loin, celuy dont nous devons tenir la place, et d'imiter un merite à qui nous devons l'augmentation de notre dignité[156].

Chacun des exemples que j'ai évoqués est saturé des valeurs du parlement: caractérisation éthique, mérite, etc., s'associent dans un réseau serré. La «doctrine de l'exemple» n'est pas séparable des valeurs parlementaires.

b) *Le Roi, exemple privilégié et paradoxal*

La problématique de l'exemple et du modèle trouve un point focal dans l'éloge royal. Pour Delpech, qui dressait une sorte d'échelle décroissante des exemples, le Roi était le premier élément. En 1686, déjà, Louis le Grand avait été proposé en exemple par Des Haguais, à travers un enthymème:

> Que si les souverains même envoyent au bout de l'univers prendre des leçons d'un si grand Maistre, que ne doivent point faire pour l'imiter les Magistrats, qui tiennent de lui tout ce qu'ils ont de puissance[157].

---

[155] Joly de Fleury, 85 r°-v°.

[156] *Ibid.*, f° 86 r°.

[157] Ms. Joly de Fleury, f° 15 v° (mes italiques). On notera la transformation que le *Mercure* effectue en supprimant le rapport d'imitation entre le Roi et les magistrats (Donneau de Visé souligne cependant qu'il ne fait que donner une idée du discours que l'orateur n'a pas voulu communiquer):

L'ambassade du Siam est un thème d'éloge fréquent: le *Mercure* y a consacré une série de numéros spéciaux, et l'Académie française le prix de poésie de 1689. Mais l'éloge est ici intégré dans la perspective parlementaire, qui transforme tout éloge en maillon dans la chaîne des exemples qui sont autant d'échelons vers la perfection. Le Roi se situe, naturellement, en haut de l'échelle.

La diffusion de l'éloge royal dans les discours de toutes les institutions rencontre, au parlement, une problématique qui permet de l'intégrer à l'exigence éthico-professionnelle qui en caractérise les pratiques oratoires. Toute vertu prêchée aux auditeurs est assortie de modèles dont le plus fréquent est le Roi, qui réunit les archétypes de toutes les vertus. En 1693, par exemple, La Briffe prononce une mercuriale sur «la droiture d'esprit que doivent avoir les juges». Il évoque tout naturellement «la droiture d'esprit du Roi qu'il donna en exemple»[158]. Talon lui-même fait souvent culminer ses discours sur la présentation de l'exemple du Roi, comme dans le passage suivant:

> ... et quand même on remarqueroit quelqu'ombre de relâchement ou de tiédeur en quelqu'un des membres de ce corps, l'exemple d'un prince qui met toute sa gloire à faire régner la justice, suffiroit pour réveiller cette vertu languissante[159].

On pourrait dire que les orateurs du parlement retrouvent ici l'affirmation du *Mercure*, que tout éloge de vertu est par principe éloge du Roi, dans la mesure où le Roi les réunit toutes en lui. Mais l'exaltation de Louis XIV se présente le plus souvent comme le plus grand exemple que l'orateur puisse donner à ses auditeurs de la vertu qu'il est en train de traiter. Ceux-ci sont alors invités à imiter le modèle royal, afin de parvenir à la perfection.

Mais l'éloge du Roi est en même temps le point où la pratique des «excursus encômiastiques» risque de perdre sa justification éthique. Tout en constituant le sommet de la hiérarchie des modèles, le Roi marque en même temps le point où l'éloge déborde hors de la problé-

---

> Il dit que les Rois pouvoient apprendre des Princes leurs voisins le malheureux art de se faire craindre, mais qu'il falloit qu'ils fissent traverser les Mers pour apprendre à se faire aimer de leurs Sujets, en imitant le Monarque qui renonçoit à ses propres interests, quand il s'agissoit de favoriser ses Peuples, qui donnoit à leur repos ses soins & ses veilles avec une application infatigable, & qui s'attiroit leur veneration & leur respect, bien moins par une Souveraineté de puissance, que par une superiorité de vertu. Il finit par un éloge de feu Mr de Monchal... (Novembre 1686, p.263-265)

La notion d'imitation apparaît toujours, mais elle est réservée aux rois qui peuvent apprendre à règner sur le modèle de Louis le Grand.

[158] *Mercure*, novembre 1693, p. 316.

[159] Talon [16], p. 330.

matique de l'émulation éthique et retrouve une autonomie de fonction. Cela ne veut pas dire que le parlement ne loue pas le Roi sur des points qui le concernent aussi; mais le lien avec la position d'exemple se distend. Faut-il voir là un signe des temps? Lorsque Talon fait du Roi le siège archétypal de la modération, il est entraîné dans un éloge qui est à lui-même sa propre justification. Après avoir donné l'exemple de Condé pour prouver que la modération qu'il prône n'a «rien de bas ou de rampant»[160], Talon passe à un degré supérieur et, s'il finit par revenir à la notion de devoir, en suggèrant, au bout de deux pages, que son silence et son travail seront la meilleure marque de son respect, il a, entre temps, laissé libre cours à sa veine encômiastique:

> Mais s'il nous estoit permis de passer plus avant, quelle modération égale à celle de notre auguste monarque? . . . [il] a donné la paix à l'Europe.
>
> . . . Sans entrer dans le détail de tout ce qu'il a fait en faveur de la religion, ainsi que pour bannir l'hérésie, n'a-t-il pas mêlé les bienfaits à la juste sévérité de ses édits?
>
> . . . En même temps qu'il oppose un mur d'airain aux nouvelles opinions des docteurs et aux entreprises des officiers de la cour de Rome, il ne s'écarte point de la déférence et du respect que les Chrétiens doivent au saint-Siège.

L'Avocat Général évoque l'affaire de la régale, passe à la modestie du Roi, qui refuse les entrées solennelles au retour de ses campagnes, en arrive à la sagesse de Louis le Grand, pour affirmer la légitimité de son ambition de monarchie universelle: «n'est-ce pas à lui que doit appartenir mieux qu'à aucun autre de ceux qui ont jamais porté le sceptre et le titre de Louis le Grand, et l'empire de l'univers?»[161] S'il est vrai que le Parlement gallican a bien soutenu le Roi dans l'affaire de la régale, c'est, de façon plus générale, toute la politique de Louis XIV qui se voit ici exaltée. Les gens du Roi représentent les intérêts de la Couronne; les premiers présidents sont nommés par le Roi. Cela suppose, à la fin du XVII^e siècle, que les orateurs donnent une vision positive du Roi et de sa politique. S'agit-il de persuader encore et toujours le corps devant lequel les discours sont prononcés de l'intérêt qu'il y a à soutenir le Roi, à être un rouage bien huilé de l'administration, à se confiner principalement aux affaires de justice, à n'opposer aucune résistance aux décisions royales? Faut-il voir là une sorte de «propagande d'entretien» pour soutenir un culte auquel le parlement s'est plus ou moins volontairement, et plus ou moins profondément converti? De toute façon, le sou-

---

160 Talon [24], p. 481.

161 *Ibid.*, p. 483-485.

tien de la position royale dans la question des relations avec Rome ne pose guère de problèmes de conscience à une institution fondamentalement gallicane. Mais c'est plus le soutien à la lutte contre Rome qu'une exhortation à suivre un exemple qui justifie l'éloge du Roi de la mercuriale que Talon prononce en 1688. L'éloge a, dans ce cas, une fonction autonome, qui est peut-être moins de diffuser la propagande proprement dite que de se faire l'écho, pour la célébrer, d'une position à laquelle on a déjà adhéré. L'Avocat Général n'hésite pas à blâmer le pape Innocent XI, sur Cologne, sur l'affaire des franchises et, bien sûr, sur la régale. Le blâme du Pape est suivi d'un éloge du Roi, dont le ton et l'étendue montrent, pour parodier ici les discours académiques, que l'orateur s'est laissé emporté par la chaleur de son zèle[162]. Denis Talon propose d'abord le portrait du mauvais Pape, auquel il vient de reprocher sa conduite dans des circonstances précises et facilement identifiables:

> C'est ainsy qu'on tombe en de funestes egaremens quand on est trop jaloux de son authorité, qu'on n'en connoit pas la ueritable etendue, quand on se laisse charmer par les Eloges des courtisans, par les Epithetes pompeux de Monarque et d'Evesque universel repandus dans les liures des Canonistes, et par les idées d'une grandeur fastueuse qui n'a guere de rapport a la modestie des apostres, quand on ne se contente pas des auantages qui appartiennent au premier siege et qu'on usurpe une domination despotique sur ses confreres, qu'on pretend fouler aux pieds les sceptres et les couronnes et n'avoir pour regle de ses actions que sa seule volonté alterée par de fausses préuentions, et corrompue par l'artifice des flateurs qui attribuent le titre specieux d'une fermeté intrepide aux emportemens d'une uanité presomptueuse. Est-ce la l'humilité la douceur et l'esprit de paix que le Sauueur du monde enseigne a ses disciples, et ces qualités diuines, et adorables ne doiuent-elles pas estre le partage des Ministres de l'Euangile, et surtout de ceux qui portent la mitre et la Thiare[163].

Le blâme est ici très fort. Le Pape y apparaît avec tous les traits qui servent à peindre le mauvais parlementaire (il écoute la flatterie, en particulier celle des courtisans; il succombe à la vanité; il usurpe des droits qui ne lui appartiennent pas et empiète sur des juridictions autres que la sienne; il se laisse emporter par les idées de grandeur fastueuse, etc.). L'invective, on le sait par la lettre qui précède le discours, n'a pas été pour le seul bénéfice du Parlement. D'une manière générale, si les discours visent d'abord le public présent aux cérémonies parlementaires, leur diffusion peut, *a posteriori*, servir la propagande du Roi. L'orateur

---

[162] Sur cette formule et son emploi dans les discours académiques, voir *supra*, ch. I, p. 81-85 sq.

[163] «Pièces d'éloquence» (ms.BN. anc. fr. 21148), f° 35-36 (le discours de Talon n'est écrit qu'au recto des feuillets).

poursuit précisément par un éloge de Louis le Grand, qui contraste avec le blâme précédent. Il ne faut pas, dit Talon, s'effrayer devant «ces feux passagers et ces exhortations malignes», et il constate que le Parlement dispose de remèdes efficaces, et qu'on n'est plus comme autrefois effrayé des censures injustes. L'éloge du Roi se développe d'abord à travers l'évocation de sa modération et des limites qu'il impose au zèle gallican du Parlement:

> Mais la sagesse du genie qui nous gouverne renferme nostre zele dans des bornes étroites, et n'estant point sujet aux mouuemens de trepidation qui agitent les ames vulgaires, il deffend et augmente les prerogatiues de son Diademe; il exerce dans l'Empire françois la puissance souueraine que Dieu luy a confiée, il ne la soumet pas au joug de l'inquisition: il laisse le soin de l'arche et du sanctuaire aux prestres et aux leuites. . . . Bien loin de consentir que l'Eglise de France se separe de celle de Rome, il ne veut pas qu'il nous échappe la moindre parole qui blesse le respect et la deference que l'on doit a la dignité et a la personne du vicaire de Jesus-Christ<.> auec quelque vigueur qu'il repousse les insultes dont on affecte d'irriter sa patience, sa moderation suspend une partie de son juste ressentiment, et dans toutes ses démarches on decouure des preuues éclatantes d'une pieté solide et d'un courage heroique[164].

Cet éloge se poursuit par celui du Dauphin,

> un jeune heros qui marche sur ses traces qui dans l'imitation d'un modele si excellent et si accompli trouve la source des vertus Royales qu'il possede dans un supreme degré[165],

et après l'évocation de la libéralité et de la guérison du Roi, l'éloge royal s'achève sur l'aveu par l'orateur de la «foiblesse de ses expressions»[166].

Quelle que soit sa fonction, propagande proprement dite, ou communion sous le signe du gallicanisme et d'une adhésion à la politique de Louis XIV, dans laquelle les parlementaires commencent à voir une assurance de prospérité et de réussite, l'image «officielle» du Roi occupe une place importante dans les discours parlementaires, comme dans toutes les pratiques oratoires de l'époque: tous, ducs et pairs, parlementaires de profession, lecteurs du *Mercure*, l'acceptent, la répètent et l'apprécient.

### C. *Le parlementaire moraliste?*

Le modèle du Roi constitue un point limite dans la problématique de l'exemple et de l'imitation. S'il tire le discours hors de la dimension où

---

[164] *Ibid.*, f° 37-38.

[165] *Ibid.*, f° 38.

[166] *Ibid.*, f° 41.

les parlementaires prétendent le placer, il représente en même temps le plus haut degré sur l'échelle des exemples proposés à l'émulation, notion éthique à laquelle les orateurs se réfèrent volontiers dans ce contexte. La réflexion sur l'imitation ne se limite certes pas, à cette époque, aux textes oratoires qui sont produits dans le contexte parlementaire. Mais si, dans les panégyriques du Roi prononcés à l'Académie française, par exemple, la perfection de l'«incomparable monarque» apparaît bien souvent comme un idéal où l'on ne saurait prétendre et l'imitation, de ce fait, vouée à l'échec[167], les parlementaires retrouvent une notion de l'émulation relativement optimiste. Car elle suggère un gain même pour ceux qui ne parviendraient pas à égaler leurs modèles et offre pour modèle suprême un Roi dont les vertus sont des incitations à bien faire, qu'il faut imiter. On se rapproche de l'imitation éthique telle qu'elle apparaît dans la prédication. Comme l'imitation de Jésus-Christ, l'imitation proposée par les parlementaires peut s'effectuer dans toutes les conditions. Il y a un profit pour tous dans l'imitation, comme il y a, par exemple, dans la prédication de Bossuet un appel et une voie ouverte à «la sanctification des conditions»[168].

Le rapprochement avec Bossuet n'est pas gratuit: l'insistance sur certains aspects éthiques, à travers le titre des discours et une problématique comme celle de l'imitation des exemples donnent au discours un caractère de dissertation morale. La fréquence des récurrences thématiques aussi bien que formelles montre clairement que, si l'on peut définir une «morale» de l'orateur parlementaire, celle-ci roule sur peu de points.

La manière dont Talon poursuit ses remarques, déjà citées, sur la fonction de l'exemple, montre qu'il généralise sa réflexion:

> . . . rien n'est plus difficile à corriger que les mauvaises habitudes contractées pour s'être arrêté à des patrons defectueux; mais lorsque nous travaillons sur d'excellens originaux, nos fautes même servent à redresser notre imagination égarée et à nous rendre plus parfaits; *maximes indubitables, particulièrement dans la science des mœurs, où n'avancer pas, c'est reculer et où se contenter d'une vertu médiocre, sur une fausse opinion d'avoir assez profité est une présomption funeste, et le plus grand obstacle au progrès d'une âme généreuse*[169].

On retrouvera, dans la mercuriale [19], l'affirmation: «dans le chemin

[167] Sur ce point, voir mon étude sur *Les Panégyriques du Roi prononcés dans l'Académie française*, Introduction, ch. II, la section «Admiration ou imitation?», p. 57.

[168] C'est le titre de la 2e section de la deuxième partie de *La Prédication de Bossuet*, de J. Truchet (Paris: Le Cerf, 1960).

[169] Talon, [15], p. 308-309. C'est moi qui souligne.

de la gloire, c'est reculer que de ne pas avancer»[170]. Mais ce qui m'intéresse ici, c'est la définition par Talon de sa matière comme la «science des mœurs». La recommandation aux juges prend la forme de réflexion morale.

Du coup, les titres de discours s'inscrivent dans une perspective plus large de réflexion morale. Mercuriales et ouvertures hésitent alors entre les remarques ponctuelles sur des questions qui concernent les parlementaires, et les traités de morale. De façon caractéristique, les orateurs appuient leurs développements sur des maximes (comme on vient de le voir avec Talon) et sur des lieux communs de la sagesse antique et de la morale chrétienne. On retrouve en particulier les métaphores et allégories traditionnellement attachées au thème du *tempus fugit*. L'ouverture du premier président Lamoignon, intitulée «L'Habitude», en 1677, que le procureur général de la Cour des Aides, du Bois, a plagiée en 1696, développe au long ce thème, avec ses variantes héritées de la tradition de la philosophie morale. Les références aux stoïciens et la critique de l'apathie au profit d'une vision dialectique de la tranquillité intérieure confirment l'importance de ce qu'on pourrait appeler une sorte de prédication morale. L'image du parfait homme de robe et l'incitation à bien vivre permettent de rapprocher les discours parlementaires des oraisons funèbres des grands magistrats, comme celle que Bossuet a prononcée pour Le Tellier en 1686, et où l'éloge se double naturellement d'une exhortation à imiter l'illustre défunt pour parvenir à la gloire: même insistance sur la sagesse et la modération et, plus généralement, sur les vertus cardinales, ainsi que sur la profonde religion. Le rapprochement textuel était d'ailleurs prévisible par les liens entre Église et Parlement établis dans le cérémonial de rentrée, par exemple.

S'il est vrai que l'éloquence parlementaire établit un équilibre dynamique entre fonction esthétique et fonction éthique, il convient d'étudier quelques-unes des formes que peut prendre la réflexion morale – ou même moralisante. La représentation de la vie de l'avocat ou du magistrat en termes de voyage maritime est ainsi une variante de la présentation allégorique de la vie comme voyage, et cet ensemble métaphorique revient fréquemment dans les discours, en tout cas chez les Lamoignon et leurs émules. C'est d'abord une citation de Quintilien qui introduit la comparaison:

> Instruire les autres est le plus doux employ de ceux qui ont uieilly honorablement dans l'exercice de la parole, s'ils ont sceu d'eux memes s'imposer silence, quand il en est temps et terminer leur course auant que leurs forces soient épuisées semblables, dit Quintilien, a un sage

---

[170] Voir *supra*, p. 377-378 et n. 131.

> Pilote, qui ne ueut plus exposer sa uie ny sa fortune à l'infidélité des ondes, et qui ne songe qu'a jouir du fruit de ses longs trauaux. Tranquil (sic), mais non pas oisif dans son repos, il décrit sur le riuage les morts qu'il a couruës et apprend aux jeunes Pilotes a connoître les uents et les Rochers, à preuoir le calme et la tempeste heureux! si l'auarice et l'enuie qui sont les uices ordinaires de la ueillesse ne le uiennent pas saisir sur son déclin et deshonorer ses dernieres années![171]

Le sage pilote est une figure rare: le voyage est en général celui du mauvais avocat ou du mauvais magistrat. Talon fait intervenir l'allégorie du pilote pour évoquer les inévitables erreurs des meilleurs parlementaires:

> Il n'y a point de pilote, point de capitaine, point d'ouvrier, pour expérimentés qu'ils soient, auxquels ne puisse arriver quelque surprise par trop de confiance ou de précipitation[172].

Mais l'allusion au pilote est, chez Talon, éloignée des variantes des thèmes de la vie comme voyage et de la fuite du temps. On voit, dans l'exorde d'une mercuriale aux gens du Roi de Lamoignon, intitulée «L'Objet de notre conduite», qu'un exorde de forme sentencieuse conduit à une manifestation du thème de la vie comme voyage. Ainsi, après avoir posé:

> C'est une erreur deplorable de la pluspart des hommes de ne regarder jamais tout d'une uüe le cours uniuersel de leur uie et la fin ou elle se doit terminer,

le Premier Président dépeint les mauvais voyageurs qu'ils font dans le trajet de la vie:

> semblables aux Voyageurs qui ne s'appliquent qu'a faire leur equipage qui prennent soin de ne rien omettre dans ces preparatifs sans s'informer de leur route n'y du fruict qu'ils peuvent tirer de leur voyage[173].

Ce n'est pas seulement un conseil sur la pratique de la profession que l'orateur donne à ses auditeurs. Il replace l'ensemble de leurs démarches dans la perspective de leur condition mortelle. En reprochant à nouveau aux juges, dans une mercuriale sur le «Repos intérieur», d'ignorer leur condition humaine, Lamoignon aura encore recours à une comparaison avec le voyage:

> [il] uoid passer deuant luy des affaires, ou il s'agit de la fortune et de la uie des hommes d'un œuil (sic) aussy indifferent, que s'il n'estoit pas homme sujet aux mesmes disgraces.

---

171 Lamoignon, *Discours*..., p. 137.

172 Talon [19], p. 391.

173 Lamoignon, p. 170.

> Semblable a ceux qui nauigent (sic) sur un fleuue, il croit que le riuage le fuit, et c'est lui qui fuit le riuage, et que le courant emporte sans qu'il s'en aperçoiue[174].

Fuite de l'eau et fuite des jours ne font qu'un: le voyageur imprudent ramène explicitement au thème de la fuite du temps. Quelques paragraphes plus loin, Lamoignon remarque:

> Ainsy s'ecoulent toutes nos années, nous precipitons nous memes le cours de notre uie par une suite rapide d'inclinations et de degousts, qui s'entrepoussent, et ces moments que nous perdons a des choses si uaines passent avec plus de uitesse, que les oiseaux ne fendent l'air de leurs ailes, sans laisser aucune trace de leur passage. . . . Le temps fuit et nous entreine avec luy, il n'arreste ny ne ralentit sa course au gré de nos desirs, les lois qu'il fait sont irreuocables, et moins sa perte nous a été sensible, plus elle augmente un jour nos regrets[175].

Lamoignon est très attaché, semble-t-il, à cette liaison allégorique du voyage et du temps qui fuit, deux thèmes dont les manifestations ont depuis longtemps pris l'allure de lieux communs. On les retrouve dans l'ouverture qui constitue en quelque sorte le testament moral du Premier Président, puisque c'est la dernière qu'il prononça, et qui s'ouvre sur la constatation que c'est le moment d'une sorte de «bilan»:

> C'est pour la vingtieme fois que nous voyons recommencer cette ancienne cérémonie, depuis que la justice s'explique icy par notre bouche sur toutes les obligations que uous contractés enuers elle en renouuelant les serments solennels de la fidelité que uous lui jurés[176].

La fuite du temps et la mort forment comme une toile de fond pour l'ensemble du discours. Comme il l'a fait plusieurs fois, Lamoignon note que les avocats ne réfléchissent pas assez sur la fuite du temps et la mort de leurs célèbres prédécesseurs:

> Vous l'aués ueüe cette perte et peut etre n'a t elle jamais fait beaucoup d'impression sur uotre esprit, peut-estre n'aués uous jamais remarqué auec assez d'attention, la rapidité du temps qui nous entraisne vers la meme fin[177].

L'orateur insiste d'ailleurs sur la notion de *fuite* par des répétitions étymologiques, lorsqu'après avoir constaté que les occupations «nous empêche[nt] de reconnoitre cette diminution imperceptible de nos jours», il rappelle: «Ils fuient pourtant d'une fuite éternelle . . . partie

[174] Lamoignon, «Le Repos intérieur», Pâques 1676, p. 255.

[175] *Ibid.*, p. 260-261.

[176] *Ibid.*, p. 278.

[177] *Ibid.*, p. 281-282.

fugitiue de notre uie»[178]. C'est dans ce contexte que l'on voit reparaître la figure du voyageur qui veut faire fortune sur les flots et dont la conduite sert de comparant à celle des magistrats et des avocats qui ne comprennent pas l'enjeu même de leur existence:

> Ainsy le uoyageur, que l'espoir d'une meilleure fortune expose a la mercy des flots dans une longue nauigation contemple d'un œil sec le riuage qui s'éloigne de luy, toujours a deux doigts de sa perte sur un uesseau fragile il compte les journées de sa route et les regions qu'il ua parcourir sans panser aux perils dont le menace l'infidelité des ondes n'y sçauoir, quand il arriuera dans le port[179].

Si l'existence est dépeinte sous la forme d'un voyage, et surtout d'un voyage maritime, les conséquences qu'il faut en tirer apparaissent dans le même code. Certaines de ces métaphores sont d'ailleurs ambiguës. Si la vie est assimilée à un voyage, la mort, destination finale, doit être exprimée par la métaphore du port. Mais le port, qui fait antithèse avec les tempètes que la mer réserve toujours à l'homme-voyageur, c'est aussi tout hâvre, tout repos, et donc, par exemple, un but qu'on s'est fixé, une heureuse retraite où l'on jouit de la satisfaction que produisent la tranquilité d'âme et la certitude du devoir accompli. Le port apparaît dans les discours parlementaires, comme dans toute la tradition du thème du voyage, comme le pôle positif de l'allégorie:

> Depuis longtemps notre uie est agitée par mille soins et comme flottante à la mercy de nos passions et des passions d'autruy; instruits par tant de naufrages de ceux qui s'y sont abandonnés trop longtemps, tournons souuent les yeux uers le port, et s'il ne nous est pas permis d'y arriver, regardons le du moins comme l'unique but de nos uoeux et de nos actions,

s'écrie Lamoignon,, dans la péroraison du «Repos intérieur»[180]. Celui qui considère la fin de son existence peut espérer arriver au port. L'instruction professionnelle s'intègre dans une leçon de morale, dont les supports allégoriques sont empruntés à la tradition antique et humaniste. Le *port* représente, de la même manière que dans l'exemple précédent, un pôle positif, après l'évocation du voyageur imprudent, dans l'exorde de «L'Habitude»:

> Heureux! qui pendant la tourmente peut ne le perdre jamais de uüe [le port] et conseruer l'esperance de s'y refugier un jour. Mais heureux et sage tout ensemble qui sçait profiter de ces agitations continuelles, et

[178] *Ibid.*, p. 283-284.
[179] *Ibid.*, p. 289-290.
[180] *Ibid.*, p. 263.

> rentrer en luy meme, pour se procurer un repos, dont il ne jouit point au dehors[181].

Cette dernière proposition souligne encore la parenté entre la mercuriale sur le «Repos intérieur» et l'ouverture sur «L'Habitude». Du Bois montre, par sa pratique du plagiat, que de tels développements étaient bien adaptés au discours d'apparat parlementaire et que la culture humaniste des parlementaires les familiarisait avec ces réflexions, dont l'expression satisfaisait également un public plus mêlé. En 1696, en effet, Du Bois ouvre les audiences de la Cour des Aides par un discours qui semble bien porter dans l'ensemble sur l'usage qu'il faut faire des vacations, bien que l'exorde, à en juger d'après le résumé qu'en donne le *Mercure*, fasse plutôt songer à une sorte de centon composé de titres et de thèmes empruntés à des compliments aux évêques qui ont célébré la messe rouge au Parlement, à des ouvertures et à des mercuriales. L'orateur a fait voir

> que les premieres fonctions des Juges, aprés les vacations, commençoient par le saint Sacrifice de la Messe, où l'on contractoit une obligation essentielle de rendre la Justice par le renouvellement du *Serment*, qu'animez par la presence d'un Chef illustre par sa pieté, sa vertu, sa capacité, son experience, sa douceur, sa *moderation* & ses longs services, on ne pouvoit manquer de faire des progrez considerables dans l'exercice de la Justice[182].

Le procureur général de la Cour des Aides propose une variante de la comparaison du voyageur qui s'embarque et regarde d'un œil serein le rivage qui s'éloigne, avant de conclure de la même manière sur le bon usage qu'on peut faire des agitations des flots:

> Semblable au Voyageur, qui du bord du rivage où il est abordé, aprés avoir esté à deux doigts de sa perte, contemple la tempeste & ne laisse pas de retourner sur le vaisseau, sans penser aux perils des ondes. Heureux ceux qui sçavent profiter de ces agitations, faire pendant les vacations des reflexions sur le passé, & apprendre à se fonder un repos & une tranquilité si necessaire aux Magistrats[183].

La mercuriale sur le «Repos intérieur», l'ouverture sur «L'Habitude», et, dans une moindre mesure, le discours de Du Bois développent des maximes de bien vivre. Paradoxalement, le magistrat parfait a pour

---

[181] *Ibid.*, p. 290.

[182] Novembre 1696, p. 294-295. Je souligne les termes qui sont des sujets de discours, outre la justice, naturellement. Le début rappelle les compliments aux évêques; il est aussi adapté à la Cour des Aides, qui rentrait avec une messe basse. La suite du discours reprend le début de «L'habitude» de Lamoignon, en ne changeant que la durée de l'exercice de la profession. («depuis trente ans» au lieu de «c'est la vingtième fois»...).

[183] *Mercure*, novembre 1696, p. 299.

revers l'homme qui ne sait pas vivre – mais que les discours doivent instruire et métamorphoser:

> . . . il ueut tout uoir, tout sçavoir, posséder tout, eprouuer de tout, ainsy sans se detromper ny se connoitre, il arriue irresolu et nouueau aux diuers ages de la uie, et malgré le nombre des années, il manque souuent d'experience pour s'y conduire.
>
> On n'epargne, rien pour l'eleuer et pour l'instruire, il a des Maîtres pour tout ce qu'on peut apprendre dans la jeunesse, on le forme aux exercices aux arts, aux sciences et la principale science de la uie est celle qu'il apprend le moins,

constate ailleurs Lamoignon[184]. C'est cette science de la vie dont Lamoignon rappelle le caractère fondamental. C'est cette science qu'il propose à ses auditeurs, par le biais des maximes de la sagesse des anciens et de leur enseignement moral, qui se combine aux préceptes chrétiens. Apprendre à vivre, pour Lamoignon, c'est aussi, comme pour les Stoïciens, apprendre à mourir, ou plutôt, ici, apprendre sa mortalité. La mercuriale aux gens du Roi sur «L'Objet de notre conduite», se poursuit par l'évocation de la catastrophe finale de celui qui ne sait pas vivre, qui ne se connaît pas:

> Pendant qu'il entasse desseins sur desseins, richesses sur richesses, dignités sur dignités, et qu'il se prepare a gouster le fruit de ses longs trauaux une tempeste soudaine renuerse tout l'edifice, tout fond sous lui, tout disparoit et il disparoit luy meme comme un songe, par ce qu'il n'a pas de uüe generale, n'y de principe certain[185].

La catastrophe est une «tempeste soudaine»; il manque, comme chez Pascal, «un point fixe» pour la morale... Ce manque s'exprime, à travers une citation, par le regret du port: «Nul uent n'est propre à celuy qui n'a point de port, dit agreablement un ancien Poete». Toute la réflexion de cette mercuriale se présente comme une exhortation à méditer sur la condition humaine, afin de mieux évaluer ses devoirs et ses désirs. Lamoignon avait remarqué, dans les premiers paragraphes:

> L'homme court sans cesse uers le tombeau. . . . il se haste de jouir des biens, des honneurs, des plaisirs, comme s'il n'avoit plus guerre a uiure, et il fait des projets pour l'auenir, comme s'il etoit immortel.
>
> Il employe meme tous ses efforts pour acquerir l'immortalité malgré tant de funestes experiences, qui le font souvenir de sa nature mortelle et perissable et qui le deuroient guerir de cette folle pretention[186].

---

[184] Lamoignon, «L'Objet de notre conduite», p. 165.

[185] *Ibid.*, p. 165-166.

[186] *Ibid.*, p. 162-163.

On voit, avec ce genre de passage, pourquoi il est tentant de parler de *prédication parlementaire* (même si l'éloge et l'importance de l'évaluation esthétique sont deux facteurs qui contrecarrent l'interprétation purement éthique). Tous les rappels de la mortalité des magistrats, comme de tous les hommes, font songer aux paroles de Bossuet dans son *Sermon sur la mort*:

> Allons, et voyons avec Jésus-Christ; et désabusons-nous éternellement de tous les biens que la mort enlève.
>
> C'est une étrange faiblesse de l'esprit humain que jamais la mort ne lui soit présente, quoiqu'elle se mette en vue de tous côtés, et en mille formes diverses. On n'entend dans les funérailles que des paroles d'étonnement de ce que ce mortel soit mort. Chacun rappelle en son souvenir depuis quel temps il luy a parlé, et de quoi le défunt l'a entretenu; et tout d'un coup il est mort; Voilà, dit-on, ce que c'est que l'homme! Et celui qui le dit, c'est un homme; et cet homme ne s'applique rien, oublieux de sa destinée![187]

Comme Bossuet, comme les prédicateurs, les parlementaires désabusent leurs auditeurs de la vanité des grandeurs et des richesses. Dans la mesure où, pour la plus grande partie d'entre eux, ces thèmes fournissent des développements tout faits, on n'est pas surpris de rencontrer quelques contradictions. N'a-t-on pas vu, par exemple, certains orateurs promettre l'immortalité à ceux devant qui ils parlent, à condition de s'attacher à la vertu et à y progresser constamment?[188] Mais il s'agit, il est vrai, de l'immortalité de la mémoire des actions fondées sur la justice...

Morale chrétienne et thèmes tirés de l'antiquité païenne se combinent dans «l'instruction» parlementaire. J'aurai l'occasion, en étudiant la pratique des citations, d'approfondir cette question. Mais il est clair

---

[187] Bossuet, «Sermon sur la mort», dans J. Truchet, éd., *Sermon sur la mort et autres sermons* (Paris: Garnier Flammarion, 1970), p. 130. Comparer avec l'éloge de Turenne par Lamoignon: «Projets humains! espérances humaines! est-ce ainsy que vous vous dissipés et que la teste la plus illustre de mesme que la plus extraordinaire est sujette aux atteintes de la mort?» (Lamoignon, p. 156). Ici encore, le rapprochement entre discours parlementaire et oraison funèbre s'esquisse, non plus seulement à travers l'image des parlementaires, mais à travers l'association dans un discours d'apparat de l'éloge et de l'exhortation à bien vivre et à bien mourir...

L'allure de para-prédication est également très sensible si l'on rapproche ces textes des sermons sur la justice, comme celui que Bossuet composa pour le dimanche des Rameaux en 1666 (*Œuvres oratoires*, t. V, p. 159 sq.). La représentation des magistrats et les injonctions qui leur sont faites sont rattachées à la nature divine de la justice. Jésus-Christ, «Roi juste et sauveur», doit être la référence, non seulement pour les rois, mais également pour les magistrats à qui la justice est déléguée.

[188] Cf. Talon, [16], p. 331: «La fin de vos jours ne sera pas non plus la fin de votre gloire: l'éclat de tant d'immortelles actions ne s'ensevelira pas dans l'oubli.»

que, même lorsqu'ils prennent leurs distances vis-à-vis des anciens, leur morale est définie par rapport aux auteurs, poètes et philosophes, de l'antiquité païenne. Par exemple, la représentation allégorique de la vie comme voyage, de l'homme comme voyageur, fortement teintée de stoïcisme (puisqu'on peut la retrouver chez Sénèque, chez Marc-Aurèle, chez Epictète et, plus récemment, chez Du Vair), revient, couramment, on l'aura noté, sous la plume des parlementaires[189]. Certaines formulations se rapprochent même du

> Suaue, mari magno turbantibus aequora uentis
> e terra magnum alterius spectare laborem[190],

sans que le sens de la formule soit gardé. L'influence des auteurs antiques ne se limite certainement pas aux stoïciens, mais l'importance de ceux-ci n'est guère surprenante dans le milieu de la robe. La place du stoïcisme est bien connue maintenant, et il est inutile de revenir sur ce point. Je me contenterai de rappeler que Du Vair, en particulier, était l'auteur d'un des textes du néo-stoïcisme français: *La philosophie morale des stoïques* (1585). Il serait simpliste cependant de croire que c'est la seule inspiration des orateurs. Des Haguais remarque explicitement, dans l'ouverture des audiences de la Cour des Aides de 1686 «Sur la satisfaction intérieure», que la tranquillité

> a fait le plus digne objet de l'application des Sages, leurs differentes sectes, malgré la diversité de leurs sentimens, se réunissant toutes dans le dessein d'affermir ce repos intérieur[191].

La définition du repos intérieur (ou de la tranquillité intérieure, selon les cas) apparaît comme une préoccupation des «moralistes» parlementaires et, parfois, l'un des points de divergence avec le stoïcisme. L'avocat général de la Cour des Aides vient en effet de rejeter certaines conceptions de la tranquillité:

> Pourrions-nous envier le repos de celuy que l'amitié ne peut interesser, que la pitié ne peut atteindre, auprés de qui la gloire et la honte perdent le pouvoir qu'elles ont sur tous les autres, qui vit sans agitation, non par constance et fermeté, mais par indolence et par paresse, et qui persévere dans un meme genre de vie, bien moins parce qu'il s'y plaist, que parce qu'il s'y trouve. Cette indifference qui est plutost deue au hazard du temperament qu'aux soins de la raison, loin de faire des heureux,

---

[189] De façon caractéristique, Louis Van Delft, en montrant l'importance du thème de l'*homo viator* chez les moralistes français, le rattache à toute une tradition, en grande partie stoïcienne. Voir *Le Moraliste classique* (Genève: Droz, 1982), p. 176 sq.

[190] Lucrèce, *De rerum natura* (Paris: Les Belles-Lettres, coll. des Universités de France, 1972) t. I, liv. II, p. 42.

[191] Joly de Fleury, f° 20 r°.

> n'est à le bien prendre qu'une langueur, qu'une mort de l'ame, et jamais elle ne produira qu'un repos insipide, qu'une ombre et une apparence de bonheur[192].

Un Denis Talon emploie plus spécifiquement le terme d'*apathie*, pour dégager la figure du juge de celle du sage stoïcien, ce qui marque peut-être une prudence croissante à l'égard d'une doctrine qu'on avait auparavant combinée avec la religion chrétienne. La mercuriale [15], sur les thèmes: «La justice est une vertu sise entre deux extrêmités. Tous les devoirs d'un bon juge consistent en trois choses: *bonitatem, disciplinam, scientiam*», qui fait largement référence aux philosophes de l'antiquité (le thème général évoque d'ailleurs la presentation des vertus dans l'*Éthique à Nicomaque* d'Aristote), pose une critique de l'insensibilité:

> On est depuis longtemps persuadé que l'apathie ou l'insensibilité n'est pas toujours le caractère essentiel d'un bon juge[193].

Droiture d'esprit, fermeté, probité, mêlées de douceur sont des qualités plus importantes pour le parlementaire et plus caractéristiques de sa perfection. Que la cible est bien stoïcienne est confirmé par la mercuriale suivante, où le refus de discuter la problématique en marque le rejet:

> Qu'on ne se persuade pas toutefois que nous voulions entrer dans la question de savoir si l'apathie ou l'insensibilité des Stoïcs est nécessaire à un juge pour agir avec moins de foiblesse et plus de rigueur et d'intégrité[194].

Il ne faut pas négliger la pertinence des réflexions sur le repos, sa nature et son usage, dans des discours prononcés à la rentrée après les vacations, cette pertinence, élément de l'adaptation du discours aux circonstances, étant l'un des garants de sa réussite. Mais c'est en même temps une question que les orateurs agitent régulièrement. Le portrait du magistrat, Sage et Orateur parfaits, s'il implique toujours le contrôle des passions, ne s'identifie plus avec l'apathie. Le Camus définit, dans son discours de 1693, un bon usage des passions, et explique qu'il répète beaucoup de choses qu'il a déjà dites dans ses discours précédents,

---

192 *Ibid.*, 19 v°-20 r°. On pourrait comparer ce passage avec la peinture qu'Orgon fait de son propre détachement, œuvre de Tartuffe.

193 Talon, [«Quinzième mercuriale»], p. 294. On pourra comparer cette affirmation avec la présentation que fait Descartes [*Discours de la méthode. Œuvres philosophiques* (Paris, Garnier, 1963)], ou encore La Rochefoucauld, Maxime 504.

194 Talon, [«Seizième mercuriale»], p. 321.

> & cela pour faire voir qu'il avoit reconnu depuis, que le bon usage des passions pouvoit produire de bons effets dans le cœur d'un Juge, & qu'elles pouvoient toutes le porter à rendre la justice[195].

On peut d'ailleurs penser que d'autres influences viennent contrebalancer celles du stoïcisme. Si des titres comme «La modération» (Talon a prononcé sur ce thème une mercuriale en 1681 et une ouverture en 1687) ou «Les Magistrats doivent avoir une connaissance entière d'eux-mêmes» (Lamoignon, mercuriale de la Saint-Martin 1694), ou même *a contrario* «Il ne suffit pas de se connoitre soi-même pour meriter le nom de juste» (Delpech, ouv. Cour des Aides, 1697) peuvent renvoyer à la plupart des philosophies, chez D. Talon au moins, on perçoit une nette influence des dialogues platoniciens, et un attachement sensible à la figure de Socrate. On a vu par exemple qu'il fait dériver le cérémonial parlementaire (avec ses composantes éthiques) de la «doctrine de Socrate».

> Cet ancien et long usage semble avoir tiré sa source de la doctrine de Socrate, qui n'appuie toute sa philosophie que sur cet unique fondement: qu'il devoit prendre garde à lui-même et observer les autres, εξετοξοντα εαυτον και τους αλλους[196].

Et Socrate lui-même est convoqué pour expliquer l'affirmation de Talon:

> C'est un poste, disoit-il, et un retranchement qui lui avoient été marqués par le ciel; il étoit si étroitement obligé à leur garde, qu'on l'aurait appelé en jugement pour rendre compte de son silence, et condamné comme un déserteur infidèle, si, par une molle et lâche complaisance, il eût manqué de se plaindre dans les occasions, tant particulières que publiques, du relâchement des mœurs[197].

La figure de Socrate revient plusieurs fois chez l'Avocat Général. Elle sert en particulier de détour pour remplir son devoir, lorsque, dit-il, son imagination épuisée n'est plus capable de soutenir l'impératif oratoire lié à sa charge:

> S'il est honteux de se seruir de richesses et d'ornements étrangers, il ne nous est pas d'ailleurs permis de garder le silence, et dans la confusion ou nous jette la sterilité de nostre imagination epuisée par l'âge et le trauail, permettez nous, Messieurs, pour ne pas manquer tout à fait a nostre deuoir, de uous rapporter un entretien de Socrate recu<e>illi par son disciple, qui contient des enseignemens et des enigmes que vous jugerez peut estre meriter votre attentions (sic) et vos reflexions[198].

---

195 *Mercure*, novembre 1693, p. 293-294.

196 Talon, [«Dix-huitième mercurial»], p. 359-360.

197 *Ibid.*, p. 360.

198 Ms anc. frs. 21148, 6-7.

Platon semble ainsi plus du goût de Talon que la tradition stoïcienne. Dans ces conditions, la modération qu'il prêche à plusieurs reprises peut être envisagée comme une harmonie de type platonicien. Ne définit-il pas la beauté et la justice dans la perspective de Platon:

> [Les magistrats de premier ordre] doivent dans toutes leurs démarches, regarder la justice comme une chaste épouse du magistrat, afin que de son mariage avec leur volonté, ne puissent naître que des enfants légitimes, c'est-à-dire des arrêts justes et équitables. Mais de quel amour ne seront-ils pas portés pour cette fille du ciel, s'ils considèrent que c'est elle qui fait toute la grâce, tout l'ornement du monde politique, et que la beauté qui ne consiste qu'en une convenable proportion et une parfaite symétrie, ne peut, si nous en croyons Platon, jamais se séparer d'avec elle?[199]

Talon se met ainsi volontiers sous le signe du platonisme. Mais, comme les parlementaires qui exercent, à cette époque, le ministère de la parole au tribunal de justice, il associe sagesse antique et morale chrétienne. Il y a donc un pluralisme de références dans la «morale» que les orateurs développent pour leurs auditeurs.

On peut ainsi se poser, à travers les textes dont nous disposons, la question de l'existence d'un discours moraliste. Les thèmes et les allégories que j'ai privilégiés ici se retrouvent sous la plume de ceux que L. Van Delft considère comme des «moralistes». De plus, l'insistance sur des règles de vie, qui semble dépasser la simple pratique professionnelle, et surtout la récurrence des termes appartenant au lexique de l'instruction et à celui du bonheur nous y encouragent. Il faut tenir compte du fait que l'exhortation éthique et professionnelle faisait partie du devoir de l'orateur parlementaire et qu'on l'attendait de lui. Le témoignage des sources secondaires autant que les remarques qu'on trouve dans les discours eux-mêmes sur l'évolution de l'éloquence parlementaire limitent certainement la portée de l'efficacité morale. Il reste que les textes présentent incontestablement des traits de «prédication morale», où se mêlent souvenirs antiques et préceptes chrétiens.

Éthique et esthétique apparaissent ainsi comme deux facettes essentielles des pratiques oratoires parlementaires. L'exigence morale et religieuse se retrouve dans la formulation d'une vision de l'éloquence, qui tient une place essentielle dans la représentation de l'institution et dans la définition du parlementaire parfait. Car les discours d'ouverture et les mercuriales élaborent une représentation de l'éloquence qui a son rôle à jouer dans l'affirmation par l'institution de sa propre grandeur. De la même manière que des sermons comme «Sur la Parole de Dieu» ou

---

[199] Talon, [«Dix-neuvième mercuriale»], p. 388.

«Sur la prédication évangélique», de Bossuet, présentent en quelque sorte une théorie de la prédication et de sa réception, les discours des parlementaires présentent une réflexion sur la parole dans le contexte de la magistrature et du barreau.

## 2. **Une autre idée de l'orateur**

Qu'il s'agisse des «Avantages de l'éloquence» (Pottier de Novion, ouv., 1680), de la «Bienséance dans le discours» (Portail, ouv., 1698), ou encore, comme dans le discours que d'Aguesseau prononça à l'ouverture de la Saint-Martin 1699, d'un constat négatif sur l'état de l'éloquence du barreau, l'éloquence constitue un thème récurrent, qui participe de la valorisation de la magistrature et du barreau. Elle définit une figure d'orateur qui complète la caracatérisation du magistrat et de l'avocat parfaits.

### A. *L'éloquence dans les discours parlementaires*

> C'est ainsy que les grands hommes employent jusqu'aux derniers moments de leur uie pour le bien public et pour l'honneur de leur païs, chacun y doit contribuer dans son employ, le uotre a ses uertus et sa gloire et bien que les occasions d'en acquérir y paroissent moins eclatantes, que dans la profession des armes, souuenés uous que les mes<mes> siecles, qui ont produis (sic) les grands capitaines, ont produit ordinairement les grands orateurs et dans un temps ou l'on trouve des Scipions et des Alexandres faites uoir qu'on peut aussy trouuer des Cicerons et des Demosthenes[200].

Ainsi s'exprime Lamoignon, à la fin de son discours sur «Le Bien public». L'éloge de Turenne se poursuit par une exhortation à perfectionner l'éloquence, et une promesse de gloire. Un académicien français n'aurait pas désavoué un tel parallèle entre la grandeur des capitaines et celle des orateurs. Les parlementaires ont à cœur de montrer à la fois l'importance et la valeur de l'éloquence et la nécessité de la redéfinir. Si le passage de Lamoignon que je viens de citer ouvre la perspective du développement d'une grande éloquence du barreau, tous les orateurs prennent soin de signaler les impératifs particuliers aux institutions judiciaires. L'éloquence sera subordonnée à la vertu, ou elle ne sera pas.

L'hommage que les orateurs rendent constamment à l'éloquence apparaît particulièrement dans les ouvertures de la Saint-Martin 1680. Pottier de Novion y parle en effet de l'éloquence. Les quelques lignes que le *Mercure* consacre au Premier Président, ne retiennent que les remarques laudatives:

---

[200] Lamoignon, p. 157-158.

> Il parla des avantages de l'Eloquence, & fit voir que plusieurs grands Empereurs, apres avoir remporté dans le Champ de Mars les plus signalées victoires, se faisoient encore un plaisir plus grand de venir triompher dans le Barreau[201].

Voilà les quelques mots que Donneau de Visé retient d'un discours dont il précise qu'il fut très court. En rappelant, comme l'ont fait, à l'occasion, d'autres parlementaires, le goût pour la plaidoirie, et surtout les triomphes oratoires de certains empereurs, Pottier de Novion fonde quasi historiquement la grandeur de la fonction d'avocat et fait de l'éloquence du barreau une sorte d'attribut du monarque. On ne saurait trouver image plus positive. Quant à l'avocat général Lamoignon, il propose un tableau contrasté de la vraie et de la fausse éloquences, une distinction qu'on n'est guère surpris de trouver dans une institution où les exigences morales jouent un rôle aussi fondamental et aussi explicite. Il y a d'ailleurs, dans son discours, tel qu'il est rapporté dans le *Mercure*, une sorte d'enthousiasme et de foi en l'éloquence et, plus techniquement, en l'art oratoire qui, pour l'historien des pratiques oratoires, font plaisir à lire! Et c'est bien de plaisir qu'il s'agit, sous la plume de Lamoignon:

> Il fit aussi une fort belle peinture du plaisir que doit sentir en soy-mesme un Homme véritablement éloquent, dans le temps qu'il parle en public. Il décrivit le silence surprenant d'un nombre infiny de Gens, dont les yeux sont tous attachez sur luy, qui n'ont d'oreilles que pour l'écouter, & qui le regardent avec admiration. Il adjoûta à toutes ces choses, la sensible joye qu'il a de faire prendre à ses Auditeurs toutes les passions qu'il cherche à leur inspirer[202].

Tel un Hercule gaulois qui tient les oreilles de ses auditeurs enchaînées à ses lèvres, celui qui pratique la véritable éloquence peut connaître la satisfaction de captiver ses auditeurs. Le silence admiratif est la récompense de son art. L'admiration est, on le notera, la première récompense. Mais, au plaisir de se faire admirer s'ajoute la joie de maîtriser les mouvements de son public. Il faut supposer, étant donné les caractéristiques de l'institution, que, dans ce cas, faire prendre aux autres les passions qu'on veut leur inspirer, c'est toujours les orienter vers la vérité et le bien. Lamoignon a pris la précaution de préciser que l'étude était essentielle à la vraie éloquence, et «qu'on estoit toûjours assez éloquent lors que l'on sçavoit beaucoup»[203]. L'art ne suffit pas:

---

[201] Novembre 1680, p. 326.

[202] *Ibid.*, p. 329-330.

[203] *Ibid.*, p. 327.

> Il dit à propos de ceux qui ne s'attachoient qu'aux regles de l'Art, *Qu'ils ne pouvoient tout-à-fait estre estimez Orateurs, de mesme qu'un Medecin qui ne sçait guérir qu'une sorte de maladie, ne peut passer pour vray Medecin*[204].

Mais le plaisir éprouvé semble chez lui indépendant de la vérité de ce que l'orateur dit, et dépend seulement de son efficacité – il est vrai que l'efficacité elle-même dépend de la vérité. Le résumé s'achève sur l'assimilation de l'activité de l'avocat à l'éloquence et sur les récompenses matérielles et honorifiques qu'on peut en espérer:

> & pour comble des glorieux avantages qu'un fameux Orateur peut se promettre de son éloquence, il fit voir que son travail devoit estre récompensé du plus Grand Roy de la Terre, qui sçait tout, qui voit tout, qui connoist tout, puis qu'il estoit fort croyable qu'un si grand Monarque, qui donne tant au mérite, & qui répand ses bienfaits sur tous ceux qui excellent dans les beaux Arts, n'auroit pas de moindres considérations pour ces Hommes extraordinaires, qui possedent au plus haut point la veritable Eloquence[205].

Ce discours met en lumière le poids de l'éloquence dans la représentation de la carrière des hommes de robe. La véritable éloquence est le caractère du parlementaire. En la pratiquant, il manifeste son mérite. Ce mérite porte en lui la promesse de tous les succès. Cette affirmation est essentielle, on le verra, aux discours parlementaires. Toute l'ouverture de Lamoignon montre le lien qui existe entre le parlementaire parfait, l'éloquence et le mérite, gage du succès.

Même si la plaidoirie est, par définition, le fait des avocats, la parole et son usage ont un poids qui dépasse les seuls avocats, ce qui explique que le terme d'*orateur* ait souvent une extension plus large que les membres du barreau. Dans son ouverture de 1696, qui porte sur l'émulation, c'est aux avocats qu'Achille de Harlay s'adresse, lorsqu'il souligne le rôle de cette émulation qui «fait entreprendre les affaires les plus difficiles & les fait reussir par l'Art admirable de la parole»[206]. Lamoignon, lui, concluait sa mercuriale aux gens du Roi sur «l'objet de notre conduite», en soulignant l'autorité de la parole:

> Mais uous qui etes preposés principalement pour empecher ces desordres, c'est alors qu'il uous sied bien d'employer auec uigueur cette auctorité de la parole, qui uous a été confiée pour la conseruation des loix et de cette justice generale qui est l'unique fin, et comme le

[204] *Ibid.*, p. 327-328.

[205] *Ibid.*, p. 330-332.

[206] *Mercure*, novembre 1696, p. 312.

> centre ou doiuent aboutir toutes uos pensées, tous uos discours et toutes uos actions. [207]

La parole et la justice sont donc liées, celle-là servant de courroie de transmission pour celle-ci. Tous les parlementaires sont des orateurs... A en juger d'après l'éloge que Portail fait de Lamoignon auquel il succède, cet enthousiaste de l'éloquence avait lui-même maîtrisé l'art qu'il célébrait:

> A ces traits vous reconnoissés sans doute celuy que vous venés de perdre pour chef, mais que vous avés toujours pour protecteur. A<-> t<->on jamais vû le ministere public s'expliquer avec plus de bienseance et de dignité que par la bouche de ce celebre Magistrat dont l'eloquence formée par cette longue habitude à persuader (le plus sûr de tous les maistres) faisoit l'ornement et la gloire du Barreau; tantôt préparée, tantôt imprevuë, mais toujours assurée de plaire, combien de fois a-t-elle fait paroitre de ces chefs d'œuvre trop parfaits pour servir de modeles: possedant ce qu'il y a de plus sublime dans l'art de la parole, tous les stiles lui etoient devenus familiers et rien n'égaloit sa pénétration dans les affaires que sa netteté à les expliquer[208].

Le caractère hyperbolique de l'éloge finit par rendre inadéquate la problématique de l'exemple: Portail souligne que la perfection est ici audelà de toute imitation. Lamoignon a produit des discours qui ne peuvent même plus servir de modèles. Mais, de toute façon, l'éloquence de l'ancien avocat général est posée comme un talent plus que louable. L'éloquence, à laquelle les discours accordent une place considérable, est une pratique valorisée, dans des conditions qu'il conviendra de préciser. Joly de Fleury associe même son triomphe avec celui de la France:

> ... l'Eloquence devenuë françoise, n'est plus Etrangere, elle est entrée dans cet empire à la suite des beaux arts. La France triomphe par la gloire des lettres comme par la puissance des armes; cette ville Royale enrichie des trophées de la guerre et de la paix est aujourd'huy le premier theatre et comme l'academie de l'univers. [209]

Mais, malgré ce tableau de la grandeur de l'éloquence, malgré les éloges de certains magistrats et orateurs, malgré l'importance accordée à l'éloquence, le sentiment d'une crise de l'éloquence du barreau semble s'exprimer dans les discours parlementaires, comme il se manifeste dans les *Réflexions* du P. Rapin ou la *Lettre à l'Académie* de Fénelon. Rapin reproche aux orateurs de ne pas accorder assez d'attention à la prononciation, négligence d'autant plus grave que cet aspect de l'élo-

---

[207] Lamoignon, p. 170.

[208] Portail, 22 r°-v°.

[209] Joly de Fleury, 78 v°-79 r°.

quence est essentiel[210]. L'éloquence pèche aussi, dit-il, par manque de logique, surtout pour les discours qui sont «purement d'appareil»[211]. Quant à ses reproches spécifiquement adressés au barreau, ils soulignent le caractère verbeux et l'excès de lieux communs. La réflexion IV parle au passé, mais les mises en garde des ouvertures semblent bien suggérer que tout n'a pas été corrigé. Il ne faut pas, selon Rapin, s'assujettir aux fantaisies qui sont des goûts passagers:

> Ce fut ainsi qu'elle [l'éloquence du barreau] se laissa trop vainement embarasser il y a quelques années, par les périodes de P<ort> R<oyal>, qui eurent vogue pendant quelque temps, et qui la penserent étouffer par une trop grande étenduë de discours[212].

L'exhortation permanente à abréger discours et périodes montre que la vogue n'est pas éteinte... Quant à la dixième réflexion, qui semble donner un simple précepte, elle pourrait bien, elle aussi, offrir un tableau de certains excès qui ont cours à l'aube de la période qui m'intéresse:

> Rien ne gaste davantage l'Eloquence du Barreau que ces embarras de lieux communs, dont on charge les Plaidoyers, & dont on grossit ces entrées du discours qui n'ont aucune proportion avec ses autres parties[213].

Ce ne sont que quelques exemples, qui n'ont d'autre but que de montrer que, pour un auteur qui fait grand cas de l'éloquence – n'affirme-t-il pas, en s'opposant explicitement aux Anciens: «l'Eloquence peut regner par tout, quand elle est veritable, et qu'elle a de quoy se faire écouter»?[214] – le barreau n'était pas exempt de fautes contre la vraie éloquence.

Or on perçoit à plusieurs reprises dans les discours d'ouverture, voire dans les mercuriales, l'expression d'une crise de l'éloquence judiciaire, opposée à un état idéal ou passé de la profession, surtout vers la fin du siècle (une telle situation n'empêche pas, on l'a vu, que le *Mercure* puisse mentionner des avocats célèbres, que leur réputation fait choisir pour présenter, par exemple, les lettres de Boucherat, ni que Joly de Fleury fasse l'éloge de Lasnon et d'Erard dans son ouverture sur la sagesse, ou qu'Ortigue de Vaumorière imprime des discours judiciaires dans ses *Harangues*). Malgré l'échange d'éloges entre les orateurs,

---

[210] Rapin, *Réflexions sur l'éloquence de ce temps en général*, réflexion IX, p. 17-19.

[211] *Ibid.*, réflexion X, p. 19-25.

[212] *Ibid.*, p. 57.

[213] *Ibid.*, p. 65.

[214] *Œuvres* (Amsterdam: P. Mortier, 1709), t. II, Réflexion I, p. 24. Sans être différente d'esprit, la formulation de l'édition de 1671 est moins explicite.

quelques discours laissent entendre que la grande éloquence n'est peut-être pas la chose du monde la mieux partagée au parlement. Avec une certaine condescendance, d'Aguesseau, s'adressant aux avocats, les console de ne pouvoir égaler les grands orateurs de l'Antiquité:

> Il fit des Portraits ingenieux des differens caractères des Avocats, dont les uns brilloient dans leurs Plaidoyers, les autres se signaloient dans des Ouvrages d'érudition, & les autres excelloient dans les Consultations, & dit que comme il falloit une unité de parties pour rendre un orateur parfait, on ne devoit pas s'étonner s'il falloit des siecles entiers pour en trouver d'accomplis, puis qu'aprés les Cicerons & les Demosthenes, il s'estoit passé un si grand nombre sans qu'il s'en fust rencontré qui les égalassent; que cependant on ne devoit point perdre courage dans une si belle carriere, & que s'il y avoit de la gloire à pouvoir parvenir au premier degré, il y en avoit également à suivre quoy qu'un peu de loin les traces de ces premiers[215].

Le constat est plus sévère dans l'ouverture aux avocats que Lamoignon prononce en 1696. Après avoir préparé son auditoire en affirmant qu'il était poussé par l'amour qu'il avait pour le barreau à vouloir en augmenter la gloire et à rendre la profession d'avocat plus illustre, il affirme que l'ordre des avocats a perdu quelque chose de son ancien éclat. Son diagnostic est double: les nouveaux n'ont ni estime ni déférence pour les anciens, et les anciens «ne prennent point de soin d'instruire les nouveaux. La jalousie et l'envie, cause de ces grands désordres ont pris la place de l'émulation & de l'imitation»[216]. Le discours de Harlay, qui suit celui-ci, fait précisément l'éloge de l'éloquence de Vespasien «sur deux de ses Amis, dont il avoit élevé l'un par pure faveur, & l'autre pour avoir apporté à sa Cour une éloquence que les Princes ne pouvoient donner»[217].

Mais c'est en 1699 que l'on trouve le jugement le plus dur sur l'éloquence du barreau au Parlement, l'année même où Le Camus se félicite au contraire du succès des exhortations qu'il a faites depuis plusieurs années aux magistrats et à tous les membres de la Cour des Aides. D'Aguesseau reprend, de manière beaucoup plus sévère, le diagnostic qu'il avait porté en 1693 sur l'éloquence du barreau et fait écho au tableau plutôt noir de Lamoignon: selon l'Avocat Général, il y avait plus de vingt ans que

> l'éloquence du Barreau estoit degenerée; qu'il sembloit n'estre plus que l'ombre de ce qu'il avoit esté autrefois, que l'ignorance avoit pris la place de l'érudition, la mollesse & la negligence, celle de la science

[215] *Mercure*, novembre 1693, p. 304-306.
[216] Novembre 1696, p. 312-313.
[217] *Ibid.*, p. 314.

> & de l'application; que les grands hommes mouroient & qu'il n'en renaissoit point d'autres[218].

D'Aguesseau précise que c'est dans le barreau lui-même que réside la responsablité de ce déclin et que ce ne sont pas les circonstances qui sont à l'origine de cet état de choses, en disant que

> cependant l'esprit n'avoit jamais esté si commun, & que jamais il n'y avoit eu tant d'occasions de le faire paroistre, que depuis deux ans, il s'estoit présenté au Barreau des sujets tellement extraordinaires par leurs évenemens & leurs questions qu'il estoit impossible à la fable la plus ingenieuse & à l'invention la plus brillante, d'en imaginer de semblables, que malgré cela on ne voyoit plus que des peintures insipides, des récitations ennuyeuses, des squelettes de la veritable eloquence[219].

La véritable éloquence peut bien consister dans une association entre l'art oratoire d'une part, et la raison et la morale d'autre part; les reproches que d'Aguesseau fait au barreau sont surtout d'ordre technique: «peintures insipides», «récitations ennuyeuses».

Le Premier Président, qui lui succède, parle sur le même sujet. Il présente lui aussi un constat négatif sur l'état du barreau et de son éloquence. Son exorde souligne l'inadaptation de beaux discours sans pertinence, en expliquant que la différence entre l'éloquence

> des Anciens & des Romains, & celle des orateurs modernes venoit de ce qu'il ne s'agissoit plus d'emporter par la beauté du Discours la preference pour le Consulat, ou la Preture[220].

Harlay affirme que la négligence et le manque de préparation des avocats ont avili la profession. Il est clair que, pour le Premier Président, parler éloquemment, au sens le plus courant du terme, ne suffit pas, puisque ceux qui ont la parole facile n'échappent pas à sa censure:

> Certains se reposant sur leur facilité à parler sur l'heure, venoient à l'audience plaider des causes dont ils ne sçavoient autre chose que ce que leurs parties leur en avoient dit en les accompagnant au Palais[221].

Mais la connaissance de son sujet est une exigence que partagent tous ceux qui traitent de rhétorique, et rares sont ceux qui ne blâment pas l'ignorance. Les avocats doivent cependant être, techniquement, de bons orateurs, ce que Harlay a reconnu lui-même dans la première des ouvertures qu'il a prononcées dans sa charge de premier président. Le *Mercure* en donne le compte rendu suivant:

---

[218] Novembre 1699, p. 207.

[219] *Ibid.*, p. 208-209.

[220] *Ibid.*, p. 215.

[221] *Ibid.*

> L'Orateur fut le sujet du Discours de Mr le premier President; ce qui luy donna lieu de dire aux Avocats qui doivent estre bons Orateurs, qu'ils eussent à imiter Mrs les Gens du Roy, dont il fit l'éloge[222].

La nécessité de l'éloquence se marque nettement dans ce passage. Les gens du Roi y sont loués pour leurs talents d'orateurs. Il y a, dans la représentation du parlement, place pour l'éloquence.

Éloge de l'éloquence et critique de la facilité; gloire de la profession d'avocat et déclin de l'éloquence du barreau: derrière ces paradoxes, on découvre la construction d'une figure de l'orateur, qui, si elle rappelle par certains traits celle du parfait prédicateur, paraît bien en même temps être la marque d'un corps qui se représente en dépeignant le magistrat parfait, Sage et Orateur, les deux termes étant finalement synonymes dans le langage parlementaire, si l'on sait comprendre que le parlement invente une nouvelle vision de l'orateur comme *vir bonus dicendi peritus*.

### B. *L'orateur*

L'éloge de l'éloquence est subordonné à la représentation du parfait orateur. Pour les parlementaires, faire le portrait du magistrat parfait ou de l'avocat idéal, c'est en dernière analyse présenter l'image du véritable orateur. C'est dans sa définition que se résolvent les contradictions apparentes entre la présentation de préceptes oratoires et le mépris affiché pour ceux qui ne s'en tiennent qu'à ces mêmes préceptes; entre le rejet de l'éloquence qui n'est soutenue d'aucune autre qualité et les efforts faits pour rendre aux avocats leur éloquence d'antan et conjoindre au portrait du magistrat, éloge des personnalités en place ou portrait idéal, l'éloquence parfaite. Egalés par les orateurs modernes, ou inégalables à l'horizon de l'éloquence, on a vu que les deux figures de Cicéron et de Démosthène se profilaient comme des antonomases du parfait orateur. Et bien sûr, l'ombre de Caton plane derrière eux...

De façon caractéristique, les officiers qui font allusion aux avocats, et s'adressent à eux, utilisent couramment pour les désigner le terme d'*orateurs*. Ainsi, évoquant les avocats célèbres qui ont disparu depuis qu'il exerce sa charge, Guillaume de Lamoignon constate:

> Plusieurs de ces Orateurs . . . ont fini leur course au milieu de la Carriere et succombant sous l'effort trop assidu de leurs fonctions, ont senty epuiser leurs forces par l'accablement de leurs affaires, de meme

[222] Novembre 1689, p. 313.

> que ces flambeaux trop ardents que leur propre feu consume et qui s'eteignent en peu de temps faute d'alimens[223].

Même phénomène dans l'ouverture que Joly de Fleury prononce en 1700, où l'Avocat Général fait tout de suite intervenir des réflexions sur les genres de style:

> Mais ce n'est pas encore assés, le sage orateur qui n'a pour but que l'utilité publicq (sic), ne se fait pas une loy de ne descendre jamais du Sublime et du Merveilleux[224].

Dès le début de la première partie, Joly de Fleury avait donné une haute idée de l'orateur, terme valorisant pour désigner les avocats:

> Semblable en quelque sorte à ces conquerans, dont l'ambition étoit d'assujettir l'univers à leurs armes, celle de l'orateur doit être de le soumettre à la raison. Voyez avec étonnement, mais en même temps avec une noble jalousie, ce qu'il est, et ce que vous devés vous efforcer de devenir[225].

J'ai montré plus haut que tous les parlementaires étaient en fait liés à la parole. C'est ainsi une ambitieuse et noble tâche qui leur est proposée. Ils doivent être des orateurs victorieux, mais aussi des orateurs vertueux, et c'est sur ce fond d'équivalence entre avocat parfait et orateur ou sage qu'on doit interpréter les restrictions mises à l'éloquence. On a vu que Joly de Fleury lui-même, dans son ouverture aux avocats de 1697, avait affirmé: «L'art de bien dire, cet art qui a autrefois gouverné le plus grand empire de la terre, et qui a toujours le meme droit, cet art si difficile et si glorieux ne fait pas votre principale gloire». Dans une ouverture sur les mœurs en 1676, les parlementaires avaient déjà pu entendre le premier président Lamoignon les mettre en garde:

> Si pour reussir dans uotre profession, uous uous contentiés d'acquerir les connoissances qui peuuent contribuer à rendre un homme eloquent, uous ne satisferiés qu'au moindre de uos deuoirs et uous seriés encore fort éloignés de la perfection que la justice desire de nous[226].

Le Premier Président et ses auditeurs sont ici rassemblés, par le pronom «nous» sous la figure commune de l'orateur parlementaire. Ce qui est représenté, c'est un orateur qui ne se définit pas seulement par l'élo-

---

[223] «Ouverture sur l'habitude», 1677, Lamoignon, p. 281. Sur l'importance de la figure de l'*orateur* dans l'image de l'institution parlementaire, voir mon article, «Éloquence d'apparat et représentation institutionnelle: pouvoir du magistrat et autorité de l'orateur», *The Romanic Review* 79, 2 (mars 1988).

[224] Joly de Fleury, 79 r°-v°.

[225] *Ibid.*, 74 r°.

[226] Lamoignon, p. 214.

quence, au sens de la connaissance de l'art oratoire. Comme l'éloquence doit être à la fois une technique et une exigence morale et rationnelle, l'orateur doit à la fois posséder les règles de la rhétorique et manifester le caractère que son devoir exige de lui. On le voit, par exemple, lorsqu'après le discours de Joly de Fleury, en 1700, où la figure de l'orateur joue un rôle si important, le Premier Président s'adresse aux avocats en remarquant qu'il est

> plus juste de leur faire connoistre les obligations indispensables où ils se trouvoient de remplir tous les devoirs de leur profession & de concourir au bien de la justice, que de leur donner des preceptes pour l'éloquence[227].

Et il donne le premier élément de ce que pourrait être l'orateur parlementaire en invitant les avocats à «plutôt s'attacher à persuader qu'à plaire dans les discours qu'ils faisoient en public»[228]. Les textes de Lamoignon et de Joly de Fleury que j'ai évoqués plus haut suggèrent qu'un discours persuasif peut toujours s'accompagner de plaisir, et que c'est, d'une certaine manière, un surcroît de satisfaction. Portail, dans son discours de 1698, celui de tous qui est le plus exclusivement consacré à la pratique oratoire, note une complicité du plaisir de l'auditeur et de l'intention de l'orateur. A propos d'une certaine hardiesse de l'orateur qui, dans des cas particuliers, peut s'abandonner à une sorte de confusion, Portail affirme:

> l'auditeur aime à reconnoitre une espece de desordre. Il se plait à se sentir é‹n›leué et veut bien ne conserver que la liberté nécessaire pour ayder les mouvements qu'on lui imprime[229].

Dans le plaisir qu'il éprouve, l'auditeur trouve aussi une incitation à aider l'orateur à effectuer la persuasion…

Ainsi, lorsque l'éloquence est mise en cause, c'est une «mauvaise» éloquence que l'on critique et, avec elle, une mauvaise représentation de l'orateur. Les ouvertures et les mercuriales présentent bien magistrats et avocats sous la figure de l'orateur, mais c'est parce que cette figure même est redessinée. L'ouverture sur la «Sagesse» de 1700 est divisée en deux parties: d'abord la science, puis la probité. Une transition articule les deux parties, transition qui contribue à redéfinir implicitement la notion d'orateur:

> Voilà quel doit être le caractere de vôtre esprit; c'est la seule route qui puisse vous mener à une gloire durable et solide: cependant avec tous

---

[227] *Mercure*, novembre 1700, p. 128-129.

[228] *Ibid.*, p. 129.

[229] Portail, f° 19 r°. Je corrige *eleué* en *enleué*, plus logique ici.

> ces avantages; en vain vous prétendriez y atteindre, si la probité, l'innocence, le désintéressement, vertus autant au dessus de celles de l'esprit que l'honnête homme est au dessus de l'habile, ne rassembloient en vous des qualités que vôtre état exige, et sans lesqu'elles le sçavoir et l'eloquence devenuës les Esclaves de vos passions ne brilleroient qu'a vôtre honte et transmettroient moins vos talens que vos vices à la posterité[230].

Et l'orateur enchaîne, en une formule qui pourrait résumer à elle seule toute l'entreprise de redéfinition de l'éloquence et de l'orateur dans le cadre du parlement; «Prenés une autre idée de l'orateur». Pour être plus exigeante, cette autre idée est aussi plus valorisée encore. A partir de ce moment dans le discours de l'Avocat Général, les termes «sage» et «orateur» seront parfaitement interchangeables.

Cette autre idée de l'orateur, c'est celle d'un parlementaire qui s'appuie toujours sur la vertu. On peut énumérer, comme Joly de Fleury, sa «religion» – le thème est devenu important dans l'éloquence parlementaire:

> c'est d'elle qu'emane en luy cette parfaite droiture que la superbe philosophie se promet en vain de donner[231] –;

le fait de n'entreprendre que des causes justes; l'exigence de n'avoir recours à «nul artifice»:

> comme il a promis de combattre et non pas de vaincre, il n'a rien à cacher à la penetration des juges; et il s'enonce avec Elegance; mais sans artifice; . . . perisse plutôt sa reputation, si la Verité en doit souffrir . . . celuy que nous vous peignons n'etudie pas moins l'urbanité que l'eloquence[232].

Il agit enfin avec «désintéressement». Un tel discours se présente un peu comme le manuel de l'orateur parfait, sage, vertueux et «honnête homme», puisque l'urbanité fait partie de ses qualités. Tout cela résume la «probité» nécessaire à l'avocat.

Cette probité apparaît encore dans le discours de Portail, pour définir le parfait orateur:

> L'orateur parfait commence par graver dans son cœur la justice qu'il demande pour les autres, la pureté de ses mœurs repond à la justesse de ses discours et l'opinion qu'on a de sa probité ne persuade pas moins que l'estime qu'on a de son sçavoir, il s'attire du respect par celuy qu'il porte aux juges et voit sans jalousie ses confreres meriter avec lui une gloire que le partage ne peut point diminuer. Il y a une eloquence qui

[230] Joly de Fleury, 80v°-81 r°.

[231] *Ibid.*, 82 v°.

[232] *Ibid.*, 83 v°-84 r°.

> lui est propre, il ne fuit pas ce qui est ingenieux, mais il rejette ce qui n'est que brillant, il se sert de son esprit, mais il ne donne pas tout à l'esprit, et songe moins a dire ce qui peut plaire qu'a faire plaire ce qu'il doit dire[233].

Ainsi l'orateur fonde son éloquence sur la justice. Il la soutient de sa probité. De façon remarquable, alors que Joly de Fleury avait parlé d'«urbanité», Portail insiste sur un point qui caractérise apparemment l'honnête homme dans tous les genres de littérature et de production oratoire: sa prudence sur le terrain de la raillerie. De la raillerie, en effet, Portail a montré les dangers et les appâts trompeurs:

> Il est une raillerie fine et delicate qu'on a bien de la peine a se refuser. Rien n'est plus flatteur pour l'homme d'esprit que de plaire par l'esprit, tout ce qui peut faire briller cette partie de lui mesme qui le distingue si fort, a des charmes seducteurs dont il ne se defend qu'a regret, tout ce qui est ingenieux le tente: le public pret d'applaudir a un bon mot semble se charger de la justification dont l'imprudence de l'avocat a besoin. Il y a meme dans le cœur de l'homme un fond de malignité qui lui fait trouver une secrette joye dans ce qui peut irriter les autres, il s'eleue, sur ce qui les abaisse et ce qui blesse la partie est souvent ce qui plait le plus à l'auditeur, l'on se fait un art d'offenser avec esprit, l'on veut etre en droit de blesser sans que ceux qui se trouvent blessés soient en droit de s'en plaindre[234].

La raillerie est devenue une cible des réflexions sur l'honnêteté, et il est intéressant que Portail ne s'en prenne pas seulement aux injures et aux manières plus violentes de rabaisser un adversaire (le P. Rapin faisait déjà l'éloge de Lamoignon, qui avait banni les injures et les emportements). L'orateur parfait, au parlement, comme l'honnête homme dans toutes les circonstances, doit garder la bienséance (c'est le titre de son discours) et surtout éviter le piège de la raillerie.

Tous ces textes tendent à montrer que l'orateur doit ce titre à la vertu. Si l'éloquence est l'art de la parole, les censeurs du parlement ont une idée bien précise de ce que cette parole doit être. L'omniprésence des réflexions sur l'éloquence n'empêchent pas qu'on en marque les conditions et les limites. C'est surtout sa subordination à la vertu qui importe aux orateurs du parlement. Joly de Fleury, qui décrit comme le faisait Lamoignon en 1680 la satisfaction de l'orateur lorsqu'il remporte un succès, prend soin de poser que la fin de l'éloquence est ailleurs qu'en elle-même, dans la gloire de la justice et du devoir professionnel accompli:

---

233 Portail, 20 v°-21 r°.

234 Portail, f° 12 r°-v°. Sur la raillerie, voir mon article «Entendre raillerie», *Mélanges Truchet* (Paris: PUF, 1992).

> L'art de bien dire, cet art qui a autrefois gouverné le plus grand empire de la terre, et qui a toujours le même droit, cet art si difficile, et si glorieux ne fait pas votre principale gloire.
>
> Que vous possediez tous les tresors de l'éloquence, que vous sachiez embellir la vérité elle-même, que vous soïez seurs s'il est possible d'être maîtres de quiconque vous écoute, vous verrés de nombreuses assemblées les yeux fixés sur vous se remplir avidement de vos discours, vous serés paiés de vos travaux à chaque instant ou par des applaudissemens, ou par un silence qui applaudit encore mieux, mais cette reputation, ces louanges, ces honneurs ne sont pas le plus beau prix que vous puissiés vous proposer, il en est un plus digne de vous[235].

Même si ce n'est pas le prix le plus digne du labeur d'un avocat, l'effet de la parole oratoire que Joly de Fleury décrit, et dont les termes rappellent ceux de Chrétien de Lamoignon, n'en est pas moins impressionnant et très révélateur du pouvoir qu'on aimait attribuer à l'éloquence. Un auditoire est subjugué par la bonne éloquence. Plutôt que d'un rejet, il s'agit en fait d'une redéfinition de l'éloquence, dans laquelle l'art de la parole se double d'une exigence morale. Il suffit pour s'en convaincre de lire un développement que le même orateur consacre trois ans plus tard à l'éloquence, et où se profile une définition de la bonne éloquence, dans l'ouverture aux avocats sur «La Sagesse, qui consiste dans la science et la probité» – dont le titre pose déjà la structure qui associe l'exigence double du savoir et de la morale:

> [L'avocat parfait] ne cherche pas dans l'éloquence un vain ornement pour son Esprit, mais une victoire certaine pour la vérité à qui il prête sa voix et ses pensées: quoi qu'elle n'ait point de plus riche parure que sa simplicité; elle ne dedaigne point d'emprunter souvent les secours de l'éloquence pour dissiper les nuages dont les passions et les prejugez l'enveloppent et la cachent à nos yeux.
>
> C'est pour cela que les sages d'autrefois persuadés de la nécessité du grand art de la parole renonçoient pour l'acquerir, aux douceurs de leur patrie, et l'on a vû souvent les plus grands maîtres du monde, aller chercher au loin parmy leurs sujets et leurs vassaux des maîtres dans la science de bien dire qui leur enseignassent le secret de dompter les esprits rebelles, de s'assujettir les cœurs, et d'etablir sur leurs citoyens l'empire de la raison[236].

L'éloquence est grande dans le soutien qu'elle apporte à la vérité. Mais, à cette condition, sa grandeur est universelle: les sages et les maîtres du monde la cultivent et la pratiquent. Et devant un auditoire d'avocats, c'est-à-dire, dans une certaine mesure, de professionnels de la parole, Joly de Fleury résume en une formule la force et la valeur de la véritable

---

[235] Joly de Fleury, 57 r°-v°.

[236] *Ibid.*, 78 r°-v°.

éloquence: elle assure «l'empire de la raison». Elle combine ainsi efficacité et rationalité, cette dernière qualité étant le fondement et la justification de la première. Portail confirme, dans son ouverture de 1698, cette définition rationnelle de l'éloquence:

> La veritable éloquence meprise ces vains ornemens, qui, à force de la parer, la font souvent méconnoitre; elle songe moins à charmer les oreilles qu'à convaincre les esprits[237].

Joly de Fleury, Lamoignon et Portail ont montré cependant à quel point, en convainquant les esprits, on pouvait captiver les auditeurs. Telle est, dans le contexte parlementaire, la place accordée aux réflexions sur l'éloquence, et la grandeur qui la caractérise lorsqu'elle est bien comprise.

Dans une ouverture qui date probablement de 1676, intitulée de façon symptomatique «La Fertilité de la vertu», le premier président de Lamoignon avait déjà expliqué:

> La parole est comme le canal qui distribue ses bienfaits [ceux de la justice] sur la terre, mais ce n'est pas cette parole uaine et passagere dont le son ne fait que frapper l'oreille et se pert au moment qu'elle se fait ecouter;
>
> C'est la parole que le Poete donne à Vlisse, elle uient du cœur et prend toute la force de son poids du merite de celuy qui parle[238].

Ce n'est donc pas la qualité de l'éloquence qui fait l'orateur, c'est le mérite de l'orateur qui fait naître la vraie éloquence. On retrouve ici des formulations qui rappellent à nouveau la prédication. D'une certaine manière, les ouvertures aux avocats, du point de vue de leur présentation «professionnelle», font penser aux sermons sur la prédication. Bossuet insiste par exemple, en utilisant saint Augustin, sur la vanité du son qui frappe l'oreille, par opposition à la prédication spirituelle à laquelle on doit véritablement faire attention:

> «le son de la parole frappe les oreilles, le Maître est au dedans; on parle dans la chaire, la prédication se fait dans le cœur: *Sonus verborum [nostrorum] aures percutit, magister intus est.*»[239]

Même si la perspective est différente, l'insistance sur une qualité particulière de la parole est analogue. C'est un parallèle qui reste pertinent sur plusieurs points.

---

237 Portail, f° 17 r°.

238 Lamoignon, p. 242-243.

239 Bossuet, «Sermon sur la parole de Dieu» *Œuvres Oratoires* (éd. Lebarcq, revue et augmentée par Urbain et Levesque. Paris: Desclée, de Brouwer et Cie, t. III, 1916), p. 631.

L'ouverture aux avocats sur «Les Mœurs» (23 novembre 1676) amplifie l'exigence morale qui s'attache à l'orateur. A partir de maximes telles que: «D'ordinaire chacun parle comme il uit», «on connoit le cœur de l'homme à son langage», le magistrat tire des conclusions sur l'éloquence:

> Pretendre qu'un esprit rampant dans la bassesse des vices s'eleue à la plus sublime eloquence, c'est uouloir qu'une terre couuerte de ronces et d'épines produise les plus riches moissons[240].

Et la formule se retrouve avec des variantes dans plusieurs discours. L'argumentation va ici se dérouler sur un double plan: celui de la morale (ce qu'il faut) et celui de l'efficacité (ce qui persuade le mieux les auditeurs). Préceptes rhétoriques et règles morales coïncident finalement. Le même orateur reprend aux «Maitres de l'art» leur «premiere regle»: «La probité se peut passer de l'éloquence, Mais l'eloquence ne se peut passer de la probité: les bonnes mœurs font valoir les bonnes raisons; elles facilitent et frayent pour ainsy dire le chemin à la persuasion»[241]. On retrouve ici la problématique de l'éthos rhétorique: le caractère de l'orateur sert de fondement à sa capacité persuasive. C'est donc par leur intérêt même que les avocats devraient être poussés à la vertu. La formule: «C'est ainsi que l'homme de probité trouve sa récompense dans sa probité même» est développée par la constatation que son témoignage pèse plus que la foi de mille témoins. Se reporte-t-on à l'autorité de Cicéron pour encourager les avocats à la vertu? C'est en praticien de l'éloquence que le prince des orateurs, comme il est appelé plus d'une fois, présente le portrait de Crassus, que Lamoignon offre à son tour comme exemple. Quel portrait Cicéron a-t-il laissé de Crassus?

> [D]'une pudeur et [d]'une modestie admirable, il n'avoit qu'a se montrer, pour attirer sur luy les yeux de ses auditeurs, et qu'a prononcer un mot, pour se concilier leur attention et bien loin que cet air modeste et respectueux diminuast quelque chose de son eloquence; il en augmentoit la force et la beauté; de sorte qu'on ne pouvoit dire auquel des deux on prenoit le plus de plaisir, ou a le uoir, ou à l'entendre, tant son attitude et ses paroles representoient bien l'honnesteté de ses mœurs et formoient comme une image de la pureté de sa uie[242].

C'est bien l'allure de l'orateur doux et modeste que les traités et manuels recommandent pour se concilier la faveur du public. A ce portrait, Cicéron oppose celui de Caius Macer, en qui il reconnaît les talents et l'étude de l'éloquence, mais qui avait peu de souci de sa réputation:

---

240 Lamoignon, p. 216.

241 *Ibid.*, p. 218.

242 *Ibid.*, p. 219-220.

> La grossiereté de ses mœurs son abord rude et son audace a parler le firent abandonner de ceux meme qui estimoient son sçavoir et qui distinguoient son merite derriere ses mauuaises qualités[243].

Mais si la probité doit se *montrer* pour rendre le discours efficace («mais comment peut nous plaire et meriter nostre estime un homme faux et uicieux?»)[244], c'est que les discours hésitent toujours entre l'affirmation de la nécessité de la vertu et celle de l'apparence de la vertu et oscillent toujours entre la définition morale de l'*Orator* et les conseils pragmatiques à l'orateur. C'est en partie un souci d'efficacité qui fait encore préférer la vertu véritable à la vertu feinte. Le «principal objet» de l'avocat-orateur, c'est d'«insinuer une opinion generale de sa probité»[245], mais, poursuit le magistrat,

> il est difficile de la feindre longtemps ou elle n'est pas – quelque dissimulé qu'il soit, il ne peut se contrefaire en toutes choses; aussi le plus court chemin et le plus seur pour gagner l'estime du public, c'est d'etre en effet ce que l'on ueut paroitre a tout le monde[246].

On retrouve dans cette constatation pragmatique un argument voisin de celui qu'avançait Cordemoy, qui, fait significatif, appartenait au barreau de Paris, pour soutenir «*Que le mensonge est opposé à la veritable Eloquence*»[247]. Car, si la formulation et le développement de cette affirmation sont d'abord d'ordre moral, comme l'indique l'impératif éthique présenté aux orateurs:

> En effet, comme l'Eloquence est un moyen, non seulement d'exprimer ce que nous pensons, mais aussi d'obliger les autres à penser comme nous, elle ne doit jamais être employée qu'à faire connoître la verité, ou à la faire suivre[248],

c'est aussi au nom de l'efficacité que la vérité doit être respectée. Il est plus facile de persuader une vérité que l'on sait être telle, qu'un mensonge qu'on doit se contraindre à faire passer pour la vérité:

> Mais pour ne mêler icy la Morale, qu'autant qu'elle convient à un discours de Physique, il est à propos d'examiner en cet endroit, d'où vient que non seulement il doit être homme de bien, mais même qu'il ne peut être parfaitement éloquent, s'il n'a cette qualité. Et cela n'est pas diffi-

---

243 *Ibid.*, p. 220.

244 *Ibid.*, p. 218-219.

245 «Les Mœurs», Lamoignon, p. 216.

246 *Ibid.*

247 Gérauld de Cordemoy, *Discours physique de la parole* (1668), dans *Œuvres philosophiques* (P. Clair et F. Girbal éds., Paris: PUF, 1968), p. 246. Cordemoy fut reçu à l'Académie française le 12 décembre 1675.

248 *Ibid.*

> cile à concevoir: car, si l'on convient que pour être parfaitement éloquent, il faut sçavoir l'art d'instruire ses auditeurs; & celuy de reprimer ou d'exciter leurs passions, selon qu'il est utile pour la fin qu'on se propose; il faut aussi convenir qu'un Orateur, qui dit le contraire de ce qu'il sçait, ne doit pas trouver si aisément des paroles pour l'exprimer, que s'il disoit la verité. Et, si pour ne se point méprendre, il étudie ce qu'il doit dire, il faut avouer que son discours, qui ne sera que de mémoire, ne pourra jamais avoir la grace ni la force, qu'a toûjours celuy d'un homme qui ayant appris à bien parler, & disant ce qu'il pense, ne craint pas de se tromper[249].

Morale et efficacité apparaissent comme deux facettes complémentaires de l'éloquence parlementaire, qu'elles justifient. On voit ainsi se fondre en une figure unique le censeur et le rhéteur, de même que dans l'ouverture sur «Les Mœurs» se succèdent, par un retournement significatif, l'exemple de Caton et les préceptes de Quintilien. Après avoir montré la force persuasive de l'*éthos* de l'orateur, Lamoignon conclut que l'homme de bien soutient ses propositions par la seule force de sa vertu:

> et quand elles seroient depouillées de tous les ornemens du langage, elles seroient assez ornées de sa propre vertu[250].

Et, qui mieux que Caton, illustrera cet homme de bien:

> Caton triomphoit de l'éloquence et du pouvoir de Cesar et attiroit jusques dans la prison, ou ce consul l'avoit condamné, tout le peuple et le senat a sa suite[251].

Or, cet apparent rejet de la rhétorique est immédiatement suivi d'une volte-face, qui montre bien que si, pour le parlement, la véritable éloquence est fondée sur la vertu, elle consiste en une alliance de la vertu et de l'art de bien dire. On ne saurait négliger les nécessités pratiques de la profession d'avocat (c'est pour cela que, plutôt que d'exigence éthique, il faut parler, pour l'éloquence parlementaire, d'un caractère éthico-professionnel). Lamoignon continue par une transition très abrupte:

> Mais quoy qu'un homme de bien se puisse passer du secours de l'art, il ne le neglige pas; Caton meme ne l'a pas meprisé, aux dieux ne plaise, dit Quintilien que ceux qui ueulent uiure comme luy n'osent se servir de nos preceptes; au contraire, nous ne recommandons rien, tant que l'integrité lors que nous enseignons a faire un choix judicieux des mots, a les mettre en leur place, a donner aux choses un tour et des couleurs

---

249 *Discours physique*..., p. 246-247.

250 Lamoignon, p. 221.

251 *Ibid.*

> auantageuses; nous uoulons que ce soit toujours sans sortir de ce caractere[252].

Caton est un sage orateur. Il porte en lui tous les traits de la vertu; il n'a pas méprisé l'art oratoire sous son aspect le plus matériel, celui des préceptes. On est d'autant plus justifié à s'en servir, que les auditeurs ne sont pas de simples mécaniques, mais des hommes, doués eux-mêmes de raison (surtout dans le cas de la plaidoirie, où c'est aux magistrats qu'on s'adresse; et n'ont-ils pas au moins la même sûreté de jugement que les orateurs qui leur présentent les causes?). On trouve ainsi une curieuse réflexion dans l'analyse que Donneau de Visé fait de l'ouverture que Le Camus prononça en 1698 à la Cour des Aides:

> [Il dit que] si la force d'une éloquence victorieuse avoit le pouvoir d'enlever les esprits, & de leur faire prendre un party, ces mesmes esprits estoient en droit d'examiner les raisons contraires[253].

Il reste qu'une telle remarque est relativement isolée: pour être en droit d'examiner les raisons qu'on lui propose, l'auditeur est, le plus souvent, à la merci du bon orateur, que sa vertu empêche cependant d'utiliser son pouvoir sans scrupule. Telle est du moins la vision que présente Portail: «Maître des impressions qu'il veut faire sur les esprits, il n'en abuse jamais.»[254]

S'ils mêlent les considérations rhétoriques aux réflexions éthiques, les parlementaires sont amenés à proposer des préceptes plus ou moins détaillés, souvent sur un mode restrictif. Le discours de Portail est très caractéristique, parce qu'il oscille toujours entre le caractère du parfait orateur et l'éloquence que doit pratiquer l'avocat. La notion de *proportion* sert par exemple à définir la convenance du style au sujet:

> Il n'y a plus de bienséance dans les discours sitot que l'on n'y reconnoit plus de proportion; il faut se mesurer auec son sujet comme un pilote experimenté doit toujours etre prest a changer de manœuvre a chaque coup de vent qui bat le vaisseau, l'orateur doit changer de Stile selon les matieres differentes qu'il veut traiter. Quelquefois on doit reconnoitre dans son discours une noble hardiesse de langage, des sentimens sublimes, des expressions riches. Les grandes matieres demandent de grands ornemens et auilir la dignité de son sujet par la bassesse de son stile, ce seroit pécher contre les regles de la bienséance[255].

---

[252] *Ibid.*, p. 222.

[253] *Mercure*, novembre 1698, p. 262.

[254] Portail, f° 21 v°.

[255] Portail, f° 18 v°.

Portail ajoute encore des conseils sur la narration[256] et sur la prononciation en se plaçant pour celle-ci sous le signe de Cicéron, «Prince des Orateurs.»[257]. Mais ces préceptes sont toujours assortis de l'affirmation de l'exigence de la vérité:

> S'il n'obmet rien de nécessaire, il ne dit rien d'inutile, fidel (sic) a son sujet il ne s'en écarte jamais, et il ne se sert pour charmer et pour convaincre que de ces raisonnemens et de ces beautés qui naissent du fonds de sa cause. habile à manier tous les ressorts dont l'ame peut etre touchée, il sçait s'accommoder à la portée de ses auditeurs, prendre le point et le degré de leur esprit, et par les adresses innocentes d'un art caché, il va percer dans ces replis secrets où la voix de la verité se fait entendre[258].

L'*Orator* est bien un orateur: il sait charmer, convaincre, toucher (on aura reconnu trois fonctions traditionnellement attribuées au discours: *docere, delectare, movere*), l'insistance sur la vérité rappelant toujours qu'il s'agit plus d'instruire que de plaire. L'exigence de tirer les beautés du fond de la cause permet de définir la place accordée à la rhétorique comme art oratoire, une place qui rappelle celle que lui concède un Bossuet, par exemple. L'Avocat Général lui-même explique:

> L'orateur trouve les vraies beautés de l'éloquence dans la beauté de son sujet, il les develope à mesure qu'il les traitte, et l'eloquence le suit toujours sans qu'il paroisse jamais la chercher: son discours est si plein que le nombre des pensées semble égaler celuy des paroles[259].

Encore une fois, le sermon «Sur la parole de Dieu» fournit un point de rapprochement entre la prédication et la plaidoirie, qui double de façon concrète les rapprochements que certains manuels et traités sur l'éloquence de la chaire et du barreau font sur le plan de la théorie rhétorique: les deux domaines ne sont-ils pas liés par un désir de convaincre d'une vérité? On lit sous la plume de Bossuet:

> Que si vous voulez savoir maintenant quelle part peut donc avoir l'éloquence dans les discours chrétiens, saint Augustin vous dira qu'il ne lui est pas permis d'y paraître qu'à la suite de la sagesse. *Sapientiam* [*de domo sua, id est, pectore sapientis, procedere intelligas, et tanquam inseparabilem famulam, etiam non vocatam sequi eloquentiam*]. Il y a ici un ordre à garder: la sagesse marche devant comme la maîtresse, l'éloquence s'avance après comme la suivante. Mais ne remarquez-vous pas, Chrétiens, la circonspection de saint Augustin, qui dit qu'elle doit suivre sans être appelée? Il veut dire que l'éloquence, pour être

[256] *Ibid.*, f° 21 r°.
[257] *Ibid.*, f° 22 r°.
[258] *Ibid.*, f° 21 r°-v°.
[259] *Ibid.*, f° 17 r°.

> digne d'avoir quelque place dans les discours chrétiens, ne doit pas être recherchée avec trop d'étude. Il faut qu'elle semble venir comme d'elle-même, attirée par la grandeur des choses, et pour servir d'interprète à la sagesse qui parle[260].

Le parallèle pourrait être prolongé sur d'autres points, mais cet exemple suffit à montrer la parenté qui existe entre certains principes de l'éloquence de la chaire et ceux qui régissent l'éloquence du barreau. Et ce trait de l'éloquence parlementaire lui est essentiel. De fait, si l'on peut définir une évolution dans les pratiques oratoires de l'institution judiciaire, sous la pression des exigences de l'*honnêteté* auxquelles le décloisonnement progressif des élites parisiennes soumet le parlement, on voit cependant que, tout en se définissant comme une éloquence française, ou plutôt comme *l'*éloquence française, les discours parlementaires ne perdent pas leur identité. Si l'effort de la librairie pour mettre sur le marché des recueils de discours parlementaires, à la fin du XVIe et au début du XVIIe siècle ne doit pas masquer, d'après M. Fumaroli, le fait que cette époque voit déjà le crépuscule de la grande éloquence parlementaire, on peut dire que la situation est plus complexe un siècle plus tard: l'attention que le *Mercure* porte aux discours parlementaires peut bien s'expliquer en partie par l'importance croissante de l'éloge du Roi; elle n'en marque pas moins l'inscription des pratiques oratoires des institutions politico-judiciaires dans la sphère d'intérêt du public qui lit, et qui s'intéresse à la vie mondaine et cérémonielle. En l'absence de publications spécifiques, l'éloquence parlementaire propose une synthèse entre tradition parlementaire et goût moderne qui lui permet d'être vue et présentée par les orateurs comme le paradigme de l'éloquence.

### C. *Le parlement et la pratique d'une éloquence française*

> L'Eloquence devenuë françoise, n'est plus Etrangere; elle est entrée dans cet empire à la suite des beaux arts. La France triomphe par la gloire des lettres comme par la puissance des armes,

dit Joly de Fleury en 1700[261]. L'éloquence parlementaire, qui est, comme on l'a vu, la vraie éloquence, s'inscrit dans le cadre de cette affirmation. C'est au parlement qu'il faut chercher les véritables manifestations de l'éloquence française et, donc, ses caractéristiques. Certaines remarques prouvent que les parlementaires n'étaient pas coupés de l'évolution générale. Un Portail évoque les transformations de la

---

[260] *Œuvres oratoires*, *op. cit.*, t. III, p. 627.

[261] Joly de Fleury, 78 v°-79 r°.

langue française et les conséquences qu'il faut en tirer pour l'éloquence:

> Notre langue est devenuë si retenuë et si sobre qu'elle met au nombre de ses défauts ces metaphores trop hardies, ces façons de parler trop pompeuses: la lumiere qui frappe les yeux avec trop d'éclat eblouït, l'Eloquence qui paroit avec trop de brillant lasse l'esprit et le fatigue[262].

Le *Mercure* souligne d'ailleurs en plus d'un endroit l'évolution des discours parlementaires, ouvertures ou mercuriales, d'un discours de forte réprimande vers des pratiques oratoires «plus douces et plus honnêtes».

En analysant le «stile de parlement», M. Fumaroli a mis en lumière son caractère savant et souligné la place des citations. Ces deux caractères ne disparaissent pas à la fin du siècle, mais on perçoit pourtant un recul des langues savantes, dont les orateurs de la génération de Talon font encore largement usage. Ce n'est pas que les orateurs ne mettent parfois en garde leurs auditeurs contre la tentation de la citation purement ornementale ou qui ne serait employée que pour allonger le discours. La pratique des citations ne révèle pas d'ailleurs de doctrine unanime, dans la mesure où il est des discours qui ne présentent de citations qu'en français, tandis que certains orateurs, parmi les plus appréciés, n'hésitent pas à introduire des mots ou des phrases entières en langue savante. Il est vrai que la présence dans le corpus de textes qui ne sont connus que par le *Mercure* fausse un peu la perspective: lorsqu'il résume le *Mercure* élimine toute trace des citations qui ont pu avoir été faites par l'orateur. Mais on possède cependant assez de textes d'autres sources pour suggérer que les langues savantes perdent du terrain, sans toutefois disparaître.

Denis Talon, qui est certainement celui de tous les orateurs qui joue le plus la carte savante, va même jusqu'à employer le grec. Dans la mercuriale intitulée: «La Justice est une vertu située entre deux extrémités – Tous les devoirs d'un bon juge consistent en trois choses: *bonitatem, disciplinam, scientiam*», il exhorte les magistrats à ne pas s'opiniâtrer,

> rien n'étant si dangereux que de faire profession de cette vertu austère que les Grecs appellent αυταδια ησχυρογνοσυμη. C'est elle qui fait les sectes et les hérésies. . . .[263]

L'usage du grec, pour être exceptionnel, n'est pas unique dans la pratique de Denis Talon. Il justifie ailleurs l'existence des mercuriales par la «doctrine de Socrate», en s'appuyant sur une citation en grec[264]. Mais

---

[262] Portail, 17 v°.

[263] Talon, p. 301.

[264] Voir *supra*, p. 401.

c'est surtout le latin qui abonde dans ses discours. Le résumé du sujet de mercuriale [15] est déjà révélateur, car il est représentatif du contenu du discours. Cette tripartition vient en effet du Psaume 118 (v. 66). Elle est introduite dès le troisième paragraphe comme une citation de l'Écriture, directement en latin dans le courant du texte français: ce sont

> trois attributs que le plus sage des Rois demandoit à Dieu pour s'acquitter dignement des royales et pesantes fonctions de sa couronne, savoir: *bonitatem, et disciplinam et scientiam*[265].

Cette citation fonctionne un peu comme le texte d'un sermon, dans la mesure où elle fournit à l'orateur l'occasion de sa division. Après avoir développé cette trinité des qualités:

> La premiere comprend l'innocence des mœurs et la douceur d'un beau naturel; la seconde, la correction des fautes, et la sévérité pour l'observation des lois; la troisième, une grande lumière d'esprit, pour servir de flambeau à la conduite tant de l'une que de l'autre: l'une inspire l'humanité, l'autre la fermeté, la dernière, la suffisance, et toutes les trois ensemble forment une belle, noble et exquise idée du bon juge et du magistrat parfait[266],

Denis Talon revient encore sur ces «trois vertus héroïques formant toute l'économie de ce discours»[267], ce qui justifie l'analogie avec le texte et la division d'un sermon. Les mercuriales de Talon se terminent souvent sur une louange à Dieu (quelquefois en latin: «Laus Deo»), ce qui renforce le parallèle avec la prédication.

La notion de texte est encore applicable dans le cas d'une ouverture de Joly de Fleury sur la magnanimité (1697). Ce n'est pas tant, cette fois, l'origine de la citation, puisqu'il s'agit d'une phrase de Sénèque, que sa position, qui suggère l'utilisation comme texte. Le troisième exemplaire est en effet précédé d'un feuillet sur lequel, outre l'identification du discours, on peut lire: «*Magnanimitas etiam ejus est infra qu<e>m nihil est. Seneca*»[268]. Or, le discours développera cette citation en donnant à chaque condition sa magnanimité... Il est difficile de savoir si cette phrase fut ou non proposée à la méditation des auditeurs, lors de la lecture du discours. Peut-être est-ce un équivalent des références scripturaires données en marge. On trouve par exemple dans la mercuriale que D. Talon prononça en 1688, la phrase suivante:

---

265 Talon, p. 288.

266 *Ibid.*

267 *Ibid.*, p. 289.

268 Joly de Fleury, 50 r°.

> Ce qui n'est pas éloigné de l'Oracle prononcé par le fils de Dieu qui se plaint que la sagesse est souvent obligée de se justifier à la face des hommes,

phrase qui s'accompagne de l'indication marginale: «justificata est sapientia filiis suis Matt. 7, v. 19.»[269]. Mais la citation en exergue du discours de Joly de Fleury fait penser à un texte de sermon. Le déroulement de la rentrée sous le signe de la religion chrétienne, les citations de l'Écriture et l'existence de phrases latines qui constituent la base du discours rapprochent ainsi les pratiques oratoires du parlement de l'éloquence de la chaire.

Mais le «texte» du discours de Joly de Fleury n'est pas précisément, tiré de l'Écriture. Sénèque pouvait, il est vrai, offrir une figure christianisée, et le personnage que Tristan l'Hermite met en scène dans la *Mort de Sénèque* le montre assez. Mais les références, les autorités, les modèles des orateurs ne se limitent pas à la Bible ou aux Pères. Démosthène et Cicéron, pour les orateurs, Caton pour le sage orateur sans éloquence artificieuse, Quintilien pour les préceptes, Platon (et surtout Socrate) et Sénèque pour la morale, les auteurs évoqués sont largement des représentants de la culture païenne. Cette liste n'est d'ailleurs pas complète: il faudrait ajouter Philon, Homère, etc. S'il y a prédication, c'est plutôt une prédication morale que religieuse.

Il y a certainement chez Denis Talon une grande fidélité à la rhétorique des citations, même s'il insiste plusieurs fois sur la valeur de la simplicité dans le discours. A la fonction d'autorité donnée aux citations en langue savante, il faut ajouter un intérêt plus directement stylistique. On peut certainement parler d'un goût pour la citation latine, qui s'accompagne de jeux d'ordre phonique. Car, si l'orateur ponctue ses remarques de morceaux de phrases latines qui confirment en quelque sorte les affirmations faites en français, c'est souvent aussi un trait formel qui les justifie, en particulier la présence d'homéotéleutes. Ainsi, après avoir évoqué la taciturnité, la dissimulation et la simulation, caractéristiques des courtisans, Talon commente:

> Elles ont toutes ensemble pour fondement cette pernicieuse doctrine que rien n'est plus nuisible au succès de nos desseins qu'une vertu solide; rien plus utile ni plus avantageux que son ombre; *Virtutis fama et opinio homini adjumento, virtus ipsa impedimento*[270].

A l'antithèse, sensible en français avec la répétition du mot *rien*, s'ajoute en latin la terminaison commune des substantifs «*adjumento*»

---

269 «Pièces d'Éloquence», ms. frs. 21148, f° 11.

270 Talon, p. 366.

et «*impedimento*». On retrouve le même phénomène quelques paragraphes plus loin, lorsque l'orateur conseille une modération dans les critiques, pour ne pas irriter les auditeurs et les leur faire accepter. L'Avocat Général illustre sa proposition:

> La fable de Cassandre est une illustre figure de cette vérité. Comme elle avait refusé l'alliance d'Apollon, le dieu de l'harmonie qui enseigne l'art de plaire, de s'accommoder aux inclinations des hommes et de flatter leurs désirs, toutes ses prédictions, quoique véritables furent méprisées, et son ministère déshonoré. *Veritas semper adfuit, sed fides defuit*[271].

Si l'éloquence est devenue française, comme le dit en 1700 Joly de Fleury, un Talon reste très attaché à la présence des citations latines tissées dans le texte français, et il ne recule pas même devant quelques mots de grec. Son éloquence reste décidément savante. L'astrologie, la médecine, la physique, sous leurs formes scolastiques, sont autant de domaines pour tirer des arguments par analogie. Dans sa mercuriale [15] qui présentait la tripartition entre *bonitatem, disciplinam* et *scientiam*, on trouve successivement une comparaison entre la justice et la religion d'une part, et la médecine d'autre part, comparaison qui en reste au niveau de l'expérience commune:

> cette diversité de sentiments produit les mêmes effets, et dans la justice et dans la religion qu'une consultation de médecins partagés, dont le fruit n'aboutit qu'à fatiguer le malade et à aigrir sa maladie,

une évocation du ciel et des constellations, puis une citation du «prince de la médecine»:

> Voulez-vous savoir, disoit autrefois le prince de la medecine, quel est le meilleur de tous les tempéraments? C'est celui dans lequel aucune des humeurs n'usurpe un violent empire sur les autres et lorsque l'union de ces qualités contraires modère tellement leur inimitié naturelle, que chacune souffre quelque affoiblissement dans ses forces, pour concourir à la conservation du tout,

citation qui est encore suivie d'un fragment de phrase latine[272].

Les beaux-arts ne sont pas dédaignés. Dans la mercuriale suivante, l'orateur décrit l'amour et la haine en termes de peinture:

> ce sont des perspectives où les peintres font paroître des montagnes et des vallées, des reliefs et des enfoncements, encore que la toile sur laquelle ils ont couché leurs couleurs soit égale et tout unie[273].

---

271 *Ibid.*, p. 269.

272 *Ibid.*, p. 304-305.

273 *Ibid.*, p. 315.

L'humanisme érudit des magistrats embrasse ici tous les domaines. Or l'éloquence savante de l'Avocat Général provoque des paradoxes, dans la mesure où sa fonction l'amène à mettre en garde les parlementaires contre la trop grande érudition et les connaissances inutiles. Dans la mercuriale [15], il engage ses auditeurs à éviter les connaissances «qui ne servent à vous rendre ni meilleurs ni plus justes»[274]. De même, dans l'ouverture sur la modération, de 1687, il affirme:

> Bien que l'abondance soit préférable à la stérilité, une once d'or, une grosse perle, un diamant brillant valent mieux que plusieurs livres de fer ou de plomb. . . . Combien de choses qu'il est dangereux d'apprendre, et utile d'ignorer! Combien d'autres où il est expédient de ne pas s'engager, parce qu'elles nous sont étrangères, et que, n'ayant point de rapport à notre profession l'on consume, pour s'en instruire, des moments précieux dont on pourrait faire un meilleur usage. Si la curiosité nous porte à sortir de notre sphère, si nous avons de l'inclination pour les sciences spéculatives, il faut seulement en goûter dans les intervalles de son loisir[275].

Plus loin, alors qu'il établit une opposition entre le droit étroit et l'équité, le même orateur redéfinit l'usage et les composantes de la rhétorique efficace:

> Ce qui contribue alors à la victoire n'est ni le nombre des citations, ni le texte du Code et du Digeste, ni l'autorité des docteurs, ni le préjugé des arrêts, ni le poids d'un raisonnement puissant et solide, mais l'adresse d'un orateur qui, par un récit dont les circonstances paroissent vraisemblables, par une dissimulation prudente et par les dehors d'une ingénuité et d'une application apparentes se concilie l'attention et la créance des juges et des auditeurs[276].

Voilà un cas où les citations sont mises au nombre des éléments inutiles. D'une manière générale, citations, fables, anecdotes, tout ce qui pouvait

---

274 *Ibid.*, p. 304.

275 *Ibid.*, p. 476. Voir aussi, dans l'exorde, le passage suivant où Talon parcourt tous les sujets qu'on pourrait aborder pour enrichir le discours, en mettant à contribution les différents sentiments des philosophes anciens et modernes sur les systèmes, la nature, etc. Tout cela peut, dit Talon,

> fournir un fonds inépuisable de questions curieuses. La méditation jointe à la lecture, forme un agréable mélange des observations de la physique et des enseignements de la parole; au lieu de se renfermer dans son sujet, on prend l'essor, on monte jusqu'aux nues, où l'on découvre, où l'on invente des rapports et des liaisons du ciel avec la terre . . . on enveloppe ses traits les plus aigus sous des énigmes et des paraboles; et, en orateurs qui mesurent leurs périodes, qui affectent un style sublime, des expressions élégantes et des pensées plus brillantes que solides, on ne se propose d'autre but que de se concilier l'attention et de s'attirer des applaudissements. (P. 470)

276 *Ibid.*, p. 478-479.

apparaître comme un élément extrinsèque se voit critiqué par bien des orateurs: en 1696, le Premier Président dit en effet qu'il fallait

> menager le temps des Audiences, concourir à l'expedition, ne point s'etendre à des recherches inutiles de l'Antiquité, débiter des faits inutiles, faire des repetitions ennuyeuses[277].

L'éloquence trop savante manque son but. Elle se perd en recherches «curieuses» et peut attirer les applaudissements, mais rarement une adhésion de l'auditeur qui éprouve de l'admiration plutôt qu'il n'est persuadé. Talon explique ainsi:

> comme. . . les curieuses recherches et les plus grands efforts de l'éloquence flattent plus qu'ils ne persuadent, et remplissent plus la mémoire qu'ils ne touchent le cœur, nous espérons qu'un discours moins orné, mais plus ingénieux, n'ayant d'autre motif que de s'acquitter d'un devoir indispensable, fera beaucoup plus d'impression qu'un plus pompeux où l'art auroit plus de part que la naïveté[278].

On constate chez Denis Talon la persistance d'une éloquence savante soutenue par des citations en langue savante très nourries, et qui sont tirées d'auteurs de l'antiquité païenne aussi bien que des Écritures. Cependant, cette caractéristique coïncide avec de nombreuses mises en garde contre le savoir gratuit et les citations inutiles. L'érudition trop poussée et la science curieuse deviennent alors inutiles et même nuisibles, car elles distraient d'un travail plus essentiel.

---

[277] *Mercure*, novembre 1696, p. 314. On a parfois l'impression de retrouver dans les discours parlementaires l'écho des débats sur la citation dans les plaidoyers. Dans les *Dialogues sur l'éloquence judiciaire* de Fleury, Cordemoy s'élève contre l'abus des citations, et surtout des citations en langues anciennes:

> . . . notre conjuration n'est formée que contre la fausse éloquence, et nous n'avons autre dessein que de la détruire, et surtout d'abolir la mauvaise coutume que l'on a de farcir les plaidoyers de citations sous prétexte de les embellir.
>
> . . . De là vient que le temps des audiences, ce temps si précieux, se consomme inutilement; que l'on épuise l'attention des juges et que l'on met à bout leur patience. De là vient, pour parler du tort que l'avocat se fait à lui-même, qu'un jeune homme souvent perd son temps en travaillant, parce qu'il ne l'emploie pas à apprendre le fond des choses, et qu'au lieu de s'appliquer à quelque science solide comme du Droit romain, ou de notre histoire, il s'occupe à lire des auteurs dont il espère tirer des passages.
>
> Encore cette lecture ne serait-elle pas inutile si elle servait à former le jugement, et à nous montrer à parler de nos affaires de la même manière que les Anciens parlaient des leurs: mais on ne pénètre pas si avant, on ne prend que l'écorce; on remarque un mot extraordinaire, une pensée qui paraît délicate, un événement singulier de l'histoire grecque ou romaine, une fable ingénieuse que l'on fait venir à tout ce que l'on veut par des applications forcées et des allégories cérébrines. (Cité par Michel Charles, *Rhétorique de la lecture*, p. 191-192)

[278] Talon, [«Dix-neuvième mercuriale»], p. 380.

Denis Talon apparaît comme un représentant de l'éloquence parlementaire traditionnelle, attaché aux citations en langue savante et à l'érudition, même s'il insiste sur le caractère néfaste d'une érudition gratuite. Il faut souligner que, si l'on en croit le *Mercure*, ce genre de discours trouvait encore bien des admirateurs. En revanche, Lamoignon, son neveu, semble déjà ne plus citer qu'en français, même si son éloquence, comme celle de son père, est encore marquée par l'érudition. Des orateurs comme Portail ou Joly de Fleury ont déjà enregistré les traits majeurs de l'évolution qui caractérise l'éloquence parlementaire. Tous deux font explicitement référence à la culture française, puisque l'un atteste, pour ainsi dire, de la naturalisation de l'éloquence, et l'autre fonde sur les progrès de la langue les restrictions qu'il met sur l'éloquence. Ils se placent, certes, tous deux sous l'égide de la sagesse antique, puisque Joly de Fleury fait découler toute son ouverture sur la magnanimité d'une phrase de Sénèque et que Portail donne Socrate pour paradigme à la figure du sage :

> Celuy que la sagesse payenne avoit choisi pour prononcer ses premiers oracles et qui paroissoit inaccessible à la calomnie, Socrates est accusé, qui doute qu'il ait detruit sans peine toutes les accusations de ses ennemis s'il eut entrepris de les combattre. Un Orateur lui presente un discours préparé pour sa justification, ce Philosophe l'écoute, le loue; il l'approuve pour tout autre, mais il ne convient point à Socrates, il est honteux pour lui de se justifier; c'est faire tort à sa vertu d'avoüer qu'elle a besoin d'apologie[279].

C'est une leçon pour apprendre à l'avocat, non pas à se taire, mais à parler avec bienveillance (on notera que Socrate est ici confondu avec les Stoïciens lorsque l'orateur admire «ce trait de Philosophie Stoïque»)[280]. Cependant, s'ils restent ainsi fidèles à l'esprit de l'humanisme gallican, les jeunes avocats généraux semblent, d'après les quelques textes de cette période, avoir renoncé à parsemer leurs discours de citations ou même d'allusions à des domaines autres que le contexte parlementaire. Ils illustrent ainsi l'éloquence française à la manière du parlement, une éloquence qui s'est adaptée aux exigences d'une honnêteté mondaine et de Cour, qui rejette l'embarras de la mercuriale-«thesaurus» d'un Talon[281]... Ce terme permet de rappeler tous les rapprochements que l'on peut faire entre l'éloquence parlementaire, que j'ai qualifiée, par certains aspects, de prédication morale, et l'éloquence de la chaire. Même un Joly

---

[279] Portail, f° 14 v°.

[280] *Ibid.*, f° 15 r°.

[281] J'emploie ce terme par analogie avec le sermon-«thesaurus». Sur ce point, voir par exemple P. Bayley, *French Pulpit Oratory...*, p. 77 sq.

de Fleury semble bien inspiré par la forme du sermon. Mais surtout, certains éléments métaphoriques, que l'on peut évoquer rapidement, continuent d'apparaître régulièrement. De même que le discours parlementaire se définit comme le discours de la vérité, le savoir des juges et des avocats et leur vertu sont constamment désignés par le terme *lumière* ou par des équivalents. Ce phénomène est omniprésent, et il est inutile de multiplier les exemples; je me contenterai d'en citer un, d'une mercuriale de Denis Talon qui combine les termes *lumière* et *chemin*, tous deux surdéterminés par le texte des Écritures:

> Qui s'étonnera donc si l'on en rafraîchit si souvent la mémoire aux juges, puisque c'est une lumière qui éclaire leur esprit et un chemin qui redresse leurs égarements?[282]

On retrouve chez Joly de Fleury le terme *lumière* dans une métaphore quelque peu incohérente, qui montre bien l'autonomie de ce terme: «Une lumière sortie de sa bouche fait évanoüir tous ces fantômes.»[283]

Le parallèle avec la prédication est encore confirmé par la manière dont les orateurs désignent constamment le Palais par l'expression *temple de la justice* ou des variantes de cette formule et dont ils évoquent les cérémonies du parlement en termes de sacrifice religieux – d'autant plus que leur rentrée se fait explicitement sous le signe du sacrifice à Dieu. On peut lire ainsi chez Talon:

> Les cérémonies les plus religieuses ne sont pas exemptes de ce relâchement. Quelle ferveur plus grande pour nos mystères, que celle des néophytes quand ils commencent de s'approcher de l'autel! Quelle tiédeur plus négligente que la leur, quand ils entrent à toute heure dans le sanctuaire, et que l'usage des sacrifices devient trop fréquent[284].

La familiarité avec le Palais est mise en parallèle avec la trop fréquente communion. Talon atténuera d'ailleurs cette présentation. Il reste qu'elle montre que la cérémonie parlementaire est aisément perçue en des termes religieux. L'expression «temple de la justice» se retrouve dans de très nombreux discours. [Des Haguais] en donne, en 1699, une variante, d'inspiration apparemment plus païenne que chrétienne:

> Ce temple où il exerce son ministere est aussi ancien que la société des hommes, il est également auguste dans toutes les nations; là se rendent les oracles qui font la paix de l'univers, là habite une divinité bien faisante toujours prête à secourir ceux qui l'implorent . . .[285]

---

[282] Talon, [«Dix-huitième mercuriale»], p. 380-381.

[283] Joly de Fleury, 1700, f° 77 v°.

[284] [«Dix-neuvième mercuriale»], p. 376.

[285] Joly de Fleury, p. 64 r°. L'attribution à Des Haguais est raisonnable, mais non confir-

Mais l'inspiration générale est chrétienne. Joly de Fleury reconnaît à la religion un rôle de régulation morale:

> Les loix dont il [le sage orateur-magistrat] fait son Etude luy montrent une loy souveraine à laqu'elle il doit se soûmettre, et il ne peut s'envisager comme ministre de la justice, sans se souvenir de cette justice essentielle source de toute justice[286].

L'éloquence parlementaire s'accommode aux exigences de la modernité mondaine. Les orateurs participent très certainement au mouvement de rapprochement et d'unification des élites et aux progrès du goût des honnêtes gens qui s'opposent à la tradition savante. Mais les officiers du parlement n'abandonnent pas leurs valeurs. On pourrait parler d'une synthèse qui conserve l'inspiration morale et savante à la fois, sans plus la manifester par tout un appareil de citations ou d'anecdotes trop recherchées. La tonalité religieuse n'est pas totalement effacée et les parlementaires peuvent ainsi se définir comme des orateurs sages et religieux. En définissant la vraie éloquence par la coïncidence d'une compétence rhétorique et du caractère moral de l'orateur parlementaire toujours soutenu par la vérité, les discours élaborent une image de la grandeur des gens de robe face aux gens de lettres. Orateurs religieux, orateurs véridiques, orateurs de talent: le parlement, qui avait tant rechigné devant l'enregistrement des lettres patentes de l'Académie française, et dont certains membres ont franchi les portes de l'institution des belles-lettres qui tient séance au Louvre, combat maintenant sur un autre terrain, avec les mêmes armes que les membres de l'institution académique: l'éloquence. Mais l'image que mercuriales et ouvertures donnent de l'institution parlementaire souligne encore la grandeur du magistrat ou même de l'avocat d'une autre manière. Les discours font apparaître une figure de l'orateur, qui rappelle la définition de Caton, reprise par Cicéron: «*vir bonus dicendi peritus*». Il s'y ajoute une dimension quasi religieuse: le parlementaire et le prédicateur tiennent le même langage sur la parole de vérité. Mais, dans cette construction de la figure de l'avocat ou du magistrat parfait, qui, caractérisé par la «véritable éloquence», peut être indifféremment désigné par les termes de *sage* et d'*orateur*, les parlementaires ne se contentent pas de répéter une doctrine toute faite. Ils détournent cette vision à leur profit. Un mot est revenu à plusieurs reprises pour désigner le caractère de l'*orator* parlementaire: le *mérite*. Entre la figure de l'orateur et la notion de mérite, c'est l'ensemble des valeurs d'un groupe qui s'affirme. Dépeindre cet orateur plein de mérite, à travers les images négatives des mauvais par-

mée.

[286] Joly de Fleury, 81 v°-82 r°.

lementaires, les portraits idéaux ou l'éloge des hommes en place, c'est construire une représentation du corps. Au moyen de cette représentation, le groupe des parlementaires, qui partage un ensemble de valeurs et que j'appellerai donc un groupe socio-culturel, marque sa réussite et les promesses de sa réussite, même si le parlement a perdu, pour un temps, la capacité de s'opposer aux volontés royales, à la suite de la Fronde et du renforcement de la centralisation du pouvoir. Si la définition de la vraie éloquence lui permet d'affirmer sa grandeur par rapport aux gens de lettres, la notion de mérite lui donne le moyen de formuler sa valeur par rapport à la noblesse d'épée (même si l'opposition est parfois moins nette, dans la mesure où certaines familles qui ont fait très tôt le choix de la robe viennent de l'ancienne noblesse d'épée; mais leurs valeurs sont celles de la robe).

### 3. **Perfection parlementaire et réussite: le mérite vu par la robe**

Comme les académies, les institutions parlementaires définissent un critère d'excellence individuelle, le mérite. Mais elles en poussent beaucoup plus loin les conséquences. C'est tout le groupe qui se reconnaît dans cette revendication du mérite. C'est toute une conception de la réussite sociale qui s'y exprime.

C'est d'abord comme élément des éloges que le mérite joue un rôle important. Si on examine les éloges qui ont été prononcés à l'occasion de l'enregistrement des lettres de chancelier, on s'aperçoit que la notion de mérite est un *lieu* essentiel de ce type de discours. *A priori*, ce terme aurait donc surtout pour fonction de flatter le nouveau détenteur d'une charge ou d'une fonction, justifiant son succès par des caractéristiques personnelles plutôt que par la fortune ou la faveur capricieuse. Cette dernière est d'autant plus absente qu'un des *lieux* les plus fréquents de l'éloge du Roi est son aptitude à choisir ceux qui doivent remplir des emplois! Ainsi l'avocat Chardon, qui présente les lettres de Boucherat au Parlement de Paris, affirme qu'il

> n'avoit eu besoin que de son propre merite & de sa seule vertu, pour ariver à la haute Dignité à laquelle il estoit parvenu par une longue suite de services[287].

Quant à Denis Talon, qui lui succède, il représente Boucherat en «parfait magistrat» distingué en particulier pour son mérite:

> Les grands génies s'échappent quelquefois; la chaleur de leur tempérament les emporte; ils sont sujets à des chutes et à des disgrâces. Ici nous ne remarquons *rien qui ne représente l'idée d'un parfait magistrat.* Il

[287] *Mercure*, février 1686, p. 78.

> s'est avancé pas à pas sur une ligne droite; ses démarches ont été si régulières, sa vie si pure et si innocente, que la rhétorique n'a pas besoin d'employer des ombres et des couleurs pour couvrir ses défauts ou excuser ses emportements ou ses faiblesses. Et n'est-on pas forcé, au contraire, d'avouer que, quelques postes qu'il ait remplis, *il s'est toujours distingué par son mérite*, et que, dans le cours d'une longue carrière, il s'est acquitté de ses devoirs avec une exactitude et une vigilance admirables?[288]

Le mérite est ici un trait du parfait magistrat, illustré par le nouveau chancelier. Pour anodin que paraisse le terme dans sa fréquence même, il est essentiel à la stratégie représentative du parlement. Devant le Grand Conseil, Le Maistre de Ferriere, qui est le premier orateur, souligne l'importance du mérite pour les promotions dans le Royaume, par une comparaison négative avec d'autres temps et d'autres lieux:

> il y avoit eu des Siecles, & . . . [il] y avoit encore aujourd'huy des Etats, où les grandes Dignitez ne sont pas des preuves assurées d'un grand merite[289],

situation impossible en France sous « le Prince du monde qui sçavoit le mieux donner des Emplois aux hommes & des hommes aux Emplois»[290]. Que le terme de mérite apparaisse explicitement ou non, c'est la même idée qui est mise en avant par tous les rapporteurs, qui voient dans le travail, les services et les vertus du nouveau chancelier – et dans l'aptitude du Roi à juger les hommes – la raison du succès de Boucherat. Ainsi, devant la Cour des Aides, M. de Tessé peint dans le nouveau chancelier un grand magistrat

> & qui sans le secours ny de la fortune ny de la protection, montant de Dignité en Dignité, estoit enfin parvenu à force de vertus au degré suprême de la Magistrature, & [dit] qu'il vouloit faire voir dans un exemple éclatant, que sous le Regne de Louis le Grand la plus haute recompense estoit toûjours le prix de la plus haute vertu[291].

Tout le discours de présentation des lettres de Pontchartrain, en 1700, est fondé sur cette affirmation d'un mérite exemplaire chez celui qui vient d'être ainsi élevé. Joly de Fleury pose précisément comme principe à son discours une maxime qu'il va illustrer par la carrière de Pontchartrain: «Les travaux sont les degrés par où l'on monte à la

---

[288] D. Talon, *Œuvres, op. cit.*, t. II, p. 54-55 (mes italiques). On peut comparer l'exaltation parlementaire du mérite à une formulation comme celle de Bossuet, à propos de Le Tellier: «Son mérite le fit chercher à Turin sans qu'il y pensât» (*Oraisons funèbres*, p. 315).

[289] *Mercure*, mars 1686, p. 246-247.

[290] *Ibid.*, p. 247.

[291] Avril 1686, p. 85.

gloire»[292]. Cette affirmation est d'abord prouvée par un recours à une sorte de mythologie historique:

> Aussy les autels consacrez aux heros ont toûjours été le prix de leurs sueurs et de leur sang, et leur histoire perdroit tout son éclat, si l'on ne voïoit pas que ce sont les fatigues et les traverses qui ont produit leur repos et leur félicité[293].

Et après avoir rendu compte des différents emplois du nouveau chancelier et du haut degré d'honneur et de bonheur auquel il vient de parvenir, l'orateur conclut: «Telle est dans toutes ses circonstances la penible carriere de Mr le Chancelier, tel est le bonheur qui la suit et qui la récompense.»[294] La récompense est le juste salaire du mérite, et non une gratification due au caprice de la faveur.

L'ouverture qu'Achille de Harlay fait en 1696 donne une expression plus théorique du type de réussite que le mérite permettait et surtout de la spécificité du mérite parlementaire, bien qu'elle s'adresse principalement aux avocats. Ceux-ci peuvent, grâce à cette valeur particulière, ne devoir leur réussite qu'à eux mêmes (une affirmation parfaitement compatible avec la capacité du Roi de reconnaître les hommes qu'il faut pour les emplois, puisqu'en les choisissant, il ne fait que reconnaître leur valeur spécifique):

> *Ce grand Magistrat fit voir par des traits brillans & des sentimens élevez* que si les recompenses ne surpassoient point les travaux, du moins elles les égaloient; qu'elles se trouvoient dans les confiances que l'on avoit dans leur probité & dans leur capacité, ainsi que la considération que l'on avoit pour leurs merites par les honneurs qu'on leur rendoit, & par les biens qui les suivoient, & que le plaisir de devoir tout à sa fortune, à son Genie, & à son merite, remplissoit parfaitement les desirs d'un Orateur[295].

L'*Orateur* peut donc aspirer à des biens et à des honneurs, outre l'estime que lui attire son caractère. De façon très caractéristique, le terme *mérite* apparaît deux fois, l'une au pluriel, la seconde, plus habituellement dans ce contexte, au singulier, donc plus abstrait. Ce que la dernière remarque souligne, c'est qu'à quelque niveau de grandeur que l'avocat, sous cette figure d'orateur, ou, pour généraliser, le parlementaire, parvienne, il en est redevable à son travail, à ses talents, c'est-à-dire à lui-même. Il y a, précise le Premier Président, un *plaisir* à ne devoir son succès qu'à soi-même. Le travail, le talent, la vertu, c'est précisément ce

---

[292] Joly de Fleury, f° 106 v°.

[293] *Ibid.*

[294] *Ibid.*, 113 v°.

[295] *Mercure*, novembre 1696, p. 312-313.

qu'on pourrait subsumer sous le terme de *mérite*, tel qu'il est employé par les parlementaires. D'ailleurs, le mérite peut mener fort loin, puisque Lamoignon, dans son ouverture de 1680, a rappelé qu'il «estoit fort croyable qu'un si grand Monarque, qui donne tant au mérite . . . n'auroit pas de moindres considérations pour ces Hommes extraordinaires qui possedent au plus haut point la veritable Eloquence». Choisi ou non par le Roi, le parlementaire parfait n'est redevable de sa situation qu'à son mérite individuel.

La réussite individuelle s'oppose à la naissance, le mérite à la qualité. Ce qui se dessine ici, c'est une vision robine de la grandeur, l'affirmation du succès dû au travail et aux efforts individuels: à ce qui est donné par la naissance, les parlementaires opposent ce qui est acquis par ce qu'ils appellent le *mérite*. Denis Talon présente d'ailleurs une sorte de description socio-économique de la condition des avocats en utilisant le mot quelque peu équivoque de fortune, qui évoque à la fois la situation qu'on obtient dans la société et les ressources économiques. Après avoir noté «que la pauvreté affreuse et les richesses immenses empêchent également que l'on n'avance dans le chemin de la gloire, et qu'on ne se rende recommandable par des actions illustres»[296], l'Avocat Général suggère que les jeunes gens qui naissent dans l'abondance sont impatients de l'«éclat de la pourpre», et qu'il est

> rare qu'ils entrent dans vos ordres pour en exercer les fonctions. De là vient qu'étant presque toujours à l'abri de ces écueils dangereux, *vous avez la satisfaction d'être les seuls artisans de votre fortune*. Si vous ne montez plus comme autrefois aux premieres charges de la robe; si votre condition est moins élevée, elle en est beaucoup plus sûre et votre ambition n'ayant pour objet que de vous rendre habiles et intelligens, de vous concilier de l'estime et de l'emploi, vous n'avez pas besoin d'intrigue et de faveur pour parvenir au but qu'elle se propose[297].

Talon reconnaît ici une situation de fait: malgré les efforts faits pour les limiter, on rencontre au parlement de véritables dynasties qui se transmettent les charges de génération en génération, et qui se partagent, à un moment donné, les positions les plus importantes (les Lamoignon, les Talon eux-mêmes, les Harlay, voire les Bignon, et d'autres encore). Les liens d'alliance resserrent encore le réseau ainsi créé[298]. Cela n'empêche

---

[296] Talon, *Œuvres*, II, p. 479.

[297] *Ibid.*, p. 480 (mes italiques). Comparer avec le discours «Sur l'intérêt d'autruy» (1699):

> Un homme que sa naissance ou la fortune appelle aux dignitez prend un titre seulement pour en avoir un et couvre des apparences d'une fonction laborieuse l'oisiveté à laquelle il se dévouë (Joly de Fleury, 68 v°-69 r°).

[298] Même ceux qui appartiennent aux «dynasties» parlementaires doivent manifester les

pas les orateurs d'insister sur ce que le mérite individuel peut apporter comme succès. Talon met en garde les avocats contre l'ambition et les encourage à «renfermer [leurs] désirs et [leurs] actions dans cette heureuse médiocrité qui ... doit être l'apanage et le veritable caractère d'un avocat»[299]. Rares sont en fait, chez d'autres orateurs, les restrictions de cet ordre. Et les récompenses que les discours laissent envisager sont à la fois symboliques et réelles. La formule «vous avez la satisfaction d'être les seuls artisans de votre fortune», si proche de celle qu'emploiera Harlay en 1696, montre bien la présence d'une vision du succès individuel. C'est en fait un trait essentiel de l'idéologie bourgeoise, malgré la noblesse attachée aux charges et l'ancienneté de la noblesse de certaines grandes familles. La réussite est liée au travail et à la vertu, et non à la naissance. Le discours tenu aux avocats et, plus généralement, aux parlementaires leur propose un modèle de réussite qui distingue la robe de l'épée – même si la qualité n'empêche pas le mérite, elle a tendance à s'opposer au travail. Il faut bien voir, encore une fois, que, même si Denis Talon rejette aussi la faveur comme moyen d'élévation, la faveur d'un Roi qui sait reconnaître la valeur des hommes n'est pas assimilable aux caprices d'une volonté d'indifférence. Elle devient la reconnaissance du mérite et, comme telle, retombe dans la catégorie de la fortune qu'on ne doit qu'à ses propres efforts. Ce qui est lieu commun dans d'autres circonstances (le choix du Roi) est ici intégré à une vision sociale plus large.

On peut bien sûr, en particulier dans les discours de présentation des lettres de chancelier, parler de services rendus à la monarchie, qui seraient récompensés par des charges ou des commissions importantes, comme les premières présidences de parlement, ou même, au sommet de la hiérarchie, le titre de chancelier de France. Mais la manière dont les orateurs dépeignent les carrières fait coïncider service et vertu, charges occupées et travail. C'est bien l'activité de l'individu qui est payée – n'est-ce pas le sens étymologique de *merite*?

Il est aisé de montrer qu'il s'agit d'une représentation robine d'essence bourgeoise. Denis Talon souligne à plusieurs reprises la nécessité

---

vertus caractéristiques du mérite. Dans sa mercuriale de Pâques 1679, Pottier de Novion s'adresse d'abord aux gens du Roi:

> Vous estes sages, & vostre sagesse ne vous a point coûté la perte de vos belles années.
>
> C'est l'effet d'une heureuse naissance, & des soins de vos Illustres Peres. Ils vous ont laissé leurs vertus, comme aux jeux Olympiques, apres avoir finy sa course, on laissoit le flambeau à ceux qui vouloient entrer dans la Carriere.
>
> Profitez avec le Public des biens que vous tenez de l'Art & de la Nature. (*Mercure*, avril 1679, p. 239)

[299] Talon, p. 472.

de conserver la robe comme marque de son état et oppose le parlementaire au courtisan. En faisant le portrait du magistrat indigne, l'Avocat Général stigmatise toute une série de traits du courtisan (avatar moderne de l'homme de qualité). Dans la mercuriale [15], il s'emporte contre ceux qui voudraient dissimuler leur appartenance à la robe:

> De là [de leurs égarements] le peu d'assiduité à leurs charges; de là cette aversion pour la robe. Elle est si étrange, que l'on attend à peine d'être sorti du temple de la justice pour s'en décharger, comme d'un fardeau importun, sans considérer la vénération que nous attire la majesté de ces ornements extérieurs, ni le mépris et les insultes auxquels s'expose un magistrat travesti, et qui ne sait rien réserver capable de le distinguer du commun[300].

On aura noté que le Palais est un «temple de la justice», expression qui revient très fréquemment dans les discours parlementaires et qui souligne encore la tonalité éthico-religieuse que certains orateurs donnent à leur éloquence. Comment justifier alors l'abandon par un pontife des marques de sa fonction de sacrifiant? Plus grave encore, cet abandon correspond à l'attrait que peuvent exercer mondains et courtisans, et qui se marque par des pratiques condamnables (dans une idéologie d'essence bourgeoise): le luxe, la dépense... Talon continue:

> Combien encore . . . pour imiter la pompe et le faste des courtisans, se rendent esclaves de la mode, et font gloire d'être les premiers à suivre les pas que la vanité et le luxe ont tracés![301]

Le courtisan est d'ailleurs une cible constante de Talon. Dans la mercuriale [18], il reprend le thème fréquent de la flatterie réciproque, qui remplace la critique sincère qu'on devrait faire des erreurs et des vices de ses confrères. Cette politesse de dissimulation est encore, pour l'orateur, un trait du courtisan:

> Cependant, cette dissimulation qu'un grand homme du dernier siècle appeloit l'abrégé de la politique, *scientiae civilis compendium*, n'est pas seulement l'ennemi irréconciliable de la probité; elle est aussi la vertu des courtisans et le partage des esprits timides[302].

A travers le discours de Talon, on perçoit la représentation d'un groupe qui se pense comme une caste, mais qui manifeste les traits que l'on peut reconnaître comme ceux d'une bourgeoisie qui refuse la *dépense*, comme gaspillage. Je parle de caste, dans le cas de Talon, parce que l'on trouve même la trace, dans ses discours, du refus des mariages que, pour

---

[300] Talon, p. 297.

[301] *Ibid.*

[302] *Ibid.*, p. 365-366.

jouer sur un terme que nous fournit l'anthropologie, j'appellerai exogamiques... Dépense et alliances hors de la caste sont ainsi associées dans la mercuriale [19]:

> que si quelques-uns, possédés du désir de relever leur dignité par l'éclat de leur dépense, se sont engagés en des alliances dont les faux brillants n'ont servi qu'à avancer leur chute, il s'en trouve en échange tant d'autres si grands zélateurs de cette première simplicité[303].

Il serait certes exagéré d'affirmer que cette résistance à la fusion des élites résume l'idéologie bourgeoise, et Talon apparaît comme socialement rétrograde. Mais, sur le fond, sur la critique de la dépense, du courtisanisme oisif et surtout sur la valorisation de la réussite par le travail individuel, de l'acquisition par le mérite par opposition à la possession par la naissance, Talon prône des valeurs qui sont essentiellement bourgeoises.

Denis Talon n'est pas le seul à défendre de telles valeurs, et, faut-il ajouter, il n'est pas le dernier. Le travail est précisément un critère de distinction entre l'homme d'épée et le magistrat, dans le discours que Bignon prononce le 13 novembre 1690, à l'ouverture des audiences de la Cour des Aides. Le *Mercure* n'en donne malheureusement qu'une rapide analyse: il fait, dit Donneau de Visé, «un discours sur le travail continu des Magistrats». Sa proposition est que tous les hommes sont nés pour travailler. Il marqua en particulier «Quel est le travail de l'homme de Robe, & de l'homme d' épée», celui-là étant beaucoup plus grand, dans la mesure où il travaille toujours, alors que les fatigues de l'homme d'épée cessent en temps de paix[304]. Il s'agit d'ailleurs plus, précisément, de fatigues que de travail. Mais surtout, c'est un travail épisodique, non une activité régulière, comme celle des parlementaires. La comparaison entre parlementaire et homme d'épée ne s'adresse pas qu'aux juges. On la retrouve encore dans l'ouverture sur la magnanimité que Joly de Fleury fait en 1697. En comparant la magnanimité de l'homme d'épée à celle qu'il cherche à définir pour l'homme de robe, l'Avocat Général suggère que celle où l'on trouve apparamment le moins d'éclat a peut-être aussi le plus de valeur:

> Cette grandeur d'ame, ce sublime dans les affections et dans les désirs ne se trouvera-t-il que dans les combats et dans les occasions ou le courage est si fortement excité, si puissamment soutenu, qu'on pourroit dire qu'il en perd une partie de sa gloire.

---

[303] *Ibid.*, p. 387.

[304] *Mercure*, novembre 1690, p. 387.

> Un estat plus paisible n'a-t-il pas aussi son magnanime moins éclatant à la vérité; mais peut etre d'autant plus magnanime qu'il l'est avec moins d'eclat[305].

N'est-ce pas dire en termes choisis que ceux qui montrent leur «grandeur d'âme» sur le champ de bataille n'ont aucun mérite à être courageux? Les circonstances mêmes font perdre au guerrier courageux une «partie de sa gloire».

Ce qui se dessine ainsi, derrière la construction d'une figure du magistrat parfait, et grâce en particulier à la notion de mérite, c'est un chant à la gloire du parlement comme groupe social. Tout en affirmant la grandeur de ce groupe face aux courtisans et aux hommes d'épée, les orateurs promettent une réussite qui n'est pas seulement honorifique, mais également matérielle. Sans aspirer aux honneurs ni à la richesse (c'est là un impératif du parlementaire parfait), on les obtient cependant par son mérite.

La représentation du parlementaire parfait, qui suppose des impératifs d'ordre éthique, débouche sur une image favorable de l'institution et du groupe social de la magistrature et du barreau. Discours éthique et discours encômiastique convergent dans cette représentation. D'ailleurs, en acceptant de se confiner plus ou moins étroitement dans leurs attributions judiciaires et, surtout, de se représenter comme une institution à fonction principalement judiciaire, les membres du parlement retrouvent une autre forme de puissance, qui n'est pas celle que peut apporter la résistance, mais qui vient du pouvoir que l'on a sur la destinée des gens. En devenant un rouage du gouvernement au sens large, le parlement participe de l'autorité qui est le propre de celui-ci. Ainsi, la mercuriale sur «Le Repos intérieur» prononcée à Pâques 1676 rappelle que les fonctions des magistrats sont de conséquence et que leurs décisions interviennent dans des circonstances qui concernent la vie et les biens des particuliers:

> Accoutumé au joug et endurcy aux fatigues de sa profession, mais plus endurcy aux maux d'autruy, il se fait une habitude d'un Ministere si redoutable, et uoid passer deuant luy des affaires, ou il s'agit de la fortune et de la uie des hommes d'un œil . . . indifferent[306].

Il s'agit de la fortune et de la vie des gens dans la cause qu'ils plaident, mais aussi dans la peine que les juges doivent fixer, et l'adjectif «redoutable» confirme le pouvoir que peuvent exercer les magistrats. Et dans un très beau passage de son ouverture sur la magnanimité, Joly de

---

305 Joly de Fleury, f° 51 v°.

306 Lamoignon, p. 254-255.

Fleury définit la «puissance» des parlementaires, un terme qui revient également très fréquemment chez Denis Talon, qu'il applique d'ailleurs ici à la parole des avocats:

> Que de grandeur! Que de noblesse! ce magnanime ne peut plus rien désirer qui soit au dessus de lui: quelle fortune peut jamais égaler la gloire du mépris qu'il en fait! quelle puissance est comparable à celle de se faire craindre à la puissance mesme![307]

Qu'il s'adresse aux avocats pour leur marquer la puissance de la parole par rapport à celle des juges, ou, plus vraisemblablement, au corps entier pour souligner sa puissance par rapport à celle que définit une haute position sociale, l'orateur affirme énergiquement la puissance de la magistrature. Et c'est bien parce que cette puissance est réelle, qu'il faut supposer un mérite défini par la vertu et le travail, qui la contrebalance et la justifie tout à la fois.

Cette analyse de l'éloquence parlementaire ne serait pas complète sans une étude particulière des cérémonies de rentrée, que leur déroulement met quelque peu à part dans l'ensemble de la «liturgie parlementaire». En effet si elles font intervenir les orateurs traditionnels du rituel parlementaire, elles manifestent en outre spécifiquement le lien qui existe entre le parlement et l'Église, puisque l'évêque qui officie pour la messe rouge échange un compliment avec le premier président. Il y a là un cas particulier de pratique oratoire dans le contexte du Parlement, à laquelle il faut d'autant plus prêter attention que le *Mercure* y accorde une importance croissante aux cours des ans, dans la période qui m'intéresse ici.

## 4. La rentrée du Parlement de Paris

La messe rouge présente, on l'a vu[308], toutes les caractéristiques de l'apparat: retour cyclique ritualisé, habit de cérémonie, tapisserie, orateur prestigieux que l'on invite spécialement et même présence des archers de la ville – à mi-chemin entre troupe de parade et service d'ordre. Mais le rituel ne s'achève pas avec la messe, et l'éloquence va reprendre ses droits. La messe finie, on passe dans la Grand'Chambre. L'ordre est, comme tout le reste, figé, comme le *Mercure* de novembre 1680 l'explique:

> Un Evesque est toûjours prié de la dire [la messe], en suite de quoy il

---

[307] Joly de Fleury, f° 56 v°-57 r°.

[308] Voir *supra*, p. 326-327.

> est conduit à la Grand'Chambre entre deux Presidens à Mortier. Le premier, passe avant luy; le second, n'entre qu'aprés[309].

En 1700, le périodique précise que l'évêque de Troyes (il s'agit de Bouthilier de Chavigny), qui a officié, se trouve, dans la Grand'Chambre, à gauche du Premier Président sur de hauts sièges[310]. C'est à ce moment que l'éloquence apparaît. Le Premier Président et l'Évêque échangent des compliments qui sont d'abord, quels que soient par ailleurs les détails dans lesquels les orateurs entrent, des remerciements. Le *Mercure* le montre bien, quand il explique:

> La Messe finie, l'Evesque & le Parlement entrent dans la grand'Chambre. L'Evesque remercie le Parlement du choix qu'il a fait de luy pour cette fonction, & le Parlement le remercie, par la bouche de son Premier President, de ce qu'il a bien voulu la faire[311].

Ces deux discours ne relèvent proprement ni de la chaire, ni du judiciaire. Mais ils témoignent d'une certaine imbrication des rituels, puisque la rentrée du Parlement se fait sous les auspices de l'Église. Ce rapprochement des institutions est plus d'une fois explicitement mentionné dans les compliments échangés.

Les remerciements des premiers présidents ne varient guère. Le lieu de la justice a besoin d'être sanctifié, parce que la justice est, dans son principe, divine. On voit clairement ce point de vue exprimé dans le seul compliment à un évêque pour une messe rouge qui figure dans le recueil manuscrit des Lamoignon, compliment non daté, mais qui, étant donné que les premiers discours sont de 1674, doit se situer entre cette date et 1677:

> Mr
>
> Nous uous sommes bien obligé d'auoir sanctifié ce lieu par le plus auguste de tous nos mysteres et presenté au ciel les uoeux de notre compagnie, auant qu'elle recommençast cette longue et penible course, dont nous allons ouurir la carriere.
>
> C'est un ancien et long usage qu'elle conserue auec soi, non seulement comme un tesmoignage publique de sa pieté; Mais comme une Marque certaine du besoin que nous auons de recourir à votre Ministere pour obtenir un secours continuel de la Main de Dieu dans l'exercice de nos charges[312].

Dans la même perspective, Harlay est amené, le lundi 12 novembre 1696, à justifier et à expliquer l'apparat avec lequel la cérémonie de rentrée est célébrée:

---

[309] Novembre 1680, p. 321.

[310] Novembre 1700, p. 110.

[311] Novembre 1686, p. 236-237.

[312] Lamoignon, p. 384.

> Nous ne croirions pas, *dit-il,* avoir satisfait à l'importance de nos devoirs, si nous ne connoissions le besoin que nous avons de l'assistance de Dieu pour remplir nos obligations, si nous ne venions reconnoistre cette necessité sur le Tribunal mesme de la Justice, avec les ornemens les plus pompeux de la Magistrature. Cette reconnoissance publique persuade que la force ne vient pas de nous, mais de Dieu seul, qui ne permet que l'on connoisse nostre foiblesse, que pour avoir lieu de reconnoistre sa puissance[313].

Les orateurs lient fortement justice et religion. C'est très net, par exemple, dans le compliment de Lamoignon déjà évoqué plus haut. Après avoir noté que, sous le paganisme même, on ne séparait pas «l'employ de Sacrificateur et de Juge»[314], l'orateur souligne l'importance de la religion pour le Parlement de Paris:

> Mais a cette heure que nous sommes éclairés des lumieres de la foy et qu'elle est plus florissante en ce Royaume qu'en tous les païs du monde, que ne doit point faire une compagnie comme celle cy, qui sert d'exemple et de Regle a tant d'autres[315].

Après avoir fait l'éloge du prélat qui vient d'officier, le Premier Président montre qu'il considère en quelque sorte la religion comme du ressort du Parlement:

> Apres auoir donné cet heureux commencement à nos emplois, continués nous s'il uous plait dans la suite la meme assistance; c'est une occupation bien digne d'un Prelat si eminent entre les autres par sa Vertu, que d'employer aupres de Dieu le pouuoir de son caractere en faueur de ceux, qui font comme nous une profession particuliere de l'honorer, et qui ueillent sans cesse au bien de la Religion, au repos des Peuples et a l'observation des loix[316].

La proximité institutionnelle entre Parlement et Église est d'autant plus sensible en ces occasions que l'évêque appartient parfois à une famille de parlementaires ou de hauts magistrats. Le compliment que le Premier Président fait à l'évêque d'Amiens [Henri Feydeau de Brou], après la messe rouge le 12 novembre 1697, évoque précisément ce qui rapproche le prélat et la compagnie:

---

313 *Mercure*, novembre 1696, p. 280-281. C'est encore une manière d'affirmer la puissance des parlementaires, puisqu'ils sont en quelque sorte les intermédiaires de celle de Dieu.

314 Lamoignon, p. 385. Le compliment suit dans le volume un compliment au Roi sur une victoire, lui-même précédé de la mercuriale de 1677. Il est donc vraisemblable qu'il date de 1677, dans la mesure où les discours sont en ordre grossièrement chronologique.

315 *Ibid.*, p. 386.

316 *Ibid.* p. 386-387. Sur les rapprochements entre vision religieuse de la justice et éloquence parlementaire, voir aussi *supra*, n. 186.

> Ce n'est pas d'aujourd'huy que des personnes de vôtre nom ont pris place dans la Compagnie. Vous avez mesme des proches qui en sont les principaux membres qui l'assistent de leurs lumieres & de leurs conseils[317].

Dans sa réponse, l'évêque d'Amiens rappelle que les prélats reconnaissent, dans les compliments de remerciement qu'ils sont amenés à prononcer après la messe rouge, la protection que le Parlement donne à l'état ecclésiastique. Mais pour lui, c'est d'autant plus important qu'il vient d'une famille parlementaire[318].

En 1686, Monsieur de Montmor, évêque de Perpignan, déclare son désir de «faire connoistre publiquement, & en presence mesme de cette Auguste Cour, le profond respect, & la sincere veneration qu'il avoit» pour le Parlement[319]:

> ce respect avoit pris en luy de profondes racines, puis qu'il n'estoit pas moins un effet de sa raison, qu'une suite de son éducation. *Il dit* qu'il estoit né d'un Pere qui l'avoit vivement imprimé dans son cœur par son exemple; & que cet exemple avoit esté soûtenu de tant d'autres qui luy estoient domestiques, qu'il auroit démenty le sang qui le lioit à plusieurs Magistrats de ce Corps Illustre, s'il n'avoit pas de luy les grandes idées qu'ils en avoient eux-mesmes conceuës; mais que quand dans un âge plus avancé, il avoit voulu examiner les préjugez de son enfance, c'estoit alors qu'il s'estoit confirmé par luy mesme dans ces sentimens respectueux qui estoient déja formez en luy[320].

Et cet exemple montre la familiarité qui existe entre les deux milieux, la robe et l'Église. La réponse de Pottier de Novion n'est pas citée (ce qui n'a rien de surprenant étant donné la manière rapide dont le *Mercure* traite le plus souvent ses discours), mais l'analyse qui en est faite souligne bien ces relations inter-institutionnelles. Donneau de Visé présente ainsi la réaction du Parlement:

> Ce Discours receut de grands applaudissemens de toute la Compagnie au nom de laquelle Mr le Premier President le remercia & de la fonction dont il avoit bien voulu s'acquiter; & de tout ce qu'il avoit dit à l'avantage du Corps. Il ajoûta qu'il n'y avoit point lieu d'estre surpris de son éloquence, puisqu'il *estoit né parmy les Muses & dans la Robe*. Il entendoit parler de feu Mr de Montmor son Pere, qui est mort Doyen des Maistres de Requestes et de l'Académie Françoise[321].

---

317 *Mercure*, novembre 1697, p. 243.

318 *Ibid.*, p. 246.

319 *Mercure*, novembre 1686, p. 239.

320 *Ibid.*, p. 240-241.

321 *Ibid.*, p. 252-253. Je souligne.

La forme de la cérémonie rapproche matériellement l'Église et le Parlement, mais le contenu thématique des compliments souligne les liens profonds qui existent entre eux – avec, dans ce dernier cas un rapprochement supplémentaire avec l'Académie.

Cette manière de mettre l'accent sur les liens profonds qui unissent la robe et l'état ecclésiastique n'est d'ailleurs pas un cas isolé. La famille joue aussi un rôle important dans l'échange de compliments entre le Premier Président et l'évêque d'Angers (membre de l'académie de cette ville) en 1696. Le Pelletier est, pour le Premier Président, «fils d'un sage Ministre», dont il évoque la place «qu'il avoit si dignement occupée, & dans laquelle il avoit paru avec une estime & une approbation generale»[322]. La réponse de l'Évêque souligne également ce que ses endroit doivent à l'éducation paternelle. C'est précisément à cet point qu'après une analyse du compliment, le Mercure reprend la citation. Le Prélat s'adresse au Premier Président pour expliquer qu'

> il avoit esté élevé par un Pere qui luy avoit toujours inspiré une veneration profonde pour sa Personne, & pour la Cour en general une respectueuse reconnoissance, & qu'il ne cesseroit point de faire des vœux au ciel pour l'augmentation de leur gloire & pour la dignité du Parlement[323].

On voit donc s'exprimer une sorte de lien quasi sentimental, fondé en partie sur la généalogie, que doublent d'ailleurs une alliance entre les institutions, dont j'étudierai plus loin l'expression (alliance dont on peut trouver l'écho dans la similitude des pratiques stylistiques des orateurs des deux milieux) et l'orientation éthico-religieuse des discours parlementaires.

Les évêques qui célèbrent la messe rouge ont parfois un lien plus étroit encore avec le Parlement, puisqu'on en voit qui y ont été reçus ducs et pairs. Ainsi, le lundi 13 novembre 1690, c'est l'archevêque de Paris qui est choisi. Le *Mercure* note que comme il est duc et pair, on lui fait des «choses à son avantage» (marques de préséance et d'honneur)[324]. Et il fait beau voir M. de Harlay, premier président du Parlement de Paris, et M. de Harlay de Champvallon, archevêque de Paris, échanger des compliments où ils font mutuellement leur éloge, selon la coutume:

> Aprés la messe, M^r^ le Premier President, en remerciant M^r^ l'Archevesque, fit le Portrait d'un grand Prelat, par rapport à toutes les grandes qualitez, qui distinguent éminemment M^r^ de Paris, & fit connoistre par

[322] *Mercure*, novembre 1696, p. 281-282.

[323] *Ibid.*, p. 288.

[324] Novembre 1690, p. 264.

> là le juste discernement du Roy, qui accompagne de tant de graces l'estime dont il l'honore. M^r l'Archevesque en répondant à ce remerciement avec l'éloquence qui luy est si naturelle, fit l'Eloge d'un parfait Magistrat, qui fut reconnu sans peine dans M^r le Premier President, élevé aussi par un juste choix du Roy, à la Dignité de chef du plus Auguste des Parlemens[325].

Qu'il soit étranger au parlement, qu'il ait des liens familiaux avec lui ou qu'il y ait séance, l'évêque qui célèbre la messe rouge symbolise de toute manière les rapports qu'entretiennent l'institution parlementaire et l'institution ecclésiastique. Ces rapports, il ne faut pas seulement les chercher dans le fait de célébrer la messe à la rentrée du Parlement[326]. Les discours en font mention explicitement. En examinant les comptes rendus des rentrées dans le *Mercure galant*, on aperçoit une évolution. Les compliments échangés entre l'évêque qui célèbre la messe rouge et le premier président du Parlement prennent de plus en plus d'importance. Il est difficile de savoir précisément, en s'en tenant au *Mercure*, si l'accent a vraiment changé, ou si le périodique s'intéresse plus à cette partie du rituel parlementaire. Dans les deux cas, l'évolution est significative, puisque le *Mercure* représente, en quelque sorte, un éclairage «approuvé» jeté sur les événements politiques et mondains. Or les évêques insistent beaucoup sur le soutien que le Parlement a apporté à l'Église gallicane, d'une part, et sur l'appui qu'il a donné aux évêques dans les appels interjetés auprès de lui de décisions des juridictions ecclésiastiques. En 1689, l'archevêque de Reims, Le Tellier, évoque tout ce que M. de Harlay avait fait contre les «usurpations de la Cour de Rome» et engage le Parlement à continuer de défendre les droits de l'Église[327]. Il est certain que Harlay, alors qu'il était procureur général, avait joué un rôle important dans l'affaire de la régale[328]. Même ligne de réflexions chez Brulart de Silleri, évêque de Soissons, en 1692. D'après le *Mercure*, M. de Soissons dit

> que ce n'estoit pas le seul remerciement qu'il eust à luy faire [au Premier Président], & qu'il luy en devoit pour tous les Evesques dont le Parlement avoit toujours pris la defense[329].

---

325 *Ibid.*, p. 267.

326 La Cour des Aides célèbre, on l'a vu, une messe basse lors de sa rentrée. A la différence du Parlement, les audiences reprennent ce jour-là, et les discours y sont prononcés.

327 *Mercure*, novembre 1689. Ici encore, on songe à l'oraison funèbre de Le Tellier par Bossuet...

328 Il est intéressant de noter l'importance que Lavisse accorde à Harlay dans son *Louis XIV*, t. 2, p. 527 sq.

329 Novembre 1692, p. 231.

Le soutien du Parlement aux évêques est évoqué dans tous les compliments des évêques qui ont célébré la messe rouge. Mais, la question des évêchés vacants ayant été réglée en 1693, les orateurs insistent sur l'alliance du pouvoir spirituel et du pouvoir temporel. Berthier, premier évêque de Blois, mêle à son remerciement l'éloge du Parlement et le thème de l'alliance des pouvoirs:

> J'ai cru . . . prier principalement pour l'Eglise en priant pour ses plus zelés défenseurs[330].

Après avoir noté que l'épiscopat rentrait peu à peu dans ses premiers droits, l'orateur constate que le Parlement ne ressent pas de jalousie de l'autorité épiscopale et de l'usage que les évêques en font:

> Vous sçavez aussi bien que nous que ces deux puissances, l'une toute spirituelle, l'autre toute temporelle, ne sçauroient par elles mesmes se traverser ayant des objets si differents. . . . Mais surtout que pourrions-nous faire avec toute celle que Jesus-Christ nous a confiée dépourvue de tout secours humain, si la vostre ne luy estoit secourable[331].

Le Parlement a besoin de l'entremise d'un évêque pour demander à Dieu la force nécessaire pour mener à bien sa tâche; l'Église, puissance spirituelle, a besoin du Parlement, puissance temporelle, pour la soutenir. Le compliment que l'évêque de Troyes prononce en 1700 rassemble, de façon particulièrement nette, les éléments caractéristiques des remerciements des évêques. Après avoir montré combien il avait été sensible à l'honneur du choix qu'on avait fait de lui pour la cérémonie, le prélat évoque la

> protection que l'illustre Compagnie donne aux Prelats de son ressort contre ceux qui par des chicanes, & des procedures artificieuses, s'efforçoient de se soustraire de la jurisdiction Ecclesiastique, afin de trouver l'impunité de leurs dereglemens, & dit que cette juste protection maintenoit la discipline Ecclesiastique[332].

L'orateur propose ensuite un parallèle entre la puissance temporelle et la puissance spirituelle et marque

> la nécessité & l'union de ces deux puissances pour le bonheur des peuples, pour la conservation de la pureté de la Religion, & pour l'execution des loix[333].

L'orateur passe ensuite à l'éloge du Roi, insère – détail particulier et de fait propre à ce compliment – une description de l'incendie de la cathé-

330 Novembre 1698, p. 236.

331 *Ibid.*, p. 243.

332 Novembre 1700, p. 123-124.

333 *Ibid.*, p. 125.

drale de Troyes, et finit en s'adressant au Premier Président dont il fait l'éloge[334].

L'échange de compliments après la messe rouge permet donc de voir comment l'Episcopat et le Parlement représentent leurs rapports. Les traces du soutien apporté par le Parlement à l'Église gallicane y sont très perceptibles. Le Parlement fait entrer les affaires religieuses dans sa «province», tandis que les évêques soulignent l'absence de conflit entre les institutions, affirmant par là-même la légitimité de leurs juridictions et de leur autonomie. La messe rouge offre aux deux institutions l'occasion de célébrer leur alliance objective et les compliments échangés par le premier président et l'évêque mettent en lumière les positions gallicanes de l'institution parlementaire.

Les institutions judiciaires constituent donc un terrain particulièrement fructueux pour l'étude de l'éloquence d'apparat. Elles ont en effet un calendrier rituel qui accorde une large place aux pratiques oratoires. L'écho qui leur est fait, dont la trace la plus nette se trouve dans les pages du *Mercure*, montre la place que les discours parlementaires occupent dans l'ensemble des productions culturelles.

Le parlement est une institution à caractère professionnel nettement marqué et aux valeurs morales très explicitement affirmées. On s'attend donc à ce que les discours qu'il produit manifestent ces traits spécifiques. De fait, on peut souvent parler d'une sorte de prédication morale, à la fois du point de vue formel et du point de vue du contenu éthique. Mais, si ces éléments jouent un rôle important dans la représentation que les parlementaires donnent de leurs institutions dans leurs discours, on doit conclure que les textes étudiés manifestent la présence d'une éloquence d'apparat qui se définit comme un équilibre dynamique entre fonction esthétique et fonction éthique dans un cadre cérémoniel à la solennité duquel les éléments relevant de l'une et de l'autre sont adaptés et dans lequel ils répondent aux attentes d'un public qui n'est pas seulement composé de parlementaires professionnels. Pour les parlementaires, la beauté du discours n'est pas séparable de la vérité et de la vertu. Mais si éloge et morale convergent dans la méthode prônée par les orateurs, on voit des cas-limites, et particulièrement celui du Roi, où l'exemple, fondement de la méthode prônée aux magistrats pour parvenir à la perfection, se dissout dans l'éloge pur, voire dans l'affirmation du soutien à la politique royale, en particulier lorsqu'il s'agit de la politique religieuse.

---

[334] *Ibid.*, p. 125-127.

Si l'image que l'institution présente d'elle-même, à travers les discours que son cérémonial produit, n'a pas foncièrement évolué, puisqu'elle donne une vision du parlementaire comme Sage et comme Orateur, cette image permet au parlement de se poser, avantageusement, par rapport à d'autres milieux et institutions. Ainsi, c'est en son sein, et non dans d'autres contextes, comme l'Académie, qu'il faut, si l'on en croit les discours, chercher la vraie éloquence, combinaison de la vertu de l'orateur, de la vérité du message et du talent oratoire. L'évolution des pratiques oratoires, qui tient compte des exigences «modernes» de l'honnêteté, conserve le caractère du parlement tout en lui offrant le moyen de marquer sa grandeur par rapport aux gens de lettres.

La valorisation du mérite, résultat de la vertu et du travail individuels, par rapport à la naissance, permet d'opposer la robe à l'épée. Le parlementaire est seul responsable de sa fortune et ne doit, à quelque degré d'élévation qu'il parvienne, son succès qu'à lui-même. Ce genre d'affirmation peut sembler en contradiction avec l'existence de véritables dynasties parlementaires. Mais la difficulté croissante à monter les degrés de la hiérarchie parlementaire n'affaiblit nullement cette valorisation du mérite aux dépens de la naissance. Idéalement, il n'y a aucune limite au progrès du parlementaire-orateur qui se distingue par son mérite, même si l'éthique parlementaire blâme l'ambition. On ne reçoit que des charges méritées et non désirées... Même lorsque les orateurs suggèrent que le *cursus honorum* est moins accessible et que les avocats doivent borner leurs désirs et leur ambition, ils soulignent le caractère positif d'une situation que l'on ne doit qu'à ses propres efforts. D'une manière générale, les parlementaires découvrent le pouvoir de la collaboration au gouvernement, en acceptant la restriction de la capacité de résistance dont ils s'étaient prévalus.

Portraits abstraits et éloges actuels de magistrats et d'avocats contribuent à élaborer une représentation cohérente et valorisée du groupe, propre à satisfaire le public, parlementaire ou non. Éloges, censure et présentation de l'institution répondent aux attentes d'un public qui manifeste son approbation et son plaisir. Ils apparaissent compatibles avec le goût de l'époque, si l'on considère les échos qu'ils reçoivent.

CHAPITRE IV

# LES INSTITUTIONS JUDICIAIRES DE PROVINCE

L'étude des académies a déjà fourni l'exemple d'une distinction entre une institution et ses homologues provinciales. Tout en dégageant les caractères généraux d'un mouvement académique qui englobait Paris et la province, l'analyse de l'éloquence académique a mis en lumière l'existence de clivages, aussi bien sur le plan de l'image de soi que sur celui de la pratique oratoire elle-même. La fécondité de la distinction dans ce domaine permet d'envisager des résultats aussi fructueux dans celui de l'éloquence parlementaire. L'étroitesse et l'homogénéité de l'élite provinciale, avec les croisements d'institutions qui en découlent, sont apparues clairement lors de l'étude des pratiques oratoires des académies de province, et ce trait souligne, *a priori*, l'intérêt qu'il y a à examiner les discours qui émanent des institutions provinciales.

Les ressorts de province offrent encore un intérêt supplémentaire, qui tient à leurs fonctions, que le terme *judiciaire* masque quelque peu. En enregistrant les textes de loi, édits, lettres patentes, les parlements et les autres corps provinciaux jouent un rôle de courroie de transmission essentiel au bon fonctionnement de l'administration. Ils diffusent la loi. De ce fait, ils sont comme autant de relais, à des degrés divers, du pouvoir royal dont certains de leurs membres sont d'ailleurs, par définition, des représentants et des émanations. Inversement, la modification du territoire du Royaume s'accompagne de l'apparition, de la «naturalisation» ou de la disparition de certains organes de transmission et d'application de la loi et de l'autorité royale. L'apparition d'informations et de documents concernant certaines juridictions correspond dans ces conditions à des modifications politico-territoriales. Ainsi la présence de comptes rendus d'ouverture du Sénat de Nice (créé, rappelons-le, en 1560 sur le modèle français) dans le *Mercure* en 1694 et 1695 souligne l'annexion de la ville à la France, un fait que les discours eux-mêmes ne laissent pas de mettre en valeur, nous le verrons. D'ailleurs, la politique constante des rois de France avait été d'organiser des parlements dans les provinces qu'ils raatachaient au Royaume. Louis XIV créa un Parlement en Franche-Comté, d'abord à Dôle, puis à Besançon, et un autre en Flandre, à Tournai puis à Douai.

Le système de la justice était, à l'époque, fort compliqué et les juridictions s'étaient multipliées. Cependant, pour cette étude, je ne considèrerai que les institutions qui ont laissé des traces de pratiques oratoires, c'est-à-dire les parlements et les présidiaux et différents sièges royaux. Aux parlements sont assimilés le Sénat de Nice et le Parlement de Dombes, principauté dont le duc du Maine était souverain - il s'agit du Parlement de Trévoux.

On peut penser *a priori* que les discours produits dans le cadre des juridictions provinciales présentent de nombreux points communs avec ceux qui émanent du Parlement et de la Cour des Aides de Paris. Les milieux de la robe parisiens et ceux de province ne sont pas étanches et la première présidence d'un parlement de province peut représenter une promotion par rapport à un poste inférieur à Paris, ou au contraire une étape vers de plus hautes charges. L'éloge que Joly de Fleury fait de Boucherat développe d'abord la manière dont il s'est acquitté de sa charge de premier président du Parlement de Bretagne:

> Si c'est un grand travail et digne des plus glorieuses recompenses de conduire un corps qui est sous les yeux du Souverain et deja presque conduit par ses seuls regards, si les chefs que la proximité du Throne apuye et protege si fortement, ont besoin cependant d'une vigilance et d'une attention qui ne se demente, n'y (*sic*) ne se relache jamais, quel besoin n'en ont pas ceux qui gouvernent des corps éloignez du Prince, plus foiblement animez par cette ame universelle de la magistrature, plus languissans dans leurs devoirs, et plus jaloux d'etendre une facheuse et utile autorité[1].

Mais, en menant l'analyse des discours suivant des directions parallèles à celles du chapitre précédent, il sera possible de souligner les différences qui se marquent entre Paris et la province. Après une étude du cérémonial proprement dit et des mécanismes de solennisation des juridictions provinciales qui permettra de distinguer les traits spécifiques des caractères qu'on retrouve dans toutes les institutions, je proposerai une typologie simple des discours prononcés dans les juridictions provinciales. Une étude rapide de la structure permettra de montrer que les discours provinciaux sont, en général, plus explicitement structurés que ceux des institutions parisiennes; une autre distinction s'opère entre

[1] B.N. ms. Joly de Fleury 2359, f° 107 v°.

discours académique et discours parlementaire, où l'exigence éthico-professionnelle amène les orateurs à proposer des organisations plus rigides. J'examinerai ensuite le rapport qui unit les institutions, la langue et l'impérialisme culturel, pour reprendre un terme de l'analyse politique contemporaine que j'ai déjà utilisé. Du fait des modifications politico-territoriales que j'ai évoquées, les organes judiciaires constituent un domaine particulièrement intéressant pour cette analyse: on verra en particulier que l'expansion territoriale amène les robins à renoncer au latin pour imposer une langue «nationale». Enfin, l'image de l'institution dans les discours qu'elle produit révèle, comme à Paris, une affirmation valorisante de soi, mais l'exaltation de la grandeur des magistrats prend ici des proportions bien plus impressionnantes. Certains caractères de l'image du magistrat parfait, dont les discours font, comme à Paris, le portrait et l'éloge, diffèrent de façon plus ou moins nette. Ainsi, si la parole occupe bien une place fondamentale, ce n'est pas, au contraire des institutions parisiennes, vers une redéfinition de l'éloquence que les orateurs s'orientent, mais vers une dissociation entre éloquence et vérité. C'est alors dans la dialectique de la parole et du silence que se dessine la figure du parfait magistrat.

Il sera alors possible de déterminer les particularités oratoires des institutions judiciaires de province et de voir, à partir des domaines déjà étudiés, quelles lignes de force se dessinent. L'opposition entre la Capitale et la province peut-elle être généralisée? La province ne présente-t-elle pas un affaiblissement des distinctions entre les institutions au niveau de leurs pratiques oratoires, ce qui rendrait plus immédiatement perceptible qu'à Paris l'homogénéité fondamentale de l'apparat?

## I. – CÉRÉMONIES ET DISCOURS

### 1. Types de cérémonies et de discours

Les cérémonies des institutions provinciales ne sont pas essentiellement différentes de celles qui se pratiquent à Paris. Mais la nature des sources et les lacunes de la documentation à laquelle j'ai eu accès peuvent expliquer certaines absences ou quelques déséquilibres. Comme toujours, la source la plus riche est le *Mercure*, dont les livraisons s'enrichissent de discours prononcés dans les juridictions provinciales ou de résumés de séances solennelles. Mais l'existence d'un discours publié séparément (*Discours prononcé à Rouen les Chambres assemblées le 29. de Juin 1678. Par Monsieur Pelot, alors Avocat, & presentement Conseiller au Parlement de Normandie*, à l'occasion de l'enregistrement des lettres de Lieutenant de Roy en Normandie)[2] suggère que ces discours présentaient un intérêt au moins local. De la même manière, Barrême de Manville publie en 1698 à Avignon, un recueil de discours prononcés lorsqu'il était avocat du Roi ou lieutenant général criminel du siège de Sénéchal d'Arles, sous le titre *Quelques discours, plaidoyés et ouvertures de palais*[3], signe qu'un public professionnel ou non est susceptible de s'intéresser à de tels discours, peut-être afin de les imiter en cas d'indigence oratoire... Vaumorière, quant à lui, reproduit quelques discours – dont la plupart ont déjà figuré dans le *Mercure*.

On constate donc que les sources ne diffèrent pas, le plus souvent, de ce que nous avons vu pour les institutions parisiennes. Il faut insister cependant sur l'existence de publications locales de discours émanant des institutions judiciaires; peut-être doit-on mettre l'accent, précisément, sur ce caractère local. Si un recueil comme celui de Barrême de Manville peut s'expliquer par le désir de fournir des modèles, il faut tenir compte, dans le cas de discours imprimés séparément, non seulement du goût pour l'éloquence, mais encore de la satisfaction qu'une élite peut prendre à voir objectiver par la publication le succès d'un de ses membres dans des circonstances solennelles où le devoir oratoire s'était manifesté. Quelles sont donc ces occasions qui font naître l'éloquence d'apparat?

Dans les parlements comme dans les présidiaux, la cérémonie la plus régulière est l'ouverture (ouverture à la Saint-Martin pour les uns, à la Saint-Rémi pour les autres). Le cérémonial est le même dans les deux cas, et, pour les deux types d'institutions, il se rapproche de celui de l'ouverture du Parlement de Paris. Ainsi, à l'ouverture du Parlement de Dijon, le 17 novembre 1678, Brulart, premier président, prononce un discours sur la «Recherche de la vérité», tandis que l'avocat général d'Aligny fait un discours sur la justice et le mélange que les juges doivent faire du droit et de l'équité[4]. De la même manière, à l'ouverture du présidial d'Abbeville, en 1697, c'est d'abord M. de La Hestroye, avocat du Roi, qui prononce un discours. Il est suivi de M. de Boüancourt, «le plus ancien des Presidens»[5]. Dans ce dernier cas, Donneau de Visé publie les deux discours, mais il est rare qu'on ait l'ensemble des pratiques oratoires d'une même cérémonie. Peut-être parce que ce sont les orateurs eux-mêmes qui envoient leurs discours, ou que les correspon-

[2] Caen: G. Langlois, 1678.

[3] Avignon, Michel Chastel imprimeur de Sa Sainteté, 1698.

[4] *Mercure*, décembre 1678, p. 50-55.

[5] *Mercure*, novembre 1697, p. 10-63.

dants n'ont pu en obtenir qu'un, on ne trouve en général qu'un discours pour chaque cérémonie. A l'ouverture du Parlement de Dijon mentionnée plus haut, si les noms des deux orateurs figurent dans le compte rendu, seul le discours du Premier Président apparaît. Il semblerait que Donneau de Visé doive le compte rendu à un correspondant qui a assisté au discours, puisqu'il précise:

> Mr l'Avocat General d'Aligny parla aussi fort éloquemment sur l'excellence de la Justice, & sur le melange que les juges doivent faire du Droit et de l'Equité; mais comme il a la voix foible, on perdit une partie des belles choses qu'il dit[6].

Ce n'est qu'une petite anecdote, mais qui rappelle que les conditions de l'art oratoire sont d'abord matérielles, et même physiques. La faiblesse de la voix de l'Avocat Général et les difficultés qui en résultent pour le public servent d'excuse à Donneau de Visé pour ne donner qu'un des discours de la cérémonie.

Mais quelle que soit la source, on trouve le plus souvent des discours isolés. Ainsi, le manuscrit intitulé «Pièces d'éloquence» contient une ouverture au Parlement de Pau, pour l'année 1697, isolée[7].

La pratique des mercuriales était apparemment beaucoup moins régulière qu'à Paris, et celles du Parlement d'Aix que j'ai examinées semblent indiquer que, loin des yeux du Prince, les mercuriales avaient eu tendance à tomber en désuétude. La seule présentation suffit à marquer la rareté de cette pratique, puisqu'on peut lire: «Mercuriale commencée le 23 octobre 1675. Ensuite continuée et resolue en 1677.»[8] Une telle formule implique qu'on n'a pas affaire à une fréquence semestrielle comme à Paris. L'année 1675 constitue une date charnière, puisque le Parlement y reprend une pratique interrompue, comme le montre le début du discours du Premier Président:

> Monsieur le premier president a dit que c'est auec beaucoup de joye qu'il execute l'ordre de Mr le Chancelier enuoyé de la part du Roy de renouueller l'usage des mercuriales interrompu depuis plusieurs années dans la compagnie parce qu'il est persuadé qu'il est tres utille a la discipline et absolument necessaire principalement dans un temps de

---

6 *Mercure*, décembre 1678, p. 55.

7 B.N. anc. fr. 21148, f° 46 r°-53 r°.

8 Bibliothèque Mazarine, ms. 3440, «Parlement de Provence», t. III, p. 2698. Le manuscrit contient encore deux autres mercuriales pour la période qui m'intéresse. R. Mandrou évoque d'autres mercuriales à Aix, en particulier une du 22 octobre 1671 (*Louis XIV et son temps*, p. 105). Le manuscrit de la Bibliothèque Mazarine suggère que la forme des mercuriales présentait de légères différences par rapport à la Capitale: on y voit à plusieurs reprises une succession d'articles numérotés.

> guerre ou il semble que la justice se relache et pert beaucoup de son etat et de sa force[9].

Outre l'utilité générale pour le maintien de la discipline, les circonstances justifient la reprise des mercuriales. La guerre est présentée comme un facteur de désorganisation. Dans la mesure où le *Mercure* ne semble pas avoir conservé de traces de mercuriales de province, on peut supposer que la pratique n'en est pas régulière hors de la Capitale.

Les ouvertures constituent donc les seules cérémonies régulières du calendrier rituel. Mais les institutions judiciaires sont le lieu de pratiques oratoires diverses. La création d'une juridiction s'accompagne d'un discours qui explique, présente ou justifie cette création. Ainsi, on trouve dans le *Mercure* d'août 1698 un discours prononcé par Arnauldes, avocat au Parlement de Paris, à la création du «Baillage & Siege Royal de Vouvans en Bas Poitou»[10].

Mais, outre ce cas particulier, les talents oratoires des officiers sont assez fréquemment mis à contribution. Enregistrement de lettres de provision pour les lieutenances de Roi ou toute autre charge ou fonction et publications de paix sont autant de circonstances qui requièrent la prononciation de discours de la même manière qu'on a vu les institutions parisiennes recourir à l'éloquence pour l'enregistrement des lettres de chancelier[11].

Il ne faut pas oublier que, comme toutes les institutions locales, parlements et présidiaux ou juridictions équivalentes haranguaient les grands de passage et participaient aux fêtes publiques et à toutes les célébrations solennelles – réjouissances pour la paix, pour les événements heureux qui touchaient la famille royale, deuils publics, entrées). Le *Mercure* mentionne souvent les célébrations publiques, et l'on peut citer, entre autres exemples, les actions de grâces rendues à Dieu par le siège de Sénéchal d'Arles pour la guérison du Roi en 1687[12]. Mais l'arrivée de certains dignitaires donne lieu à des cérémonies propres aux institutions judiciaires (je continuerai d'employer ce qualificatif pour les parlements ausi bien que pour les juridictions inférieures, par commodité, même s'il faut l'entendre au sens large, pour y comprendre, précisément les fonctions d'enregistrement, par exemple). Certains événements sont assez importants pour justifier des directives royales. Ainsi,

---

[9] Bibliothèque Mazarine, ms. 3440, *ibid.*

[10] *Mercure*, août 1698, p. 42 sq.

[11] Le *Mercure* signale un discours prononcé en 1696 au bailliage de Beauvais pour requérir «l'enregistrement des lettres patentes de l'érection du Comté de Lagny en Duché sous le nom de Bouslers» (février 1697, p. 71).

[12] *Mercure*, mars 1687, première partie, p. 56-66.

le cérémonial à observer lors de l'arrivée de l'évêque de Metz dans son diocèse est réglé par lettre de cachet du Roi en date du 28 janvier 1671. Georges d'Aubusson de la Feuillade arrive à Metz le 20 mars 1671. Son arrivée entraîne la production de discours: le 21 mars,

> une députation composée du moins ancien des présidents à mortier, de quatre conseillers de la grande chambre, de deux conseillers de la chambre des enquêtes et d'un avocat général alla saluer Monsieur l'évêque dans sa maison épiscopale...
>
> Le 22 mars, vers dix heures du matin, Monsieur l'évêque de Metz se présenta au palais de justice pour se faire recevoir conseiller né du Parlement.... Aprés avoir pris place du côté droit, au-dessus du doyen ce prélat fit à la compagnie un compliment auquel Monsieur le premier président répondit[13].

Cette cérémonie rappelle quelque peu l'échange des compliments qui suit la messe rouge au Parlement de Paris. L'ensemble de la relation fournit un argument supplémentaire pour mettre l'accent sur le caractère fondamental du cérémonial pour rendre compte de l'éloquence d'apparat. Le fait que le cérémonial est fixé non par une délibération locale, mais par un écrit royal officiel confirme cette importance. On notera qu'outre le compliment que fait la députation venue saluer l'Évêque à son arrivée, et qui ne se différencie pas essentiellement des compliments correspondants que peuvent prononcer les autres institutions, le Parlement reçoit le prélat venu prendre séance dans une cérémonie qui comprend un échange de compliments très spécifiques.

Les corps judiciaires provinciaux sont ainsi à l'origine de pratiques oratoires relativement variées, et la rareté des mercuriales est compensée par la participation aux cérémonies locales.

## 2. Solennité des cérémonies

L'éloquence d'apparat suppose la solennisation du contexte institutionnel. Cela implique des éléments qui peuvent varier selon les cas: décoration, costume de ceux qui participent au rituel, abondance et qualité des auditeurs, présence dans le public des institutions locales. Tous ces traits se retrouvent, à des degrés divers, dans les cérémonies parlementaires. Dans le cas des réjouissances publiques, la cérémonie s'inscrit dans une série de célébrations plus ou moins semblables. Si l'organisation de la fête est alors particulièrement brillante, elle est en même temps moins spécifique que pour des ouvertures ou des événements purement parlementaires (j'associe, sous ce terme, aussi bien les parle-

[13] E. Michel, *Histoire du Parlement de Metz* (Paris: Techener, 1845), p. 172-173.

ments proprement dits que les institutions judiciaires inférieures comme les présidiaux).

Les réjouissances organisées pour la convalescence du Roi illustrent à la fois le caractère particulièrement fastueux du contexte et la ressemblance qu'il présente avec les célébrations exceptionnelles dans les académies, par exemple. Les officiers du siège de sénéchal d'Arles font ainsi chanter une messe avant d'exprimer, par la bouche de leur procureur général, leur joie de la guérison de Sa Majesté. Le compte rendu du *Mercure* permet de voir les analogies entre le cérémonial et la décoration observés ici et ceux que l'Académie Royale avaient retenu pour les mêmes circonstances, ou ceux que l'Académie de Villefranche retient en général:

> Le jour qu'ils avoient choisi pour cette ceremonie estant arrivé, on vit dés le matin tout la façade du Palais, la Basse-court, & la Chapelle parées de riches Tapisseries. Un grand Tableau du Roy formoit sur la principale entrée un magnifique ornement. Au dessous on avoit mis cette Inscription, *Antiquis omnibus unum objice*[14].

La décoration est celle que nous avons rencontrée dans les cérémonies académiques – et, au passage, dans les discours solennels des collèges, ou pour les thèses d'apparat: tapisseries, portrait du Roi, accompagné d'une inscription latine, autre pratique conventionnelle, bien adaptée à une institution judiciaire. On notera au passage que la position «moderne» devient une sorte d'évidence dès qu'il s'agit du Roi. Le portrait du Roi est d'ailleurs explicitement présenté comme «un magnifique ornement». Le célébrant comme le public sont remarquables par leur qualité et leur dignité:

> M. l'Abbé de Boche, Sacristain de la Cathedrale, autant distingué par son érudition & par sa pieté, que par sa naissance & par la dignité qu'il possede dans cette Eglise, celebra la Messe, à laquelle Mr le Marquis de Boche son Frere, grand Senéchal d'Arles, assista avec tous les officiers du Siege[15].

Il faut ajouter à cela des motets composés exprès sur la gloire et sur la santé du Roi, et les décharges des «boëtes» (équivalents des pétards modernes). Mais c'est l'après-midi que le Procureur du Roi fait son discours. Et l'on retrouve alors les décorations architecturales et florales typiques des réjouissances publiques:

> Ils revinrent l'aprés dînée au Palais. Au milieu de la Place qui luy est opposée, estoit élevé un Peristyle de verdure, octogone à huit Por-

---

[14] Mars 1687, 1re partie, p. 56-57.

[15] *Ibid.*, p. 57.

> tiques, soütenu par autant de colomnes posées sur des Piedestaux, & couronnées sur leur entablement. On avoit sçu distinguer les Chapiteaux, l'Architrave, la Frise & la Corniche avec du Laurier, du Mirte & du Boüis. Les Frontons qui paroissoient sur l'endroit des Portiques, & les Vases fumans sur celuy des colomnes, se rejoignoient en cercle sur tout cet ordre, & le déterminoient agréablement. Huit Consoles de mesme verdure naisssoient de la Corniche, & supportoient en retraite une Couronne fermée & fleurdelysée, qui servoit de dome à ce Peristyle. Les Banderoles placées en divers endroits du couronnement, voltigeoient en l'air avec symmetrie, & exposoient aux yeux de tout le monde le nom & les Armes de LOUIS LE GRAND[16].

Le nom et les armes de Louis le Grand, les fleurs de lys: les symboles royaux montrent que la fête est consacrée à Louis XIV. Il faut souligner deux mots importants qui définissent la beauté de la décoration: «ordre» et «symétrie». On a déjà rencontré avec les institutions judiciaires parisiennes des variantes de ces termes pour définir la beauté sur un fondement platonicien. C'est, à coup sûr, une conception fort répandue. On ne sera pas surpris de constater que les devises viennent compléter la solennisation du cadre:

> Sur la frise de l'entablement qui répondoit à chaque Portique, on lisoit huit Inscriptions. C'estoient les mots de huit devises, dont le sujet estoit le Roy, & la justice, & le Corps un grand Feu. C'estoient aussi des pensées qui répondoient juste tout ensemble à ces trois divers sujets[17],

entendons: c'étaient de bonnes devises, qui conviennent aussi bien à l'élément symbolisant et à celui qui est symbolisé. Les inscriptions latines sont d'ailleurs de la composition d'un des magistrats. La connaissance qu'ont les juges de la langue savante ne saurait surprendre.

Lorsque le Procureur du Roi prononce son discours, c'est à la lumière des illuminations que nous avons appris à associer avec la solennisation du cadre dans lequel peut se manifester l'éloquence d'apparat:

> Sur les quatre heures, tous les Officiers de ce Siege entrerent dans la Chapelle qui fut illuminée comme le matin, & lors que chacun eut pris sa place, M$^{r}$ de Peyron, Procureur du Roy, prononça un discours sur l'importance de la vie & de la santé de Sa Majesté, & donna à toute l'Assemblée de grandes marques de son éloquence & de son zèle[18].

Talent oratoire, attachement au service du Roi: voilà les deux qualités maîtresses du Procureur du Roi. Mais le passage signale encore un élé-

---

16 *Ibid.*, p. 58-60.

17 *Ibid.*, p. 60-61.

18 *Ibid.*, p. 63.

ment essentiel: le public, dont l'affluence et les réactions positives sont impliquées par la formule: «donna à toute l'Assemblée de grandes marques de son éloquence & de son zele.»

La cérémonie s'achève, logiquement puisqu'il s'agit d'une action de grâce à Dieu, sur des chants religieux. Finalement, le feu de joie et les instruments de musique concluent la fête:

> Ce discours fut suivy d'un Motet à la gloire du Roy & de l'*Exaudiat* chanté en Musique. La nuit arrivée, M^rs^ du Siege ayant M^r^ le Senéchal à leur teste, descendirent pour aller allumer le feu. Ils marcherent au bruit des Tambours & des Trompetes jusqu'à la porte du Palais où ils s'arresterent, & alors les Musiciens qui s'estoient placez sur des degrez qui y sont bastis firent succeder à ce grand bruit une plus douce harmonie[19].

Il est inutile de m'attarder plus longtemps sur cette description. Je me contenterai de signaler que le feu lui-même est allumé dans un ordre soigneusement étudié, qui met le comble à la ritualisation de l'ensemble de la célébration, dont le discours n'est qu'un élément.

Si une telle cérémonie est particulièrement spectaculaire et manifeste au plus haut degré le phénomène de solennisation, les décorations, pour être pertinentes et adaptées à l'institution et à l'occasion, comme on le voit avec les devises qui conjoignent le Roi et la justice, n'en sont pas moins faites sur le modèle de toutes les réjouissances et ne sont certainement pas les plus représentatives des cérémonies proprement parlementaires. D'une manière générale, c'est moins la décoration du lieu où se tient la cérémonie que d'autres éléments – retour à date fixe des ouvertures en un jour arrêté comme solennel, ou au contraire l'occasion qui réunit le corps pour entendre des discours, comme l'enregistrement de la paix ou de lettres de provision – qui contribuent le plus à la solennisation de la circonstance. Ce sont par exemple l'importance de la charge de Thorigny et le fait que ses lettres sont présentées par Pelot au Parlement de Rouen *devant toutes les chambres assemblées* qui contribuent à rendre l'action solennelle.

Mais pour mieux souligner la diversité des facteurs qui peuvent entrer dans la solennisation, et l'importance qui leur était accordée, examinons un autre cas particulier, celui du présidial d'Angers, une ville que son Académie nous a déjà donné l'occasion de rencontrer. Ce présidial avait pour privilège de porter, les jours de cérémonie, la robe rouge, et, dans ses «Mémoires», Grandet, membre du corps de ville et académicien d'Angers, souligne le fait que c'est le seul des présidiaux du Royaume à la porter. Ce privilège commémore le fait que seul le présidial était resté fidèle au Roi lorsque la ville s'était révoltée en 1652. Il

---

[19] *Ibid.*, p. 63-64.

avait alors porté la robe rouge pour aller saluer la Reine mère et le Roi. Comme il avait insisté sur son rôle dans la fondation de l'Académie, Grandet expose avantageusement la manière dont il a largement contribué à obtenir la confirmation du privilège par lettres patentes du Roi, enregistrées au Parlement de Paris. L'honneur qu'il y a à porter la robe rouge n'est pas seulement abstrait. Grandet met au nombre des arguments pour obtenir la confirmation du privilège le fait que si l'usage de porter la robe rouge était abandonné, le prix des charges au présidial s'écroulerait. Le port de la robe rouge constitue d'autant plus un facteur de solennisation que sa confirmation fut plus éclatante, et que d'est la fin d'une lutte entre le présidial et le juge de la prévôté, Trochon, et son lieutenant Sicault. Ces derniers voulaient faire révoquer le privilège du présidial qu'ils jalousaient. Le présidial défendit énergiquement sont droit à porter la robe rouge. Comme je l'ai dit, il gagna, et fit en sorte que l'intendant de Nointel fût chargé de signifier de la part du Roi au juge de la prévôté et à son lieutenant l'interdiction de porter la robe rouge – Trochon était le gendre d'un juge qui avait fomenté la révolte: le Présidial avait trouvé là un prétexte qui lui avait permis d'obtenir cette interdiction. Telle est l'importance du costume de cérémonie des membres du présidial d'Angers. L'ouverture en robe rouge promet d'être un événement remarquable, et les circonstances attirent une foule encore plus nombreuse, qui augmente en retour la solennité que la robe rouge conférait. Grandet tire de toute la situation, non seulement une fierté de corps compréhensible dans les mentalités de l'époque, mais encore une satisfaction maligne de voir les deux magistrats Trochon et Sicault déconfits:

> Le temps de l'ouverture du palais enfin arrivé [le 6 novembre 1684], la Compagnie s'y trouva fort nombreuse en robe rouge pour la premiere fois. Ce nouveau spectacle y attira une infinité de gens de tous les cantons de la province, et aussi pour savoir quelle contenance & quelle figure y feraient lesdits sieurs Trochon et Sicault. Ceux-ci ne se doutant de rien, s'y présentèrent, montèrent au siège en robe noire et prirent le côté gauche au-dessous de M. le lieutenant criminel. Personne ne se mit au dessous et après eux, les regardant comme des gens intrus...[20]

Le mémorialiste manie ici l'hyperbole pour souligner l'affluence de ceux qui sont venus assister à ce «nouveau spectacle». Non seulement le public est fort nombreux, mais il vient de toute la province. L'éclat de la dignité du présidial, marqué par le port de la robe rouge, facteur de solennisation de la séance d'ouverture déjà remarquable par sa singula-

[20] «Mémoires d'un maire d'Angers. François Grandet conseiller au présidial», éd. par Uzureau, *Anjou historique*, 1900-1901, p. 263.

rité annuelle, est encore renforcé par la présence d'un auditoire aussi dense. Il y a ici un élément circonstanciel un peu particulier, dans la mesure où la curiosité n'est pas étrangère à l'intérêt suscité par l'occasion. Peut-être parce qu'il s'agit de mémoires, le conseiller au présidial d'Angers n'hésite pas à manifester la satisfaction que lui-même et toute la compagnie ont éprouvée. L'analyse des discours prononcés au cours de l'ouverture du Palais montre également un trait qui va à l'encontre de ce que les parlementaires parisiens recommandaient, la raillerie fine et malicieuse, procédé que les magistrats angevins rejetteraient probablement eux-mêmes en d'autres circonstances:

> MM. les président et avocat du Roi firent des discours enlevants à la louange du Roi et sur la récompense que Sa Majesté avait bien voulu accorder à leur fidélité. MM. Trochon et Sicault quoiqu'en taille douce n'y furent pas beaucoup épargnés. Avec toute la délicatesse et tout l'esprit imaginable, sans qu'ils puissent s'en plaindre, ils y furent traités comme ils le méritaient de sorte qu'au sortir de l'audience, de rage et de dépit, ils se retirèrent dans leurs maisons où ils furent reclus pendant plusieurs jours. L'arrivée de M. l'intendant Nointel à leur sujet et la différence de leur parure avec les nôtres n'y furent pas oubliées. Je voudrais pour beaucoup avoir eu la présence dans le temps de demander ces deux discours; ç'auraient été deux pièces originales pour leur extrême beauté, car le président Gohin et Martineau, avocat du roi, étaient les premiers hommes de leur siècle pour bien traiter une matière et pour parler au public[21].

On appréciera, dans ce passage, l'alacrité de Grandet, qui regrette encore de ne pas avoir conservé les discours dont l'ironie l'avait tellement diverti. Mais, pour l'étude de l'éloquence d'apparat, on retiendra les termes significatifs de «parure», de «discours enlevants à la gloire du Roi», ainsi que l'éloge des deux orateurs, dont la fonction coïncide avec le talent; ils doivent faire un discours d'ouverture et sont en même temps les premiers hommes de leur siècle pour s'acquitter de leur devoir oratoire...

Le public contribue à donner à l'occasion un caractère solennel aux cérémonies, dans le cas des institutions judiciaires provinciales comme pour toute autre compagnie. L'affluence des auditeurs est un signe de l'importance des cérémonies pour la vie locale. L'exemple de la robe rouge du présidial d'Angers et de la foule que l'affaire attire est caractéristique. Mais, même en l'absence de cet ornement – et de la curiosité que provoque la situation de rivalité entre le juge de la prévôté et le Pré-

---

[21] *Ibid.*, p. 263-264. La raillerie qui offense sans qu'on puisse se plaindre est fortement critiquée par Portail, dans son ouverture au Parlement de Paris en 1698 (voir Portail, f° 12 r°-v°). Sur la raillerie, voit P. Zoberman, «Entendre raillerie...», *Mélanges Truchet*, 1992.

sidial – les ouvertures et les enregistrements de lettres ou d'édits sont des occasions où les corps judiciaires se donnent en spectacle et font profiter un large public de leurs pratiques oratoires. En constatant le succès de l'avocat du Roi au présidial de la Flèche, en 1681, Donneau de Visé note au passage l'affluence: «Dans la nombreuse Assemblée qui fut presente à cette Ouverture, il n'y eut Personne qui n'en demeurast charmé.»[22]

Comme toujours, ce n'est pas seulement la présence en foule du public, mais aussi sa composition qui importe. On le voit bien dans le soin que le *Mercure* prend de nommer les auditeurs importants et d'énumérer les conditions représentées. Ainsi, lorsqu'il publie un discours prononcé au présidial d'Amiens par l'avocat du Roi Cornet de Coupel, au sujet de la publication de la paix, en janvier 1698, Donneau de Visé ne manque pas de signaler la présence de Bignon, intendant de la province[23]. Dignité administrative et réputation font de la présence de Bignon un facteur de solennité supplémentaire.

Dans le cas de la ville de Nice, la présence d'officiers et de dignitaires de l'armée, outre les gens de qualité «habituels» pourrait symboliser l'annexion de la France. En 1695, le *Mercure* rend compte de l'ouverture du Sénat:

> Le 7 de ce mois, l'ouverture du Senat de Nice se fit suivant la coutume. M^r le Maréchal de Catinat, accompagné de M^r le Chevalier de la Fare, & de quantité d'Officiers, assista à cette ceremonie, à laquelle M^r l'Evêque [Henri Provana], & toute la Noblesse se trouverent aussi[24].

L'auditoire est à la fois nombreux et remarquable par la qualité, les dignités et les fonctions de ceux qui le composent.

On retrouve de plus un trait caractéristique des célébrations provinciales, et que l'examen du public des cérémonies académiques avait déjà mis en lumière. Si la solennité est renforcée par l'auditoire, ce n'est pas seulement l'affluence ou la nature du public individuel qui compte. Comme la prononciation des discours, l'assistance aux cérémonies locales est prescrite par l'appartenance à des institutions ou par les fonctions occupées. Toute une partie de l'auditoire est présent *ès qualités*. Le caractère institutionnel du public apparaît, par exemple, dans le compte rendu que le *Mercure* donne de l'assemblée extraordinaire tenue par le présidial de Sens en 1698, à propos de la paix: M. Farinade, avocat du Roi au Présidial, fit un discours

---

22 *Mercure*, décembre 1681, p. 64.

23 Février 1698, p. 204.

24 Janvier 1695, p. 217.

> en presence de M. Vezon, president lieutenant général, de tous les Conseillers & Magistrats de ce Siege, du Maire, des Eschevins, des Officiers des quartiers, & de tous les Ordres de la ville[25].

Le principe des cérémonies, le public qui y assiste, à l'occasion la décoration, la tenue des participants: autant d'éléments que nous avons appris à reconnaître pour caractéristiques du contexte de l'éloquence d'apparat. Quant à ceux qui prononcent des discours dans ces circonstances, ils accomplissent, de la même manière que les parlementaires parisiens, un devoir oratoire lié à leurs fonctions. C'est le rôle du premier président du Parlement de Provence de faire la censure des magistrats et de les exhorter à respecter les ordonnances, par une mercuriale. Un magistrat vénérable et l'avocat du Roi d'un présidial feront l'ouverture par un discours qui s'adresse à toutes les catégories d'officiers et aux avocats, c'est-à-dire qui remplit la double fonction d'ouverture aux avocats et de mercuriale. Il est inutile de m'attarder sur cet aspect, qui ne diffère guère de ce qui se passe à Paris, les ouvertures étant un cérémonial réglé et les enregistrements ne laissant aucune place à l'initiative oratoire, puisque ce sont des procédures elles-mêmes fixes. Il reste que, comme à Paris, les enregistrements de lettres supposent un rapporteur, choisi pour sa réputation d'orateur parmi les avocats pour présenter les lettres avant que leur enregistrement ne soit requis par les gens du Roi. Dans le cas des lettres patentes accordées au duc de Chevreuse pour la survivance du gouvernement du Guyenne, on voit même un avocat célèbre sortir de sa retraite pour régaler l'assistance d'une belle prestation oratoire:

> Le 28. du mois dernier M^r de l'Isle du Vigier, Mestre de Camp de Cavalerie, presenta au Parlement de Bordeaux les Lettres Patentes que M^r le Duc de Chevreuse a obtenuës, pour la survivance du Gouvernement de Guyenne, aprés la mort de M^r le Duc de Chaulnes, lesquelles avoient esté remises à M^r Vigier son Frere, Procureur General de la Province. M^r Poitevin, fameux Avocat, qui depuis sept années avoit quitté la plaidoierie, se signala dans cette occasion, par un tres-beau Discours. M^r Dalon, Avocat General parla aussi avec beaucoup d'eloquence[26].

Le critère implicite pour le choix de l'avocat, c'est sa réputation: Poitevin est un «fameux Avocat». Le rituel ne se limite pas à ce qui se passe au Parlement. L'arrivée du Procureur Général à la tête d'un cortège de gentilshommes montre que la solennité de l'occasion se marque dès avant la séance parlementaire proprement dite. La marche en cortège est

[25] Février 1698, p. 149-150.

[26] Septembre 1698, p. 268-269.

d'ailleurs toujours un signe de célébration, heureuse ou triste, selon les cas. De la même manière, la journée solennelle ne s'achève pas avec l'enregistrement des lettres par le Parlement. Elle se poursuit par une réjouissance d'un autre ordre, un repas avec de la musique chez le Procureur Général.

Le *Mercure* reproduit en général des discours qu'il considère comme réussis, et, peu avare d'éloges, il les accompagne de commentaires favorables sur les orateurs, avec l'exception, déjà signalée, de l'ouverture du Parlement de Dijon en 1678, à l'occasion de laquelle Donneau de Visé mentionne la faiblesse de la voix de l'Avocat Général. Il fait cependant l'éloge du discours prononcé...

Qu'il s'agisse du rituel institutionnel ou d'événements exceptionnels comme la publication de la paix ou l'enregistrement de lettres de provision, les discours ne répondent pas à l'initiative individuelle, mais sont prescrits par les circonstances. Ceux qui les prononcent sont investis d'une charge oratoire par leur fonction dans la compagnie ou choisis pour leur réputation d'orateurs afin d'acquitter l'institution de ce devoir. Devant un public nombreux où se rencontrent notables et institutions, les juridictions, dont l'habit de cérémonie peut parfois, comme dans le cas d'Angers, ajouter à l'éclat du contexte, célèbrent leur rituel, dont l'éloquence constitue une partie fondamentale. Les pratiques oratoires des institutions provinciales présentent les caratères de l'éloquence d'apparat.

## II. – LES INSTITUTIONS JUDICIAIRES ET LES LANGUES

Le latin et le français se partagent encore, à la fin du XVII^e^ siècle, la scène de l'éloquence d'apparat. Si la langue vulgaire semble être employée plus fréquemment, tout dépend en fait de l'institution qui produit le discours. Pour certains milieux, en effet, le latin reste la langue normale de l'apparat. L'Université et les collèges tendent à recourir au latin dans leurs cérémonies solennelles. Le panégyrique annuel du Roi fondé par la municipalité parisienne et qu'un orateur de l'Université doit prononcer est fait en latin. Le *De Monumentis publicis latine inscribendis* du P. Lucas fut prononcé au collège de Clermont. Le panégyrique du Parlement de Paris prononcé par le P. de La Baune en 1684, dans le même établissement rebaptisé entre temps Louis-le-Grand, est, tout naturellement, en latin, et les professeurs de rhétorique des collèges parlent habituellement en latin. On pourrait citer également toute la production de panégyriques du Roi dans les collèges à l'occasion de la rentrée solennelle des classes, des PP. Jouvancy, La Rue, La Baune.

Les institutions judiciaires du Royaume pratiquent une éloquence française, le français étant la langue des actes officiels. Mais le latin occupe traditionnellement une place importante. Après avoir examiné l'évolution de l'usage des citations latines dans les discours provinciaux, afin de situer les institutions judiciaires par rapport à d'autres compagnies locales, comme les académies, et par rapport au Parlement de Paris, dont on a vu l'évolution vers une éloquence moins nourrie de citations latines, je montrerai le sens que prend le changement de langue dans des circonstances particulières au sein d'institutions données.

## 1. **Le latin dans les discours parlementaires provinciaux**

En présentant le discours prononcé à l'ouverture du présidial de la Flèche en 1681, Donneau de Visé, qui en fait l'éloge, s'adresse à ses lectrices, arbitres du goût français, mais qui pourraient ne pas connaître le latin et qui risquent de considérer que le discours ne leur convient pas. Le gazetier demande à sa correspondante, qu'il a heureusement créée assez savante pour comprendre tout ce qu'il choisit de lui envoyer: «Si vos amies se trouvent embarrassées des citations latines, vous prendrez le soin de leur en donner l'explication.»[27]

Ce que les académies nous ont déjà appris de l'éloquence provinciale conduit à poser l'hypothèse que les institutions judiciaires de province resteront plus fermement attachées aux citations, et aux citations latines en particulier, que les institutions parisiennes. On peut supposer que la province est plus lente à abandonner ses traditions, surtout dans le cas d'institutions aussi naturellement conservatrices que les corps judiciaires. De fait, si des discours de pur éloge, comme celui que Pelot prononce à l'occasion de l'enregistrement au Parlement de Normandie des lettres du comte de Thorigny, ou celui que Chevallot de la Magdelaine, avocat au Parlement de Paris prononce à l'enregistrement des mêmes lettres au bailliage et siège présidial d'Évreux, ne présentent pas de citations latines, ni même de citations en français[28], la citation latine reste une constante de l'éloquence des institutions judiciaires, et, d'une manière générale, la pratique des citations au sens strict du terme. Même l'éloge peut entraîner l'apparition d'une citation latine. Ainsi, l'éloge du Roi débouche sur une citation du «prophete», dans le

[27] *Mercure*, décembre 1681, p. 64.

[28] Encore est-il difficile d'être catégorique à propos du discours de Chevallot, puisque le *Mercure* le cite, mais ne le reproduit pas comme un texte autonome (janvier 1679, p. 78-83).

discours d'Arnauldes, avocat au Parlement de Paris, et du siège royal de Niort, à la création du Baillage et siège royal de Vouvans, où il doit exercer provisoirement des charges de bailli, lieutenant général civil et criminel, commissaire enquêteur et examinateur. L'orateur oppose la solitude affreuse du lieu à la capacité du Roi de pénétrer jusqu'au plus profond de son royaume, afin d'y créer les conditions idéales pour faire régner la justice:

> Qui l'eust cru, Messieurs, qu'un si grand Roy, qui a le monde entier pour objet de ses grandes & augustes reflexions, eust daigné favoriser de quelque regard benin, & de la moindre de ses pensées, cette petite Contrée, qui n'est, à proprement parler, qu'un point imperceptible de sa Sphere? Qui se fust imaginé que le Genie tutelaire de la France eust, pour ainsi dire, abaissé la gravité & l'excellence de ses operations, pour eclairer l'obscurité de ces bois? Non, Messieurs, cette solitude, ces bois, ces rochers n'auront plus rien d'affreux ny de sauvage. On y entendra la voix harmonieuse, & les chants melodieux de la Déesse Themis, qui ne rendra plus ses oracles qu'à l'aspect & sous les influence<s> de ce Soleil mistique & moral de Justice. *Annuntiaverunt Coeli justitiam ejus*, dit le Prophete[29].

La transition du Roi à la justice se fait par l'évocation de la déesse Thémis, certes, mais surtout par l'expression «soleil de justice». Le symbolisme solaire tient bon! L'orateur cite à plusieurs reprises David. Précisément, le poids des citations tirées des Écritures est significatif. Arnauldes cite bien Salluste pour concéder que les magistrats locaux peuvent avoir quelque sujet de mécontentement à voir leur autorité suspendue:

> pour dire avec Saluste que comme il n'y a jamais de grands exemples sans quelque mélange d'imperfection, *omne magnum exemplum habet aliquid ex iniquo*[30],

mais il semble que l'équilibre entre auteurs de l'antiquité païenne et citations de l'Écriture qui est apparu dans l'éloquence parlementaire parisienne, soit déplacé, en province, au profit des textes canoniques de la religion chrétienne. C'est ainsi que le discours d'ouverture prononcé par Thiot au présidial de La Flèche, au sujet duquel Donneau de Visé demande l'aide de sa correspondante fictive dont les amies pourraient être gênées par le latin, cite Cicéron, certes:

> Mais ce qui est de plus admirable, c'est qu'apres l'avoir ainsi spiritualisé [l'homme], elle [la Nature] l'a voulu rendre divin. Elle a pris ce qu'il y a de plus pur & de plus précieux au Ciel pour en faire briller son

---

29 *Mercure*, août 1698, p. 44-45.

30 *Ibid.*, p. 48-49.

> esprit & pour le rendre plus capable d'obeïr à ses Loix, elle y a produit les glorieuses semences de la Vertu. *Sunt enim ingeniis nostris semina innata virtutum*, disoit le Prince des Orateurs, & sans flatter l'erreur de Pelagius, on peut dire seurement avec Saint Jean de Damas au Livre 3. de la Foy Orthodoxe, chap. 14. que la plûpart des Vertus sont Filles de la Nature. *Naturales enim sunt virtutes,* dit ce grand Homme, *& naturaliter & aeque in omnibus insunt*[31].

Mais on le voit, la citation de l'auteur profane n'est qu'une étape vers une autorité chrétienne, prudemment introduite comme bien distincte. Thiot cite l'Ancien Testament, saint Paul, les Canons, saint Augustin... La robe parisienne, fidèle à l'humanisme érudit gallican parcourait la sagesse païenne des philosophes et les textes fondateurs de la religion. Les robins de province sont beaucoup plus méfiants à l'égard des auteurs non chrétiens. Le discours de l'avocat du Roi au présidial de Sens, Farinade, en 1698, à l'occasion de la paix, confirme cette analyse. Il cite le *Panégyrique de Trajan*, identifié en note par Donneau de Visé, en faisant l'application du passage de Pline à la situation actuelle:

> Que l'on n'entende donc plus ces clameurs & ces plaintes, ces cris & ces murmures dont l'air n'a ci-devant que trop retenti, & que le cœur a dû desavoüer dans ceux ausquels ils sont échappez au même temps que la douleur les a arrachez de leur bouche. *Aberant illae voces quas metus exprimebat, nihil quale antea dicamus, nihil enim quale antea patimur,* disoit autrefois dans une rencontre à peu prés pareille à celle-ci un fameux Orateur de l'ancienne Rome (note en bas de page: *Pline à Trajan*)[32].

Mais cette citation qui, comme celle qu'Arnauldes fait de Salluste, s'adresse au mécontentement de certaines catégories de la population (Arnauldes voulait apaiser les magistrats), est isolée entre des passages tirés de l'ancien et du nouveau Testaments, en français et en latin. Certaines citations sont très longues (jusqu'à une page et demie en français), certaines présentent d'abord la traduction française, puis le texte latin:

> *Qu'elle vienne cette Paix*, s'écrie un autre Prophete, *que celuy qui a marché dans la droiture, puisse prendre un doux repos dans son lit, & s'y délasser à loisir sans crainte, sans chagrin, sans inquiétude. Veniat Pax, requiescat in cubili suo qui ambulavit in directione sua*[33].

Les orateurs rendent souvent explicite leur rejet des philosophes de l'antiquité païenne. Labat, avocat du Roi au présidial d'Agen, dont la

---

[31] *Mercure*, décembre 1681, p. 104-105.

[32] *Mercure*, février 1698, p. 192-193.

[33] *Ibid.*, p. 181-182.

pratique oratoire évite le latin, cite pourtant des autorités antiques et sacrées. Dans son ouverture sur le repos, en 1699, il commence par citer Sénèque:

> Senesque, nommé à bon droit le Prince des Philosophes, nous apprend ce que c'est que le repos. C'est, dit ce grand homme, une ame toûjours égale & en un même état, en un cours heureux, plein de prosperité, favorable à soy-même qui regarde ses biens avec joye & contentement, qui ne s'éleve ny ne s'abaisse jamais[34].

Labat vient de citer «un Ancien», et il évoque encore Diogene et Zénon avant de revenir de nouveau à Sénèque qui loue sa fortune «de luy avoir donné une occasion favorable de mediter en liberté, sur la douceur du Repos». Mais c'est pour souligner aussitôt la vanité de ces autorités et revenir à celle des Écritures, qui seules contiennent la vérité:

> Pour nous qui ne sommes point du Siecle des ténebres, & qui vivons heureusement sous la Loy d'un Dieu qui a renversé les Idoles du Paganisme, nous ne cherchons ny dans les raisonnemens des Philosophes, ny dans la persuasion de la sagesse humaine, ce que nous trouvons decidé dans les Ecritures
>
> C'est une verité qui nous est enseignée dans l'Evangile, que Dieu prefere le repos au travail, la part de Marie à celle de Marthe[35].

Si les magistrats cherchent dans les citations des autorités pour appuyer leurs affirmations, et si ces citations sont souvent en latin[36], ils affirment clairement leur choix d'autorité. La *Bible*, les Pères de l'Église et les textes qui jouent un rôle dans la religion l'emportent sur les philosophes de l'Antiquité païenne.

Dans certains cas, l'effet de «texte de sermon», déjà étudié pour les discours des institutions parlementaires parisiennes, se double d'un effet à la fois stylistique et structurant. Le discours prononcé pour l'ouverture du Parlement de Pau, le 12 novembre 1697, présente un certain nombre de traits intéressants. Tout d'abord, la présence de notes marginales identifiant certaines phrases comme des citations traduites ou paraphrasées, souligne l'influence des textes sacrés sur l'orateur. L'auditoire devait être d'autant plus sensible à ces citations implicites que l'orateur le met en garde dès les premiers mots:

> Lors que les S<ain>tes Lettres se sont expliquées sur les manieres dont la justice doit estre distribuée,elles nous ont fait connoistre que son cours deuoit toujours estre semblable a celuy du Soleil, afin que ses operations ne fussent pas moins salutaires a l'Estat, que celles du soleil

---

[34] *Mercure*, décembre 1699, p. 106-107.

[35] *Ibid.*, p. 108.

> le sont chaque jour à la nature. (marg.: ut cursus solis sic pergat spiritus justi) [37]

L'auditeur est donc invité dès le début à reconnaître dans le discours des allusions au texte sacré. Sa quête ne sera pas infructueuse. Un peu plus loin, l'orateur définit le souverain et le magistrat comme des guides donnés à l'homme par Dieu:

> ce même Dieu a mis pour luy servir de guide le Prince équitable ou le Magistrat fidele comme un autre Cherubin, sur la porte du Temple de la justice, afin qu'il en conserue les fruits, et pour en operer l'abondance, par sa droiture et par son aplication.
>
> Aplication d'autant plus salutaire que celuy qui multiplie les effects de la justice multiplie en même temps les douceurs et les auantages de la paix. (marg.: Qui multiplicat justitiam muliplicat pacem)[38]

Or cette dernière phrase, qui n'est encore apparue qu'en français, va fonctionner comme une vérité à prouver que l'orateur répétera périodiquement. Elle est d'abord l'origine d'un éloge du Roi. En effet, après avoir interrogé ses auditeurs:

> Mais ou cherchons nous plus longtemps la preuve de cette verité lors que les actions heroïques de nostre invincible Monarque Louis le Grand se presentent en foule de toutes parts a nos yeux pour nous convaincre de cette verité[39],

l'orateur développe l'éloge de Louis le Grand, en mentionnant la tranquillité du Royaume malgré la guerre, la répression du blasphème, la disparition de la chicane, la répression victorieuse du duel et la paix de l'Église, ainsi que la Révocation de l'Édit de Nantes pour conclure cette partie sur la répétition de la proposition à démontrer, dont il affirme la vérité dans le cas du Roi:

> Voila comment Louis le Grand a multiplié sur nous les douceurs et les auantages de la Paix, en multipliant chaque jour sur nous et sur tout sun Royaume les effects de sa justice[40].

Le reste du discours est consacré aux affaires extérieures et fait l'éloge

---

[36] Certains discours ne présentent aucune citation latine. Mais c'est plutôt un choix idiosyncratique que l'indication d'une éventuelle évolution de l'éloquence en milieu judiciaire. Ainsi, au présidial d'Abbeville en 1697, l'avocat général de La Hestroye prononce un discours où ne figure aucune citation latine, mais Boüancourt, le plus ancien des présidents, en insère dans le sien, qui fait suite au précédent... (*Mercure*, novembre 1697, p. 10-63).

[37] «Pièces d'éloquence», B.N. ms. fr. 21148, f° 46 r°.

[38] *Ibid.*, f° 46 v°.

[39] *Ibid.*, f° 47 r°.

[40] *Ibid.*, f° 48 v°.

des victoires de Louis XIV et de la paix qu'il donne malgré tout à ses ennemis suivant la formule bien connue: «ce Roy magnanime qui pour nostre soulagement donne la Paix a ses Ennemis abbatus au milieu de sa prosperité et de ses victoires»[41]. L'éloge du Roi se conclut, avant les exhortations professionnelles aux différentes catégories de membres du Parlement, sur la phrase qui donne au discours son unité thématique, comme un texte de sermon, cette fois-ci en latin «Qui multiplicat justiciam (sic) multiplicat pacem»[42]. La proposition est enfin prouvée, aussi bien pour la paix intérieure du Royaume que pour la paix internationale. La citation apparaît comme marque conclusive des deux parties principales du discours, consacrées à deux aspects de l'éloge du Roi, la figure de clôture la plus forte étant provoquée par la forme latine de la phrase. L'orateur exploite ainsi la force conclusive de la répétition d'une proposition avancée comme vérité à prouver. Le passage du français au latin, qui provoque une rupture, permet de passer à un autre moment du discours. Si la comparaison avec la fonction du *texte* dans le sermon vient à l'esprit, on notera que, dans sa formulation latine, le *texte* est ici postposé, et non pas mis en exergue.

A cet usage de la citation, il faut encore ajouter toutes les citations incidentes qui se multiplient à mesure que l'orateur progresse dans la seconde partie de son éloge du Roi. Une comparaison biblique est le prélude à l'utilisation des Écritures: «Et sa puissance toûjours égale semblable a celle de l'arche d'alliance operoit en même temps la deffense des Philistins, et le salut des Israelites»[43]. La punition des blasphèmes, l'unité de la religion et la paix de l'Église sont des titres à la faveur divine qui renouvelle à l'égard de Louis XIV les merveilles dont Josaphat avait profité. Dieu redouble la crainte des ennemis du Roi, et on n'ose plus le combattre: «Factus est timor domini super omnia Regna terrarum quae non audebant bellare contra Josaphat»[44]. Les passages latins apparaissent ainsi comme un moyen de fournir à l'éloge du Roi la caution de l'Écriture, ce qui donne à la justice une tonalité exclusivement biblique.

Mais cet effet se combine avec la force conclusive et la capacité de produire une transition abrupte, révélées par la citation qui revient comme un *leitmotiv*. L'orateur utilise, à partir de là, les citations latines comme des moyens de conclure des paragraphes exhortatifs ou de

---

41 *Ibid.*, f° 51 v°.

42 *Ibid.*, f° 52 r°.

43 *Ibid.*, 50 r°.

44 *Ibid.*, 51 r°. On retrouve ici le parallèle entre éloquence parlementaire et prédication, d'autant plus accentué que les citations sont en latin.

passer de la partie récapitulative de la péroraison de l'éloge du Roi proprement dit à sa partie pathétique. Ainsi, après l'application du passage sur Josaphat, le magistrat passe à une apostrophe qu'il achève sur une brève phrase latine:

> Peuples heureux, eglise réunie et consolée, justice tranquille, Royaume si entierement conservé, profités de la semonce du Prophete-Roy et faites retentir par tout des cantiques de louanges, et de remerciemens a l'honneur du Roy magnifique vostre aimable liberateur
> Psallite Regi vestro[45].

L'orateur peut alors passer à une nouvelle apostrophe, cette fois aux nations étrangères. L'impression de conclusion vient en partie du fait que la citation est redondante, dans la mesure où l'exhortation a d'abord été faite en français. Elle marque une opposition entre l'exhortation aux entités du Royaume et l'apostrophe aux nations étrangères. Suit encore une exhortation, adressée cette fois à l'orateur lui-même et aux habitants du Béarn et de la Navarre. C'est après ce paragraphe que le magistrat qui parle récapitule les victoires que le Roi a remportées en personne et, suivant la même méthode, rend explicite en fin de développement une citation qui était paraphrasée en français dans le discours:

> aprés enfin avoir donné ses loix a ces Ennemis, de la même maniere que Dieu donne la sienne a son peuple par le feu de ses esclaires, et par l'éclat de sa foudre; c'est luy même qui detourne aujourd'huy de dessus leurs testes l'éclat de sa foudre, et le feu de ses esclaires, et imitant par tout la diuinité, il change et fait fondre l'orage en une pluye feconde qui va porter heureusement en tous lieux le bonheur et l'abondance
> Fulgus in pluuiam fecit[46].

La citation permet de passer de la récapitulation de l'éloge à une nouvelle apostrophe, qui termine l'éloge proprement dit, par le retour de la phrase dont tout le discours est la glose. L'aspect pathétique du passage est souligné par une anaphore, lorsque l'orateur invite les «peuples» heureux à multiplier les louanges et les cantiques de remerciement

> a l'honneur de ce grand Roy que le Ciel a fait naistre pour finir ces deux ouvrages impossibles a tous les autres, l'unité de la Religion et la paix generale: a ce grand Roy qui va fertiliser toute l'Europe. . . .
>
> Enfin ce grand Roy, qui ayant multiplié par tout les effects de sa justice va multiplier par tout et en mille manieres differentes les douceurs et les auantages de la Paix.
>
> Qui multiplicat justiciam (sic) multiplicat pacem[47].

---

[45] *Ibid.*

[46] *Ibid.*, 51 v°-52 r°.

[47] *Ibid.*, 52 r°-v°.

La proposition ayant été prouvée – c'est-à-dire illustrée – par l'éloge du Roi, l'orateur peut alors passer aux exhortations professionnelles et à la lecture des ordonnances qu'il demande au greffier de faire.

On voit, avec l'ouverture du Parlement de Pau, une pratique singulière, dont les traits ne sont pas forcément généralisables. Mais, malgré ce style individuel, elle reste dans la ligne des observations tirées des exemples précédents. On relève ainsi un certain nombre de traits propres à l'usage que les parlementaires et les membres des institutions judiciaires de province font des citations. Même si les orateurs font parfois appel à la traduction, ils continuent à recourir volontiers au latin, sans que rien n'indique une évolution sensible vers une disparition graduelle. Certains auteurs, il est vrai, citent plus que d'autres, mais il est rare que, dans les discours autres que ceux qui sont consacrés à l'éloge d'un dignitaire dont on présente les lettres, il ne figure pas de citations latines. Et, même dans ce cas, le latin apparaît fréquemment. Les orateurs des institutions judiciaires provinciales restent plus fortement attachés à la pratique des citations en latin que leurs homologues parisiens. C'est là un trait qui permet, apparemment, de distinguer plus généralement Paris et la province, puisque le même décalage était apparu entre les académies de province et l'Académie française.

Les parlementaires parisiens citent volontiers les auteurs de l'antiquité païenne en même temps que les Écritures. Même s'ils marquent la soumission de la justice à la religion et prennent parfois leurs distances vis-à-vis des éléments de la philosophie et de la morale des stoïciens par exemple, leur usage des citations mêle auteurs profanes et auteurs sacrés. Les provinciaux déplacent l'équilibre au profit des références bibliques, des Pères et, d'une manière générale, des textes qui font autorité en matière de religion. Cela ne veut pas dire, naturellement, qu'ils ne citent jamais d'autres textes. Thiot, qui veut montrer les rapprochements qu'on peut faire entre la guerre et la justice, dans l'ouverture prononcée au Présidial de La Flèche en 1691, cite «les Empereurs Leon & Anthemius . . . dans la Loy quatorzième du Code»[48], évoque le Grand Coutumier général de Bouteiller, jadis conseiller au Parlement[49], et mentionne l'opinion de Froissard[50].

Ce que l'exemple de l'ouverture du Parlement de Pau a montré, finalement, c'est qu'il serait naïf de ne lier le recours aux citations latines qu'à des doctrines religieuses ou morales et à une tradition conservatrice. Les orateurs trouvent également dans les passages latins un

---

48 *Mercure*, décembre 1691, p. 29 sq.

49 *Ibid.*, p. 34-35.

50 *Ibid.*, p. 34.

instrument d'ordre rhétorique dont ils useront avec plus ou moins de bonheur. L'auteur de l'ouverture de Pau en fait une figure de transition et de clôture. D'une manière générale, le changement de langue ainsi introduit offre aux orateurs des effets stylistiques potentiels qu'ils exploiteront selon leur talent et selon leur besoin. L'attachement aux citations latines peut apparaître comme «conservateur», au regard de l'évolution générale du rapport entre le français et le latin dans les institutions parisiennes. Cela ne signifie nullement que l'usage qu'on en fait soit mécanique. Il dépend de la pratique oratoire individuelle des magistrats.

## 2. Éloquence et assimilation: diffusion de la langue nationale

On peut, certes, conclure nettement des analyses précédentes que les magistrats et les avocats continuent de respecter la langue savante et de lui accorder une large place dans leurs pratiques oratoires. Pourtant, l'usage du français comme langue d'apparat souligne la commune appartenance au Royaume sur lequel règne le roi Louis XIV. Si l'on peut affirmer que, du point de vue de la fonction d'apparat proprement dite, la langue, vulgaire ou savante, importe peu, le choix entre les deux n'en est pas pour autant arbitraire. Il dépend de l'institution et des circonstances dans lesquelles un discours donné est prononcé. Le changement de langue à l'intérieur d'une institution sera donc hautement significatif. Prenons d'abord un exemple parisien, fourni par le *Mercure* de février 1688. On y apprend que la Chambre Royale de Médecine établie en 1673 harangue tous les ans, le 1er février, Messieurs du Grand Conseil en langue latine, en leur portant des cierges, tout comme l'Université harangue le Parlement en langue latine. En 1688, c'est M. Denis, censeur de cette Chambre Royale, qui doit porter la parole. Or, cette année-là, le Chancelier est à Paris. Si la harangue destinée au Grand Conseil est bien composée en latin, il n'en va pas de même pour le compliment au Chancelier:

> & comme la dignité du premier Chef de la Justice demande qu'on luy parle toujours dans la langue de son Prince, il parla en François[51].

C'est-à-dire que, bien que le Chancelier soit le premier magistrat de France, et qu'à ce titre on eût pu supposer qu'il serait harangué en latin comme le Parlement et le Grand Conseil, il est surtout considéré en référence au Roi dont il est en quelque sorte le porte-parole. A ce titre, il sera harangué en français. L'édit de Villers-Cotterêts joue donc aussi, pourrait-on dire, pour les compliments!

---

[51] Février 1688, p. 196.

Si le latin et le français sont tous les deux aptes à soutenir l'éloquence d'apparat, dans des contextes différents, la substitution, dans un rituel donné, d'une langue à l'autre est hautement significative. Ce n'est pas seulement que le latin perd du terrain devant la montée de la langue vulgaire. De même que la création de parlements dans les provinces nouvellement acquises ou conquises permet de les intégrer au Royaume, de même l'adoption du français dans les pratiques oratoires impliquées par leurs rituels correspond à une assimilation culturelle. L'expansion territoriale s'accompagne de l'expansion linguistique qui la symbolise. Parler français, faire des discours en français, c'est reconnaître son appartenance au royaume de France.

Le cas du Sénat de Nice illustre clairement la valeur idéologique du changement. C'est explicitement que, dès sa deuxième ouverture, M. de La Porte, nommé premier président de ce Sénat, souligne la valeur de la substitution du français au latin. Il présente le français comme la langue de la conquête, ou plutôt du monarque triomphant – et l'on retrouve ici une application de la vision «expansionniste» que l'Académie française a de ses efforts pour développer la langue vulgaire et la rendre parfaite. Alors que les parlementaires provinciaux restent fidèles, on l'a vu, à la tradition des citations latines, l'institution doit adopter le français comme langue d'expression. Le compte rendu de l'ouverture de 1694 que le *Mercure* insère, et qui montre que l'occasion a attiré beaucoup de monde, développe explicitement cette obligation:

> L'Ouverture du Senat se fit icy, suivant la coutume, le lendemain des Rois. Il y eut un concours extraordinaire, & M. de la Porte, Premier President, parla d'une maniere fort éloquente & fort polie. Voicy la substance de ce qu'il dit. Le sujet de son Discours fut de l'importance de faire regner la Justice dans un Etat, du caractere des Magistrats qui la doivent rendre, & des qualitez qui leur sont necessaires pour remplir leurs devoirs.
>
> Aprés cette division il dit qu'il avoit parlé en Latin l'année derniere, pour se conformer à l'usage ordinaire du senat, mais qu'il croyoit devoir commencer à se servir de la Langue Françoise pour suivre ce qui se pratiquoit dans les Parlemens du Royaume; que les Romains, à mesure qu'ils établissoient leur domination dans leurs Conquestes, y introduisoient leur Langage comme leurs Loix, & que le Preteur de Sicile avoit repris Ciceron, de ce qu'il avoit parlé Grec au Senat de Syracuse, disant qu'un envoyé de Rome ne devoit parler dans une action solennelle que le Langage de la Republique; mais qu'il s'estoit bien moins déterminé par ces exemples, que par les reflexions qu'il avoit faites, que le Senat tient son Siege depuis trois ans sur les Fleurs de lis, que la Langue Françoise y est parfaitement entendue, & que cette Ville réunie à la France en aimeroit sans doute le Langage, comme elle en aimoit la domination[52].

[52] *Mercure*, mars 1694, p. 272-274.

Au symbole de l'emblème de la monarchie française, les fleurs de lys, vient s'ajouter une autre marque de l'annexion à la France: la langue française. Bien sûr, l'orateur propose une vision «positive» de la réunion au Royaume, puisqu'il suggère, thème courant dans les compliments de la fin du XVIIe siècle, que les Niçois aiment leur rattachement à la France, qu'ils aiment la domination de Louis le Grand. Mais l'exemple de Rome et de ses conquêtes montre bien que le français est la langue de la conquête. Paradoxalement, la référence à Rome est, pour un parlementaire de culture latine, le fondement d'une préférence donnée au français. On retrouve ici un des arguments avancés lors de la querelle des inscriptions et, plus largement, dans la querelle des Anciens et des Modernes: le français est par rapport au latin l'analogue de celui-ci par rapport au grec. Mais il est clair que l'assimilation du Sénat de Nice aux parlements français exige que le latin soit abandonné au profit du français, même si l'orateur demande en quelque sorte à l'auditoire d'aimer ce changement comme le signe de sa soumission...

On peut donc conclure que, bien que le latin et le français soient tous deux représentés comme langues de l'éloquence d'apparat, dans des contextes spécifiques, et bien que les deux langues puissent remplir la même fonction, l'emploi de l'une ou de l'autre n'est indifférent au regard ni de l'occasion ni de l'institution A une époque et dans un domaine où la précision du rituel, où l'étiquette jouent un rôle si important, le choix de la langue avait un sens: il caractérisait l'institution, il indiquait sous quel angle on considérait un personnage auquel on s'adressait, voire le rapport de l'institution au Royaume... Ainsi le premier président du Sénat de Nice, après avoir sacrifié une année à l'usage traditionnel de la Compagnie et prononcé son discours d'ouverture en latin, explique en 1694 qu'il a décidé de substituer le français au latin, conquête oblige...

## III. – UN SOUCI DE LA STRUCTURE

Les mercuriales de Denis Talon ont révélé une tendance à la tripartition qui pouvait, dans une certaine mesure, les rapprocher de la prédication. Les manuscrits de la collection Joly de Fleury fournissent également des discours assez nettement structurés et dont l'organisation est soulignée par des indications marginales. De tels discours suggèrent que les orateurs parlementaires parisiens écrivent des discours relativement organisés. Mais on a l'impression, en province, d'un souci particulier de la structure, qu'il s'agisse de la division générale du discours ou de la progression à l'intérieur de chaque partie. Divisions explicites, transitions, récapitulations intermédiaires et annonces produisent l'impression d'une solide charpente du discours. Pour bien saisir ce que j'entends ici par l'organisation du discours, il suffit de se rappeler le rôle des citations latines dans le discours d'ouverture du Parlement de Pau, analysé plus haut. Qu'il s'agît des articulations principales ou de sous-divisions, les citations latines ou leur traduction faisaient transition vers un autre moment du discours, et séparaient par exemple l'éloge du Roi des exhortations plus spécifiquement professionnelles.

### 1. Instruction éthique et professionnelle: la structure canonique du discours d'ouverture

Les discours d'ouverture ont précisément une structure canonique définie par les exhortations aux différentes catégories d'officiers et aux avocats. En général, après un développement moral ou encômiastique, d'ampleur variable, l'ouverture s'achève sur des recommandations au personnel de l'institution, comme les ouvertures parisiennes s'achèvent sur un paragraphe destiné spécifiquement aux procureurs, et qui s'ouvre traditionnellement par la formule: «Quant aux procureurs...». Ces apostrophes finales, qui ré-orientent le discours vers l'utilité qu'on peut tirer de ce qui a été dit ou vers les devoirs de chaque catégorie, constituent une partie de la péroraison que j'appellerai professionnelle, ou, plus précisément, *topique*, dans la mesure où elle adapte le thème du discours à la condition de chacun. La péroraison topique correspond à la mise en évidence de destinataires très spécifiques. Le discours encômiastique ou éthique s'adresse à tous, mais plus particulièrement aux magistrats. La péroraison topique s'adresse aux autres catégories. Après la lecture des ordonnances concernant les différentes professions de l'institution, avocats et procureurs doivent renouveler leur serment. La péroraison topique est donc liée à un élément du rituel. Mais elle constitue en même temps un trait spécifique, pratiquement constant, de ce type de discours, même si son étendue et sa forme peuvent varier.

Si l'ouverture de la Saint-Martin 1698 au Parlement de Grenoble fait exception, on ne doit pas en conclure que les parlements de province sont moins portés à se conformer à la structure générale: le compte rendu que le *Mercure* donne de l'ouverture des audiences du Parlement de Dijon, le 17 novembre 1678, montre le contraire. L'orateur, dit Donneau de Visé,

> finit en exhortant les Avocats & les Procureurs à se proposer toûjours la bonne foy & cette mesme Verité pour regle de leur conduite[53].

---

[53] Décembre 1678, p. 54.

Les éléments de la péroraison professionnelle peuvent d'ailleurs se multiplier, lorsque l'orateur doit rappeler leur devoir à des représentants de professions diverses. Le discours d'ouverture du Parlement de Pau, en 1697, dont les citations latines ont été analysées, énumère ainsi les juges du Sénéchal, les syndics, les avocats et les procureurs. Dans ce cas, on voit très bien comment le sujet général, la paix, qui avait permis à l'orateur de faire un discours à l'éloge du Roi, est appliqué, au sens rhétorique de ce terme, à chacune des professions envisagées:

> Juges du sénéchal, vous avés l'avantage de rendre et d'administrer la justice de ce grand Prince, faites que suivant ses intentions elle multiplie dans vos tribunaux les douceurs et les avantages de la paix...
>
> Sindics cette paix qui va faire le repos de l'Estat, ne doit pas faire le vostre . . .
>
> Auocats, la Paix n'est pas moins agréable au Barreau, ni moins necessaire que par tout ailleurs: elle est la comme ailleurs la fille de la justice qui y regle la volonté, les actions, et les paroles des auocats comme celle des juges sur le Tribunal, soyez attentifs a ce que cette Paix ne soit jamais troublée ni par le desordre des plaidoyeries mal concertées par le deffaut d'application ou de conferance; ni par le peu de respect qu'on y a quelque fois, pour les ordres de la justice qu'on ne peut assez honnorer, ni par l'inconsideration que vous aués quelque fois les uns pour les autres et les paroles d'aigreur que vous laissez eschaper dans la chaleur de vos plaidoyeries, ce qui fait tort à l'honneur de uostre ministere.
>
> Procureurs vôtre Ministere, si nous considerons l'assiduité de vos fonctions ne peut guere passer pour un ministere de Paix, parce que la vigilance que vous avés aux affaires de vos parties doit vous tenir dans une continuelle agitation, uous ne laisserés pas de trouuer et de gouter la paix dans vos fonctions si vous les faites comme vous devez avec beaucoup d'application, et de probité, et si vous avez soin d'observer les Reglements et les ordonnances[54].

L'orateur passe de la paix, notion générale et réalité politique à la fois, aux différentes applications qu'on peut en faire dans chaque profession. Les remarques aux procureurs montrent que, dans certains cas, l'infléchissement du discours vers une catégorie spécifique entraîne des paradoxes. C'est le travail de l'orateur de les résoudre.

Si la composition de la péroraison topique varie selon les professions concernées – les deux seules constantes étant les avocats et les procureurs –, l'amplification des recommandations faites aux différentes professions peut également recevoir des degrés différents. La «Harangue prononcée à l'ouverture du présidial de Poitiers», en 1681, offre l'exemple d'exhortations distinctes brèves aux avocats et aux procu-

[54] «Pièces d'éloquence», f° 52 v°-53 r°.

reurs, qui (si l'on excepte l'ouverture du Parlement de Grenoble qui se singularise par l'absence de toute péroraison topique) correspond à ce qu'on pourrait qualifier d'état minimal distinct:

> Avocats, dans vos nobles emplois, ne combattez pas tant pour l'honneur de la victoire, que pour la defense de la verité, & ne plaidez jamais de Causes que vous ne les croyiez justes.
>
> Procureurs, ne flattez pas vos Parties dans leurs interests, puis que le Roy ne veut que ce qui est juste, sans se servir de sa puissance. Apprenez leur à se soûmettre aux Loix & aux Regles de la Justice[55].

La brièveté relative n'empêche nullement de faire une allusion au Roi, origine de la justice, qui renferme son éloge. La longueur des recommandations dépend apparemment du choix de l'orateur. Certaines sont beaucoup plus étendues. L'avocat du Roi au Présidial d'Abbeville semble affectionner les amplifications. Dans son ouverture de 1698, il accorde ainsi une large place à la péroraison topique:

> Avocats, une attention particuliere à l'excellence de vostre perfection, est un objet dangereux pour l'amour propre. Rien n'a plus de force pour en réveiller tous les mouvemens; mais vous sçavez que la gloire qui revient de la noblesse de l'estat, n'est qu'un rayon reflechi. Le rayon direct part de la seule vertu, vous luy devez vostre réputation; Continuez d'en joüir & de la meriter; continuez par un attachement inviolable à l'honneur & à la justice, de caracteriser vostre dévouement sans reserve au service du public.
>
> Procureurs, plus vous serez fidelles à vos Parties, sensibles à ce qui les regarde, actifs pour ménager à leurs affaires une heureuse réussite, plus vostre réputation sera feconde, plus vos propres interests recevront d'accroissement, vous vous apercevrez sans peine que la probité & la vigilance sont la source de tous les biens. N'imitez pas ceux d'entre vous qui sans aucun respect ne cessent de crier encore, après que nous avons parlé. Souvent n'ayant pû mettre la justice de leur parti, ils se reservent la triste consolation d'en étourdir les Ministres pendant leur deliberation. Ressemblez à ceux qui par leur droiture, leur activité, leur modestie, se sont acquis une réputation digne de leur merite.
>
> Nous requerons qu'aprés la lecture des Reglemens, les Avocats & les Procureurs renouvellent le serment à la maniere ordinaire & accoutumée[56].

On voit que chacun des moments de cette péroraison est lui-même une sorte de «mini-discours» où, après une remarque d'ordre moral, l'orateur propose à ses destinataires spécifiques un impératif, lié à la manière dont ils doivent remplir leur fonction. La structure se complique encore, dans la mesure où l'impératif aux avocats est présenté sous forme

---

[55] *Mercure*, décembre 1681, p. 15.

[56] *Mercure*, décembre 1698, p. 225-228.

d'anaphore, tandis qu'une antithèse détaille celui que l'orateur présente aux procureurs: «N'imitez... Ressemblez...».

Respect de la structure canonique et souci didactique n'empêchent pas, on le voit, l'amplification. Celle-ci peut prendre des formes diverses. Labat, avocat du Roi au présidial d'Agen, mêle l'allégorie et la comparaison à son exhortation professionnelle:

> Avocats, vous qui comme les Daniels portez la parole dans ce ministere delicat, menagez, & la fidelité que vous devez à vos parties & le respect que vous estes obligez de rendre aux Juges qui vous écoutent. En déployant les voiles qui couvrent le ministere d'iniquité, ayez assez de fermeté, ou plutost ne craignez pas de déplaire à ceux mêmes qui vous ont chargez de leurs causes[57].

Après la comparaison tirée de l'Écriture, et les impératifs qui reprennent les exhortations traditionnellement faites aux avocats par les gens du Roi aussi bien que par les premiers présidents, l'orateur a encore recours à des analogies sous forme d'allégories:

> Vous le sçavez comme nous, que l'esprit ne sçauroit estre trop tranquille & trop recueilli, pour contempler la verité, qui est toute pure, & qui n'est pas divisée; qu'une eau troublée ne represente pas nettement l'image de celuy qui s'y regarde, & qu'on ne voit point le Soleil lors que des nuages obscurcissent l'air[58].

Ce discours offre d'ailleurs cette particularité que l'orateur, après une recommandation plus brève aux procureurs, enchaîne, par une concaténation[59], un retour sur lui-même et une exhortation qui comprend l'ensemble du corps:

> Et vous, Procureurs, s'il m'est permis de me servir de ce terme, allumez tout vostre zele contre l'avarice, c'est-à-dire, bannissez pour toûjours ces lenteurs affectées & ces detours presque infinis, que la chicane semble elle-même avoir inventez pour faire durer les Procés & pour les entretenir. Ne vous servez plus à la face de la Cour, des loix mêmes que l'on a faites pour les *finir. Finissons* nous-mêmes ce Discours, & nous unissons, pour aller nous prosterner devant le Dieu fort. Protestons de nostre ferme, constante & perpetuelle volonté, de rendre dans la distribution de la justice, ce qui luy est deu & peut luy appartenir. A ces fins, nous requerons la prestation de Serment, en la forme & maniere accoustumée[60].

Dans ce dernier cas, l'Avocat du Roi, tout en respectant la structure canonique, introduit un effet personnel, par l'élaboration d'une transi-

---

[57] *Mercure*, décembre 1699, p. 122-123.

[58] *Ibid*., p. 123-124.

[59] J'appelle concaténation la figure qui consiste à débuter une phrase ou une proposition avec le mot (ou un dérivé du mot) qui a terminé la précédente.

[60] *Mercure*, décembre 1699, p. 124-125 (mes italiques).

tion entre la péroraison topique et la requête de la prestation de serment.

Les variantes de cette structure sont infinies. Dans le discours qu'il prononce pour l'ouverture du présidial de Libourne, le 5 novembre 1697, Proteau, avocat du Roi, fait surtout l'éloge de Louis le Grand, ayant, dit-il épuisé ses réflexions sur la justice, tandis que ses auditeurs n'ont pas besoin de ses répétitions pour s'en préoccuper. Après avoir engagé le présidial à faire des vœux pour le Roi, il termine brièvement, mais non sans intégrer un appel aux avocats et aux procureurs:

> Cherchons dans la lecture de ses Ordonnances [celles du Roi] le moyen de n'en abuser pas [de l'autorité que le Roi confie aux magistats], & en même temps les Avocats & les Procureurs seront excitez par le serment à se bien acquitter des obligations qui leur sont particulieres[61].

A peu d'exceptions près, les discours d'ouverture suivent donc une structure canonique qui, dérivant de la fonction didactique du discours, implique une péroraison à caractère professionnel, dans laquelle l'orateur s'adresse successivement aux diverses professions de la justice pour les exhorter à remplir leur devoir et à servir la justice. Plus les orateurs descendent dans la hiérarchie des professions, plus leur ton s'anime. Boüancourt, président au Présidial d'Abbeville, se fait ainsi de plus en plus dur au fur et à mesure qu'il progresse dans ses exhortations:

> Avocats, plus vostre profession est excellente, plus vous devez la soutenir avec honneur. Envisagez toujours la gloire, & qu'une conduite sage & reglée fasse connoistre que vos devoirs vous sont toujours presens.
>
> Procureurs, si vous estes sensibles à vos veritables interests, retranchez vos procedures. Observez avec exactitude & les Ordonnances & les Reglemens, & par la vous meriterez la confiance de vos Parties, l'estime du Public, & nostre protection.
>
> Huissiers, il vous faut plus que des rémontrances. Les dereglemens ausquels vous n'estes que trop sujets, nous font croire qu'elles seroient inutiles. Nous voulons seulement vous avertir que nous sçaurons distinguer la probité des uns, & punir severement les malversations des autres[62].

Les échelons inférieurs de la hiérarchie judiciaire sont toujours ceux qu'on blâme le plus, comme les véritables soutiens de la chicane et les agents de la corruption de la justice.

Le fait qu'on peut définir une structure canonique du discours d'ouverture, et surtout de sa péroraison, ne signifie pas que les orateurs ne

---

[61] *Mercure*, décembre 1697, p. 39.

[62] *Mercure*, novembre 1697, p. 61-63.

varient pas leur manière de l'utiliser. Les variantes des exhortations qu'ils font aux avocats, aux procureurs et aux autres catégories professionnelles montrent que la technique et le talent des orateurs peuvent s'exercer à l'intérieur du cadre contraignant des prérequis du rituel institutionnel. Les magistrats chargés de la parole peuvent répondre à ce qu'on attend d'eux tout en manifestant une individualité oratoire.

## 2. Une rhétorique de la disposition: division explicite et organisation du discours

La péroraison professionnelle fournit aux orateurs parlementaires provinciaux un élément de structure *a priori* pour organiser leurs discours. Mais, d'une manière plus générale, leurs discours présentent souvent une organisation explicite. De toutes les pratiques oratoires que j'ai analysées jusqu'à présent, celle des parlementaires et des magistrats provinciaux marque le plus grand souci de l'organisation. Les orateurs présentent à leurs auditeurs un discours doté d'une division claire et explicite. Le glissement du terme *sujet* à celui de *division*, dans la relation de l'ouverture du Sénat de Nice, en 1694, est révélateur:

> Le *sujet* de son Discours fut de l'importance de faire regner la Justice dans un Etat, du caractere des Magistrats qui la doivent rendre, & des qualitez qui leur sont necessaires pour remplir leurs devoirs.
>
> Aprés cette *division*, il dit qu'il avoit parlé en Latin l'année derniere . . . .[63]

Le Premier Président a annoncé la division de son discours. Et une telle présentation est fréquente dans les juridictions provinciales. En 1694, l'ouverture du présidial de Saintes fut faite par M. de Gascq, président et lieutenant général au siège présidial de Saintes qui prononça

> un Discours fort élegant, & qui eut l'applaudissement de tout le Barreau, aussi bien que d'un fort grand nombre de personnes considerables que la ceremonie du jour avoit attirées[64].

Le sujet du discours est la justice positive – l'orateur affirme que les remarques qu'il fera sont inutiles aux officiers de son siège, mais elles sont destinées aux ministres inférieurs de la justice, toujours vilipendés... Il annonce ensuite les trois points de son discours, qui sont les trois devoirs principaux des juges: craindre Dieu, honorer le Roi, garder l'union fraternelle. Le commentaire de la division est digne d'un prédicateur: «cette sentence que l'Apôtre appeloit *Royale* renferme

---

63 *Mercure*, mars 1694, p. 272-273 (mes italiques). Sur ce discours, voir *supra*, p. 473.

64 *Mercure*, décembre 1694, p. 173.

tous les autres devoirs des Juges, & tout ce qui est de la justice positive»[65].

Le fait que le discours précédent était, non pas cité entièrement, mais analysé, empêche d'apprécier la rigueur de l'organisation. Dans le discours sur «L'alliance de la guerre et de la justice» prononcé par Thiot à l'ouverture du présidial de la Flèche en 1691, c'est un rapprochement entre les conditions de la robe et de l'épée qui soutient tout le discours, et qui conduit à une division tripartite, annoncée après l'exorde. Le rapprochement s'effectue d'abord au moyen d'une écriture du métier de la justice en langage militaire:

> Faisons battre la diane, & ouvrons le Temple de la Guerre, contre l'injustice, dans lequel il est permis à la Robe d'exercer les fonctions militaires, & sans répandre le sang, donner des combats & remporter des victoires[66].

Tout en reconnaissant que le parallèle entre la guerre et la justice pourrait paraître paradoxal, l'orateur affirme qu'en fait, elles «simbolisent entre elles». C'est alors qu'il annonce son projet:

> & s'il est vray, comme l'on n'en peut douter, que la profession des armes, & celle du Palais, sont les emplois les plus illustres & les plus éclatans, je ne puis leur faire plus d'honneur qu'en faisant voir leurs justes rapports & leur étroite alliance[67].

L'Avocat du Roi éprouve encore le besoin de préciser l'évidence: il ne parle pas de la guerre de Guillaume d'Orange, foncièrement injuste, mais de celle que Louis le Grand mène, toujours juste; c'est cette proposition qui l'amène à poser explicitement sa division:

> Je parle seulement d'une guerre juste & legitime, comme la nostre, qui tend au repos & à la conservation de l'Etat, & qui est entreprise pour maintenir la veritable Religion, & pour empêcher les invasions de nos Ennemis; & en ce sens, je dis que la guerre, soit qu'on la considere dans son principe, soit qu'on la regarde dans son execution, soit qu'on l'envisage dans sa fin, a des convenances admirables avec la Justice. Commençons par le principe de la guerre[68].

Les trois verbes quasi synonymes («considere», «regarde», «envisage») et la distribution entre trois possibilités introduites chacune par «soit que» constituent une division explicite. L'orateur annonce en outre le

---

[65] *Ibid.*, p. 175.

[66] *Mercure*, décembre 1691, p. 10.

[67] *Ibid.*, p. 12.

[68] *Ibid.*, p. 13-14. Sur la manière dont ce discours représente les guerres louis-quatorziennes, voir *infra*, p. 489 sq.

point dans lequel il s'engage. Même si l'annonce de la division est rapide et relativement légère, l'orateur prend toujours soin de baliser son discours par des récapitulations suivies d'annonces. Le passage à la seconde partie se fait ainsi:

> Si la Guerre considérée dans son principe a tant de ressemblance & de conformité avec la Justice, vous allez voir, Messieurs, que dans son execution, elle est la figure & le portrait de cet illustre original[69].

Même mécanisme encore pour le passage à la troisième partie, où il s'agit d'examiner la fin de la guerre:

> C'est pourquoy il faut tirer cette consequence que la guerre dans son execution a des ressemblances admirables avec la justice; mais elles conviennent encore mieux dans leur fin; car ce n'est pas assez que la guerre soit entreprise avec justice, & soutenüe avec vigueur, si elle n'est enfin couronnée par une glorieuse paix, plus estimable qu'une infinité de triomphes, *Pax una triumphis innumeris potior*[70].

Sont ici combinées une conclusion de la deuxième partie, et une transition vers la troisième, constituée par une récapitulation des deux premiers points et d'une reprise de l'annonce du troisième. L'affirmation concernant la fin de la guerre est en quelque sorte pré-amplifiée par la citation latine, qui confirme, si l'on peut dire, le jugement porté sur la paix, jugement qui en est la traduction. Le latin, si naturel aux discours émanant d'institutions judiciaires, joue un rôle dans l'organisation du discours. Le changement de langue produit, comme l'exemple de l'ouverture des audiences du Parlement de Pau nous l'a déjà suggéré, un effet de scansion.

La clarté de la progression permet sans difficulté à l'orateur de faire une digression, de l'éloge du Roi à des souhaits présentés comme des apostrophes anaphoriques au Roi. L'anaphore, dont on trouve une manifestation aussi bien dans l'exaltation du Roi que dans les souhaits, contribue à donner au discours une organisation nette et très perceptible, en renforçant l'unité de la digression et en organisant son mouvement propre:

> Nous avons veu sous le regne incomparable de Loüis le Grand, l'accomplissement de ces éclatantes & surprenantes merveilles. Ouy, grand Roy, le premier de tous les Monarques du monde, l'amour du Ciel, les delices de la terre, l'ornement des Histoires, l'appuy de la Religion, le foudre de la guerre, & le modelle de la Justice; c'est sous vostre heureux regne que l'on voit la parfaite alliance de la Guerre & de la Justice; car aprés avoir rétabli par vos Ordonnances la justice dans son lustre, nous avons vû sortir de vostre teste Pallas la guerriere & Pal-

[69] *Ibid.*, p. 29.

[70] *Ibid.*, p. 47-48.

> las la pacifique, plus veritablement que la Fable ne l'avoit dit de la teste de Jupiter. Nous avons veu, grand Prince, vos Ennemis vous ceder par de glorieux traitez de Paix les Pays que vous aviez conquis. . . . Nous avons encore veu vos armes . . . inonder toutes les Provinces de ces Peuples ingrats & insolens . . . . Nous avons veu sous vostre regne la verité des Oracles qui nous avoient esté annoncez par les Prophetes. . . . *Bellabunt adversum te, & non praevalebunt, quia ego tecum sum.* Et en effet, nous avons veu, & nous voyons encore toute l'Europe animée de la fureur de la fausse Religion . . . nous vous voyons, grand Monarque, victorieux dans trois sanglantes Batailles & sur mer & sur terre, étendre vos conquestes, & triompher de vos Ennemis.
>
> Puissiez-vous, ô grand Prince, par la suite continuelle de vos heroiques exploits, entretenir pour jamais en cette vigueur à l'ombre de vos Palmes & de vos Lauriers, la beauté de vos Lis! Puissiez-vous . . . cimenter la paix de la France dans le sang de vos Ennemis! Puissiez-vous . . . faire à jamais triompher la justice en vostre regne![71]

Unifié par ses anaphores, l'excursus est encore clairement marqué et circonscrit par la formule «spécialisée»: «Mais où est-ce que nous emporte ce Discours?»[72] En caractérisant explicitement l'éloge du Roi comme un morceau digressif, l'orateur renforce l'impression générale de netteté dans l'organisation. Cette impression est confirmée par l'annonce explicite de la conclusion: «Pour conclure, il est évident que la guerre a une entiere conformité avec la Justice . . .»[73] La péroraison comprend une récapitulation des trois points développés par l'orateur et une exhortation professionnelle aux avocats et aux procureurs, largement amplifiée et d'un ton pathétique qui reprend le langage militaire du début du discours, que les trois points ont justifié.

Cet exemple illustre de manière particulièrement nette l'accent que les magistrats provinciaux mettent sur l'organisation de leurs ouvertures et discours divers. Le plan est annoncé, la progression jalonnée de marques explicites et les digressions circonscrites et rigoureusement construites. Citations et figures ont leur rôle à jouer dans cet effet de structure.

Les figures qui, comme l'anaphore, produisent un effet de scansion fonctionnent parfois comme procédés structurants ou, à tout le moins, comme marques de la structure, même quand celle-ci n'est pas annoncée. C'est fortement sensible à l'intérieur même des discours pour les parties ou les sous-parties, qui reçoivent ainsi une unité clairement perceptible, comme on l'a vu avec l'ouverture prononcée par l'avocat du

---

[71] *Ibid.*, p. 52-56.

[72] *Ibid.*, p. 56-57. J'ai montré l'usage constant que les académiciens français font de ce type de transition brutale (voir première partie, ch. I, p. 81 sq.).

[73] *Mercure*, décembre 1691, p. 57.

Roi au Présidial de la Flèche. Thiot est d'ailleurs porté à utiliser figures et arguments logiques comme substituts d'une division explicite, et comme marqueurs dans les unités inférieures du discours. En 1681, c'est l'épistrophe qui lui sert à récapituler périodiquement ce qu'il a prouvé dans une partie qu'il introduit par l'affirmation:

> Mais ce qui releve davantage la Loy de la Nature, c'est qu'elle est une source feconde, de laquelle plusieurs autres Loix sont derivées, & comme un principe universel, duquel on tire des conséquences infinies[74].

Cette affirmation fonctionne comme proposition intermédiaire, que l'orateur va prouver, en montrant effectivement comment diverses lois sont tirées de la loi de la nature. Plusieurs paragraphes successifs se terminent sur une formule conclusive qui fait épistrophe:

> . . . & voila, Messieurs, comme la premiere des Loix divines est tirée du centre de la Nature.
>
> . . . & voila encore comme la seconde des Loix divines est tirée du centre de la Loy de la Nature.
>
> . . . & voila comme la troisième des Loix Divines, est pour ainsi dire formée par la Loy de la Nature[75].

Une quatrième loi rompt la régularité de l'épistrophe, mais on retrouve un peu plus loin la conclusion: «Enfin tout cela n'est fondé que sur la Loy de la Nature»[76]. L'absence de division explicite pour l'ensemble du discours est compensée au niveau «local» par des récapitulations répétitives qui soulignent la cohérence et indiquent *a posteriori* la structure. Ce phénomène est encore renforcé par la mise en valeur de la logique du développement en chaque point du discours. On n'est pas surpris de trouver dans ce même discours un syllogisme explicite, ou plutôt un épichérème[77]. Thiot cherche à démontrer que toutes les créatures raisonnables «ont une inclination de faire chacune leur devoir»:

> Tout ce qui est soumis à la divine Providence est conduit & dirigé par la Loy éternelle, & en reçoit une impression qui luy donne l'inclination de se maintenir dans son état, & d'arriver à sa fin. Or comme entre tous les estres d'icy bas, les Creatures raisonnables sont d'une maniere plus noble, & plus excellente soûmises à cette divine Providence, par la communication qu'elles en reçoivent, afin de pourvoir non seulement à leurs besoins, mais encore aux necessitez des autres creatures; aussi par l'infusion & par l'irradiation de cette raison éternelle, elles ont une

[74] *Mercure*, décembre 1681, p. 87.

[75] *Ibid.*, p. 88-89.

[76] *Ibid.*, p. 92-93.

[77] J'entends par épichérême une variante du syllogisme dans laquelle la majeure, la mineure, ou les deux, sont accompagnées de leur preuve.

inclination naturelle de faire chacune leur devoir, & de parvenir à leur fin. [78]

Le syntagme «par la communication qu'elles en reçoivent» constitue bien une preuve de l'affirmation: «les Creatures raisonnables sont d'une maniere plus noble, & plus excellente, soûmises à cette divine Providence». La forme superlative et le glissement de «se maintenir dans son état» à «faire chacune leur devoir» n'empêchent pas la structure de syllogisme rhétorique d'apparaître nettement. Figures à vocation sturcturante et raisonnement logique explicite contribuent à scander la progression du discours et à donner l'impression d'une organisation rigoureuse, qui redouble l'effet produit par l'existence d'une structure canonique liée à la destination didactique du discours d'ouverture. Mais, même dans d'autres types de cérémonies, les juridictions provinciales produisent des discours où l'on ressent un souci marqué de l'organisation. Faut-il parler ici d'un didactisme de ces institutions? La forme canonique du discours d'ouverture suggère bien qu'une place importante est accordée à l'instruction éthique et professionnelle. Mais on ne saurait séparer les discours de leur réception: les commentaires du *Mercure* et le fait même que cette insistance sur la structure est si répandue indiquent qu'on a affaire à une éloquence qui satisfait l'auditoire qui la reçoit. L'éloquence des juridictions de province, qui utilise largement les citations et qui reste fidèle au latin, en préférant les sources chrétiennes aux sources profanes, est aussi plus formaliste. Un Barrême de Manville divise même explicitement ses discours au siège d'Arles en parties, signalées dans le texte.

On ne saurait pourtant réduire les discours produits par les magistrats provinciaux à leur fonction «didactique». L'exemple de l'ouverture du Parlement de Pau montre bien que même les discours qui, dans leur principe, ont une fonction de censure et d'instruction présentent aussi d'autres facettes, qui les rapprochent de pratiques oratoires comme la présentation de lettres ou la publication de la paix. Si l'éloge du Roi et de la paix peut être repris et adapté à la situation de chaque profession judiciaire, il forme aussi un élément autonome. Mais il faut également tenir compte d'un élément essentiel à toute pratique oratoire institutionnelle: la représentation et l'exaltation du corps dans le rituel duquel elle s'inscrit. Il est, comme toujours, difficile de distinguer radicalement les éléments qui relèvent proprement de l'instruction et ceux qui se rattachent à la représentation de l'institution: prôner des valeurs dans lesquelles le groupe peut se reconnaître, c'est souvent aussi donner l'image du groupe, tel qu'il est, ou tel qu'on veut qu'il apparaisse.

---

[78] *Mercure*, décembre 1681, p. 73-74.

## IV. – L'ÉLOQUENCE D'APPARAT: UNE COMBINAISON DE FONCTIONS

Le cérémonial des institutions judiciaires de province s'accompagne de pratiques oratoires apparemment très différenciées: les ouvertures se rattachent, en principe à tout le moins, à une visée éthique et professionnelle, les discours de présentation de lettres de provision sont largement consacrés à l'éloge de celui qui a obtenu les lettres, et les discours pour la publication de la paix exaltent essentiellement la grandeur du monarque qui l'a accordée à ses ennemis au milieu de ses victoires. Il serait donc tentant de classer et d'étudier les différents discours en fonction des circonstances dans lesquelles ils ont été prononcés.

Pourtant, ce serait méconnaître la profonde unité qui gouverne l'ensemble des pratiques oratoires dont on a conservé la trace. Distinguer catégoriquement l'ouverture du discours d'éloge, ce serait négliger le glissement inévitable et dynamique de l'éthique à l'encômiastique, toute évocation de valeur pouvant s'incarner dans le portrait d'un personnage réel dont on fait l'éloge, tout éloge pouvant conduire à l'exaltation d'une vertu et à une exhortation à l'imitation éthique. On peut aisément voir que l'éloge fait naturellement partie du discours d'ouverture dans la comparaison entre deux exordes qui insistent sur la fonction délibérative de ce genre de discours, destiné à engager les magistrats et les professions de la justice à remplir leurs devoirs. La présentation de la cérémonie qui est en train de se dérouler amène le premier président du Parlement de Trévoux, M. de Sève, à donner une définition du discours qui rejette l'éloge pur:

> Cette Ceremonie que nous renouvellons tous les ans, n'est pas une vaine pompe dont le faste de nos Peres se soit avisé pour honorer seulement d'un Eloge nostre rang & nos fonctions. C'est une espece de Solemnité sacrée, que la simplicité de l'ancien temps & les plus purs siecles de la Magistrature ont vû naistre; qui n'a esté establie que pour instruire nostre Dignité, & appeler à la teste de ces Séances le souvenir de nos devoirs, en ouvrant la carriere de nos travaux.
>
> Il faut en ce jour que les malheureux nous voyent rentrer sur ces Tribunaux avec joye, les coupables avec frayeur, les peuples avec confiance[79].

Mais, s'il ne s'agit pas seulement de faire l'éloge des dignités et du rang, le rappel des devoirs passe cependant par un tel éloge. Pour faire progresser les «ministres de la justice» dans la voie du devoir et de la

[79] *Mercure*, novembre 1694, p. 237-238. Donneau de Visé parle du «Parlement de Dombes».

morale, il faut dresser un portrait avantageux de leur état, pour les faire aspirer à la perfection. M. de Saleon, président à mortier au Parlement de Grenoble lie clairement les deux aspects, éthique et encômiastique, dans l'exorde du discours qu'il prononce à l'ouverture des audiences de 1698:

> MESSIEURS,
>
> Dans cette solemnité que l'on renouvelle à l'ouverture du Temple de la Justice, l'Eloge de nos dignitez est necessaire, pour vous marquer l'importance de nos devoirs[80].

L'éloge, ici celui de la dignité plus que celui de la personne, devient un argument dans une stratégie qui est celle du délibératif – l'orateur pousse l'auditeur à adopter une ligne de conduite moralement valorisée. Le discours à visée éthique n'exclut pas, bien au contraire, l'éloge. Or, comme on l'a déjà vu pour les parlementaires parisiens, les orateurs glissent facilement de l'éloge abstrait de la dignité du magistrat idéal au portrait concret du magistrat réel.

Ce n'est pas, il faut toujours le rappeler, le genre rhétorique qui définit la fonction d'apparat. Ce n'est pas non plus une visée exclusive, qu'elle soit éthique ou encômiastique. L'apparat résulte de l'adaptation à des circonstances solennelles d'un ensemble complexe de composantes (éthique, encômiastique, esthétique, propagande). Tous les discours, ouvertures, discours pour l'enregistrement des lettres de provision ou d'un édit, publication de la paix, remplissent, dans les circonstances qui leur sont propres, la fonction d'apparat. L'analyse des pratiques oratoires doit tenir compte de cette homogénéité fondamentale. On est encouragé à mettre l'accent sur cette unité essentielle par un caractère, qui, bien que présent dans toutes les pratiques oratoires que nous avons rencontrées, se perçoit de manière particulièrement nette en province, et singulièrement dans les parlements et les présidiaux. Les discours du rituel judiciaire, même ceux qui n'ont pas pour fonction d'accompagner l'enregistrement de textes relatifs à la politique, sont très perméables à ce qu'on pourrait appeler «les affaires du temps», pour reprendre une formule dont Donneau de Visé s'est servi pour donner au public une série de numéros spéciaux du *Mercure*. L'ouverture du Parlement de Pau, en 1697, fut faite, on l'a vu, par un discours dont la plus grande partie était consacrée à l'éloge de Louis XIV et de la manière dont il avait fait la paix, même si la péroraison professionnelle permettait à l'orateur d'appliquer le sujet général à l'occasion particulière, la cérémonie d'ouverture des audiences. Mais la guerre et la paix fournissent aux orateurs des déve-

[80] *Mercure*, décembre 1698, p. 9.

loppements importants, voire constituent le thème principal de leurs discours.

## 1. Les institutions judiciaires et la propagande

Certains discours conduisent à reposer la question de la place qui est faite à la propagande. C'est le cas, par exemple, pour le discours que le *Mercure* publie en 1692 sous le titre «Discours sur la Guerre presente», qui n'est identifié que par la phrase suivante: «Ce Discours a esté prononcé dans une celebre occasion par Mr Delmas, Avocat du Roy au Presidial, & Senechal de Roüergue»[81]. Aucune précision sur la date ou sur l'occasion précise n'est fournie. On peut cependant affirmer que le discours fut prononcé devant la juridiction dont il est l'avocat du Roi, dans la mesure où il s'adresse plusieurs fois à des magistrats (par exemple lorsqu'il apostrophe ses auditeurs:

> Vous le sçavez, Messieurs, vous le sçavez par vostre propre experience, quels soins les Magistrats se donnent pour remplir dignement les fonctions que Loüis leur a commises[82].

Rien n'indique que l'orateur requière l'enregistrement d'un texte, lettres ou édit. La manière dont l'orateur prépare sa conclusion se rapproche plutôt de l'ouverture faite par l'avocat du Roi au présidial d'Agen en 1699[83]; il s'exclame en effet:

> Finissons, Messieurs, en voilà trop pour les Auditeurs aussi persuadez que vous l'estes, de ce que nous venons de remontrer[84].

Même si le mois de juin ne correspond pas aux dates habituelles des ouvertures, la manière dont Donneau de Visé évoque la cérémonie laisse supposer que la date de publication peut n'avoir aucun rapport avec celle où le discours a été prononcé. Le terme «remontrer» suggère bien une ouverture[85].

Quoi qu'il en soit, ce texte semble répondre, comme son titre l'indique, à une véritable entreprise de propagande, sur deux fronts: il ne faut pas blâmer le Roi pour les souffrances que la guerre cause; dans la lutte qui l'oppose à d'autres pays, le Roi est dans le droit et suit la justice, ses ennemis embrassant, logiquement, une mauvaise cause... Si

---

[81] Juin 1692, p. 39. Le discours figure aux p. 9-39.

[82] *Ibid.*, p 35.

[83] Voir *supra*, p. 478-479.

[84] Mercure, juin 1692, p. 36.

[85] De la même manière, le discours «sur la paix de Savoye», prononcé en 1696 au Présidial d'Agen par Labat, avocat du Roi, semble être une ouverture. Le sujet correspond à un choix de l'orateur qui n'a pas cru devoir parler sur un autre thème.

l'on se rappelle que les académies de province se représentent consciemment dans leurs discours comme des courroies de transmission de la propagande royale, on a l'impression que l'éloquence d'apparat, parce qu'elle s'inscrit dans des cérémonies solennelles, qui rassemblent ainsi un public nombreux et varié (quoique socialement plus limité dans le cas des institutions académiques ou judiciaires que dans celui des cérémonies municipales que j'étudierai plus loin), sert assez couramment de véhicule à l'explication officielle de la politique royale et à la représentation favorable des entreprises de Louis XIV. En d'autres termes, la solennité même du contexte de l'éloquence d'apparat en fait un relais privilégié de la propagande.

Même les discours explicitement identifiés comme des discours d'ouverture, c'est-à-dire des pratiques qui visent à rappeler leurs devoirs aux professions de la justice, révèlent le poids de l'actualité et de la propagande dans l'éloquence provinciale. Il est vrai que les orateurs, nommés par le Roi ou agréés par lui, représentent, dans une certaine mesure, ses intérêts.

Ce qu'il faut bien appeler la propagande ne se limite pas à des discours d'identification douteuse. Les discours d'ouverture sont eux aussi infléchis par l'actualité. Les orateurs choisissent parfois un sujet qui a trait à la situation politique et qui permet, de ce fait, de développer à la fois une réflexion sur les fonctions et les ministres de la justice et une «explication» ou une présentation favorable de la politique royale. Les années 1690, difficiles pour Louis XIV, sont aussi celles où ce phénomène se manifeste le plus nettement. Le discours que Thiot prononce en 1691 pour l'ouverture du Palais, à La Flèche, est très caractéristique. L'orateur y propose un parallèle entre les fonctions judiciaires et l'activité militaire, dans le but, semble-t-il d'abord, d'exhorter ses auditeurs à reprendre leur travail d'une manière digne de leur grandeur:

> MESSIEURS,
>
> Pendant que la France est en armes, serons-nous dans l'inaction, nous qui sommes tous obligez par le devoir de nos Charges de rentrer aujourd'huy au Palais, revestus de la veritable Cotte d'armes, *Induti clericam Justitiae*, comme parle Saint Paul. Réveillons-nous donc de l'assoupissement des Vacances. Le quartier de rafraichissement est finy. Faisons battre la diane, & ouvrons le Temple de la Guerre contre l'injustice, dans lequel il est permis à la Robe d'exercer les fonctions militaires[86].

Sans m'arrêter ici à l'emploi du vocabulaire militaire pour désigner les robins, je noterai simplement la manière insistante dont l'orateur définit

---

[86] *Mercure*, décembre 1691, p. 9-10. Sur ce discours, voir *supra*, p. 481 sq.

son discours comme une pratique accompagnant la rentrée. Or, les exemples qui viennent tout naturellement sous la plume de Thiot lui sont fournis par la conjoncture, et il prend soin de proposer la «bonne interpretation» de ses paroles. Ainsi, après avoir vu les rapports qui unissent la justice et la guerre, il précise:

> Quand je parle de la guerre, je ne parle pas de celle du Prince d'Orange, entreprise contre les loix de la nature, & contre le droit des gens, sous le faux pretexte de la Religion, avec ses Alliez, pour se maintenir par le bruit des armes, dont il étourdit la raison des Nations, desquelles il veut se rendre Souverain. Je parle seulement d'une guerre juste & legitime, comme la nostre, qui tend au repos & à la conservation de l'Etat[87].

Ce n'est pas seulement l'éloge du Roi, dont j'ai étudié plus haut la structure dans ce discours, c'est toute la politique de Louis XIV qui s'étale ainsi comme illustration de l'affirmation initiale. C'est toute une analyse de la situation de la France qui est proposée. En pleine guerre, la France est florissante, et les peuples heureux:

> Et en effet, la seureté publique dans laquelle nous vivons dans nos Provinces, n'est-elle pas établie par le secours des armes, & par l'autorité des loix de nostre invincible Monarque? Si la Justice rend les Peuples paisibles dans leur trafic, la guerre ne leur ouvre-t-elle pas les passages pour le negoce, ne leur rend-elle pas les navigations libres, & ne rétablit-elle pas enfin le commerce? La Guerre & la Justice ne concourent-elles pas ensemble à cultiver les Palmes & les Oliviers? N'est-ce pas la Guerre & la justice qui font fleurir les Arts & les Manufactures, qui apportent l'abondance...? Nous avons veu sous le regne incomparable de Loüis le Grand l'accomplissement de ces éclatantes et surprenantes merveilles[88].

Tel est le tableau officiel du Royaume; voilà ce qu'il faut voir en 1691; voilà le bonheur que doivent ressentir les sujets de Louis XIV. Le discours d'ouverture écrit l'histoire officielle. Dans certains cas, comme pour l'ouverture du Sénat de Nice, l'orateur exprime les sentiments que ses auditeurs doivent selon lui ressentir: «cette Ville réunie à la France en aimeroit sans doute le langage, comme elle en aimoit la domination»[89], et de nouveau, plus loin:

> ses Peuples sont heureux de vivre sous sa domination, ... ceux de Nice partagent cette bonne fortune sous un Commandant vigilant, infatigable, & exact en l'execution des ordres de Sa Majesté; ... situez sur la frontiere ils ne s'aperçoivent de la guerre, que par le nombre des

---

87 *Ibid.*, p. 12-13. Pour la fin de ce passage, voir *supra*, n. 68.

88 *Ibid.*, p. 50-52.

89 *Mercure*, mars 1694, p. 274. Sur cet amour de Nice pour le «langage» de la France, voir *supra*, p. 473-474.

> Troupes destinées pour les deffendre, si sages par la discipline qu'elles observent, qu'on en pourroit dire ce qu'on disoit de celles d'Alexandre severe, que ce sont autant de Compagnies de Senateurs[90].

Dans ces conditions, le discours «sur la Guerre présente» que j'ai mentionné plus haut ne constitue pas une exception. Dans quelques circonstances qu'il ait été prononcé, il peut être considéré comme représentatif de toute une tendance de l'éloquence des juridictions provinciales. La dénégation qu'il présente, en affirmant que les sujets du Roi n'ont pas le réflexe de l'accuser des malheurs de la guerre – malheurs que d'ailleurs ils ne voient que de loin – suggère que les tableaux enthousiastes de l'état de la France doivent être encore et toujours retouchés et répétés; que, peut-être, le public doit encore et toujours être persuadé de son bonheur. Le discours commence par une sorte de «basilicodicée», l'orateur, Delmas, cherchant à exonérer les princes justes de la responsabilité des souffrances:

> MESSIEURS,
>
> Deux des plus extraordinaires & des plus cruelles injustices qui se commettent dans la vie, sont d'attribuer ce qui n'arrive que par un decret de la Providence, (que les Anciens appelloient un Arrest du Destin) uniquement à ceux qui n'en sont que les simples Executeurs & les Ministres, & de rendre responsables, non seulement des évenemens, mais encore des incidens, de ce qui survient occasionnellement, & des suites, ceux mesmes qui ont pris les plus justes mesures pour le succés de leurs desseins, & pour empêcher ce qui n'est arrivé enfin que par une necessité fatale, que toute la prudence humaine ne pouvoit, ny prévenir, ny éviter[91].

Telle est la loi générale, usage regrettable, qui risquerait de porter atteinte à la grandeur royale. A partir de là, l'orateur développe son argumentation en deux temps, selon une logique «régressive»: d'abord les rois ne sont pas responsables de ce qui n'arrive en fait que par un décret de la Providence, mais on a tout de même tendance à les accuser; ensuite les Français n'ont pas tendance à accuser leur Roi des maux de la guerre; enfin ils ne connaissent pas les maux de la guerre, une assurance un peu tardive pour être totalement convaincante, surtout après le développement initial:

> Les Princes, dans quelques élevation qu'ils soient, ne sont point à couvert de ces atteintes, & quelque tendresse qu'ils ayent pour leurs Sujets, ils ne trouvent souvent dans leur esprit que de la douleur, dans leur cœur que de l'ingratitude, & dans leur bouche que du murmure, dés qu'une conjoncture malheureuse telle qu'est la guerre (effet

---

[90] *Mercure*, mars 1694, p. 285.

[91] *Mercure*, juin 1692, p. 9-10.

> funeste plus souvent d'une fatalité inévitable, que de leur déliberation) les necessite d'exiger d'eux les secours qu'ils leur doivent, & qu'ils ne demandent pour l'ordinaire, que pour la défense & le propre interest de ces ingrats.
>
> Les François seuls ne sont point capables d'un sentiment si injuste & si condamnable. Leur amour pour leur Prince, non seulement les tient dans une obeissance & dans une soumission qui fait leur plaisir & leur joye, mais il enchaisne leurs cœurs d'un lien encore plus fort & plus etroit; & quoy qu'ils ayent quelquefois apperceu de loin les maux que la guerre cause, ils l'ont toujours trouvée si juste, qu'ils n'en ont pris que plus de cœur & plus d'indignation contre les Ennemis de l'Etat, qu'ils ont regardez comme les seuls auteurs de ce qui pouvoit alterer le repos de leur vie[92].

Comportement souhaité de la part des Français et comportement réel sont ici confondus par l'orateur, ce qui rapproche ce discours de celui par lequel le premier président de La Porte fait l'ouverture du Sénat de Nice en 1694. Tout en dénonçant l'attitude qu'il présente comme «normale», l'Avocat du Roi prend soin d'affirmer que les sujets de Louis XIV ne sauraient en vouloir à leur Roi des maux de la guerre, qu'ils ne subissent d'ailleurs pas...

Mais le discours va plus loin. C'est, une fois encore, toute l'histoire contemporaine qui est interprétée pour les magistrats du siège. Si je parle ici de propagande, c'est à cause de l'insistance mise sur le fait que le Roi n'agit que pour le bien de ses sujets, en même temps que sur la justice de la cause française. Tout ce qui concerne la Ligue d'Augsbourg est très caractéristique de ce double mouvement:

> Enfin si ce qui s'estoit passé à Augsbourg l'a obligé de mettre une barriere entre eux & luy, que ne leur a-t-il pas offert par ses Manifestes?
>
> Ces sortes d'Ecrits qui ne sont ordinairement que pour jetter de la poussiere aux yeux des Peuples, & plastrer de pretextes specieux, souvent contraires à la verité, une guerre qui va les faire souffrir, n'ont esté, lorsque Loüis les a publiez, que pour guerir les Princes liguez d'une jalousie qui les deshonore, convaincre toute l'Europe de leur injustice, & leur faire des offres qu'un aveuglement de cœur & d'esprit peut seul leur avoir fait refuser, puis qu'on leur offroit la mediation de ceux mesmes * qui sont avec eux dans des interests communs & qui paroissent indissociables. (note du *Mercure*: * La Republique de Venise)[93]

De tels passages vont au-delà du simple éloge du Roi. Ils représentent un effort pour diffuser une version autorisée de l'histoire courante. Si le

[92] *Ibid.*, p. 11-12.

[93] *Ibid.*, p. 19-20.

discours remplit une fonction éthique et encômiastique, il cherche ici à rassembler les auditeurs sur une version commune de la geste royale. Éloge et blâme ne font que confirmer l'image de la situation internationale et intérieure. On voit, avec ce discours, que l'opposition entre le Roy – la justice – et ses ennemis – l'injustice – finit par prendre une forme toute simple. Dans un passage très redondant, l'orateur distingue le héros de ses adversaires:

> Voilà ce que les Ennemis de nostre Monarque luy imputent. Voilà ce dont ils se plaignent; voilà ce que publient ceux qui nous font la guerre, voilà leur langage, leurs discours, leurs propres termes. Ce sont là les sujets de la haine, ce sont là les motifs de la guerre qui a remué tant de machines, & mis l'Europe dans le pitoyable estat où nous la voyons. On ne se plaint & on ne trouve à redire au Prince que l'on attaque, qu'en ce qu'il est trop sage, trop habile, trop vertueux, trop vaillant, trop heureux, trop illustre. On veut qu'il ait tort de meriter une plus riche Couronne que celle qu'il porte, on se ligue contre luy; on arme; on luy fait la guerre, seulement parce qu'il est Heros, & que ceux qui l'attaquent ne le sont pas[94].

A travers les pléonasmes («luy imputent», «se plaignent»), les accumulations, et les anaphores («ce sont là les sujets de la haine, ce sont là les motifs de la guerre») et les épithètes assorties d'une répétition lexicale («trop sage, trop habile», etc.), c'est une antithèse très simple qui s'organise: elle met en regard le Héros et ses ennemis, des non-héros que seule la singularité du Roi pousse à prendre les armes. Il n'y a plus ici de visée éthique apparente, si ce n'est, indirectement, dans l'affirmation de la valeur morale du Roi. Il s'agit de présenter une image du Roi qui soutienne la version officielle de l'histoire de la guerre et qui explique et justifie les sentiments qu'on prête aux sujets: amour pour le Roi, indignation contre ses ennemis, soutien de sa politique. Résonne toujours en arrière-fond le mythe de la monarchie universelle. Si la France est isolée sur le plan international, il faut qu'elle soit unie derrière son monarque incomparable... S'agit-il de profiter des victoires de 1690 ou de 1691, ou bien le discours a-t-il été prononcé après la catastrophe de La Hougue (3 juin 1692), auquel cas il faudrait donner de la guerre une vision qui démente la situation? D'une manière ou de l'autre, il semble bien que le discours aille largement au-delà de la présentation de la légende royale destinée à des auditeurs qui la partageraient et se complairaient à évoquer une grandeur qu'ils admirent et de laquelle ils se reconnaissent une part comme ministres de la justice du Roi.

Il ne faut pas négliger les aspects pratiques de la propagande. Les orateurs peuvent chercher à persuader leurs auditeurs pour obtenir

---

[94] *Ibid.*, p. 35-36.

quelque chose de plus concret que leur seule adhésion intellectuelle et affective à la politique menée par le Roi; ils visent parfois à un résultat plus pragmatique que d'apporter une consolation qui aide à supporter les difficultés que la guerre apporte avec elle. Tout conflit est onéreux et nécessite des rentrées d'argent. La contribution à l'effort de guerre est rarement volontaire. On voit, à l'occasion, les orateurs faire allusion au devoir de contribuer – un thème que les discours prononcés dans le cadre de la vie municipale orchestrent régulièrement, la levée des impôts étant une des tâches les plus impopulaires. A l'ouverture du Présidial de Saintes, le 15 novembre 1694, on voit de Gascq, président et lieutenant général, passer de l'éloge du Roi, sur les points habituels

> (Il est le support de ses amis, la terreur de ses ennemis, le refuge des Rois detrônez, le soutien de la Religion, un sujet d'admiration à tout l'Vnivers)[95]

à un tableau plutôt sombre de l'état de la région après sept années de guerre, qui détonne dans l'euphorie officielle souvent transmise par les discours de toutes les institutions:

> Mais, Grand Monarque . . . pardonnez si aprés tant de chants d'alegresse & de vive le Roy, qui ont jusqu'à present suivi vos Triomphes, nous poussons quelques soupirs dans l'estat où la necessité de vos pressans besoins nous réduit, & dans la douleur de voir que cette septième Campagne n'a pas encore fini tous vos travaux, ny desarmé cette multitude opiniâtre d'Ennemis, qui sont depuis si longtemps armez contre vous, nous faisons quelques vœux pour la Paix, cette Fille de la Justice dont nous celebrons aujourd'hui l'entrée dans un de ses Tribunaux[96].

Les réjouissances sont le prix à payer pour avoir le droit d'exprimer sa souffrance. Mais l'orateur n'a adopté ce «nous» que pour une courte feinte. Les juges ne doivent pas se laisser aller à ces plaintes, surtout en un temps où le Royaume doit être uni contre tant d'ennemis ligués. La soumission est, comme pour tous les sujets, leur devoir:

> Ces transports sont pardonnables, mais comme les Juges doivent être toujours égaux, & que le Chef de la Justice ne porte jamais le deüil pour quelque cause que ce soit, afin de marquer qu'elle est impassible, prenons garde que lors que tant d'Ennemis s'obstinent à demeurer unis contre nous, il ne nous échappe quelque plainte, comme il arriva au Peuple d'Israël[97].

Tout ceci n'est qu'un préambule pour justifier les demandes que fait le Roi et inviter les magistrats à contribuer sans se plaindre. L'orateur

---

95 *Mercure*, décembre 1694, p. 178.
96 *Ibid.*, p. 179-180.
97 *Ibid.*, p. 180-181.

commence par rappeler les augmentations de gages que Louis le Grand a consenties aux présidiaux et la confirmation de leurs privilèges. Ces remarques visent à mettre en lumière la bonté du Roi quand les demandes d'argent se multiplient:

> Le Roy, dit-il, est le maistre de nos biens & de nos vies. C'est un effet de sa clemence & de sa bonté de chercher des prétextes specieux pour nous engager à le secourir dans ses besoins; il pourroit les demander sans autre raison que celle de sa souveraine volonté, car la richesse des Peuples est la richesse des Rois. . . . [C]ependant nostre Monarque veut bien nous rendre raison des sommes qu'il nous demande, & nous en payer, pour ainsi dire, l'interest. Il aime mieux aliener son domaine par des Augmentations de gages, que d'appauvrir tant soit peu ses Sujets; il se saigne luy-mesme afin d'épargner son Peuple. . . . il semble que Sa Majesté veüille traiter avec nous dans la demande qu'Elle nous fait. Que cela est engageant! que cela est touchant, pour des cœurs qui ne sont pas insensibles![98]

La conclusion de tout cela, c'est, naturellement qu'il faut payer, et payer de bon cœur. Tel est bien le sens de l'exhortation que de Gascq adresse à ses auditeurs:

> Ne risquons point les bonnes graces d'un si bon & d'un si grand Prince. Que cette impuissance dont nous nous sommes jusqu'à present deffendus, & qui n'est peut-estre que trop sincére à l'égard de quelques-uns de nous, cède enfin à cette patience avec laquelle il nous attend, de peur que son indignation ne prenne sa place. Souvenez-vous, Messieurs, que l'obéissance vaut mieux que le sacrifice. Que cette Compagnie à laquelle on ne peut rien reprocher depuis sa creation, ne soit point vûe la pointe en arriere, comme le dard de Ionatas. Animons le Peuple par nôtre exemple à faire ce qu'il doit dans ces occasions[99].

«Que si les promesses ne vous touchent pas, écoutez la parole de ses menaces», avait dit Bossuet, dans le «Sermon sur la soumission due à la parole de Jésus-Christ»[100]. Tout ce développement montre qu'il peut y avoir pour le Roi un intérêt très matériel à faire présenter sa politique sous un certain angle. Un orateur comme de Gascq, placé entre le Présidial et le Roi, peut exprimer l'angoisse des sujets devant les difficultés financières et la désolation de la guerre; il n'en doit pas moins représenter la justice de la cause du Roi et la douceur de ses procédés et obtenir la participation de tous à sa politique. La propagande est ainsi susceptible de prendre des aspects très concrets...

---

[98] *Ibid.*, p. 182-184.

[99] *Ibid.*, p. 184-185.

[100] Bossuet, *Œuvres oratoires*, t. III, p. 266.

Vue sous un autre angle, cette omniprésence des affaires du temps rappelle un caractère essentiel de l'éloquence d'apparat: son inscription dans le contexte historique. Le discours s'adapte aux circonstances dans lesquelles il doit être prononcé, et cette adaptation concerne, outre le type de cérémonie qui le rend nécessaire, les circonstances politiques et historiques. Si les allusions à la guerre et à la situation internationale ou intérieure prennent souvent l'allure de diffusion de la politique du Roi, elles entrent aussi dans la problématique de l'adaptation au contexte.

Réduire les discours prononcés dans les juridictions provinciales à des textes de simple propagande royale, ce serait encore simplifier et méconnaître la complexité de leurs fonctions. Les orateurs accomplissent leur devoir d'avertissement et d'instruction, tout en définissant l'idéal de l'homme de robe, dont certains traits rappellent ceux du parlementaire parfait tel que les discours des institutions parisiennes le dessinaient, mais dont d'autres lui sont spécifiques. Les résumés que Donneau de Visé donne de certains discours permettent de voir, clairement distinguées, les différentes composantes du discours, comme autant de moments successifs. L'ouverture du Parlement de Grenoble, en 1679, illustre parfaitement ce phénomène:

> Vous ne serez point surprise de l'applaudissement general qu'il receut [le premier president de Saint-André Virieu] à la S. Martin derniere, pour le sublime Discours qu'il fit dans l'ouverture de ce mesme Parlement. Il ne se peut rien de plus achevé. Tout ce qui s'y trouva de Gens délicats sortirent charmés de la force & de la beauté de cette Action. Il prit pour sujet la Justice Politique & la Justice Civile, & aprés avoir montré les devoirs des Magistrats envers le Souverain & envers les Peuples, il s'etendit sur les éloges du Roy avec la grace de cette majestueuse prononciation qui luy est si naturelle, & fit connoistre que ce Grand Prince n'estoit pas moins juste pour les Etrangers que pour ses Sujets[101].

Le discours du Premier Président est un beau discours qui charme les auditeurs qui forment un public délicat – qui sait donc reconnaître le talent oratoire et qui est exigeant. Si les louanges redoublent lorsque Donneau de Visé mentionne l'éloge du Roi, c'est l'ensemble du discours qui mérite l'applaudissement de ceux devant qui il est prononcé. Or, ce discours s'appuie sur une réflexion d'ordre général concernant la justice, ou plutôt deux types de justice, fait connaître leurs devoirs aux parlementaires et débouche sur l'éloge du Roi: l'aspect éthique, l'aspect professionnel et l'exaltation du Roi et de sa manière d'agir forment, *ensemble*, un discours réussi, que la prononciation de l'orateur met

[101] *Mercure*, décembre 1679, p. 329-330.

encore en valeur. La cohérence globale est claire, et la distinction entre les «Etrangers» et les «Sujets» rappelle les deux éléments du sujet général: la justice politique et la justice civile.

Rappeler aux magisrats leurs devoirs, les mettre en garde ou leur représenter ce qui constitue la perfection de leur état, c'est toujours donner l'image de ce que doit être ou de ce qu'est le robin. Et c'est cette image que je voudrais analyser maintenant.

## 2. **La perfection de l'homme de robe**

Lorsque j'affirme que censure, conseil et éloge concourent à former l'image de l'homme de robe tel que les juridictions provinciales le souhaitent et le voient, je ne prétends pas que tous les orateurs voyaient dans chaque membre de l'institution devant laquelle ils parlaient l'incarnation du magistrat ou de l'avocat parfait. Toute institution regarde les juges qui lui sont inférieurs comme potentiellement sortis de la voie du devoir; surtout, on l'a vu, plus ils s'adressent à des professions inférieures, plus les exhortations des gens du Roi ou des premiers présidents (ou de ceux qui sont à la tête des magistrats) se font dures et prennent l'aspect d'une censure. De plus, trop de recommandations, même si elles restent sans destinataire explicite, reviennent avec régularité pour ne pas supposer qu'elles correspondent à des désordres réels. Ainsi, les orateurs rappellent à l'envi la nécessité de garder l'union entre les magistrats. La fréquence même de cette recommandation implique que ceux-ci sont portés à la rivalité et à la dissension. C'est ainsi qu'on trouve parmi les discours de Barrême de Manville une ouverture de la Saint-Rémy sous le titre «Discours de l'union et amitié qui doit estre entre les magistrats prononcé à l'ouverture de Saint-Remy»[102]. Or, l'impératif de garder l'union et la fraternité se trouve déjà dans la mercuriale du Parlement de Provence (1675-1677)[103] et dans l'ouverture du Présidial de Saintes en 1694: l'orateur, de Gascq, y annonce, dans la division, la nécessité de garder «l'union fraternelle»[104] et, après avoir demandé aux magistrats de contribuer de bon cœur à l'effort financier que la guerre exige du Royaume, il conclut:

---

[102] *Quelques discours...*, p. 146-181.

[103] «Le grand article qui me frape davantage et que je trouve le plus important c'est de viure auec beaucoup d'union et de fraternité<.> Les officiers sortent d'une meme source puisque c'est de l'autorité royale que decoule celle de la compagnie.» («Mercuriale commencée le 23 octobre 1675, Ensuite continuée et résolue en 1677», «Parlement de Provence», ms. Bibl. Mazarine 3440, p. 2641).

[104] Voir *supra*, p. 480 et n. 65.

> Nous sommes ces lampes d'argent qui composoient le Chandelier à sept branches, dont il est parlé dans l'Exode; lequel est posé sur les Fleurs de Lis pour marquer l'attachement des Magistrats à la Royauté. Nous sommes les lampes qui éclairons les Peuples, & qui les conduisons mesme autant par nostre exemple que par nos lumieres. Aimons & gardons l'union fraternelle[105].

En exhortant les magistrats à maintenir ainsi l'union fraternelle, les orateurs mettent l'accent sur l'importance de la paix dans l'institution. C'est la condition du bon fonctionnement de la justice. La présence répétée de ce genre de recommandation est une indication de sa nécessité... Elle permet également de faire entrer la concorde dans la définition de la juridiction qui fonctionne parfaitement.

Car les juridictions provinciales sont soucieuses, comme toutes les institutions qui pratiquent l'éloquence, d'élaborer dans leurs pratiques oratoires, une représentation satisfaisante du magistrat et, plus généralement, de la robe. Le titre ou le thème de la plupart des discours est lié à cette problématique (quand ils ne sont pas «accaparés» par la représentation du Roi). Le compte rendu de l'ouverture du Sénat de Nice qui eut lieu le 7 janvier 1695 précise par exemple:

> M^r de la Porte, premier President, prononça, à son ordinaire, un fort beau Discours, & expliqua quel doit estre l'usage de la parole dans la bouche des Magistrats, avec quelle dignité, quelle noble liberté ils doivent s'en servir pour le soutien & l'administration de la justice[106].

Le même orateur avait, l'année précédente, prononcé, pour la même cérémonie, un discours dont le *Mercure* résume ainsi le sujet: «De l'importance de faire régner la justice dans un Etat, du Caractere des Magistrats qui la doivent rendre, & des qualitez qui leur sont necessaires pour remplir leurs devoirs.» Mais, naturellement, il n'a pas le monopole des sujets concernant la perfection des robins. En 1697, au Présidial d'Abbeville, Boüancourt, le plus ancien des présidents, fait un discours soulignant le caractère sacré de la magistrature, et sur les obligations que ce caractère entraîne. L'Avocat du Roi du même présidial, de La Hestroye, prononçait, l'année suivante, un discours qui a pour thème le bon magistrat, et l'ouverture de la Saint-Martin, la même année, au Parlement de Grenoble, est consacrée au parfait magistrat.

Même quand les discours n'apparaissent pas directement consacrés au portrait du magistrat parfait, ils peuvent cependant tourner sur un attribut ou une qualité essentielle de la fonction, ou sur une notion qui aide à saisir la perfection et à y parvenir. C'est le cas pour l'ouverture du

---

[105] *Mercure*, décembre 1694, p. 185-186.

[106] *Mercure*, janvier 1695, p. 217-218.

Parlement de Dijon, en 1678, qui a pour titre «La Recherche de la vérité», ou celle du Parlement de Metz en février 1686, sur «L'Excellence de la Justice», ou bien encore celle du Parlement de Trêvoux, en 1696, sur «L'Emulation».

On retrouve dans les discours eux-mêmes cette préoccupation de la perfection des magistrats et des représentants des professions de la justice. Quelques exemples suffiront à le montrer. En 1698, le président de Saleon, qui fait l'ouverture du Parlement de Grenoble, présente l'idée du parfait magistrat:

> Le grand nombre de leurs perfections se peut rapporter à la capacité de l'esprit & à la nature & à la droi ture du cœur. Cette double excellence de l'esprit & du cœur comprend la juste idée du parfait Magistrat[107].

On voit d'ailleurs dans cet exemple que les qualités du parfait homme de robe ne diffèrent guère de celles que définissaient les orateurs parisiens. L'expression «sage magistrat» que Labat, avocat du Roi au présidial d'Agen, emploie à plusieurs reprises, rappelle, elle aussi, une des qualités essentielles du parlementaire tel que les discours du Parlement ou de la Cour des Aides de Paris le représentent. Le syntagme revient de façon insistante dans un passage où Labat développe le portrait idéal du magistrat et glisse à l'éloge des magistrats actuels:

> N'est-ce pas (pour passer heureusement du champ de Mars au temple de la Sagesse) n'est-ce pas encore un coup le même Dieu qui établit les sages Magistrats, pour gouverner son peuple, comme elle (sic) destine les Prestres pour les sanctifier? . . .
>
> On a beau tâcher de les émouvoir par des Images d'une misere affectée, on a beau travailler à les éblouïr par des apparences de droit, & par des raisons specieuses, par des soupçons artificieux; on a beau vouloir les animer contre l'innocence d'une partie; en faire des complices de ses passions; non, non; les sages Magistrats se disent à eux-mêmes, que la Justice est originaire du Ciel. . . .
>
> Un sage Magistrat, qui n'agit au dehors que dans la seule vuë de remplir ses devoirs, imite les fleuves dont l'Ecriture dit qu'aprés leur course, ils rentrent dans le calme de la Mer. . . . Aussi est-ce en faveur de ces sortes de Magistrats, <q>ue nous nous defaisons de cette idée fautive qu'on a d'ordinaire de la Justice, qu'elle est toûjours aveugle, toûjours effrayante, toûjours armée. Un sage Magistrat la rend, sans l'amollir, douce & traitable . . .
>
> Peuples, quelle tranquilité n'avez-vous pas goûtée par un temps de licence & de desordre, par le zele des sages Magistrats, ou plutost quelles vies ces sages Magistrats n'ont-ils pas conservées par la punition des coupables. Si tant de sages Ministres, tant de sages Magistrats, dans les Provinces ont contribué dans le temps & avec tant de succés au

[107] *Mercure*, décembre 1698, p. 10-11.

> repos de la France . . . ce n'est pas moins la recompense de la droiture & de la pureté des intentions de Sa Majesté que de la pieuse magnanimité & de toutes les autres vertus Royales, des Successeurs des Loüis et des Clouis[108].

Il était nécessaire de donner un extrait aussi long pour montrer comment l'orateur passe de la qualité («le temple de la *Sagesse*») à l'évocation des traits de l'idéal du magistrat («les sages Magistrats») dont les exemplaires sont établis par Dieu, puis aux magistrats actuels, dont l'apostrophe aux «Peuples» rappelle les accomplissements. Le passage débouche, naturellement, sur l'éloge du Roi. L'évocation des «sages Magistrats», dans un style extrêmement redondant, n'est pas faite sur le ton de la simple constatation. L'orateur choisit un ton pathétique auquel contribuent les répétitions et les accumulations («toûjours aveugle, toûjours effrayante, toûjours armée») et surtout une exclamation comme «non, non». L'image du parfait magistrat n'est pas l'occasion d'un développement calme et compassé. C'est une affaire d'importance et qui suscite l'enthousiasme. Le Roi est présenté avec exaltation comme le principe des prospérités et des succès. Mais il faut insister sur le stade intermédiaire entre la définition du sage magistrat et l'éloge du Roi. Du portrait abstrait, par lequel il cherche à constituer un modèle pour que ses auditeurs puissent réaliser la perfection de leur état, l'orateur en arrive à une affirmation élogieuse de l'existence concrète et actuelle du modèle idéal qu'il a proposé. Ce sont les succès réels des juridictions de province qui sont évoqués et leur caractére bénéfique pour les habitants du Royaume. Le caractère général de l'affirmation indique de la part des robins de province la conscience d'une solidarité dont on trouve la trace, sur le mode impératif, dans les exhortations à maintenir l'unité fraternelle entre les membres d'une même compagnie, exhortation dont j'ai souligné plus haut la fréquence. Avec l'apostrophe aux «Peuples», Labat fait coïncider les magistrats réels avec l'image du sage magistrat qu'il a proposée. Définition du magistrat idéal, éloge du magistrat réel, parfait homologue de ce portrait, et éloge du Roi, fondement de toute justice dans l'État, sont ainsi associés. Il est aisé de constater que l'élaboration d'un modèle à valeur didactique se distingue mal de la représentation que les parlements et autres institutions judiciaires proposent d'eux-mêmes.

Les orateurs provinciaux mettent en œuvre la notion du parfait homme de robe en s'appuyant sur quelques éléments fondamentaux. Ils définissent un bon usage de la parole, donnent une large place à de l'émulation dans l'instruction éthico-professionnelle, qui établit un lien

---

108 «Le Repos», *Mercure*, décembre 1699, p. 109-115.

entre éloge et prescription morale. Plus encore qu'à Paris, ils exaltent la grandeur de la robe, et l'affirmation de cette grandeur se fonde sur une définition scripturaire de la magistrature et sur les caractéristiques individuelles de ceux qui l'exercent.

### A. *La perfection de la parole: le secret comme vertu primordiale*

Les quelques exemples que je viens de citer montrent que l'image de l'homme de robe parfait que les juridictions provinciales transmettent a beaucoup de points communs avec celle qui se dessine dans l'éloquence parlementaire parisienne. Les deux ne se recouvrent cependant pas. Ainsi, comme à Paris, la parole joue un rôle essentiel, mais la perspective est différente. Les orateurs manifestent une grande conscience de la rhétorique et de son empire, qu'ils y fassent allusion par des réflexions sur la place de l'éloquence dans le fonctionnement de la justice, ou dans des remarques sur leurs propres discours. Mais il s'agit moins de redéfinir l'éloquence, comme le font les parlementaires parisiens, que de la rejeter au profit d'une théorie de l'économie de la parole.

De Razes, qui prononce un discours lors de l'ouverture du Présidial de Poitiers, en 1681, laisse à d'autres orateurs le soin de faire l'éloge du Roi:

> Je n'entreprens pas de faire icy son eloge. Cette gloire est duë à ces Personnes qui président dans les premieres Compagnies du Royaume, lesquelles dans le temps que je vous parle employent la majesté de leur éloquence pour écrire les Actions de nostre Grand Prince[109].

L'expression «premieres Compagnies du Royaume» renvoie d'autant plus certainement au Parlement de Paris et, probablement, à la Cour des Aides de la Capitale que de Razes précise «dans le temps que je vous parle», ce qui suggère qu'il fait référence au temps de l'ouverture. Si l'on peut voir dans cette allusion un éloge du Parlement, qui n'est pas rare dans les discours de province, on peut se demander si ce passage n'indique pas en même temps que les Provinciaux laissent aux Parisiens l'éloquence dont eux-mêmes se méfient. Cette défiance s'exprime parfois par un commentaire sur le discours, dont la sincérité est quelque peu mise en question par son caractère de lieu commun, comme dans l'ouverture que La Hestroye, fait en 1697 au Présidial d'Abbeville:

> Vous ne remarquerez, Messieurs, dans ce Discours, ny pensées vives, ny expressions nouvelles. L'ordre & les regles de l'art y sont négligées, mais il y a je ne sçay quel desordre qui sied bien à la joye, & c'est icy une effusion de mon cœur plûtost qu'un ouvrage de mon esprit[110].

[109] *Mercure*, décembre 1681, p. 13-14.

[110] *Mercure*, novembre 1697, p. 12-13.

Cette réticence, feinte ou réelle, s'accompagne, chez les orateurs, d'une grande sensibilité au rhétorique. Par là, j'entends la capacité de percevoir dans une activité donnée l'influence du mode de pensée et d'organisation qui est fourni par la théorie rhétorique. Par exemple, lorsque Labat annonce son projet de traiter dans son discours «la Paix de Savoye», il commence par souligner la difficulté de la tâche, mais refuse de s'en servir pour excuse, en attribuant à la matière, et non à lui-même, la difficulté. Et il prouve son affirmation en proposant un parallèle avec la Création, qui fut, dit l'orateur, un processus à étapes. Ces étapes sont décrites, curieusement, en termes rhétoriques:

> C'est un ouvrage qui exige le sens de plusieurs têtes, & le loisir de plusieurs mois. Ce n'est pas une marque de foiblesse de l'esprit humain, mais bien la nature de la chose qui le veut ainsi. L'Histoire Sainte nous apprend que Dieu a observé luy-mesme cet ordre en la creation du monde; ayant reservé au quatrième jour à embellir les choses qu'il avoit créées le premier, & disposées le second & le troisième[111].

La Création s'est donc faite en trois temps: le premier jour, l'invention; le deuxième et le troisième jours, la disposition de ce qui a été créé le premier jour; enfin l'ornementation de ce qui a été disposé le deuxième et le troisième jours. Or, l'ornementation relève de l'élocution, à laquelle elle est bien souvent identifiée. La création du monde s'est faite, si l'on en croit Labat, suivant une démarche rhétorique. Le Verbe divin peut s'analyser en termes rhétoriques. Or, si l'orateur justifie ainsi son choix d'un sujet ardu, qui demande du temps et une coopération, c'est aussi le recours à l'art oratoire qui trouve une caution incontestable. Peut-être était-elle nécessaire pour se lancer dans l'entreprise oratoire?

La parole semble constamment retenir l'attention des parlementaires de province. On se rappellera que le premier président du Sénat de Nice consacre tout son discours d'ouverture de 1695.au rôle de la parole dans l'exercice de la justice[112]. Les termes employés («dignité», «noble liberté» et l'impératif marqué par le verbe «doivent») soulignent le caractère éthique des réflexions du Premier Président. Comme les parlementaires parisiens, les membres des juridictions provinciales subordonnent l'usage de la parole étudiée – l'art de l'éloquence – à des valeurs morales. Lorsque l'avocat du Roi du Présidial d'Abbeville énumère, en 1698, les «vrais caracteres de ceux à qui le depost de la Justice a esté confié» et leurs devoirs, il termine, avant de récapituler, sur une définition négative du discours, où il met en garde ses auditeurs contre le désir de paraître éloquent:

---

[111] *Mercure*, décembre 1696, p. 227-228.

[112] Voir *supra*, p. 498, n. 106.

> Plus ils sont élevez, plus l'attention sur eux mêmes est necessaire, un travail reglé par le desinteressement & l'honneur, une assiduité qui réponde aux instances des malheureux, une patience que rien ne rebute, une douceur qui offre ces heureux soulagements où la Charité nous engage, une penetration qui démêle le vray du faux, une fermeté également éloignée de la complaisance & de l'entestement, un discours, où la fausse gloire de bien dire ne fasse point entrer d'ornemens inutiles, ny d'affectation; en un mot une étude continuelle des vertus civiles & morales, soutenuë de la modestie & de la probité. Ce sont, Messieurs, vos obligations & les nostres[113].

Le discours est ici défini par un refus de l'ornement gratuit et l'exigence de la probité et de la vertu. La pratique oratoire, comme toutes les qualités et l'activité de l'homme de robe, est soumise à une exigence éthique qui lui est essentielle.

L'expression «la fausse gloire de bien dire» jette le discrédit sur le brio oratoire, toujours passible d'une accusation de vanité. La rhétorique est facilement envisagée sous son aspect le plus négatif. Le même orateur la range parmi les techniques qui permettent aux «déguisements» d'être «traitez avec art»[114], en disciple du Socrate du *Gorgias*, qui en faisait un des arts de la flatterie:

> Car, Messieurs, de quoy ne s'est point avisé l'adresse des Parties, pour établir leurs prétentions? . . . on a sçu employer les plus beaux traits de l'Histoire, la force de la Morale, l'autorité de l'Ecriture, pour couvrir les misteres d'iniquité. La Rhétorique s'est comme épuisée par ces figures insinuantes & ces peintures naturelles où l'esprit trouve des convictions, par tant de traits delicats & artificieux, & par toutes ces autres voyes dont on a fait une science reglée pour soutenir un mauvais party[115].

L'histoire, la morale, l'Écriture, au lieu d'être des garanties qui justifient le discours, au lieu de servir à fonder en valeur éthique l'éloquence, sont devenues des moyens de persuasion parmi d'autres, dans une science sans valeur. Si elle peut se dissocier du parti de la justice, la rhétorique est une technique condamnable. Plus qu'une redéfinition de la rhétorique et qu'une recherche de la vraie éloquence, qui caractérisent la manière dont les parlementaires parisiens abordaient la question de la parole, les orateurs de province, dont nous avons pourtant vu la sensibilité à la présence du rhétorique, proposent une vision de la parole qui dissocie catégoriquement rhétorique et bon discours. Le discours que le premier président Brulart prononce à l'ouverture des audiences

---

113 *Mercure*, décembre 1698, p. 206-207.

114 *Ibid.*, p. 212.

115 *Ibid.*, p. 212-213.

du Parlement de Dijon le jeudi 17 novembre 1678 en témoigne en établissant clairement une antithèse, non pas entre Vérité et Rhétorique, mais entre Vérité et Eloquence, ce qui rend vaine toute recherche d'une vraie éloquence:

> *Il adjoûta*, Qu'on ne pouvoit disconvenir que l'Eloquence ne fust un grand agrement & un moyen fort propre pour attirer des applaudissemens à l'Orateur; mais que la Verité avoit cela de particulier, qu'elle entraînoit tous les Esprits[116].

L'éloquence est ici confondue avec la rhétorique, et toutes les deux prennent une valeur négative, même si la pratique oratoire telle que nous la connaissons prouve que les orateurs, non seulement étaient au fait de cette «science reglée pour soutenir un mauvais party», mais encore la mettaient en œuvre avec une certaine raideur – structure marquée très fortement, multiplication des autorités, surtout scripturaires, etc.

La parole apparaît bien comme un élément important de l'image du robin parfait. Mais ce ne sont pas l'habileté technique, le talent, ni même une éloquence soutenue par la vérité et la morale qui constituent son caractère essentiel dans les discours. Plutôt qu'une dialectique de la vraie et de la fausse éloquence, les juridictions provinciales inscrivent leurs réflexions dans une dialectique de la parole et du silence. Le bon usage de la parole ne se comprend pas comme une perfection, fût-elle d'ordre moral, dans la manière dont on parle, mais bien plutôt dans le choix judicieux des circonstances dans lesquelles il faut prendre la parole – et celles dans lesquelles il faut garder le silence. Un orateur comme le premier président du Sénat de Nice rattache précisément le bon usage de la parole à la nécessité pour les magistrats de garder le secret des délibérations, selon le serment prêté lors de leur réception. Le magistrat doit, selon La Porte, être ménager de sa parole:

> Il parla de la prudence dans les discours même les plus familiers, & s'attacha principalement à montrer de quelle importance il est que les Juges gardent le secret de ce qui se passe dans leurs deliberations, suivant le serment qu'ils en ont fait lors qu'ils ont esté receus[117].

Ce thème est un des plus constants dans les textes consultés. Dans sa mercuriale de 1675, le premier président du Parlement d'Aix-en-Provence clôt la liste des devoirs des magistrats par la nécessité de garder le secret des délibérations. Boüancourt, dans son ouverture au Présidial d'Abbeville, en 1697, intègre l'impératif du silence dans un rapprochement entre les Magistrats et la Divinité:

---

[116] *Mercure*, décembre 1678, p. 52.

[117] *Mercure*, janvier 1695, p. 218.

> Les secrets de la Providence Divine sont inscrutables: il faut aussi que les secrets de la Compagnie soient inviolables. Tout le monde sçait-il l'histoire du jeune Papyrius? Il fut mené par son Pere au Senat, mais il eut la prudence d'en cacher à sa mere les deliberations, & donna par là un heureux presage de ce qu'il seroit un jour, tant il est vrai que le secret est la principale qualité d'un Senateur, & que sans cela un homme est incapable d'entrer dans le Sanctuaire de la Justice[118].

L'impératif est d'autant plus important, là encore, que c'est le dernier attribut que le Magistrat possède en commun avec Dieu. L'orateur signale en effet tout de suite après, qu'à la différence de Dieu, le Magistrat ne doit pas être accessible à la miséricorde.

Le bon usage de la parole, c'est donc le secret. Bien parler, c'est savoir se taire à propos. Pour le président de La Porte, comme pour Bouhours, comme pour les académiciens, ce bon usage de la parole est incarné dans un personnage qui sert de modèle: le Roi est le modèle du ménagement de la parole. Dans les discours émanant des juridictions de province, Louis XIV est surtout le paradigme de l'homme qui sait se taire, qui garde le secret, vertu à laquelle lui-même a attaché beaucoup d'importance. On trouve, dans le discours d'ouverture du Sénat de Nice, tout un lexique de la perfection et du modèle, dont l'importance dans tout le corpus apparaît au premier coup d'œil, qu'il s'agisse des académies ou des institutions parlementaires. Naturellement, la première perfection de la parole du Roi, c'est qu'elle peut être retenue:

> *mais le plus parfait modele qu'il proposa de l'usage de la parole fut celuy du Roy*, à qui rien, *dit-il*, n'est jamais échapé de ce qui se passe dans ses Conseils, & qui a par excellence au dessus de toutes les personnes du monde le don de parler avec une majesté, une dignité & une justesse qui font toujours l'admiration de ceux qui l'entendent[119].

L'ordre des éléments de l'éloge est très significatif. Le Roi est le «parfait modèle» de l'usage de la parole, d'abord parce qu'il donne l'exemple d'un personnage aux responsabilités supérieures qui garde le secret des délibérations. Ce n'est qu'après ce trait fondamental que le magistrat énumère les caractères qu'on reconnaît habituellement à l'usage que le Roi fait de la parole. Étant donné l'importance que le Roi lui-même attachait au secret et la place que cette vertu tient dans tous ses éloges, sa présence n'est pas en soi surprenante. Ce qui est plus remarquable, cependant, c'est que cet éloge du secret soit retenu comme l'élément fondamental de la perfection de la parole du Roi, et plus largement amplifié dans l'ensemble des discours prononcés dans le

---

[118] *Mercure*, novembre 1697, p. 55-56.

[119] *Mercure*, janvier 1695, p. 214.

contexte judiciaire comme l'abrégé de la définition de la parole bien comprise. Éloge du Roi et représentation du magistrat parfait se rencontrent dans la mise en valeur du secret. Les membres des juridictions de province se placent ainsi sous le double signe divin et royal, c'est-à-dire deux fois divin, puisque le Roi lui-même, Fils aîné de l'Église, est le représentant et l'image de Dieu sur terre: le secret des délibérations doit être aussi inscrutable que ceux de la Providence, et le Roi est le parfait modèle du secret... Un même souci du bon usage de la parole conduit les parlementaires parisiens à assortir l'éloquence d'un impératif éthique et les magistrats provinciaux à poser le secret comme vertu primordiale.

### B. *De l'émulation à la glorification des auditeurs*

L'ouverture du Sénat de Nice qui vient d'être évoquée a introduit un élément qui joue, en province comme dans les discours parisiens, un rôle fondamental: en proposant explicitement le Roi comme modèle, le Premier Président s'inscrit dans la problématique fondamentale de l'émulation, contrepartie valorisée de l'union fraternelle entre les membres d'une juridiction et de la solidarité générale entre les ministres de la justice. Magistrats et gens du Roi, attachés à réaliser l'idéal du parfait homme de robe, associent à leurs remarques générales sur la justice et sur ceux qui la rendent ou la cherchent, une exhortation à prendre modèle sur ceux qui incarnent la perfection qu'ils dépeignent.

Cette problématique est commune à toutes les institutions judiciaires et, plus largement, on peut supposer qu'elle joue un rôle d'autant plus important que l'institution se définit plus par un caractère et des visées éthiques. Dans le cas des juridictions de province, les modèles proposés vont, comme on pourrait s'y attendre, des figures de l'histoire ancienne aux contemporains; parmi ces derniers, le Roi occupe une place privilégiée, au sommet de la hiérarchie. Nous verrons cependant que l'originalité de cette version de la problématique du modèle à suivre réside dans une variante de l'éloge du corps devant lequel on parle, sous la forme d'une exhortation narcissique à se prendre soi-même pour modèle.

La théorie de l'émulation intervient, explicitement ou non, dans la plupart des discours prononcés dans le contexte des institutions judiciaires. Les termes «exemple» et «modèle» apparaissent de façon récurrente. Le *modèle* est toujours lié à la nécessité de se choisir des exemples et de recourir à l'imitation. Il ne s'agit pas seulement, en l'employant, de remarquer une perfection, mais d'inviter, ouvertement ou par implication, ses auditeurs à y aspirer eux-mêmes. Furetière donne précisément pour définition au terme *modèle*: «Original qu'on se propose pour imiter ou pour copier». C'est aussi de cette manière que les orateurs entendent ce mot. Le réseau lexical du discours d'ouverture prononcé en 1696 au Parlement de Trévoux rend manifeste cette interprétation. Il est vrai que l'émulation fait le sujet même du discours. Le premier président de Sève prodigue à ce propos des conseils à son auditoire:

> Il ne faut pas se proposer des exemples mediocres; on ne peut estre trop delicat sur le choix des originaux. Si les copies ne sont pas absolument infidelles, elles sont presque toujours imparfaites.
>
> Imitons, mais que ce soit toujours les exemples les plus parfaits. Touchez d'une loüable émulation, que nos esprits soient remplis des idées les plus épurées; la vie qui finit est trop courte, pour esperer d'arriver au but de la perfection[120].

«Exemples», «originaux», «copies», «imiter», «émulation», tels sont les termes qui délimitent la problématique de l'émulation qui permet au magistrat d'arriver à la perfection de son état. La remarque finale présente une note de pessimisme qui n'est pas caractéristique – et qui suggère que si le monarque est le modèle de la justice, il est pratiquement inimitable! C'est ce réseau lexical qui forme le contexte dans lequel s'insère la notion de modèle, perfection et original à imiter. Le terme apparaît effectivement:

> L'exemple souvent est plus nécessaire que l'autorité.
>
> Dans tous les temps, l'émulation a fait sentir à l'homme qu'il est capable des plus grandes choses: l'ancienne Grece, l'ancienne Rome ont fourny des modeles excellens de justice & de valeur[121].

Comme dans les discours parisiens, l'omniprésence de la problématique du modèle et de l'émulation et la référence constante au choix d'exemples s'articulent à des conceptions éthiques. L'émulation elle-même est moralement valorisée. Religion et philosophie concourent ici pour justifier cette valeur:

> L'émulation est ce ressort universel qui fait mouvoir la grande machine. Tout est imitation dans la nature. Un objet sert de représentation à l'autre. Le Maistre du monde n'y est venu que pour donner l'exemple; aussi n'a-t-il fait voir en luy que l'homme imitable, & il a caché sa Divinité.
>
> La Philosophie détermine les corps materiels à une élevation vers la partie superieure du monde. On peut dire dans la Morale que de toutes les habitudes de l'ame, l'émulation comme la plus excellente, est celle

---

[120] *Mercure*, décembre 1696, p. 99.

[121] *Ibid.*, p. 103.

> qui l'éleve le plus haut, & qui fait mieux appercevoir la veritable grandeur[122].

Symbolisation, représentation et imitation sont ainsi confondues pour les besoins de la démonstration. L'invitation à suivre des exemples se rattache à une morale dont les milieux juridico-parlementaires font fréquemment état. Dans cette ouverture, le Premier Président affirme que prôner l'émulation, c'est se mettre au diapason de l'ordre du monde.

Dans le discours d'ouverture de l'avocat du Roi au Présidial d'Abbeville en 1698, l'homme est défini, plus clairement, comme un animal social. L'orateur insiste sur la valeur incitative de l'exemple des autres. Dans un processus sans origine, la vue de l'autre engage à accomplir de «grandes actions»:

> Si la nature est quelquefois avare pour le commencement de l'ouvrage, la raison doit s'efforcer de le conduire, & l'experience de l'achever; mais cette experience auroit des effects bien tardifs sans le secours du bon exemple. L'habitude qui se forme au bien par une pratique continuée demande encore quelque chose de plus; elle veut estre aidée de la conformité aux autres, puis que les hommes tiennent entre eux une égalité de sentimens, & que l'amour même de la gloire, qui est le principe des grandes actions, se soutient par une veue continuelle de ce qui se passe hors de nous[123].

La conformité qui existe entre les hommes et la socialité qu'implique l'affirmation qu'ils sont constamment à la vue les uns des autres sont le fondement de la valeur et de l'utilité de l'imitation. On peut se demander si ce genre de justification philosophique n'est pas particulièrement adapté à la province: on pourrait dire en effet que les juridictions et les autres institutions concrétisent, de façon plus perceptible encore qu'à Paris, le fait que l'homme est un animal social. L'importance accordée à l'observation d'autrui dans la conduite humaine n'est pas sans rappeler certains passages d'auteurs comme Cordemoy ou B. Lamy. Cordemoy voit en effet dans l'imitation un phénomène essentiel pour l'apprentissage, en particulier dans le domaine linguistique. C'est de l'observation des autres et de l'existence en eux d'une parole intelligente et spontanée que Cordemoy propose, dans son *Discours physique de la parole*, d'inférer l'existence d'autres substances pensantes:

> . . . quand je verray que ces corps feront des signes, qui n'auront aucun rapport à l'état où ils se trouveront, ni à leur conservation; quand je verray que ces signes conviendront à ceux que j'auray faits pour dire mes pensées; quand je verray qu'ils me donneront des idées que je n'avois

---

[122] *Ibid.*, p. 97-98.

[123] *Mercure*, décembre 1698, p. 223-224.

> pas auparavant, & qui se rapporteront à la chose que j'avois déjà dans l'esprit; enfin quand je verray une grande suite entre leurs signes & les miens, je ne seray pas raisonnable, si je ne crois qu'ils le sont comme moy[124].

Quant à Bernard Lamy, il insiste à plusieurs reprises dans son *Art de parler* sur la «merveilleuse sympathie» qui existe entre les hommes[125].

La théorie de l'exemple et de l'émulation donne donc un aperçu sur les conceptions socio-morales des robins de province. Quelques remarques suffiront à montrer cependant qu'à l'exception d'une insistance sur les auditeurs eux-mêmes comme modèles, les modèles proposés ne diffèrent guère ceux que proposent les parlementaires parisiens.

A Abbeville, Boüancourt trouve dans l'histoire romaine une illustration du comportement du magistrat parfait, qu'il propose comme modèle à ses auditeurs:

> Nous lisons dans l'Histoire Romaine que les Gaulois, après avoir pris Rome, entrerent dans le Senat, où s'étoient retirez les vieux Senateurs, & que les y voyant assis avec une gravité digne de leur rang & dans un grand calme, ils les prirent pour des Dieux, ne pouvant croire que des hommes eussent été si tranquilles au milieu des ruines de leur patrie. C'est là le modèle de tous les Magistrats[126].

Nous avons déjà rencontré le parallèle que l'orateur dresse entre les Magistrats et la Divinité. Ici, les modèles des magistrats sont confondus avec des dieux. J'aurai l'occasion de revenir sur cette similitude. Retenons pour le moment que l'anecdote conduit à donner à des personnages de l'histoire romaine la fonction de modèles, au double sens de portrait-type et d'exemple.

Mais les modèles ne sont pas confinés dans l'antiquité. Ils sont aussi de l'époque. Au Parlement de Metz, à l'ouverture du semestre, en février 1686, Corberon, procureur général, insère, actualité oblige, un éloge de Le Tellier, mort récemment – le chancelier est, rappelons-le, le premier magistrat du Royaume. La mémoire du feu Chancelier fait tout naturellement apparaître le terme de «modèle»:

> ... [la justice] ranime aujourd'huy ses cendres, & le fait revivre dans le cœur des veritables François d'une vie plus glorieuse que la premiere,

---

124 *Discours physique de la parole, Œuvres philosophiques, op. cit.*, p. 208.

125 Voir par exemple la *Rhétorique ou l'Art de Parler* (4e éd., Amsterdam: 1699, en fait une copie de l'édition de 1688 à Paris; réimp. Brighton: Sussex Reprints, 1969), p. 87. Sur ce point voir mon article, «Le Langage des passions», *Semiotica* 51, 1/3 (1984), en particulier p. 108-109.

126 *Mercure*, novembre 1697, p. 51-52.

> elle le propose à la posterité, comme le modele le plus achevé d'un illustre Magistrat, d'un Ministre fidele & d'un Sage Politique[127],

et ce terme suppose à la fois le caractère accompli et l'invitation à l'imitation. Le Tellier est présenté comme le chancelier accompli et comme l'exemple des vertus que les gens de robe doivent rechercher.

Mais le modèle absolu, dans cette recherche des exemples, c'est le Roi: on l'a vu proposé comme tel pour l'usage de la parole par le premier président du Sénat de Nice. C'est pratiquement dans tous les discours qu'on le retrouve ainsi présenté. La création du siège royal de Vouvans donne une belle occasion de louer la justice du Souverain:

> C'est cette Justice originale du Souverain, qui sera le premier mobile, & fera agir tous les ressorts de cette puissante & royale jurisprudence. ... Tout sera enfin applany à la seule veuë du Prototype créé de la Justice. Loüis le Grand, nostre invincible Monarque[128].

Deux termes retiennent ici l'attention: «justice originale» et «Prototype». Le premier rappelle que toute justice est issue du souverain. Le Roi délègue aux magistrats une partie de son autorité, mais il reste le détenteur éminent de la justice. «Prototype créé», expression prudente pour le distinguer de la justice de Dieu, incréée, implique que tout homme juste ne sera qu'une seconde empreinte du même caractère. Rétroactivement, le terme «originale» reprend aussi son sens de modèle sur lequel on fait des copies. Le Roi est bien le modèle de la justice, représenté dans sa perfection et offert à l'imitation de tous.

La proposition du Roi comme modèle par excellence n'est pas spécifique aux parlements et présidiaux de province. Les parlementaires parisiens faisaient de même du Roi l'archi-exemple, frontière entre la fonction éthique et l'éloge pur. Plus particulière est la pratique qui consiste à intégrer l'éloge de l'institution dans la problématique de l'émulation, en élaborant ce qu'on pourrait appeler un modèle narcissique: les magistrats sont offerts comme modèles à eux-mêmes. Deux exemples illustreront ce phénomène. A l'ouverture du Sénat de Nice, en 1694, le Premier Président n'a pas de meilleur modèle à proposer aux magistrats que le Sénat de Nice lui-même:

> Il dit qu'il n'y avoit qu'à les proposer eux mesmes à eux mesmes comme de parfaits modeles de ce qu'ils doivent estre[129].

---

[127] *Mercure*, février 1686, p. 133-134.

[128] *Mercure*, août 1698, p. 45-46. Ce discours marque très clairement l'importance de la justice dans les attributions du Roi et, plus généralement, la coïncidence entre le Roi et la loi.

[129] *Mercure*, mars 1694, p. 281.

Et, de la même manière que Riqueti affirmait que le Roi avait fourni l'original du portrait qu'il a tracé de saint Louis[130], le premier président du Parlement de Dombes (Trévoux), qui vient de faire l'éloge du premier président du Parlement de Paris, fait aussi celui de ses auditeurs:

> En vous ébauchant, Messieurs, le portrait d'un Magistrat accompli, je n'ay pas à aller chercher si loin mes modelles[131].

Ces modèles ne sont autres que les membres du Parlement de Dombes. La problématique de l'exemple rejoint l'éloge, mais, il est vrai, l'éloge lui-même effectue, dans ce cas, une transition vers l'exhortation: «Soutenons, Messieurs, toute la dignité de nos fonctions . . .»[132]

C'est peut-être dans le discours prononcé en 1698 à l'ouverture du Parlement de Grenoble par le président de Saleon que la convergence du portrait idéal, de la représentation de l'institution et de l'éloge se manifeste le plus clairement, et qu'on voit la manière dont l'exaltation de la compagnie à laquelle on s'adresse aussi bien que de la dignité de la robe en général limite la censure que les discours sont censés exercer:

> C'est là l'idée ou le portrait ébauché que j'ay conçeu pour caracteriser le parfait Magistrat, & que je n'ay tiré que sur les excellens modeles que je vois sur ces Tribunaux. Ainsi, Messieurs, j'ay fait vostre Eloge & vostre Portrait tout ensemble, & vous ay loüez en vous exhortant à faire ce que vous faites. Je dois donc seulement vous demander la continuation de vostre justice, sous le plus juste & le plus glorieux des Princes[133].

L'orateur fait ici coïncider exactement portrait, éloge et exhortation. L'instruction éthico-professionnelle n'a plus d'objet, puisque ce qui est proposé comme devoir à accomplir représente précisément ce que les auditeurs font régulièrement: «[je] vous ay loüez en vous exhortant à faire ce que vous faites». Si les parlementaires de Grenoble ont servi d'originaux à l'orateur, ils sont en même temps proposés comme modèles pour façonner leur propre conduite. L'éloge des parlementaires débouche tout naturellement sur celui du Roi.

C'est précisément, dans ce contexte comme dans tant d'autres, le cas du Roi qui prouve que la frontière entre fonction éthique et fonction

---

[130] Riqueti est le prédicateur qui prononce le Panégyrique de saint Louis devant l'Académie française en 1689. Dans son Epître au Roi, il affirme:

> Je puis vous assurer, SIRE, qu'encore que Saint Louis soit le modelle de tous les Rois, vous estes neanmoins l'exemplaire sur lequel j'ay formé son Eloge. (*Panégyrique de S. Louis Roy de France*, Epître n.p.).

[131] *Mercure*, novembre 1694, p. 247.

[132] *Ibid.*, p. 249.

[133] *Mercure*, décembre 1698, p. 28-29.

encômiastique est loin d'être infranchissable. J'ai montré comment, dans les discours parlementaires parisiens, le souci de donner aux éloges une justification éthique aboutissait, avec le Roi, à un cas-limite. D'une manière légèrement différente, la problématique du modèle fonde ici en retour, si l'on peut dire, l'éloge du Roi. Car, si l'on parvient au bien par imitation, le mérite des bonnes actions revient d'abord à celui qui a donné le bon exemple. C'est du moins ce qu'affirment les parlementaires provinciaux. On trouve plusieurs morceaux à la louange de Louis le Grand, fondés sur le fait qu'il a donné l'exemple, dans le discours que prononça à l'ouverture de 1697 l'avocat du Roi au Présidial d'Abbeville:

> Peut-on assez loüer la constance heroïque du Prince dont les grands exemples font que rien ne s'est démenti? . . . Le Roy a esté le premier mobile, il a tout entraîné. On a cru ne pouvoir trop faire quand il faisoit tout. Si on a soutenu avec une fermeté incroyable les attaques opiniâtres des Ennemis, on luy en doit uniquement la gloire; il a esté inébranlable; on n'a fait que l'imiter[134].

De la sorte, on voit que l'exemple, dont Aristote faisait l'argument spécifique de l'éloquence judiciaire, est, comme il arrive souvent dans l'éloquence d'apparat, doublement déterminé. Il est rhétorique, au sens où c'est un instrument adapté aux fins du discours (qu'il s'agisse d'inviter les auditeurs à adopter une certaine conduite, ou de faire l'éloge du Roi, ou, le plus souvent, des deux à la fois). Pour l'éloge du Roi, il permet de remonter de toute action à Louis le Grand, comme à son premier principe. D'autre part, il transmet un des éléments de la «doctrine» parlementaire sur la perfection du magistrat, sur la réalisation de l'idéal, du modèle, tout en assurant les membres des différents corps de leur grandeur.

## C. *Éloge de l'auditoire et grandeur de la robe*

Les discours donnent des institutions judiciaires une représentation élogieuse, qui doit les satisfaire. L'exaltation de la magistrature et des gens de robe occupe une place fondamentale dans l'éloquence de ces milieux. C'est d'abord par l'éloge direct que les orateurs donnent à leurs auditeurs le plaisir d'entendre développer leur grandeur et leur valeur. On l'a clairement perçu lorsque les magistrats étaient donnés comme modèles à eux-mêmes et que le portrait de l'homme de robe idéal se révélait n'être que leur portrait. Mais l'éloge de la compagnie à laquelle on s'adresse peut atteindre des degrés divers. L'ouverture du Présidial

---

134 *Mercure*, novembre 1697, p. 19-20.

d'Agen fonde, en 1699, sur les qualités des auditeurs une atténuation de l'exhortation:

> ... n'attendez pas que nous fassions un dernier effort pour vous inspirer de la fermeté dans l'exercice de vos Charges. Nous croirions donner atteinte à vostre vertu, & nous presumons que de ces exemples de moderation, & de sagesse, vous en ferez un frein à l'impetuosité qui pourroit vous emporter; Aussi remarque-t-on en chacun de vous un cœur docile pour recevoir les impressions de la verité, noble pour s'élever au dessus des interests & des passions, tendre pour assister les malheureux, ferme pour resister à l'iniquité[135].

L'éloge du siège présidial, éloge moins de sa perfection actuelle, que de sa perfection en puissance, grâce aux qualités de cœur énumérées par l'orateur, est présenté comme excuse pour déroger à une loi rhétorique, qui demanderait une péroraison récapitulative et pathétique qui emportât l'auditoire. L'éloge de la compagnie se ressource à celui du Monarque, puisque ce passage suit un développement consacré à mettre en lumière le rôle de Louis le Grand dans la Paix et le repos qui en découle – repos qui fait le sujet du discours...

Avant d'aborder la péroraison professionnelle, l'avocat du Roi La Hestroye termine en 1698 son discours sur une présentation élogieuse du Présidial d'Abbeville, présentation où apparaît le terme *modèle*:

> On y trouve de beaux modeles de ce que la sagesse, la prudence & l'équité ont de plus rare & de plus éclatant, que tant d'exemples de vertu engagent puissamment à marcher à grands pas dans une carriere penible & laborieuse, que la veue de grands Magistrats anime fortement à acquerir la perfection de cet estat, & à s'attirer par là l'estime & les respects de tout ce qui est raisonnable[136].

Ici encore, l'orateur insiste sur le rôle de l'exemple dans le perfectionnement du magistrat. Et, comme dans le cas précédent, c'est sur le processus qui conduit à la perfection que l'accent est mis. Qualités propres aux membres de la Compagnie et bons exemples sont des garanties qu'ils parviendront à «la perfection de cet état».

C'est peut-être dans le discours fait à l'ouverture du Présidial de La Flèche en 1681 par l'avocat du Roi Thiot que l'éloge du corps est le plus étendu et surtout le plus général: faisant transition vers la lecture des ordonnances, les louanges incluent les avocats et ne sont affaiblies par aucun reproche ni avertissement aux procureurs. Ce n'est qu';en citant l'ensemble du passage que je donnerai une idée nette de la place qu'on accordait à cette forme de satisfaction symbolique que l'éloge repré-

---

[135] *Mercure*, décembre 1699, p. 121-122.

[136] *Mercure*, décembre 1698, p. 224-225.

sente. Le plaisir de l'homme de robe, dans ce genre de cérémonie, venait en partie de l'image avantageuse de lui-même qui lui était proposée par l'orateur, lequel pouvait lui apparaître, en mettant à part la hiérarchie des charges, comme un pair, un *alter ego*:

> Je voy, Messieurs, qu'elle [la nature] regne souverainement dans ce Siege, que cette Princesse y tient sa Cour, & que tous ses jours ne sont icy que des <jours> de triomphe. Aussi faut-il avouer qu'elle doit une partie de sa gloire à l'integrité de vos jugemens. Sa Loy qui est imprimée dans vos cœurs, est si bien exprimée par vos actions, que le Prince des Philosophes a eu raison d'appeller les juges, des Loix vivantes & animées. Les saintes ardeurs que vous avez toujours euës de la rendre victorieuse & triomphante, ont esté si bien secondées par le zele de nos Avocats, qu'elle n'a point d'Autel plus auguste, ny de Temple où elle soit plus saintement adorée[137].

Dans l'euphorie de l'éloge, qui fait du Présidial de La Flèche le premier temple de la justice et qui en identifie les juges à la loi elle-même, toutes les catégories sont réunies. Une telle union montre bien que, lorsqu'il s'agit de célébrer la grandeur des gens de robe, les discours ne dissocient pas fondamentalement les magistrats et les avocats. Une telle solidarité du groupe «parlementaire» s'était déjà manifestée, lorsque j'ai analysé les discours parisiens. Cette communauté de «prestige» est d'un autre ordre que les reproches ou les conseils qu'on fait périodiquement aux robins. Les procureurs et autres catégories participent rarement de la grandeur des gens de robe.

Dans certains cas, l'éloge de l'auditoire remplit une fonction consolatrice ou propitiatoire. C'est particulièrement vrai lorsqu'une institution se substitue à une autre ou lorsqu'une compagnie se trouve rattachée au Royaume et doit donc être intégrée au système de justice. Ainsi, Arnauldes, commis à l'exercice de la justice dans le cadre du Bailliage et siège royal de Vouvans, en attendant que les charges soient pourvues, fait l'éloge des officiers de justice dont les fonctions ont été suspendues:

> . . . pour dire avec Saluste que comme il n'y a jamais de grands exemples sans quelque mélange d'imperfection, *omne magnum exemplum habet aliquid ex iniquo*, tout le sujet de mécontentement que vous pourrez souffrir d'un changement, d'ailleurs si avantageux, vient de la difference des Officiers, & de la perte que vous venez de faire de ceux qui ont auparavant administré la justice avec tant de droiture & d'integrité. Mais, Messieurs, vous avez cette consolation, que M^r^ Poitevin, Procureur du Roy de la Commission, & moy, ne sommes tout au plus que des Astres errans & passagers, & que le rétablissement de ces Officiers ne doit pas estre longtemps suspendu[138].

---

[137] *Mercure*, décembre 1681, p. 129-130.

[138] *Mercure*, août 1698, p. 28-29.

Un changement peut toujours être mal reçu, surtout lorsqu'un commissaire vient prendre la place d'officiers connus. L'orateur en est bien conscient et l'exprime dans son discours, en tâchant d'apaiser ces officiers eux-mêmes ou la population locale.

Avec le Sénat de Nice, on a l'exemple d'une juridiction rattachée à la France et qui doit être assimilée. Si M. de La Porte met un point d'honneur à parler français dans son ouverture de 1694, il n'en est pas moins soucieux de ménager l'amour-propre des sénateurs en faisant l'éloge du Sénat, éloge qui a d'ailleurs pour contrepartie celui du Roi:

> Il loüa les Officiers du Senat de Nice sur leur probité, leur érudition, & la pureté de leurs mœurs, il dit qu'il n'y avoit qu'à les proposer eux mesmes à eux mesmes comme de parfaits modeles de ce qu'ils doivent estre; que dans la Conqueste de leur Ville le bonheur d'y avoir trouvé de tels Magistrats n'est pas un des moindres avantages du Roy, mais que le leur est grand d'y vivre sous un si grand Prince, qui protege la justice, & qui sçait la rendre dans toutes les Professions & à la vertu[139].

Il ne s'agit pas seulement d'une satisfaction d'amour-propre que le Premier Président offre à ses auditeurs. Il y ajoute la promesse de récompenses plus tangibles pour qui remplit bien son devoir, un devoir dont on comprend qu'il est plus que compatible avec les intérêts du Roi qui récompense

> par d'utiles honneurs; . . . l'Ordre de Saint-Louis qu'il a nouvellement étably, ses Commanderies . . . [ne sont pas] les couronnes infructueuses que donnoient les Romains pour recompense des bonnes actions . . . ce sont des Titres d'honneur ausquels S<a>M<ajesté> a attaché des biens considerables & qu'elle distribue à ceux dont les services l'ont merité[140].

L'éloge des magistrats peut contribuer, en leur offrant une image satisfaisante d'eux-mêmes, à les apaiser. Mais l'orateur est soigneux de proposer également d'autres satisfactions…

L'exaltation de la condition des gens de robe ne passe pas seulement par l'éloge de la compagnie devant laquelle on parle. L'éloge d'autres cours marque la communauté d'intérêts des magistrats et l'on perçoit une solidarité qui s'étend à toute la robe. Le premier des Parlements de France, c'est celui de Paris, et l'on trouve à plusieurs reprises l'éloge de ce corps et de son premier président. Les «premieres Compagnies du Royaume» sont mentionnées, je l'ai dit, dans le discours d'ouverture du Présidial de Poitiers en 1681: de Razes y laisse aux parlementaires pari-

---

[139] *Mercure*, mars 1694, p. 281-282.

[140] *Ibid.*, p. 282.

siens le soin de faire l'éloge du Roi. Mais c'est de façon plus explicite que le premier président du Parlement de Dombes s'écrie:

> Ne voit-on pas à la teste du premier Parlement de France une illustre Personne, qui a ramassé en luy mesme tout le merite de ses Ancestres? Son nom, & la plupart de ses actions, quoy que marquées d'un caractere singulier de grandeur, peuvent estre ignorés des âges suivans, mais sa justice, fondement de tous ses Arrests, a fixé le souvenir éternel de sa gloire[141].

L'éloge d'Achille de Harlay est fondé sur la justice, vertu que tous les magistrats peuvent partager. Mais c'est dans le discours d'ouverture du Sénat de Nice, en 1694, que l'exaltation du Parlement de Paris est le plus clairement rattachée à la grandeur de la magistrature et des professions de la justice. Le premier président de La Porte y expose l'origine et le degré de l'autorité des magistrats, le rôle qu'ils jouent dans la cohésion et dans la tranquillité générales du Royaume et le poids de leurs décisions, aussi bien à l'intérieur de la France qu'à l'échelle internationale. Toute cette gloire dont l'orateur fait l'apanage du Parlement de Paris, rejaillit sur toutes les institutions judiciaires et sur l'ensemble de la magistrature:

> Sur le caractere des Magistrats, il dit que les Rois sont les Juges naturels de leurs Sujets; que le droit & le pouvoir qu'ils en ont sont la plus grande marque de l'autorité souveraine; que lors qu'il leur a plû de la communiquer aux Magistrats, ils les ont honorez de la pourpre & de l'hermine qui estoient des ornemens de la Royauté, & les ont placez sur des Tribunaux comme sur des Trônes, pour montrer que dans l'administration de la Justice ils representoient la majesté du Prince; qu'en effet la rebellion à leurs Mandemens, & la violence contre ceux qui les executent, sont par les Ordonnances des crimes sans pardon; qu'outre la dignité de leur caractère ils sont les Peres du Peuple, l'asile des Pauvres, de la Veuve, de l'Orphelin, la terreur des mechans, l'appuy de l'innocence, & la source de la tranquillité publique. Enfin il ajoûta que le Parlement de Paris, ce premier senat du Royaume, avoit esté jugé digne d'habiter l'ancien Palais de nos Rois & avoit eu l'honneur de voir des Papes, & des Empereurs se soumettre à ses décisions[142].

La déférence des puissances comme le Pape ou les Empereurs aux décisions du Parlement de Paris démontre le pouvoir et l'autorité morale de ce corps. Mais, plus largement, c'est toute l'administraton de la justice qui participe de cette grandeur. Les magistrats sont, collectivement responsables de la tranquillité publique et son maintien est leur plus belle réussite. De façon très caractéristique, l'orateur rappelle que les magis-

---

141 *Mercure*, novembre 1694, p. 247.

142 *Mercure*, mars 1694, p. 277-278.

trats sont une émanation de la justice du Roi qui leur délègue une partie de son autorité. Les attributs de leurs fonctions et tous leurs ornements sont d'essence royale. Si l'on ajoute à cela l'identification du Palais de Justice avec la demeure des rois de France, on voit se dessiner la définition du Parlement comme institution essentiellement royale. On ne saurait négliger la fonction d'intégration que l'éloge du Parlement de Paris peut avoir dans le discours de M. de La Porte: n'a-t-il pas ouvert son discours par son explication du choix de la langue française? Si l'abandon du latin correspond au désir d'assimiler le Sénat de Nice à tous les autres Parlements du Royaume, l'éloge du Parlement de Paris peut concourir à la même fin en plaçant le Sénat de Nice sous la direction symbolique de la Compagnie parisienne.

Mais il faut aller plus loin. En soulignant, d'abord en général, puis spécifiquement, par la mention de la demeure des rois de France, le lien qui existe entre les magistrats et le Roi, l'orateur installe la grandeur des gens de robe sur un fondement bien précis: c'est dans la participation au gouvernement du Royaume, en tant que représentants du Roi délégués à l'exercice de la justice, que les magistrats trouvent leur élévation. Car ce que le Roi délègue à ces juges, c'est, selon l'orateur, «la plus grande marque de l'autorité souveraine». Et cette délégation suppose droit et pouvoir. Les magistrats sont un élément dans la machine administrative. Mais, s'ils ne se représentent pas comme une force autonome, les organes judiciaires n'en tirent pas moins de leur situation une image de pouvoir et de gloire. Si l'on revient à l'ouverture de Parlement de Dombes déjà analysée pour l'éloge du Parlement de Paris et pour la manière dont le Premier Président affirme à ses auditeurs qu'il les a pris pour modèles lorsqu'il a dessiné la figure du parfait parlementaire, l'éloge du corps qui suit cette dernière remarque met en valeur le rôle des magistrats dans le gouvernement, à travers l'ordre que la justice permet de maintenir. En acceptant de se voir comme des institutions à fonction essentiellement judiciaire, et en comprenant la force que donne la participation au pouvoir, les gens de robe peuvent envisager un renouveau de grandeur:

> Il est heureux pour nous que le Ciel nous ait fait naistre sous un Regne si glorieux, & qu'il ait attaché en quelque maniere nos destinées à celle d'un Monarque, à l'histoire de qui rien ne manquera peut estre, que la croyance de la posterité. Nous entrerons, <si> je l'ose dire, presque en commerce de sa gloire. Si nos fonctions ne nous permettent pas d'aller exposer nos vies à la teste de ses Troupes, nous conservons celles de ses Sujets par la terreur des Loix. Si nous ne reculons pas ses Frontieres en prenant des Places, & en remportant des Victoires, nous assurons le cœur de l'Etat en calmant les troubles & en reglant les Provinces. Si nous ne mettons pas la vie & la fortune des peuples à couvert de la

> fureur des Etrangers, nous les sauvons des atteintes domestiques. En un mot, nous n'aidons pas Loüis le Grand à vaincre, nous l'aidons à regner[143].

Ce texte développe une affirmation de la grandeur de la robe qui sonne un peu comme l'écho de déclarations qu'on peut lire dans les discours parisiens. Mais cette affirmation révèle une dimension vraiment provinciale, explicitement évoquée pour contribuer à l'amplification de la représentation grandiose qui est proposée aux auditeurs. L'opposition entre homme d'épée et homme de robe que j'ai mise plusieurs fois en lumière apparaît ici quelque peu modifiée, puisque l'antithèse anaphorique («Si nos fonctions ne . . . pas, nous conservons . . . .Si nous ne reculons pas . . ., nous assurons . . . . Si nous ne mettons pas la vie . . ., nous les sauvons . . .») aboutit à une formulation qui implique que le Roi vainc et gouverne à la fois. Cependant, la proposition «nous l'aidons à regner» indique que les juridictions se voient comme des éléments essentiels dans le gouvernement royal. Je dis qu'il y a ici une affirmation de soi spécifiquement provinciale, parce que l'orateur précise: «en calmant les troubles & en reglant les Provinces».

Une telle formule donne l'impression que l'éloignement de la Capitale permet aux membres des juridictions provinciales d'affirmer plus hautement leur rôle dans le gouvernement de l'État. Bien sûr, il n'y a pas de vacance de l'autorité royale, et les intendants sont là pour représenter Sa Majesté. Mais les orateurs semblent ignorer cette présence pour souligner leur rôle dans la tranquillité publique et la cohésion du Royaume, que la distance du lieu de résidence habituel du Roi et des organes centraux de l'État pourrait mettre en cause. Quelle que soit l'exactitude de cette image, elle magnifie la position des gens de robe d'une manière qui devait les satisfaire. La position des orateurs dans la compagnie est, il faut le noter, ambiguë. Ils sont membres de l'institution dont ils partagent les intérêts. Ils représentent le Roi ou sont nommés par lui, et doivent, à ce titre, redéfinir la place des parlementaires. Quoi qu'il en soit, le triomphe de la magistrature, si l'on peut résumer ainsi les traits qui en sont représentés par les orateurs, ne se trouve plus dans la conception des parlements comme Compagnies souveraines, expression que Louis XIV réprouve hautement, mais comme auxiliaires du souverain. L'exemple du discours du premier président de Sève montre qu'à condition de bien comprendre leur place, les juridictions peuvent exalter leur grandeur et transmettre ainsi une vision valorisée de leur rôle. En présentant au monde une image aussi positive des

---

[143] *Mercure*, novembre 1694, p. 247-249. Je corrige la formule «& je l'ose dire», faute évidente, en «si je l'ose dire».

emplois de l'homme de robe, les discours offrent en même temps aux membres du groupe une vision satisfaisante d'eux-mêmes. D'ailleurs, même si l'autorité effective semble trop limitée, les considérations sur la grandeur liée à l'association au gouvernement doivent apporter toutes les compensations symboliques nécessaires aux gens de robe avides de gloire et de réussite:

> Soutenons, Messieurs, toute la dignité de nos fonctions. Meritons par nostre integrité l'honneur de nostre caractere; remplaçons par l'étenduë de nostre réputation ce qui manque à l'étenduë de nos Charges, & tandis que l'Auguste & vaillant Prince nostre Souverain [le duc du Maine] s'attire par mille actions glorieuses l'estime & la tendresse de ce Monarque, l'applaudissement des Troupes, l'admiration mesme des Etrangers, attirons-nous par nostre conduite, & par nos vœux pour sa conservation, l'honneur de ses regards, la douceur de sa bienveillance, & l'avantage de sa protection[144].

Pouvoir réel, ou compensation symbolique? Quoi qu'il en soit, on perçoit chez les représentants de la robe, en province, un sentiment exacerbé de leur grandeur. Ce sentiment s'exprime dans des développements dont la fierté va bien au-delà de ce que nous avons pu voir chez les parlementaires parisiens.

### D. **Dii estis***: un sentiment exacerbé de la grandeur*

Si l'on est guère surpris de trouver affirmée la nécessité de respecter les rois, et en particulier Louis le Grand, comme les images de Dieu sur terre[145], les orateurs fondent sur l'Écriture l'assimilation des magistrats à la Divinité. Il ne s'agit pas seulement du rapprochement entre les qualités nécessaires aux juges et les attributs de Dieu. On trouve de façon récurrente une présentation encore plus exaltante des juges. Cette régularité, et la modération relative des parlementaires parisiens dans ce domaine, confirment qu'il existe de sensibles nuances dans la stratégie représentative des juridictions, selon qu'elles se trouvent en province ou à Paris.

Qu'il s'agisse d'un hasard de la documentation, ou d'un besoin croissant de la part des hommes de robe de manifester leur grandeur, c'est apparemment dans l'ouverture du Présidial de La Flèche en 1691, que je relève le premier exemple d'une référence à l'Écriture qui

---

[144] *Ibid.*, p. 249-250.

[145] Voir, par exemple, Présidial de Saintes, ouverture de 1694:

> il passa au second de leurs devoirs, qui est d'honorer le Roy, comme estant l'Image de Dieu en terre. (*Mercure*, décembre 1694, p. 175-176)

deviendra un véritable lieu dans les pratiques oratoires des juridictions de province. L'avocat du Roi, Thiot, y exalte la profession de la justice:

> . . . la justice est une des plus honorables professions, & il n'est point d'estat plus illustre parmy les hommes, ny de vertu dans la societé civile qui obtienne une plus grande portion de la gloire qui s'y distribuë, Dieu dans l'Ecriture fait un divin Panegirique de la Magistrature, & s'éleve au dessus de toutes les conditions de la terre, appelant par la bouche de son Prophete, les Magistrats des Dieux[146].

Cette formulation connaît dans les discours plusieurs variantes où, bien que les orateurs affirment que leur but n'est pas de flatter la vanité de leurs auditeurs ni de glorifier leur personne, leur amour-propre peut certainement trouver plus que son compte.

C'est à propos de l'émulation, à laquelle il consacre son discours, que le premier président du Parlement de Dombes montre la dignité toute divine des juges, et cela en s'appuyant sur l'exhortation: «Imitons, mais que ce soit toujours les exemples les plus parfaits»[147]. L'orateur poursuit:

> Cette perfection se presente icy à vos yeux, les Magistrats sont le Sacrement de la Divinité, s'il est permis de s'exprimer ainsi, leur dignité & leur fonction represe<n>te (*sic*) sensiblement cette même Divinité[148].

L'affirmation qui fait des juges des dieux est amenée par un développement où l'orateur affirme, avec la même prudence qui lui avait fait atténuer sa proposition par l'expression «s'il est permis de s'exprimer ainsi», que son discours n'a pas pour but une glorification satisfaisante pour la vanité de ceux qui l'écoutent:

> Placez sur la teste des hommes, établis Juges de leurs differends, on ne peut les envisager sans estre frappé de l'idée de cette majesté, devant qui toutes les Nations sont comme si elles n'estoient pas, qui atteint avec force de l'un à l'autre Pole, & qui dispose de tout avec douceur.
>
> Si nous nous regardons dans un si beau point de vûë, ce n'est pas pour enflamer nostre orgueïl, mais pour exciter nostre émulation.
>
> Nous ne prétendons pas nous glorifier de ce que nous sommes, nous voulons nous animer à ce que nous devons estre.
>
> En un mot, si nous nous disons des Dieux sur la terre, selon l'expression de l'Ecriture; vous ne médirez pas de vos Dieux, c'est-à-dire, de vos Juges & de vos Conducteurs, c'est pour nous avertir nous-mêmes que nous devons nous dépoüiller des foiblesses des hommes, éviter l'ignorance dans l'esprit, la corruption dans le cœur[149].

---

[146] *Mercure*, décembre 1691, p. 41-42.

[147] *Mercure*, décembre 1696, p. 99.

[148] *Ibid.*, p. 99-100.

[149] *Ibid.*, p. 100-102.

Une telle prudence dans la progression montre bien que, quoique fondée sur l'Écriture, une assertion aussi ouverte et aussi forte de la grandeur doit être atténuée par une contrepartie éthique, pour ne pas choquer... la bienséance, à tout le moins. Il n'est pas question de laisser planer le soupçon d'une glorification de soi trop flagrante et trop outrée, glorification dont la dénégation même confirme la présence constante dans les pratiques oratoires des juridictions provinciales. En même temps, l'orateur souligne la cohérence du discours, en montrant le rapport que ce développement particulier entretient avec le sujet général, l'émulation. Il se réfère à la source la plus prestigieuse, l'Écriture. Il satisfait donc son auditoire de plusieurs manières convergentes: en le glorifiant et en sauvegardant en même temps la bienséance par sa dénégation; en proposant un discours cohérent, c'est-à-dire satisfaisant sur le plan formel; en s'appuyant sur le texte sacré, dont on a vu qu'il représentait la source privilégiée des robins provinciaux. Tous ces traits conviennent précisément à la cérémonie qui est en train de se dérouler et, dans cette mesure, caractérisent l'éloquence d'apparat.

On peut se demander, lorsqu'on voit un développement analogue dans le discours du président de Boüancourt en 1697, au présidial d'Abbeville, si la rencontre est un hasard, s'il s'agit d'un lieu particulier de ces discours, ou s'il y a ici un phénomène d'ordre intertextuel[150]. La question se repose encore à propos du discours d'ouverture du Parlement de Grenoble. Tous ces textes figurent en effet dans le *Mercure*, et rien n'interdit de penser que les différents orateurs ont pu connaître les discours qui avaient été prononcés dans d'autres juridictions et reproduits par Donneau de Visé. La cérémonie d'ouverture, à Abbeville, en 1697, suggère une sorte de partage des tâches entre les gens du Roi et le président qui est chargé de prononcer un discours. La Hestroye, avocat du Roi, consacre une grande partie de son discours à un éloge du monarque, même si le sujet qu'il traite est la religion du serment. C'est dans le discours du président de Boüancourt que se trouve représenté l'idéal du magistrat parfait.

L'identification des juges à des dieux n'est pas, dans ce discours, un aboutissement, mais le point de départ. Elle ouvre l'exorde et constitue le fondement de tout le discours:

---

[150] Il faut d'ailleurs être nuancé, car ce «lieu» tiré de l'Écriture n'est pas, naturellement, adapté aux seuls discours parlementaires provinciaux. On le retrouve dans les sermons sur la justice et les oraisons funèbres de grands magistrrats. Bossuet, entre autres, se réfère explicitement au Psaume 81, source de l'affirmation [première rédaction du «Sermon sur la justice» déjà cité (*Œuvres oratoires*, t. V, p. 184), ou «Oraison funèbre de Michel Le Tellier» (t. VI, p. 333)]. Il reste que les juridictions de province puisent largement à cette source négligées par les orateurs parisiens.

> Je me suis cent fois étonné que l'Ecriture qui condamne en tant d'endroits l'Idolatrie, ne laisse pas de donner à des hommes le nom de Dieux; mais quand je fais réflexion que ce sont des Juges qu'elle honore de ce grand titre, mon étonnement cesse, & je suis contraint d'avoüer que c'est un ministere tout divin[151].

Ce n'est pas seulement le pouvoir effectif des magistrats qui leur vaut ce caractère, mais ce pouvoir est cependant affirmé:

> En effet, n'est-ce pas estre des Dieux que de disposer de la destinée, & de tenir entre ses mains la vie & la mort? Mais si Dieu veut bien communiquer son pouvoir aux Magistrats, il est aussi necessaire qu'il les revête, en quelque maniere de sa nature, en les dépoüillant de celle de l'homme[152].

Pouvoir de vie et de mort: voilà qui rappelle que l'autorité des juges n'est pas seulement morale. Mais ce sont des dieux parce que Dieu les revêt de sa nature. C'est-à-dire que l'assimilation va ici très loin. Dieu a par excellence toutes les qualités d'un bon juge; Dieu dépouille les juges de leur nature humaine. De l'assimilation des juges à des dieux va procéder toute l'élaboration du modèle du magistrat parfait.

C'est encore le cas à l'ouverture de la Saint-Martin 1698 au Parlement de Grenoble, dans le discours du président de Saleon qui rappelle à la fois le discours de Boüancourt et celui de Thiot. Il identifie en effet les juges à la fois à des «Loix vivantes» et à des dieux. Comme dans l'exemple précédent, c'est dès l'exorde que la référence à l'Écriture apparaît, mais, comme pour le discours du premier président de Sève au Parlement de Dombes en 1696, le caractère moral et l'appel à une pratique des devoirs permettent son introduction:

> Dans cette solemnité que l'on renouvelle à l'ouverture du Temple de la Justice, l'Eloge de nos dignitez est necessaire, pour vous marquer l'importance de nos devoirs; les Juges sont les Protecteurs de la Justice, qui est la Reine des Rois mêmes; Ils sont élevez sur leurs Tribunaux comme sur des Trônes, qui sont les sources de la tranquillité publique. Ce sont les Oracles & les Loix vivantes des Etats, les fondemens animez du Trône des Princes, les appuis de la Religion, les arbitres des passions humaines, les maistres des biens, de la vie, et de l'honneur des hommes. En un mot, selon la parole sainte, ce sont des Dieux, qui par consequent doivent estre plus parfaits & plus excellens que les autres hommes[153].

On glisse d'une représentation de la justice comme déesse habitant son temple, au peuplement du temple de la justice par les dieux que sont les

---

[151] Novembre 1697, p. 48-49.

[152] *Ibid.*, p. 49.

[153] *Mercure*, décembre 1698, p. 10-11.

juges. Ce dernier texte est saturé des éléments qui marquent constamment la grandeur des gens de robe: l'orateur ne se contente pas de rappeler l'origine des tribunaux, symboles de la délégation par le souverain de son autorité en matière de justice; il compare les deux lieux comme s'ils étaient identiques, ou, à tout le moins, de même rang; il attribue aux juges, comme il est traditionnel dans les juridictions provinciales, tout le mérite de la tranquillité publique. Ce sont en outre des éléments essentiels au gouvernement («fondemens animez du Trône des Princes»), et l'affirmation du pouvoir sur les biens, la vie et l'honneur des hommes permet enfin l'identification à des dieux, après le stade intermédiaire représenté par l'expresson «Oracles & Loix vivantes».

Les orateurs soulignent eux-mêmes les limites de l'affirmation qui fait du juge un dieu, mais rares sont ceux qui rappellent que l'Écriture abaisse les juges qu'elle élève. On trouve toutefois dans Barrême de Manville, chez qui la composante éthique reste toujours très sensible, un traitement de la référence selon une dialectique quelque peu pascalienne. L'orateur explique qu'il va

> imiter la Morale du texte sacré, qui après avoir combattu la foiblesse des Juges par leur gloire en les élevant jusques à Dieu, *ego dixi vos dii estis*, combat leur presomption en leur representant qu'ils ne sont que terre, & que poussiere, *quid superbis terra, & cinis*![154]

Barrême de Manville remet la citation, qu'il donne en latin, en contexte, et peut ainsi se justifier de tout soupçon de flatterie. L'adjonction d'une contrepartie annule l'effet de glorification. La variante est d'ailleurs intéressante du point de vue de l'éloquence d'apparat, puisqu'elle est

[154] *Quelques discours...*, p. 185-186. L'orateur, qui a toujours soin de faire des cas particuliers qu'il est amené à traiter des illustrations de lois morales générales, est ici tout à fait dans l'esprit de l'Écriture, qui affirme, certes, que rois et juges sont des dieux, mais qui rappelle en même temps que ce sont des dieux mortels. On notera cependant que, parce qu'il les rabaisse explicitement, Barrême de Manville peut utiliser la référence biblique pour exalter les juges plus encore que ne le font les autres orateurs. Sur ce discours et, plus généralement, sur la pratique oratoire de Barrême de Manville, voir mon article «Éloquence et notabilité: le cas de Barrême de Manville», *XVIIe SIÈCLE* 191.

Barrême de Manville représente d'ailleurs bien le type de l'orateur polyvalent, puisqu'il a aussi prononcé des discours comme académicien d'Arles. On y vérifie l'influence de l'institution sur le discours d'apparat. Même si la tonalité éthico-religieuse affleure souvent, ce qui est d'ailleurs normal pour un éloge funèbre, l'«Éloge funèbre de Monsieur le Duc de Saint-Aignan, protecteur de l'Académie royale d'Arles» (p. 79-117) présente des traits spécifiques: les citations latines sont absentes, le discours, plus pathétique (c'est à la fois une lamentation et une consolation) que les autres, est entièrement consacré à l'éloge du Duc, alors que les discours prononcés à l'occasion de l'enregistrement de lettres de provision, par exemple, limitent l'éloge et le subordonnent à des considérations éthico-religieuses. Le sujet de l'éloge, la circonstance et le cadre institutionnel infléchissant logiquement une pratique oratoire dans l'unité est pourtant perceptible dans sa variété même.

parfaitement adaptée au sujet que traite le magistrat arlésien, la présomption. Aucun des sujets choisis par les autres orateurs ne concerne un défaut, une qualité négative à reprendre. Illustrant des valeurs positives, ils peuvent s'en tenir à une variante sans contrepartie.

De tels textes – et le discours de Barrême de Manville n'est qu'une exception apparente – manifestent une extraordinaire affirmation de grandeur. Cette affirmation prend des formes plus hyperboliques dans les juridictions provinciales qu'à Paris. Les magistrats provinciaux se définissent dans leurs discours comme des pouvoirs effectifs. Si c'est comme participation aux bienfaits du gouvernement que leur grandeur se définit, on a cependant plus d'une fois l'impression que leur pouvoir est essentiellement nécessaire à la royauté même, dans la mesure où ils sont les fondements de la stabilité politique du royaume. Si, comme les parlementaires de Paris, ils font de leur autorité une délégation de celle du Roi, cette délégation n'est pas l'effet d'un choix arbitraire: leur groupe est justifié par l'Écriture qui les appelle des dieux. Si l'éloge de l'institution devant laquelle on parle et des corps qui forment l'auditoire est une constante des discours cérémoniels, on voit que les discours prononcés devant les institutions judiciaires de province ne font pas exception. On trouve de nombreux éloges des présidiaux et des parlements. Mais les gens de robe semblent attachés à une célébration plus abstraite de leur état en général, qui dépasse les individus concrètement représentés dans l'auditoire pour atteindre le concept même du magistrat ou du parlementaire. C'est pour cette raison qu'on trouve plusieurs exemples d'éloges du premier président du Parlement de Paris, qui représente le premier magistrat de France, après le Roi et le chancelier, naturellement. Les institutions de province sont soucieuses, dans une sorte de surenchère, d'affirmer l'excellence collective de la robe. Plus attentifs peut-être à épargner les susceptibilités, les orateurs trouvent d'ailleurs beaucoup moins de reproches à faire – sinon aux procureurs et aux ministres inférieurs de la justice, cibles générales dans l'éloquence parlementaire. Il est vrai que la source principale, le *Mercure*, peut modifier, par ses choix et ses résumés, l'équilibre général. Mais il est clair que les juridictions provinciales affirment la grandeur de la robe en général, tout en réservant à la province un titre de gloire spécifique. Plus que tous les autres, les robins de province assurent l'ordre et la tranquillité dans l'État; ils sont comme une diffusion du pouvoir à travers le Royaume. S'il faut faire le portrait du magistrat, c'est une représentation de cette grandeur que l'orateur propose. S'il faut exhorter ses collègues, il invite son auditoire à incarner la grandeur dont les magistrats sont idéalement porteurs et qui les met au-dessus de toutes les autres professions dans l'État.

### E. *Achat des charges et prix du mérite*

Comme c'est le cas pour les institutions académiques et surtout pour les institutions parlementaires parisiennes, les juridictions provinciales donnent de leur grandeur une interprétation sociale. L'avocat du roi au Présidial de La Flèche, Thiot, produit, avec «L'Alliance de la Guerre et de la Justice», un discours très représentatif des stratégies auxquelles les orateurs ont recours pour asseoir cette grandeur. La comparaison et le rapprochement des gens de guerre et des gens de justice soutiennent la thèse que la robe est aussi glorieuse, voire plus, que l'épée, ce qui était déjà apparu dans les discours parisiens. Les magistrats mettent l'accent, ici aussi, sur une valeur individuelle. Si les professions de la robe sont susceptibles d'apporter à ceux qui les exercent gloire et réussite, ce n'est que par son mérite qu'on peut y parvenir. Les robins revendiquent en effet un mérite qui ne se confond pas avec leur charge et en justifie l'exercice. Le modèle, une fois encore, est trouvé dans la figure du Monarque, dont la grandeur ne se confond pas avec le trône, mais qui est d'autant plus grand sur le trône qu'il l'est par son mérite propre. Le premier président du Parlement de Dombes, entre autres, reprend cette affirmation, et c'est dans ce contexte que le mérite apparaît:

> Si la modestie permet de jetter les yeux avec respect sur les Personnes Sacrées, que la puissance éleve infiniment au dessus de nous, le desir d'en recevoir des graces, la crainte de leur déplaire, font souvent les mouvemens de nos hommages. Mais de se faire respecter par son propre merite, & se faire un Trône de sa seule vertu, c'est le comble du bonheur & de la gloire; c'est aussi le point de vûë où tout le monde convient que cet Auguste Monarque doit estre placé[155].

Ce mérite personnel du Roi intervient précisément en relation avec la problématique du *modèle*. Après avoir noté que «l'ancienne Grece, l'ancienne Rome ont fourny des modeles excellens de justice & de valeur», il passe à l'éloge du Roi: «Le Roy rassemble en luy-même ces precieux traits presque effacez par le temps.»[156]

La notion de mérite a sans aucun doute une signification sociale. Elle est d'ailleurs perçue comme telle par les contemporains. Donneau de Visé signale par exemple, à propos de l'enregistrement des lettres du lieutenant de Roi en Normandie du comte de Thorigny au bailliage et siège présidial d'Évreux, que l'assistance était composée de personnalités importantes. Voici les termes dont il se sert:

> Cette cérémonie se fit le troisième de ce mois, dans le lieu ordinaire

---

[155] *Mercure*, décembre 1696, p. 104-105.

[156] *Ibid.*, p. 103-104.

> des Audiences, qui fut remply de tout ce qu'il y a de personnes de qualité & de mérite dans la Ville[157].

*Qualité* renvoie à la naissance, *mérite* à la situation acquise, quelle que soit la naissance, et aux accomplissements individuels qui mettent quelqu'un en vue. Le mérite servait aux parlementaires parisiens à affirmer leur réussite face à l'épée. Il est clair que les robins de province attachent également une grande importance à l'idée de réussite individuelle. Le discours prononcé à l'occasion de la présentation des lettres du comte de Thorigny au Parlement de Rouen est très caractéristique de la stratégie des parlementaires. Les discours de présentation suivent les règles de l'éloge traditionnel, c'est-à-dire qu'ils comprennent un exposé de la maison et des alliances du personnage qu'on loue. Or, après avoir ainsi mentionné l'ancienneté et l'importance du nom de Matignon, les alliances brillantes qu'il y eut dans la famille, et les emplois que les ancêtres du comte de Thorigny ont occupés, Pelot (c'est l'orthographe du texte imprimé), alors avocat, poursuit:

> celuy qui vient d'estre nommé par les lettres patentes de Sa Majesté pour remplir cette place fera revivre la memoire de ces braves comtes de Thorigny, comme il fait revivre leur nom. C'est nostre avantage, Messieurs, & c'est le bon-heur de cette Province, d'estre confiée aux soins d'une personne dont nous connoissons la vertu: les rares qualitez qui l'eleveront sans doute à de plus grands emplois le rendent digne de toutes les marques d'honneur où peuvent aspirer les personnes de son rang & de son merite[158].

Le nouveau lieutenant de Roi combine ici deux facteurs, le rang et le mérite. Mais le discours insiste sur les qualités personnelles. Paradoxalement, cette insistance se manifeste à propos d'un homme qui vient d'obtenir la survivance de la charge de son frère, c'est-à-dire que nom et mérite coïncident ici:

> Le Roy qui s'est fait une regle de ne point accorder de survivance, s'en est dispensé en consideration d'un service de vingt années, que Monsieur le comte de Matignon n'a esté forcé d'interrompre que par sa mauvaise santé[159].

Le mot «service», à propos du frère de celui qui a obtenu les lettres de Lieutenant de Roi trouve son écho dans le discours prononcé au Présidial d'Évreux dans les circonstances analogues, où il apparaît, à propos du comte de Thorigny lui-même, associé au verbe *mériter*:

---

[157] Janvier 1679, p. 79.

[158] *Discours prononcé à Rouen... le 29. de Juin 1678*, p. 10-11.

[159] *Ibid.*, p. 11.

> ... [il] finit par l'éloge de Mr le Comte de Thorigny, dont les glorieux services avoient merité de Sa Majesté, la charge de Lieutenant General pour le Roy dans la Province de Normandie[160].

Le comte de Thorigny combine le rang et le mérite. Sa charge est la récompense de services. Mais le mérite des magistrats et des gens de robe en général s'inscrit dans une autre problématique.

Les charges sont, pour la plupart, vénales. Cet aspect de la fonction judiciaire pourrait miner la notion de valeur individuelle, et les orateurs sont très soucieux de se garantir contre le reproche qu'on peut faire aux robins de ne devoir leur position qu'à l'argent. Le mérite correspond alors à tout un mode de conduite proposé aux gens de robe comme justification de leur position. L'ouverture du président de Saleon, en 1698, le marque très clairement. Le magistrat parfait

> ne doit pas tenir sa Charge d'une indigne opulence & de la seule fortune; il faut qu'il la doive principalement au prix de son merite, au prix de cet or divin, qui n'est pas formé par le Soleil, mais que son Auteur produit dans les belles ames[161].

Quel qu'ait été réellement l'effet de la vénalité des offices sur la qualité des magistrats (et les opinions divergent grandement sur ce point, bien que l'on s'accorde à reconnaître à certaines grandes familles d'indéniables qualités) les orateurs doublent cette réalité économique (on achetait sa charge) d'une correction socio-éthique: on la méritait. On pourrait d'ailleurs dire que tous les conseils donnés dans les discours d'ouverture ou dans les autres pratiques oratoires sur la justice, le travail, l'assiduité, l'impartialité, entre autres traits de comportement, et la représentation du parfait homme de robe ont pour fonction de doter le *mérite,* qui apparaît comme une sorte de postulat, d'un contenu spécifique. La Hestroye met nettement en relief, dans son ouverture de 1698 au présidial d'Abbeville, le désir de relier l'exercice des charges de la magistrature à une logique qui ignore la question de la vénalité. C'est même toute la logique de la promotion sociale et de l'ambition personnelle qui est refoulée, au profit d'une vision de l'exercice de la magistrature comme appel désintéressé auquel répondraient les magistrats, en dehors de toute autre considération: une véritable vocation. L'Avocat du Roi commence ainsi son discours:

> Si l'inclination naturelle de servir sa Patrie n'est pas seulement un lien de douceur & de societé, mais un devoir essenciel (*sic*) de la vie civile, vous ne pouviez souhaiter rien de plus beau, ny qui fixe plus heureusement vostre choix; que les places que vous occupez avec tant de

[160] *Mercure,* janvier 1679, p. 83.

[161] *Mercure,* décembre 1698, p. 10.

> dignité; elles vous offrent de quoy satisfaire toutes ces vûës qui sortent, pour ainsi dire, du sein de la nature. C'est la voix qui vous a appellez à ces Postes importans, c'est elle qui vous en a ouvert le chemin, & qui vous a appris vos premiers devoirs[162].

Devoir (le mot est répété) de la vie civile et devoirs des charges, vocation et désintéressement: rien, dans ce passage, n'évoque l'enrichissement des robins; rien n'indique que la charge est aussi un placement onéreux qu'il faut faire fructifier... Au contraire, l'orateur mentionne «les vrais caracteres de ceux à qui le depost de la Justice a été confié». Parmi ces caractères, on trouve naturellement «un travail reglé par le desinteressement & l'honneur», «une assiduité qui réponde aux instances des malheureux»... On n'a pas besoin d'appâter les magistrats par la promesse de récompenses lucratives, comme le premier président de La Porte en faisait miroiter aux yeux des sénateurs niçois pour les éveiller aux charmes de la domination française.

On peut maintenant réinterpréter les paroles du président de Saleon, qui disait, on se le rappelle: «Il ne faut pas tenir sa charge d'une indigne opulence & de la seule fortune». L'orateur propose, certes, un oubli de soi et de ses propres intérêts qui exclut le *désir* de s'enrichir:

> Il rend la Justice à tout le monde, excepté à luy mesme. Comme il est injuste à son merite, par sa modestie, il l'est à sa santé par ses travaux. Il n'aime la justice que pour la justice, & n'est pas de ceux qui ne l'aiment que pour la gloire ou l'utilité. Il estime que le seul plaisir de bien faire le dédommage de tous ses soins. Il est content que la mediocrité de sa fortune soit un titre de l'excellence de sa vertu[163].

On retrouve dans ce passage un certain nombre de notions caractéristiques: le mérite, que la modestie du magistrat l'empêche seul de reconnaître; le travail, toujours fortement valorisé; le désintéressement; et, plus généralement, la vertu. La médiocrité de la fortune est souvent présentée comme la réalité de la situation de certaines catégories de la robe. L'idée implicite, qu'en contrepartie tout ce qu'il obtient, il le doit à son mérite, à son travail et à sa vertu, exprimée à plusieurs reprises de façon explicite dans les discours parisiens, implique, certes, que, à quelque

---

[162] *Mercure*, décembre 1698, p. 204-205. On trouve dans le discours que Barrême de Manville prononce à Arles pour l'installation dans la charge de lieutenant général criminel de Messire de Servanes une autre présentation de la magistrature comme vocation à laquelle on ne peut se soustraire. L'orateur affirme que celui dont il fait l'éloge

> sçait que rien n'est plus necessaire au chrêtien que de suivre sa vocation; il sçait que la Magistrature est une espèce de sacerdoce que l'on ne peut rejetter sans crime, quand Dieu nous y appelle; il sçait enfin qu'on doit regarder la volonté de Dieu comme une lumière. (*Quelques discours...*, p. 233)

[163] *Mercure*, décembre 1698, p. 20-21.

degré de réussite qu'il parvienne, sa position et sa richesse sont justifiées par son mérite. Mais l'orateur évite une formulation qui justifierait toute fortune par le travail et, inversement, garantirait la richesse à tout homme de robe travailleur – les orateurs s'écartent d'une représentation de la réussite d'essence calviniste, où l'abondance matérielle serait le signe d'une élection et de la valeur. Pourtant, les robins peuvent s'enrichir, et leur fortune est le résultat d'un travail encore plus assidu et d'un mérite encore plus distingué. C'est bien ce que le premier président du Sénat de Nice faisait miroiter aux sénateurs. On a donc affaire à une légère contradition, peut-être due au fait que la Robe est en train d'évoluer et que ses membres, en tout cas certains d'entre eux, dont les professions et les charges se transmettent de père en fils, peuvent commencer à se percevoir comme une aristocratie héréditaire. Ils n'abandonnent pas cependant la problématique du mérite, qui n'est pas, comme la naissance chez les gens de qualité, un accident de la fortune, mais un ensemble d'accomplissements personnels. Les officiers des juridictions provinciales peuvent être riches, mais ils ne doivent pas leurs charges à une «indigne opulence»: ils n'achètent que des charges qu'ils méritent, et parce qu'ils les méritent.

La visée éthico-professionnelle joue un rôle essentiel dans les discours prononcés par les membres des juridictions provinciales. Pourtant, même si cette composante atteint une très grande ampleur chez un Barrême de Manville par exemple, et même si la structure nette des discours confirme cette impression, les pratiques oratoires que j'ai analysées montrent que le discours a aussi pour fonction d'affirmer la grandeur des professions de la robe et d'en faire l'éloge.

L'étude des manifestations de l'éloquence d'apparat permet de dresser toute une série d'oppositions, selon les critères que l'on choisit. La première, «géographique», met en lumière les différences qui se marquent de plus en plus fortement à mesure que l'analyse progresse entre les pratiques oratoires parisiennes et celles de la province. Comme les académies de province, les parlements, les présidiaux et les autres corps maintiennent fermement l'usage des citations en langue savante et produisent des discours fortement structurés. La parenté peut ici s'expliquer par l'éloignement de Paris, mais aussi par le fait que les membres d'un type d'institution appartiennent aussi à l'autre. Certains traits de leur éloquence dépassent les limites d'une institution et apparaissent comme des constantes (cependant, même chez un orateur aussi formaliste que Barrême de Manville, les discours académiques présentent des traits spécifiques). Les pratiques oratoires des institutions provinciales présentent encore ce point commun qu'elles paraissent plus ouvertement et plus consciemment qu'à Paris prendre en charge une fonction de propagande. Peut-être l'éloignement de la Capitale rend-il nécessaire une utilisation plus cohérente du réseau institutionnel pour transmettre une interprétation «officielle» de l'action royale, tant sur le plan politique pur que sur celui de la religion.

Mais le discours parlementaire s'écarte du discours académique par son orientation fortement éthique, terrain sur lequel il rencontre, et même dépasse, le discours parlementaire parisien. L'impression de para-prédication est plus fréquente dans les juridictions provinciales. Si les orateurs cherchent, dans l'un et l'autre cas, à donner un portrait du parlementaire parfait, on constate que, malgré l'identité générale de la représentation, certains traits diffèrent. Les uns et les autres s'attachent à définir la perfection de la parole, comme le propre de l'homme de robe, mais les parisiens redéfinissent une vraie éloquence en associant perfection technique et fondement éthique, tandis que les provinciaux, qui trouvent en le Roi, comme leurs homologues de la Capitale, leur modèle, font du secret une vertu fondamentale et voient dans l'économie de la parole sa perfection.

Pour donner une image satisfaisante de l'institution devant laquelle ils parlent, les magistrats provinciaux définissent, de la même manière que ceux des Cours de Paris, un mérite qui distingue les gens de robe et relève une valeur individuelle. Mais on a l'impression que, hors de la Capitale, le sentiment que les gens de robe ont de leur grandeur s'exacerbe. Si leurs discours marquent une préférence pour l'Écriture sur toute autre source – peut-être parce que l'ordre et l'orthodoxie en matière de religion sont une affaire d'importance en province, et difficile à contrôler –, ils utilisent leurs particularités pour donner une image encore plus exaltante de la robe, image qu'ils fondent sur l'Écriture et qui fait de la magistrature le plus glorieux état.

La composante éthique, pour importante qu'elle soit, laisse toujours la place à d'autres fonctions: éloge du Roi et propagande pour sa politique, et surtout représentation de soi, affirmation de la grandeur de la robe et exaltation de ses valeurs sont des éléments fondamentaux dans le discours. Cette combinaison d'éléments éthico-encômiastiques est essentielle pour comprendre le fonctionnement de l'éloquence d'apparat: les discours ainsi produits sont adaptés aux cérémonies dont ils sont un élément intégrant. C'est cette complexité qui satisfait les auditeurs et le résultat produit peut être évalué également sur un plan esthétique, comme les remarques qui accompagnent souvent les discours publiés dans le *Mercure* l'impliquent.

TROISIÈME PARTIE

# L'ÉLOQUENCE D'APPARAT DANS LE CADRE MUNICIPAL

# CHAPITRE V

## L'ÉLOQUENCE MUNICIPALE

Sous le terme général d'éloquence municipale, il faut entendre toute une série de pratiques oratoires variées, mais toutes produites par le corps de ville, ou à l'occasion d'un événement qui concernait la vie de la ville dans son ensemble. L'hétérogénéité apparente qui résulte d'une telle définition est un inconvénient mineur par rapport à l'utilité théorique qu'il y a à réunir dans un même groupe les discours qui sont nés dans un même contexte. La vie municipale est un domaine extrêmement riche pour l'étude de l'éloquence d'apparat, dans la mesure où les cérémonies les plus diverses s'accompagnaient de discours et où les occasions cérémonielles étaient fréquentes. Nous aurons d'ailleurs l'occasion de voir que cette richesse se double d'un autre trait important. Dans les chapitres précédents, à chaque fois qu'il a fallu décrire les cérémonies institutionnelles dans lesquelles les discours s'intégraient, j'ai mentionné les cérémonies extérieures au calendrier rituel propre à chaque compagnie. La vie municipale rassemble précisément les différentes institutions au cours de fêtes et de célébrations diverses, où leur éloquence se fond dans une manifestation globale. Ainsi le terme municipalité renvoie à la fois à l'institution municipale proprement dite – au corps de ville, quelle que soit sa composition – et à l'ensemble de la ville, réunie pour une occasion solennelle.

La vie municipale met en lumière l'importance de la structure institutionnelle. On a vu, par exemple, qu'une des différences entre les séances publiques de l'Académie française et celles des académies de province résidait dans la structure du public. Le *Mercure* insiste, dans ses comptes rendus des séances parisiennes, sur la qualité et le rang des spectateurs individuels, ou sur leur mérite. D'une manière ou d'une autre, le public est une réunion de gens remarquables. Dans les académies de province, il faut ajouter à la qualité et au mérite des auditeurs, la solennité que confère la présence des corps, qui souligne la cohésion socio-institutionnelle de la ville. Nous verrons que l'éloquence que j'appellerai civique ou municipale met en jeu, essentiellement, les corps locaux.

Après avoir montré, à partir de la documentation disponible, comment l'éloquence d'apparat s'intègre dans la vie municipale, j'analyserai la position des orateurs: du fait du caractère «institutionnel» de l'éloquence civique, on perçoit, plus que dans tout autre contexte, l'existence d'un devoir oratoire qui préside à la prononciation des discours. L'éloquence d'apparat n'est pas un phénomène libre, mais les notables locaux, qui sont amenés à multiplier harangues et discours divers, sont souvent des orateurs acharnés, peut-être parce que compliments et discours sont une manière de rester en vue, ou de s'y placer... Mais ce que l'éloquence municipale met particulièrement en lumière, c'est l'exigence d'adapter les discours aux circonstances. Si ce trait définit l'éloquence d'apparat dans son ensemble, c'est certainement le cadre municipal qui permet le mieux d'analyser la problématique de la convenance qui préside à ses manifestations. C'est ici en effet que les différents facteurs jouent conjointement: les mêmes institutions doivent prononcer des discours dans des occasions variées; une même occasion suppose que toutes les institutions se réunissent pour prononcer des discours. Le bon discours est alors celui qui *convient*, et cette *convenance* joue à tous les niveaux.

## I. – VIE MUNICIPALE ET ÉLOQUENCE D'APPARAT

Quelle place tient l'éloquence dans la vie municipale? C'est à cette question que je voudrais répondre ici en examinant les occasions qui donnaient lieu à des pratiques oratoires, perçues comme manifestations locales. J'analyserai en même temps les conditions dans lesquelles le discours s'intègre à la cérémonie: on verra que le discours, dans le contexte municipal, est fortement contrôlé et codifié. Cependant, c'est d'abord dans la documentation disponible qu'on peut percevoir l'importance des pratiques oratoires émanant des corps de ville ou prenant naissance dans le cadre des municipalités.

### 1. La documentation

Dans la mesure où j'étends cette notion d'éloquence civique à toutes les pratiques oratoires liées à la vie municipale, et non aux seuls discours issus du cérémonial du corps de ville, l'exhaustivité n'est guère envisageable. Elle ne serait pas, il faut l'ajouter, nécessaire, parce que les textes les plus accessibles sont suffisamment abondants et représentatifs pour donner une image fidèle de l'éloquence d'apparat telle qu'elle se manifeste dans la vie de la cité.

On dispose de documents de plusieurs sortes. Comme pour tous les autres domaines, le *Mercure* fournit des indications précieuses sur les cérémonies municipales. Le fait que le périodique ne publie pas tous les compliments qu'il mentionne et qu'il n'imprime parfois qu'un extrait de harangue (qu'il choisit le plus souvent parce qu'on y trouve l'éloge du Roi), ou encore qu'il se contente de résumer l'ensemble du discours, ne rend pas le témoignage qu'il apporte moins important pour le phénomène de l'éloquence d'apparat. En l'absence du texte des compliments, on a souvent la liste de ceux qui ont été prononcés et leur succession. Si les comptes rendus ainsi constitués ne permettent pas d'étudier les traits thématiques ou formels des discours prononcés, ils fournissent le matériel fondamental pour évaluer la fonction de l'éloquence dans les cérémonies de la vie municipale. Le lecteur se trouve assez souvent confronté à de telles présentations pour qu'on puisse affirmer que la présence des compliments est, au regard de la vie institutionnelle et de la célébration, au moins aussi importante que leur expression stylistique et leur contenu (cela ne veut pas dire, naturellement, que les orateurs pourront dire n'importe quoi en toutes circonstances). Le discours est clairement un élément de la cérémonie, et le *Mercure* apparaît comme une source essentielle pour les manifestations cérémonielles locales.

La solennité des rituels suppose un déroulement réglé. Les municipalités ont parfois réuni les leurs en des volumes qu'on pourrait comparer aux coutumiers et qui trouvent des équivalents dans la plupart des institutions, soigneuses en général de garder la trace de leur cérémonial et d'en fixer les formes. C'est ainsi que la ville de Lyon a constitué un recueil de ses pratiques cérémonielles sous le titre «Cérémonial public arrêté par les Sieurs prevost des marchands et Echevins de la ville de Lyon», qui date de la fin du XVII^e^ siècle, et dont plusieurs exemplaires sont conservés[1]. Un tel texte correspond à une remise à jour des cérémonies, mais ce genre de cérémonial est le plus souvent une sorte de catalogue de ce qui s'est fait dans des circonstances précises et peut alors servir de jurisprudence cérémonielle. J'ai déjà noté l'existence d'un recueil de ce type pour le Parlement d'Aix-en-Provence. On en trouve également pour la Chambre des Comptes de Paris[2]. La constitution de telles compilations souligne, s'il en était besoin, l'importance des formes dans le rituel institutionnel. Tout manquement aux formes pouvait en effet mettre en cause le statut de l'institution.

---

1 En particulier à la Bibliothèque Méjanes, Ms 686. Voir aussi Bibliothèque municipale de Lyon, ms. 1446 (1069).

2 «Cérémonial de la Chambre des Comptes», Archives nationales ms. P. 2602-2615. Le n° 2607 concerne les années 1663-1697. On ne trouve pas trace, dans ce volume, des pratiques oratoires.

Pour les discours mêmes, le *Mercure* fournit un témoignage indispensable, malgré les inconvénients que j'ai mentionnés; il reproduit, totalement ou partiellement, un certain nombre des textes qui ont été récités et qu'on lui envoie, ou, dans le cas de Paris, qu'il se procure directement. Mais on peut recourir également à d'autres publications. Un orateur comme Hébert, notable soissonnais, dont le nom est revenu à plusieurs reprises à propos de l'éloquence académique, a réuni ses discours dans un recueil publié à Soissons sous le titre *Discours et Harangues*, et l'on possède par ailleurs un discours imprimé séparément[3]. Les recueils réunissant des discours d'origine et de fonction diverses, comme les différentes éditions du *Recueil de diverses oraisons funebres* ou les *Harangues* de Vaumorière (surtout l'édition de 1713, notablement augmentée) sont, dans ce domaine comme pour les institutions judiciaires, des sources fort utiles. Certaines histoires consacrées à des villes ou à des régions particulières reproduisent des compliments consignés dans des registres et conservés dans des archives locales. Ainsi, Lecesne, dans son *Histoire d'Arras*, publie le compliment qui fut fait par le conseiller pensionnaire de la ville au Roi lors de son passage en 1678[4]. Une recherche exhaustive des documents subsistants pourrait, certes, offrir un intérêt pour l'état des archives. Elle n'apporterait sans doute pas de modifications aux conclusions qu'on peut tirer de la documentation partielle, quoique relativement abondante, qui a été utilisée ici.

## 2. La vie cérémonielle dans le cadre des municipalités

Il faut, dans le cas des municipalités, distinguer les pratiques oratoires du corps de ville lui-même, et celles de toutes les institutions réunies pour une célébration solennelle.

Le calendrier du corps de ville a surtout une occasion solennelle où la parole joue un rôle important: le renouvellement des officiers, quels que soient son mode et sa périodicité. Les cérémonies observées à cette occasion peuvent varier, mais elles comprennent le plus souvent un certain nombre de discours. Ces discours sont de plusieurs sortes. On peut

---

[3] Le recueil fut publié en 1699, sous le titre *Discours et harangues de M. Hébert* (Soissons: Hanisset, 1699). Le discours prononcé à la sortie de sa charge de maire en 1676, et envoyé comme tribut par l'Académie de Soissons à l'Académie française, fut publié sous le titre: *Discours de Monsieur Hébert, tresorier de France, de l'Academie de Soissons: prononcé en sortant de la charge de maire, aux nouveaux maire et eschevins: le XXXI juillet M.DC.LXXVI. Envoyé à Messieurs de l'Academie Françoise* (Soissons: Louis Mauroy, 1677). Sur Hébert, coir *supra*, ch. II, en particulier p. 216-217 et, à propos de ce dernier discours, p. 296.

[4] Lecesne, *Histoire d'Arras*, t. 2, p. 345.

citer, à titre d'exemple, le discours qu'Hébert prononça en quittant sa charge de maire, à Soissons, et que l'on pourrait qualifier de discours de passation de pouvoirs. Les nouveaux magistrats ne restent pas non plus silencieux à l'entrée de leur magistrature municipale. Hébert lui-même a prononcé deux discours d'entrée en charge, et l'on voit, dans le cérémonial de la ville de Lyon, que les nouveaux échevins font rituellement un discours lorsqu'ils viennent prendre place au Consulat:

> Apres le retour dud<it> s<ieu>r procureur g<éné>ral et des deux autres officiers prin<cip>aux. [ils viennent de reconduire les magistrats sortants]. Les nouveaux Magistrats qui ont pris leurs places font chacun leur compliment d'entrée au consulat auquel il est respondu par le premier de ceux qui commencent leur seconde année, et incontinant apres l'une des clefs des archiues qui estoit entre les mains du Preuost des marchans qui vient de sortir de charge est deposée en celle du nouueau[5].

Ces discours sont clairement intégrés dans une série de gestes eux-mêmes codifiés. Gestes et discours ponctuent rituellement la sortie de charge et l'entrée en fonction des membres du corps de ville.

La cérémonie peut d'ailleurs se faire en plusieurs temps, comme c'est le cas à Paris, puisque, outre les discours prononcés à l'occasion de l'élection des nouveaux échevins et, tous les deux ans, du prévôt des marchands (souvent continué plusieurs fois, sur ordre du Roi), il faut encore aller à Versailles présenter le scrutin au Roi. C'est alors que les nouveaux élus prêtent serment entre les mains de Sa Majesté. Le premier scrutateur, qui présente les nouveaux élus au Roi, prononce à ce sujet un discours de présentation, sorte de compliment où il vient assurer le Roi de la soumission et du dévouement des nouveaux échevins et de leur désir de s'acquitter de leur tâche au mieux de leur capacité.

On peut assimiler à la réception de nouveaux magistrats municipaux l'entrée en charge dans des compagnies qui participent à l'administration de la ville. Ainsi, le Roi ayant créé des charges de premiers présidents pour le bureau des finances, celle de Paris est occupée par le président Pinon de Villemain. Il est reçu le 22 juin 1691, et, après avoir prêté serment, il prononce un discours, assimilable aux discours d'entrée en charge, bien que la charge soit nouvelle[6].

Les élections et entrées en charges sont parfois liées à d'autres occasions de cérémonies. De façon caractéristique, la publication des nouveaux magistrats se fait, à Lyon, le jour de la fête de la ville, comme l'indique le cérémonial auquel j'ai fait référence, et dont le chapitre II a

---

5 *Cérémonial public*, Méjanes ms 686, f°. 18 r°.

6 *Mercure*, juillet 1691, p. 18 sq.

précisément pour titre: «Ceremonies de l'oraison doctoralle et de la publication des noueaux Magistrats qui se font le jour de St. Thomas feste de la Ville.» J'aurai l'occasion de revenir sur ce discours prononcé le jour de la fête de la ville. Je noterai seulement qu'il s'agit d'un discours «commandité» par la municipalité, mais qui n'est pas prononcé par l'un de ses membres, comme le texte du cérémonial l'indique, lorsqu'il mentionne «l'aduocat ou Orateur lyonnois»[7]. C'est au cours de cette cérémonie que les nouveaux magistrats sont proclamés. Ce n'est donc pas seulement par des discours que ses membres prononcent que le corps de ville joue un rôle important dans la production de l'éloquence d'apparat. Il peut être à l'origine d'une pratique oratoire dont s'acquitte un individu – ici un avocat ou un «orateur lyonnois» – ou une autre institution. A Paris, le Corps de Ville passe un contrat avec l'Université, en 1684. Celle-ci désignera un orateur en son sein pour prononcer le panégyrique de Louis le Grand, tous les ans, le 25 mai. En contrepartie la municipalité parisienne s'engage à verser une somme d'argent et à assister ponctuellement à la cérémonie. Capitale du Royaume, Paris marque son attachement et son amour pour le Roi en fondant une cérémonie où l'éloquence joue le rôle essentiel[8]. Le premier discours prononcé sous ce contrat en 1685 est une affaire d'importance et le public qui s'y trouve est aussi divers qu'éclatant. L'apparat s'y étale dans toute sa solennité. Outre de nombreux prélats, parmi lesquels l'évêque de Meaux, l'archevêque de Paris, l'évêque de Troyes, celui du Mans (Louis de La Vergne de Montenard de Tressan), on trouve des généraux d'ordres, des présidents, des conseillers d'État, des membres du Parlement parmi lesquels le Procureur Général, les Avocats Généraux, le Corps de Ville, en habits de cérémonie en satin, qui s'y sont rendus avec un cortège de carrosses[9]. Le discours, comme il est normal, étant donné l'institution dans laquelle il est prononcé, est en latin.

Les cérémonies que je viens d'évoquer sont des événements qui reviennent à date fixe dans le calendrier rituel de la municipalité ou qui s'intègrent au fonctionnement institutionnel du corps de ville. Le panégyrique du Roi fondé par la municipalité de Paris, pour être prononcé tous les ans par l'Université, rappelle que, à l'intérieur de la ville, les rapports entre les institutions sont fondamentaux, ce que les analyses de cérémonies académiques et parlementaires provinciales avaient déjà mis en lumière. L'éloquence d'apparat manifeste le caractère essentiel de l'appartenance des individus à des corps (métiers, congrégations reli-

[7] *Cérémonial public*, f° 8 r°.

[8] Sur ce point, voir le *Mercure*, août 1684, p. 266 sq.

[9] *Mercure*, mai 1685, p. 278 sq.

gieuses, institutions professionnelles ou sociétés plus ou moins officielles comme les académies). Dans le cadre de la ville, les célébrations passent par ces corps, ces compagnies, ces académies, qui sont pour l'individu autant de moyens de s'inscrire dans le groupe social. S'agit-il de se réjouir de la guérison du Roi? Chaque institution, chaque corps fait chanter un *Te Deum* dans une église décorée brillamment, selon les moyens de la compagnie. La paix, les mariages, les deuils, toutes les célébrations publiques font intervenir ces corps qui rattachent l'individu au tissu social.

*Te Deum*, feu de joie, décorations et illuminations accompagnent généralement les fêtes publiques. Les institutions organisent en outre dans le cadre de leur cérémonial une célébration solennelle: publication de la paix dans les présidiaux, séances publiques des Académies, pour la naissance du duc de Bourgogne ou pour toute autre occasion. Mais il est un certain nombre d'événements qui réunissent tous ces corps, toutes ces compagnies, sous le signe de l'éloquence. Lorsqu'un grand personnage, qu'il s'agisse du Roi, d'un membre de la famille royale ou d'un haut dignitaire (Colbert, l'intendant de la généralité, etc.), passe par une ville, il est harangué par tous les groupes institutionnels. Certaines cérémonies entraînent des décorations et des réjouissances si onéreuses pour les villes que, plus d'une fois, le Roi a refusé l'entrée solennelle qu'une ville lui préparait. L'entrée comportait souvent plusieurs occasions de harangues: au moment où on allait à la rencontre de la personne qui arrivait, à une certaine distance de la ville, et lorsqu'elle y était entrée, voire lorsqu'elle s'était installée. Certains voyages sont ainsi scandés de réceptions solennelles et de harangues, comme c'est le cas lors de l'arrivée en France de la princesse de Savoie, qui fut traitée, sur les ordres du Roi, avec tous les égards dus à la duchesse de Bourgogne, même avant son mariage. Le *Mercure* donne un compte rendu de sa marche, avec les points où elle s'arrête, mentionne les compliments et publie, à l'occasion le texte des harangues, comme celles qui furent prononcées à son passage à Lyon[10].

Il existe un autre type d'entrée solennelle: celle d'un personnage important qui vient remplir sa fonction. L'arrivée d'un évêque dans son diocèse est ainsi jalonnée de réceptions où tous les corps de la ville se rassemblent pour accueillir celui qui a la charge de conduire les âmes. Les harangues se multiplient, mais les cérémonies les plus importantes se tiennent, tout naturellement, au lieu où l'évêque a son palais et son église cathédrale. Ainsi, lorsque le nouvel évêque de Chalons arrive en 1696 dans son diocèse, où il succède à son frère, nommé archevêque de

---

[10] Novembre 1696, p. 234.

Paris, il est harangué par les corps[11]. Mais il reçoit aussi des compliments lorsqu'il passe à Vitry-le-François[12]. Les évêques sont d'ailleurs également harangués à leur retour dans le diocèse après une absence. L'archevêque de Lyon reçoit les compliments de tous les corps à son retour de la Cour, tous les ans. Lorsque Noailles, évêque de Châlons, nommé à l'archevêché de Paris, retourne à Châlons en attendant ses bulles, tous les corps viennent le complimenter à son arrivée au palais épiscopal[13].

Les compliments et les harangues (le nom qu'on leur donne varie selon la solennité et l'élaboration du discours, le compliment est généralement plus familier; mais les deux termes sont souvent synonymes) rappellent ce que nous avons vu à propos des institutions qui envoyaient une députation au Roi ou à un grand pour le complimenter sur un événement qui le touchait ou qui touchait tout le Royaume (victoire, paix, mariage, naissance, mort dans la famille royale). Mais, alors que les députations se succèdaient à l'audience, où elles allaient trouver le Roi ou le haut dignitaire qu'elles voulaient haranguer, dans le cas des cérémonies comme les entrées, c'est toute la ville qui accueille le dignitaire qui arrive. La succession des compliments est, certes, liée à la hiérarchie des corps, mais ils sont tous présents dans la communauté: l'événement les rassemble.

Les rassemblements de foule auxquels le *Mercure* fait souvent allusion contribuent à l'impression d'unité de la ville dans la célébration. Il faut toutefois garder en mémoire que la présence aux réjouissances publiques peut se définir, dans une certaine mesure, comme une obligation: comme celles qui accompagnent la signature de la paix, les grandes fêtes sont chômées – ce qui n'est pas toujours du goût des habitants des grandes villes dont l'activité est déjà perturbée par un grand nombre de jours chômés dans l'année.

Cependant, si les individus peuvent rechigner devant le manque à gagner que constitue un jour chômé, et si les villes s'engagent parfois dans des dépenses considérables pour les réjouissances publiques, les municipalités ou certaines institutions peuvent avoir un certain intérêt dans ces cérémonies. Celles-ci sont en effet souvent l'occasion de faire réaffirmer des privilèges et des franchises. Lorsque Bossuet arrive dans son diocèse, il reçoit d'abord des compliments de toutes les institutions de la ville, puis va prendre possession de son église. Il est conduit au portail de la cathédrale:

---

[11] *Mercure*, juillet 1696, p. 38 sq.

[12] Décembre 1696, p. 54 sq.

[13] *Mercure*, septembre 1695, p. 23 sq.

> ce fut là qu'il fit le Serment accoûtumé pour la conservation des droits, immunitez, & franchises du Chapitre[14].

Le serment que prononcent les nouveaux magistrats de la municipalité parisienne comporte de la même manière la mention:

> et garderez les droits, franchises, juridiction et libertés de ladite prévôté et les privileges et ordonnances de tout votre pouvoir[15].

D'ailleurs, l'existence d'institutions municipales peut être considérée comme une grâce faite à certaines villes. C'est ce qui apparaît dans le cas du rétablissement d'un corps de ville à La Rochelle (pour remplacer celui qui a été supprimé en 1628) et de l'établissement d'un bureau des finances. Le discours par lequel l'intendant de la généralité de La Rochelle répond à l'avocat du Roy du Bureau des Finances le marque bien:

> Il s'étendit particulierement sur la gloire du regne present, & sur le bonheur des Habitants de La Rochelle, à qui le Roy donnoit en cette occasion des preuves si sensibles de son affection, voulant bien leur marquer par là combien il estoit satisfait de leur fidelité, que la posterité parleroit avec admiration de la bonté que cet Auguste Monarque avoit eue d'oublier pour jamais la desobeissance de leurs Peres, en les retablissant dans leur ancien lustre & dans leurs privileges, ce qui devoit les engager de plus en plus à donner de veritables preuves de leur attachement à son service[16].

Rassemblement de toute la population et des institutions locales, les grandes cérémonies sont également des occasions pour les villes ou pour les différents corps d'affirmer leurs privilèges et leurs particularités.

## 3. L'éloquence dans les cérémonies municipales: un discours codifié

Par le terme «codifié», j'entends que le discours répond à certaines exigences formulées par avance et auxquelles il doit se plier. Les contraintes qui pèsent sur l'orateur sont de plusieurs ordres, et peuvent être exprimées plus ou moins explicitement. Le discours tient une place délimitée dans les cérémonies dont il constitue une partie intégrante. L'exemple du cérémonial de Lyon, auquel j'ai déjà fait allusion plusieurs fois, est très révélateur. A propos de l'oraison doctorale, discours prononcé le jour de la fête de la ville et qui est l'occasion d'une grande

---

14 *Mercure*, mars 1682, p. 41.

15 Marion, *Dictionnaire des institutions de la France aux XVII^e^ et XVIII^e^ siècles*, p. 419.

16 *Mercure*, juin 1695, p. 95-97.

solennité, on voit que les orateurs doivent se soumettre à un véritable contrôle de «bienséance»:

> Quelques jours auant cette feste l'aduocat ou Orateur Lyonnois qui doit faire le discours communement appellé l'oraison doctoralle le communique aus<ieu>r Procureur g<éné>ral de lad<ite> ville afin qu'il uoye s'il est dans l'ordre qui doit estre et en des termes conuenans au respect deu au Roy, Aux Seigneurs et aux corps qui sont apostrophez et en un mot s'il n'y a rien qui le rende indigne d'estre prononcé en public, et mesme d'estre presenté (comme il est ensuitte) au seigneur gouuerneur, ou lieutenant de Roy en son absence auquell efet il est pareillem.t communiqué à M$^{r}$ le Preuost des marchans[17].

J'aurai l'occasion d'analyser en détail les implications du terme «conuenans», qui s'applique ici surtout, semble-t-il, à une forme de bienséance et de respect hiérarchique des dignités. L'expression «l'ordre qui doit estre» suggère des attentes précises et des contraintes sur le discours. D'ailleurs, la censure exercée par le gouverneur et le prévôt des marchands souligne l'obligation de tenir compte par avance d'exigences dont l'examen des lecteurs vigilants déterminera si elles ont été respectées. Le discours doit obtenir l'estampille des représentants du Roi et des magistrats municipaux.

Mais ce n'est pas seulement d'un discours «sous contrôle» qu'il s'agit. Ce que j'ai appelé la codification du discours apparaît dans l'alternance réglée du latin et du français dans le discours. Peut-être le latin a-t-il pour fonction de marquer la solennité, tandis que le français correspondrait à une concession à la réalité quotidienne. Toujours est-il que l'emploi de la langue vulgaire et de la langue savante est fixé selon le moment du discours:

> Estant monté dans la chaire qui luy est destinée il expose le sujet de son discours en langue latine, apostrophant separement les seigneurs et Corps qui composent l'assemblée, mesme le Chef du pre<sidi>al (quand il y en a un autre qu'un Con<seill>er et led<it> s<ieu>r Preuost des marchands.
>
> Le Corps de son discours est en françois et finit par des harangues appliquées au sujet et adressées a tous les susd<its> seigneurs et Corps en commenceant par leurs chefs a l'esgard du prelat et du Consulat dans le mesme ordre et auec la mesme distinction, ce qu'il ne feroit point si le pre<sidi>al estoit sans chef et si le Preuost des marchans estoit absent[18].

Le discours est, on le voit, coulé dans un moule relativement étroit: la structure générale et la langue à employer dans les différentes parties

---

17 *Cérémonial*, f° 8 v°.

18 *Ibid.*, f° 11 r°-v°.

sont des éléments imposés d'avance. La marge de manœuvre de l'orateur est ainsi nettement délimitée, parce que la place du discours dans le cérémonial est fixée comme les autres éléments. La pratique oratoire accompagne un cérémonial dont elle est une composante et qui lui impose une place bien précise, marquée localement par une topographie symbolique dans laquelle le lieu de la parole n'est qu'un centre d'intérêt parmi d'autres:

> Au bas de la chaire de l'orateur est une table couuerte d'un tapis de Turquie entre laquelle et lad<ite> chaire est le banc des Sieurs. Procureur g<éné>ral, Secretaire, et Receveur de lad<ite> Ville pareillement tapissé, ces deux derniers a la gauche du procureur g<é>n<ér>al, et sur cette table est Etalé le syndicat dans une grande feuille de parchemin, c'est a dire l'acte de la procuration publique enuironnée des seaux et cachets des Terriers et m<essir>es des mestiers qui ont donné leurs suffrages aux Preuost des marchands ou Escheuins nouueaux, ces cachets et seaux sont attachez aud<it> parchemin[19].

Le tapis de Turquie, élément présent par exemple dans les cérémonies publiques de l'Académie de Villefranche, indique la magnificence. La place des différents participants est marquée et, ici encore, les cérémonies académiques viennent tout naturellement à l'esprit. On comprend que la place qu'elles faisaient aux institutions locales est un fait perceptible dans toute cérémonie provinciale, comme il l'est d'ailleurs dans les grandes célébrations parisiennes: l'Académie française donne à ses séances publiques un aspect moins institutionnel et plus individuel, alors que les académies de province ont tendance à s'inscrire dans le cadre institutionnel général. La présence du parchemin, bien en évidence sur la table richement tapissée rappelle les soutenances solennelles où la thèse, richement imprimée sur du satin, trônait sur un fauteuil luxueusement tapissé[20].

Comme la chaire avoisine la table où trône le parchemin, le discours est un élément parmi d'autres de la cérémonie. Sa place est marquée et ses caractéristiques précisées par avance. La coutume a ici force de loi: elle contraint l'orateur à respecter les caractéristiques canoniques du discours. L'orateur est nommé pour accomplir une fonction et il s'en acquitte en respectant «l'ordre qui doit estre». Sa nomination même est caractéristique de la fonction d'apparat. Dans le cadre municipal, on peut définir, trait caractéristique de l'éloquence d'apparat, une obligation oratoire, que les orateurs accomplissent en la reconnaissant.

---

[19] F° 11 r°.

[20] Pour un exemple de décoration à l'occasion d'une thèse voir *supra*, chap. II, p. 201.

## II. – FONCTIONS MUNICIPALES ET DEVOIR ORATOIRE

L'exemple précédent marque clairement les contraintes qui pèsent sur les orateurs. Le discours est confié à un orateur qui doit s'acquitter de sa commission oratoire. Le cas du panégyrique du Roi prononcé tous les ans par l'Université de Paris est encore plus révélateur, puisqu'il y a réellement, dans ce cas, contrat entre deux institutions. L'impératif oratoire est le plus souvent présenté comme un devoir.

Je voudrais explorer ici les implications de cette notion de devoir oratoire telle qu'elle est formulée dans les manifestations de l'éloquence civique. Pour cela, j'étudierai les fonctions des harangues dans l'exercice des charges municipales avant d'analyser les discours prononcés lors de l'installation de nouveaux magistrats pour examiner finalement la manière dont la célébration royale marque la coïncidence du devoir oratoire et de l'initiative individuelle.

### 1. Discours et exercice des charges municipales

Les magistrats municipaux, comme tous ceux qui exercent des charges plus ou moins importantes, doivent, avec une fréquence variable, prononcer des discours. Lorsque Gaichiès, théologal de Soissons, écrit à Bosquillon à propos de la mort de Nicolas Hébert, il fait l'éloge des discours de ce dernier en des termes qui montrent la réalité de l'impératif oratoire:

> Son nom paroissoit, il y a longtemps à la teste d'une pièce d'éloquence qui est dans le recueil de l'Académie françoise. Mais depuis l'on a vu ce même nom avec des discours et des harangues qu'il fit imprimer, il y a environ cinq ans. Ce sont des modèles bien utiles à tous ceux que leurs emplois engagent à porter en cérémonie la parole aux grands[21].

En soulignant l'utilité du recueil pour ceux qui ont besoin de parler aux Grands dans des cérémonies, ce qui était également la ligne d'éloge que le *Mercure* avait choisie, Gaichiès marque du même coup l'importance de cette pratique. Elle est liée directement à la structure sociale. Les harangues consacrent l'organisation de la vie municipale et des rapports hiérarchiques de la société locale et nationale. En accueillant un grand personnage, on rend honneur à sa dignité et à son rang. On marque la soumission de la ville à ceux qui ont charge de la diriger. Si un person-

---

[21] «Lettre de l'abbé Gaichiès, théologal de Soissons à M. l'abbé Bosquillon, contenant l'éloge de M. Hébert, trésorier de France et académicien de Soissons, juin 1703». Bibl. municipale de Soissons, ms. Périn 4368.

nage important réside dans le voisinage, on reconnaît la grandeur de son rang en le haranguant en diverses occasions: lors de son départ, à son retour, ou pour un événement qui touche sa famille.

Si l'on comprend que la harangue correspond d'abord à un devoir oratoire, on doit conclure que la longueur du compliment n'est pas un critère pertinent pour l'évaluer du point de vue de sa fonction sociale. Ainsi, lorsque Lecesne évoque, dans son *Histoire d'Arras*, le passage du Roi dans cette ville en 1678, il souligne la briéveté relative du compliment qui lui est adressé et l'oppose à une tradition antérieure. Mais, en ne dégageant que la «distance» qui sépare le Roi de ses sujets, l'auteur néglige de remarquer que l'orateur s'est pourtant acquitté de son devoir comme il convenait:

> Leur briëveté [des compliments] indique assez la distance à laquelle le prince tenait ses peuples; ce n'est plus le temps où les Echevinages des Pays-Bas s'adressaient à leurs souverains avec la prolixité d'enfants parlant à leur père. «Sire, dit le Conseiller pensionnaire, parmy la joye que nous avons d'estre à couvert de nos ennemis par les surprenantes conquestes de vostre Majesté, nous venons, au nom du peuple, nous jetter à vos pieds pour luy renouveller les vœux de nostre obéissance et de nostre fidélité, et pour luy faire un sacrifice pur et volontaire de nos biens et de nos vies, comme estants de vostre Majesté les tres-humbles, très-obéissans et très-fidèles serviteurs et sujets». Et le Roy respondit aggréablement aussy en ces termes: «Je n'ay jamais doubté de la fidélité de mon peuple d'Arras, aussy il faut qu'il soit persuadé de mon affection et j'auray toujours soin de vous aultres dans les occasions[22].

Il est possible, en effet, de décrire l'évolution de la monarchie louisquatorzienne comme une mise à distance, que l'étude des fêtes royales suggère également[23]. Mais l'exemple est trop singulier pour tirer une conclusion générale. Le compliment est, par nature, un genre plutôt bref. De plus, la briéveté du discours du Conseiller pensionnaire peut faire un contraste remarquable avec la situation antérieure; mais elle n'est pas un trait général de la période: Hébert, maire de Soissons, fait au Roi allant à la guerre un compliment qui couvre quatre pages imprimées[24]. La réaction du Roi prouve que le compliment, malgré sa faible étendue, a rempli sa fonction. La source de Lecesne commente la réponse de Louis XIV de façon révélatrice: «Le Roy respondit aussy aggréablement en ces termes». «Aussy» suggère que le compliment luimême a été agréable. «Aggréablement» implique la satisfaction du Roi,

---

[22] Lecesne, *Histoire d'Arras*, p. 345.

[23] C'est l'une des directions de l'analyse de J.-M. Apostolidès, dans le *Roi-machine*, (Paris: Éd. de Minuit, 1981).

[24] *Discours et harangues...*, p. 32-36.

au double sens de plaisir et d'accord. Le Conseiller pensionnaire a dit ce qu'il fallait dire et son discours répond à ce qu'on attend. La prolixité passée marquerait, dans la logique de Lecesne, une plus grande familiarité, voire l'affection réelle des sujets pour leur souverain. Mais c'est au moins autant le devoir que le sentiment qui importe dans l'éloquence d'apparat. Et l'affection sincère compte moins que l'expression convenable du dévouement.

Cela ne signifie pas, naturellement, que la personnalité de l'orateur ne joue aucun rôle dans la forme que prennent les manifestations oratoires. Certains magistrats sont plus orateurs que d'autres. Certains vont au-delà du devoir. Un Hébert, qui affirme explicitement que l'éloquence est un devoir, est aussi l'un des plus avides de l'accomplir. Il a d'ailleurs plusieurs contextes pour ce faire, dans la mesure où il appartient à la fois à l'Académie de Soissons, au Bureau des Finances et à la municipalité. Le volume qu'il publie en 1699 crée un rapprochement fort intéressant entre deux compliments à l'évêque de Soissons. Le premier est prononcé au nom de la ville, le second au nom du Bureau des Finances. A lire le compliment «à Monseigneur l'évesque de Soissons» pour la ville, on est amené à envisager le discours comme la première tâche du nouveau maire, son premier devoir, et la nécessité de prononcer des harangues comme un attribut de sa fonction. L'exorde s'ouvre d'ailleurs sur la remarque suivante: «Voici le premier pas de nôtre magistrature, nous pouvons dire que c'en est aussi le plus beau jour»[25]. Une note marginale précise: «Ce discours est le premier que l'Autheur ait fait dans sa seconde magistrature». Mais la harangue qu'Hébert fait au même évêque de Soissons pour le Bureau des Finances montre que s'il respecte scrupuleusement le rituel en prenant la tête d'une députation qui va présenter ses respects au Prélat, il interprête le rituel au profit de l'éloquence. L'exorde est extrêmement direct:

> MONSEIGNEUR,
>
> Nous venons de la part du Bureau des Finances vous assurer de ses respects, & vous demander l'honneur de vôtre protection[26].

C'est, en fait, une formule quasi rituelle dans ces circonstances. Une note marginale indique que cette phrase est une formule figée et qu'elle constitue tout ce qu'on attend d'une députation: «Ordinairement on n'en dit pas d'avantage dans les Deputations». La phrase convention-

---

[25] *Ibid.*, p. 117.

[26] *Ibid.*, p. 121. Si le compliment a été prononcé avant 1685, comme il est vraisemblable, le destinataire serait à suivre la chronologie de Gams, dans son *Series episcoporum*, Charles de Bourbon. En 1692, c'est Fabio Brulart de Silleri (dont un texte figure dans *Réflexions de l'éloquence*, 1700) qui devient évêque de Soissons.

nelle est prononcée et le rituel, de ce fait, accompli. Mais l'orateur transforme l'élément auto-suffisant en procédé d'ouverture d'un discours plus étendu, en soulignant explicitement les sentiments de la compagnie, et implicitement l'intérêt qu'il porte à l'activité oratoire elle-même:

> Ce seroit peut-être assés pour satisfaire aux regles de la Députation. C'en est trop peu, MONSEIGNEUR, pour contenter le zele d'une compagnie qui vous honore parfaitement, & nous sommes trop pleins de ce que nous y venons d'entendre, pour nous priver du plaisir de vous le dire[27].

Et l'orateur se lance alors dans l'éloge du Prélat, comme s'il rapportait les propos échangés entre les membres du Bureau des Finances. La variante qu'Hébert élabore de la formule de députation montre que le devoir de porter la parole n'exige pas de longs discours. Mais Hébert, orateur chevronné, joue avec la formule rituelle et l'intègre dans une structure plus élaborée.

On voit ainsi que l'habitude de prononcer des discours et le goût pour cette activité interviennent dans leur élaboration. Mais si ces facteurs jouent au niveau des formes que prennent les manifestations d'éloquence, celles-ci n'en acquittent pas moins le devoir oratoire du magistrat municipal. Fondamentalement, comme je l'ai affirmé, les harangues consacrent l'organisation de la vie municipale et la hiérarchie sociale qu'elle implique. Les commentaires du *Mercure* sont toujours utiles pour évaluer les dimensions de l'éloquence civique. En 1678, lorsque le cardinal de Bonzi arrive à Montpellier pour présider les états-généraux de la province, le baron de Pezene, est choisi par les trésoriers de France du Bureau des Finances pour lui faire un compliment au nom de leur compagnie[28]. Donneau de Visé note que l'orateur s'attire l'applaudissement de tous et ajoute:

> M^r^ Daguesseau, Intendant de la Province, qui l'entendit, & qui est un des Hommes de France qui parle le mieux, dit en mesme temps à M^r^ le Cardinal de Bonzi, qu'il voudroit estre assuré de parler aussi juste le lendemain à l'ouverture des Etats. Il y fit pourtant un Discours inimitable[29].

Le passage présente deux éléments importants. En évoquant le discours d'ouverture des états-généraux que d'Aguesseau doit prononcer, il

---

27 *Ibid.* La remarque marginale justifie peut-être la brièveté du compliment évoqué par Lecesne, à propos du passage du Roi à Arras en 1678.

28 On retrouve, de cérémonie en cérémonie, des noms connus. C'est l'abbé de Pezene qui prononce en 1690 le panégyrique de saint Louis devant l'Académie française.

29 *Mercure*, décembre 1678, p. 169.

confirme le fait qu'à chaque fonction se rattachent des devoirs oratoires, que ce soit au niveau municipal ou au niveau de la province. L'occasion peut être plus ou moins éclatante: l'obligation du discours n'en est pas moins urgente. L'adjectif employé pour faire l'éloge du discours de Pezene implique par ailleurs que bien remplir son devoir, c'est parler «juste», c'est-à-dire faire un discours qui s'adapte parfaitement aux circonstances (l'occasion, l'orateur, le destinataire).

L'éloquence d'apparat correspond donc à un devoir oratoire inscrit dans des rituels. Les notables locaux ne sauraient se dispenser de ce devoir. Mais, dans certains cas, plusieurs codes rituels entrent en conflit, et les magistrats doivent inventer une stratégie pour accomplir leur devoir, dont ils ne se sentent pas quittes à peu de frais. L'anecdote suivante montre que, pour marquer leurs respects comme ils le doivent, les corps de ville ont parfois recours à ce qu'on pourrait appeler des compliments de substitution. Rassemblements de foule, décorations, discours: l'entrée de grands personnages dans une ville entraîne le plus souvent tout un cérémonial. Mais, lorsque la duchesse de Noailles, veuve du lieutenant de Roi de la province, entre à Aurillac avec son fils, alors évêque de Cahors, et sa fille, on a préparé une «entrée magnifique». Le *Mercure* d'octobre 1679 relate les efforts du premier consul, M. de La Carriere, pour offrir à la duchesse de Noailles une entrée digne d'elle. En cela, les habitants d'Aurillac cherchent à montrer qu'ils respectent le rituel et qu'ils sont prêts à traiter la Duchesse comme elle le mérite par sa position. Ils se réfèrent à ce qu'on pourrait appeler le code des entrées, qui donne les éléments qu'on doit mettre en œuvre à l'arrivée des grands et la règle de déroulement des cérémonies. Malheureusement, dans le cas présent, les exigences du rituel de l'entrée sont contrecarrées par un autre code: celui du veuvage, dont les règles, comprises au sens le plus strict par la Duchesse, vont à l'encontre de celles de l'entrée. Les préparatifs de l'entrée sont en cours

> quand cette Duchesse qui en eut avis en chemin, envoya prier M^rs de la Ville de ne point penser à un appareil qui s'accomodoit mal avec l'etat de Veuve. Il fallut s'accomoder à sa modestie[30].

Le terme «appareil» est un mot-clé pour les pratiques oratoires que j'analyse. Ce que la Duchesse refuse, c'est tout le contexte de l'éloquence d'apparat, que les membres de la municipalité doivent cependant mettre en œuvre pour s'acquitter de leur devoir oratoire. Il y a un conflit entre le veuvage et son code, d'une part, et l'appareil de l'entrée, d'autre part. Deux rituels sont en opposition. Pour reprendre le terme du

[30] Octobre 1679, 1^re partie, p. 34.

*Mercure*, ils ne *s'accommodent* pas. Or la justesse est, comme on vient de le voir, l'un des prérequis du discours d'apparat réussi. Qu'il s'agit bien d'un conflit entre deux rituels est confirmé par la critique que la Duchesse fait de la couleur verte du damas dont on a tendu son lit – on en fera dresser un de crépon noir, doublé de taffetas blanc, avec une crépine d'argent. Le conflit met en question l'éloquence, qui appartient à *l'appareil* des entrées:

> Elle persista à refuser encore l'honneur qu'on luy vouloit rendre par un compliment public, disant qu'une veuve estoit obligée de fuir ces sortes de choses, qui ne pouvoient que flater dangereusement la vanité. Ainsi tout ce que put obtenir ce premier consul, fut la permission de complimenter Mr de Cahors. Il s'en acquitta avec beaucoup de succés[31].

A la logique cérémonielle, la duchesse de Noailles oppose une logique éthico-religieuse. Sa ligne de conduite personnelle lui fait refuser les honneurs dus à son rang. Mais le Premier Consul cherche pourtant à s'acquitter de son devoir oratoire. Si le compliment qu'on adresse à une personnalité comporte son éloge, on est cependant amené, en général, à protéger sa modestie par des procédés rhétoriques divers, comme la prétérition. Le cas présent pousse le refus de l'éloge direct à son extrêmité: le destinataire refuse tout compliment – mais fonde son refus sur une exigence tout aussi codée que celle du rituel qui produit le compliment. Le compliment à l'évêque de Cahors, qui sera successivement évêque de Châlons et archevêque de Paris, est un bon compromis, dans la mesure où il permet aux deux exigences rituelles d'être satisfaites à la fois – puisqu'il autorise le compliment sans enfreindre le refus. La harangue à M. de Cahors sert d'ailleurs indirectement de compliment à la Duchesse, étant donné leur lien familial. Ironiquement, le refus du rituel de l'éloge donne naissance à un autre discours qui, dans la topique encômiastique traditionnelle, appartient à l'éloge de personne: on peut louer un personnage par sa descendance. D'ailleurs le refus de l'éloge lui-même donne à Donneau de Visé l'occasion de louer la piété de la Duchesse...

La persévérance de ce premier consul d'Aurillac illustre l'enthousiasme que certains mettaient à répondre à l'impératif oratoire. Les magistrats municipaux, comme tous ceux qui exercent une fonction administrative importante ou possèdent une charge à la tête d'un corps dans les provinces et les villes, comptent parmi leurs devoirs la production (composition et récitation) de discours. De la même manière que les habitants *doivent* participer aux cérémonies tout en manifestant leur

---

[31] *Ibid.*, p. 37-38.

joie ou leur affliction sincère, les orateurs combinent souvent le devoir oratoire et un goût pour la pratique de l'éloquence. Nicolas Hébert, à Soissons, illustre le type du magistrat municipal qui prenait très à cœur cet aspect de ses fonctions. L'appartenance multi-institutionnelle apparaît de plus en plus comme un facteur essentiel qui ajoute à l'exigence d'une position l'habitude que donne la pratique et la réputation qui suit la réussite. Le critère de l'appartenance à plusieurs institutions, et surtout à une académie, joue d'ailleurs un rôle dans le choix que le *Mercure* fait des textes qu'il publie. En 1680, relatant les députations faites à l'archevêque de Lyon, à son retour de Paris, le gazetier évoque le compliment de l'Académie de Villefranche. Puis il cite celui que fit Mignot de Bussy, lieutenant général du Bailliage de Beaujolais au nom du Bailliage:

> Quoy qu'il ait parlé pour le corps du Bailliage, comme il est un des Membres de cette Académie, vous ne serez pas fachée de voir tout ce qui en vient[32].

Donneau de Visé laisse donc entendre que les académiciens produisent toujours des pièces dignes d'intérêt. Même si les éloges que le *Mercure* distribue généreusement à maints orateurs prouvent que l'appartenance à une académie n'est pas une condition *nécessaire* à la production de discours qui satisfassent leur public et que le gazetier ne réserve pas son périodique aux seuls discours académiques, il semble que le titre d'académicien soit souvent un avantage indéniable, à tout le moins un critère de sélection. D'une manière plus générale, l'appartenance à plusieurs corps, étendant la notoriété, est également un puissant adjuvant à la publication.

L'éloquence d'apparat est un devoir du magistrat municipal, mais la perception de ce devoir est plus aiguë chez certains que chez d'autres. L'appartenance multi-institutionnelle favorise le développement de l'éloquence d'apparat et semble s'accompagner d'une prédilection particulière pour le discours. Si le titre d'académicien peut induire à supposer chez celui qui porte la parole une capacité, voire un talent d'éloquence hors du commun, il semble que les académiciens soient parmi les plus sensibles à leurs obligations oratoires. Ainsi Chalvet, assesseur de la ville de Marseille et académicien royal d'Arles, affirme la nécessité de la parole et l'impossibilité du silence, au cours de la délibération tenue à Marseille, à propos de la statue équestre du Roi que la municipalité veut ériger:

> ... je ne sçay si l'impatience où vous estes de conclure cette Deliberation solemnelle ... me permettra d'achever un discours que je consacre

---

32 Août 1680, p. 74.

pour vous & pour moy à la gloire immortelle de LOUIS LE GRAND dans une occasion où Marseille condamneroit un stupide, un lâche silence[33].

## 2. L'installation des magistrats

La passation des pouvoirs constitue un moment important pour la vie municipale. Magistrats sortants et nouveaux élus se rencontrent dans des cérémonies qui peuvent être extrêmement élaborées, comme les quelques fragments du cérémonial de Lyon que j'ai cités plus haut ont pu le faire pressentir. Si l'on n'a pas toujours conservé les discours prononcés dans ce type de cérémonie, les documents disponibles montrent qu'il était de règle que la passation des pouvoirs s'accompagnât d'un échange de discours, que les nouveaux élus fissent un compliment au corps qui les recevait, ou que les magistrats sortants adressassent à ceux qui entraient en charge un discours dont le caractère «didactique» n'empêche pas qu'on puisse, tant du fait du contexte cérémoniel que par la présence de certains éléments thématiques, les identifier comme des discours d'apparat.

On est d'autant plus en droit, pour de telles pratiques oratoires, de parler d'éloquence d'apparat, que l'installation des nouveaux magistrats et la passation des pouvoirs sont, le plus souvent, extrêmement ritualisées. Les institutions observent un cérémonial dont le déroulement est fixé. Les discours qui naissent dans un tel contexte sont donc de plein droit des manifestations d'éloquence d'apparat. L'examen d'un compte rendu de l'installation d'un nouveau maire à Brest, dans le *Mercure* de décembre 1678, qui annonce l'élection d'un nouveau maire et décrit les cérémonies habituellement observées pour une telle occasion, montrera très clairement ce que j'entends par des formes «ritualisées» de passation des pouvoirs.. Le caractère solennel et fixe du cérémonial permet de comprendre comment le discours qui accompagne la passation des pouvoirs s'intègre au rituel et relève, de ce fait, de l'éloquence d'apparat. La date choisie pour recevoir le nouveau maire est en elle-même remarquable, puisque la passation des pouvoirs coïncide avec le jour de l'an (l'élection ayant eu lieu le premier octobre). Le *Mercure* note: «La Cerémonie est assez particuliere»[34]. Mais, si les détails de cette solennité sont extrêmement spécifiques, on y reconnaît les éléments typiques du contexte de l'éloquence d'apparat (par exemple, les

---

[33] *Mercure*, février 1686, 2$^{e}$ partie, p. 32-33. À l'Académie française, Barbier d'Aucour dira, dans son «Discours sur le rétablissement de la santé du Roy»: «Tout est bon, hors le silence». (*Les Panégyriques du Roi*, p. 226).

[34] Décembre 1678, p. 179.

assistants portent leurs costumes de cérémonie, avec des ornements plus ou moins luxueux):

> Tous les Habitans sont sous les armes. On va prendre le Maire qui a fait son temps, & en suite celuy qu'on a nommé pour luy succéder. Ils ont l'un & l'autre une Soutane de soye, une robe de velours avec des manches pendantes, une Toque aussi de velours, un cordon d'or enrichy de Pierreries, & dans cet équipage, ils marchent suivis des Echevins, des Compagnies de milices, au son des Tambours, des Trompetes, & des Violons[35].

Le luxe s'étale ici comme signe du caractère solennel de l'occasion. Mais les cérémonies académiques nous ont déjà fourni l'occasion d'établir une distinction entre le luxe de la décoration et de la cérémonie en général, d'une part, et la spécificité de l'appareil mis en œuvre[36]. La suite de la cérémonie le montre très bien pour l'installation du maire de Brest. En effet, après une messe solennelle, le maire sortant fait à son successeur un discours, dont les circonstances, pour avoir les traits fixes d'un rituel, n'impliquent pas une décoration luxueuse. Si le luxe caractérise le costume, la solennisation du lieu tient à son usage spécifique et à sa disposition très singulière. Le discours accompagne des gestes particuliers et l'orateur et son destinataire respectent une tradition presque folklorique:

> Aprés une Messe qu'on celebre solennellement, on s'arreste dans une Place qui est devant le Portail de la principale Eglise. On y trouve une grande Pierre plate & ronde, au milieu de laquelle il y a un trou. Le nouveau Maire y met le talon, & en même temps celuy qui sort d'exercice, luy fait un discours pour luy faire connoistre la conséquence de sa Charge. Pendant qu'il luy parle, l'autre a toûjours le talon dans ce trou, & le bout du pied levé, & il ne l'en retire qu'aprés qu'il a presté le serment de fidelité pour le service du Roy, & pour le maintien des Privileges[37].

La situation de la pierre, sur la place devant le portail de la principale église, apporte un élément non négligeable: le parvis des églises est un lieu traditionnel de réunion, et il s'agit ici de l'église principale. Mais ce qu'il faut noter, c'est que la solennisation de l'endroit n'a rien à voir avec une décoration ajoutée, qui associerait luxe et représentations symboliques. Pourtant, dans cette disposition simple, la destination particulière de la pierre, ou en tout cas l'usage qui en est fait, confère à cet endroit une solennité confirmée par la marche réglée qui conduit les

---

[35] *Ibid.*, p. 179-180.

[36] Voir chap. II, p. 196, en particulier p. 204-205.

[37] *Mercure*, décembre 1678, p. 180-182.

habitants d'un lieu de cérémonie à l'autre. Le rassemblement des habitants ajoute d'ailleurs à ce caractère solennel. Le détail de la passation des pouvoirs peut paraître quelque peu excentrique. Mais il n'en illustre pas moins clairement le principe de solennisation des circonstances que j'ai défini dès l'analyse des pratiques oratoires académiques.

Le discours de passation des pouvoirs est une pratique, sinon constante, du moins extrêmement fréquente. Si le magistrat sortant ne prononce pas de discours, c'est celui qui entre en charge, ou encore un autre orateur du corps de ville; mais entrée en fonction et sortie d'exercice produisent, dans le transfert de dignité qu'elles impliquent, de l'éloquence. Il serait logique d'attendre des discours prononcés dans ces circonstances un fort didactisme éthique, lorsque le magistrat sortant met son successeur au fait des devoirs et des difficultés de sa charge. Dans le cas du discours d'entrée en charge, on s'attend plutôt à un éloge du corps qu'on joint et à une déclaration d'intentions. Un orateur qui n'entre pas en fonction et qui ne sort pas d'exercice pourra, à son gré, mêler conseils et éloges divers.

Je distinguerai, pour cette étude de la cérémonie de passation des pouvoirs et de ses prolongements, ce qui se fait à Paris de ce qui se fait en province. Il ne s'agit pas seulement de respecter une division que j'ai établie pour les autres institutions. On s'aperçoit, à examiner les documents disponibles, que la dimension éthique – l'exhortation à bien remplir son devoir – joue un rôle beaucoup plus important en province qu'à Paris. Il n'est pas impossible, naturellement, que le *Mercure*, source principale pour Paris, affaiblisse la part du «didactisme». Mais le fait que Paris, capitale du Royaume, est par excellence la ville du Roi introduit encore un trait distinctif.

### A. *Renouvellement des magistrats municipaux et passation des pouvoirs en province: l'exemple de Nicolas Hébert*

Si l'on ne possède pas une gamme très variée de discours d'entrée en charge ou de sortie d'exercice, qui permettraient de tirer des conclusions générales sur le genre que constituent ces discours, on dispose, avec les harangues de Nicolas Hébert, d'un échantillonnage qui permet d'élaborer quelques hypothèses. Dans ses *Discours et harangues* figure un texte intitulé «Second discours fait par l'autheur à l'Hôtel de Ville», qui est un discours de sortie de charge prononcé, si l'on en croit la note marginale, à la sortie de sa première magistrature[38]. L'indication

[38] *Discours et harangues de Monsieur Hébert...*, p. 170.

qui accompagne le «Troisième discours fait par l'autheur à l'Hôtel de Ville» identifie ce dernier discours comme celui qui fut prononcé au commencement de sa deuxième magistrature, aucun discours n'ayant été fait à la sortie de cette seconde magistrature: cette sortie aurait eu lieu «avant le temps, & sans cérémonie pour obeir à la Declaration du Roy, qui a créé les maires en titre d'office»[39]. Bien que ce nombre de deux magistratures soit confirmé par Gaichiès dans la lettre qu'il adresse à Bosquillon après la mort d'Hébert[40], on se trouve devant une difficulté dans la mesure où le tribut de l'Académie de Soissons à l'Académie française pour l'année 1676 n'est autre qu'un discours de sortie de charge prononcé le 31 juillet 1676 et publié l'année suivante sous le titre: DISCOURS || DE MONSIEUR HEBERT || THRESORIER DE FRANCE || DE || L'ACADEMIE DE SOISSONS: || EN SORTANT DE LA CHARGE DE MAIRE,|| AUX || nouveaux maire et eschevins; || LE XXXI. JUILLET M.DC.LXXVI.|| ENVOYE || A MESSIEURS || DE || L'ACADEMIE FRANCOISE[41]. Or, ce dernier discours, s'il présente bien de fortes similarités avec le discours imprimé dans le recueil de 1699, est cependant nettement différent. On doit peut-être supposer une troisième magistrature, entre celle qui aurait occasionné le discours de 1676 et celle qui figure dans le recueil. En l'absence de tout élément pour étayer cette hypothèse, on peut également avancer celle d'une ré-écriture du discours, soit pour le texte qui fut envoyé à l'Académie française, soit pour celui, plus tardif, du recueil de 1699, soit, étant donné les libertés prises par certains imprimeurs, pour les deux. Ne disposant pour le moment d'aucun argument concluant pour l'une ou l'autre hypothèse, je considèrerai les deux versions, toutes deux autorisées par la publication, comme deux textes de discours de sortie de charge, et je fonderai mes analyses sur les deux.

Les deux discours suivent à peu près la même disposition, qu'on peut schématiser ainsi:

Exorde: Qualité des nouveaux magistrats.
Modestie de l'orateur, qui affirme que son emploi était trop lourd pour lui.

Exhortation aux nouveaux magistrats: se tenir fermes à leurs devoirs. Partie didactique.

---

[39] *Ibid.*, p. 188. L'édit du Roi date de 1692. La seconde magistrature d'Hébert se situerait donc à cette période.

[40] Bibl. Munic. de Soissons, ms. Périn 4368.

[41] Louis Mauroy, 1677.

Transition: l'appel à l'obéissance est désintéressé, puisque l'orateur est redevenu un homme privé.
Il donnera l'exemple.

Éloge de Colbert: c'est l'exemple qui inspire à tous une bonne conduite.

Éloge du Roi: c'est lui qui anime tout le royaume.

La similitude de l'organisation générale n'empêche pas des différences de détail. Le texte envoyé à l'Académie française limite l'étendue des félicitations dans l'exorde, en insistant sur la valeur didactique et éthique du discours:

> Si nous sortons avec quelque joye d'un Employ que nous avons trouvé au dessus de nos forces, c'est avec beaucoup de plaisir que nous vous y voyons entrer, dans l'idée que nous nous formons des qualitez qui vous élevent au dessus de nous: mais, parce que nous estimons que ce Discours, aussi bien que tout ce qui dépend de cet Employ, se doit referer tout entier à l'utilité publique, nous nous croyons obligez d'en retrancher les vaines congratulations qu'un mauvais usage a pû introduire dans ces rencontres, & d'en bannir les loüanges que vous attireront, sans doute, en d'autres occasions, vostre equité, vostre fermeté, vos lumíeres[42].

Il faut remarquer ici l'allusion à l'usage, qui implique qu'il s'agit bien d'un discours rituel, qui est répété dans les mêmes circonstances à chaque changement de magistrats municipaux. En second lieu, je noterai la tendance relevée par l'orateur à faire du discours de passation des pouvoirs un discours de pures félicitations, sans fin éthique authentique. Enfin, l'orateur insiste, par opposition, sur son désir d'aller à contre-courant de cette tendance.

Le discours publié dans le recueil de 1699 insiste beaucoup plus sur les effets de l'élection des nouveaux magistrats. L'orateur fait référence au nombre des assistants et à la joie que l'élection a provoquée. Il évoque la

> foule de gens de toute condition qui viennent ici pour honorer cette ceremonie; ce bruit confus d'acclamations & de loüanges marqu[a]nt assez combien toute la Ville s'applaudit de vôtre élection[43].

Tout l'exorde est placé sous le signe de la joie, et le lexique qui se rapporte à ce sentiment apparaît de façon extrêmement répétitive dans les lignes qui suivent. Même l'antithèse entre la capacité des nouveaux

---

[42] *Discours... prononcé en sortant de la charge de maire*, p. 3-4.

[43] *Discours et harangues...*, p. 170-171.

magistrats et l'insuffisance de l'orateur permet dans cette version la répétition du verbe «se réjoüir»:

> Nous nous réjoüissons de vous voir entrer dans la Magistrature, & nous nous réjoüissons d'en sortir, parce que nous connoissons vôtre capacité, & que nous sommes convaincus de nôtre insuffisance . . . vous venés, MESSIEURS, reparer nos fautes, vous venés suppléer à nôtre impuissance. Tout pleins d'ardeur pour l'interêt des Peuples, avec toutes les qualités necessaires pour les bien conduire, vous venés sans doute vous livrer tout entiers aux peines, & aux fatigues qui doivent accompagner vôtre ministere. Voila le sujet de nôtre joye. Voila ce qui fait cette allégresse[44].

Cet exorde est rendu pathétique par les multiples répétitions: répétitions anaphoriques, avec la formule «vous venés . . . vous venés», reprise une seconde fois au milieu de la phrase suivante («Tout pleins . . . vous venés sans doute . . .»); antithèse et répétition lexicale, lancées par la première phrase («Nous nous réjoüissons . . ., & nous nous réjoüissons»). Les deux dernières phrases du passage sont pratiquement pléonastiques, à l'exception du démonstratif qui généralise à toute l'assistance le sentiment qui a d'abord été constaté pour les anciens magistrats («nôtre joye»).

Le discours envoyé à l'Académie française est beaucoup plus avare en expressions d'allégresse et présente dès son point de départ une orientation plus éthique. S'il s'agit de deux versions d'un même discours, on voit que l'image que l'orateur veut donner de l'institution municipale comporte une composante éthique très forte. Mais le point de vue didactique est mis en lumière dans les deux discours; il domine apparemment jusqu'aux éloges de Colbert et du Roi. Cependant, dans le second discours, l'orateur insiste sur l'allégresse populaire et sur sa propre joie avant de s'engager dans les conseils qu'il donne à ses successeurs. Cette dimension «didactique» et l'insistance sur la notion de «ministère» rapprochent la présentation de la fonction municipale de celle que les discours parlementaires font de la magistrature judiciaire. Le rapprochement des trois termes «peines», «fatigues» et «ministere» montre la parenté qui existe entre toutes les institutions qui se dévouent, officiellement du moins, à «l'intérêt d'autrui» (c'est le titre d'une ouverture conservée dans le manuscrit de Joly de Fleury que j'ai souvent utilisé au chapitre III).

C'est dès l'exorde que Nicolas Hébert définissait, en 1676, la visée didactique du discours qui devait se «referer tout entier à l'utilité publique». Cette affirmation est développée par une comparaison:

---

[44] *Ibid.*, p. 172-173.

> C'est pourquoy nous fermerons aujourd'huy les yeux sur ces qualitez [celles des nouveaux magistrats], pour vous regarder seulement comme nos Successeurs; & nous prendrons la liberté de vous parler de la maniere dont on parle à de nou<v>eaux Pilottes, qui s'embarquant sur une Mer qui leur est inconnuë ont besoin qu'on leur marque les écueils qu'il y faut éviter, & la route qu'il y faut tenir.
>
> Usant donc du droit que nous donne un peu d'experience, nous prendrons la liberté de vous dire qu'en entrant icy, MESSIEURS, vous devez considerer . . .[45]

Dans l'autre discours, au contraire, c'est en conclusion de la première partie qu'on peut lire: «Nous sommes persuadés que ces considérations feront sur vous leur effet»[46]. L'effet espéré donne pour but au discours une instruction. On sait que, dans la pratique, les maires n'exerçaient pas toujours leurs fonctions au mieux des intérêts de la ville. Il s'agissait souvent pour une oligarchie de la fortune de se partager une charge qui ne bénéficiait guère à la communauté. Un tel commentaire est, certes, trop général, et mériterait d'être nuancé localement; mais je cherche simplement à montrer qu'une instruction des magistrats n'aurait pas été superflue... D'une manière générale, les deux discours amplifient un même matériel de base. Par exemple, s'adressant aux représentants du peuple de la ville, dans les deux discours, Hébert les invite à obéir à ceux qu'ils ont nommés. En 1676, au milieu d'exhortations répétées à l'obéissance, le maire sortant s'exclame:

> . . . obéissez leur, honnorez-les puisque vous les avez mis à vostre teste, faites-les dignes de vostre respect, dignes de vostre obeïssance[47].

Même conseil, formulé avec une répétition lexicale, dans la version publiée en 1699: «C'est vous qui les nommés, n'en nommés point qui ne soient dignes de cette soûmission & de vos repects»[48]. Les deux versions invitent à obéir aux magistrats, même si on les a mal choisis. Le discours ne se limite pas, on le voit, aux exhortations à ceux qui succèdent à l'orateur: il s'adresse aussi aux administrés pour leur apprendre leur devoir. On trouve d'ailleurs à ce propos des formulations très voisines, qui pourraient soutenir la thèse qui fait des deux textes deux variantes d'un même discours. On lit, dans le texte de 1699: «Joignés l'amour au respect & à l'obeïssance, mais un amour désintéressé. . .»[49] L'autre discours présente une version qui donne l'impression d'une amplification:

[45] *Discours* (1676), p. 4.

[46] *Discours et harangues*, p. 175.

[47] *Discours* (1676), p. 16.

[48] *Discours et harangues*, p. 179.

[49] *Ibid.*, p. 180.

> Joignez au respect & à l'obeïssance la crainte & l'amour, non pas cet amour defectueux & interessé, qui n'a pour fondement que l'esperance des bienfaits & des graces, non pas cette crainte servile qui n'est produite que par l'apprehension des punitions & des peines, mais ce pur, ce noble, ce parfait amour que forme sans mélange aucun d'interest la reconnoissance & la generosité: mais cette crainte respectueuse, que la raison, le devoir & la tendresse inspirent[50].

Si la comparaison entre de tels passages suggère que les deux discours peuvent être considérés comme deux variantes d'un même texte, il peut très bien s'agir d'une élaboration que l'orateur fait sur un matériel dont il s'inspire. Cette pratique n'aurait rien d'étonnant étant donné toutes les formes d'allusions et de plagiats que nous avons déjà rencontrées. Mais les deux textes présentent certains écarts remarquables, en particulier l'insistance que le discours de 1676 met sur la définition de la gloire, point important puisque l'éloge du Roi qui met fin au discours est pour une large part une application au Monarque de ce qui a été établi au début. Par ailleurs, le «Second discours» (1699) procède à une division du peuple entre riches et pauvres, que l'orateur apostrophe successivement, ce qu'on ne trouve pas dans l'autre discours. Enfin, l'éloge du Roi qu'on trouve à la fin du «Second discours» fait une place à la jeunesse du Roi, sans que rien ne corresponde à ce développement en 1676.

Les passages identiques ou qui présentent de fortes analogies peuvent indiquer des constantes du discours de sortie de charge. Ainsi, lorsque l'orateur définit sa propre position pour montrer qu'il n'a pas d'intérêt dans les conseils qu'il donne au peuple, les deux passages sont situés au même point du discours, et les termes employés sont suffisamment proches pour donner l'impression d'un passage obligé. Voici le texte de 1676:

> Ayez encore un coup cette circonspection pour vos Magistrats, respectez leur Caractere, executez leurs Ordres, craignez leur Puissance, aimez si vous le pouvez leurs Personnes, & soyez persuadez que delà dépend, & le bien de cette Ville, & l'avantage particulier de chacun de vous. Vous nous en devez croire d'autant plûtost que nous n'avons plus d'interest personnel à vous le persuader, nous ne sommes plus ceux qui doivent commander, nous voicy déja confondus dans la foulle de ceux qui doivent obeïr. Ainsi ce n'est plus pour nous que nous vous demandons toutes ces choses, c'est pour vous, MESSIEURS[51],

passage auquel correspond, dans le «Second discours», le morceau suivant, qui, après avoir divisé le peuple en riches et en pauvres, propose leur réunion:

---

50 *Discours* (1676), p. 16-17.

51 *Ibid.*, p. 17.

> Riches & Pauvres, unissés-vous les uns aux autres d'un amour réciproque; qu'il n'y ait entre vous d'autre émulation que celle d'executer à l'envi les Reglemens & les Ordonnances. *De là dependent & le bien public, & l'avantage des particuliers.* De là dépend la félicité commune. *Vous nous en devéz d'autant plûtôt croire que nous n'avons plus d'interêt personnel à vous le persuader.* Nous sommes au bout de la Carriere. *Vous y entrez aujourd'hui, MESSIEURS, aujourd'hui la conduite de ces peuples vous est remise. (* marg.: Parlant à Messieurs les Maire & Eschevins.)[52]

Les phrases en italiques sont identiques, à de très légères variantes près. Mais la structure d'ensemble présente une forte analogie: d'abord une exhortation au peuple, puis la définition de la position de l'orateur, qui ramène au sujet de la cérémonie. Le «désintéressement» de l'orateur est ainsi un élément à la fois rhétorique, puisqu'il lui permet d'affirmer sa crédibilité, et topique, puisqu'il rappelle l'occasion du discours.

Aussi bien les textes d'Hébert que le type de discours décrit par le *Mercure* à propos de l'installation du nouveau maire de Brest suggèrent l'importance de la visée didactique apparente lors de la passation des pouvoirs. Cependant, le contexte matériel permet de rattacher ces discours, éléments d'un rituel, à l'éloquence d'apparat. Leur fonction ne saurait se limiter à l'instruction des nouveaux magistrats. Le caractère figé des éléments didactiques eux-mêmes laissen supposer qu'ils répondent à une attente et qu'ils valent autant pour cela que pour leur contenu instructif réel. Avertissement, conseil et éloge sont les composantes d'un ensemble au sein duquel ils comblent l'attente d'un public qui a appris à anticiper avertissement, conseil et éloge. La présence de la foule oblige d'ailleurs l'orateur à s'écarter de l'exposé des devoirs des magistrats. Il ne se limite pas non plus, en s'adressant au «peuple», à des exhortations sur l'obéissance qu'il doit à ses magistrats. Il propose aux deux auditoires réunis un discours apte à les satisfaire. On peut avancer l'hypothèse que, de meme que la solennisation des lieux atteignait un degré particulièrement élevé lorsqu'elle faisait intervenir la représentation du Roi, soit par la présence de son portrait, soit par ses devises, soit encore par des symboles (fleurs de lys), de même l'éloge du Roi, qui est apparu à plusieurs reprises comme un marqueur de l'apparat, conférait aux discours qui le mettaient en œuvre une solennité supplémentaire[53]. Les deux discours de sortie de charge se terminent sur un éloge de Louis XIV. Les péroraisons confirment l'intuition que, contrairement aux affirmations de l'orateur lui-même, le potentiel didactique ne domine pas l'ensemble du discours. Même sans citer ici tout le passage consa-

---

[52] *Discours et harangues*, p. 181-182 (mes italiques).

[53] C'est une hypothèse que tous les discours soutiennent.

cré aux louanges du Monarque dans le «Second discours», il est intéressant de voir en quels termes le maire sortant conclut, dans les deux cas, des textes où il prétend transmettre son expérience. En 1676:

> Ne nous engageons point, MESSIEURS, dans un Discours dont nous ne pourrions trouver la fin, qui demanderoit sans doute d'autres forces que les nostres; contentons nous de dire, que quelques grands, que quelques difficiles que soient les devoirs de la Puissance souveraine, il les remplit parfaitement, que tout trouve place dans cette grand'Ame, dans ce Cœur immense, que tous les talens, toutes les Vertus, toutes les perfections s'y trouvent & dans leur plus haut degré & dans toute leur étendüe, & qu'enfin, par le secours de ces perfections de ces Vertus & de ces talens, ce Prince s'est rendu le plus Grand des Rois[54].

Cette fin, que la répétition de la structure ternaire («tous les talens, toutes les Vertus, toutes les perfections», formulation reprise en chiasme par «le secours de ces perfections de ces Vertus & de ces talens») rapproche d'autres passages du même texte[55], peut être comparée à celle du «Second discours»:

> Il ne cherchoit que notre bonheur, & il a trouvé cette gloire immortelle dont il donne à tous les Princes de la Terre des leçons si éclatantes. Aujourd'hui, MESSIEURS, elle l'accompagne partout. Elle brille dans ses beaux, dans ses nobles, dans ses généreux sentimens; elle entre dans tous ses conseils, dans toutes ses deliberations, elle accourt dans l'execution de ses projets; elle le suit dans toutes ses demarches; & l'on peut dire que ce prince en nous rendant les plus heureux peuples de la terre, s'en est rendu le plus grand, & le plus glorieux Monarque[56].

En concluant sur la gloire du Roi, tout en reliant l'éloge royal au sujet du discours, Hébert rend impossible une interprétation qui mettrait le didactique au premier plan. Surtout, ces textes confirment l'importance

---

[54] P. 21.

[55] Par exemple, en parlant de l'autorité que la ville confère aux magistrats, l'orateur remarque:

> ... vous devez employer à sa conservation toutes vos lumieres, tous vos soins, tout vostre courage; Vous y devez employer premierement toutes vos lumieres, parce que pour la bien conserver il est necessaire de la bien connoistre. Appliquez-vous donc d'abord à estudier en quoy consistent vos fonctions; Acquerez-en, s'il se peut, une connoissance parfaite; Employez ensuite tous vos soins, servez-vous mesme, s'il est necessaire, de tout vostre courage pour vous y maintenir.

Après avoir répété plusieurs fois les termes *lumières, soins, courage*, Hébert utilise la même succession pour corriger sa recommandation:

> Employez encore un coup toutes vos lumieres, tous vos soins, tout vostre courage, mais que ce soit pour vous conserver un pouvoir legitime, & surtout que ce soit pour en bien user. (p. 10-11).

[56] *Discours et harangues*, p. 186-187. Comparer avec le discours de 1676, p. 20:

qu'on doit accorder à la présence de l'éloge du Roi dans le repérage de l'éloquence d'apparat.

Hébert publie également dans son volume de 1699 deux discours d'entrée en charge. L'existence de ces discours et le témoignage du Cérémonial de Lyon, qui indique que les magistrats entrants font un compliment auquel répond un de ceux qui entament leur deuxième année, tendent à prouver que les cérémonies municipales faisaient se succéder plusieurs orateurs. Une telle organisation rapproche les cérémonies d'installation des nouveaux magistrats municipaux des manifestatons solennelles d'autres institutions, qu'il s'agisse de la rentrée du Parlement de Paris ou des réceptions académiques. Les différences de détail tiennent à l'histoire et aux caractéristiques de chaque institution.

Les deux discours d'entrée en fonction sont respectivement intitulés «Premier discours fait par l'autheur à l'Hôtel de Ville» et «Troisième discours fait par l'autheur à l'Hôtel de Ville». Des notes marginales précisent, pour le premier: «A l'entrée de sa premiere magistrature», et, pour le second: «Au commencement de sa seconde magistrature». Ces deux textes présentent des ressemblances thématiques assez nettes, même si les convergences de détail sont moins frappantes (il est vrai qu'on peut ici affirmer avec certitude qu'il s'agit de deux discours différents, et non de deux versions d'un même discours). Le «Troisième discours» insiste sur les circonstances historiques dans lesquelles la cérémonie se situe: la guerre, spécifiquement ressentie à travers le problème du logement des troupes, occupe une place aussi large que les contributions financières. La question des logements n'apparaît pas dans le «Premier discours».

Comme les discours déjà analysés, les entrées en charge mettent en avant l'objectif didactique, mais, au lieu d'adresser ses exhortations à d'autres magistrats et au peuple, l'orateur dresse à sa propre intention une sorte de programme ou de ligne de conduite morale, tout en soulignant toujours la nécessité de l'obéissance des peuples. La technique rhétorique s'en trouve modifiée, puisque l'orateur ne saurait affirmer qu'il n'a aucun enjeu personnel dans les exhortations qu'il fait à son

---

Elle n'échappe [la gloire] jamais à nostre Monarque, parce qu'il ne s'égare jamais dans sa recherche, & il l'a si bien cherchée enfin, qu'il semble qu'elle le cherche elle-mesme. En effet, elle se trouve par tout où il se rencontre, en tous ses conseils, en toutes ses déliberations on l'a voit (*sic*) briller dans les beaux, dans les nobles, dans les justes sentimens de ce grand Roy; Elle accourt dans les executions de ces déliberations & de ces conseils; elle le suit dans tous ses pas, dans toutes ses démarches, & l'on peut dire en fin qu'elle l'accompagne toujours en quelque état, en quelque lieu que ce soit.

auditoire d'obéir aux décisions du Corps de Ville. Le discours d'entrée en charge reste ici plus nettement dans le champ du délibératif, et Hébert a recours à deux arguments majeurs: le premier fait intervenir l'intérêt même des administrés, le second relève d'un raisonnement d'essence juridique sur une forme de contrat implicite.

L'argument tiré de l'intérêt est lié, dans le «Premier discours», à l'éloge du Roi et au devoir de tout sujet:

> Nous devons tous au Roy l'obeïssance, & la fidelité. Rien ne peut nous dispenser de ces devoirs; Mais nous avons cet avantage qu'il nous est aisé d'y satisfaire; car enfin, pour executer les commandemens du plus juste des Rois, de celui de tous les Rois qui aime le plus parfaitement ses Sujets; faut-il quelque chose de plus que de la raison; ou plutôt ne suffit-il pas d'aimer ses propres intérêts[57].

Le «Troisième discours» montre bien la perméabilité du discours à l'actualité. L'orateur ne peut pas éviter les sujets qui touchent de près les habitants. Les logements de troupes fournissent un exemple de ce caractère. Il est clair que la situation générale s'est dégradée entre la première et la seconde magistrature d'Hébert. Dans son deuxième discours d'entrée en fonctions, le nouveau maire propose aux citoyens un changement d'attitude vis-à-vis des contributions financières et autres charges; c'est son remède aux souffrances populaires. Il affirme en substance qu'on a intérêt à ne pas percevoir les exigences des magistrats comme des maux qu'on subit, mais comme un effort commun nécessaire au bonheur public. Les citoyens pourront ainsi supporter plus aisément les contributions qu'on leur demande:

> Les fardeaux dont vous vous plaignés peuples, voulés-vous les rendre supportables, secondés-nous dans ce juste dessein; embrassés ces maximes salutaires. Le mal qui vous presse vient de ne les avoir pas suivies. Cessés de l'imputer à vos Magistrats.

Tout vient, dit encore l'orateur, de «vôtre imagination blessée: c'est une idée que l'envie y forme; que l'oisiveté, la paresse, & l'intemperance y entretiennent»[58]. Le magistrat «intéressé», puisque c'est lui qui a la conduite des affaires de la ville, donne ici à son discours un ton de censure.

L'argument tiré de la notion de contrat, ou de dette, s'exprime de façon simple dans le «Premier discours»: grâce à Louis XIV, on n'expose ni ses biens, ni sa liberté, ni sa vie, mais, s'il fallait le faire à nouveau, on le ferait, «après l'avoir vu s'exposer lui-même tant de fois pour

---

[57] *Discours et harangues*, p. 162-163.

[58] *Ibid.*, p. 190.

vous»[59]. Dans le «Troisième discours», l'orateur expose son argument en plusieurs étapes:

> ... les charges publiques vous deviendront legeres. Mais quand malgré toutes ces précautions, il faudroit se dépoüiller, il faudroit souffrir, en devrions-nous murmurer. Comme dans la tempête on décharge le vaisseau des marchandises de moindre valeur, pour sauver ce qu'il porte de plus précieux, ne donnerons-nous pas une partie de nos biens pour sauver nos libertés et nos vies?[60]

Le passage poursuit d'abord l'argument tiré de l'intérêt, mais il tourne finalement à ce qu'on doit au Roi. Aprés avoir affirmé: «vous contribués, MESSIEURS, & tous les François contribüent avec vous: mais quelle partie du Roïaume en reçoit plus d'utilité que cette Province» et proposé ainsi une sorte de dialectique de la mise et du gain qu'on en retire, Hébert dresse un tableau des villes ennemies désolées, pour conclure qu'on *doit* au Roi d'avoir évité un tel sort (et, encore un coup, la contribution devient une dette dont on s'acquitte):

> Voila leur triste sort, & selon nôtre situation, & ce qui nous paroissoit de la disposition des choses ne devoit-ce pas être le nôtre. L'horrible tempête qui s'est élevée contre la France, nous menaçoit particulierement; l'orage grondoit déja sur nos têtes, & il y seroit tombé sans doute, si LOUIS n'avoit prévû le coup[61].

Au moment où l'orateur développe les devoirs des citoyens et propose des arguments pour rendre son instruction efficace, on voit apparaître un élément qui sort de toute logique didactique, l'éloge du Roi, qui fonctionne si souvent comme un marqueur de l'éloquence d'apparat. Le «Premier discours», après avoir lié aux qualités du Roi l'obéissance et la fidélité qui lui sont dues, fait dériver de la sagesse et du bonheur de ses armes l'état de sécurité dans lequel se trouve le Royaume.

Le «Troisième discours» donne plus d'étendue à l'éloge royal, qui se double d'une présentation de la situation politique qu'on retrouve dans les discours qui émanent de toutes les institutions, et qui représente la version officielle de l'histoire: Louis XIV se repose sur la «foy des traités» jusqu'au moment où les manœuvres de ses ennemis ont rendu inévitable une guerre que le généreux monarque ne désirait pas, mais qui ne l'a pas pris au dépourvu:

> Pour lui, MESSIEURS, semblable à ces astres également nobles & bienfaisans qui nous paroissent immobiles & qui roulent pourtant toujours pour le bien des hommes, il sembloit se reposer, & il agissoit sans cesse.

---

[59] *Ibid.*, p. 164.

[60] *Ibid.*, p. 191-192.

[61] *Ibid.*, p. 192-193.

Hébert déroule une longue suite d'actions royales en une anaphore d'imparfaits ayant tous pour sujet le pronom «il» («il prenoit . . . il formoit des Ministres, il traçoit . . . Il s'appliquoit») avant d'évoquer la guerre:

> Le temps est-il venu de joindre la valeur à la sagesse, ne les a-t-il pas fait marcher d'un pas égal? N'a-t-il pas . . . repoussé nos ennemis . . .. Ne païons pas d'ingratitude des travaux qui nous sont si salutaires. Admirons la valeur de ce Heros, admirons sa conduite; & surtout admirons le tendre amour qu'il a pour ses peuples[62].

Mais l'admiration peut se marquer concrètement: à travers l'éloge du Roi, le discours s'achève sur une dernière exhortation. L'orateur engage ses auditeurs à participer à l'effort général, par une parfaite obéissance:

> . . . observons ses reglemens: faisons fleurir la Police, & aprés avoir donné volontairement, & librement à ce Monarque equitable, ce qu'il ne nous demande que pour nôtre conservation, sacrifions genereusement le reste à la defense de sa gloire, & mourons, s'il le faut, pour son service[63].

On constate que l'éloge du Roi ramène à une invitation à remplir ses devoirs de citoyen. Le discours oscille entre l'éloge et l'exposé des devoirs. L'exhortation finale semble être un caractère du discours d'entrée en charge, du moins tel que Nicolas Hébert le conçoit, puisque le «Premier discours» s'achève lui aussi sur une exhortation:

> . . . vous contribüerés tous à nous rendre leger le fardeau que vous nous imposés; & à former avec nous la félicité publique. C'est à quoi nous vous exhortons, MESSIEURS, & à quoi nous allons contribüer avec toute l'ardeur, & tout le zele, dont nous sommes capables[64].

L'orateur cherche à se concilier ses auditeurs en leur montrant qu'ils ne sont pas seuls à porter un fardeau, et qu'ils sont responsables de celui que lui-même doit porter, puisqu'ils l'ont choisi. L'exhortation finale ne passe pas ici, comme c'est le cas pour le «Iroisième discours» par l'éloge du Roi. Cette fonction «mobilisatrice» de l'éloge du Roi, loin d'affaiblir l'hypothèse avancée de son importance comme indicateur de l'éloquence d'apparat, confirme la nécessité d'accepter la possiblité théorique de pluralité des fonctions: de même qu'un élément peut, dans un discours, être déterminé par plusieurs relations (loi rhétorique, rang de celui à qui l'on s'adresse, etc.), un phénomène peut remplir plusieurs fonctions. La dualité mise ici en évidence vient renforcer, s'il en était

---

[62] P. 194-196.

[63] P. 196.

[64] P. 169.

besoin, la distinction qui existe, et qu'il faut maintenir, entre le concept d'éloquence d'apparat et les genres traditionnels de la rhétorique. L'exhortation, dans ce contexte plutôt délibératif, sert de véhicule à l'éloquence d'apparat: c'est ce qu'on attend de l'orateur dans les circonstances où il se trouve et le discours s'intègre ainsi dans la cérémonie. L'orateur s'acquitte par là de son devoir socio-rhétorique.

Les deux discours d'entrée en charge présentent des ressemblances, quoique moins systématiques que celles qui rapprochent les deux versions de discours de sortie d'exercice. Mais, plus largement, les quatre discours forment un groupe cohérent. Tous associent exhortation à l'auditoire et éloge (de Colbert, du Roi, mais aussi des successeurs des magistrats sortants...). De plus il existe une forte cohérence thématique. Les analyses précédentes l'ont déjà montrée, et on peut l'illustrer par la présence dans le «Premier» et dans le «Second discours» (entrée en fonction et sortie de charge) d'un développement sur les lois. Dans le premier cas, l'orateur met en garde son auditoire contre les dangers des mauvais exemples (ceux que donneraient des magistrats qui profiteraient de leur position pour se soustraire à la loi):

> ... s'ils enfreignent les Loix: ces Loix venerables qui leur ont été données en dépôt, ces mêmes Loix tombent par tout dans le mepris; par tout ces reglemens languissent; & il n'y a plus dans les Peuples ni respect, ni obeïssance[65].

Dans le «second discours», c'est au peuple directement que Nicolas Hébert s'adresse. Si le passage ne présente pas la même répétition du terme *lois*, ni la même structure, on y retrouve le même lexique et les mêmes données sémantiques (*respect, obéissance*, notion de pouvoir, idée de perte): «Les Loix ... ne doivent rien perdre de leur majesté & de leur pouvoir. Joignés l'amour au respect & à l'obeïssance ...».[66]

Mais ce qui crée la plus forte impression d'unité, c'est la cohérence des comparaisons et des métaphores ou, plus spécifiquement, la persistance de la mer et de la navigation comme comparants, du «Premier» au «Troisième» discours. A lire les exemples qui suivent, on peut d'ailleurs se demander s'il faut rattacher cette ligne de comparaison au thème moral de la vie comme voyage maritime, thème auquel les «moralistes parlementaires» ont recours[67], ou à une sorte de métaphore étymologique sur les termes de la famille de «gouverner», phénomène qui dépasse largement ces quelques discours.

---

65 P. 167-168.

66 P. 189-190.

67 Voir chap. III, p. 392 sq.

Dans le discours de 1676, Hébert applique la comparaison avec l'art de la navigation à la position qu'il s'est réservée dès l'exorde, celle du donneur de conseils:

> nous prendrons la liberté de vous parler de la maniere dont on parle à de nou<v>eaux Pilottes, qui s'embarquant sur une Mer qui leur est inconnuë, ont besoin qu'on leur marque les écueils qu'il y faut éviter, & la route qu'il y faut tenir[68].

La formulation didactique est totalement absente du «Second discours» où la comparaison n'est plus qu'un ornement pour l'éloge du Roi, dont l'orateur évoque les premières années, en montrant du même coup la capacité qu'a cette comparaison de s'adapter à des contextes divers:

> Il vous paroïtroit dans les premieres années de sa vie comme un jeune Pilote, à qui l'adresse & le courage tiennent lieu d'experience, luttant avec succès contre les flots mutinés,& conduisant malgré l'orage & la tempête, & tous les efforts des vents contraires, son vaisseau dans le port[69].

La mer, lorsqu'elle fournit la base d'allégories morales ou des leçons, est souvent associée à la tempête. La fréquence des termes appartenant au lexique de la tempête s'explique en partie, dans le «Troisième discours», par la place accordée à la guerre. Rappelons qu'on y lit:

> Comme dans la tempête on décharge le vaisseau des marchandises de moindre valeur, pour sauver ce qu'il porte de plus précieux, ne donnerons-nous pas une partie de nos biens pour sauver nos libertés & nos vies?

On trouve ensuite la constatation que la tempête qui menaçait la France ne l'a pas atteinte, grâce au Roi, passage que j'ai déjà évoqué pour montrer qu'il constituait la base d'un argument fondé sur l'existence d'une dette à l'égard du Roi, qu'on pouvait acquitter en contribuant, sans rechigner devant les sommes demandées, à l'effort commun[70].

Distribution des mêmes éléments thématiques, retour des mêmes comparaisons, mêmes combinaisons de l'éloge et du conseil: les dis-

---

[68] *Discours* (1676), p. 4. Sur ce passage, et sur le caractère didactique de l'exorde, voir *supra*, p. 556-557.

[69] *Discours et harangues*, p. 184-185. On retrouve ici la présence du pléonasme («l'orage et la tempête») si courant dans les amplifications des discours publics. La comparaison avec le pilote n'est elle-même qu'un élément dans l'amplification, qui lui associe un autre développement:

> . . . dans le port, ou bien sous la figure d'un Heros, que le Ciel affranchit de la Loy commune, qu'il éleve au-dessus des foiblesses de la nature, étouffant dans son berceau les monstres de l'infidelité ou de la révolte.

C'est alors l'enfance d'Hercule qui sert de référence.

[70] *Ibid.*, p. 191-193. Sur ces deux passages, voir *supra*, p. 563.

cours prononcés à l'occasion de la passation des pouvoirs présentent une forte cohérence d'ensemble, en même temps que des points de rencontre avec les discours prononcés dans les institutions où la composante éthique joue un rôle important (parlements et institutions judiciaires). La cohérence que l'on perçoit ainsi vient certainement pour une part de la personnalité de l'orateur. Mais on doit aussi la rattacher à l'institution qui a fait naître ces discours. Il est dommage que l'on manque de documents pour évaluer la réception de la pratique oratoire d'Hébert. On peut cependant avancer que le caractère instructif/exhortatif, qui correspond à ce qu'on attend du magistrat-orateur dans ces occasions, est subordonné à la perception de l'adaptation de ses choix oratoires aux circonstances qui les ont rait naître. La ritualisation des éléments du discours, suggérée par leur répétition dans plusieurs textes, et les réactions rapportées pour d'autres institutions par le *Mercure* soutiennent cette hypothèse. Le discours de 1676 fut envoyé par l'Académie de Soissons à l'Académie française pour acquitter le tribut qu'elle lui devait annuellement. Il a donc été jugé réussi et considéré comme digne de représenter l'Académie soissonnaise. Lu par les académiciens français, le texte n'a pas le même effet didactique: il ne s'agit plus de persuader les lecteurs d'adopter une ligne de conduite déterminée. Ce n'était donc pas l'effet ultime du discours. Les académiciens peuvent en revanche apprécier la valeur du discours sur le plan technique et sur celui de l'adaptation aux circonstances.

### B. *Installation et passation des pouvoirs à Paris*

Si l'éloge du Roi a, au regard de l'éloquence d'apparat, une fonction emblématique, c'est certainement dans la Capitale que l'affaiblissement du pôle didactique dans l'équilibre entre composante instructive et composante encômiastique sera le plus sensible. Paris n'est-il pas la ville du Roi? De fait, les discours liés aux changements de magistrats tendent à atténuer l'aspect exhortatif pour accentuer d'autres fonctions.

Avant d'analyser les pratiques oratoires du corps de ville, ou qui sont liées à son renouvellement, je voudrais m'arrêter sur une cérémonie singulière, mais révélatrice: l'installation de Pinon de Villemain, qui doit assumer la charge de premier président du Bureau des Finances à Paris, charge que le Roi vient de créer dans tous les bureaux des finances. La cérémonie a lieu le 22 juin 1691. Le discours du nouveau premier président suit la prestation du serment, et la présentation qu'en fait Donneau de Visé confirme mon interprétation du rôle de l'éloge du Roi. Il invite même sa correspondante et, par suite, le lecteur, à se livrer à une appréciation esthétique du discours. La présence de l'éloge du Roi n'est plus seulement un marqueur de la fonction d'apparat; elle devient un critère et une composante du beau: «& je suis seur qu'il ne sçauroit manquer de beauté pour vous puis que vous y trouverez encore l'Eloge du Roy.»[71] Le gazetier ne dit pas qu'il envoie à sa lectrice un discours qui contient un bel éloge du Roi. Il affirme qu'elle trouvera le discours beau *parce qu'il contient l'éloge du Roi.*

L'orateur limite l'exhortation à la péroraison, et consacre le corps du discours successivement à l'honneur qu'il reçoit et à l'éloge de la Compagnie, pour finir sur un long éloge du Roi. Mais si l'exposé de ses propres devoirs et de ceux de ses auditeurs est rejeté jusqu'à la péroraison, si l'équilibre entre éloge et invitation à s'acquitter de ses devoirs diffère de celui que les discours d'Hébert établissent, ce dernier aspect n'est pas totalement absent du discours. L'éloge du Roi ramène l'exhortation dans la péroraison:

> Qu'il vous est glorieux d'estre les témoins de tant d'actions heroiques, & de pouvoir executer les ordres d'un si grand Prince dans les fonctions qu'il luy plaist de nous confier. Pour vous, Messieurs, qui remplissez si dignement les vostres, contribuez à soutenir les miennes, vous en partagerez l'honneur[72].

Mais, même dans ce cas, l'exhortation n'est qu'une sorte d'appel à l'aide qui permet encore de flatter ceux à qui l'orateur s'adresse et de s'attirer leur bonne volonté («vous . . . qui remplissez si dignement les vostres»).

Mais c'est l'élection des échevins et du prévôt des marchands qui montre le mieux que la relation privilégiée entre la ville et le Monarque influe sur l'éloquence d'apparat. Le renouvellement des magistrats le 16 août est doublement l'occasion de discours: lors de l'élection, et lorsque les nouveaux échevins viennent prêter serment entre les mains du Roi. Le discours que le premier scrutateur fait au Roi dans cette dernière occasion est celui auquel le *Mercure* s'arrête le plus fréquemment. Dans l'ensemble, ces manifestations oratoires ne laissent qu'une place réduite aux éléments didactiques et éthiques, auxquels un Hébert donne une certaine importance et qui semblent faire partie des composants normaux de la passation des pouvoirs en province.

L'élection des nouveaux magistrats est purement *pro forma*, surtout dans le cas du prévôt des marchands que le Roi désigne d'avance et que l'élection ne fait que confirmer. Le *Mercure*, qui mentionne le fait, affirme pourtant que cela n'empêche pas que l'élection se déroule dans

---

[71] *Mercure*, juillet 1691, p. 19.

[72] *Ibid.*, p. 23-24.

les formes[73]. En réalité, on pourrait dire que, plus l'élection est formelle, plus les cérémonies qui se déroulent à cette occasion sont pertinentes pour l'étude de l'éloquence d'apparat, dans la mesure où les pratiques oratoires qui s'y intègrent ont alors pour fonction de marquer la solennité de l'événement. Le rituel de l'élection présente toutes les caractéristiques du contexte de l'éloquence d'apparat. Les membres du bureau de la municipalité (le prévôt des marchands, les échevins, le procureur du Roi et le greffier) ainsi que les vingt-six conseillers de ville se réunissent à l'Hôtel-de-Ville, le 16 août, ils sont en costume de cérémonie: le prévôt des marchands porte une robe de satin cramoisi, les quatre échevins et le greffier portent leur robe mi-partie, le procureur du Roi une robe écarlate, les quarteniers sont en robe noire. Avant l'élection, le bureau, les conseillers de ville et les quarteniers vont entendre une messe haute en l'église du Saint-Esprit, en passant entre deux files de gardes de la ville. On reconnaît dans tout cela des éléments rencontrés à propos d'autres institutions: la messe haute rappelle aussi bien la rentrée du Parlement de Paris que les cérémonies de la Saint-Louis à l'Académie de Villefranche ou à l'Académie française. Le costume est également un élément fréquent de la solennisation. Le rapprochement avec les institutions judiciaires ne tient pas seulement aux formes de la cérémonie: parmi les vingt-six conseillers de ville, dix sont des officiers des cours souveraines. Par ailleurs, parmi les scrutateurs, le premier, dont le rôle est important dans le cérémonial, appartient lui aussi au milieu parlementaire. Donneau de Visé affirme en 1700: «Le scrutin est toujours porté par un conseiller du Parlement, & on le choisit ordinairement d'une famille illustre»[74]. Mais on voit en fait des maîtres des requêtes ou des gens de robe exerçant d'autres fonctions nommés premiers scrutateurs et chargés, par conséquent, de porter le scrutin au Roi: la municipalité est liée, dans son principe, aux milieux parlementaires. Les liens ainsi créés offrent un exemple du rôle d'un phénomène qui était surtout apparu, jusqu'à présent, dans l'étude des pratiques oratoires provinciales: l'appartenance multi-institutionnelle. Il reste que, si le prévôt des marchands et les échevins sont souvent des robins (Bosc du Bois est procureur du Roi à la Cour des Aides, l'échevin Montauban est un avocat célèbre), on n'a pas la même impression de notables ayant à prononcer des discours au sein et au nom de plusieurs institutions. Le phénomène est moins sensible à Paris qu'en province.

Les discours qui accompagnent la cérémonie de l'élection sont prononcés avant le choix des nouveaux magistrats, au retour de la messe:

---

[73] Août 1700, p. 229.

[74] *Ibid.*

> Tout le monde placé, M. le prévôt des marchands, soit qu'il doive sortir de place, soit qu'il doive être continué, fait un discours relatif à la cérémonie. Les deux échevins qui doivent sortir de place font aussi un discours de remerciement. Le procureur du roi et de la ville fait aussi un discours et termine par requérir la lecture des ordonnances pour la forme des élections, et de la lettre du roi pour la désignation d'un prévôt des marchands ou la continuation de celui qui est en place, suivant le cas . . . Le greffier debout et découvert fait lecture des ordonnances et de la lettre du roi. Cette lecture faite, le prévôt des marchands se lève ainsi que toute la compagnie et il requiert le serment pour l'élection de quatre scrutateurs[75].

On voit donc que quatre discours sont prononcés à cette occasion: l'élection des échevins et du prévôt des marchands est un temps fort de l'éloquence d'apparat. Il faut noter que ces discours sont prononcés avant la désignation des successeurs des magistrats sortants. Cela pourra peut-être expliquer la faiblesse de la composante «didactique»: les orateurs n'ont pas en face d'eux leurs successeurs à qui ils pourraient donner des conseils sur la manière de remplir leurs charges et présenter leurs devoirs de magistrats municipaux. Entre le «discours sur la cérémonie» du prévôt des marchands et les discours de remerciement des échevins sortants, le rituel, tel qu'il est ici décrit, ne prévoit guère de place pour l'instruction des nouveaux magistrats (certains comptes rendus du *Mercure* suggèrent cependant que les discours pouvaient être prononcés après l'élection).

Dans la pratique, à en croire du moins les comptes rendus de Donneau de Visé, les orateurs s'en tiennent bien, le plus souvent, à des remerciements et à des éloges. Le *Mercure* fait périodiquement état de l'élection des échevins, et, tous les deux ans, du prévôt des marchands. Dans quelques cas, il mentionne les pratiques oratoires occasionnées par la cérémonie. On ne trouve jamais, cependant, un exposé exhaustif du rituel et des discours qui l'accompagnent, comparable à ce qu'on rencontre à propos du rituel parlementaire. C'est en 1695 que le gazetier donne le plus clairement l'indication d'une succession de discours. Deux nouveaux échevins ayant été élus pour remplacer ceux qui avaient fini leur temps, nommés Basin et Puylon,

> [c]e dernier fit un discours tres éloquent pour remercier la Ville de l'honneur qu'elle luy avoit fait, & marquer son zele & sa reconnoissance d'une maniere qui luy attira des applaudissemens de toute l'Assemblée[76].

---

75 «Lettre du corps de ville à M. le Contrôleur général», Arch. Nat., H. 1952, cité par Marion, *Dictionnaire des institutions*..., p. 418.

76 Août 1695, p. 297-298.

Remerciement et reconnaissance: le discours tel qu'il est résumé, ne fait intervenir aucun élément d'ordre éthique ou didactique. Les applaudissements unanimes suggèrent pourtant que, sous cette forme, il a donné toute satisfaction à l'auditoire. On peut donc supposer que la fonction d'un tel discours est surtout d'ordre esthétique. Il est vrai que, dans le cas présent, plusieurs orateurs se partagent la parole. La continuité de l'institution dans le transfert de dignité est marquée par les discours du Prévôt des Marchands et du Procureur du Roi:

> Mr le Prevost des Marchands fit l'éloge des Echevins qui sortoient de charge, & de ceux qui y entroient. Mr le Procureur du Roy parla aussi sur ce sujet[77].

Si les orateurs proposent un aperçu des devoirs de leurs charges, le *Mercure* n'en garde pas la trace. Tout ce qu'il retient du discours du Prévôt des Marchands, c'est l'éloge des magistrats entrants et sortants. Quant au second discours, «sur le même sujet», il ne laisse transparaître, lui non plus, aucun élément didactique et éthique. La même impression est produite par la manière dont Donneau de Visé présente le discours que l'avocat du Roi et de la ville, Titon, fait lors de l'élection de Bosc du Bois comme prévôt des marchands, en 1692:

> [il] fit en cette occasion un fort beau Discours à la gloire de Mr de Fourcy & de Mr du Bois sur la maniere dont l'un s'estoit acquitté de son employ, & sur l'esperance que la probité & le merite de l'autre donnoient qu'il ne s'en acquitteroit pas avec moins d'avantage pour la Ville, ny moins de gloire pour luy[78].

Cette formulation suppose bien que les éléments topiques liés à la charge occupée interviennent dans le discours de l'Avocat du Roi, mais l'orientation générale du discours est clairement définie comme encômiastique («à la gloire de Mr de Fourcy & de Mr du Bois»). L'expression «s'estoit acquitté de son employ», reprise par «ne s'en acquitteroit pas avec moins d'avantage», laisse bien entendre une description de la charge des prévôts des marchands, mais, même si cela peut entraîner des remarques didactiques, l'équilibre est clairement rompu en faveur de l'éloge.

Si le compte rendu de 1695 est le plus complet, au sens où il énumère plusieurs discours, c'est en 1680 que Donneau de Visé donne le texte de la harangue prononcée par un des échevins sortants, M. de Montauban. La publication de ce texte constitue une exception: le *Mercure* se

[77] P. 298. Voir aussi les paroles du procureur du Roi et de la ville, Truc, en 1678 (*Mercure*, août 1678, p. 236-237). On notera que, dans ce cas, le discours du prevôt des marchands a dû être prononcé après l'élection...

[78] Août 1692, p. 298.

contente d'ordinaire de citer le discours du premier scrutateur, lors de la prestation de serment des nouveaux magistrats entre les mains du Roi. Donneau de Visé justifie la présence du discours dans son périodique par la réputation que Montauban s'est acquise dans le barreau[79]. Lorsqu'il est nommé prévôt des marchands, Bosc du Bois est procureur général à la Cour des Aides; Montauban est avocat. Le corps de ville est, par nature, une institution où la notabilité acquise dans d'autres corps joue beaucoup.

Le discours de Montauban, comme celui de Puylon déjà évoqué, ne fait pas apparaître d'élément didactique. L'exorde souligne la reconnaissance que l'échevin sortant doit à ceux qui l'ont élu, dans un développement sur les «obligations» en général:

> Il y a des obligations qui sont d'un si grand prix, que ceux qui en sont redevables, cherchent des paroles, & n'en trouvent pas pour les reconnoistre.
>
> C'est pour cela que nous apprenons qu'il y a deux paroles dans l'Homme; la parole de la bouche, & la parole du cœur.
>
> La bouche parle souvent, quand le cœur garde le silence; & cette parole n'est que pour les graces legeres, & s'appelle seulement le sacrifice des levres.
>
> Mais souvent le cœur parle beaucoup plus que la bouche, & par cette parole on s'acquitte des grandes obligations. Aussi l'a-t-on appellée le sacrifice du cœur.
>
> C'est, Messieurs, cette parole du cœur, que ma bouche explique[80].

L'orateur poursuit par un éloge de la ville, élément particulièrement adapté à la circonstance, en une longue amplification périphrastique sur Paris, dont le nom n'apparaît pas (c'est tantôt «la Capitale du Royaume», tantôt «cette grande Ville», voire seulement «cette Ville»). Après avoir souligné la gloire qui lui revenait du choix de la Ville, Montauban fait brièvement l'éloge du Prévôt des marchands, puis s'étend sur celui du Roi. Il revient sur l'honneur qui lui a été fait, liant cette fois ses remarques à l'éloge du Roi:

> Que j'ay d'honneur d'avoir esté appellé dans le Siecle heureux de son glorieux Regne, au service du Public! d'avoir esté du nombre de ceux

---

79 Le fameux Mr de Montauban, dont tout le barreau fait retentir les loüanges, fit un tres-beau Remerciement à Messieurs de Ville, en quittant la place d'Echevin qu'il a dignement remplie depuis deux ans. (*Mercure*, septembre 1680, p. 128-129)

Cela rappelle, s'il en était besoin, les rapports qui existent entre les différentes institutions: M. de Montauban est un *avocat* célèbre – et le barreau est l'un des lieux essentiels de la parole oratoire.

80 Septembre 1680, p. 129-130.

> qui ont tant de fois publié la gloire du Roy aux Citoyens de sa Capitale... [81]

La répétition de la locution «tant de fois» transpose dans le discours la répétition des occasions où la paix et la gloire du Roi ont éclaté, grâce, précisément, aux magistrats municipaux. Par contrecoup, le rôle attribué à la municipalité peut se définir comme l'amplification de la gloire du Roi et sa diffusion dans le peuple parisien.

Suit l'éloge de ses confrères, du Procureur du Roi, du Greffier, du Receveur et du Prévôt des Marchands. La péroraison reprend la modestie rhétorique de Montauban et la protestation de ses sentiments d'estime et de respect à l'égard du Corps:

> L'honneur n'est pas moindre pour moy, d'avoir exercé mes fonctions avec Messieurs, qui composent le Corps de Ville, qui contribuent par leurs sages conseils à la tranquilité publique, soûtiennent leur dignité avec tout le mérite qui y répond. A mon égard, je reconnois que pour une dignité passagere, je n'ay pas mesme un mérite passatger, & que le choix dont vous m'avez honoré, a esté plutost un effet de vostre grace, que de vostre justice.
>
> Mais si la place que vous m'avez donnée a esté mal remplie, vous aurez la bonté d'excuser mes defauts, que je ne puis mieux reparer, que par l'aveu que j'en fais, & par les sentimens que je conserveray toute ma vie, de ces mesmes bontez, qui me persuadent de la continuation de vostre bienveillance; & qu'en quittant cette place, vous ne me refuserez pas celle que je vous demande, & que j'espere dans l'honneur de vostre souvenir[82].

Ce discours est donc plus proche du compliment que d'un discours didactique de passation des pouvoirs, au sens où le compliment marque les sentiments qu'il est convenable que l'orateur éprouve et souligne la position respective de celui qui parle et de son auditoire. Sentiments de reconnaissance, éloge du Roi, éloge de la ville, éloge des hommes qui composent la municipalité, éloge du Corps de ville dans son ensemble: le discours ne développe pas la problématique éthique que l'on rencontre en province. On trouve cependant un élément de définition du rôle de la municipalité, qui la rapproche de ce qu'on trouve en province, aussi bien dans les municipalités que dans les institutions judiciaires: la contribution au maintien de l'ordre public.

En l'absence du texte des discours prononcés par le prévôt des marchands, ou même par le procureur du Roi et de la ville, il est difficile de tirer des conclusions sur l'ensemble de la cérémonie. Il est clair toutefois que les échevins sortants n'ont pas de conseils à donner à leurs

---

81 *Ibid.*, p. 136-137.
82 *Ibid.*, p. 139-140.

successeurs, et, puisque les réactions que signale le *Mercure* sont nettement élogieuses, il semble logique de conclure qu'on n'en attendait pas.

Le renouvellement de la municipalité parisienne engendre ainsi un certain nombre de discours. Mais la prestation de serment s'accompagne également d'éloquence. Lorsque le premier scrutateur porte au Roi les résultats du scrutin, il lui présente les nouveaux magistrats qui viennent prêter serment devant lui, et prononce un discours, auquel le *Mercure* semble attacher plus d'importance qu'aux autres pratiques oratoires liées aux changements de municipalité. Cette cérémonie de présentation crée parfois des coïncidences révélatrices, dans la mesure où elles illustrent les rencontres inter-institutionnelles, même à Paris: en 1692, lorsque Bosc du Bois, procureur général de la Cour des Aides est désigné par le Roi pour être élu prévôt des marchands, c'est le fils du premier président de la même cour qui harangue le Roi.

La prestation du serment, est, comme l'élection, extrêmement ritualisée. Du départ de Paris, au retour dans la ville, tout est fixé. Costume, déroulement de la journée: le contexte est, de nouveau, solennisé:

> Le jour que le roi a fixé pour la prestation de serment, les prévôt des marchands et échevins, procureur du roi et greffier, vêtus comme le jour de l'élection, les quatre scrutateurs, les deux doyens des compagnies des conseillers et quartdeniers, en robes noires, et les nouveaux élus . . . s'assemblent à l'Hôtel de Ville sur les 7 heures du matin, entendent une messe et se rendent à Versailles, assistés du premier commis du greffe, du premier huissier en robes noires, et de deux huissiers en robe de livrée et escortés de gardes de la ville. On part sur les 8 heures pour Versailles et on descend ordinairement à la salle du conseil par la cour des Princes.
>
> . . . Le ministre ayant le département de Paris et le gouverneur de Paris les prennent à la porte de l'appartement du roi et les présentent à sa Majesté, qui est dans un fauteuil. Le roi se découvre à l'entrée et se recouvre. Le premier scrutateur tient à la main le scrutin, met un genou en terre, ainsi que le corps de ville, fait un discours au roi, après lequel il lui présente le scrutin, que S<a>.M<ajesté>. passe au secrétaire d'Etat qui l'ouvre et en fait la lecture.

La prestation de serment, qui a lieu à ce moment, ne met pas fin au rituel, qui se poursuit hors de la présence du Roi:

> Après quoi le corps de ville se retire en faisant de profondes révérences. Le corps de ville est ensuite conduit et présenté dans le même ordre aux Audiences de la Reine, devant laquelle on met un genou en terre, de Monsieur, de Madame, de Monsieur le Comte d'Artois, de Madame la comtesse d'Artois, et des Dames de France. Après quoi les maîtres des cérémonies reconduisent le corps de ville dans la salle où ils l'ont pris et se retirent. On quitte alors les robes mi-partie, on prend les robes

> noires et on va faire visite et présenter les nouveaux échevins au gouverneur de Paris, à M. le garde des sceaux, aux ministres et secrétaires d'Etat, à M. le contrôleur général et autres personnes du Conseil royal. Ce fait, on revient à Paris dans le même ordre qu'on en était parti[83].

La prestation de serment s'accomplit suivant un cérémonial élaboré, qui rappelle le lien privilégié qui unit la Capitale et son Roi. Cette cérémonie fait appel à l'éloquence.

Donneau de Visé retient apparemment, comme critère de sélection pour insérer un discours dans le *Mercure*, l'accueil favorable qu'il a reçu. C'est du moins ce que laisse supposer la présentation des discours qu'il publie. En 1684, par exemple, il note:

> Mr le Président Brissonnet, Premier Scrutateur, porta la parole. Voicy à peu près le sujet de son Discours. Il plut tellement que l'on en a retenu toutes les pensées[84].

Le plaisir éprouvé et l'approbation suscitée expliquent que l'on a retenu le discours du Premier Scrutateur. Après avoir reproduit une analyse du discours, le *Mercure* renchérit: «Ce discours fut extrêmement applaudy & Mr le président Brissonnet le prononça d'u<n>e maniere fort noble»[85]. La réussite suppose donc que l'auditoire apprécie aussi bien les «pensées» que les aspects techniques, parmi lesquels la prononciation n'est pas à négliger: les réactions du public dépendent de la «performance» de l'orateur, pas seulement des qualités de son texte. Une telle remarque ne fait que rappeler l'importance des aspects matériels de la cérémonie.

En 1678, le Roi est compté dans l'auditoire dont le *Mercure* rapporte l'approbation: «Le Discours que Mr de Chasteau-Gontier fit au Roy en, luy presentant ce Scrutin, fut digne de l'approbation qu'il receut»[86]. C'est la réaction du public qui sert ici de point de référence. Donneau de Visé assortit en général le texte des discours qu'il insère d'évaluations élogieuses, le plus souvent du point de vue de l'auditoire qui y a assisté. En 1684, on l'a vu, l'effet du discours sur son public est tel que l'on en a retenu «les pensées». Un discours réussi est une affaire d'importance; et l'éloquence d'apparat d'un tel poids qu'il semble, à lire le *Mercure*, qu'on n'ait pas le droit de s'opposer à sa diffusion. En 1700, la modes-

---

83 Cité par Marion, *Dictionnaire*..., p. 419. Il est clair que même si ce texte est postérieur à la période qui m'intéresse, la cérémonie n'est pas fondamentalement différente.

84 Août 1684, p. 296-297.

85 *Ibid.*, p. 300.

86 Août 1678, p≥ 240. Voir aussi août 1692, p. 101. Dans la livraison de septembre 1680, on peut lire «Mr de Seve, Maistre des Requestes, luy presenta le Scrutin, comme premier Scrutateur, & le harangua avec beaucoup de succès.» (p. 127-128).

tie de l'orateur l'empêche de donner son discours au public et l'impression s'en fait malgré lui, par un pieux larcin, afin de ne pas priver le public d'un morceau si réussi. Ce dont le *Mercure* se fait ainsi l'écho, ce sont des discours parfaitement adaptés à leur contexte et qui, en tant que tels, reçoivent une évaluation esthétique favorable. La publication d'un discours, sans l'aveu de son auteur, ne saurait en aucun cas donner prise à la critique, lorsque sa qualité le justifie:

> sa modestie l'empeschant de la rendre public, il avoit resolu de ne le donner à personne, mais ce sont de ces larcins pour lesquels on ne trouve que des juges favorables aprés qu'ils sont faits[87].

En 1684, l'approbation donnée au discours tient à la fois aux pensées et la manière «noble» dont il a été prononcé. En 1692, Donneau de Visé rapporte le jugement porté par le Roi sur la harangue qui lui est faite lors de la présentation du scrutin:

> Mr le Camus, Maistre des Requestes, Fils de Mr le premier president de la Cour des Aides, presenta le Scrutin, & fit un Discours sur ce sujet que toute la Cour applaudit fort. Le Roy luy fit l'honneur de luy dire, *qu'il avoit parlé en homme de qualité*[88].

Cet exemple montre que l'auditoire est doublement remarquable, et qu'il confère bien à ce type de pratique oratoire les caractères de l'éloquence d'apparat: non seulement le discours est prononcé devant le Roi, mais c'est devant la Cour. Versailles, demeure du Roi, reste un lieu solennel par essence. Le destinataire privilégié de Le Camus est le Roi, et son auditoire élargi, la Cour: la circonstance ne saurait être plus solennelle... Donneau de Visé ne donne pas de détails sur ce qui motive précisément l'approbation de la Cour, ou même les paroles du Roi. Étant donné les appréciations faites ordinairement par le gaze tier (un discours digne de l'approbation qu'il reçut, un discours qui plaît tellement qu'on en retient toues les pensées, un discours prononcé d'une manière noble), on peut avancer l'hypothèse que «parler en homme de qualité» se rapporte à la fois à l'expression et au contenu du discours, et à la manière dont il a été prononcé: l'orateur a fait un discours qui correspondait à l'occasion, qui répondait à ce que son public en attendait et qui permet, par contrecoup, de faire son éloge.

Bien que l'expression joue un rôle non négligeable dans l'approbation donnée à ceux qui s'acquittent du devoir oratoire, le *Mercure* ne cite pas toujours les textes qu'il loue. Donneau de Visé préfère les anlayses, ce qui exclut les éléments stylistiques de détail, qui, comme la

---

[87] Août 1700, p. 230.

[88] Août 1692, p. 302.

prononciation, ont leur rôle à jouer dans la réussite du discours. On a surtout un aperçu de la structure et des thèmes d'ailleurs souvent figés.

A partir de l'analyse que donne Donneau de Visé, on peut schématiser le discours que Brissonnet prononce en 1684 et qui reçoit un écho si favorable sous la plume du gazetier. Ce plan donne une bonne idée de la forme générale du discours de présentation du scrutin:

- Profonde soumission des nouveaux magistrats;
- Supplication au Roi de confirmer les suffrages;
- Avantage des magistratures municipales: elles permettent de montrer plus de fidélité pour le service du Roi et plus d'ardeur pour sa gloire;
- Un aspect majeur de ces magistratures: embellissement et agrandissement de la ville de Paris;
- Transition: parallèle entre l'ancienne Rome et le Paris du temps.
- Éloge du Roi:
  - il a reculé les limites du Royaume
    Énumération des nouvelles frontières; «Il n'y avoit point de Peuples, à qui elle [Sa Majesté] n'eust imposé un tribut de soûmission & de respect.»
  - vertus: valeur, sagesse, application infatigable au travail.
- Souhaits[89].

L'exorde marque la position des magistrats vis-à-vis du Roi (soumission), puis l'orateur aborde ce qui fait l'objet, rituel, de cette harangue: obtenir l'agrément du Roi pour les nouveaux élus. La définition des magistratures par le service du Roi convient à la fois à l'institution pour laquelle ce discours est prononcé, à la ville qu'elle représente et au Roi. L'éloge de la ville de Paris est normal dans un discours qui concerne la municipalité et aboutit logiquement à celui du Roi. Toutes les harangues prononcées dans ces conditions sont des variantes de celle-là. La comparaison entre les différents cas permet d'établir un modèle minimal qui se limite en fait à l'affirmation de l'amour de la Ville pour le Roi et de sa soumission, et à l'éloge de Louis XIV, avec, éventuellement, des souhaits pour Sa Majesté. Telles sont les constantes thématiques. L'analyse du discours de Chasteau-Gontier, en 1678, se rapproche de ce modèle minimal (mais, dans ce cas, Donneau de Visé a très bien pu laisser de côté certains éléments):

---

[89] *Mercure*, août 1684, p. 297-300.

> Apres avoir fait paroistre la Ville aux pieds de Sa Majesté, il éleva la grandeur de ses Conquestes, s'attacha particulierement à parler de celle de Gand, & fit connoistre les obligations que toute la France avoit au Roy, de ce qu'à l'exemple de Henry le Grand, il vouloit bien préferer la Paix aux avantages que la continuation de la Guerre luy promettoit. Il adjoûta qu'à peine ce bruit de Paix s'estoit répandu, qu'on avoit commencé d'en ressentir les effets; & s'estant fort étendu sur les loüanges du Roy, il finit par les respectueuses protestations de l'inviolable fidelité dont ses Ancestres luy avoient donné l'exemple[90].

L'orateur s'est «fort estendu sur les loüanges du Roy». L'exaltation du Roi, qui occupe la plus grande partie du discours, varie en étendue et en complexité avec les circonstances historiques. On n'est guère surpris de voir la paix et les hauts faits militaires occuper ici une place aussi importante, puisque la paix est en train de se conclure.

Certains éléments qui n'appartiennent pas au modèle minimal sont liés à des particularités de la circonstance elle-même, tandis que d'autres correspondent plutôt à des choix de l'orateur. Ainsi, lorsque l'élection de nouveaux échevins s'accompagne de celle d'un nouveau prévôt des marchands (dont la charge est, comme pour les échevins, de deux ans), l'éloge de celui qui sort et de son successeur s'ajoute aux éléments de base. En 1700, par exemple, Bosc du Bois est remplacé par Boucher d'Orsay. Tout de suite après l'exorde, avant le passage concernant les nouveaux échevins («Les nouveaux Echevins, qui supplient Vostre Majesté de vouloir bien confirmer leur élection, luy protestent par ma bouche . . .»), l'orateur s'exclame:

> C'est donc, SIRE, de la part de tous les cœurs que je viens, avec le langage du cœur même, rendre à V<otre> M<ajesté> de tres-humbles actions de graces, de ce qu'aprés vous avoir donné Mr Bosc pour Prevost des Marchands, il vous a plû de nommer Mr d'Orsey pour son Successeur.
>
> L'un a rempli sa Charge avec une exacte probité, avec un parfait desinteressement, avec une assiduité toujours égale. Nous sommes persuadez que l'autre ne sçauroit degenerer du merite, non plus que de la noblesse de ses Ancestres . . .[91]

Le discours de Titon, avocat du Roi, lors de l'élection de du Bois, en 1692, proposait déjà un balancement semblable entre le prévôt des marchands sortant et celui qui devait entre en charge[92]. Ce double éloge, logique dans ces circonstances, pourrait donc, si l'on se fonde sur ces

---

[90] Août 1678, p. 240-241.

[91] Août 1700, p. 232-233.

[92] Voir *supra*, p. 571.

deux discours, avoir une forme figée, opposant une récapitulation à une prédiction de type inductif. On manque malheureusement de documents pour vérifier si ce double éloge antithétique constitue une constante formelle et thématique du discours de présentation lorsque le Roi fait désigner un nouveau prévôt des marchands. Le discours de 1684, que j'ai donné pour paradigme, n'apparaît que par une citation approximative. Les différents magistrats n'y sont pas distingués:

> Il dit, *Que les nouveaux Magistrats qu'il avoit l'honneur de présenter au Roy, venoient luy rendre par sa bouche leurs profondes soûmissions . . .*[93]

Quant au discours de Le Camus, qui lui valut l'approbation de la Cour et du Roi, il n'est ni analysé, ni cité.

La présentation du scrutin, qui accompagne la prestation de serment, affirme la soumission des nouveaux membres du Corps de Ville. Mais, à l'assurance de fidélité donnée au Roi s'ajoute l'expression des sentiments que la municipalité, et donc la ville qu'elle représente, lui vouent. Deux discours cités présentent une variante de cette expression liée à une excuse ou plutôt à un aveu de faiblesse. L'orateur utilise sa prétendue maladresse rhétorique pour rejeter l'éloquence, suivant l'antithèse traditionnelle entre la sincérité et l'ornement rhétorique. En 1690, cette «excuse» apparaît dans la bouche de M. Poissi, conseiller au Parlement, juste avant la péroraison et fait ainsi transition vers la fin du discours:

> Peut-estre s'estonnera-t-on qu'une Ville si feconde en fameux genies m'ait pris pour son interprete; mais, SIRE, le ministere qu'elle me confie aujourd'huy appartient au zele plûtôt qu'à l'Eloquence. Mon cœur en ce moment garantit la justice du choix qui m'honore, et peu s'en faut, SIRE, que dans l'ardeur qui me transporte, je ne m'oublie jusqu'à défier vos bien-faits, de me devoüer plus religieusement à Vostre Personne sacrée[94].

Le même aveu de faiblesse rhétorique apparaît dans le discours que le fils de Mansart prononce en 1700. Il apparaît dès l'exorde. La péroraison et l'exorde sont deux moments pathétiques du discours, puisqu'il s'agit dans un cas d'enlever son auditoire par un dernier trait, et, dans l'autre de se le concilier et de le disposer à recevoir favorablement ce qu'on va lui proposer. De façon caractéristique, le passage précédent faisait intervenir le «zele» de la ville et le «cœur» de l'orateur. La sincérité l'emporte sur l'éloquence. En 1700, l'art de la parole est opposé au cœur:

---

93 *Mercure*, août 1684, p. 297.

94 *Mercure*, août 1690, p. 237-238.

> La Capitale de vôtre Royaume a des temps marquez pour venir rendre des hommages publics à Vostre Majesté, mais il n'y a aucun temps, où elle ne luy rende des hommages secrets, d'autant plus sinceres qu'ils sont separez de la pompe de la Ceremonie.
>
> On pourroit s'estonner aujourd'huy, qu'avec un aussi grand desir de vous exprimer ce qu'elle pense, elle ait préferé ma foible voix à celle de tant d'hommes eloquens qu'elle nourrit dans son sein; mais; SIRE, elle n'a rien voulu devoir à l'Art de la parole dans un hommage du cœur. Elle a cru que le Citoyen le plus penetré des bontez de Vostre Majesté, le seroit aussi plus vivement de celles dont vous honorez la patrie, &... vous montreroit des sentimens preferables aux plus pompeuses expressions[95].

La suite du texte répète le mot «cœur» plusieurs fois. Dans les deux cas, l'aveu de faiblesse est un procédé qui permet à l'orateur de rejeter en paroles l'éloquence (l'expression travaillée, incarnée par les «fameux genies», «les hommes eloquens») au profit de la sincérité représentée par la faible voix de l'orateur, interprète surprenant de la ville. Tout en opposant la cérémonie et l'éloquence officielle aux hommages secrets qu'on rend au Roi, l'orateur souligne, dans le dernier exemple, le caractère cérémoniel de l'occasion: «temps marquez pour venir rendre des hommages publics à Vostre Majesté», «la pompe et la Ceremonie», cette dernière expression étant reprise par la formule «pompeuses expressions». Le rejet explicite de l'éloquence participe de l'élaboration du discours d'apparat... La présentation du scrutin au Roi est une occasion ritualisée. C'est le rôle du premier scrutateur de haranguer le Roi en lui présentant les nouveaux magistrats – même si c'est le Roi qui a désigné celui qui devait être élu prévôt des marchands.

Les répétitions d'un discours à l'autre suggèrent une forte ritualisation qui amène les orateurs à user d'expressions quasi-formulaires. Le discours de Mansart de Sagone s'ouvre en 1700 sur une périphrase qui met en relief la situation privilégiée de Paris: «La Capitale de vôtre Royaume a des temps marquez»; la même périphrase ouvrait déjà le discours de 1690, pour introduire l'éloge du Roi:

> La Capitale de vostre Royaume penetrée d'amour & de veneration pour Vostre Majesté, vient luy presenter les nouveaux Magistrats, destinez à l'honneur immortel de voir leurs noms écrits dans les Annales de vostre Regne. Quel Regne![96]

Peut-être faut-il voir dans cette similitude initiale une simple coïncidence. Les rapprochements que l'on peut faire entre les divers discours laissent cependant penser que, dans l'ensemble, la liberté de l'orateur

95 *Mercure*, août 1700, p. 230-232.

96 *Mercure*, août 1690, p. 324.

individuel était relativement limitée et le discours, fortement ritualisé. Même lorsqu'un élément analogue est déplacé d'un discours à l'autre, comme on en a vu l'illustration avec la modestie de l'orateur qui s'étonne d'avoir été choisi mais affirme la sincérité de ses sentiments, les deux passages sont situés à des moments fonctionnellement homologues. Fondamentalement, les différences sont négligeables. Dans tous les cas, c'est l'éloge du Roi qui constitue l'essentiel du discours. La pratique oratoire liée à la présentation du scrutin au Roi, souligne le lien de soumission et de respect de la Capitale à son Roi et amplifie l'éloge du Monarque pour le plaisir des membres du Corps de Ville, de la Cour et du Roi lui-même. C'est d'ailleurs pour celui qui est chargé de la présentation l'occasion de briller par son éloquence – même lorsqu'il rejette l'art de la parole... Le seul exemple de discours où les aspects pratiques de la soumission au Roi soient mentionnés et donnent lieu à une définition implicite du devoir des citoyens est aussi celui que Donneau de Visé évalue en termes le plus explicitement esthétiques. En 1695, l'orateur souligne l'importance de l'exemple que les magistrats doivent donner (la problématique de l'exemple est bien la trace d'un élément éthique):

> Le Scrutin estoit porté par Mr Lambert de Vermont, Conseiller au Parlement. Il fit un tres-beau discours, dans lequel il montra la grandeur du Roy par le nombre de ses Ennemis; il parla aussi de la Capitation, & dit que l'exemple des Magistrats rendoit les ordres du Roy faciles à executer[97].

Si le discours est, dans ce cas, divisé en deux parties, l'éloge du Roi et l'évocation d'un devoir des magistrats (donner l'exemple en matière de contributions), l'actualité justifie pleinement cette exception: la capitation est un impôt nouveau, créé par une déclaration du Roi du 18 janvier 1695. Surtout, l'aspect «pragmatique» de ce discours n'empêche pas Donneau de Visé de le qualifier de «tres-beau discours», montrant ainsi que l'orateur a produit une impression favorable.

L'analyse des pratiques oratoires variées que mettent en œuvre les cérémonies dont s'accompagne, à Paris, l'élection de nouveaux magistrats montre l'effacement relatif des aspects éthiques. En ceci, la municipalité parisienne se distingue des corps provinciaux, qui maintiennent entre les fonctions éthique et encômiastique un rapport relativement équilibré. Le statut particulier de capitale qu'a la ville, la proximité du Roi et le fait que le serment des magistrats municipaux est prêté entre ses mains joue certainement un rôle dans cette différence. Mais, dans les deux cas, on doit admettre que le discours s'adapte à son contexte.

[97] Août 1695, p. 298.

L'éloge du Roi apparaît ici encore comme un facteur dont l'influence sur le discours ne saurait être négligée.

### 3. Célébration du Roi, devoir oratoire et initiative individuelle

J'ai montré que l'éloge du Roi pouvait apparaître comme un marqueur de l'éloquence d'apparat. En fait, le Roi est un thème de discours qui se prête naturellement à la solennisation si caractéristique de l'éloquence d'apparat. On le voit à l'occasion de pratiques oratoires qui, bien qu'elles s'inscrivent dans le cadre du fonctionnement normal des institutions municipales, présentent cependant les traits de discours cérémoniels. On trouve un bon exemple de ce phénomène à Marseille. La proposition d'y élever une statue équestre du Roi produit une sorte de perturbation dans le déroulement de la vie municipale, sous la forme d'un discours. Chalvet, assesseur de la ville de Marseille, et académicien d'Arles, prononce un discours que le *Mercure* publie, et qui figure également dans les *Harangues* de Vaumorière. La présentation du *Mercure* donne d'ailleurs toute une série d'éléments qui confirment la pertinence du discours pour cette analyse:

> Le Conseil de Ville s'estant extraordinairement assemblé à Marseille, on y proposa de supplier tres-humblement le Roy d'agréer qu'on y érigeast une Statuë Equestre de sa Majesté. Voicy le Discours que M^r^ Chalvet Avocat au Parlement, de l'Académie Royale d'Arles, & Assesseur de Marseille, prononça sur ce sujet dans la Salle de l'Hostel de Ville[98].

De façon caractéristique, le discours qui suit n'est pas présenté comme un discours *pour soutenir une proposition*. Il est introduit par la formule vague: «sur ce sujet», formule qui rappelle, entre autres cérémonies, l'élection de nouveaux magistrats dans la municipalité parisienne en 1695: «Mr le Procureur du Roy parla aussi sur ce sujet». Par ailleurs, le conseil de ville est réuni «extraordinairement» pour cette délibération qui concerne la gloire du Roi et, par voie de conséquence, celle de la ville. Enfin, les quelques lignes d'introduction soulignent l'appartenance multi-institutionnelle de l'orateur: avocat au Parlement, assesseur de la ville de Marseille, membre de l'Académie Royale d'Arles. On n'est pas surpris de voir un de ces notables provinciaux appartenant à toute une série de corps et de groupes institutionnels différents prendre la parole dans ces circonstances. S'agit-il d'une initiative individuelle? Le *Mercure* n'indique aucune «commission». En bon sujet du Roi, Chalvet pourrait avoir voulu s'attirer des applaudissements tout en

---

[98] Février 1686, 2^e^ partie, p. 49.

manifestant son zèle pour le service du Roi et le culte de sa grandeur. Mais, étant donné le caractère extraordinaire de la réunion, il n'est pas impossible que l'orateur ait été chargé de cette mission oratoire. Dans un cas comme dans l'autre, ce texte doit être regardé comme relevant de l'apparat. Chalvet lui-même souligne d'ailleurs l'inutilité argumentative de son discours, une fois marqué l'intérêt d'une statue du Roi. Après avoir présenté l'avantage d'extérioriser en une statue l'image du Monarque, image qui est gravée dans tous les cœurs et dans tous les esprits, pour annuler la distance géographique et temporelle et faire ainsi connaître cette image aux nations éloignées et à la postérité, l'orateur fait l'éloge de la ville, en une longue apostrophe soutenue d'une anaphore:

> Marseille! fameuse Sœur de Rome, cher objet de l'admiration des Peuples de l'Univers, ancienne Academie des Sciences & des beaux Arts, ville celebre par ta situation heureuse, par la seureté, par l'affranchissement, par la commodité de ton Port, mais plus celebre encore par ton inviolable fidelité, il te manque le principal de tes ornemens[99].

Tel est le sujet du discours. Mais après avoir présenté la statue comme la consécration de la gloire de la ville (c'est son plus bel ornement, absent jusqu'alors, dans la mesure où elle est belle en elle-même, comme œuvre d'art, et où elle représente, en tant qu'image du Roi, la fidélité de la ville), l'orateur, à partir d'une formule qui souligne le caractère digressif de son discours, affirme que celui-ci n'apporte aucune information et n'est d'aucun poids dans une délibération dont l'issue n'est pas douteuse:

> Mais où m'engage insensiblement l'ardeur de mon zele particulier? Que puis-je me proposer en parlant dans cette Assemblée? Discours inutile, discours injurieux, si je vous faisois ce tort de m'imaginer que vous avez besoin d'estre persuadez pour consentir à la proposition qu'on vient de vous faire[100].

Ce n'est en fait que le début du discours et la formule qui marque explicitement le caractère digressif («mais où m'engage insensiblement») a surtout ici pour fonction de rejeter explicitement tout effort de persuasion, inutile devant un auditoire déjà acquis à ce que l'on propose, au profit d'un discours purement encômiastique[101]. Affirmer qu'on a déjà les suffrages de ceux qu'on cherche à persuader est, certes, une tech-

---

[99] *Ibid.*, p. 50-51.

[100] *Ibid.*, p. 51-52.

[101] Sur la formule «mais où m'engage insensiblement l'ardeur de mon zele» voir chap. I, p. 81 sq.

nique rhétorique. Mais il n'en reste pas moins que Chalvet marque le caractère superflu de toute tentative d'argumentation persuasive. L'orateur se contentera par la suite d'exprimer les «pensées» que suggère à tous la statue du Roi. Ces «pensées» ne sont finalement qu'un éloge de Louis le Grand, que l'orateur annonce comme l'expression des sentiments de tous les assistants, qui attendent avec impatience de pouvoir conclure la délibération:

> Suspendez, Messieurs, suspendez pour quelques momens cette juste & loüable impatience; Et bien que ie n'aye rien à vous dire que vous ne pensiez vous-mesmes, & que tout le monde ne pense & ne publie comme nous, agréez que sans art & avec cette naïveté que nostre Ciel & nostre Genie nous inspirent, j'explique icy nos pensées commune sur la Statuë qu'on vous propose d'ériger, que nul autre Roy n'a jamais si justement meritée, & qui ne sçauroit estre placée dans un lieu plus avantageux & plus propre que le sein de nostre Patrie[102].

Inutile, puisque les membres de la municipalité sont par avance favorables à la proposition qui leur a été faite, le discours se justifie par la particularité de la proposition qui l'a provoqué: il s'agit d'honorer le Roi. L'orateur ne se croit pas cependant autorisé à interrompre son discours. Qu'il soit ou non chargé par le Corps de Ville de faire un discours sur la statue, Chalvet doit persévérer. Même s'il était le produit d'une initiative personnelle, l'éloge du Roi se ramène finalement à un devoir. La gloire du Roi a solennisé la circonstance. Le discours est la conséquence de cette transformation.

L'éloquence civique montre ainsi une solennisation qui la rapproche de toutes les manifestations oratoires que nous avons rencontrées auparavant. Dans la plupart des cas, on note une très forte ritualisation des circonstances qui s'étend aux discours eux-mêmes, dont certains passages sont pratiquement formulaires. Si les cérémonies propres au corps de ville et aux institutions qu'on peut lui assimiler mettent en lumière l'importance de la notion de devoir oratoire, la personnalité de l'orateur intervient cependant: un notable comme Hébert s'acquitte volontiers de ses devoirs d'orateur et transforme de simples phrases rituelles de députation en compliments bien développés. Il semble bien que, dans ce cas, comme dans ceux qui ont déjà été étudiés, l'appartenance multi-institutionnelle favorise la production oratoire. Si l'éloge du Roi influence l'activité discursive des institutions, la proximité du Monarque et le lien du cérémonial de la ville de Paris avec le Roi – on prête le serment entre ses mains, et il reçoit la présentation du scrutin – semblent provoquer dans l'éloquence civique parisienne un effacement des éléments éthiques.

---

[102] *Mercure*, février 1686, 2e partie, p. 53-54.

La production oratoire des municipalités suscite l'intérêt d'un public qui dépasse les corps de ville et même les habitants d'une ville: la publication par le *Mercure*, par Vaumorière ou isolément, ainsi que l'envoi d'un texte municipal à l'Académie française témoignent de l'élargissement du public. La circulation des discours civiques suggèrent que l'éloquence d'apparat, dans ce domaine comme dans les milieux académiques et parlementaires, intéresse le public qui lit, un public qui ne se limite pas à ceux qui peuvent trouver dans ces discours des modèles pour s'acquitter eux-mêmes de la fonction oratoire éventuelle. Les jugements d'ordre esthétique que porte Donneau de Visé confirment le plaisir qu'on retirerait de cette éloquence, d'autant plus réussie qu'elle est mieux adaptée à son contexte.

## III. – L'ÉLOQUENCE D'APPARAT EN CONTEXTE: L'ADAPTATION AUX CIRCONSTANCES

C'est certainement dans le contexte de la vie municipale et de tous les compliments qu'elle suscite, qu'on peut le plus clairement analyser la notion de convenance, qui est déjà intervenue à plusieurs reprises, mais qu'il faut préciser, dans la mesure où elle constitue un aspect essentiel de l'éloquence d'apparat. C'est elle en effet qui détermine la réussite du discours et qui justifie les évaluations favorables qu'on fait des pratiques oratoires. Si le discours d'apparat se définit par un rapport au contexte, s'il est déterminé par la solennisation de l'occasion, par l'affluence et la qualité du public et par la position de l'orateur lui-même, le discours doit son succès à sa correspondance aux attentes que le public a vis-à-vis de l'orateur et, ce qui revient au même étant donné que ces attentes sont aussi déterminées par les circonstances, à sa convenance aux diverses composantes de l'occasion particulière dans laquelle il parle.

Pour bien comprendre en quoi consiste cette «convenance» qui joue un rôle fondamental dans l'évaluation des manifestations oratoires, il faut envisager, non plus seulement les pratiques qui s'inscrivent dans le calendrier cérémoniel du corps de ville, mais l'ensemble des harangues et des compliments qui sont prononcés dans le cadre de la vie municipale. C'est le rassemblement des diverses institutions constituant la communauté civique qui donne leur valeur aux compliments qui se prononcent dans les célébrations publiques. C'est donc aux grandes célébrations locales que je m'intéresserai maintenant.

## 1. Célébration et répétition

Les discours prononcés dans le cadre de la vie municipale, non seulement par les magistrats municipaux, mais par toutes les institutions qui se réunissent lorsque la ville célèbre un événement important, devraient logiquement, au premier abord, se diviser en discours relevant d'un calendrier rituel plus ou moins spécifique à la ville (jour de l'an, fête de la ville) et discours prononcés à l'occasion d'événements singuliers, tels le passage d'un dignitaire de haut rang ou l'arrivée d'un personnage qui doit remplir une fonction importante. Dans la pratique, à l'exception de discours hautement spécialisés (comme l'oraison doctorale à Lyon, dont j'ai évoqué le cérémonial à propos du renouvellement de la municipalité), la distinction n'est pas toujours facile à établir. Le caractère des discours prononcés dans l'un ou l'autre cas n'est pas toujours différent. Surtout, il n'est pas toujours aisé de déterminer à laquelle des deux catégories un compliment donné appartient. Si l'on parcourt le recueil d'Hébert, par exemple, on s'aperçoit que l'occasion des discours n'est pas toujours marquée, et qu'on manque souvent d'éléments pour la déterminer. Dans certains, il est vrai, le titre, ou une indication marginale, précise qu'il s'agit d'un compliment de nouvel an, par exemple. Le fait qu'on ne puisse aisément les distinguer soutient l'hypothèse d'une communauté de caractéristiques. A l'exception des discours prononcés lors du renouvellement du bureau du corps de ville et de la passation des pouvoirs, clairement spécifiés, et dont la longueur et l'inscription dans un rituel particulier justifiait une étude séparée, je considérerai tous les types de compliments comme les éléments d'un ensemble unique, sans m'interdire pour autant d'accorder une attention plus particulière aux discours caractéristiques d'un rituel municipal singulier, nettement différencié par rapport à l'ensemble des pratiques oratoires relevées.

Pour comprendre le déroulement des cérémonies de célébration publique dans le cadre local de la ville, les compliments isolés ne constituent pas une base d'analyse suffisante. Le sens de l'éloquence d'apparat se trouve dans la relation qui existe entre le texte du discours et son contexte rituel. Dans le cas des fêtes publiques, cela veut dire en particulier qu'il faut tenir compte du fait que le compliment individuel s'inscrit dans une succession de discours qui remplissent une fonction commune au regard de la cérémonie dans son ensemble et qui jouent un rôle analogue au regard des institutions qui les produisent. C'est dans cette succession et dans les répétitions éventuelles qu'elle peut provoquer qu'il faut chercher la signification des pratiques oratoires. Cela explique que, bien qu'il existe des compliments publiés séparément ou insérés dans des recueils de discours d'origines diverses, les documents les plus intéressants sont les relations manuscrites et surtout le *Mercure*, lequel préfère souvent l'énumération des orateurs à la citation intégrale du texte de leurs compliments, quitte à donner des extraits ou des analyses de ce qui a été dit. Cette stratégie met en valeur l'importance accordée au déroulement de la cérémonie et au fait que les institutions locales se sont succédé pour porter la parole.

L'arrivée des évêques dans leur diocèse est l'occasion de brillantes réceptions, où le décor et la foule donnent aux compliments prononcés un contexte solennel. L'entrée de Bossuet à Meaux, pour prendre possession de son évêché, en 1682, fournit une bonne illustration de la stratégie du gazetier[103]. Donneau de Visé décrit le décor et raconte toutes les étapes de l'arrivée, ponctuée de compliments.

Bossuet fit son entrée le 7 février. Les bourgeois étaient sous les armes, divisés en cinq compagnies. Beaucoup de monde alla à la rencontre du Prélat. Sensible à l'importance du costume dans les marques de la solennité, Donneau de Visé s'arrête à l'habillement des membres de la maréchaussée, qui escortent l'Évêque. Il évoque

> la maréchaussée qui avoit esté audevant d'elle [la compagnie dans laquelle arrive Bossuet] jusques à Claye, premier lieu du Diocese. Elle estoit en tres bon ordre, les Officiers magnifiquement vêtus, les Archers couverts de Casaques neuves des couleurs du Roy, & tous bien montez[104].

L'insistance sur l'éclat du costume est typique du contexte de l'apparat. On l'a vu aussi bien pour l'élection des nouveaux magistrats parisiens que pour l'installation du nouveau maire de Brest (ou, d'ailleurs pour le Parlement de Paris). Mais le costume n'est qu'un élément de la solennisation. Dans le cadre municipal, les décorations ne se limitent pas à un local: elles peuvent s'étendre à la ville entière. Les entrées royales étaient souvent extrêmement élaborées[105]. Les entrées d'évêque donnent lieu à une célébration qui marque le rôle que les prélats jouaient dans la vie locale. Manifestations sonores et flamboyantes jalonnent la progression de la cérémonie, des décharges d'armes à feu aux feux de joie. Tout naturellement, l'entrée de Bossuet s'accompagne de cris, de musique et de décharges:

---

[103] *Mercure*, mars 1682, p. 9 sq.

[104] *Ibid.*, p. 14.

[105] Les entrées royales ont donné lieu à beaucoup d'études. Voir en particulier: *Les Entrées royales françaises de 1328 à 1515*, de B. Guenée et Fr. Lehoux (Paris: CNRS, 1968), L.M. Bryant, «La cérémonie de l'entrée à Paris au Moyen Age», *Annales ESC*, 41e année n° 3 (mai-juin 1986), J.-M. Apostolidès, *Le Roi-machine*, p. 148-149.

> Les trompettes qui les precedoient [les archers], meslerent agreablement leurs fanfares au bruit des Tambours & des Fifres des Compagnies, & aux cris de joye de tout le Peuple.
>
> A l'entrée de Meaux, on tira le Canon & les Boëtes, qui annoncent avec le son & le carillon des Cloches de toutes les Eglises de la Ville au nombre de vingt-deux, que Mr l'Evesque arrivoit[106].

Foule, soin du costume, bruits éclatants – et agréables –: le *Mercure* donne également un échantillon de la décoration, qui fait de la marche de Bossuet un passage «à travers des forêts de symboles»:

> Il trouva sur sa marche un arc de triomphe à l'entrée de la grande Place, orné ainsi que la Porte de l'Evesché, des Armes du Roy, de la Reyne, de Monseigneur le Dauphin, & de Madame la Dauphine. Au dessous des Armes de ce Prélat qui sont trois Roües, & qu'on y avoit meslées avec celles de la Ville, les Echevins avoient fait mettre pour Devise ces paroles tirées d'Ezechiel, *Spiritus vitae erat in rotis*[107].

De façon très caractéristique, le Roi et la famille royale sont mêlées à la cérémonie par l'intermédiaire de leurs armes. C'est ce qu'on pourrait appeler un élément de solennisation éminente. L'influence des devises, si perceptible dans les discours académiques de province, apparaît ici clairement dans la décoration: aux armes de Bossuet, on associe une inscription biblique qui résonne de façon élogieuse.

L'arrivée du nouvel évêque de Châlons dans son diocèse, et plus précisément dans sa ville, le 7 juin 1696, donne lieu de la même manière à une somptueuse décoration, dont la signification symbolique est analysée par Donneau de Visé:

> La Porte par où ce Prélat devoit passer fut entièrement couverte d'un dessin de Portique de l'Ordonnance Toscane, pris du Sçavant Vignole, & peint par le sieur Aubert, dans un si bon ordre, tant de la Peinture que de l'Architecture, que cela faisoit un relief admirable. Dans le couronnement qui composoit le principal ceintre, on avoit représenté les Armes de la Maison de Noailles. C'est un fond de gueules à bande d'or. L'écu estoit soutenu d'un costé par un Ange qui tenoit à sa main un flambeau dont il éclairoit une Erreur, qui estoit renversée à ses pieds. Il estoit soutenu de l'autre par un Sauvage ayant une masse d'Hercule, qu'il posoit sur des Armes brisées; le tout accompagné d'une Croix, d'une Crosse & de deux Mitres, d'un Chapeau avec ses cordons, du Collier de l'Ordre, des Bâtons de Mareschal de France, d'une Ancre, de la Couronne & du Manteau de Duc, & d'autres marques d'honneur qui appartiennent à cette Maison. Ces paroles estoient écrites au dessus, sur un Billet volant, *in utrumque parata,* pour marquer qu'elle s'aquitte également bien de ses devoirs dans l'Eglise, & dans les Armées; dans

106 *Mercure*, mars 1682, p. 14-15.

107 P. 15-16.

> l'Eglise, en luy donnant des Prelats qui l'édifient, & qui la soutiennent par leur sainteté & leur doctrine; dans les Armées, en donnant au Roy des Serviteurs d'une suffisance & d'un attachement inviolable à son service, qui leur font meriter l'estime distinguée dont ce Monarque leur donne des marques si éclatantes. [108]

A cela, il faut encore ajouter les devises qui figurent dans des cartouches attachés aux colonnes, et qui mêlent symboliquement la ville, la maison de Noailles et le Roi[109].

Les évêques arrivent ainsi au milieu d'un décor symbolique complexe qui produit un effet qui va au-delà de la reconnaissance de la signification des symboles: la rencontre de la pertinence sémiologique et de la qualité plastique et picturale provoque l'admiration. Comme le concert des sons différents dans l'entrée de Bossuet, le décor est un facteur d'agrément.

Mais, pour revenir à l'évêque de Meaux, ce que la relation de son entrée apporte peut-être de plus intéressant, c'est un élément de complétude. Non seulement on voit se succéder un nombre considérable d'orateurs qui viennent saluer le nouveau prélat chacun au nom de sa compagnie, mais le *Mercure* publie encore la réponse de Bossuet, sorte de chapelet de réponses particularisées, enchâssées dans un compliment général.

---

108 *Mercure*, juillet 1696, p. 42-45.

109 Voici le passage de la description consacré aux devises:

> Voicy quelques Devises que l'on avoit peintes dans des cartouches attachez aux colonnes avec de grosses guirlandes, faites avec les plus belles fleurs que l'on avoit pû trouver. La premiere avoit pour corps une Lune qui sortoit de l'Eclipse, & ces mots luy servoient d'ame, *iterum hac luce resurgo*. La Lune figuroit la Ville de Chalons, qui dans la personne de son nouvel Evêque estoit une seconde fois frapée de la lumiere qui luy avoit esté enlevée par la perte de Mr l'Archevêque de Paris, son Frere.
>
> Le corps de la seconde estoit un miroir exposé au Soleil, dont il recevoit la lumiere, avec ces mots, *Tantum recipit quantum aspicit*. Ce miroir representoit la Maison de Noailles, que son pere a mise dans une si juste situation, pour recevoir du premier Roy du monde une infinité de faveurs.
>
> La troisiéme representoit un Soleil couchant, avec une Lune à costé. Elle avoit ces paroles pour ame, *totum fratrem imagine reddit*. Ce Soleil couchant representoit Mr l'Archevêque de Paris, qui a quitté cette Ville pour aller répandre les tresors & les lumieres de sa charité sur une autre terre, & qui rend dans la personne du Prelat, son frere, les vertus qu'il avoit, pour suppléer en son absence, ce qui estoit figuré par la Lune. Enfin, il y en avoit une quatrieme, qui, à la verité, n'avoit pas l'agrément d'estre nouvelle, mais convenoit si bien à la charité des deux Prelats, qu'on avoit cru la devoir mettre avec les autres. Elle a pour corps un Soleil qui tire des vapeurs de la terre, & pour ame ces mots: *Colligit ut spargat*. Ce Soleil figure ces pieux & zelez Prelats, qui ne reçoivent les biens de l'Eglise que pour les répandre dans les mains des Pauvres, & pour les employer à la décoration des Temples du Seigneur. (p. 47-50).

Donneau de Visé ne dit rien des compliments que l'Évêque dut recevoir soit au point où on l'a rencontré hors de la ville, soit à la porte de la ville (les relations d'autres entrées montrent que de tels compliments étaient de rigueur, et qu'un certain nombre de corps envoyaient des députés, l'orateur étant souvent le même que celui qui devait porter la parole *après* que le haut dignitaire serait entré dans la ville). Mais il énumère les compliments qu'il reçut une fois arrivé à son palais, en soulignant deux faits, la beauté du lieu et l'habit de cérémonie de Bossuet, parfaitement normal dans une arrivée solennelle:

> Il fut à peine arrivé dans la grande Salle du Palais Episcopal, qui est un des plus beaux du Royaume, que s'y montrant en camail & en Rochet, il fut salüé par le Chapitre de la Cathédrale[110].

Après le Chapitre de la Cathédrale, qui occupe le sommet de la hiérarchie institutionnelle, le *Mercure* énumère le corps de ville, l'élection, les officiers du grenier à sel, le présidial, la milice bourgeoise et les Supérieurs de toutes les communautés de la ville. La densité même des compliments souligne à quel point le caractère répétitif, inévitable dans ce genre de cérémonie, en constitue un trait fondamental.

Les harangues et compliments à un personnage de haut rang peuvent impliquer une réponse (dont le caractère topique diffère des réponses ritualisées qu'on trouve dans les réceptions). Ils s'inscrivent dans un échange qui n'empêche pas, d'ailleurs l'évaluation en termes rhétoriques. Ainsi, le compliment que fait de La Croix, doyen du Chapitre, «fut fort juste»[111], Donneau de Visé ajoutant à l'extrait qu'il cite un commentaire qui montre l'importance du rang dans l'évaluation de toute pratique sociale et, par voie de conséquence, l'intérêt que les différentes institutions, académiques ou parlementaires, pouvaient avoir à définir un mérite qui se distinguât de la naissance: «La maniere libre dont il prononça ce compliment, avoit cet air agrable qui est naturel aux Personnes de naissance»[112]. La naissance est naturellement suivie d'une heureuse disposition pour la prononciation rhétorique: il importait à de nombreux groupes de trouver des stratégies pour rivaliser avec de telles considérations.

Mais, tout en étant passible du même type de jugement rhétorique que tout autre discours d'apparat, la harangue établit un rapport entre l'orateur et le destinataire. Le compliment, qui fait l'éloge de celui à qui il s'adresse, tout en lui exprimant les sentiments que réclame l'occasion

---

110 Mars 1682, p. 16.

111 P. 17.

112 P. 18.

dans laquelle il est fait, suscite souvent une réponse qui indique que le type particulier de communication propre à cette pratique oratoire s'est bien effectué. La «bonne» réponse est précisément celle qui convient à celui à qui elle s'adresse et au compliment qu'il a prononcé. La réponse de Bossuet fournit à Donneau de Visé la matière d'un éloge du prélat, où il fait intervenir un élément qui apparaissait déjà à propos du discours du La Croix,doyen du Chapitre, la justesse:

> Mais ce qui fut admiré plus qu'aucune chose, c'est que ce Prélat répondit à tous ces Complimens, non seulement avec une si grande justesse, qu'il paroissoit estre parfaitement informé de tout ce qui luy devoit estre dit, mais aussi avec une grace qui charmoit tous ceux qui l'écoutoient, & un caractere si singulier, que ce qu'il disoit à une Compagnie, ne pouvoit s'appliquer à une autre[113].

L'auditoire est satisfait sur plus d'un plan; justesse du contenu, charme de la prononciation, parfaite adaptation à chaque destinataire: le nouvel évêque apparaît ici comme un parfait orateur de circonstance, ce qui ne saurait étonner les lecteurs du *Mercure* qui le connaissent comme un prédicateur de talent. Le sermon «sur l'unité de l'Église», avec lequel il fit l'ouverture de l'assemblée du Clergé en novembre 1681 avait confirmé, s'il en était besoin, sa puissance oratoire. Donneau de Visé ne fait ainsi que montrer que les talents de Bossuet, en matière d'éloquence, s'étendent à tous les domaines. Après une introduction générale, ce dernier s'adresse au Chapitre, au Présidial, au corps de l'Élection, au Corps de Ville et à la bourgeoisie en armes, aux officiers du grenier à sel et aux supérieurs des Communautés.

L'activité oratoire ne s'arrête pas là. Bossuet, comme tout autre prélat arrivant dans son diocèse, dut encore échanger des compliments dans les jours qui suivirent, en particulier avec La Croix,le doyen du Chapitre de la Cathédrale, qui l'avait déjà harangué à son arrivée. Le latin alterne avec le français. Mais les autres harangues étant plus directement liées à la dignité épiscopale et aux fonctions qui s'y attachent, et non plus à la vie municipale proprement dite, leur analyse de détail n'est pas ici pertinente.

Ce que cet exemple permet de saisir clairement, c'est l'inscription des harangues dans un ensemble, une perspective que la stratégie du *Mercure* rend manifeste. Cet ensemble peut, comme lors de la nomination et de l'installation des nouveaux magistrats municipaux, n'inclure que les institutions de la municipalité proprement dites. Dans le cas d'une entrée, comme celle de Bossuet, toutes les institutions locales participent à l'événement. Bien que chaque orateur appartienne plus

---

[113] P. 28-29.

spécifiquement à une institution donnée, qu'il représente en portant la parole en son nom, on parlera, dans le contexte de ce type de cérémonie, d'éloquence civique pour l'ensemble des discours prononcés. La répétition de l'acte oratoire est propre au déroulement des cérémonies qui réunissent ainsi toutes les institutions d'une ville pour une célébration solennelle. Le même orateur peut d'ailleurs avoir à prononcer plusieurs compliments successifs, soit dans le même lieu à la tête de plusieurs compagnies, soit dans la même fonction, mais en plusieurs lieux différents. Ainsi, lorsque le duc d'Enghien se rend en Bourgogne en juillet 1679, il s'arrête à Réjane, maison qui appartient à l'évêque d'Auxerre, André Colbert:

> Ce fut dans cette Maison que M^r^ Billard Président au Présidial, & Maire d'Auxerre, vint complimenter Mr le Duc. Il estoit suivy d'un bon nombre des principaux Bourgeois à cheval. Le Prevost des Mareschaux s'estoit deja rendu à Rejane, & ce Prince en partit précedé des uns & des autres, pour aller à Auxerre, où le mesme M^r^ Billard, Homme de beaucoup d'érudition, donna de nouvelles marques de son esprit par un second Compliment. Tous les autres Corps rendirent aussi leurs devoirs à M^r^ le Duc, qui partit en suite au bruit du mesme Canon qu'on avoit fait entendre à son Entrée[114].

Et le voyage du Duc se poursuit, jalonné de harangues.

Dans certains cas, les représentants d'une ville vont haranguer un grand personnage dans une ville voisine où il passe. On voit dans ce cas la dialectique du devoir oratoire et de l'initiative: ne recevant pas dans sa ville le dignitaire, la municipalité décide pourtant de présenter ses respects par une députation. C'est ce qui se produit au passage de la reine d'Espagne, fille de Monsieur, à Poitiers, en 1679:

> Les Maire & Echevins de Niort, ayant sçeu que cette grande Princesse devoit se rendre à Poitiers y députerent deux Echevins de leur Corps, & deux des plus considérables Bourgeois, qui vinrent la complimenter dans cette derniere Ville. Ils luy furent présentez par M^r^ le Prince d'Harcourt. M^r^ Augier de la Terraudiere, Echevin, porta la parole[115].

La ville accomplit bien son devoir, puisqu'elle exprime à la nouvelle reine d'Espagne ses respects. Mais c'est un devoir qu'elle choisit, puisqu'elle députe à Poitiers, de son propre mouvement, semble-t-il, quatre représentants .

Mais il est des célébrations qui s'étendent à tout le Royaume. Paix, guérison du Roi: les unes après les autres, les villes organisent de grandes fêtes dont le cérémonial varie peu d'une ville à l'autre. Les

---

[114] *Mercure*, juillet 1679, p. 74-76.

[115] *Mercure*, novembre 1679, p. 76-77.

livraisons du *Mercure* du début de 1687 sont remplies de récits de célébrations pour la convalescence du Roi, pour laquelle toutes les institutions de villes très nombreuses multiplient les actions de grâce. De fait, les occasions ne manquèrent pas, à la fin du siècle, pour que les villes du Royaume communiassent dans des réjouissances publiques.

La multiplication des fêtes solennelles provoque une mobilisation des villes du Royaume et crée une forme d'unité, un rassemblement autour de la célébration des hauts faits du Roi ou de la paix. Celle-ci était vivement souhaitée par les populations ce qui donnait certainement une part de spontanéité aux manifestations de joie[116]. Mais cette «unité» du Royaume dans la célébration, elle est aussi provoquée par les ordres que les municipalités reçoivent de célébrer. On trouve dans la description du feu de joie construit à Reims pour la conclusion de la paix, en 1679, une remarque révélatrice. L'impatience était générale, pour organiser des réjouissances publiques, «mais, dit la relation, on sçait que les réjoüissances ne se font pas sans Ordre»[117], et l'ordre ne fut pas plus tôt entre les mains des magistrats municipaux, qu'ils s'empressèrent d'y obéir... Comme toujours, devoir de célébration et désir de se réjouir convergent. Mais on entend que tout le Royaume manifeste, dans un laps de temps assez bref, sa joie des grands événements.

Les cérémonies se font ainsi écho d'une ville à l'autre. Les discours se succèdent dans chaque occasion. Le caractère répétitif des discours eux-mêmes, tant sur le plan formel que sur le plan thématique, suggère que certains éléments conviennent à une occasion donnée et qu'ils doivent, par conséquent, être présents dans les compliments qui y sont prononcés. Et c'est à cette problématique de la «convenance» que je voudrais maintenant m'intéresser.

## 2. La problématique de la «convenance»: l'adaptation à la cérémonie

La harangue ou le compliment (malgré leur distinction théorique qui fait du second la variante plus familière de la première, ces deux termes sont équivalents dans les sources qu'on possède; la harangue peut toutefois désigner tout discours solennel) sont fondamentalement des éloges. Mais le compliment est un, éloge prononcé à l'occasion d'un

---

[116] La paix avec la Savoie et le mariage du duc de Bourgogne, avec la promesse de temps meilleurs qu'ils apportaient, furent ainsi célébrés avec beaucoup d'éclat.

[117] *Le Triomphe du Soleil ou le Feu de Joye fait à Reims devant l'Hostel de Ville, pour la paix générale de l'année 1679* (B.N. Lb [37]. 3735). «Ordre» est un terme ambigu. Les feux de joie et les illuminations jouent un rôle essentiel dans les réjouissances publiques: même lorsque l'éloquence n'y a pas sa place, les feux sont toujours présents.

événement qui lui imprime ses caractéristiques. On voit clairement la nature encômiastique du compliment avec les discours d'Hébert. Le jour de l'an est pour la municipalité une occasion traditionnelle de haranguer les hauts dignitaires. Mais le maire de Soissons justifie toujours les vœux qu'il fait par les qualités du destinataire. Le compliment à Bossuet, intendant de la province, dans lequel l'orateur présente les vœux de la Ville, fournit un bon exemple de la technique d'Hébert:

> MONSEIGNEUR,
>
> On ne peut souhaiter trop d'années aux personnes qui les emploient aussi utilement que vous; qui comme vous les passent à servir le Prince, & à soulager les Peuples. Aussi, MONSEIGNEUR, pouvons-nous vous dire, que nous ne demandons rien au Ciel avec plus d'ardeur, que la conservation de vôtre vie[118],

exorde auquel celui du compliment fait pour le nouvel an à Madame de La Rochefoucault (sic), abbesse de Notre-Dame de Soissons, fait écho:

> Madame,
>
> C'est aux personnes comme vous, qui sont utiles à tant d'autres, & qui sçavent exercer avec une sagesse & un zele que tout le monde admire les precieux talens qu'elles ont reçus du Seigneur, qu'il faut souhaiter une longue & heureuse suite d'années[119].

La circonstance demande des vœux, mais ils se confondent immédiatement avec l'éloge. Au lieu de reconnaître la nécessité purement institutionnelle des vœux, l'orateur choisit de les lier à la personnalité de son destinataire.

D'une manière plus générale, Hébert se pose souvent explicitement la question: comment bien louer son destinataire? Cette hésitation peut prendre la forme traditionnelle de l'affirmation de la difficulté que l'orateur éprouve devant la richesse de sa matière, comme c'est le cas dans une harangue à l'évêque de Laon: «On découvre en vous tant de sujets d'éloge, qu'on ne sçait auquel s'attacher»[120], ou envahir tout le compliment, pour conduire l'orateur à conclure, rhétoriquement, que le silence est sa seule option. C'est ce qu'on voit dans un compliment dont le destinataire n'est identifié que par la mention «à Mademoiselle ***». Hébert rapporte l'hésitation du Corps de Ville: fallait-il accompagner le cadeau de ville d'un compliment. Si la municipalité y renonce,

---

[118] Hébert, *Discours et harangues*, p. 44-45.

[119] *Ibid.*, p. 49-50.

[120] Il s'agit probablement de César d'Estrées; évêque de Laon jusqu'en 1681. On peut par exemple comparer ce passage au *Panégyrique sur l'heureux retour de la santé du Roy* de Tallemant: «Je vois icy tant de vertus à loüer que ne je sçay à laquelle m'attacher» (*Les Panégyriques du Roi*, p. 214).

> on pourra nous reprocher de n'avoir pas suivi la regle. Si nous l'entreprenons, on nous accusera sans doute de temerité. Car enfin, MADEMOISELLE, comment loüer assés noblement des manieres si spirituelles & si nobles? Comment exprimer avec assés de délicatesse, ce qu'on doit penser d'un genie aussi delicat que le vôtre? En un mot, où trouver des termes, pour parler dignement de ces dons, & de ces agremens, dont la nature vous a été si prodigue? Nous prenons le parti de nous taire, & nous vous dirons seulement, MADEMOISELLE, que nous sommes, &c.[121]

Tout le compliment se résume à la question: comment louer correctement? L'interrogation anaphorique n'est qu'une forme possible de ce problème, forme que l'on trouve d'ailleurs dans d'autres textes[122]. L'éloge est ici prononcé par prétérition, mais c'est bien un éloge. On retrouve d'ailleurs un élément caractéristique de l'éloquence d'apparat: le compliment est présenté comme la «règle» dans une occasion donnée. Mais tout l'éloge est formulé comme une question de méthode fondamentale: comment adapter le discours qu'il faut prononcer aux diverses qualités de la personne à qui il s'adresse?

Une telle question se rattache à la problématique de la convenance, essentielle pour l'éloquence d'apparat. Cette problématique sous-tend, par exemple, les commentaires du *Mercure*. Elle est également apparentée à certains aspects de la théorie rhétorique. Par cette notion de convenance, il faut entendre l'adaptation à la circonstance, à l'institution qui produit le discours, à son destinataire, etc. Le *Mercure* a souvent recours, pour juger les harangues, à des termes de la famille de *convenir*, qui forment une catégorie analytique dont les critères ne sont jamais réellement explicités et qui demeure, comme telle, un peu vague. Lorsque le maréchal-duc de Boulers arrive à Beauvais pour son installation comme gouverneur de la ville, la notion de convenance s'applique au rapport entre le discours et l'institution au nom de laquelle il est prononcé:

> Le Corps de Ville fut assemblé aussi-tost, & Mr le President Vigneron d'Hucqueville fit les fonctions de Maire, en luy presentant les Clefs de la Ville, par un Discours qui convenoit autant à la Compagnie qu'il

---

[121] Hébert, p. 107-108.

[122] L'interrogation anaphorique sur la manière de louer est un procédé de la rhétorique largement attesté. Barbier d'Aucour a recours au même procédé dans son discours de réception à l'Académie française, en 1683, à l'occasion de l'éloge du Roi:

> Mais comment pouvoir dire tant d'autres actions, comment représenter son admirable assiduité dans les Conseils, une assiduité aussi réglée que le lever & le coucher du Soleil . . .?
>
> Comment exprimer son amour pour la justice, ce divin amour qui est l'unique Loy de ceux qui sont au dessus des Loix . .? (*Recueil des harangues*, p. 389-390).

> conduisoit, que celuy qu'il fit quelque temps aprés, estoit propre au Corps du Présidial, à la teste duquel il se mit. [123]

L'orateur appartient au Corps de Ville et au Présidial. A la tête de chacune de cs deux institutions, il fait un discours adapté au corps au nom duquel il parle. Les commentaires qui accompagnent la réponse de Bossuet, évêque de Meaux, aux divers compliments qui lui sont faits à son arrivée, suggèrent que le terme de convenance peut, dans certains cas, se réduire à une précision assez grande, au refus de la généralité qui permettrati au compliment de servir à n'importe quel groupe, d'être, pour parler familièrement, passe-partout. C'est ce critère de la convenance que je voudrais éclaircir maintenant, à tous les niveaux où il peut jouer: convenance de l'éloge, des sentiments exprimés, de la langue employée, et même de l'expression de détail.

### A. *Convenance des éloges*

Si les harangues, ou, lorsqu'une certaine restriction est mise à l'ampleur de la cérémonie, les compliments, proposent, explicitement ou implicitement, une stratégie de l'éloge, l'étude des différentes stratégies mettra en lumière la manière dont s'exprime l'adaptation du discours au destinataire.

J'ai montré plus haut, avec l'entrée de la duchesse de Noailles à Aurillac, comment le rituel fondateur de l'éloquence d'apparat pouvait entrer en conflit avec d'autres codes, comme le veuvage et le deuil[124]. Le compliment adapté à la duchesse de Noailles était alors le silence, rompu seulement par un compliment «substitutif» à son fils, Mr de Cahors. Mais, d'une manière plus générale, la stratégie laudative dépend de l'origine, des fonctions et des qualités du destinataire.

Hébert prononça au nom de la ville un compliment à la marquise de Cœuvres, retirée à Nanteuil, en l'absence de son époux, qui était à l'armée. L'orateur se plaint de son refus qu'on lui rende tout ce qu'on lui doit: «C'est ce que nous ne pouvons souffrir sans murmure»[125]. Mais le refus de l'apparat maximal, amène l'orateur à définir une stratégie de l'éloge qui montre *a posteriori* comment les louanges peuvent convenir à leur destinataire, soit en considération de son rang, soit en considération de ses qualités:

> Nous n'en avons pas moins de veneration pour vous. Au contraire,

---

[123] *Mercure*, février 1697, p. 64.

[124] Voir *supra*, p. 548-549.

[125] *Discours et harangues*, p. 110.

> quand vous nous défendés d'honorer vôtre rang, nous en honorons d'autant plus vôtre merite. [126]

A partir de là, Hébert affirme que la conduite de la marquise va lui servir de règle pour composer un discours qui la satisfasse, et qui *convienne* ainsi au destinataire, tout en permettant au maire de Soissons de s'acquitter de son devoir oratoire:

> Ce genereux abaissement nous decouvre mieux l'élevation de vôtre ame; il nous la fait voir au dessus des plus hautes dignités. Mais, MADAME, vous n'estimés pas davantage ces dons de la Nature que tout le monde admire, puisque vous les ensevelissés dans la solitude. Ainsi pour vous loüer selon vôtre goût, ce n'est ni de ces dons, ni de ces dignités qu'il faut vous loüer, c'est du glorieux mépris que vous en faites[127].

Tout en amplifiant ce «glorieux mépris», le reste du discours relève cette «conduite également sage & éclairée qui marque tout ensemble combien vôtre esprit est grand, & vôtre vertu sublime»[128]. Avec l'insistance sur le verbe louer, la technique de l'orateur pourrait se définir comme le recours à une sorte de prétérition, toutes les grandes qualités que la marquise de Cœuvres dédaigne et refuse de voir louer tenant une large place dans le discours, sous la forme d'une dénégation: l'orateur affirme ne pas vouloir les louer.

Dans le dernier exemple, une telle prétérition apparaît comme une concession aux désirs et aux vertus de la personne à qui l'orateur s'adresse. On comprend mieux comment elle entre dans la problématique de la convenance lorsqu'elle semble rendue nécessaire *à la fois* par la personnalité du destinataire et par sa position sociale. C'est le cas, par exemple pour les évêques. Le discours de la religion catholique oppose souvent le monde et l'Église, ou, à tout le moins, établit une hiérarchie entre les deux. On devrait alors accorder plus de prix aux vertus chrétiennes qu'aux avantages de la nature ou de la fortune. Mais la réalité de la structure sociale impose en même temps qu'on reconnaisse le rang de celui à qui l'on s'adresse. De plus, les lois du compliment provoquent aussi des tensions. Haranguer un nouveau prélat à son arrivée ou présenter des vœux à un évêque pour la nouvelle année suppose qu'on fasse son éloge. L'éloge touche traditionnellement à des matières mondaines, en particulier pour les destinataires nobles – l'ancienneté et le rang de la maison appartenant aux lieux encômiastiques. Le refus des louanges mondaines constitue précisément un lieu particulier des

---

126 *Ibid.*

127 P. 110-111.

128 P. 111.

harangues aux prélats et s'expriment par des procédés qui permettent de ne rien omettre de ce qu'on rejette explicitement. La réception de l'évêque de Châlons, Gaston de Noailles, frère du nouvel archevêque de Paris, produit de nombreuses harangues. A son arrivée à la porte de la cathédrale, il est harangué par le doyen du Chapitre. Tout l'exorde de ce compliment est une amplification du rejet feint de certains sujets d'éloge:

> MONSEIGNEUR,
>
> Nous laissons au monde de relever les avantages que votre Grandeur tire du monde. La haute noblesse de sa naissance, ces titres d'honneurs accumulez dans sa Maison, l'éclat de sa dignité, attirent nos regards, mais ils ne les fixent pas. A Dieu ne plaise que ce Clergé, que ce Peuple borne là son admiration. Un sentiment plus religieux nous inspire, Monseigneur, de recevoir le Prophete, non pas en qualité de grand, mais selon la regle de l'Evangile, en qualité de Prophete . . .[129]

On voit que toutes les exigences sont satisfaites. La grandeur sociale du destinataire, que l'orateur rejette explicitement comme non pertinente, est du même coup soulignée, sans que le doyen du Chapitre, qui a pris l'Écriture pour caution soit à blâmer. La position du destinataire, aussi bien que celle de l'orateur, sont respectées. La situation sociale de l'Évêque ne saurait permettre que son éloge omît la noblesse de sa famille. Sa position dans l'Église impose d'adapter l'exigence aristocratique au contexte de l'installation dans les fonctions épiscopales, et plus largement de la religion.

La même technique apparaît dans le discours de l'abbé Lirot, chef du Chapitre de Vitry-le-François, lorsque l'évêque de Châlons arrive dans cette ville. Les sujets d'éloge mondains sont cette fois présentés comme les composantes d'un compliment possible, mais qui ne conviendrait pas au prélat auquel l'orateur s'adresse. L'orateur s'étend plus longuement ici que dans le cas précédent sur le discours possible qu'il rejette, ce qui rend plus nette encore la prétérition, et son caractère essentiel étant donné le rang social et la position institution nelle de Gaston de Noailles. L'exposé de ce que l'orateur rejette constitue pratiquement la moitié de la harangue:

> MONSEIGNEUR,
>
> Dans l'empressement de vous rendre nos premiers hommages, il ne seroit pas difficile de faire valoir nos vœux & nos obéïssances auprés d'un Prelat moins vertueux & moins Chrestien que Vous. L'éclat d'une Maison illustre . . . de grands & de nombreux services rendus à l'Etat par vos Ancestres . . . une des premieres places de l'Eglise remplie par

---

[129] *Mercure*, juillet 1696, p. 52-53.

> un saint Ministre, avec lequel vous partagez, & la naissance, & les emplois, tout cela exposé avec art pourroit faire recevoir favorablement nos soumissions & nos obeïssances; mais nous n'avons pas besoin de relever en vous ces avantages que le siecle admire, & que vous méprisez. . . . Nous ne sommes attentifs qu'aux vertus Pastorales qui brillent en vous[130].

Naturellement, la dénégation centrale, qui rejette tous les sujets d'éloge qui ont été proposés jusqu'alors, organise le discours en deux temps successifs: avantages mondains, vertus pastorales. Mais, sans négliger la fonction structurelle de cette manière de prétendre passer sous silence ce qui est mentionné, il est important de remarquer qu'elle correspond aux exigences de la convenance du texte à son destinataire. L'insistance mise sur la spécificité du prélat et de l'orientation du compliment qu'on lui fait tourne encore à son éloge, puisque le discours rejeté, qui aurait pu faire valoir le Chapitre par une habile peinture de la grandeur socio-mondaine du prélat, se serait adressé à un personnage «moins vertueux & moins Chrestien» que lui. Un évêque moins accompli eût pu attacher de la valeur à des «avantages que le siecle admire» mais que lui méprise. Le discours tel qu'il est prononcé, est présenté comme spécifiquement élaboré à son intention et lui convenant en propre.

Il faut noter que cette prétérition, qui marque l'adaptation du discours à un destinataire chrétien et vertueux dont la conduite s'accorde parfaitement à ses fonctions écclésiastiques, est un phénomène qui occupe une place importante dans l'éloquence d'apparat. L'oraison funèbre de la duchesse de Montausier que Fléchier prononça devant les sœurs de la défunte, l'une abbesse de Saint-Etienne de Reims, l'autre abbesse d'Hyères, contient, lui aussi, l'esquisse du discours que l'orateur aurait fait s'il avait parlé devant un autre auditoire:

> Si j'avois à parler devant des personnes que l'ambition ou la fausse gloire attachent au monde, je m'accommoderois à leur foiblesse, & à la coutume; & relevant la naissance de notre illustre Duchesse, j'irois leur chercher dans l'histoire ancienne les sources de la noble famille d'Angennes, dont la gloire, la grandeur, & l'ancienneté sont assez connues. Je descendrois jusqu'aux derniers siècles, où l'on a vu tout à la fois cinq freres de cette illustre maison, trois Chevaliers des Ordres du Roi, un Cardinal, & un Evêque, tous Ambassadeurs en même temps, qui remplissoient de l'éclat de leurs vertus differentes presque toutes les Cours de l'Europe. Je leur dirois que son ayeule Julie Savelli étoit sortie d'une des plus anciennes familles d'Italie; qu'elle comptoit des Rois, des Conquérans, des Souverains Pontifes pour ses ancêtres, & trois de nos Rois pour ses alliés. Je les exciterois après insensiblement à imiter les vertus de celle dont ils auroient révéré la noblesse; & faisant

[130] *Mercure*, décembre 1696, p. 155-156.

> semblant de flatter leur vanité, je leur insinuerois des exemples de modération & de sagesse. Mais oserois-je, MESDAMES, vous entretenir d'une gloire à laquelle vous avez renoncé? Ne sçai-je pas qu'ayant abandonné le monde pour mener une vie plus sainte & plus cachée dans la retraite, vous ne prétendez plus qu'à l'honneur d'être de la famille de JESUS-CHRIST?[131]

Hiérarchie entre le monde et une «vie plus sainte & plus cachée dans la retraite», oraison que Fléchier aurait prononcée devant un auditoire moins pénétré des vertus chrétiennes et moins désabusé des valeurs mondaines: là encore, tout en faisant le discours rejeté explicitement, l'orateur souligne la manière dont celui qu'il prononce réellement s'adapte à ses auditrices privilégiées.

Dans la mesure où les deux harangues au nouvel évêque de Châlons sont prononcées par des porte-parole de chapitre et où Fléchier est un prédicateur, on pourrait penser que la fonction de l'orateur intervient dans cette stratégie de prétérition et de dénégation. Or, lors de son passage à Vitry-le-François, Gaston de Noailles fut harangué par d'autres corps. Le *Mercure* cite le discours de M. Le Blanc, président et lieutenant général du présidial. La harangue présente une structure qui rappelle celle de Lirot, qui parlait au nom du Chapitre, même si le lexique n'est pas identique. L'exorde s'ouvre sur une opposition qui prépare le terrain pour une variante de la prétérition analysée plus haut:

> MONSEIGNEUR,
>
> Nous ne venons pas icy avec des paroles étudiées, relever l'éclat de vostre avenement, mais nous y venons avec des cœurs remplis de tendresse & de veneration vous presenter nos tres humbles respects[132].

L'orateur renonce explicitement à l'éloge de la maison du nouveau prélat, non seulement parce qu'il n'en est pas capable, mais aussi parce que la réception d'un évêque dans une ville de son diocèse n'est pas le lieu pour un tel éloge:

> Nous sçavons, Monseigneur, qu'il faut d'autres mains que les nostres pour vous eriger des statuës, & un autre champ que celuy cy pour étaler la grandeur de vostre illustre Maison[133].

Mais, si c'est ici l'occasion qui semble interdire le recours à l'évocation de la maison, c'est plus loin les qualités personnelles de l'Évêque qui justifient ce rejet. Après avoir fondé sur sa faiblesse sa longue prétéri-

[131] Fléchier, *Recueil des oraisons funèbres prononcées par Messire Esprit Fléchier, eveque de Nismes* (Paris: Desaint et Saillant, 1749), p. 9-10. Cette oraison funèbre date de 1672.

[132] *Mercure*, décembre 1696, p. 159-160.

[133] *Ibid.*, p. 160.

tion («Nous ne presumons pas assez de nous pour entreprendre un ouvrage si élevé»)[134], le porte-parole du présidial oppose la fortune à la vertu, version laïque de l'antithèse que le député du Chapitre présentait entre traits mondains et vertus pastorales:

> Mais, Monseigneur, si vous estes redevable à la fortune des avantages de vostre naissance, vous l'estes encore plus à la vertu, qui sans le secours de tant d'illustres Ancestres, vous éleve au dessus de la grandeur que vous avez reçuë de la nature[135].

Le Présidial, institution judiciaire, et le Chapitre, institution ecclésiastique, traduisent, chacun à sa manière, l'opposition entre grandeur mondaine et vertu. On reconnaît d'ailleurs, chez le député du Présidial, une insistance sur la grandeur individuelle, qui correspond bien aux caractéristiques de l'éloquence parlementaire. La prétérition est ainsi adaptée à plus d'un titre. La convenance met ici en œuvre des catégories de la topique encômiastique traditionnelle: laissant de côté les biens du corps, elle traite des biens extérieurs en prétendant les passer sous silence pour placer l'accent sur ceux de l'âme.

Hébert lui-même, parlant au nom de la ville de Soissons au cardinal d'Estrées, «la premiere fois qu'il revient de Rome aprés sa Promotion», propose une image du Cardinal dans laquelle sa grandeur personnelle le place, pour reprendre une expression courante à l'époque, au-dessus de tous les honneurs et de toutes les dignités sociales::

> Nous sçavons bien, MONSEIGNEUR, que toutes les grandeurs humaines étant au dessous de cette grandeur d'esprit & d'ame, qui distingue si excellement vôtre Eminence des autres hommes, c'est vous rabaisser en quelque façon, que de vous louer d'une dignité quelque élevée qu'elle soit[136].

Cela n'empêche nullement Hébert d'affirmer par la suite que la pourpre était la seule dignité qui manquât à l'illustre maison et de faire malgré tout l'éloge de cette dignité rejetée au début de la harangue. L'orateur va même jusqu'à inclure dans les souhaits de la péroraison des vœux pour la papauté, sans la mentionner explicitement: «il n'y a plus qu'un degré entre le Ciel et vous.»[137] Le lecteur moderne peut trouver quelque peu ironique le rapprochement. Mais, dans un contexte social où la dignité ne saurait être ignorée, la stratégie du maire de Soissons consiste à prétendre que la position de son destinataire est

---

[134] *Ibid.*

[135] *Ibid.*, p. 162.

[136] *Discours et harangues*, p. 155.

[137] *Ibid.*, p. 158.

moins remarquable que ses vertus, et que ni l'ambition ni la brigue n'ont eu part à son élévation.

Le rejet des valeurs mondaines, sous quelque forme qu'il apparaisse, s'inscrit dans la problématique de la convenance. Cet aspect de l'adaptation du discours amène souvent les orateurs à n'aborder la topique traditionnelle que sous la forme négative du rejet. Le refus des grandeurs mondaines, qui se traduit dans les harangues par un éloge prétéritif la naissance, de la maison, est un élément pertinent parmi d'autres dans cette problématique. On pourrait encore citer, dans le cas des dignités ecclésiastiques, l'absence d'ambition, symbolisée par la réticence du destinataire à accepter la dignité épiscopale jamais désirée ni recherchée, mais qui doit faire le bonheur de ceux qu'il va guider sur le plan spirituel. Il sacrifie son repos au bien public, en acceptant la récompense de ses hautes vertus, qui lui est en quelque sorte imposée. L'archevêque de Paris, qui revient à Châlons en attendant ses bulles, est ainsi harangué au nom du Chapitre de la Cathédrale par un des chanoines qui lui dit, entre autres choses:

> Cette sage Providence, Monseigneur, a donc ordonné vostre translation: le bien de l'Etat, & même celuy de l'Eglise l'ont desiré, l'ont voulu, l'ont exigé de vous, & l'ont enfin obtenuë de vous-même, malgré vous-même. Qu'il est beau, qu'il est rare, & qu'il est surprenant de ne monter aux grandes Dignitez qu'avec crainte, & lors que l'on s'y trouve contraint, & que ces postes sont dangereux, puis que les grands revenus & les grands honneurs qui y sont attachez, sont bien souvent de plus grands écueils pour ceux qui les possedent[138].

L'absence d'ambition se confond ici avec la représentation chrétienne des honneurs comme un danger pour l'âme[139].

L'exemple de Noailles ou du cardinal d'Estrées est très révélateur, dans la mesure où leur situation sociale, comme famille, justifie tous les éloges mondains. Les compliments qu'un Bossuet reçoit n'ont pas besoin de prétérition pour insister sur ses vertus pastorales, sur son rôle de guide (comme précepteur du Dauphin) et sur l'importance de son rôle dans les affaires du clergé, le tout parsemé de références bibliques. Le discours du maire perpétuel de Meaux montre précisémentf une

---

[138] *Mercure*, septembre 1695, p. 247-248.

[139] Même problématique dans le compliment de l'abbé Laigneau au nouvel évêque de Châlons, frère du précédent:

> Né que vous estes au milieu de la Cour sans en avoir pris le poison, formé d'un sang vraiment Chrestien, sans en avoir altéré la pureté . . . demandé par les vœux assidus de l'Eglise pour estre son Pasteur; élu sans l'avoir recherché, bien plus sans l'avoir désiré . . . (*Mercure*, juillet 1696, p. 55-56).

combinaison de la référence biblique et du thème déjà signalé de l'absence d'ambition. L'orateur dit au nouvel évêque

> Qu'il avoit imité l'obéïssance de Moïse, qui n'avoit consenty à gouverner le Peuple de Dieu, qu'apres que Dieu luy en eut fait le commandement; Qu'il seroit reveré par les Peuples de son Diocese, qui espéroient estre benis en luy; Qu'il luy seroit aisé d'obtenir de la Cour les graces nécessaires à ces Peuples; Qu'il n'avoit qu'à monter sur la Montagne & lever les mains vers le Prince, pour faire cesser leurs maux, & voir regner chez eux l'abondance; Qu'ils demandoient au Ciel qu'il luy donnast des forces pour soûtenir ses mains qui devenoient pour eux la source de tous les biens[140].

Un tel texte est extrêmement révélateur. On voit *a contrario* la confirmation que les éléments explicitement méprisés dans les compliments faits à l'évêque de Châlons devaient être mentionnés dans ce contexte. Ils ne sont pas essentiels aux compliments faits aux évêques en général, puisqu'ils ne figurent pas dans le compliment à Bossuet que je viens de citer. Mais ils sont impératifs pour les évêques d'un certain rang, sinon ils ne figureraient pas dans tous les compliments faits aux Noailles. Le compliment du maire perpétuel de Meaux représente la dignité épiscopale comme un *appel*, ce qui suggère l'absence d'ambition de ceux qui l'exercent: vocation n'est pas désir de s'élever[141]. Le parallèle avec Moïse fait allusion à la commission que Bossuet a reçue de diriger les âmes (et peut-être aussi au refus des titres: Moïse n'a-t-il pas rejeté son statut de Prince d'Égypte?), mais celui qui est proposé entre le Roi et Dieu a deux fonctions: il s'applique au destinataire, dont il souligne l'influence et le rôle dans l'entourage royal (prédicateur, précepteur du Dauphin et théoricien religieux); en même temps, il renforce le caractère d'apparat par l'éloge du Roi, tout en marquant la fidélité monarchique du Maire, à la fois comme représentant du Corps de Ville et comme lieutenant général. Le discours est donc adapté au destinataire aussi bien qu'à l'orateur.

On voit donc co-exister deux exigences: le compliment doit respecter le code propre au rang social absolu du destinataire; il doit mettre en valeur les éléments appropriés à ses fonctions, qui définissent sa position individuelle. Les topiques relevant des deux domaines (origine sociale et position individuelle) peuvent apparaître, comme on le voit avec les fonctions ecclésisatiques, plus ou moins incompatibles. Elles

---

140 *Mercure*, mars 1682, p. 20-21.

141 Ce n'est pas la première fois qu'on voit intervenir la notion de vocation. Les membres des institutions judiciaires provinciales y avaient recours pour opposer l'achat des charges et le mérite des magistrats parfaits. Dans le cas des robins, il s'agit surtout d'établir le concept de mérite.

engendrent alors un discours prétéritif ou antithétique. Elles peuvent tout aussi bien se présenter de manière parfaitement conciliable, ce qu'on trouve avec la profession des armes pour l'aristocratie de la naissance. Ainsi, le doyen de l'église collégiale du Saint-Sépulcre à Caen harangue le maréchal de Choiseul d'une manière qui satisfasse à la fois ceux au nom de qui il parle, son destinataire, distingué par sa haute dignité militaire et le public, dont le *Mercure* donne une idée: «[il] le harangua en ces termes, en presence de Mr de Renti, Lieutenant General, & de plusieurs autres personnes de distinction.»[142]. Dans la mesure où l'orateur s'arrête longuement sur l'éloge du Roi, on peut supposer que le discours convient à tous publics, puisque, nous l'avons vu, l'éloge royal est un marqueur universel de l'éloquence d'apparat, plusieurs fois posé par le *Mercure* comme l'élément le plus susceptible de plaire à un auditoire. Il est particulièrement adapté à un lieutenant général, représentant de l'autorité royale. Mais c'est la référence à l'Écriture qui marque le mieux l'adaptation à la fois au destinataire et au Corps que l'orateur représente, puisqu'elle associe religion et profession des armes, dès l'exorde:

> MONSEIGNEUR,
>
> Entre les plus beaux noms que le Roy des Rois se donne dans les saintes Lettres, il prend celuy de Dieu des Armées. Il veut que nous honorions comme des Dieux les Princes & les Seigneurs qui combattent pour sa gloire, & il les appelle mesme des Dieux[143].

L'orateur dresse d'abord un parallèle entre Dieu et le Roi, parallèle qui, dans les textes que j'analyse, a pris l'allure d'un lieu commun; il applique ensuite l'allusion scripturaire à son destinataire:

> & comme Dieu s'est servi autrefois de Iosué, de David, & mesme de ses Anges pour défaire les Ennemis de son Peuple, il se sert tous les jours de vous, Monseigneur, comme une Image vivante de sa grande puissance, & un des plus grands Heros du monde pour vaincre les Ennemis de sa Religion, & de cet estat[144].

En réunissant finalement les deux lexiques, le militaire et le biblique, l'éloge du maréchal de Choiseul achève la superposition du Roi et de Dieu, puisque le Maréchal est désigné du nom d'ange. Étant au service du Roi, il est l'ange dont ce dernier, comme Dieu, se sert pour accomplir ses desseins militaires:

---

[142] *Mercure*, juillet 1695, p. 122.

[143] *Ibid.*, p. 122-123. Dans un autre contexte, on a vu comment les orateurs des juridictions provinciales utilisaient l'Écriture pour appeler les juges des dieux. Sur ce point, voir chap. IV, p. 519 sq.

[144] *Mercure*, juillet 1695, p. 123-124.

> Nous avons le bonheur de vous y avoir [dans cette province] pour nostre Ange tutelaire, qui nous est envoyé de la part du Dieu fort, & qui nous est donné par le plus fort de tous les Rois[145].

L'extension aux représentants du Roi d'une logique d'assimilation à l'ordre divin, malgré la prudente distinction finale entre Dieu et le Roi, frisait-elle par trop le blasphème? L'absence de la référence scripturaire de la harangue faite par le même orateur au maréchal de Joyeuse, lors de son passage à Caen, l'année suivante, correspond-elle à une correction? Le doyen de l'église collégiale du Saint-Sépulcre n'en redistribue pas moins les mêmes éléments dans son compliment: éloge du Roi, importance de Dieu et de la Religion, exploits militaires du destinataire. Après avoir marqué la supériorité du Roi sur tous les souverains, antiques ou contemporains, il se lance dans l'éloge du maréchal de Joyeuse, un éloge qu'il centre sur la profession et la dignité de son destinataire:

> Et parmy toutes ces grandes Qualitez, Monseigneur, cette sagesse plus qu'humaine que Dieu luy a donnée [au Roi] pour go<u>verner son Royaume, a paru avec éclat lors qu'il vous a donné le baston de Maréchal de France, comme une juste récompense de vos vertus heroïques, & de toutes vos grandes actions militaires, qui vous rendent terrible aux Ennemis, utile à la Couronne ainsi que vos Ayeux, necessaire aux Combats aussi bien qu'aux Conseils, qui vous ont fait remporter tant de victoires, & qui vous attirent l'estime & l'admiration de tout le monde[146].

La relation entre l'éloge du Roi et Dieu rappelle la harangue précédente, sur un ton beaucoup plus modéré, toutefois. On notera, par ailleurs, la présence en une rapide allusion, de l'éloge des aïeux, typique de l'origine sociale du destinataire. Mais la suite du compliment effectue, comme c'était le cas pour le précédent, une fusion des éléments distincts en une application au destinataire:

> Nous devons donc dire, Monseigneur, avec bien de la joye, *Beny soit le Grand Heros qui vient dans cette Province avec le Bouclier de la Foy, le cœur des Cesars, & les armes invincibles de la France, pour nous préserver de la fureur des Ennemis de la vraye Religion & de cet Estat.* C'est aussi, Monseigneur, le juste devoir que nous venons vous rendre, en vous assurant de nos vœux & de nos tres-humbles respects[147].

Joie, courage, succès militaires: les deux compliments reprennent les mêmes thèmes. Mais le rapprochement fait également apparaître des similitudes sur le plan lexical. On peut comparer, par exemple, «vaincre

---

[145] *Ibid.*, p. 124.

[146] *Mercure*, juin 1696, p. 126-127.

[147] *Ibid.*, p. 127.

les Ennemis de sa Religion, & de cet estat», qu'on trouve dans le premier, et: « la fureur des Ennemis de la vraye Religion & de cet Estat», dans le second.

Toutes ces analyses suggèrent que les thèmes abordés, les *lieux* actualisés, la structure même du discours ou les procédés rhétoriques (antithèse, comparaison, etc.) peuvent être interprétés comme des facteurs qui jouent un rôle dans la problématique générale de la «convenance» du discours, laquelle demande une adaptation au destinataire aussi bien qu'à l'institution productrice.

### B. *Un cas particulier: la famille royale et les princes du sang*

Les compliments faits aux membres de la famille royale ne diffèrent pas essentiellement des autres. Ils rentrent dans la même problèmatique, mais quii prend, dans ce cas particulier, une forme très figée. Si les familles nobles doivent être louées par l'évocation de leur grandeur et des accomplissements de leurs représentants les plus fameux, l'application à la famille royale est simple: ses membres sont associés, dans les éloges qu'on fait d'eux lorsqu'on les harangue, à Louis XIV. Mais il n'est pas question de voir ici qui que ce soit surpasser les vertus de Louis le Grand, comme les exploits ou les dignités d'un membre d'une autre famille pouvaient couronner en quelque sorte la gloire de toute la famille. Tous les sentiments éprouvés, tous les éloges décernés sont rapportés au Roi, principe des louanges de tous ceux qui lui sont liés – à l'exception, on le verra, des Condé, qui jouissent d'un statut encômiastique particulier.

Si la Reine est admirable c'est d'abord et surtout comme femme du Roi[148]. Même lorsqu'elle est régente, Marie-Thérèse n'est, à proprement parler, qu'un double du Roi. Comme tout sujet, elle grandit du choix royal. Ainsi Hébert, parlant pour la ville de Soissons à la Reine que le Roi, sorti du Royaume, a nommée régente, manifeste, certes, l'admiration qui convient devant la conduite de la Reine:

> Aujourd'hui nous nous en réjoüissons encore à plus juste titre [de votre élévation], de vous le voir exercer [le pouvoir suprême] avec tant de succés; de vous en voir allier si heureusement les fonctions aux travaux de LOUIS. Tandis que par des actions dont toute la terre est étonnée, il porte la terreur, le trouble dans les Etats de nos ennemis, Vôtre Majesté par une conduite que tout le monde admire, assûre le repos & la tranquillité du Royaume[149],

[148] C'est un phénomène très net aussi dans l'oraison funèbre composée par Bossuet pour la Reine.

[149] Hébert, *Discours et harangues*, p. 139 (les références aux harangues d'Hébert renverront toujours à ce volume).

mais il subordonne l'accroissement de vénération que son nouveau titre doit lui valoir à la nomination royale, sujet d'éloge commun à tous les «commis» de Louis XIV – célébré pour savoir reconnaître et récompenser le mérite. L'éloge de la Reine suit la logique qui préside généralement à celui des dignitaires distingués par le choix du Roi:

> mais la dignité dont le roy vient de vous revêtir joint l'autorité à la grandeur, donne l'idée d'un merite qui vous eleve au dessus de ce rang. C'est un Prince dont le discernement est toûjours juste; c'est le plus éclairé des Rois, qui vous met à sa place; qui vous substituë au gouvernement de ses Peuples; qui pour nous consoler de son absence nous laisse en vous sa puissance, sa sagesse, & sa force[150].

La Reine est une incarnation du Roi, et c'est de l'éloge du Roi qu'elle est elle-même louée. De la même manière, un autre compliment à la Reine du même orateur est largement consacré à montrer la grandeur du Roi. Hébert explique ce choix en affirmant que la Reine n'a d'autre occupation ni d'autre plaisir que d'évoquer les exploits de son époux:

> Dans un temps où tout retentit des loüanges du plus vaillant & du plus noble des Rois: où vous-même faites de ses triomphes vôtre plus ordinaire & plus doux entretien, pouvous-nous rien faire qui soit plus agréable à Vôtre Majesté que de mêler nos voix à la voix publique?[151]

On reconnaît bien dans ce texte le style du notable soissonnais qui s'interroge sur la meilleure manière de porter la parole lorsqu'un grand personnage passe par sa ville, ou qu'on va rendre ses devoirs à une personnalité importante. Le terme *agréable*, fréquent dans ce contexte, souligne la réaction visée: plaisir, certes, mais aussi satisfaction, accord du destinataire avec la ligne choisie par l'orateur. Le meilleur compliment à la Reine, c'est, d'après les réflexions d'Hébert, l'éloge du Roi. La vie de la Reine est présentée comme tournée tout entière vers Louis XIV; la Reine a joué un rôle dans les triomphes royaux, dans la mesure où ses prières ont sauvé, et continuent de sauver, le Roi:

> S'il n'a pas succombé sous les fatigues qu'il a souffertes, s'il est revenu de tant d'occasions dangereuses, tout cela n'a pu se faire sans un miracle, & ce miracle, MADAME, c'est vous qui l'avés fait.... Voila ce que nous vous devons, MADAME. Voila les heureux, les admirables effets de cette pieté qui vous met au dessus des Sceptres & des Couronnes, & qui fait dépendre de vous le sort des Nations[152].

Le sort des Nations dépend de la Reine, mais c'est parce qu'elle prie pour le Roi. C'est l'occasion pour Hébert de mettre en valeur la piété de

---

[150] P. 139-140.
[151] P. 141-142.
[152] P. 143-145.

Marie-Thérèse, amplifiée par la formule fréquemment employée dans les éloges de hauts dignitaires: «qui vous met au dessus des Sceptres & des Couronnes». Hébert affirme par exemple que toute dignité est au-dessous du cardinal d'Estrées[153]. Alors que c'est, socialement, la dignité et le rang qui font naître l'éloquence, les discours, par une soigneuse dénégation, affirment que les sentiments (admiration, amour) provoqués chez les sujets ne dépendent que de qualités personnelles, ce qui ajoute encore à l'éloge.

La subordination complète de la Reine à la grandeur du Roi est un trait général de tous les discours et compliments qui l'honorent. Lorsque le «petit prédicateur du Dauphin» présenta à Marie-Thérèse des vœux pour le jour de l'an 1675, devant le Roi et le Dauphin, ainsi que toute la Cour – il vient d'en présenter au Roi –, son discours reflète le même lien à la grandeur de Louis XIV:

> . . . nostre Invincible Potentat pousse si loin les progrez de ses armes, & vous prenez tant de part à tous ses triomphes, que je ne puis me dispenser davantage d'en feliciter VOTRE MAJESTE, & de luy rendre en mesme temps mes tres-humbles respects. Quelle satisfaction à VOSTRE MAJESTE, MADAME, de se voir attachée par des liens si doux avecque le plus digne Heros, le plus illustre Souverain de tout l'Univers, & d'estre vous-mesme témoin avec quel courage avec quelle vitesse le mesme Heros sçait soûmettre toutes les Provinces qui vous appartiennent[154].

La thématique finale rappelle les arguments de la Guerre de Dévolution. Mais Marie-Thérèse a pour plus grand titre de gloire d'être attachée à Louis XIV par les liens du mariage. C'est là le fondement de sa grandeur. Il est vrai que l'éloge de la femme est en général plus limité que celui des personnages masculins. Vertu et modestie, piété et, naturellement, qualités familiales constituent les traits moraux qu'on peut retenir. La beauté physique, à laquelle on peut faire allusion, est le plus souvent l'objet d'une prétérition, la modestie et la juste estimation des biens (qui met les biens de l'âme au dessus de ceux du corps) rendant impertinent l'éloge de la beauté[155]. Il est rare de toute façon, que l'on fasse des femmes un éloge parfaitement autonome[156].

---

[153] Voir *supra*, p. 601.

[154] *Diverses harangues contenant par abrégé l'histoire des dernieres guerres, & qui ont été prononcées à la Cour par le Fils du sieur Guibert de Beauval, depuis son âge de huit ans jusqu'à dix-sept. Ce Fils ordinairement appellé le Petit Predicateur de Monseigneur le Dauphin* (Paris: François Muguet, 1686), p. 21-22.

[155] On se rappelle le compliment à la marquise de Cœuvres, déjà cité, où Hébert rejette à la fois l'éloge des dignités et celui des dons de la nature, la Marquise étant, thème familier, au-dessus des dignités et refusant d'attacher de la valeur aux qualités physiques. L'ora-

Mais la dépendance de l'éloge d'un membre de la famille royale à celui du Roi n'est pas limité à la Reine, ni aux femmes. Le lien apparaît très nettement dans le cas du Dauphin. Lorsque l'Académie française harangue le Dauphin, à l'occasion de la mort de la Dauphine, c'est surtout les victoires de Louis le Grand, et celles du Dauphin qui occupent l'orateur. Le Dauphin est encouragé à suivre les traces du Roi, qui recherche la paix, et l'éloge de ce dernier tient la plus grande place. C'est là un phénomène général. Ce que le Dauphin promet, c'est d'être un autre Louis XIV: son éloge est sous-tendu par l'affirmation d'une ressemblance avec le Roi. La vie et les exploits du Dauphin reproduiront ceux du Roi. On peut *admirer*, devant le Dauphin que le Roi avait autorisé à venir avec lui jusqu'à Soissons, la précocité et l'inévitabilité de la ressemblance essentielle avec le Monarque son père. La France s'attendait, dit Hébert, à voir le Dauphin, ressembler à son père

> qu'elle regarde comme le Héros le plus parfait qu'elle ait vû sur le Thrône. Mais qu'à l'âge où vous êtes vous suiviés ses traces, que cette ardeur guerriere, qui regne dans son cœur, se trouve deja dans le vôtre; & que, quand il marche au combat, il soit si difficile de moderer le noble empressement, qui vous porte à le suivre, c'est, MONSEIGNEUR, à quoi l'on ne pouvoit pas s'attendre, & ce qui fait l'étonnement aussi bien que la joye de toute la France[157].

Le même empressement pourrait, si le Dauphin était alors plus âgé, provoquer l'apparition d'un sentiment de crainte devant la manière dont il exposerait sa vie, une vie si précieuse au Royaume... La joie et l'admiration des Soissonnais, qui représentent la réaction appropriée, sont justifiées par la précocité du Dauphin qui reproduit si jeune le modèle paternel. L'évocation des exploits futurs souligne encore l'identité suggérée:

> Vous y verrés LOUIS [au combat] . . . vous répandrés de tous côtés le bruit & la terreur de vôtre nom . . . vous l'égalerés en valeur. Les semences de vertus qu'on découvre dans vôtre âme ne font-elles pas

---

teur réunit ainsi tous les éléments à travers la prétérition: éloge des dignités, éloge de qualités physiques et, surtout, des vertus morales:

> Ce genereux abaissement nous decouvre mieux l'élevation de vôtre ame; il nous la fait voir au dessus des plus hautes dignités; Mais, MADAME, vous n'estimés pas davantage ces dons de la Nature que tout le monde admire, puisque vous les ensevelissés dans la solitude. Ainsi pour vous loüer selon vôtre goût, ce n'est ni de ces dons, ni de ces dignités qu'il faut vous loüer, c'est du glorieux mépris que vous en faites. (*Discours et harangues*, p. 110-111).

[156] Un auteur comme Bary ne propose, d'ailleurs, aucune catégorie spécifique pour les éloges des femmes. Les lieux qu'il énumère pour les éloges d'êtres humains sont orientés vers l'éloge masculin.

[157] Hébert, p. 93-94.

> juger, que vous ne lui cederés, ni en pieté, ni en justice; & ne peut-on pas assûrer que remplissant, & prevenant même l'attente des François, bien-tôt vous lui ressemblerés parfaitement en toutes choses[158].

Le Roi représentant la perfection, on ne peut proposer de plus noble fin à son héritier que de lui ressembler parfaitement, ni de plus grand éloge que d'affirmer qu'il lui ressemble effectivement.

Dans un autre compliment au Dauphin, Hébert souligne le fait que le Dauphin occupe la seconde place après le Roi, tout en insistant sur le caractère glorieux de cette place lorsque la première est occupée par Louis XIV. Beaucoup plus nettement encore que dans le cas précédent, l'éloge du Dauphin donne à l'orateur l'occasion de faire celui du Roi et de ses ambitions européennes, aussi bien que de ses qualités. En accomplissant des exploits, le Dauphin promet de répéter pleinement les vertus et les actions de son père:

> MONSEIGNEUR,
>
> Nous ne parlerons point ici du Manheim, de Franguendal ni de Philippsbourg. Sans entrer dans le détail de ces grands coups d'essai, qui ont étonné toute l'Europe, & sans neanmoins les perdre de vûë, il nous suffira de vous dire que vous marchés noblement, & avec succés sur les traces du genereux, du magnanime, de l'invincible LOUIS; en un mot, que vous secondés parfaitement ce parfait Monarque[159].

Ce compliment date de la plus tardive des magistratures d'Hébert, étant donné les noms de ville prises par le Dauphin. Philippsbourg est d'ailleurs une sorte d'emblème de sa valeur militaire. On aurait pu penser que seul le jeune âge du Dauphin, qui avait pour suite logique l'absence de tout exploit militaire, justifiait dans le compliment précédent la subordination à Louis XIV. Le rôle du Dauphin est clairement défini, même après Philippsbourg, par l'expression: «vous secondés parfaitement ce parfait Monarque». Si ses coups d'essai sont des coups de maître, le Dauphin n'est pas un Rodrigue qui va prendre la première place et se substituer à son père dans l'ordre de la gloire. Mais il ne faut pas se tromper sur la valeur réelle de cette position. A l'opposé de César, pour qui la première place dans l'endroit le plus reculé valait mieux que la seconde à Rome,

> [s]ous le plus grand Roy de la Terre, sous un Roy à qui cet état doit le suprême degré de splendeur & de puissance où nous le voïons . . . il vaut mieux être le second en France, que le premier dans le reste de l'Univers[160].

---

[158] P. 95-96.

[159] P. 98-99.

[160] P. 100.

On est encore dans les premières années d'une guerre longue et ruineuse. L'orateur fait miroiter l'établissement, dans un avenir proche, de la monarchie universelle, mythe fort au début du règne, qui avait dû reculer devant la réalité de l'opposition rencontrée. D'ailleurs, aucun des succès remportés dans la guerre présente n'était décisif, et la France se trouvait entourée d'ennemis. Hébert n'en fait pas moins du Dauphin le second de Louis le Grand dans l'installation de la monarchie universelle, que le peuple appelle de ses vœux. Le fils reste toujours perçu comme subordonné à son père, et son règne, malgré la notion d'*espérances*, n'est jamais vraiment annoncé, comme si le Roi devait rester sur le trône indéfiniment. Les sentiments qu'inspire alors le Dauphin correspondent à sa situation:

> Les François comblés de joye ajoûtent à ce magnifique éloge des vœux ardens, & il paroît assés que le Ciel les écoute; car enfin, si ce Monarque invincible, entassant conquête sur conquête, croît tous les jours en puissance, tous les jours en le secondant par d'éclatantes actions, vous croissés en valeur & en force; & pour peu que vous continuiés l'un & l'autre, bien-tôt il n'y aura plus qu'un Empire; Il le possedera au gré & pour le bien de l'Univers; & comme il en sera tout ensemble le Maître & les delices, vous en serés l'amour & les plus cheres esperances[161].

---

[161] P. 100-101. On peut comparer ce compliment au Dauphin avec le «Discours prononcé à Monseigneur le Dauphin, le mesme jour premier janvier 1675» par le Petit Prédicateur. Ce texte date de la même époque que le premier Compliment d'Hébert au Dauphin, mais il se rapproche plutôt, par la thématique, du second:

> MONSEIGNEUR,
>
> Vous n'aviez cy-devant sçeu que par relation les triomphes de SA MAJESTE, mais à cette Campagne vous en avez esté vous mesme le spectateur & le temoin, & l'on peut dire que vous avez déja commencé de vaincre, puisque sous ce HEROS INCOMPARABLE vous avez commencé de porter les armes. La derniere fois que j'eus l'honneur de vous rendre mes hommages, j'avois bien dit, MONSEIGNEUR, que vous seconderiez bien-tost ce Pere genereux dans le rapide cours de ses Conquestes. Que vous aurez d'avantage & de satisfaction, MONSEIGNEUR, à bien imiter un modele si merveilleux pour tout le monde, & si inimitable à tout autre qu'à vous. . . . Vous participerez, MONSEIGNEUR, à des manieres d'agir qui n'appartiennent proprement qu'à NOSTRE INVINCIBLE MONARQUE. Vous apprendrez à estre vaillant sans temerité: Habile sans presomption: Judicieux & moderé en toutes choses: Intrepide en un mot liberal, chery, redouté, victorieux, mais toûjours sans emportement, sans affectation, & sans audace.
>
> *Comblez-vous donc de gloire,* ADMIRABLE DAUPHIN,
> *Que vostre jeune ardeur suive son bon Destin,*
> *Imitez d'un HEROS la Sagesse profonde,*
> *Imitez ses Vertus, imitez ses Exploits,*
> *Et pour pouvoir un jour gouverner tout le monde,*
> *Laissez vous gouverner par le plus* GRAND DES ROIS.

(*Diverses Harangues*, p. 24-25). On notera, dans le sizain final, l'allusion à la monarchie universelle, liée à l'avenir du Dauphin tel que Louis XIV le forme par ses

Les compliments au Dauphin sont ainsi, comme ceux qu'on fait à la Reine, des éloges du Roi. L'appartenance du destinataire à la famille royale impose, non seulement qu'on fasse l'éloge du Roi, mais que tout lui soit subordonné.

Dans le recueil d'Hébert, les seuls personnages qui ne sont pas présentés directement par leur lien au Roi, sont Madame et la Dauphine. Mais Madame est là pour recevoir la visite de Monsieur. La précision initiale indique que le compliment date de 1677: «A MADAME. Après la Bataille de Cassel, Monsieur avoit quitté l'armée pour la venir voir à Soissons». Dans la mesure où Hébert parle pour la ville, cette date suggère qu'il est encore à la tête de la municipalité, c'est-à-dire qu'il a exercé une magistrature immédiatement après le discours de sortie d'exercice de 1676, dont il a été question plus haut[162]. La harangue qu'Hébert fait à Madame est aussi un éloge du frère du Roi, «un Prince à juste titre l'admiration & les delices de la France»[163]. Monsieur apparaît comme un double du Roi, puisque l'orateur dit à son sujet, comme il le fait pour le Roi:

> Le Ciel en le tirant comme par miracle de ceux [les périls] qu'il vient d'essuïer, s'est assés déclaré pour vous mettre en repos, & vous ne devés penser qu'aux triomphes que les destinées lui préparent[164].

Surtout, Monsieur n'est lui-même envisagé que dans sa subordination au Roi. Dans le très bref compliment qui lui est fait à Soissons, c'est précisément sa ressemblance à son frère qui est mise en avant:

> MONSEIGNEUR,
>
> Nous nous garderons bien de retarder vôtre Altesse Roiale, dans un voiage qu'elle fait avec tant de précipitation. Nous prendrons seulement la liberté de vous dire, MONSEIGNEUR, que nous admirons qu'étant frere du plus grand des Rois, vous aprochiés encore plus de ce Prince par le rapport des qualités que par la liaison du sang & que tant de rares talens, & de vertus heroïques, qui semblent lui être propres, vous soient communes avec lui. Nous n'ajouterons à ceci que des protestations sinceres & respectueuses du devoüement parfait avec lequel nous sommes, &c.[165]

---

exploits. A la différence du compliment de Nicolas Hébert, celui du Petit Prédicateur évoque le règne effectif du Dauphin. Mais on retrouve l'insistance sur la seconde place (avec le verbe seconder) et la ressemblance entre le Roi et son fils, celui-ci étant le seul éventuellement capable d'imiter l'inimitable monarque de la France...

[162] Voir *supra*, p. 553 sq.

[163] Hébert, p. 147.

[164] P. 148-149.

[165] P. 59-60.

Quant à la Dauphine, si son passage à Soissons après son mariage suscite, comme il se doit, l'admiration et le respect, qu'exprime au nom du Bureau des Finances l'infatigable orateur soissonnais («Il n'y en a point [de termes], MADAME, l'admiration où elles nous jettent [les merveilles qu'on remarque en elle] ne se peut exprimer que par un respectueux silence.»[166]), le compliment se termine sur des vœux qui rappellent que ce qui est en jeu, c'est la descendance du Roi:

> Mais quels vœux pour une Princesse incomparable, en qui toutes les grandeurs, tous les talens, toutes les vertus se réünissent? Que lui souhaiter si ce n'est qu'une heureuse fécondité releve tous ces avantages, & nous les rende encore plus precieux? Que la France les regardant comme des biens qu'une glorieuse postérité lui conservera jusqu'à la fin des siecles, s'en rejouisse & vous en honore d'autant plus[167].

Les qualités de la Dauphine sont bien louées. Mais les vœux affirment qu'on les louera d'autant plus qu'elle donnera à la France des héritiers de Louis le Grand. Mais le Roi n'est pas désigné directement; c'est une (légère) exception à la pratique constante de ne complimenter les membres de la famille royale qu'en faisant l'éloge de Louis XIV. Les vœux apparaissent comme un élément fréquent du compliment, même en dehors des occasions où ils sont traditionnels (comme le jour de l'an). Ils complètent l'éloge par une forme de prédiction qui contribue à l'exaltation du destinataire, mais qui a surtout pour fonction de marquer les sentiments que l'institution ou la ville au nom de laquelle on parle porte au personnage que l'on harangue.

Malgré les deux exceptions qui viennent d'être analysées, où l'éloge du Roi restait implicite et indirect, il est clair qu'il est bien l'élément fondamental des compliments à la famille royale. L'éloge du destinataire et le sentiment qui l'a fait naître sont plus ou moins directement liés au Roi. On peut dire, dans ces conditions, que son éloge convient aux harangues dont il constitue le noyau – plus nettement que pour l'ensemble des discours, auxquels, toutefois, c'est un élément toujours adapté. Il en est d'autant plus remarquable de découvrir une figure pour laquelle l'admiration ne doit rien au Roi. Les Condé gardent, semble-t-il, un énorme prestige, et leurs exploits guerriers leur donnent une place tout à fait particulière. Dans ce cas, la valeur militaire apparaît comme le fondement de l'éloge et la vertu qui convient aux discours adressés au Prince et au Duc. Sur le plan militaire, le Prince de Condé et le duc d'Enghien reproduisent, précisément, la structure de ressemblance

---

[166] P. 135.

[167] P. 135-136.

entre le Roi et le Dauphin. Le même duc d'Enghien auquel Hébert prédit la couronne de Pologne, fait voir

> cette noble activité, quoi qu'elle se soit pû former dans vôtre cœur sur des exemples domestiques, & l'on ne peut assés admirer que vous imitiés si parfaitement un Pere que toute la terre a regardé comme un Guerrier inimitable[168].

On retrouve ici le fils qui se forme sur l'exemple du père, et surtout l'imitation de l'inimitable, qui prouve que le fils est digne du père. Le Roi est représenté ailleurs comme la paradigme du Monarque; Condé est ici celui du Guerrier. L'analogie qui rapproche le rapport entre Condé et son fils et le rapport entre le Roi et le Dauphin apparaît encore dans un autre compliment au même duc d'Enghien, lorsque l'orateur propose une distribution des deux premières places entre le père et le fils:

> MONSEIGNEUR,
>
> Quand la premiere place est remplie par un Pere que toute la terre regarde comme le plus grand homme qui fût jamais, il est beau de tenir la seconde. Voila, MONSEIGNEUR, le rang de vôtre Altesse Serenissime, & sans ce Prince incomparable, vous l'emporteriez sur tous ceux qui ont acquis de la gloire dans les armes[169].

Il faut prêter ici une très grande attention au détail. Car, si la même structure apparaît pour le Roi et Condé, la différence est perceptible: ce n'est plus au plus grand Monarque qui fût jamais que le maire de Soissons fait allusion, mais au «plus grand homme qui fût jamais», et le duc d'Enghien l'emporterait, non pas sur tous, mais «sur tous ceux qui ont acquis de la gloire dans les armes». L'éloge des Condé est militaire. Les deux compliments utilisent des formules voisines: «un Pere que toute la terre regarde comme un Guerrier inimitable», dans le premier, «un Pere que toute la terre regarde comme le plus grand homme qui fût jamais», dans le second. L'admiration pour les vertus guerrières du Prince et de son fils soulève un enthousiasme rarement égalé dans les harangues:

> Mais quelque effort que nous puissions faire ou d'imagination, ou de memoire, ni le passé ne nous fournit rien, ni nous ne découvrons rien dans l'avenir, qui puisse égaler les exploits admirables, par lesquels vous vous êtes acquis l'un & l'autre une gloire immortelle. L'on n'a jamais vû, & l'on ne verra jamais ensemble, un Pere aller si loin, un Fils le suivre de si prés; un même siecle porter deux si grands hommes[170].

---

168 Hébert, p. 79.

169 P. 82.

170 P. 84.

L'admiration s'accompagne d'un mouvement plus affectif: la joie. Les deux sentiments apparaissent dans une anaphore antithétique:

> C'est ce que l'Univers admire, ce que la France voit avec une joye qu'elle ne peut exprimer & ce que la postérité ne pourra exprimer. A cette joye, MONSEIGNEUR, nous joignons nos vœux[171].

Sans m'engager ici dans la détermination de ce qui, dans les compliments, pouvait tenir à une expression sincère et ce qui correspondait à ce qu'il devait dire, je noterai que ces textes, de tous ceux que contient le volume publié par Hébert, sont ceux où le ton est le plus enthousiaste. Les Condé étaient apparemment les seuls qui permissent un éloge complètement autonome (au sens où la référence au Roi n'est pas une contrainte dans leur cas). En fait, l'exaltation de ces figures de guerriers est telle qu'ils donnent l'occasion à Hébert de reproduire le modèle de relations décrit pour le Roi et son fils, et que Louis le Grand s'efface totalement de leur éloge.

Cet effacement du Roi pourrait n'être qu'anecdotique, si on ne le percevait pas clairement dans l'éloge du Prince de Condé, aussi bien que dans ceux de son fils. Les *Discours et harangues* comprennent trois harangues à Condé: «Pour la ville. A MONSEIGNEUR le Prince de Condé Dernier mort. Les ennemis aiant parû sur la Frontiere, ce Prince y fut envoyé» (p. 21-23): «Pour la Ville. AU MESME. A SON RETOUR. Les ennemis s'etoient retirés avant qu'il les eût joints.» (p. 24-28); «Pour la Ville. AU MESME. Au retour d'une campagne» (p. 29-31). Toutes les occasions sont militaires: ce sont des campagnes qui conduisent Condé à Soissons. On comprend donc que l'orateur choisisse de fonder son éloge sur ses vertus militaires, d'autant qu'il incarne la figure du guerrier et du grand capitaine. Mais ce soldat ne donne pas à Hébert l'occasion de faire l'éloge du Roi. Ainsi, dans le premier compliment, après avoir représenté la joie et la crainte comme les sentiments éprouvés par le peuple devant la valeur du Prince (crainte, à cause des périls où il s'expose), le porte-parole de la municipalité conclut:

> Voila, MONSEIGNEUR, nôtre part, & à quoi nous nous appliquerons entierement, tant que vous exposerés genereusement pour nous la plus belle, & la plus importante vie qui fût jamais[172].

Même isolement grandiose dans le second compliment où Condé surpasse César en valeur militaire, puisque ses ennemis n'ont même pas le courage de l'attendre, tant sa réputation les effraie. On notera

---

[171] P. 84-85.

[172] P. 22-23.

d'ailleurs toutes les nuances que peuvent prendre les termes de la famille *crainte*:

> Ce fameux Romain dont l'Idée se présente à l'esprit quand on parle de vous, ne s'étoit pas fait craindre à ce point. Si dans une pareille conjoncture il vainquit avec la promptitude dont il se vante, les troupes qu'il cherchoit l'attendirent, & il fallût au moins qu'il les vit: celles que vous cherchiés, saisies d'une juste terreur, ont pris la fuite avant que de vous avoir vû[173].

Les académiciens de province ont beaucoup utilisé cette citation de César, implicitement, comme Hébert, ou explicitement[174]. L'admiration et la joie que le troisième compliment associe avec les exploits militaires ordinaires du héros ne laissent guère plus de place que les précédents à la gloire royale. Peut-être est-il encore tôt dans le règne pour que cette forme d'idolâtrie d'un héros autre que le Roi soit considéré comme totalement aberrante. Mais le fait est que Condé jouit d'un statut particulier dans les discours du maire de Soissons. Les vœux qu'Hébert fait pour la paix dans le dernier compliment à Condé sont justifiés par la crainte qu'on éprouve pour le héros. L'orateur souhaiterait en effet

> [q]u'une longue et solide Paix établit à jamais leur tranquillité [celle des ennemis]; qu'elle les fit cesser de vous craindre, & nous de craindre pour vous; & qu'à l'abri de cette heureuse Paix Vôtre Altesse Serenissime joüit sans peril du fruit de se glorieux travaux, aussi long-temps qu'elle le merite & que nous le souhaitons.
> Nous sommes, &c.[175]

Peut-être l'insistance monolithique sur le caractère militaire de l'extraordinaire grandeur de Condé lui permet-elle de ne pas porter ombrage au Roi. Mais le compliment à Monsieur évoqué plus haut montre que l'éloge des talents guerriers de Monsieur, qui avait bien de grandes qualités militaires, ne se conçoit pas, au contraire de celui de Condé, sans subordination au Roi. Vainqueur de Saint-Omer, vainqueur à Cassel, Monsieur sera représenté comme une extension de la puissance royale, Louis XIV ayant daigné lui déléguer une partie de sa grandeur et le faire participer à sa gloire, par pur effet de sa bonté fraternelle[176].

---

[173] P. 26.

[174] Voir chap. II, p. 238 et p. 251.

[175] Hébert, p. 30-31.

[176] On le voit nettement dans le «Panégyrique du Roy sur la campagne de Flandre de l'année 1677» prononcé par Tallemant le 25 août 1677, à l'Académie française:

> C'est aprés un si heureux succés que LOUIS croit devoir donner quelque repos à ses troupes, & aller rejoindre ce genereux Frere, qui venoit de prendre St. Omer, & de gagner une bataille; Il me semble quand je les considere, que je voy ces deux freres fameux que la fable a mis au nombre des constellations, & dont

Dans tous les exemples que j'ai examinés jusqu'ici, l'orateur manifestait par son discours de la joie, de l'amour, de la crainte. Certains personnages suscitent plutôt un mouvement qu'un autre, certains événements sont associés à un sentiment plutôt qu'à un autre. C'est vers cet aspect des compliments que je me tournerai dans les pages qui suivent.

## C. *Les sentiments exprimés*

L'adaptation à une occasion singulière suppose que le compliment exprime de la part de l'institution qui le produit, et, plus généralement, lorsqu'il s'agit de la municipalité, de toute la ville, des sentiments en rapport avec l'événement. Les vœux jouent d'ailleurs un peu le même rôle que l'expression des sentiments appropriés. La gamme de ces sentiments correspond à toutes les situations possibles. Cette manifestation des réactions à la circonstance est essentielle à la dimension sociale de l'éloquence, puisqu'elle s'inscrit dans la reconnaissance des liens qui unissent les grands à l'ensemble de la population; qu'il s'agisse de condoléance ou de conjouissance. Hébert, haranguant l'intendant Bossuet, décrit les sentiments que son retour provoque. L'orateur propose une distribution de la joie qu'il ressent en deux composantes: il se réjouit comme simple citoyen; il se réjouit comme maire de Soissons:

> MONSEIGNEUR,
>
> A vôtre retour toute la ville a changé de face. Elle a passé tout d'un coup de la tristesse à la joye. Voila, MONSEIGNEUR, l'heureux effet de ces aimables qualités qui vous font cherir par tout où vous estes. C'est vôtre charmante affabilité, c'est vôtre humeur prévenante; c'est le paternel, & le tendre amour que vous avés pour nous, qui ont fait cet agréable changement. Nous y prenons une double part. Nous nous réjoüissons avec nos concitoïens des biens & des avan-

---

> l'amitié estoit si belle que celuy qui estoit immortel voulut partager toutes choses avec l'autre, & luy ceda une partie de son immortalité. C'est à LOUIS qu'appartient la gloire de toutes les grandes actions, & parce que c'est luy qui en conçoit les desseins, & parce qu'il donne tous les ordres necessaires pour y reüssir. Il peut luy-mesme aller cueïllir les lauriers qu'il a semez. Cependant, il y envoye son Frere, il luy cede les honneurs de cette victoire, & partage avec luy les douceurs du triomphe. De quatre couronnes il veut que son vaillant Frere en emporte deux; & c'est ainsi que l'amitié l'oblige à luy faire part de son immortalité. (*Les Panégyriques du Roi*, p. 140-141).

Le Roi ne pardonne guère à son frère des succès militaires qu'il eût voulu remporter en personne. Au moins l'organisation culturelle était-elle capable de lui attribuer le bénéfice de ces succès. On peut opposer à ce succès idéologique une situation comme celle qui est dépeinte par Corneille dans *Suréna* (sur le problème du rapport entre le héros militaire et le Roi, voir P. Zoberman, «Suréna: le théâtre et son trouble» *Actes de Bâton-Rouge*, PFSCL, 1986).

> tages que vôtre presence leur apporte: mais nous nous réjoüissons en particulier de ceux que nous allons recevoir dans l'exercice de nos emplois[177].

Ce passage montre clairement la double définition de l'orateur comme citoyen de la ville (semblable à tous les autres) et comme représentant d'un groupe particulier. Comme maire, il attend des «avantages» qui l'aident dans ses fonctions et, comme citoyen, il ressent ce que tout individu ressent; mais sa position officielle lui permet de manifester ses sentiments par un discours. Le compliment présente, d'une manière générale, l'état d'esprit et le mouvement du cœur qui conviennent à l'occasion de la vie publique qui le fait naître. A travers lui, un groupe (l'institution et le milieu qu'elle représente, mais plus universellement, lors des grands événements, une ville, voire le Royaume tout entier) reçoit une identité unifiée, à travers la voix qui lui prête les sentiments convenables. Admiration, joie, tristesse s'offrent ainsi, selon les cas, aux orateurs chargés de porter la parole. La répétition des sentiments, comme celle des *lieux*, est un trait de toute cérémonie où les harangues se succèdent. L'impression de monotonie qui s'en dégage souvent ne doit pas masquer le caractère fondamental de cette redondance, propre à bien des rituels de l'époque et aux pratiques oratoires qui s'y déroulaient. Pour reprendre un exemple déjà évoqué, l'arrivée de Bossuet à Meaux provoque la joie et lui attire l'affection des habitants du diocèse. Le passage du compliment du doyen du Chapitre de la cathédrale La Croix,cité par le *Mercure* amplifie précisément la joie par une allusion biblique. L'orateur affirme:

> Que la joye qu'ils avoient de le posseder, estoit seule capable de leur faire oublier les peines que l'impatience leur avoit causées, de mesme que les grandes qualitez de la belle Rachel, & la violence de l'amour de Jacob, luy avoient fait estimer que les quatorze années de service qu'il rendit à son Pere, pour devenir digne d'elle, n'avoient pas esté un temps trop long pour luy faire mériter la possession d'un si grand bien[178].

La référence scripturaire et l'anecdote peuvent paraître quelque peu forcées dans l'application qui en est faite. Cette application marque à la fois l'adaptation à l'institution et au destinataire. Le passage, mettant en lumière l'amour des ouailles pour leur évêque, exprime la joie, sentiment demandé par l'occasion. Joie encore, mêlée de crainte, dans le compliment des officiers du Grenier à sel. L'orateur exprime la crainte qu'éprouve sa compagnie de perdre bientôt un ,évêque que ses vertus

---

[177] Hébert, p. 41-42.

[178] Mars 1682, p. 17-18.

doivent appeler à la pourpre cardinalice, prédiction déjà présente dans le compliment de l'Élection:

> Quoy qu'ils eussent une extrème joye de se voir sous la conduite d'un Pasteur si éclairé, ils ne laissoient pas de la sentir alterée, par la juste crainte qu'ils avoient que ses grandes qualitez, & son extraordinaire mérite l'élevant à des dignitez encore plus considérables dans l'Eglise que n'estoit l'Episcopat, ils n'eussent le déplaisir de le perdre aussitost qu'ils auroient eu la joye de le posseder[179].

La crainte exprimée par l'Élection renvoie à la récompense que Bossuet peut attendre pour ses qualités et son mérite: elle constitue donc un moyen d'ajouter à son éloge. L'orateur manifeste une joie et une crainte de bon aloi... Affection encore, à nouveau liée à un parallèle biblique, pour conclure le compliment du Présidial:

> on ne venoit pas avec moins d'empressement pour le saluer que fit autrefois une grande Reyne pour le plus sage des Roys de la Terre; Que si ces Officiers n'avoient point d'or à luy présenter comme elle, ils luy faisoient un Présent encore plus précieux, en luy offrant leurs cœurs avec toute l'affection, & toute la veneration dont ils se trouvoient capables;[180]

et, pour finir l'énumération, joie et affection dans le compliment de M. Terrier, assesseur du Présidial, et capitaine de la première compagnie de la Ville, qui parle au nom de toute la Milice bourgeoise. La brièveté du passage et le commentaire du gazetier suggèrent qu'on suppose à une institution plus populaire une éloquence plus naïve:

---

[179] *Ibid.*, p. 23-24. La prédiction de hautes dignités est un *lieu* de l'éloge. Si les récompenses sont fondées sur les qualités de l'individu et si l'orateur cherche à représenter un individu aux qualités exceptionnelles, ce genre de prédiction est logique. Le duc d'Enghien avait été complimenté par Hébert sur sa future accession au trône de Pologne, même si cette prédiction se révéla fausse par la suite:

> Mais quand on nous envie l'honneur de vous posseder, quand des Peuples guerriers charmés de cette valeur vous offrent un Diadéme, que pouvons-nous faire? Voudrions-nous nous y opposer? Le Ciel voudroit-il l'empêcher? Suivez, MONSEIGNEUR, suivez le chemin qui vous mène au Thrône; remplissés vôtre sort: mais souvenés-vous que vous ne pouvés, sans aller contre l'ordre de la Providence abandonner aux perils une Tête destinée à porter la Couronne.(p. 79)

Même non accomplie, la prédiction des hautes dignités reste un élément essentiel, puisque le même orateur, s'adressant par la suite au même personnage, conclut:

> Le temps qui nous presse ne nous permet pas d'entrer dans aucun détail, ni de vous parler de vos autres exploits. Nous ajoûterons seulement, MONSEIGNEUR, qu'avant toutes ces choses, vous en aviés faites qui vous avoient attiré l'offre d'une Couronne. (p. 88-89)

On aura noté, dans le premier compliment, l'insistance sur les vertus militaires, marquée à la fois par l'admiration de «Peuples guerriers» et le terme «valeur». Les Condé sont toujours loués comme héros militaires. C'est là un trait spécifique.

[180] *Mercure*, mars 1682, p. 26-27.

> M. Terrier . . . luy marqua d'une maniere touchante *les affections de tout ce Peuple, les assurances qu'il concevoit de sa protection & de son credit, & qu'il le considéroit comme un Astre dont il recevoit d'heureuses et benignes influences*[181].

La qualification «d'une maniere touchante» implique une expression particulièrement directe du sentiment. Faut-il voir un jeu de mot dans l'adjectif «benignes»? Étant donné l'importance accordée à la pertinence des éléments de l'éloge et la familiarité avec le genre de la devise, il serait curieux que l'auditoire n'ait pas perçu dans le compliment cette allusion au nom de l'Évêque, Jacques-Bénigne Bossuet.

Il n'est guère surprenant, vu la nature des harangues et compliments, que l'orateur qui porte la parole, soit tenu d'exprimer les sentiments qui conviennent à l'occasion. Mais les situations ne sont pas toujours parfaitement univoques et les faiseurs de harangues doivent parfois parvenir à concilier les opposés. On a vu comment l'Élection mêlait, lors de la réception de Bossuet à Meaux, la joie et la crainte. Mais il est des cas où l'orateur manquerait son but s'il n'associait pas des sentiments contraires, car il risquerait d'offenser son destinataire, ou de marquer qu'il n'a pas compris la complexité de la situation et de produire un compliment *inconvenant*. Ainsi, lorsque le duc de Luxembourg arrive à Rouen, en 1695, son passage doit causer de la joie aux habitants de la province dont il a reçu le gouvernement; mais cette joie doit être réfrénée: alors que la charge confiée au Duc demande une réjouissance publique, son deuil (il a perdu son père) exige les condoléances. Son refus d'une entrée publique à Rouen n'empêche pas Brunel, procureur du Roi au Présidial et maire de la ville de Rouen, de le haranguer à la tête des Echevins. Le discours qu'il prononce est le résultat de la double exigence de la joie et de la participation au deuil du Duc:

> MONSEIGNEUR,
>
> Dans la douleur que vous ressentez, & qui vous fait mesme refuser les marques publiques de respect & de joye que vous devoit le Peuple de cette Ville, vostre arrivée en cette Province, est un témoignage précieux de la consideration: & si nous l'osons dire, de la tendresse que vous avez pour elle[182].

Si l'expression de la joie et du respect des habitants est, si l'on peut dire, entravée par le rejet de l'entrée solennelle, elle est cependant présente dans le discours par l'évocation de ce rejet. En interprétant la venue du Gouverneur à l'honneur de la ville de Rouen, l'orateur définit le lien entre le duc de Luxembourg et Rouen à un niveau affectif, ce qui donne

---

[181] *Ibid.*, p. 27.

[182] *Mercure*, juin 1695, p. 144.

ainsi au compliment, marque d'un rapport institutionnel et social, une justification sentimentale, garantie de la sincérité de ce qui y est exprimé. Le discours fonctionne d'ailleurs discrètement comme une consolation, remplissant la double fonction de compliment de bienvenue et de condoléance:

> Vous avez formé le dessein de vous y rendre dans les premiers transports de cette juste douleur, & nous nous flattons que vous avez cherché des lieux favorables à la tristesse dont vous estes occupé, qui en mesme temps retraçassent l'objet, & adoucissent l'amertume du souvenir. Où auriez-vous pû trouver, Monseigneur, l'image du Heros, que vous regretez, plus vive que dans cette Province? Où auriez-vous trouvé des sentimens sur cette perte, plus semblables aux vostres? Nous avons esté frapez jusqu'au fond du cœur d'une nouvelle presque entierement imprévue[183],

passage qui propose la sympathie de toute la province et les «sentimens» des habitants, vivement touchés de la perte qu'ils ont faite. L'éloge implicite du «Héros», grandi encore par la douleur que sa perte provoque, doit satisfaire son fils, que doit toucher également la conformité des sentiments exprimés aux siens. Joie et respect, douleur et sympathie, fidélité et intérêt pour la maison du nouveau gouverneur: le compliment exprime toute la gamme des mouvements qui conviennent à l'occasion.

Ainsi le compliment s'adapte aux complexités de la situation qui le rend nécessaire. L'expression des sentiments, non seulement de l'orateur, mais de tous ceux qu'il représente plus ou moins directement, est l'un des éléments constitutifs de la convenance des discours. Mais cette convenance s'étend à tous les aspects des harangues, formels aussi bien que thématiques.

### D. *La langue*

La vie municipale fournit des occasions de discours, tant en français qu'en latin. J'ai montré en étudiant les pratiques oratoires des juridictions provinciales que, si les deux langues pouvaient remplir la fonction d'apparat, c'était dans des contextes différents. Sans m'attarder ici sur une question que les analyses des chapitres précédents m'ont donné l'occasion de traiter, je montrerai cependant que le choix de la langue est un des facteurs de l'adaptation du discours à ses circonstances spécifiques. Il dépend à la fois de l'institution qui est à l'origine du discours et de la personne ou de la compagnie à laquelle il s'adresse, aussi bien que du cadre dans lequel il est prononcé.

---

[183] *Ibid.*, p. 144-146.

L'arrivée de Bossuet à Meaux me fournira encore ici mon premier exemple. Tous les compliments que j'ai évoqués jusqu'à présent, prononcés le 7 février, jour de son entrée dans la ville, étaient en français. L'occasion le demandait: il s'agissait de parler devant les habitants, dans une cérémonie qui rassemblait la ville pour accueillir son évêque. Le premier compliment est celui que fait, au nom du Chapitre de la cathédrale, le doyen de La Croix. A tous les discours qu'on lui fait, Bossuet répond en français, langue vulgaire, langue de la communication large. Le lendemain, changement de décor. Le Chapitre vient prendre l'Evêque à l'évêché, en grande cérémonie:

> Le lendemain huitiéme du mois, le Chapitre, dont les dignitez estoient revestus de Chapes, précedé de tout le Clergé Seculier & Régulier, alla prendre le Prélat dans la grande Salle de l'Evesché. Il avoit les Habits Pontificaux, & estoit assis dans un Fauteüil qu'on avoit placé sur une Estrade, accompagné de deux anciens Chanoines députez du chapitre, aussi en Chapes[184].

Or, les compliments échangés à cette occasion sont en latin. On est, si l'on peut dire, entre gens d'Église, et la langue de communication normale est le latin. Par ailleurs, la députation vient chercher Bossuet pour le conduire à la cathédrale où il commencera d'exercer ses fonctions. Le même doyen de La Croix adresse à l'Evêque un compliment.

> Mr l'Evesque de Meaux luy répondit en la mesme Langue avec une facilité & une éloquence qui charma cette sçavante Assemblée[185].

Le commentaire élogieux du *Mercure* souligne le caractère particulier de l'auditoire: «cette sçavante Assemblée». Après que Bossuet est arrivé au portail de la cathédrale, après être passé entre deux rangs de bourgeois, il prête le serment «accoûtumé pour la conservation des droits, immunitez, & franchises du Chapitre»[186]. Le doyen du Chapitre La Croix,prononce encore un discours:

> Mr le Doyen ayant encensé la Croix, & ensuite ce Prélat, luy présenta la vraye Croix pour la baiser, & lui fit en mesme temps une autre Harangue en François[187],

la langue employée, qui peut paraître contradictoire avec les cérémonies qui se déroulent, s'expliquant très clairement par le cadre dans lequel la harangue est prononcée. Par opposition à la précédente, il s'agit d'un discours prononcé à la porte de la cathédrale, c'est-à-dire devant un

[184] *Mercure*, mars 1682, p. 36.
[185] *Ibid.*, p. 38-39.
[186] *Ibid.*, p. 41.
[187] *Ibid.*

public populaire et non pas seulement le savant auditoire de l'institution ecclésiastique. C'est une harangue de parvis, non de palais épiscopal... L'exorde le montre nettement: «... il luy marqua, *Que ce Peuple qu'il voyoit si empressé pour le voir, ne doutoit point qu'il ne luy inspirast la vertu par son exemple.*»[188]. Ces quelques harangues illustrent tous les éléments que j'ai étudiés jusqu'à présent. Ce dernier échange met particulièrement en lumière le caractère fondamental de l'expression des sentiments:

> Ce Discours fut prononcé d'une maniere si pathétique, & suivy d'une Réponse si affectueuse, qu'on peut dire que ce fut un épanchement de cœur réciproque[189].

Le commentaire de Donneau de Visé montre que les deux orateurs ont réussi leurs discours, puisque le gazetier les présente en termes affectifs.

Un deuxième exemple me suffira à montrer comment le choix de la langue entre dans la problématique que j'étudie ici. Lorsque la municipalité parisienne fonde le panégyrique annuel du Roi que j'ai déjà évoqué et en charge l'Université, le discours se fait en latin, ce qui est un choix pour l'institution qui le prononce. Mais lorsque Tavernier, professeur du Roi en langue grecque et recteur de l'université remercie Pommereul de l'honneur fait à l'Université, il parle en français, langue adaptée au Corps de Ville. Toutes les invitations qu'on fait au Corps de Ville sont en français. Lorsque Bordelot, avocat au Parlement, vient inviter le 20 août 1700, comme on le fait tous les ans, la municipalité à une cérémonie qui se tient le 25 août à la chapelle du Louvre son discours est en français[190].

Stratégie de l'éloge, sentiments exprimés, langue dans laquelle le discours est prononcé: un orateur doit, pour faire un discours qui soit parfaitement adapté, tenir compte, dans les choix qu'il fait, des caractères spécifiques de l'occasion. Mais, dans un contexte où tout, des représentations picturales aux inscriptions, du costume des assistants à la manière dont ils sont placés, peut prendre une signification sociale ou symbolique, l'expression de détail est régie par la même problématique.

## E. *Le choix des termes*

Certaines formules reviennent dans des circonstances analogues sous la plume de différents orateurs. On le voit clairement dans l'écri-

---

188 *Ibid.*, p. 41-42.

189 *Ibid.*, p. 42-43.

190 *Mercure*, août 1700, p. 249-253. Le *Mercure* signale que l'orateur a prononcé, à l'âge de douze ans, un sermon en grec.

ture répétitive caractéristique de l'amplification des discours d'apparat. Dans le contexte de l'éloquence municipale, comme dans tous les domaines, on est fréquemment confronté à des redondances lexicales du fait de l'adjonction de synonymes ou de termes de signification voisine. J'appellerai para-pléonasme le phénomène qui naît de la présence dans un même syntagme de deux ou plusieurs termes qui, sans être parfaitement synonymes, présentent des significations qui se recouvrent partiellement, ou qui sont très proches. Le terme *pléonasme* s'applique normalement à la répétition de synonymes. L'effet produit par le para-pléonasme est moins d'ordre sémantique – l'auditeur ou le lecteur percevrait dans chaque cas les sèmes spécifiques à chaque terme – que rythmique. C'est un effet de profusion, même si l'adjonction d'un terme quasi synonyme peut fonctionner comme une forme de superlatif, comme un intensif propre à l'éloquence. Le redoublement d'adjectifs illustre ce que j'ai appelé l'effet rythmique. Dans les deux passages suivants, le terme *ferme* est coordonné à un autre adjectif, qui fait pléonasme mais contribue à l'amplification en intégrant le monosyllabe dans un groupe plus étendu. Dans le premier cas, Hébert s'adresse à l'intendant Bossuet et lui demande de conserver l'affection qu'il a pour la ville, qui «la regarde comme un ferme & solide appui»[191]. Dans le second, le Soissonnais, haranguant le plénipotentiaire d'Avaux, finit par des vœux: «Nous lui demandons [à Dieu] que cette Paix soit ferme & stable»[192]. L'adjectif *ferme* est, semble-t-il, trop bref pour subsister par lui-même dans le discours.

Mais, si l'importance du rythme et d'une recherche de l'«abondance» lexicale est indéniable, le caractère presque figé de certains para-pléonasmes ou pléonasmes et leur présence dans les harangues prononcées dans des circonstances analogues amènent à formuler l'hypothèse d'un rapport entre le choix des termes et les circonstances du discours, c'est-à-dire à poser que le critère général de la convenance joue même à ce niveau. Après tout, insister sur des vœux pour une paix stable lorsque l'on s'adresse à un plénipotentiaire du Roi, c'est en quelque sorte dire ce qu'il faut au destinataire qu'il faut...

Si l'on examine par exemple les attitudes explicitement posées par les orateurs devant leurs destinataires et les sentiments qu'elles impliquent, les para-pléonasmes abondent. Hébert, s'adressant au duc de Vitry, affirme: «le respect & la veneration que nous avons pour vous reçoivent un grand accroissement»[193]. Ce premier couple pléonastique,

---

[191] Hébert, *Discours et harangues*, p. 46.

[192] *Ibid.*, p. 70.

[193] Hébert, p. 66.

«respect» et «veneration» engendre la multiplication des couples coordonnés dans le compliment, que justifie la nomination du destinataire au poste d'ambassadeur en Suède:

> L'emploi qui vous est confié est également important, & élevé. Comme il n'y en a point qui demande plus d'application & plus de zele, il n'y en a point aussi qui présupose une fidelité plus éprouvée: de plus pures & de plus vives lumieres; une capacité plus étenduë & plus complette[194].

Le même orateur proteste au Dauphin qu'il n'y a point d'hommes qui prennent plus de part au bonheur futur de la France et du Dauphin lui-même

> que nous en prenons par avance, ni qui soient avec plus de respect & de veneration que nous,
>
> MONSEIGNEUR, &c.[195]

Ce qu'une telle formule marque, c'est l'adaptation à une hiérarchie politico-sociale. Le para-pléonasme a d'ailleurs ses variantes, comme le montre une formulation voisine, dans un compliment à Monsieur le Prince, alors duc d'Enghien:

> A cette joye, MONSEIGNEUR, nous joignons des vœux: nous demandons au Ciel que le Fils & le Pere joüissent longtemps de cette haute réputation qu'ils ont si bien meritée; que la memoire de leurs ancêtres soit toûjours en honneur & en veneration . . .[196]

J'ai posé plus haut l'hypothèse que la présence d'un même groupe redondant ou de ses variantes à travers l'ensemble des discours, renforçant son caractère figé, pouvait être liée aux circonstances qui président à la prononciation d'un texte oratoire. Les sentiments qu'il convient d'exprimer au destinataire et la forme redondante sous laquelle ils apparaissent soutiennent cette hypothèse. L'occasion du discours joue également un rôle important. Si l'on compare la harangue que le maire de Soissons fait à d'Avaux, plénipotentiaire pour le Roi dans les négociations pour la paix, et celle que les échevins firent à Mademoiselle, devenue reine d'Espagne, à son passage à Poitiers, deux harangues qui se

---

[194] *Ibid.* Les para-pléonasmes et les pléonasmes ne sont pas limités aux compliments prononcés au passage d'un grand personnage. Dans le discours de sortie de charge que le maire de Soissons fait figurer dans son recueil, on peut lire:

> Tout pleins d'ardeur pour l'intérêt des Peuples, avec toutes les qualités necessaires pour les bien conduire, vous venés sans doute vous livrer tout entiers *aux peines, & aux fatigues* qui doivent accompagner vôtre ministere. Voila le sujet de nôtre joye. Voila ce qui fait cette allégresse. (p. 173, mes italiques).

[195] *Ibid.*, p. 97.

[196] *Ibid.*, p. 85.

rapportent plus ou moins directement à la paix, on trouve dans l'une et dans l'autre les mêmes pléonasmes et para-pléonasmes, ce qui tend à suggérer que ces formules redondantes ne dépendent pas de l'orateur, mais plutôt de la conjoncture. S'adressant au Plénipotentiaire, Hébert prédit son succès: «Par tout, MONSEIGNEUR, vous remettrés l'union & la concorde»[197]. Or, on retrouve les deux termes *union* et *concorde*, associés cette fois-ci au mot *paix*, qu'ils explicitent en quelque sorte, dans la harangue des échevins de Niort:

> En un mot, pour suivre ma première pensée, nous vous considérerons désormais comme une sainte Victime consacrée à l'Amour du Roy Catholique, pour bannir à jamais le Demon de la Guerre, & faire éternellement regner la Paix, l'union & la concorde entre les deux Nations[198].

Bien qu'il soit intégré dans uns structure complexe (amplification tripartite: «la Paix, l'union & la concorde»), qui constitue elle-même le second membre d'une antithèse («bannir à jamais le Demon de la Guerre»/«faire éternellement regner la Paix»), c'est le même pléonasme qu'on trouvait déjà chez Hébert. La paix constitue le point commun entre les deux textes, et le pléonasme est disponible aux orateurs qui doivent en parler. Une autre coordination de substantifs montre que les éléments d'un para-pléonasme peuvent commuter. Le compliment à la Reine d'Espagne envisage celle-ci comme «ange tutelaire de la Paix generale & comme l'illustre mediatrice de son bonheur & de sa tranquillité [ceux de la France]»[199]. Hébert, évacuant le rôle du Plénipotentiaire, s'écrie:

> En donnant à la France une Paix glorieuse, vous rendrés le calme à l'Europe agitée, & la meilleure partie de l'Univers tiendra de vous sa tranquillité & son bonheur[200].

Comme pour les termes *concorde* et *union*, *bonheur* et *tranquillité* appartiennent au réseau lexical d'associations avec la paix. L'association des deux couples de substantifs est déterminée par les circonstances: négociateur ou gage de paix, ceux à qui les harangues s'adressent entretiennent un rapport nettement perceptible avec la paix qui va se discuter, ou qui s'est conclue. Insister en leur parlant sur les effets bénéfiques de la paix, c'est donner au discours une expression qui leur convient, et qui est adaptée aux circonstances.

---

[197] *Ibid.*, p. 70. C'est dans ce discours qu'Hébert fait des vœux pour une paix «ferme et stable».

[198] *Mercure galant*, novembre 1679, p. 81.

[199] *Ibid.*, p. 82.

[200] Hébert, p. 69-70.

La paix n'est certes pas le seul thème auquel le para-pléonasme s'associe. Tout point sur lequel un orateur insiste est susceptible d'en faire naître. Ainsi, lorsque le duc de Luxembourg est promu à la dignité de Maréchal de France (1675), ce sont ces qualités et ses succès militaires qui lui ont valu cette distinction. Hébert fera, logiquement, l'éloge de son courage. Dès l'exorde, on voit associés les deux termes d'*intrépidité* et de *hardiesse*:

> MONSEIGNEUR,
>
> De toutes les vertus, la plus universellement estimée, c'est la valeur, mais la valeur portée à un certain degré d'intrepidité, & de hardiesse, jette dans l'admiration, & s'il est difficile de lui donner les éloges qu'elle mérite, il n'est pas plus aisé de lui trouver de dignes récompenses. Celle que vous venés de recevoir, MONSEIGNEUR, est la plus haute où l'on puisse aspirer par la voie des armes[201].

Il n'est pas possible de séparer totalement le destinataire et l'occasion: la récente promotion du duc de Luxembourg est bien un événement remarquable, mais l'éloge de ses qualités militaires aurait de toute façon convenu à un chef de guerre. Le pléonasme portant sur le courage du nouveau maréchal insiste cependant sur la vertu qui convient le mieux à l'éloge d'un chef distingué par le bâton de maréchal.

Les maréchaux de France sont remarquables par leurs qualités militaires. Un négociateur le sera par sa pénétration d'esprit. A Colbert de Croissy, Hébert prédit:

> vous allés *par vôtre prudence & par vos lumieres* éclaircir toutes les intrigues, lever toutes les difficultez, qui pourroient faire obstacle à la consommation de ce divin ouvrage[202].

Sans que *lumières* et *prudence* soient vraiment synonymes, l'expression «par vôtre prudence & par vos lumieres» fonctionne comme un para-pléonasme qui oriente l'éloge vers les qualités de négociateur, qualités représentées comme le complément de celles de Colbert, son frère:

> C'est ainsi que deux freres aussi fameux par leur zele, que par leur merite, font, en partageant leurs soins, tout le destin de leur Patrie. L'un l'a rendue glorieuse, l'autre va la rendre heureuse[203].

Le para-pléonasme est donc déterminé par un trait spécifique de la circonstance: la fonction du destinataire. Encore une fois, il est difficile de distinguer parfaitment le contexte historique et le destinataire, la présence de celui-ci dépendant souvent de celui-là, qui détermine ses

---

[201] P. 150-151.

[202] P. 74. C'est moi qui souligne.

[203] *Ibid.*

fonctions. Les redondances lexicales apparaissent ainsi souvent comme des marqueurs indiquant le thème majeur de l'éloge ou de la harangue.

L'éloge de la grandeur royale donne aussi lieu à des phénomènes de répétition sémantique. Dans son discours sur la proposition des échevins de Marseille d'ériger une statue équestre du Roi, Chalvet résume les sujets d'éloges de la manière suivante: «tant de grandes choses que ie rapporte sans ordre, parce que mon esprit s'y confond & s'y perd»[204]. Mais la grandeur elle-même s'exprime à travers des para-pléonasmes. Hébert, admirant la ressemblance du Dauphin au Roi, s'écrie, après avoir souligné l'honneur qu'il y avait à tenir la seconde place quand Louis XIV occupait la première:

> Mais quel surcroit d'elevation & de grandeur! On publie dans toutes les Nations que le Prince qui tient cette Place, est semblable en tout à celui qui remplit la premiere[205].

Les substantifs *élévation* et *grandeur* ne sont pas exactement synonymes, mais le texte n'exploite pas leur signification spécifique. La formule met en valeur la grandeur, dans le rapport qui unit le Dauphin et le Roi. C'est précisément lorsque Hébert souligne le rôle de la piété de la Reine dans la grandeur du Roi que sa harangue à Marie-Thérèse associe deux métonymies redondantes:

> Voila ce que nous vous devons, MADAME. Voila les heureux, les admirables effets de cette pieté qui vous met au dessus des Sceptres & des Couronnes, & qui fait dépendre de vous le sort des Nations[206].

Bien que leurs référents individuels diffèrent, *sceptres* et *couronnes* sont, comme métonymies, synonymes. Les deux termes renvoient à la royauté. De ce point de vue, la formule «des Sceptres & des Couronnes» est redondante. Mais cette redondance est un procédé d'insistance sur la grandeur même que l'orateur doit mettre en valeur lorsqu'il s'agit de la Reine, comme du Dauphin, surtout lorsqu'ils sont associés, par le discours, au Roi.

Si certaines associations lexicales sont liées à l'occasion ou à la personne du destinataire, d'autres, qu'elles se présentent ou non sous la forme la plus fréquente du para-pléonasme par coordination de deux substantifs ou de deux adjectifs, apparaissent dans tout le corpus. Elles suggèrent une sorte de «convenance universelle». Le couple *gloire* et *bonheur* (ou leurs dérivés adjectivaux, *glorieux* et *heureux*) est particu-

---

204 *Mercure*, février 1686, 2e partie, p. 58.

205 Hébert, p. 100.

206 *Ibid.*, p. 144.

lièrement fréquent dans l'éloquence civique. On a vu plus haut que le maire de Soissons louait les frères Colbert de ce qu'ils faisaient pour la France: «L'un l'a rendu glorieuse, l'autre va la rendre heureuse». Dans le compliment que le maire de Soissons fait à d'Avaux, on trouve dans une même phrase «une Paix glorieuse» et «sa tranquillité & son bonheur». Gloire et bonheur semblent indissociables dans les discours, peut-être parce que la *gloire* est le *leitmotiv* de la représentation que le Roi veut qu'on donne de lui et de l'image qu'on donne effectivement de sa conduite. Les champs sémantiques des deux termes paraissent finalement se recouvrir. Le couple bonheur-gloire apparaît dès qu'il s'agit de donner une caractérisation adéquate de l'état du Royaume. Dans la première des deux harangues à la Reine, Hébert propose une synthèse des hauts faits militaires de Louis XIV et de la conduite de Marie-Thérèse. La fonction de chacun des deux est clairement marquée par une redondance lexicale spécifique, la première évoquant la guerre au dehors et ses effets désastreux pour les ennemis, la seconde impliquant la paix intérieure:

> Tandis que par des actions dont toute la terre est étonnée, il porte la terreur, & le trouble dans les Etats de nos ennemis, Vôtre Majesté par une conduite que tout le monde admire, assûre le repos & la tranquillité de ce Roïaume; & le merveilleux concours de vôtre sagesse avec sa valeur, ne forme-t-il pas le plus heureux, & le plus glorieux regne qui fut jamais[207].

L'antithèse est extrêmement rigoureuse: parallélisme de structure entre les deux membres; présence dans chacun d'eux d'un parapléonasme; identité sémantique («par des actions dont la terre est étonnée»/«par une conduite que tout le monde admire»). Il est traditionnel d'affirmer, en temps de guerre, ou après la conclusion de la paix, que les ennemis seuls ont ressenti les maux que la guerre entraîne, tandis que le Royaume conserve la prospérité de la paix, même en pleine guerre. On trouve donc logiquement des accumulations de termes synonymes ou de champs sémantiques voisins autour du terme *tranquillité*, variante de ceux qui ont été analysés plus haut («le repos & la tranquillité»), termes auxquels correspond dans la présentation antithétique une formule de structure analogue, à propos des actions militaires du Roi: «la terreur, & le trouble». L'état florissant de la France, résultat de la combinaison des deux grandeurs qui viennent d'être définies par l'antithèse, est finalement décrite par la qualification binaire: «le plus heureux, & le plus glorieux Regne qui fut jamais». La phrase suivante redouble encore le rapprochement:

[207] P. 139-140.

«Comme nous en goûterons le bonheur, nous en célébrerons la gloire»[208].

Sans être sémantiquement identiques, les deux termes s'appellent régulièrement comme si les discours établissaient un concept de bonheur inséparable de la gloire, et inversement. Ce concept dépasse les harangues à la famille royale et domine l'ensemble de l'éloquence municipale, sous une forme ou sous une autre. L'association lexicale convient donc à plusieurs contextes. Par exemple, le chapitre de la cathédrale de Châlons explique ses espoirs à son nouvel évêque:

> Nous vous recevons, Monseigneur, avec des sentiments tout du Ciel, parce que nous sçavons que vous en venez, & que nos prieres ont concouru à vous en tirer pour nous; ce qui nous fait esperer que vostre Ministere va estre & pour vous & pour nous, & glorieux & heureux. C'est le comble de nos souhaits[209].

Il est vrai, cependant, que c'est le plus souvent en connexion avec le Roi que gloire et bonheur sont associés. A l'évêque de Meaux, Hébert dit:

> nous tombons insensiblement sur le bonheur de la France, qui vous a vû partager avec succès les plus glorieux travaux de son Prince. En effet, MONSEIGNEUR, qui plus que vous a concouru avec lui à la destruction de l'Heresie? Qui l'a secondé plus fortement & plus heureusement . . .?[210]

Les «plus glorieux travaux» sont ici repris par la référence aux affaires religieuses. Le rapprochement gloire-bonheur s'applique donc apparemment aussi bien à la religion qu'à la combinaison de la paix intérieure et des succès militaires. Cela expliquerait sa présence dans un compliment à Gaston de Noailles, qui succède à son frère, nommé archevêque de Paris, à l'évéché de Châlons. Mais c'est en concluant sur l'éloge du Roi que le discours de sortie d'exercice publié dans les *Discours et harangues* amplifie la problématique du bonheur et de la gloire, présentés comme deux perspectives du même gouvernement. La

---

208 P. 140. Il existe un paradigme qui oppose la tranquillité intérieure du Royaume au désordre extérieur. On lit, par exemple, dans un discours de sortie de charge d'Hébert:

> Vous verriés ensuite ce Héros porter chez ses ennemis *la confusion & le trouble* qu'ils avoient semés dans ses Etats, venger sur leur sang le sang de ses sujets, non point par de lâches & noires pratiques en soufflant *la division & la discorde* . . . mais par les plus belles & les plus nobles voies . . ..(p. 185; mes italiques).

Les passages que je souligne marquent la vision des effets de la guerre chez les ennemis. L'action royale permet une correction: l'orateur évoque bien, cas relativement rare, des troubles en France, mais c'est pour souligner leur déplacement et leur disparition du Royaume. La conduite du Roi donne à l'orateur l'occasion d'un para-pléonasme.

209 *Mercure*, juin 1696, p. 282.

210 Hébert, p. 104.

première adopte le point de vue des sujets, la seconde, celui du monarque:

> Il ne cherchoit que notre bonheur, & il a trouvé cette gloire immortelle dont il donne à tous les Princes de la Terre des leçons si éclatantes. Aujourd'hui, MESSIEURS, elle l'accompagne partout. Elle brille dans ses beaux, dans ses nobles, dans ses généreux sentimens; elle entre dans tous ses conseils, dans toutes ses deliberations; elle accourt dans l'execution de ses projets; elle le suit dans toutes ses démarches; & l'on peut dire que ce Prince en nous rendant les plus heureux peuples de la terre, s'en est rendu le plus grand, & le plus glorieux Monarque[211].

Il était important de citer tout le passage, parce qu'il montre que le couple gloire-bonheur l'encadre, premièrement sous sa forme nominale, et à la fin sous sa forme adjectivale. Le pôle sur lequel l'orateur insiste, c'est la gloire, du moins si l'on observe la fréquence lexicale. Bien que posé comme le but premier de l'action de Louis XIV, le bonheur des peuples n'apparaît que comme le revers de la gloire du Monarque. Quel que soit finalement l'équilibre entre les deux termes, leur co-présence dans de nombreux passages amène à les lire comme deux facettes d'une même notion. Leur association peut apparaître dans des contextes différents, mais se remarque particulièrement en liaison avec l'éloge du Roi ou, à tout le moins, avec des allusions au Roi. Faut-il voir là un reflet de l'idéologie royale de la gloire? On ne devrait pas s'étonner alors de trouver cette association lexicale dans de nombreux discours. D'autre part, si, comme on l'a vu, l'éloge du Roi peut être considéré comme un marqueur de l'éloquence d'apparat, une formule qui lui est liée discursivement a, elle aussi, sa place dans tout contexte.

Pléonasme, para-pléonasme ou couplage lexical et notionnel, tous ces éléments définissent, dans une certaine mesure, l'adaptation, au niveau lexical, des discours aux destinataires, aux circonstances et aux sujets qui leur sont propres. Des thèmes et de l'orientation générale (encômiastique ou didactique, par exemple) aux sentiments que l'orateur doit exprimer et, finalement, au lexique, j'ai ainsi parcouru les différents niveaux auxquels on peut comprendre et analyser les mécanismes d'adaptation du discours à l'ensemble cérémoniel dans lequel il s'inscrit. Cette étude a permis de montrer le rôle fondamental de la problématique de la convenance dans l'évaluation de l'éloquence d'apparat, en contexte municipal, certes, mais plus largement dans tous les domaines[212]. Si les niveaux auxquels j'ai étudié la convenance sont pas-

---

[211] *Ibid.*

[212] Les commentaires du *Mercure* introduisent également l'idée qu'il existe une amplification d'étendue idéale pour certains thèmes et que, de même qu'on peut établir une hiérarchie d'importance entre différents thèmes, de même leur développement doit présen-

sibles d'une analyse rhétorique (des lieux de l'éloge à l'élocution), et si la convenance peut rappeler les exigences de l'*aptum* tel qu'il apparaît chez Cicéron et chez Quintilien, la problématique telle qu'elle intervient dans les pratiques oratoires que j'ai décrites est spécifique et domine les pratiques oratoires. Elle tient à des réalités sociales, culturelles et historiques, tout en fondant un jugement qui est d'ordre esthétique. Au-delà des termes vagues que Donneau de Visé utilise en guise d'appréciation esthétique ou pour expliquer le succès d'un discours («juste», «beau» et tous les dérivés du verbe *convenir*, sans oublier tous les commentaires marquant que le discours a répondu à ce qu'on en attendait), on peut préciser, en analysant les textes produits, les éléments caractéristiques de l'éloquence d'apparat, qui permettent de reconnaître le discours comme un constituant de la cérémonie dans laquelle il est prononcé.

Lorsque je parle d'éléments caractéristiques et de la convenance du discours aux circonstances, je ne veux pas dire que le discours individuel ne peut présenter aucun trait particulier. Tout est cependant subordonné à l'adaptation au contexte. C'est dans les limites de cette contrainte fondamentale que s'exerce l'initiative personnelle de l'orateur. La harangue faite au premier président du Parlement de Normandie, Faucon de Ris, à son arrivée à Rouen par le lieutenant criminel du Présidial, Du Montier, illustre bien la marge de liberté laissée à l'orateur par l'exigence de la convenance. L'orateur évoque la joie ressentie par le Présidial, et par lui-même plus spécifiquement; la famille du destinataire et ses emplois; le Roi, au service de qui l'orateur et le corps qu'il représente, aussi bien que le destinataire et toute sa maison se dévouent. Tout cela constitue un compliment qui répond à ce qu'on attend en pareille circonstance. Mais la harangue du Lieutenant criminel s'ouvre sur une effet particulier: une sorte d'anecdote personnelle, par laquelle l'orateur introduit sa marque individuelle dans le rituel du compliment. Le sentiment de joie éprouvé est introduit de manière extrêmement frappante, qui dramatise le discours.

---

ter une hiérarchie correspondante au niveau de leur étendue. Ainsi, lorsque Faucon de Ris arrive à Rouen pour occuper sa charge de premier président au Parlement de Normandie, le Présidial le harangue, par la bouche du lieutenant criminel Du Montier, à la tête d'une députation de dix membres. L'orateur explique que sa compagnie avait toujours eu un grand attachement pour les «grands hommes de sa Maison» qui avaient exercé la fonction de premier président:

> que cet attachement estoit fondé sur celuy qu'elle a toûjours eu pour le service du Roy, & que le service du Roy avoit toûjours esté le seul but que ses Ancestres s'estoient proposé dans toutes leurs actions. *Il donna à cette pensée toute l'étenduë qu'elle meritoit, & son compliment fut tres-applaudy.* (*Mercure*, septembre 1686, 1re partie, p. 190-191; mes italiques).

Donneau de Visé n'en donne qu'une analyse, mais cette analyse mérite d'être citée:

> Il avoit eu le jour precedent une vapeur terrible qui l'avoit fait croire mort, & ce fut là le sujet de son Discours. Il dit à M. de Ris que la joye de luy voir reprendre la place de ses Peres le rappelloit à la vie, & qu'il ne devoit pas estre surpris que sa presence fist de si grands effets sur la Compagnie dont il estoit Deputé, puis qu'elle avoit esté toûjours attachée aux grands hommes de sa Maison qui avoient esté Chefs du Parlement; Que cet attachement estoit fonde sur celuy qu'elle a toûjours eu pour le service du Roy . . .[213]

L'espèce de miracle racontée par l'orateur donne une touche personnelle à l'ensemble des thèmes que les textes analysés plus haut nous ont appris à associer aux compliments qui constituent l'essentiel des manifestations de l'éloquence civique. C'est la part individuelle dans le rituel, sous la forme, ici, d'une hyperbole de la joie: une quasi-résurrection. Mais, il importe de le souligner, cette variante individuelle, qui met l'accent sur la spontanéité et la toute-puissance de la joie (qui est d'ailleurs le sentiment qu'il convient d'exprimer dans les circonstances où parle Du Montier) ne porte nullement atteinte à la convenance générale du compliment. Tous les éléments pertinents s'y retrouvent. Que ces éléments ne dépendent pas de l'orateur est confirmé par le fait qu'on peut les identifier également dans une autre harangue prononcée dans les mêmes circonstances par l'archidiacre du Chapitre de la cathédrale. Quelques phrases du début du discours suffiront à le prouver:

> MONSEIGNEUR,
>
> L'Eglise de Roüen nous a deputez pour vous marquer la joye qu'elle a de vous voir reprendre une place que vos illustres Ayeux ont tenuë pendant un si long temps, avec tant d'éclat & tant de gloire.
>
> Les services importans qu'ils ont rendus à l'Estat, & surtout la fermeté inébranlable avec laquelle ils ont maintenu l'autorité du Roy, au milieu des tempestes qui ont tant de fois agité cette Province, pendant leur Magistrature, leur ont acquis des noms fameux dans l'Histoire[214].

L'évocation des troubles, particulièrement sensibles dans la province, ajoute encore à la pertinence. L'éloge des ancêtres, composante fondamentale de l'évocation du Premier Président met particulièrement en valeur leur fidélité au Roi. Cette insistance sur la fidélité de la famille de Faucon de Ris faisait sans doute la matière du passage du compliment de Du Montier que le *Mercure* résume par: «le service du Roy avoit toûjours esté le seul but que ses Ancestres s'estoient proposé dans toutes

---

[213] *Mercure*, septembre 1686, 1re partie, p. 189-190.

[214] *Ibid.*, p. 192-193.

leurs actions. Il donna à cette pensée toute l'étenduë qu'elle meritoit». Ces deux exemples montrent que, avec les variations liées à l'orateur et à l'institution productrice du discours, les compliments amplifient fondamentalement des éléments semblables, qu'on peut reconnaître comme ceux qui sont pertinents dans une occasion donnée. Ainsi se crée la répétition caractéristique des successions de députations.

Discours d'entrée en charge ou de sortie d'exercice, présentation au Roi du scrutin pour l'élection des membres du bureau de la municipalité parisienne, accueil d'un haut personnage de passage ou d'un haut dignitaire qui vient occuper sa charge: l'éloquence d'apparat joue un rôle fondamental dans la vie municipale. Haranguer constitue un des devoirs des magistrats municipaux, et, d'une manière plus large, de tous les corps de la ville. Car, si le corps de ville a ses obligations oratoires particulières, les grandes occasions rassemblent toutes les institutions de la ville, qui participent aux cérémonies locales en respectant un ordre de préséance, de la même manière que l'appartenance à un groupe social place l'individu dans une hiérarchie. La succession des discours et la répétition qu'elle entraîne sont des éléments essentiels du rituel municipal. En faisant se succéder une série d'orateurs, à la tête des députations de ses différents corps et compagnies, une ville marque qu'elle remplit son devoir, que celui-ci naisse des fêtes du calendrier (jour de l'an, par exemple) ou d'un événement extérieur, comme le passage d'un grand.

Qu'il s'agisse de compliments ou de discours développés, les textes relevant de l'éloquence civique présentent des caractères qui les rapprochent de ceux que j'ai étudiés dans le contexte des institutions académiques et parlementaires. Ils sont solennisés et s'inscrivent dans un cérémonial. Leur solennisation se marque dans le costume de l'orateur, du destinataire ou des assistants. Elle peut apparaître aussi dans le luxe ou le caractère symbolique de la décoration ou dans la particularité du lieu choisi, dont l'usage est reconnu par tous comme cérémoniel. Finalement, l'apparition dans le discours d'éléments identifiables comme «marqueurs» peut remplir dans le texte la même fonction que des représentations picturales ou symboliques dans la décoration: l'éloge du Roi signale dans le discours, comme son portrait et ses devises dans le décor, la solennisation.

L'identification d'un discours comme manifestation d'éloquence d'apparat n'est pas liée à une fonction unique (fonction encômiastique, par exemple), et l'on trouve souvent un équilibre entre différentes fonctions. Mais l'analyse des textes posés comme didactiques permet d'affirmer que l'effet éthico-didactique n'est jamais pur, ni même primordial pour l'éloquence d'apparat. Les discours d'entrée en charge ou de sortie d'exercice d'Hébert, maire de Soissons, montrent bien l'intérêt qu'un orateur peut avoir à introduire des éléments d'ordre «professionnel» dans son discours: sous le couvert de l'exhortation, c'est aussi une image du magistrat municipal et surtout de ses fonctions comme un ministère désintéressé et laborieux qui se dessine. D'une manière générale, il se crée un équilibre entre fonction didactique et fonction encômiastique, qui peut varier selon les discours. Les discours qui accompagnent le renouvellement des magistrats municipaux comportent nettement moins de traits éthico-didactiques à Paris qu'en province. Peut-être faut-il attribuer à la proximité du Roi la cause du phénomène (Louis XIV joue d'ailleurs un rôle important dans la cérémonie de la prestation du serment, qui se fait entre ses mains). Les éléments éthiques et didactiques peuvent répondre à ce qu'on attend d'un orateur dans une occasion donnée. Leur effet primordial n'est pas alors de produire un effet d'instruction: ils marquent l'accomplissement du devoir oratoire; l'orateur a fait le discours qui convenait.

C'est cette problématique de la convenance qui joue le rôle essentiel dans l'éloquence d'apparat en contexte municipal. Ni didactique, ni purement encômiastique, le discours est adapté aux circonstances, ou plutôt doit l'être. L'étude des textes à différents niveaux permet de préciser le concept de *convenance* ou d'adaptation. La variété des destinataires, des orateurs et des occasions permet de saisir ce concept dans l'éloquence civique. La manière dont le *Mercure* évalue les discours, en termes de *justesse* reste le plus souvent vague. Quelques remarques ne font que proposer des préjugés d'ordre social, liant le discours à la seule personne de l'orateur, comme lorsque le Roi félicite Le Camus de son discours en disant «*qu'il avoit parlé en homme de qualité*», ou lorsque Donneau de Visé fait l'éloge d'un compliment adressé à Bossuet à son arrivée à Meaux en affirmant de l'orateur: «La maniere libre dont il prononça ce Compliment, avoit cet air agreable qui est naturel aux Personnes de naissance». Mais l'étude des discours et des compliments permet de préciser le rapport qu'ils entretiennent avec l'occasion qui les fait naître, le destinataire, la personne de l'orateur et l'institution qu'il représente. Du choix des thèmes à celui des termes, le texte obéit à toute une série de contraintes. Un orateur aura bien rempli son devoir oratoire lorsque son discours aura concilié les différentes exigences auxquelles il doit faire face. Dans la mesure où ces exigences sont liées à un rituel, à la personne et aux fonctions du destinataire aussi bien que de celui qui parle, on peut dire, en donnant à cette affirmation un sens large, que ces contraintes sont d'ordre socio-culturel. Elles conditionnent la réussite du discours, c'est-à-dire une approbation qui souligne sa convenance, et qui s'exprime, dans le *Mercure* en particulier, en termes esthétiques.

L'esthétique de l'éloquence d'apparat est une esthétique de la convenance.

Si le terme *convenance* suggère une forme de bienséance, comme le texte du cérémonial de Lyon cité au début de ce chapitre le laisse entendre («en des termes conuenans au respect deu au Roy»), la problématique que j'ai développée met surtout en relief le rapport dynamique du discours et des éléments qui composent son contexte. Ce rapport est dynamique, puisque, si c'est l'inscription dans un ensemble cérémoniel qui conditionne l'éloquence d'apparat, le discours engendré par les circonstances participe à la solennisation et la renforce. Il est lui-même une composante du rituel qui le fait naître. Si la convenance peut paraître relever de la morale, si on l'interprète seulement au sens étroit de la bienséance, comprise comme le respect d'exigences culturelles et sociales, aussi bien que linguistiques, imposée par une occasion spécifique, elle apparaît en fait comme un concept essentiel de l'éloquence d'apparat, un concept esthétique, puisqu'il renvoie à un élément qui détermine la réception du discours autant que sa composition.

# CONCLUSION

Bien que cette recherche se soit limitée à trois contextes, les académies, les parlementc et les municipalités, les résultats obtenus permettent de tirer des conclusions générales sur l'éloquence d'apparat profane à la fin du XVII^e siècle. Au terme de ce parcours, il apparaît clairement que, malgré les différences spécifiques qui tiennent à l'institution ou à l'occasion dans laquelle un discours est prononcé, toutes les pratiques oratoires qui relèvent de l'éloquence d'apparat sont régies par une profonde unité. Les analyses précédentes permettent d'ailleurs de donner au terme d'*éloquence d'apparat* une extension définie.

Tandis que les rhétoriciens essaient le plus souvent de cerner le champ des différents genres de l'éloquence, on ne saurait definir de façon adéquate l'éloquence d'apparat par le seul contenu ou la seule fonction du discours. La rhétorique divise en effet traditionnellement le champ du discours en trois grands genres, le délibératif (où le but de l'orateur est de faire adopter une certaine conduite à son auditoire), le judiciaire (où l'orateur doit faire évaluer un acte commis) et l'épidictique (défini en général par son objet: faire l'éloge ou le blâme d'un être ou d'une chose). Quels que soient les raffinements qu'on apporte à cette tripartition fondamentale, les critères de distinction sont liés à ce qui fait l'objet du discours. Les auteurs reconnaissent souvent les liens qui se créent entre deux genres, comme l'épidictique et le délibératif, dans la mesure où l'éloge est souvent pris comme fondement d'une exhortation à l'imitation. Mais l'éloquence d'apparat transcende cette distinction, qui n'est pas pertinente pour identifier les discours qui en relèvent. Discours professionnel, éthique, encômiastique: du simple remerciement à la mercuriale, tout discours peut ainsi actualiser le concept, s'il répond à certaines conditions.

Faisons le bilan des traits spécifiques des pratiques oratoires de chaque milieu pour comprendre dans quelle mesure limitée ces traits peuvent entrer dans la caractérisation de l'éloquence d'apparat en tant que telle. Ce ne sera jamais que comme expression spécifique d'une loi générale. Les discours analysés suggèrent une série d'oppositions, qui varient selon les critères retenus. Les institutions où les places sont électives produiront des discours de remerciement des nouveaux membres et des réponses du corps qui les reçoit. Les académies ont ainsi des séances de réception au cours desquelles le nouvel académicien remercie la compagnie qui l'accueille et un officier de l'académie où il vient prendre place répond au nom de la compagnie. Les municipalités ont des cérémonies analogues. Dans ce dernier cas, selon les villes, le remerciement pourra être prononcé à l'entrée en charge ou à la sortie d'exercice. Mais les cérémonies d'installation des magistrats municipaux et la passation des pouvoirs qui s'y rattache sont également liées, comme le montre l'exemple d'Hébert, à Soissons, aux fonctions que les maires et les échevins doivent exercer. Les discours reflètent alors cette préoccupation pragmatique, ce qui se traduit par une forte composante didactique. Cet aspect rapproche les pratiques oratoires qui accompagnent les installations de magistrats municipaux des discours parlementaires[1] qui, émanant d'institutions définies par un ensemble de charges et de fonctions, révèlent eux aussi un souci professionnel, qui s'exprime souvent sous une forme éthique. Les académies produisent des discours à composante éthique faible, particulièrement à Paris. Mais tous ces discours sont, malgré leurs differences, des discours d'apparat.

L'étude des académies, des parlements et, dans une moindre mesure, des institutions municipales met en lumière une différence sensible entre les pratiques oratoires parisiennes et celles de province. Cette différence joue à plusieurs niveaux. Pour les municipalités, c'est au niveau du contenu thématique du discours qu'on peut l'observer. Les discours prononcés à l'occasion du renouvellement des magistrats municipaux contiennent en province des éléments didactiques absents des discours de la capitale.

On distingue l'Académie et les institutions judiciaires parisiennes de celles de province selon leur manière de recourir aux citations latines. Il est vrai que l'Académie et le Parlement de Paris envisagent le rapport entre le francais et les langues savantes de manière opposée: l'Académie francaise manifeste une grande réticence devant l'usage des citations latines, alors que le Parlement reste fidele à la tradition savante. Mais si celle-là défend les intérêts de la langue francaise dont elle a la charge, celui-ci s'adapte aux nouvelles exigences de l'*honnêteté* moderne. L'usage des citations latines se fait plus discret – si l'on excepte un orateur comme l'avocat général Denis Talon, représentant d'une génération qui disparaît mais dont l'éloquence, aux dires du *Mercure*, plaît encore, avec tout son appareil de citations latines et grecques. Dans les deux cas, on perçoit un contraste avec la province. Les académies provinciales ne manifestent pas, dans leurs pratiques oratoires, la même hésitation que la compagnie parisierine devant le latin – souvent

[1] Au sens général du terme que j'ai défini dans la deuxième partie de cette étude.

lié, dans les discours académiques de province, à une pratique symbolique, celle des devises. Quant aux juridictions provinciales, elles paraissent beaucoup plus attachées que leurs contreparties parisiennes à la pratique des citations latines. On peut parler, à ce propos, d'un certain conservatisme de la province, pour laquelle la langue savante reste, semble-t-il, une marque de solennité. Cette constatation amène à souligner deux facteurs essentiels pour l'éloquence d'apparat, le premier pour sa définition; le second pour sa production. Le terme de solennité est en effet un mot-clé de la définition de l'éloquence d'apparat. Quant au «conservatisme linguistique» partagé par les académies et les juridictions de province, qui suggère une homogénéité des pratiques provinciales par rapport à celles de Paris, elle est à mettre en rapport avec un phénomène d'ordre social fortement marqué dans les villes provinciales: les milieux de l'élite locale sont plus resserrés qu'à Paris, avec cette conséquence qu'on retrouve les mêmes hommes dans les différentes institutions. Les mêmes personnages occupent diverses charges, constituant ainsi une élite de notables. C'est ce que j'ai appelé l'appartenance multi-institutionnelle, dont l'effet est sensible sur l'eloquence dans les differentes institutions. Ce sont, en général, les mêmes orateurs qui parlent dans des contextes différents. On s'aperçoit en effet que, souvent, celui qui porte la parole au nom d'un corps ou qui prononce un discours dans une institution appartient à un ou plusieurs autres groupes institutionnels. Cette particularité de la structure sociale provinciale est ainsi un facteur essentiel dans la production d'éloquence. Le cumul des charges amène le notable à parler souvent en public. L'expérience ainsi acquise se combine souvent avec un goût pour l'éloquence, qui garde toujours un rôle, ne serait-ce que marginal, dans la production de discours d'apparat. Par ce biais, l'éloquence céremonielle jette un éclairage important sur la vie sociale en province. Le notable n'est pas seulement celui que sa fortune ou sa naissance distingue. C'est un homme qui, monopolisant les charges locales, se met en avant, non seulement par l'exercice d'un pouvoir réel (lorsqu'il exerce une magistrature judiciaire ou municipale), mais aussi par celui d'une autorité que donne la parole et qui est à la fois le symbole d'une réussite et le moyen de parvenir encore plus loin. La notoriété que donne le discours est double: elle est «gratuite», comme reconnaissance du talent (ou du zèle), par l'intermédiaire, entre autres, du *Mercure* ou d'une publication locale; elle peut aussi être l'occasion de se faire connaître des grands qui passent, lorsqu'on les harangue. Au sein des académies de province, la notoriété «littéraire» et la position sociale coïncident le plus souvent. Les académies donnent l'impression de fournir une «coupe» des couches dirigeantes de la société locale, définies par l'exercice des fonctions judiciaires et municipales ou, dans certains cas, ecclésiastiques. Ce sont des institutions où se croisent toutes les autres institutions de la ville et de la province. L'éloquence est précisément un terrain privilégié pour étudier le phénomène, qui, en retour, influe beaucoup sur elle. Le caractère relativement homogène des discours provinciaux en témoigne. Les robins qui font l'ouverture du présidial ou du parlement local ou qui parlent pour requérir l'enregistrement de lettres de provisions ou de tout autre texte (déclaration de paix, édit, etc.) sont aussi ceux qui parlent dans les académies en diverses occasions. Ces institutions n'ayant pas de tradition antagoniste et se trouvant au contraire très liées par leur composition, leurs membres pratiquent dans les unes et dans les autres une éloquence similaire (même si le contenu thématique peut varier). Les mêmes orateurs ont, par exemple, recours dans l'un et l'autre contextes aux citations latines dont le caractère savant fait aussi la solennité.

Cela ne veut nullement dire que Paris ignore le cumul des affiliations institutionnelles. L'Académie française compte parmi ses membres des avocats, des magistrats, des ecclésiastiques. Elle compte aussi, beaucoup plus qu'en province, de purs «gens de lettres». Mais la dimension même des élites empêche la généralisation de ce qui apparaît en province comme une véritable osmose entre les différents groupes institutionnels (parce que les corps et compagnies se recrutent tous dans le même milieu relativement restreint). Le corps de ville fournit cependant une exception à cette affirmation, puisqu'un certain nombre de conseillers sont statutairement membres des compagnies dites souveraines et que son bureau se recrute beaucoup dans ce milieu (Bosc du Bois, procureur général de la Cour des Aides, occupe le poste de Prévôt des marchands; on trouve des membres du barreau parmi les échevins). Mais, quelles que soient l'étendue et la complexité du réseau qui lie entre elles les institutions parisiennes, leurs pratiques oratoires restent beaucoup plus individualisées. Même deux institutions liées comme le sont le parlement et la municipalité ont des traditions oratoires bien différentes. Cette dernière élimine du discours les éléments éthico-didactiques qui jouent un role important dans les discours parlementaires.

En affirmant que le latin gardait pour les orateurs provinciaux et pour leur public – car il faut toujours tenir compte des deux pôles lorsqu'on s'intéresse à l'éloquence – toute sa valeur de solennité, je ne fais qu'appliquer à un trait stylistique un critère qui est fondamental pour définir l'éloquence d'apparat et identifier ses manifestations individuelles. C'est en effet le caractère cerémoniel qui donne à tous les textes analysés leur unité essentielle, au-delà des spécificités que je viens d'évoquer. Les quelques rapprochements que j'ai faits avec les discours d'ouverture des écoles et de début des cours dans les collèges, ou encore ceux qui étaient prononcés lors des soutenances de thèses solennelles, confirment la valeur générale des descriptions et des définitions proposées. De ce point de vue, le français et le latin conviennent tous deux à l'apparat. Cependant, leur emploi par une institution donnée n'est pas indifférent, bien que tous les discours partagent un certain nombre de traits, dans quelque langue qu'ils soient prononcés.

L'eloquence d'apparat se manifeste dans un contexte cérémoniel; elle est un élément du rituel, que ce rituel soit celui d'une institution particulière ou qu'il rassemble toutes les institutions dans des cérémonies communes. Le rapport d'un discours avec son contexte cérémoniel est dynamique, puisque, s'il est engendré par l'occasion qui le demande, il ajoute en retour de l'éclat et de la solennité aux ciscontances qui président à son apparition. On peut décomposer les circonstances propres à l'éloquence d'apparat en un certain nombre de composantes: la solennisation du lieu, le retour cyclique de la cérémonie ou le choix d'une date significative, la présence d'un public plus ou moins titré, remarquable par ses fonctions ou par tout autre caractère, la liaison du discours à un impératif oratoire, l'inscription de la cérémonie dans des célébrations publiques, etc.

La solennisation du lieu joue un rôle fondamental dans la plupart des pratiques oratoires qui nous intéressent. Elle ne se réduit pas à la richesse de la décoration, même si le luxe en est un élément important. Un endroit vide de décorations particulières peut cependant remplir une fonction solennelle lorsqu'il est consacré par une tradition (c'est ainsi que le maire de Brest entrant garde le talon dans un trou au milieu d'une pierre, elle-même située au milieu d'une grande place devant la principale église, pendant que celui à qui il succède lui fait un discours)[2]. Les lieux, même les plus somptueux, requièrent des aménagements spécifiques pour servir de cadre à certaines cérémonies. Tapisseries et riche mobilier peuvent contribuer à la solennisation, ainsi que les illuminations, à l'intérieur comme à l'extérieur des bâtiments. Mais c'est surtout la présence d'éléments picturaux et symboliques qui retient l'attention. Le public peut contempler des portraits qui mettent explicitement telle ou telle cérémonie sous le patronage éminent d'un grand, voire du Roi, ou qui associent à celle-ci d'illustres morts et des personnages qui ont un rapport avec l'institution ou même l'auditoire (portraits des hommes de lettres et des comtes d'Anjou pour l'inauguration de l'Académie d'Angers; portraits des membres du Parlement de Paris dans la salle où le P. de La Baune prononce son panégyrique de ce même Parlement,

---

[2] Voir chap. v, p. 551-552.

entre autres exemples)[3]. Mais le décor des cérémonies solennelles offre également aux spectateurs des signes à déchiffrer: armes des hommes illustres, insignes de leurs fonctions et, surtout, un élément qui apparaît souvent comme le revers abrégé du discours développé: des devises.

La solennisation ne s'arrête pas à la «topographie» ou à la décoration. Le costume de l'auditoire ou des officiants du rituel institutionnel apporte une marque complémentaire au contexte cérémoniel. Là encore, si le luxe des vêtements des assistants contribue à l'éclat de l'occasion, c'est le plus souvent le port d'un costume spécifique perçu précisément comme vêtement de cérémonie qui renforce l'effet de solennisation. Les membres du Présidial d'Angers comme ceux des parlements, portent la robe rouge, marque de leur dignité. Les magistrats du Présidial y attachent une extrême importance, étant donné la singularité de cet honneur pour un présidial[4]. L'évêque qui officie à la messe rouge est revêtu de ses ornements pontificaux. Le costume des membres de la municipalité parisienne pour les différents moments des cérémonies du renouvellement des magistrats est fixé[5]. Quelles que soient les particularités du costume traditionnellement porté dans une occasion solennelle, celui-ci est identifié comme un élément du rituel, et il participe au contexte cérémoniel qui engendre les manifestations d'éloquence. On reconnaît encore la solennisation de l'événement à toute une série de pratiques traditionnelles, parmi lesquelles je rappellerai, à titre d'exemple, les décharges de «boëtes», les sonneries de trompettes et les roulements de tambours pour les manifestations sonores; les feux de joie pour les éléments spectaculaires – les feux de joie peuvent d'ailleurs être extrêmement élaborés et saturés de représentations symboliques. La présence d'archers et de compagnies de la milice ajoute à l'éclat des occasions solennelles. On la reconnaît par conséquent comme une composante du contexte cérémoniel propice à l'éloquence d'apparat (toutefois, dans les réjouissances locales, les manifestations sonores et spectaculaires accompagnées de *Te Deum* et de messes solennelles remplissent parfois, sans intervention de l'éloquence, la fonction de célébration).

L'assistance d'un public nombreux et remarquable à divers titres constitue un critère supplémentaire pour identifier les pratiques oratoires qui entrent dans la catégorie que je définis. L'affluence est un facteur universel, mais certains autres varient avec le contexte et le lieu.

---

3 Voir chap. II, p. 200.

4 Sur la confirmation de ce privilège, son origine et l'importance qu'y attache le Présidial, voir, chap. IV, p. 458 sq.

5 Voir chap. V, p. 574.

Les réjouissances publiques rassemblent le peuple ainsi que les corps et compagnies locaux, en tant qu'institutions. Le public est souvent hétérogène, non seulement parce qu'il peut être constitué à la fois d'un auditoire «institutionnel» et de la foule ou de personnalités locales, mais aussi parce que les personnes à qui on s'adresse ne sont pas les uniques destinataires du discours. Par exemple, lorsque le représentant d'une ville harangue un grand personnage, il a un double public: son destinataire spécifique, d'une part, et, d'autre part, tous ceux qui assistent et participent à l'entrée solennelle. Le compliment doit satisfaire celui à qui il s'adresse, tout en répondant aux exigences oratoires de l'institution que l'orateur représente. De plus, il doit répondre aux attentes esthétiques de l'assistance en général.

Dans un autre cadre, un nouvel académicien qui remercie, comme il se doit, la compagnie qui lui donne une place parle devant un double auditoire: ses nouveaux pairs et le public choisi qui assiste à la séance. Les cérémonies académiques offrent d'ailleurs un exemple de différence spécifique dans la composition de l'auditoire. On retrouve ici l'opposition entre Paris et la province déjà signalée. Les séances solennelles de l'Académie française se déroulent devant deux ou trois centaines de gens de mérite et de qualité (pour reprendre des termes que Donneau de Visé emploie si souvent dans ce contexte); ces gens y assistent en tant qu'individus. En province, en revanche, les corps et compagnies assistent aux séances académiques en tant qu'institutions. Ces institutions, ainsi que les notables provinciaux, constituent des élites d'un type particulier, qui est confirmé dans l'activité des académies locales. De surcroît, on trouve dans l'assistance des académies de province des femmes, remarquables par leur parure et par leur esprit. Ce phénomène n'apparaît à Paris qu'au début du XVIII^e^ siècle. On voit clairement ici l'application du principe énoncé plus haut: les traits spécifiques du public ne sont pertinents que dans la perspective d'une théorie générale de l'éloquence. Même si la composition du public diffère selon les institutions et la situation géographique (la Capitale ou la province), l'auditoire présente des caractéristiques qui le font reconnaître comme répondant à la solennité d'une occasion.

Dans le cas d'un public institutionnel, l'assistance à la cérémonie se définit comme un devoir. De fait, cette notion de devoir d'assistance s'étend dans une certaine mesure au peuple dans le cas des fêtes chômées. Dans tous les cas, l'auditoire vient avec un certain nombre d'attentes que l'orateur devra combler. Mais celui qui prononce le discours accomplit lui-même une fonction qui n'est pas, le plus souvent, le résultat d'une initiative personnelle. Le discours d'apparat s'inscrit dans un contexte rituel qui prescrit une pratique oratoire. L'éloquence d'apparat suppose donc une obligation oratoire. Cette obligation peut tenir à une tradition: c'est le cas, par exemple, à l'Académie française où le discours de réception n'est pas statutaire. Les différents cérémonials enregistrent la *coutume* en matière de rituel, laquelle, véritable jurisprudence, devient contraignante. Le discours peut également avoir été institué par une décision formelle: les mercuriales sont la conséquence d'édits royaux; le panégyrique annuel du Roi prononcé à Paris le 14 mai, jour anniversaire de son avènement, par un membre de l'Université en présence du Corps de Ville est l'application d'un contrat que la municipalité a passé avec l'Université. Cependant, en parlant d'obligation oratoire, je ne veux pas seulement dire que le discours est un devoir dans une occasion donnée pour une institution ou une autre. La responsabilité de prononcer un certain discours incombe, non seulement aux institutions, mais aussi à certains de leurs officiers. Les gens du Roi et les premiers présidents de parlement, par exemple, doivent faire l'ouverture des audiences, prononcer les mercuriales et porter la parole lorsqu'il s'agit de complimenter le Roi. Les maires et les chefs de corps de ville adressent des compliments aux grands de passage. L'exemple de ces derniers montre que ce n'est pas toujours la charge mais parfois la position occupée à l'intérieur d'un corps constitué qui détermine la responsabilité oratoire: le doyen du chapitre se met à la tête des députations; le directeur de l'Académie française ou, en son absence, le chancelier doit répondre aux nouveaux académiciens. Quant à la désignation de celui qui portera la parole dans les occasions où l'Académie harangue un grand, elle suit des règles dont la rigidité se renforce au cours des années.

Le devoir oratoire n'est pas forcément un fardeau. Certains notables l'exercent avec facilité, voire avec avidité. Au niveau du groupe, l'obligation de prononcer un discours est un honneur. Lorsque l'Académie française est admise à l'audience royale pour complimenter le Roi sur des sujets qui le touchent et qui concernent le Royaume, elle est assimilée aux cours dites souveraines. Comme ces dernières, elle aura «l'obligation» de haranguer le Roi, mais c'est pour elle une faveur qu'elle aura à cœur de ne pas laisser tomber en désuétude.

L'identification des circonstances propres à l'éloquence d'apparat ne serait pas complète si l'on ne précisait que, outre un lieu solennisé, elles impliquent un temps *marqué*. - choix ponctuel et unique, ou bien retour cyclique. Ainsi, une réception est annoncée, une entrée est un événement ponctuel mais qui, comme tel, se distingue des autres occasions. Outre les cérémonies pour lesquelles *on prend date*, il existe des célébrations qui reviennent périodiquement. Elles se tiennent en des jours traditionnellement fériés, comme le jour de l'an, ou bien encore dépendent d'un calendrier rituel plus ou moins spécifique à une institution donnée. Le Parlement de Paris et de nombreuses juridictions rentrent après la Saint-Martin; l'Académie de Villefranche, comme l'Académie française, célèbre la Saint-Louis avec un éclat particulier. L'«oraison doctorale», dont la municipalité de Lyon organise et enregistre si soigneusement le cérémonial[6], se fait à la Saint-Thomas, jour de la fête de la ville. Le principe qui préside au choix de la date importe peu. Tradition séculaire ou décision prise au cours d'une délibération du corps de ville: dans les deux cas, le caractère solennel est également perceptible.

A la période qui nous intéresse, la vie du Roi fournit un certain nombre de dates qui sont célébrées avec faste dans tout le Royaume. Célébrer la Saint-Louis, pour l'Académie française, c'est aussi chanter la gloire de son protecteur. La fête du Roi est aussi celle d'une institution qui lui est liée. La vie du Roi proprement dite soutient le calendrier cérémoniel de plus d'une ville et de plus d'une institution. Lorsque la ville de Caen inaugure une statue de Sa Majesté, en 1685, elle choisit logiquement le 5 septembre, jour anniversaire du Roi, pour la cérémonie, qui est l'occasion d'un panégyrique de Louis le Grand prononcé par le P. Féjacq. Le même jour donne lieu, depuis 1638, c'est-à-dire depuis la naissance du Roi, à une célébration annuelle à Saint-Germain. Le déroulement de la fête comprend tous les traits que j'ai rattachés au contexte de l'éloquence d'apparat: retour annuel du panégyrique, à une date d'autant plus solennelle qu'elle est liée à la vie du Roi; la cérémonie a lieu après les vêpres, et, lorsqu'on sort, on allume solennellement un feu de joie devant le portail de l'église paroissiale. Le Château est illuminé. En 1695, le public comprend deux personnages de marque: le roi et la reine d'Angleterre, dont Saint-Germain est le lieu de résidence[7]. Leurs Majestés britanniques, pour reprendre une expression fréquemment employée à l'époque, sont d'ailleurs conscientes de ce qu'elles doivent au Roi, et leur devoir de reconnaissance se manifeste en particulier par une assiduité de bon aloi au panégyrique annuel du Roi. En 1699, le panégyriste n'est autre que le P. Fejacq (qui avait prononcé le discours pour l'inauguration de la statue du Roi à Caen quatorze ans auparavant). Son discours fut publié la même année, à Paris, sous le titre: *Panégyrique du Roy, prononcé le 5 septembre 1699 dans l'église paroissiale de Saint-Germain-en-Laye, en présence du Roy et de la Reine d'Angleterre*. La présence d'auditeurs de marque est le plus souvent indiquée en tête des discours publiés, ce qui confirme le caractère fondamental de cet élément.

---

6 Voir chap. V, p. 541 sq.

7 Voir *Mercure*, septembre 1695, p. 255-257.

Dans le contexte du culte de Louis XIV, passons maintenant à ce qu'il peut y avoir d'historiquement spécifique dans la notion d'éloquence d'apparat. Si la manière dont les dates de cérémonies données sont établies n'a pas d'influence sur leur caractère solennel, qui sert de critère pour identifier l'éloquence d'apparat, on voit cependant que, matériellement, le personnage de Louis XIV contribue à faire naître des pratiques oratoires qu'on peut reconnaître comme des manifestations de ce concept. C'est un trait spécifique de l'éloquence d'apparat de l'époque. A la fin du siècle, l'éloge du roi prend une importance inégalée jusqu'alors; non seulement les panégyriques qui lui sont consacrés se multiplient dans tous les contextes, mais encore son éloge apparaît dans les discours les plus variés, dans toutes les institutions et dans toutes les occasions. Il ne faudrait pas confondre la fonction rhétorique des éloges du Roi avec celle de la propagande royale qui s'y associe. On ne saurait nier qu'il existe, dans certaines pratiques oratoires, un aspect de propagande royale, parfois très marqué. J'ai montré que les académies (et les juridictions) de province s'inscrivaient consciemment, surtout après 1680, dans une entreprise nationale de propagande. Cette visée didactique se mêle à l'éloquence d'apparat qui garde toutefois son caractère esthétique. Si la propagande est nettement perceptible dans certains discours de la fin du siècle, elle n'entre pas dans la définition de l'éloquence d'apparat.

Affirmer que la propagande n'appartient pas aux éléments qui déterminent l'éloquence d'apparat, ce n'est pas mésestimer le rôle que joue l'éloge du Roi dans l'éloquence de la fin du XVIIe siècle. Je pose, au contraire, son ubiquité quasi obsédante comme un critère pertinent en soi. En effet, tous les critères d'identification de l'éloquence d'apparat énumérés jusqu'à présent étaient en quelque sorte indépendants, dans leur principe, de la période historique dans laquelle les discours se situent (quelle que soit, par exemple, la composition du costume cérémoniel à une époque donnée, on peut penser que le port d'un costume identifié comme solennel contribue à créer un contexte propice à la manifestation d'éloquence d'apparat). L'éloge du Roi apparaît au contraire comme un marqueur de l'éloquence d'apparat spécifique d'une époque donnée. Les auditeurs sont en effet accoutumés à associer l'éloge de Louis XIV avec les manifestations d'éloquence d'apparat. Le portrait du Roi solennise les lieux dans lesquels il est placé. Son éloge a le même effet sur les discours dans lesquels il apparaît. La simple présence des louanges du Roi sert d'ailleurs parfois de critère pour évaluer les discours. On voit Donneau de Visé affirmer qu'un discours est beau *parce qu*'il contient l'éloge de Louis XIV. En séparant la propagande royale, essentiellement didactique, et l'éloge, on peut définir pour ce dernier un rôle de marque, qui ne dépend pas du contenu qu'on lui donne mais seulement de sa présence. Le rapprochement que j'ai fait entre l'éloge, le portrait et les devises de Louis le Grand montre l'identité fonctionnelle des différentes pratiques solennelles et leurs résonances. Une telle analyse offre l'avantage de détourner notre attention du contenu thématique de l'éloge du Roi pour la diriger vers l'intérêt théorique de sa présence si universelle dans les textes oratoires de la fin du siècle. Peut-être les orateurs cherchent-ils, à un premier niveau, à marquer leur zèle monarchique; mais, de façon plus intéressante pour la caractérisation des pratiques oratoires d'apparat, le contenu spécifique de chaque éloge s'efface derrière sa fonction sémiotique globale: l'auditeur reconnaît grâce à lui qu'il a bien affaire à un discours d'apparat.

Telles sont les caractéristiques les plus marquantes de l'éloquence d'apparat et les critères qui permettent d'identifier ses manifestations. Ils aident à rendre pleinement compte de l'unité intuitive de toutes les pratiques oratoires qui ont été analysées et d'extrapoler sur la qualité solennelle de tout autre discours. Par exemple, on peut reconnaître l'éloge de Louis XIV comme marqueur d'éloquence d'apparat aussi bien dans les discours prononcés par le P. Le Roux pour l'ouverture des États du Languedoc en 1683[8], que dans les grandes oraisons funèbres. On s'aperçoit aussi que les soutenances solennelles de thèses intègrent dans leur rituel les éléments étudiés ici.

Prononcés devant un public intéressé à divers titres, le discours doit être polyvalent. Il répond à des attentes qui sont à la fois formelles et thématiques. Les académiciens français s'attendent à ce qu'on évoque devant eux leur mission linguistique, par exemple. Plus généralement, les membres d'une institution demandent que celui qui les représente ou qui s'adresse à eux propose une image satisfaisante de leur groupe et développe leurs valeurs. Les discours solennels sont ainsi l'occasion de se rassembler autour d'une image où l'on se reconnaît et d'affirmer, à travers cette image, la grandeur de l'institution à laquelle on appartient. Les parlements et les institutions judiciaires, aussi bien que les académies, définissent un concept de *mérite* qui leur permet de poser leur valeur et de justifier la réussite actuelle ou potentielle de leurs membres. La définition de ce mérite varie d'une institution à l'autre, mais il constitue une mesure de solidarité qui exclut les considérations de naissance. Le mérite des lettres, invoqué dans les académies et, surtout, dans l'Académie française, rassemble les gens de lettres dans un ordre parti-

---

[8] *Discours prononcé à l'ouverture des estats du Languedoc dans l'Eglise N. Dame de Montpelier le dixième jour d'Octobre mil six cens quatre vingts trois.* A Toulouse, par B. Guillemette imprimeur (1683).

culier. Quoique cet ordre ait pu être politiquement, historiquement, voire économiquement «médiocre», il se représente axiologiquement comme premier dans une nouvelle hiérarchie. Les discours parlementaires proposent une image valorisée de la Robe, qui fonde le mérite sur le travail et la vertu. Les parlementaires donnent une interprétation socialement motivée du mérite. A la différence des avantages de la naissance, qui sont donnés sans que l'individu intervienne, ceux que procure le mérite sont le résultat de l'initiative et de l'activité individuelles. Les représentants de la robe soulignent cette distinction par la valeur qu'ils accordent au travail. Grâce au mérite, à la fois travail et vertu, avocats et magistrats sont les seuls artisans de leur fortune. On voit ici comment les valeurs d'un groupe se combinent, dans les attentes du public, avec l'amour-propre de chacun. L'affirmation robine de la valeur du travail et le postulat qui veut que chacun soit l'artisan de sa réussite personnelle permettent à la fois de justifier l'éclatante réussite de certains représentants de la Grande Robe et de valoriser la position plus médiocre de certains petits officiers ou avocats. Ces derniers peuvent voir, comme on les invite explicitement à le faire, dans le postulat que je viens de rappeler, une consolation. Ils ne doivent ce qu'ils sont qu'à eux-mêmes et leur honorable médiocrité est la preuve de leur vertu. Le mérite parlementaire permet aux robins de poser leur grandeur par rapport aux gens d'épée; leur éloquence, de la poser par rapport aux gens de lettres. L'unification progressive des élites n'empêche pas chaque groupe institutionnel de clamer sa supériorité, sur un plan ou sur un autre.

Tous les groupes d'où émanent les discours attendent d'y voir une image d'eux-mêmes; mais l'image spécifique dépend des valeurs et des principes qui sous-tendent chaque insitution. L'opposition entre Paris et la province joue encore à ce niveau. Toutes les académies s'intègrent dans le développement des arts et des lettres, dont elles se présentent à la fois comme une conséquence et un moteur. Cependant, alors que l'Académie française centre son image sur sa fonction de perfectionnement et de fixation de la langue française, les académies provinciales donnent plutôt l'image de sociétés d'enrichissement intellectuel, selon une formule qui se rattache à l'enseignement mutuel, avant de se concevoir comme des organes de diffusion de la propagande monarchique.

Dans un autre contexte, les institutions judiciaires fournissent une autre illustration de cette différence d'image selon la situation, parisienne ou provinciale. Il s'agit d'abord d'une différence de degré dans l'exaltation de la grandeur des professions de la robe, qui prend, en province, des proportions beaucoup plus amples qu'à Paris. C'est surtout au niveau des valeurs défendues que l'opposition se marque. Les parisiens et les provinciaux accordent à la parole une place essentielle, mais leur définition de sa perfection diverge sensiblement. Alors que les parlementaires parisiens redéfinissent l'éloquence, en faisant de la vertu de l'orateur son principe et proposant ainsi la «vraie éloquence» comme un trait essentiel du parlementaire, les robins de province rejettent l'éloquence au profit d'un bon usage de la parole qu'ils définissent comme un art du secret. A partir de cet exemple, on va pouvoir mieux saisir la manière dont une même référence s'adapte à des contextes différents pour illustrer leurs valeurs spécifiques. L'éloge du Roi apparaît dans tous ces discours comme paradigme des vertus qui sont essentielles à la représentation que les orateurs proposent de l'institution à laquelle ils s'adressent ou qu'ils représentent. Or, cet éloge, marqueur spécifique de l'éloquence d'apparat, reçoit, dans chaque contexte, un contenu particulier suivant les éléments fondamentaux de l'image de l'institution. Les orateurs mettent en valeur les traits pertinents à l'image qu'ils élaborent. Pour les académiciens français, par exemple, Louis XIV est bien le modèle de toutes les vertus, mais l'insistance se porte sur la justesse et la richesse de ses expressions. Institution chargée de la défense de la langue, l'Académie intègre cette mission dans son image en attribuant au Roi la perfection de la parole. Les parlementaires parisiens font de Louis le Grand l'exemple du magistrat parfait, par la vertu, l'activité infatigable, le bon usage du repos, et, étant donné l'importance de la figure du parlementaire-orateur, le Roi est aussi le modèle de la majesté de la parole. Les juridictions de province, elles, choisissent, parmi les vertus du Roi, le secret. C'est par là qu'elles définissent le bon usage de la parole. L'éloge du Roi est présent dans tous ces contextes. Sa fonction sémiotique globale dans tous les discours est la même, comme marqueur de l'éloquence d'apparat. Néanmoins, dans chaque milieu, il entre dans une stratégie particulière de l'orateur qui transmet dans son discours une image de l'institution. Les composantes de cette image sont spécifiques à chaque contexte.

En célébrant les valeurs de l'institution à laquelle il s'adresse, en donnant de ses pairs une image favorable et qui correspond à leur vision d'eux-mêmes, l'orateur comble les attentes d'une partie au moins de son auditoire. Il fait le discours qu'on espérait de lui et s'adapte à un facteur des circonstances qui engendrent son discours. Cette notion d'adaptation aux circonstances est un trait essentiel de l'éloquence d'apparat. Le discours doit correspondre aux différents éléments qui en composent le contexte. Par ce terme, j'entends aussi bien les circonstances historiques générales que les caractères spécifiques de la cérémonie et du rituel. La première conséquence de cette dualité d'acception, c'est que la pratique oratoire la plus éminemment ritualisée est aussi la plus ouverte aux événements de l'actualité. La mort de Turenne, apprise par Quinault à son arrivée à Versailles, alors qu'il doit haranguer le Roi, lui fait ajouter, à l'improviste quelques phrases à son compliment[9]. Moins improvisée, l'insertion par le premier président de Lamoignon d'un éloge de Turenne dans son ouverture aux avocats de 1675 témoigne cependant de la même disponibilité à l'actualité.

L'évocation des événements historiques contemporains ne constitue qu'un aspect d'une problématique beaucoup plus générale que je désigne par le terme de *convenance*. Ce terme est suggéré par les commentaires de Donneau de Visé, lorsqu'il cite ou analyse les discours d'apparat dans le *Mercure*. La réussite du discours et même sa beauté sont le plus souvent définies en termes de justesse et de réponse à des attentes. Approprié à l'occasion, le discours satisfait son auditoire. Que les membres du public soient ou non capables d'analyser consciemment les facteurs de cette convenance, ils la reconnaissent intuitivement. Le peuple qui assiste à une entrée peut reconnaître, sans avoir besoin d'en connaître les règles, qu'un compliment correspond à ce qu'il doit être, ne serait-ce que par expérience culturelle. Cette problématique de la convenance joue à tous les niveaux. Le choix de la langue d'expression en relève. J'ai dit que le français et le latin pouvaient servir aussi bien l'un que l'autre de support aux manifestations de l'éloquence d'apparat. Le choix de l'un ou de l'autre est cependant déterminé par les circonstances. Dans certains cas, l'institution productrice est le facteur déterminant, comme lorsque les professeurs de rhétorique font l'ouverture des classes par un discours en latin. Dans d'autres, c'est le destinataire, comme lorsque l'Université invite en français le corps de ville de Paris à assister au panégyrique annuel du Roi (qui sera, lui, écrit en latin). Tout élément formel ou thématique est en fait soumis aux exigences de la convenance. Ainsi, des traits didactiques et des traits purement encômiastiques pourront avoir, dans leurs contextes respectifs, la même valeur, en ce sens qu'ils répondront, les uns et les autres, à ce que le discours doit être. On s'attend, par exemple, à trouver des remarques d'ordre éthique et professionnel dans les mercuriales et les ouvertures de parlement. Inversement, le panégyrique de saint Louis, prononcé devant l'Académie française est censé comporter l'éloge de cette compagnie. La convenance correspond donc, dans une large mesure, aux attentes du public. Elle se situe dans le rapport du discours avec toutes les composantes de l'occasion: la personne et les fonctions de l'orateur, la circonstance spécifique, le public, la personne et la dignité du destinataire privilégié (s'il s'agit d'un compliment ou d'un discours adressé

---

[9] Voir chap. I, p. 149.

plus particulièrement à une personne)... Tous ces éléments imposent des contraintes que le discours doit concilier. L'orateur trouve là un principe pour faire une sélection dans l'arsenal rhétorique des *lieux*, des figures et de tous les procédés que peut fournir l'art oratoire. Certains lieux sont plus adaptés à un contexte qu'à un autre. La stratégie encômiastique des discours académiques parisiens illustre clairement le processus de sélection et son rapport à des circonstances spécifiques[10].

Les contraintes liées à la convenance sont le plus souvent d'ordre socio-culturel: rang de l'orateur ou du destinataire, type de profession que l'institution représente, etc. Mais la réussite du discours et la manière dont elle s'exprime (le discours est jugé beau) montrent que le concept de convenance prend, dans le cas de l'éloquence d'apparat, un sens esthétique. Non seulement les contraintes de la convenance pèsent sur la composition du discours, mais son principe préside encore à l'évaluation de la réussite oratoire. Le discours d'apparat met en œuvre, selon les circonstances de sa production, des composantes didactiques, éthico-professionnelles, encômiastiques, voire ornementales. Mais leur résultante est évaluée en termes esthétiques de réussite et de plaisir. Les réactions de l'auditoire (applaudissements, silence admiratif, exclamations approbatrices, etc.) nous sont connues par le *Mercure*, par des relations contemporaines ou par des mémoires, comme ceux de Grandet, qui nous donne une idée de la réception des discours prononcés lors de l'ouverture en robes rouges du Présidial d'Angers[11]. Il est certain que l'auditoire devait réagir à des signaux phatiques de l'orateur (pauses, gestes, etc.). Cependant, le *Mercure*, entre autres, apprécie la réaction peu banale du public en vantant le plaisir que tel ou tel discours a su provoquer. Ce discours est qualifié de beau.

Certes, la publication d'un discours est un indice de sa force esthétique. Cependant, l'accès à la publication dépend de facteurs d'ordre divers. D'un côté, un éditeur comme Donneau de Visé pouvait décider de publier un discours pour ses qualités formelles; d'un autre côté, il pouvait décider de le publier pour satisfaire aux ambitions des auteurs ainsi qu'à la curiosité de ses lecteurs. Un auteur peut se rappeler aux bonnes grâces du Roi ou de mécènes éventuels, comme en témoignent les épîtres dédicatoires des ouvrages. Par exemple, Riqueti, qui a prononcé en 1689 le panégyrique de saint Louis devant l'Académie française, met à la tête de l'édition imprimée du texte une épître au Roi. En revanche, un orateur célèbre pourrait vouloir publier ses discours, non

---

[10] Voir chap. I, p. 148 sq.

[11] Sur cette affaire, voir *supra*, ch. IV, p. 458-460.

pas pour leur contenu didactique ou esthétique, mais plutôt pour leur contribution à un fonds d'éloquence courante dont certains lecteurs sont friands. Naturellement, les bons orateurs ne démentent pas souvent leur réputation, et il est généralement possible pour les éditeurs d'offrir au public des modèles canoniques d'éloquence. La fréquence du plagiat à l'époque confirme cette fonction de la publication. Mais l'engouement pour les «modèles» chez les lesteurs n'est pas purement utilitaire. Le plus souvent, il est d'ordre esthétique. La circulation d'exemples d'éloquence à la fin du XVII^e^ siècle réunit les intérêts de quasi tous les membres de l'élite sociale. C'est pour cela que les partisans de la politique royale ont pu attirer maintes attentions sur des contenus dont la force idéologique pouvait se mêler à la satisfaction esthétique. En fin de compte, c'est la curiosité friande des lecteurs pour la production oratoire qui confèrent aux discours leur valeur esthétique, et c'est la valeur esthétique ainsi conférée qui sous-tend l'éloquence d'apparat.

Le caractère assimilateur de la publication se reflète dans l'évolution des valeurs et du style qu'on perçoit dans les discours. Si le *Mercure* insère les discours parlementaires dans ses livraisons, c'est qu'ils intéressent son public, friand de cérémonies et d'éloquence. Les lecteurs qui éprouvent de l'intérêt pour les discours académiques et pour les discours parlementaires sont les mêmes: s'ils sont sensibles à l'expression des préoccupations particulières de chaque institution, ils n'en apportent pas moins à leur lecture des critères universels de goût. En se généralisant, ce goût favorise l'homogénéisation progressive des élites, dont l'amorce a été décrite par M. Fumaroli[12]. Cet auteur souligne l'attraction qu'exercèrent sur de jeunes avocats particulièrement atteints par le malaise de leur profession les milieux et le goût de la Cour. Il semble bien que le goût s'uniformise à la fin du siècle et que les représentants de la Grande Robe ne soient pas épargnés par la généralisation des critères de l'«honnêteté» mondaine et courtisane. En dépit de l'exemple donné par Denis Talon, le style des ouvertures parlementaires se rapproche progressivement du goût moderne. Si les institutions s'accrochent à leurs valeurs propres, les formes que prend l'expression de ces valeurs convergent vers une norme unifiée; les robins se conforment de plus en plus aux attentes générales d'une élite qui se rassemble de plus en plus autour de conceptions esthétiques communes. Le recul des citations latines dans les discours parlementaires rappelle les pratiques oratoires de l'Académie française, entre autres. On voit apparaître la notion

[12] Voir, dans *L'Age de l'éloquence*, «Les deux rhétoriques», en particulier p. 702-704. L'auteur fait de Balzac la figure emblématique d'une aristocratie des belles-lettres.

culturelle d'*honnêteté* et la conformité de tout discours à cette notion. La pratique des orateurs suggère qu'ils adhèrent aux critères de goût qui associent de plus en plus courtisans, robins et gens de lettres. On voit un même code de comportement social s'insinuer dans tous les contextes. La critique de la raillerie apparaît comme un élément emblématique de cette homogénéisation des usages du monde. Le rejet de la raillerie rassemble en effet le philosophe, le rhétoricien, l'orateur parlementaire et l'académicien: Descartes, Bernard Lamy, Portail et Charpentier se rejoignent tous sur ce point[13]. Les pratiques oratoires reflètent ainsi un «esprit du temps» (*Zeitgeist*). Faut-il considérer comme un signe supplémentaire du décalage temporel entre Paris et la province la présence de railleries à la fois mordantes et fines, dans les discours de l'ouverture en robes rouges au Présidial d'Angers en 1684 et surtout la satisfaction évidente que Grandet éprouve à se les rappeler lorsqu'il écrit ses mémoires?[14] Quoi qu'il en soit, la valeur socio-morale définie par le rejet de la raillerie trop subtile ou trop offensante a des conséquences sur la langue et sur le discours. Les académiciens se voient attribuer, pour une large part, la responsabilité de la disparition des pointes et des jeux de mots trop subtils, qui infectaient le goût du public. La clarté et la justesse deviennent des valeurs cotées, et considérées comme plus dignes de la majesté que doit posséder la langue royale. Les parlementaires rejettent, d'une part, l'injure et les interpellations violentes, dont Rapin porte la disparition au crédit de Guillaume de Lamoignon, et, d'autre part, les insinuations trop fines et trop sournoises, fruits de la raillerie: l'image qui se dessine est celle d'un discours mesuré et dans lequel les arguments – habilement exploités mais clairement proposés – sont présentés dans un style le plus souvent simple mais toujours adapté aux caractéristiques de la situation. Les deux institutions de l'éloquence parviennent, chacune suivant son propre chemin, à un idéal classique de la parole. Les discours d'apparat s'inscrivent dans la culture de leur époque dont ils reflètent l'évolution.

On saisit donc dans les pratiques oratoires le rythme particulier des évolutions culturelles avec leurs décalages, leurs à-coups, les retards de la province sur la Capitale ou d'une institution sur une autre. Les éléments nouveaux se coulent dans les formes fixes du rituel. Cependant, malgré la résistance, dans certaines institutions, du latin devant l'avance du français, l'éloquence d'apparat révèle dans tous les contextes une convergence d'interprétation de la valeur et du rôle de la langue natio-

---

[13] Voir chap. I, n. 187.

[14] Sur ce point, voir encore chap. IV, p. 460.

nale. J'ai montré que l'emploi du français ou du latin dans les cérémonies était lié à la nature de l'institution et aux particularités de l'occasion. Cependant, on peut affirmer que les élites se rencontrent toutes sur une conception impérialiste de la culture française, anciens et modernes confondus, mondains et savants du Quartier Latin dans un même mouvement. Le cas du premier président du Sénat de Nice, La Porte, rejetant le latin, langue rituelle des cérémonies de cette cour, pour y introduire le français, est extrêmement révélateur[15]. Le Premier Président justifie son geste novateur par le désir d'assimiler le Sénat à tous les parlements du Royaume: la substitution de la langue française à la langue latine est la conséquence de l'annexion de Nice. L'éloquence française marque l'assimilation à la culture française. Être français, c'est d'abord parler français. Imposer la langue française, c'est affermir et assurer les conquêtes du Roi et l'expansion de la France.

Les pratiques oratoires de toutes les institutions productrices de discours illustrent ainsi une conception impérialiste et expansionniste de la langue et de la culture françaises, que cette conception soit explicitement exprimée ou non. L'Académie française a, très tôt, formulé une théorie de la langue qui en fait à la fois un instrument et une alternative de la conquête. L'éloge de Richelieu, révéré par les immortels comme leur fondateur et l'individu d'exception qui a su voir à quel glorieux destin les belles lettres françaises étaient promises, a tout de suite fourni un noyau de cristallisation à cette vision du rôle de la langue et, plus généralement, de la culture. L'Académie aurait été conçue comme le centre d'où devaient rayonner les lettres françaises, moyen d'assurer la domination de la monarchie française sur toute l'Europe. La diffusion de la langue française fonctionne comme une préparation des campagnes militaires qui doivent assurer au Roi la domination politique, comme une confirmation de la conquête, en répandant les valeurs et la culture de la nation conquérante, ou comme substitut de la conquête militaire. Avec l'avènement de Louis XIV et surtout avec la mise de l'Académie sous la protection directe du Roi, les formulations élaborées pour l'éloge de Richelieu, lequel avait incarné la grandeur monarchique, sont transférées au Roi. Le français aura d'autant plus vocation internationale qu'il est devenu porteur du culte royal. Grandeur monarchique et personne du roi sont maintenant confondues. Propager la langue française, la culture qui s'y rattache et la gloire du Roi est un geste qui ne se divise pas.

Les académies de province expriment à leur manière la même conception de la culture des lettres françaises et de leur vocation inter-

---

[15] Voir chap. IV, p. 473.

nationale et dominante. L'association des armes et de la culture, élément qu'on retrouve dans tous les discours académiques, devient un trait emblématique: l'homme de lettres et l'homme d'épée remplissent des missions analogues. Tous deux servent la grandeur du Roi; tous deux étendent la sphère d'influence française, le second par la conquête et les armes, le premier par la langue et les productions de l'esprit. Dans le cas des académies «nobles», les deux activités sont prises en charge par les mêmes hommes qui poursuivent avec la plume en temps de paix l'action qu'ils mènent avec l'épée en temps de guerre. La culture apparaît ainsi comme le soutien idéologique de la politique militaire. La perfection de la langue et les ouvrages qu'elle permet de produire assureront la pérennité et l'extension de l'influence française. Même après la paix de Nimègue, la politique internationale de la France reste fondamentalement expansionniste, et le mythe de la monarchie universelle demeure un rêve cher à Louis XIV et à certains membres de son entourage. L'idée d'une hégémonie culturelle de la France occupe une place analogue dans la vie et la politique culturelles. A l'époque, c'est au profit de l'idée monarchique que cette vision culturelle est mise en œuvre. La vocation internationale se pense dans les milieux officiels de la culture comme destinée hégémonique de la monarchie française et de sa culture. Plus tard, les mécanismes ainsi mis en place permettront à une notion internationaliste de la République des Lettres de se substituer au projet impérialiste national. Si les échanges entre savants lettrés de l'Europe avaient déjà dans une certaine mesure établi la République des Lettres dont le concept suppose une communauté spirituelle et internationale, la vocation impérialiste de la culture française est une version encore teintée de propagande monarchique de ce qui deviendra une culture européenne, fortement dépendante de la langue française. Finalement, les institutions qui sont apparemment les plus engagées dans une entreprise de propagande culturelle nationaliste établissent les conditions qui favoriseront l'homogénéisation relative de la culture en Europe au XVIII^e^ siècle. Les structures sont en place très tôt.

Les limites chronologiques que je me suis imposées dans cet ouvrage n'empêchent pas de voir se dessiner les évolutions culturelles et de prévoir leur influence sur les pratiques oratoires. Les discours étudiés permettent donc à la fois de définir une tradition et de percevoir une évolution. L'atemporalité du concept de l'éloquence d'apparat a pour contrepartie la spécificité historique et culturelle de ses réalisations concrètes. Dans cette recherche, je n'ai pas parcouru tout le champ de l'éloquence. Si l'on excepte quelques rapides incursions dans le domaine de l'éloquence sacrée, dont le but était surtout de montrer la profonde unité de l'éloquence d'apparat dans quelque contexte qu'elle se manifeste, je me suis limité essentiellement à une étude approfondie de l'éloquence profane. L'éloquence religieuse mériterait d'être étudiée plus globalement. Les études de J. Truchet, de J. Hennequin et de P. Bayley ont posé d'importants jalons, mais ils serait certainement fructueux pour la compréhension de l'éloquence d'apparat d'analyser l'abondante production d'oraisons funèbres, non seulement à travers les grands auteurs, mais en se fondant sur des discours moins connus. La pompe funèbre constitue d'ailleurs l'un des appareils de solennisation les plus somptueux, les plus imposants et les plus chargés de significations symboliques. Pour les panégyriques de saints, inscrits dans la liturgie et dont les éditions sont particulièrement nombreuses, les critères d'identification que j'ai définis pourraient servir à reconnaître les textes susceptibles d'être considérés comme des discours d'apparat.

Jusqu'à quel point les discours prononcés en chaire doivent-ils être distingués de l'éloquence profane? Les panégyriques de saint Louis prononcés devant l'Académie française partagent bien des traits avec les panégyriques profanes, et le fait qu'un Riqueti dédie au roi son discours renforce cette impression. Il y aurait certainement tout un travail de re-définition des catégories à poursuivre dans ce domaine. De la même manière que les critères de l'éloquence d'apparat transcendent les genres traditionnels de la rhétorique, on peut penser que les divisions entre profane et sacré donneraient elles-mêmes une occasion de repenser les catégories avec lesquelles nous abordons habituellement les textes oratoires. Peut-être les discours solennels qui accompagnent les assemblées du Clergé fourniraient-ils une base documentaire pour mener à bien une telle entreprise. Si, lorsqu'on évoque les assemblées du clergé, le discours d'ouverture de Bossuet, généralement connu sous le titre de *Sermon sur l'unité de l'Église* (prononcé le 9 novembre 1681) vient tout de suite à l'esprit, on possède d'autres discours, occasionnellement intégrés à des procès-verbaux ou bien publiés indépendamment. Il s'agit de discours de clôture ou, le plus souvent, de harangues faites à Louis XIV par le prélat qui préside l'Assemblée ou encore au roi et à la reine d'Angleterre, qui résident à Saint-Germain[16]. Certes, le fait que la

[16] Par exemple, *Harangue faite au Roi à Versailles, le 11 de juin 1700,* par Monseigneur l'archevêque de Reims, Charles Maurice Le Tellier, président de l'Assemblée générale du clergé, à l'ouverture de cette Assemblée, qu'on tient actuellement à S. Germain en Laye [Paris: F. Muguet, 1700, in-4° (B.N. $Ld^5$.336)]; *Harangue faite au Roi d'Angleterre à S. Germain en Laye, le 15 juin 1700, par Monseigneur l'évêque de Montauban [Henri de Nesmond] au nom de l'Assemblée générale du Clergé de France* (Paris: F. Muguet, 1700, in-4°); une harangue à la Reine d'Angleterre, à la même date, par

documentation fournisse surtout des harangues au Roi ou aux souverains dépossédés d'Angleterre peut rendre la compréhension des pratiques oratoires des Assemblées du Clergé quelque peu difficiles, car les harangues sont certainement les discours les moins spécifiques. Il n'en reste pas moins que l'étude de ces discours ajouterait à notre connaissance de l'éloquence du XVII^e siècle en nous renseignant sur une institution importante.

Après le foisonnement récent d'études consacrées à l'exaltation royale, il est vraisemblable que l'abondante production de panégyriques de Louis le Grand dans les contextes les plus variés ne recèle plus guère de secrets quant à la stratégie encômiastique des orateurs de l'époque. Tout au plus pourrait-on s'appuyer sur les panégyriques prononcés en chaire pour explorer cette insaisissable frontière entre le profane et le sacré. Si la complaisance des prédicateurs à louer le Roi semble *a priori* fournir un argument à la thèse d'une sorte de sacrilège d'un roi que ses admirateurs, sincères ou stipendiés, comparent avec une ferveur parfois excessive à la Divinité, l'ensemble de la production oratoire incite à penser que le scandale est bien moindre qu'on pourrait se l'imaginer d'abord.

La chaire est un lieu privilégié de la parole, certes; mais les discours qui y sont prononcés sont parfois bien ambigus. Parce que la communauté s'y rassemble traditionnellement, toutes les grandes manifestations y trouvent un écho. N'est-ce pas dans une église que le P. Le Roux fait l'ouverture des États de la province du Languedoc, en 1683? Son discours est construit comme un sermon, à partir d'un psaume. C'est un discours essentiellement consacré à l'éloge du Roi, avec même une prédiction de la croisade victorieuse. Les auditeurs sont invités à se conformer au modèle royal et à se corriger de leurs défauts.

Les États provinciaux sont d'ailleurs un champ qui reste à parcourir. Il faudrait dans ce cas se proposer d'autres limites chronologiques, dans la mesure où l'on a, semble-t-il, conservé les discours prononcés avant 1675, comme une *Harangue de Monseigneur le Prince, faite à l'ouverture des Etats de Bretagne, le mardi VIII du mois de juin 1632*[17]. Outre quelques discours d'ouverture pour la fin du siècle, on possède surtout les harangues faites au Roi par des députés des États (c'est le représentant du Clergé qui porte la parole, même si, en 1696, la harangue est pro-

l'évêque de Troyes, Denis François Bouthilier de Chavigny; *Harangue faite au Roi à Versailles, le 20 septembre 1700, par Monseigneur l'évêque de Montauban pour la clôture de l'Assemblée générale du clergé de France* (Paris: F. Muguet, 1700, in-4°).

[17] Paris, 1632, in-8°. Le discours a aussi été édité à Nantes sous le titre: *Discours fait par Monseigneur le Prince à l'ouverture des états de Bretagne en la ville de Nantes, le 8e de juin 1632* (Nantes: P. Doriou, 1632).

noncée par un robin, l'évêque député étant malade)[18]. Le *Mercure* s'intéresse surtout à ces harangues et non aux discours d'ouverture. Des recherches plus poussées sur les pratiques oratoires des États provinciaux enrichiraient notre connaissance de l'institution et notre compréhension de l'éloquence d'apparat.

Finalement, il est un domaine qui permettrait certainement d'approfondir les rapports entre enseignement et pratique de la rhétorique: les collèges et l'Université. J'ai souvent évoqué les discours solennels que prononçaient les professeurs de rhétorique. Cette production illustre la tradition des discours latins, comme le font d'ailleurs les paranymphes, dont Furetière donne une présentation qui montre que les discours qui y sont prononcés entrent de plein droit dans la catégorie de l'éloquence d'apparat:

> Maintenant il [le terme de paranymphe] n'est en usage qu'en l'Université, & se dit de la ceremonie qui se fait en Theologie en faveur des Licentiez, quand on les reçoit Docteurs. On y invite toutes les Compagnies Souveraines, le Chastelet & le Bureau de la Ville par des Harangues Latines & differentes qui se font en chaque Chambre, auxquelles le President répond en la même langue.

Public «institutionnel», cérémonie solennelle, invitations expresses, spécificité des discours: les paranymphes fournissent l'occasion d'éloquence d'apparat. Le même type de cérémonie se tient pour la Médecine. Et Donneau de Visé, qui évoque en 1696 la qualité du public et l'habit de cérémonie du recteur de l'Université, souligne la beauté du discours et, surtout, de la langue. Il vante la latinité pure, corecte et polie de l'orateur[19]. Les thèses solennelles fournissent l'occasion de compliments en français, mais la plus grande partie de la production est en latin. Paranymphes, ouvertures de classes, ouverture de la thèse sorbonnique au cours de laquelle on prononce un panégyrique latin du Roi: une riche documentation s'offre au chercheur qui voudrait étudier de façon approfondie la place de l'éloquence dans les institutions d'enseignement et analyser spécifiquement le style des discours latins.

L'éloquence d'apparat se réalise, on le voit, dans des pratiques oratoires extrêmement nombreuses, dont l'étude approfondie reste à faire. Sans doute n'ai-je suggéré que quelques directions, si l'on considère l'importance du phénomène dans la société de l'époque. Cependant, les trois contextes auxquels j'ai limité mon investigation sont nettement représentatifs de l'ensemble de l'éloquence d'apparat profane. Ils en donnent une caractérisation qui, fondant la diversité des manifestations oratoires solennelles sur l'unité d'un concept théorique adéquat, doit permettre de mieux aborder l'ensemble du champ de l'éloquence.

---

[18] Voir *Mercure*, septembre 1696, p. 226 sq.

[19] *Ibid.*, p. 237 sq.

# BIBLIOGRAPHIE

## I. – MANUSCRITS

### 1. Bibliothèque municipale d'Aix-en-Provence (Bibl. Méjanes)

923 (1060): «Académie d'Arles». La première partie, intitulée «Abrégé historique de l'Académie royale d'Arles», contient des comptes rendus de séances, des lettres et quelques discours.

686 (368-R 299): «*Cérémonial public* arrêté par les sieurs prévôt des marchands et échevins de la ville de Lyon. le 31eme decembre 1680».

### 2. Bibliothèque municipale d'Angers

512 (492): «Portail avocat général au Parlement de Paris, Sept discours (1698-1707). Mercuriales, discours de rentrée».

### 3. Bibliothèque municipale de Lyon

1162 (1038): Barrême de Manville, J.-B., «Harangues, ouvertures de palais et autres discours prononcés par moy, iean-baptiste Barreme De manville, aduocat du Roy au siege d'arles. Tome premier». En particulier:

f° 2 r°-9 v°: «Le serment de la iustice, pour l'ouverture du palais de l'année 1676»

10 r°-15 r°: «L'union de la iustice et de la force, pour l'installation du senéchal de l'année 1677»

35 r°-50 r°: «L'ordre de la iustice, pour l'ouverture de l'année 1677»

51 r°-68 v°: «Les désordres de la justice, pour l'ouverture du palais de l'année 1678»

69 r°-77 r°: «Pour la publication de la paix de l'année 1679»

94 r°-106 r°: «De l'orgueil, pour l'ouverture du palais de l'année 1680»

133 r°-141 v°: «De la uie retirée, pour l'ouverture du palais de 1682»

112 r°-155 r°: «De la prevention. pour l'ouverture du palais 1683»

155 v°-156 r°: «Compliment ou harangue faitte a l'academie estant fait directeur par le sort»

2 feuillets non reliés: «La noblesse du sang et celle de la uertu pour l'installation du senechal 1684»

### 4. Paris

#### A. *Archives nationales*

M.763: Leonard, le P., «Mémoires concernant l'Académie Royale de la langue Françoise de Paris, et quelques autres establies en differentes villes».

P.2607: «Chambre des Comptes. Cérémonies. 1663-1692».

B. ***Bibliothèque de la Chambre des Députés***

994 et 996: Talon, D., «Mercuriales et ouvertures».

C. ***Bibliothèque de l'Institut de France***

Donation L. H. Moulin 2378, n2: Louis XIV, «A. M. Seguin Capitaine du chateau du Louvre» (1 feuillet).

41-43: «Mémoires de M. de Sainctot, introducteur des ambassadeurs, concernant le cérémonial à observer vis-à-vis des rois, princes, ambassadeurs».

«Registre des délibérations» de l'Académie française (Archives de l'Institut, A2).

D. ***Bibliothèque Mazarine***

3438-3440: «Parlement de Provence» (3 vol.). 3438: «Cérémonial du Parlement».

Le ms. 3440 contient entre autres documents des mercuriales, en particulier:

p. 2638-2645: «Mercuriale commencée le 23 octobre 1675. Ensuite continuée et résolue en 1677»

p. 3646-3668: «Mercuriale proposée le 19 8bre 1677 et resolue le 27 du même mois»

p. 2669-2694: «Mercuriales presentées le 4 février 1695»

E. ***Bibliothèque nationale***

N.a.fr. 818: «Collection générale des cérémonies qui ont été observées et des Fetes qui ont été données sous le Regne de Louis XIV, avec la description des Monumens élevés à sa gloire» [Table].

Anc. fr. 645: «Discours académiques de M. le Maréchal de Bassompierre en forme d'epistres à M. de Balzac» (ce volume contient des discours prononcés en 1635 à l'Académie française).

Anc. fr. 16991-16992: Harlay, Achille III de, «Mélanges de rhétorique».

N.a.fr. 2429-2430: Lamoignon, G. et Ch.-Fr. de, «Discours de M. le premier président Lamoignon, et de M. de Lamoignon, avocat général, son fils» (seul le second volume contient des discours du dernier quart du siècle).

Joly de Fleury 2359: «Mercuriales, discours de rentrée» [ce volume contient des ouvertures prononcées par Deshagnais, avocat général à la cour des Aides, en 1686 et 1692 (f° 12 r° et 18 r°) et des discours de Joseph-Omer Joly de Fleury, avocat general au Parlement de Paris].

Anc. fr. 21148: «Pièces d'éloquence». En particulier:

F° 5-45: D. Talon, «Discours au Parlement (1687)». En réalité, mercuriale de 1688.

F° 46 r°-53 r°: «Ouverture du Parlement de Pau» (12 novembre 1697).

54 r°-65 r°: une ouverture de Lamoignon.

79 r°-115 r°: trois ouvertures de Parlement.

151 r°-153 v°: Remerciement de l'Église de Paris au Roi pour avoir nommé cardinal l'archevêque de Paris.

156 r°-169 r°: ouverture des audiences.

Anc. fr .2216: Pringy, Madame de, «Pièces d'Éloquence a la gloire de Louis le Grand, contenans son triomphe sur la religion protestante, la prise de Philisbourg et sa protection pour les princes d'Angleterre, par Madame de Pringy (1689)».

Anc. fr. 2213: Vertron, Ch.-Cl. Guyonnet de, «Essais d'éloquence et de poésie»

Anc. fr. 2212: Vertron, Ch.-Cl. Guyonnet de, «Louis le Grand ou Le parfait modele des vertus Royales & Heroïques»

f° 2 r°- 3 v° «Au Roy»

4 v°-7 r° «L'Academie Royale d'Arles au Roy. La Iustice &la liberalite de sa Majeste qui protege les sciences, les beaux arts et les vertus des Academiciens»

Suivent des textes en italien (9 r°-11 v°), en espagnol (13 v°-17 r°), en latin (18 r°-21 r°); on trouve également un poème, «L'Hercule François ou les Conquestes du Roy» (31 r°-50 r°) et un «Dictionnaire des conquestes du Roi», chronologique et alphabétique avec diverses annexes (55 v°-93 v°).

F. ***Bibliothèque Sainte-Geneviève***

1114 [suppl. X, in f°.290]: «Harangues de divers auteurs». En particulier:

F° 2-13: Harangues adressées par les Génovéfains à des personnages visitant leur abbaye, ou venant assister à la procession

F° 14: Discours de Fléchier au duc de Bourgogne revenant de conduire en Espagne son Frère Philippe d'Anjou (1700).

F° 20: Oratio thesi theologicae praemissa . . . Gabrieli de Riberolles.

F° 69: Discours prononcé [par Joly de Fleury, procureur general] a la présentation des lettres de Mr le chancelier Daguesseau, le 12 juin 1717.

5. **Bibliothèque municipale de Soissons**

Périn 4338: «Arrêt du conseil d'État qui règle la préséance entre les officiers du Présidial et les maire et èchevins de Soissons. Du 16 mai 1688».

Périn 4368: «Lettre de Mr Gaichiès, théologal de Soissons, à Mr l'abbé Bosquillon, contenant l'éloge de Mr Hebert, trésorier de France et academicien de la même ville».

Périn 4307: «Passage à Soissons et a Villers-Cotterêts du Roi allant au devant de la Dauphine et en revenant.» 6 février 1680.

## II. – OUVRAGES IMPRIMÉS

### 1. Sources

Ambroise de Quimper, le R.P., *Panégyrique du Roy prononcé le second dimanche de carême dans l'église des RR. PP. Capucins de Quimper*. Quimper: Gaultier Buiting, 1687 [BN: Lb$^{37}$.3901][1].

Barbier d'Aucour, J., *Discours sur le rétablissement de la santé du Roy*. Paris: P. Le Monnier, 1687 [BN: Lb$^{37}$.4704].

Barrême de Manville, *Quelques discours, Plaidoyés et ouvertures de Palais de Monsieur de Barrême, Seigneur de Manville, juge en chef de la Ville d'Arles*. Avignon: chez Michel Chastel, 1698 [BN: 8°Z 2491]..

Batailler, Fr., évêque de Bethléem, *Discours sur la cérémonie de la consécration de l'Église des Capucins de Paris*. Paris: S. Langronne, 1689 [BN: Lk$^{7}$.6886].

– *Discours sur la cérémonie de la consécration de l'Église des Religieuses Capucines de Paris, prononcé le 17 août 1689*. Paris: S. Langronne, s.d. [BN: Lk$^{7}$.6887].

– *Discours sur la cérémonie de la consécration de l'Eglise des RR. PP. Penitens de Nazareth*. Paris: L. Roulland; 1687 [BN: Lk$^{7}$.6938].

– *Discours sur la cérémonie de la consécration de l'Église royale de la Paroisse de Marly, prononcé le premier jour d'avril 1689*. Paris: S. Langronne, 1689 [BN: Lk$^{7}$.4571].

– *Discours sur la cérémonie de la consécration de l'Église Royale de la Paroisse de Versailles*. Paris: S. Langronne, 1686 [BN: Lk$^{7}$.10320].

Bégault, abbé G., *Discours de morale, discours académiques, compliments et lettres* (t. V d'une collection dont les quatre premiers tomes sont intitulés: *Panényriques et sermons prêchez par M. l'Abbé Begault*) [BN: D 15856].

Berthemet, «Discours prononcés par M. Berthemet avocat en Parlement. Des avantages des Conferences Academiques & de l'utilite qu'il y avoit en y prononcant quelque fois des pieces de sa composition», *Recueil de diverses oraisons funèbres*, 1696, 4$^{e}$ partie, p. 183 sq.

Bossuet, J.-B., *Œuvres oratoires*. J. Lebarcq éd., éd. revue par O. Urbain et E. Levesque. Paris: t. 1-5, 7, Desclées de Brouwer et Cie; t. 6: Hachette, 1914-1926.

– *Oraisons funèbres*. J. Truchet éd., Paris: Garnier, 1961.

– *Sermon sur la mort et autres sermons*. J. Truchet éd., Paris: Garnier-Flammarion, 1970.

Bouthilier de Chavigny, D.-Fr. de, évêque de Troyes, *Harangue faite à la Reine d'Angleterre à S. Germain-en-Laye, le 15 juin 1700 par Monseigneur l'evêque de Troyes au nom de l'Assemblée générale du Clergé de France*. Paris: Fr. Muguet, 1700 [BN: Lb$^{5}$.336].

Charpentier, Fr., *Panényrique du Roy sur la Paix, prononcé dans l'Académie françoise, le 24 juillet 1679, par M. Charpentier, à la réception de M. Verjus*. Paris: P. Le Petit, 1679 [BN: Lb$^{37}$.3728].

[1] La cote des ouvrages consultés à la Bibliothèque nationale ou à la Bibliothèque de l'Arsenal figure entre crochets, après les références bibliographiques, précédées de l'abréviation «BN» ou «Ars.».

Clermont-Tonnerre, Fr. de, évêque-comte de Noyon, *Harangue du clergé de France... faite au Roi à Trianon le 26 juillet 1695, par monseigneur illustrissime et révérendissime François de Clermont. Eveque-comte de Noyon*. Paris: Fr. Muguet, 1695 [BN: Ld[5].328].

Colbert, J.-N. *Harangue faite au Roy à Versailles. le 21 juillet 1685 par Monseigneur l'illustrissime et révérendissime Jacques Nicolas Colbert, archevêque et primat de Carthage... Assisté de Messeigneurs les archevêques, evêques. et autres deputés de l'Assemblée generale tenue à S. Germain-en-Laye en ladite année 1685, en prenant congé de Sa Majesté*. Paris: F. Léonard, 1685 [BN: Ld[6].304].

Colon, B., *Panegyricus Ludovico Magno, post debellatam Bataviam, dictus in Collegio Marchiano, anno 1672* (9 oct.). Paris: P. Esclasson, 1672 [BN: Lb[37].3633].

Condé, Henri II de Bourbon, prince de, *Discours fait par Monseigneur le Prince à l'ouverture des Estats de Bretagne en la ville de Nantes, le 8e de juin 1632*. Nantes: P. Doriou, 1632 [BN: Lk[14].33].

– *Discours tenu par Monseigneur le Prince à l'ouverture des Estats generaux de la Bourgogne, assemblés à Dijon, le quatriesme novembre 1632*. S.l.n.d. [BN: Lk[14].10].

– *Harangue de Monseigneur le Prince à l'ouverture des Estats de Bretagne, le septiesme aoust mil six cent trente*. Paris: G. Alliot, 1630 [BN: Lb[36].2788].

– *Harangue de Monseigneur le Prince, faicte à l'ouverture des Estats de Bourgogne, le 26 avril 1636*. Paris: R. Sara, 1636 [BN: Lb[36].3084].

– *Harangue de Monseigneur le Prince, prononcée à l'ouverture des Estats de la Province de Languedoc, convoqués en la ville de Tholose, le second jour de mars mil six cens vingt huict*. Paris: J. Barbote, 1628 [BN: LB[36].2614].

Cosnac, D. de, Évêque-Comte de Valence et Die, «Harangue faite au Roy à Versailles le quatorzieme juillet M DC LXXXV, par Monseigneur l'Illustrissime & Reverendissime DANIEL DE COSNAC, Evêque et Comte de Valence & Die. Assisté de Messeigneurs les Archevéques, Evéques, & autres Deputez de l'Assemblée Generale tenuë à S. Germain en Laye, en ladite année 1685», *Recueil de diverses oraisons funèbres...*, 1696, 4e partie, p. 346 sq.

Delfaut, «Discours prononcé dans l'Academie de Soissons par M. Delfaut, premier President du Presidial de la même ville. Si l'étude du cabinet est fort utile sans celle de la conference», *Recueil de diverses oraisons funèbres...*, 1696, 4e partie, p. 179-183.

*Discours prononcez a l'Académie françoise le 27. may 1675*. Paris: P. Le Petit, 1675 [BN: X 19036].

*Discours prononcez a l'Academie françoise. le XXIII Decembre M. DC. LXXVI à la reception de Monsieur de Mesmes President au Mortier*. Paris: P. Le Petit, 1677 [BN: X 19038].

*Discours prononcez dans l'Académie françoise, le trentième octobre 1692* (Par l'abbé G. Begault, au nom de l'Académie Royale de Nismes, et par M. de Tourreil, directeur de l'Académie française). Paris: Vve de J.-B. Coignard et J.-B. Coignard fils, 1692 [BN: Z 5053 (11)].

*Discours prononcez dans l'Académie françoise le jeudy 14 août 1694 à la reception de M. l'abbé Boileau* (par le récipiendaire et M. de Tourreil). Paris: J.-B. Coignard, 1694 [BN: 2 ex. X 5369(3), Z 5053(18)].

*Discours prononcez dans l'Académie françoise le samedy 27 septembre 1698 à la reception de M. l'abbé Genest* (par l'abbé G. Boileau, et le recipiendaire). Paris: J.-B. Coignard, 1698, in-4° [BN 2 ex.: X 4058, Z 5053(25)].

Fejacq, le R.P., *Panégyrique du Roy, Prononce le 5 Septembre 1699 dans l'église paroissiale de Saint-Germain-en-Laye, en présence du Roy et de la Reine d'Angleterre.* Paris: J. Lefebvre, 1700 [BN: 4° Lb[37] 4127].

– *Panégyrique du Roy,. prononcé par le R.P. Fejacq... Prieur des FF. Prêcheurs de Caen, le 5 septembre au sujet de la statue que cette ville a élevée à la gloire de Sa Majesté.* Caen: 1685 [BN: 4° Lb[37] 3871].

Fléchier, E., *Recueil des oraisons funèbres prononcées par Messire Esprit Fléchier, Evêque de Nismes. Nouvelle édition, dans laquelle on a ajouté un précis de la Vie de l'Auteur.* Paris: Desaint & Saillant, 1749.

Gourreau, J. Voir Uzureau, «Ancienne académie d'Angers. Séance d'inauguration» (*infra*, «Ouvrages consultés, XIXe-XX[e] siècles»).

Grignan, J.-B. A. de Monteil de, «Remontrance du Clergé de France assemblé a Saint Germain en Laye, en l'année 1680, faite au Roy le 10. Iuillet, par Monseigneur l'Illustrissime & Reverendissime Iean Baptiste Adhemar de Monteil de Grignan, Archevêque de Claudiopolis, Coadjuteur de l'Archevéché d'Arles, Conseiller du Roy en ses Conseils, assisté de messeigneurs les Archevéques, Evéques, & autres Deputez de l'Assemblée Generale du Clergé de France, en prenant congé de Sa Majesté», *Recueil de diverses oraisons funèbres...*, 1696, 4e partie, p. 214-226.

Harlay de Champvallon, Fr., archevêque de Paris, *Harangue faite au Roy par Monseigneur l'archevesque de Paris.* S. I.: 1694 [BN: Fol. Ld[5].322].

Hébert, N., *Discours de Monsieur Hebert thresorier de France. de l'Académie de Soissons: prononcé en sortant de charge de maire, aux nouveaux maire et eschevins le XXXI Juillet M.DC.LXXVI. Envoyé à Messieurs de l'Académie Française.* Soissons: Louis Mauroy, 1677. [BN: X 4042].

– *Discours et harangues de Monsieur Hebert trésorier de France, de l'Académie de Soissons.* Soissons: N. Hanisset, 1699 [BN: X 18809].

Jouvancy, le P. J. de, S. J., *Galliam nunquam alias magis invictam quam hoc anno 1690, nunquam vincere digniorem fuisse: oratio habita in regis Ludovici Magni Collegio Societatis Jesu ad solemnem scholarum instaurationem a P. Josepho de Jouvancy 8 idus decembres anno 1690.* Paris: G. Martin, 1691 [BN: 8° Lb[37].3909].

– *Gallos hoc anno 1696, dum nihil agere videntur, plus quam annis superioribus egisse, oratio habita in regio Ludovici Magni collegio Societ. Jesu ad solemnem scholarum instaurationem. 8 id. decemb. 1696.* Paris: Vve S. Bernard, 1696 [BN: LB[37].4084].

– *Ludovico magno, regi christianissimo. catholicae et avitae religionis vindici, panegericus, dictus in collegio claramontano societatis Jesu, ad solemnem Scholarum instaurationem, ab Josepho de JOUVANCY.* Parisiis: G. Martinus, 1680 [BN: Lb[37].3750].

– *Nobilissimis adulescentibus Joanni et Alexandro Jablonowski, cum philosophicas theses invictissimi parenti suo dedicatas in regio Lodovici Magni Collegio Societatis Jesu prognarent.* S.l.n.d. [BN: RZ 66].

– *Oratio habita in regio Ludovici Magni collegio . . . 7 kal. decemb. res a Francis anno 1692 prospere gestas virtuti gallicae, non fortunae.* Parisiis: 1692 [BN: 8° Lb[37].4016].

La Baune, Le P. de, S. J., *Augustissimo Galliarum senatui panegyricus dictus in regio Ludovici Magni collegio societatis Jesu, a JACOBO DE LA BAUNE, ejusdem societatis sacerdote.* Parisiis, ex officina G. Martini, 1685 [BN: Lf25.14: cet exemplaire est relié avec l'*Explication de l'appareil...* (voir ce titre *infra*, ouvrages consultés, XVIe-XVIIe s.)].

– *Éloge historique du Parlement, traduit du latin du P. Jacques de la Baune, jésuite; prononcé au collège de Louis le Grand au mois d'octobre 1684.* S. I.: 1753 [BN: Lf25.15].

La Chambre, P. Cureau de la Chambre, dit abbé de, *Discours prononcé au Louvre, le 2 may 1684 par l'abbé de La Chambre, directeur de l'Académie françoise, à la réception du sieur de La Fontaine. en la place de feu M Colbert, ministre et secrétaire d'État.* Paris: G. Martin, 1684 [BN: Z 5053(2)].

– *Oraison funèbre de Marie-Therèse d'Autriche, infante d'Espagne reine de France et de Navarre, prononcée . . . le 24e jour de janvier 1684 . . . par M. l'abbé de La Chambre.* Paris: G. Martin, 1684 [BN: Lb37.3817]

– *Oraison funèbre de Messire Pierre Séguier, chancelier de France, prononcée à ses obsèques... Par M l'abbé de La Chambre.* Paris: P. Le Petit, 1672 [BN: Ln27.18771]

– *Panégyrique de Saint Louis. roi de France, prononcé en l'église de Saint Louis des RR PP jésuites.* Paris: G. Martin, 1681 [BN: Lb18.91]

– *Recueil de discours prononcés par l'abbé Cureau de La Chambre à l'Académie française.* S.l.n.d. [BN: Zp 1123]

La Rue, le P. Ch. de, S.J, *Caroli RUAEI e societati Jesu, pro confecto feliciter bello, panegyricus Ludovido magno, dictus Parisiis, in collegio Claramontano, VII Kal.Decemb. an.MDLXVIII.* Paris: S. Bernard, 1678 [BN: 8° Lb37.3710].

Le Noble, E., *Harangue prononcée au Parlement par Monsieur le Procureur Général. pour la publication de la Paix d'Allemagne, le lundy 18 May 1679.* Metz [BN: Lb37.3719. Une note au crayon, sur la page de garde, indique «Achille de Harlay», mais le discours a été prononcé à Metz, et c'est probablement le procureur général du Parlement de Metz qui en est l'auteur].

Le Tellier, Ch.-M., *Harangue faite au Roy, à Versailles le 11 de juin 1700, par Mgr l'archevesque de Reims président de l'Assemblée générale du Clergé, à l'ouverture de cette assemblée qu'on tient actuellement à Saint-Germain-en-Laye.* Paris: Fr. Muguet, 1700 [BN: F 21053 (44)].

Letrosne, J. B., *Panegyricus Ludovico magno Batavorum Victori, dictus Lutetiae Parisiorum in Collegio Claramontano VI non. octob. an. MDC LXXII à JOAN. BAPT. LETROSNE.* Paris: S. Mabre-Cramoisy, 1674 [BN: 4° Lb37.3631].

Loy, M. de, *Michaelis de Loy, antecessoris & Syndici, panegyricus Ludovico magno, dictus ad solemnem Scholarum utriusque juris instaurationem, pro restituto Parisiensi Academiae juris civilis studio.* Parisiis apud F. Le Cointe, 1686. [BN: 4° Lb37.3751].

Montelet, abbé de., *Panegyrique de Saint Loüis prononcé le 25e jour d'aout 1691 dans la chapelle du Louvre.* Paris: E. Couterot, 1699 [BN: 4° Lb18.95].

Nesmond, H. de, évêque de Montauban, *Harangue faite au Roi, à Versailles le 20 septembre 1700, par Monseigneur l'evêque de Montauban, pour la clôture de l'Assemblée generale du clergé de France.* Paris: Fr. Muguet, 1700 [BN: Ld5.354].

– *Harangue faite au Roi d'Angleterre a S. Germain-en-Laye, le 15 juin 1700, par Monseigneur l'évêque de Montauban au nom de l'Assemblée générale du clergé de France*. Paris: Fr. Muguet, 1700 [BN: Ld⁵.335].

Nointel, marquis de (Voir Uzureau, «Ancienne Académie d'Angers. Séance d'inauguration», *infra* ouvrages consultés. XIXᵉ et XXᵉ siècles).

Obrecht, U., *Panegyricus Ludovico XIV ob natum ex serenissimo Delphino nepotem, jussu publico nomine universitatis Argentoratensis, dictus ab Ulrico OBRECHTO*. S.l.n.d. [BN: Fol. Lb37.3773].

*Les Panénégyriques du Roi prononcés dans l'Académie française* (voir ce titre *infra* 2.C, sous Zoberman, P.).

Pellisson-Fontanier, P., *Panégyrique du Roy Louis Quatorzieme prononcé dans l'Académie Françoise le troisième Fevrier 1671*. Paris: P. Le Petit, 1671 [BN: 4° Lb37.3614 (1)].

Pelot, Cl.-Fr., *Discours Prononcé à Rouen. les ghambres (sic) assemblées le 29 de iuin 1678 par M. Pelot, alors avocat et presentement conseiller au Parlement de Normandie*. Caen: C. Langlois, 1678 [BN: 4° Lf25.128].

Pezene, Abbé N. de, *Panégyrique de saint Louis prononcé le 15. jour d'aoust 1690 dans la chapelle du Louvre devant MM de l'Académie françoise par M. l'abbé de Pezene*. Paris: Vve de J.-B. Coignard, 1690 [BN: 8 Lb18.94].

Philippe de Sainte-Thérèse, le R.P., *Panégyrique de Louis le Grand, prononcé par le R.P. Philippe de Ste Therese Assistant du très-Reverend Pere Provincial des Carmes de la province de France, à l'Ouverture du Chapitre provincial, tenu dans le couvent des PP. Carmes de Bourges le 13. de May 1688*. Bourges: 1688 [BN: Lb37.3917].

*Recueil de diverses oraisons funèbres, harangues, discours, et autres pièces d'éloquence des plus celebres auteurs de ce temps*. Bruxelles: Fr. Foppens, 1682 (2 t).

– L'Isle: J. Henry, 1689, 3 vol.

– *ibid*. 1695. 4 vol.

– *ibid*. 1696. 4 vol.

*Recueil des harangues prononcées par Messieurs de l'Academie françoise dans leurs réceptions et en d'autres occasions différentes, depuis l'establissement de l'Academie jusqu'à présent*. Paris: J.-B. Coignard, 1698 [BN: X 3500].

*Recueil des harangues prononcées par MM. de l'Academie françoise....* Amsterdam: 1709. 2 vol. [BN: X 19011-19012].

*Recueil des harangues prononcées par MM. de l'Academie françoise dans leurs receptions....* Paris: J.-B. Coignard, 1714. 3 vol. [BN: X 19015-19017].

Riqueti, abbé de, *Panégyrique de S. Louis, roy de France, prononcé le . . . XXV aoust 1689 dans la chapelle du Louvre devant MM de l'Académie françoise, par M l'abbé de Riqueti*. Paris: 1689 [BN: 2 ex. 4° Lb18.93 et X 3477]

Roubin, G., *Œuvres mêlées*. Toulouse: Cl. Gilles le Camus, 1716 [BN: Ye 8851].

Salcedo, J. Impins de, *Les Eloges du Roi présentés en divers temps à S.M.* Paris: Villeroy, 1686 [BN: Lb37.3860].

– *Nouvel éloge du Roy, Présenté à S.M à Versailles, le dernier décembre 1682*. Paris: Le Covas, 1683 [BN: 8° Lb37.3781].

—, *Le Panégyrique de la Victoire. Presenté au Roy par Monsieur JACQUES IMPINS DE SALCEDO de Flandre, parlant dans les sentimens de la plus saine partie du Peuple des Païs-Bas, dont la Souveraineté est écheuë à la*

*Reine par succession de droit hereditaire inalienable*. Paris: 1678 [BN: Lb37.3713].

Tallemant, P., *Panégyriques et harangues à la louange du Roy*. Paris: P. Le Petit, 1680 [BN: X 19028].

Talon, D., *Œuvres d'Omer et Denis Talon*. D. B. Rives éd., Paris: A. Egron, 1821, 6 t.; t. II: *Discours et mercuriales de Denis Talon*. [BN: F 44931].

Taupinart de Tillière, *Diverses Harangues contenant par abrégé l'histoire des dernières guerres, & qui ont éte prononcées à la Cour par le Fils du Sieur Guibert de Beauval. depuis son age de huit ans iusqu'à dix-sept. Ce Fils ordinairement appelé Le Petit Predicateur de Monseigneur le Dauphin*. Avec l'eloge de M. de Turenne. *Le tout dedie au Roy*. De la composition du sieur *Taupinart de Tilliere*, Avocat au Parlement, & Bailly de l'Archevesché de Paris. Paris: Fr. Muguet, 1680 [BN: Ln37.3742].

*Thrésor des harangues et des remonstrances faites aux ouvertures du Parlement*. Paris: M. Robin, 1660. [BN: F. 13813]

Vaumorière, P. Ortigue de, *Harangues sur toutes sortes de sujets, avec l'art de les composer, dediées à Monseigneur le Chancelier*. Paris: J.-B. Coignard, 1687

– *ibid.*, 1693.

– *ibid.*, 1713 (cette édition contient des discours du premier président du Parlement de Paris Pottier de Novion).

Vertron, Cl.-Ch. Guyonnet de, *Paralelle (sic) de Louis le Grand avec les princes qui ont esté surnommez Grands, dedié a Monseigneur le Dauphin*. Paris: J. Le Febvre, 1685 [BN: 8° Lb37.385].

## 2. Etudes et ouvrages consultés

### A. *Antiquité*

Aristote, *Éthique à Nicomaque*. Paris: Garnier-Flammarion, 1965.

– *La Rhétorique...*, Paris: Les Belles Lettres, coll. des Universités de France, 1932.

Cicéron, *De oratore*. Paris: Les Belles Lettres, coll. des Universités de France, 1967-1971 (3 vol.).

– *Orator*, Paris: Les Belles Lettres, coll. des Universités de France, 1964.

– *La Rhetorique de Ciceron* (trad. de l'*Ad Herennium*). Jacob, avocat au Parlement, trad., Paris: A. de Sommaville, 1652.

Épictète. Voir *infra*, Marc-Aurèle.

Lucrèce, *De rerum natura*, Paris: Les Belles Lettres, coll. des Universités de France, 1972.

Marc-Aurèle, *Pensées pour moi-même*, avec le *Manuel* d'Épictète. Paris: Garnier-Flammarion, 1964.

Platon, *Œuvres complètes*. Robin trad., Paris: Gallimard, coll. Pléiade, 1950 (2 vol.).

Pline le Jeune, *Panégyrique de Trajan*. Paris: Les Belles Lettres, coll. des Universités de France, 1932.

Plutarque, *De se ipsum citra invidiam laudendo*, dans *Œuvres morales*. Paris: Les Belles Lettres, coll. des Universités de France, VII, 2e partie, 1974, p 52-85.

Quintilien, *L'Institution oratoire*. Paris: Les Belles Lettres, coll. des Universités de France, 1975-1980 (7 vol.).

Sénèque, *Ad Lucilium*, F. Prêchac éd. Paris: Les Belles Lettres, coll. des Universités de France, 1969-1971 (2 vol.).

Tacite, *P. Cornelii Taciti. Dialogus de oratoribus. Tacite. Dialogue des orateurs.* Éd., introd. et commentaires de A. Michel, Paris: Presses Universitaires de France, 1962.

B. *XVIe-XVIIIe siècles*

*Abrégé de rhétorique*. Paris: 1674. [BN: X 20224, microfiche 12203]

Amyot, J., *Projet d'éloquence royale*. Préface de Ph.-J. Salazar, Paris: Les Belles Lettres, 1992.

Arnauld, A., *Réflexions sur l'éloquence des prédicateurs*. Paris: Delaulne, 1695 [BN: D. 15266]

— et Lancelot, Cl., *Grammaire générale et raisonnée* (1660). Préf. de M. Foucault, Paris: Républications Paulet, 1969.

— et Nicole, P., *La Logique ou l'Art de Penser* (1662). Éd. critique par P. Clair et Fr. Girbal, Paris: Presses Universitaires de France, 1965.

*Au Roi, marques de respect & d'estime dont la ville de Tournay essaie de reconnoître l'honneur qu'elle reçut de la visite de Sa M.* Tournai: 1680 [BN: Lb37.3746].

Baillet, A., *Jugemens des Savans sur les principaux ouvrages des auteurs*. Paris: A. Dezallier, 1685-1686. 4 t. en 9 vol. [BN: Z 41193-41201].

[Barbier d'Aucour, J.], *Remarques sur deux discours prononcés à l'Académie françoise pour le rétablissement de la santé du Roy*. Paris: P. Le Monnier, 1688 (le privilège mentionne le nom Defrein, mais cet ouvrage est généralement attribué à Barbier d'Aucour lui-même) [BN: X 19029].

Barbier d'Aucour, J., *Sentiments de Cléante sur les entretiens d'Ariste et d'Eugène*. Paris: P. Le Monnier, 1671 [BN: Z 16660].

Bary, R., *La Rhétorique françoise* (1653). 2e édition, Paris P. Le Petit, 1659.

Bayle, P., *Dictionnaire historique et critique*. Rotterdam: 1694 (4 vol.).

Bignon, J. (éd.), *Formularum libri duo* de Marculfe. Paris:1613 [BN: F 39571].

- *Formulae veteres. Accessit liber legis salicae*. Parisiis: S. Cramoisy et S. Mabre-Cramoisy, 1665 [BN: F 11614].

Bouhours, le P. D., *Doutes sur la langue françoise, proposez à Messieurs de l'Academie françoise par un gentilhomme de province*. Paris: S. Mabre-Cramoisy, 1674 [BN: X 13329, microfiche m 854].

- *Les Entretiens d'Ariste et d'Eugène*. Paris: S. Mabre-Cramoisy, 1671 [BN: Z 3421, microfiche m 49].

- *La Maniere de bien penser dans les ouvrages de l'esprit*. Paris: Vve de S. Mabre-Cramoisy, 1687 [BN: Z 3422].

Callières, Fr. de, *Des Bons Mots et des bons contes, de leur usage, de la raillerie des anciens, des railleurs de notre temps*. Paris: Cl. Barbin, 1692 [BN: X 18058].

- *Panégyrique historique du Roy, à MM. de l'Académie francaise*. Paris: P. Aubain, 1688 [BN: Lb31.3918].

Cellières, le P. L. de, *Dessein de la machine du feu de joye dressée . . . afin de rendre plus auguste la celebrité des réjouissances que S.M. a ordonné pour les glorieux avantages de ses armes . . . dans cette première campagne de 1677.* S.l.n.d. [Ars.: Fonds Rondel, Ra⁴.350]

Charpentier, Fr., *Deffense de la langue françoise pour l'inscription de l'arc de triomphe.* Paris: Cl. Barbin, 1676 [BN: X 9723. microfilm m 755].

– *De l'Excellence de la langue françoise.* Paris: Vve Bilaine, 1683 [BN: X 9725-9726].

Chorier, N., *Histoire générale du Dauphiné.* Grenoble: P. Charuys, 1661-1672 (2 vol. in-fol) [BN: Lk².639]. Rééd. Valence: Chenevier et Chavet, 1869-1878.

Cordemoy, G. de, *Œuvres philosophiques.* P. Clair et Fr. Girbal éds., Paris: PUF, 1968.

Daire, Le P. L.-F., *Histoire de la ville d'Amiens.* Paris: Vve Delaguette, 1757 [BN: 4° Lk⁷.173].

*Decoration de la Cour de l'Hôtel de Ville de Paris pour l'érection de la statue du Roy, avec le dessein et l'explication du feu d'artifice* [par le P. C.-F. Ménestrier]. Paris: N. et C. Caillou 1689 [Ars.: Fonds Rondel, Ra⁴.368].

Descartes, R., *Œuvres philosophiques.* F. Alquié éd., Paris: Garnier, 1963.

– *Les Passions de l'âme* (1649). G. Rodis-Lewis éd., Paris: Vrin, 1970.

*Description des feux d'artifices faits à l'honneur du roi à Lille par un nouveau temoignage du zele de MM. du magistrat, en suite de la venuë de Sa Majeste l'an 1680.* Lille: 1680 (2 vol. in-fol.) [BN: Lb³⁷.3745].

*Description du feu de joye dressé devant l'Hostel de Ville pour la prise de la ville de Namur par S.M. . . ., le 30 juin 1692.* Paris: C. Mazuel, 1692 [Ars.: Fonds Rondel, Ra⁴.372].

Desmarets de Saint-Sorlin, J., *Comparaison de la langue et de la poésie françoise avec la latine.* Paris: Jolly, 1670 [BN: X 19888].

– *Defense de la poésie et de la langue françoise.* Paris: N. Le Gras, 1675 [BN: Ye 7247]

*Dictionnaire de l'Académie françoise.* Paris: J.-B. Coignard, 1694.

Du Londel, J.-E. *Les Fastes de Louis le Grand.* Rouen: J. M. Besonge, 1694 [BN: 8° Lb³⁷.69].

Dunod de Charnage, Fr.-I, *Mémoires pour servir à l'histoire du Comté de Bourgogne, contenant l'idée générale de la noblesse et le nobiliaire dudit comté.* Besancon: J.-B. Charmet, 1740 [BN: 4° Lk².749].

Du Vair, G., *Les Œuvres du s^r Du Vair... comprises en cinq parties.* Genève: B. L'Abbé, 1610 [BN: Z 19843].

*Explication du feu d'artifice dressé devant l'Hôtel de Ville le 25 avril 1691, pour la reduction de la ville de Mons en Haynault.* S.l.: J. Grou, s.d. [Ars.: Fonds Rondel, Ra⁴.370].

*L'Explication du feu d'artifice dressé devant l'Hôtel de Ville pour les reiouissances publiques de la paix entre la France et l'Empire, le 8 janvier 1698.* Paris: Impr. de J. Grou, s.d. [Ars.: Fonds Rondel, Ra⁴.377(1)].

*Explication du feu d'artifice fait pour la réjouissance de la paix generale à Montpelier, le 11 decembre 1697.* Montpellier: Impr. de J. Martel, 1697 [Ars.: Fonds Rondel, Ra⁴.375].

*Explication de l'appareil pour la harangue prononcée en l'honneur du Parlement de Paris*. Paris: G. Martin, 1685 (voir *supra*, Sources, La Baune, le P. de, S.J., *Augustissimo*...).

*Evenemans principaux du regne de Louis le Grand*. S.l.n.d. [BN: Lb[37].75].

Fénelon, Fr. Salignac de la Mothe, *Œuvres*. J. Le Brun éd, Paris: Gallimard, Bibl. de la Pléiade, 1983 (t. I).

– *Dialogues sur l'éloquence en general et sur celle de la chaire en particulier, avec une lettre écrite à l'Académie française*. Paris: A. Delalain, 1811.

Ferrière, Cl.-J. de, *Introduction à la pratique, contenant l'explication des principaux termes de pratique et de coutume, avec les juridictions de France*. Paris: J. Cochart, 1679 [BN: F 25707].

*Feu de joie tire à Dijon le 28 novembre 1688 pour la Prise de Philisbourg, par Monseigneur le Dauphin*. Dijon, J. Ressayre, 1688 [Ars.: Fonds Rondel, Ra[4].367].

Fleury, Cl., *Dialogues de Claude Fleury sur l'éloquence judiciaire* (1664). Paris: J. de Gigord, 1925.

Furetière, A., *Dictionnaire universel contenant generalement tous les mots françois tant vieux que modernes, & les termes de toutes les Sciences et des arts*. La Haye et Rotterdam: Arnout et Reinier, 1690. Réimpr. Paris: Le Robert, 1978 (3 vol.).

– *Factums de Furetière*, Asselineau éd., Paris: Poulet-Malassis et de Broise, 1859.

Gibert, B., *Réflexions sur la rhétorique, où l'on répond aux objections du P. Lamy*. Paris: 1705-1707 [BN: X 18473].

– *De la Veritable Eloquence ou réfutation des paradoxes sur l'éloquence avancés par l'auteur de la Connoissance de soi-même*. Paris: 1703 [BN: X 18577] (compte rendu dans *Mémoires de Trevoux*, septembre 1703, p. 1629-1642).

Gracian, B., *La Pointe ou l'art du génie*. Trad. intr. et notes par M. Gendreau-Massaloux et P. Laurens, Lausanne: L'Age d'homme, 1983

Grandet, Fr., «Mémoires d'un maire d'Angers. François Grandet, conseiller au Présidial». Abbé F. Uzureau éd., *Anjou historique*, 1900-1901, p 134-155 et p. 248-277.

Guéret, G., *Entretiens sur l'éloquence de la chaire et du barreau*. Paris: Guignard, 1666 [BN: X 18613].

Haitze, P.-J. de, *Relation generale veritable des fêtes de la ville d'Aix pour l'heureux retour de la santé tant desirée de Louis le Grand*. Aix-en-Provence: C. David, 1687 [BN: 8° Lb[37].3903].

Héricourt, J. de, *De academia suessionensi*. Montauban: S. Dubois, 1688 [BN: R 38448].

La Bruyère, J. de, *Œuvres complètes*. J. Benda éd., Paris: Gallimard, coll. La Pléiade, 1951

La Guille, le R.P. L., *Histoire de la Province d'Alsace depuis Jules César jusqu'au mariage de Louis XV*. Strasbourg: J. R. Doulssecker, 1727 [BN: 8° Lk[2].52A].

Lamy, le P. B., *De l'Art de parler*. Paris: A. Brulard, 1675 [BN: X 18461].

– *La Rhétorique ou l'art de parler*, 4e édition. Amsterdam: 1699 (en fait copie de la 3e éd., Paris: 1688). Réimpr. Brighton: Sussex Reprints, 1969.

– 5e éd., Paris: 1715 [BN: X 18471]

Lamy, le P. Fr., *La Rhétorique de college trahie par son apologiste dans son traité* De la véritable Eloquence *contre celuy de la Connoissance de soi-même*. Paris: 1704 [BN: X 18483].

La Rochefoucauld, Fr. de, *Maximes et réflexions diverses*, Truchet éd. Paris: Garnier-Flammarion, 1977.

Le Gendre, M., *Essai de l'histoire du Regne de Louis le Grand jusques à la paix generale de 1697*. Paris: J. Guignard, 1697 [BN: 4° Lb$^{37}$.68].

Le Gras, *La Rethorique françoise ou les Preceptes de l'ancienne et vraye eloquence: Accommodez à l'usage de la conversation et de la Societe civile: Du Barreau: Et de la Chaire*. Paris: A. de Rafflé, 1671. [BN: X 34550, microfiche m 767].

Le Roux, le P., *Discours prononcé à l'ouverture des Etats du Languedoc dans l'église de Notre-Dame de Montpellier le l0e jour d'octobre 1683 par le Père le Roux*. Toulouse: B. Guillemette, s.d. [BN: 8° Lk$^{14}$.110].

Leti, G., *La Fama gelosa della Fortuna, panegirico sopra la nascita, vita, azzione, governo, progressi, vittorie, glorie & fortune de Luigi il Grande detto l'Invicible tra guerrieri, l'Heroe tra Cesari, l'Augusto tra monarchi, il Prudente tra Politici*. (Dedié au duc de Savoie). Gex: a Spese dell'autore, 14 maggio M DC LXXX [BN: 4° Lb$^{37}$.3743].

Leven de Templery, J., *L'Eloquence de ce temps enseignée a une dame de qualité, très-propre aux gens qui veulent aprendre à parler et à écrire avec politesse, et accompagnée de quantité de bons mots et de pensées ingénieuses*. Paris-Bruxelles: J. Léonard, 1699 [BN: X 18480].

Louis XIV, *Lettre du Roy ecrite à Monseigneur l'Archevêque de Paris pour faire chanter le Te Deum en l'église Notre Dame en action de graces de la paix conclue avec l'Empereur et l'Empire*. Paris L. Josse, 1698 [Ars.: Fonds Rondel, Ra$^{4}$.377 (2)].

– *Mémoires*,. Longnon éd., Paris: Tallandier, 1978.

Lucas, le R.P., S. J., *De monumentis publicis latine inscribendis*. Paris: S. Bernard, 1677.

*Mars pacifique ou l'alliance de Mars et de la paix, servant de sujet au feu de joye fait à Reims . . . le 13e janvier mil six cens quatre-vingt-dix-huit pour la paix generale*. Reims: Vve J. Multeau, s.d. [Ars.: Fonds Rondel, Ra$^{4}$.378].

*Mémoires de Trévoux* (*Mémoires pour l'histoire des sciences et des beaux-arts*), sept. 1703 [BN: Us. salle de travail, L.400] (voir *supra*, Gibert, *De la Véritable éloquence*).

Ménestrier, le P. Cl.-Fr., *Décoration de la cour de l'Hôtel de ville de Paris pour l'érection de la statue du Roy*..., voir *supra, Décoration de la cour*...

*Le Mercure galant* (*Le Nouveau Mercure galant*), 1672-1674, repris en 1677 [BN: microfilm 238].

Molière, J.-B. Poquelin, dit, *Le Tartuffe*, dans *Œuvres complètes*. G. Couton éd., Paris: Gallimard, coll. Pléiade, t. 1, 1981.

Moreri, L., *Le Grand Dictionnaire historique, ou le Mélange curieux de l'histoire sacrée et profane*. Amsterdam: Boom et Van Someren, 1694 (4 parties en 2 vol.) [BN: C 1054-1055] (Revu et corrigé. Paris: 1759, 10 vol.).

Pascal, B., *De l'esprit géométrique et de l'art de persuader*, dans *Œuvres complètes*. Lafuma éd., Paris: Le Seuil. coll. «L'Intégrale», 1963.

Pellisson-Fontanier, P., *Paraphrase des institutions de l'empereurJustinian*. Paris: A. de Sommaville,1645 {BN, 2 ex.:F 24091 et 37755].

– et Olivet, Abbé P.-J. d'., *Histoire de l'Académie française*. Ch.-L. Livet éd., Paris: Didier et Cie, 1858 (2 vol.).

Pétrineau des Noulis, N., *Projet de l'histoire d'Anjou*. S.l.n.d. [BN: 4° Lk$^2$.120].

– «Relation de ce qui s'est passé à l'établissement de l'Académie royale des Belles Lettres dans la ville d'Angers» (voir Uzureau, «Ancienne Académie d'Angers. Séance d'inauguration», *infra*, «2C. XIX$^e$-XX$^e$ siècles»).

Picault, P., *Traité des parlements ou Estats généraux composé par Pierre PICAULT*. Cologne: P. Marteau, 1679 [BN: Lf$^{25}$.3].

Pomey, le P. F.A., *Novus candidatus rhetoricae*. Paris: 1682.

*Projet de Réjouissances que les écoliers du Collège royal de la C$^{ie}$ de Jesus représenteront à Aix le 27 février 1687 sur l'heureux retour de la santé du Roy*. Aix: Vve C. Nesmoz, s.d. [Ars.: Fonds Rondel, Ra$^4$.363(6)].

Rapin, le P. R., *Œuvres*. Amsterdam: P. Mortier, 1709 (4 vol.).

– *Réflexions sur l'usage de l'éloquence de ce temps*. Paris: C. Barbin 1671 [BN: X 18451].

*Récit veritable des rejouissances publiques que MM de l'Hôtel de Ville d'Aix ont faites pour l'heureuse guerison de Louis le Grand*. Aix: C. David, 1687 [Ars.: Fonds Rondel, Ra$^4$.363(6)].

*Recueil de plusieurs pièces d'éloquence et de poésie présentées à l'Academie françoise pour les prix de l'année 1677*. Paris: P. Le Petit, 1677 [BN: X 19047]

*Recueil de plusieurs pièces d'éloquence et de poésie présentées à l'Academie françoise pour les prix de l'année 1681*. Paris: P. Le Petit, 1681 [BN: X 19049; ce volume contient aussi le recueil de 1683. La BN possède une seconde édition du recueil de 1681: X 19050]

*Recueil de plusieurs pièces de Poesie et d'Eloquence présentées à l'Académie des jeux floraux avec les discours prononcés dans les assemblées publiques de l'Académie*. Toulouse: 1696 sq.

*Recueil de plusieurs pieces et discours et autres pièces d'éloquence prononcez à l'Academie françoise en differentes occasions*. Paris: J. Villette, 1687 [BN: X 19054]. Rééd. 1695: J.-.B. Coignard [BN: X 19055].

*Réflexions sur l'éloquence*. Textes réunis par le P. D. Bouhours. Paris: L. Josse,1700 [BN: X 18633].

*Registres de l'Académie française*. Paris: Firmin Didot et Cie, 1895. T. I: 1672-1715.

*Relation de la feste que MM les Tresoriers de France de Provence ont faite le 13e jour de fevrier 1687 pour remercier Dieu du retablissement de la Santé du Roy*. Aix: Vve C. Nesmoz, s.d. [Ars.: Fonds Rondel, Ra$^4$.363(3)].

*La Relation des réjouissances faites par le corps des Marchands de la ville d'Aix . . . le 25$^e$ février 1687*. Aix: C. David, s.d. [Ars.: Fonds Rondel, Ra$^4$.363(4)].

*Relation des réjouissances publiques qui se sont faites dans la ville de Toulouse au sujet de la publication de la paix generale*. Toulouse: G.L. Colomyez, 1697 [Ars.: Fonds Rondel, Ra$^4$.376].

*Relation des rejouissances que l'Universite d'Aix-en-Provence a faites pour le retablissement de la santé du Roy.* Aix: J. Le Grand, 1687 [Ars.: Fonds Rondel, Ra⁴.365].

*Relation des rejouissances qui accompagnerent la publication à Niort de la Paix de Ryswick en 1698.* Melle: Impr. de L. Moreau, 1866 (réimpr. par A. Richard d'un manuscrit original) [Ars.: Fonds Rondel, Ra⁴.379].

*Relation des rejouissances qui se sont faites a Chastillon sur Seyne, ensuite du rétablissement de la santé du Roy.* Chastillon: L. Bourut, 1687 [Ars.: Fonds Rondel, Ra⁴.366].

*Relation des réjouissances qu'on a faites à l'occasion de la ceremonie du* Te Deum *chanté dans le Palais par ordre du Parlement de Provence. en action de grâces du rétablissement de la santé du Roy.* Aix: C. David, 1687. [Ars.: Fonds Rondel, Ra⁴. 363(1)]

*Relation fidèle de tout ce qui a esté fait par MM. de la Cour des Comptes de Provence en rejouyssance du retablissement de la sante du Roy, le XI. du mois de février MDCLXXXVII.* Aix: Vve C. Nesmoz, s.d. [Ars. Fonds Rondel: Ra⁴. 363(2)]

Richesource, J. Oudier, dit Sourdier, sieur de, *L'Art de bien dire, ou les Topiques françoises.* Paris: l'auteur, 1662 [BN: X 18453].

– *Le Masque des orateurs, c'est-à-dire la manière de déguiser facilement toute sorte de discours.* Paris: L'Académie des Orateurs, 1667 [BN: X 18739].

– *Les Plaisirs et les avantages de la lecture de cabinet ou les Delicatesses et l'élégance de la prose françoise.* 2ᵉ éd., Paris: Académie des Orateurs, 1680 [BN: X 4606]

Sprat, Th., *The History of the Royal Society of London* (1667). Réimpr. Londres: Routledge and Kegan Paul, 1959 [BN: 8° R 63180]. Trad. frse: *L'Histoire de la Société Royale de Londres* (Genève: 1669).

*La Statue équestre de Louis le Grand placée dans le temple de la gloire. Dessein du feu d'artifice élevé sur la Seine le 13 aoust 1699.* Paris: impr. de la Vve Vaugon, 1699 [Ars.: Fonds Rondel, Ra⁴.380].

Tallemant, P., *Remarques et décisions de l'Académie françoise.* Paris: J.-B. Coignard, 1698 [BN: X 13324].

*Le Triomphe du Soleil ... Feu de Joye fait à Reims devant l'Hôtel de Ville pour la paix generale de l'année 1679.* Reims: s.d. [BN: Lb³⁷.3735].

Vaugelas, Cl. Favre de, *Remarques sur la langue française* (1647). Paris: Droz, 1934.

Vertron, Cl.-Ch. Guyonnet de, *La Nouvelle Pandore, ou les Femmes illustres du Siècle de Louis-le-Grand, recueil de pièces académiques, en prose et en vers, sur la préférence des sexes, dédié aux dames.* Paris: Vve C. Mazuel, 1698 (2 vol.) [BN: R 24082-24083. Contrairement à ce qu'indique le catalogue imprimé de la BN, tous les discours académiques du t. I ne sont pas de Vertron: on en trouve un de Mme de Pringy «A la gloire de Monseigneur le Dauphin», p.155-170, et un de Mme d'Encausse «sur la modération du Roi», p.218-230].

C. *XIXᵉ-XXᵉ siècles*

Apostolidès, J.-M., *Le Roi-machine.* Paris: Les Éditions de Minuit, 1981.

Aubertin, Ch., *L'Éloquence politique et parlementaire avant 1789, d'après des documents manuscrits*. Paris Vve Belin et Fils, 1882 [BN: 8° X 2256].

Aucoc, L., *L'institut de France. Lois, statuts et reglements concernant les anciennes Académies et l'Institut, 1635-1889*. Paris: Imprimerie nationale, 1889.

Aumale, H. d'Orléans, duc d', *Histoire des Princes de Condé aux XVI^e^ et XVII^e^ siècles*. Paris: C. Levy, 1885-1886 [BN: Lm³.1163A].

Austin, J. L., *How to Do Things with Words*. Cambridge, Mass.: Harvard Univ. Press, 1962. Trad. frse: *Quand dire, c'est faire*. Paris: Le Seuil, 1972.

Babeau, A., *Le Louvre et son histoire*. Paris: Firmin Didot, 1895 [BN: Lk⁷.29493].

Bapst, G., «Communication sur les entrées royales à Paris», *Bulletin de la Société des antiquaires de France,* 1891, p. 114-117.

Barthes, R., «L'Ancienne Rhétorique», *Communicatiions* 16 (1970): «Recherches rhétoriques»

Bastard d'Estaing, H. de, *Les Parlements de France. Essai historique*. Paris: Didier, 1857 [BN: Lf²⁵.4].

Bayley, P., *French Pulpit Oratory. 1598-1650*. New York: Cambridge Univ. Press, 1980.

Belin, F., *La Société française au XVII^e^ siècle d'après les sermons de Bourdaloue*. Paris: Hachette, 1875.

Beugnot, B., *Les Muses classiques. Essai de bibliographie rhétorique et poétique*. Paris: Klincksieck, 1996.

Boissier, G., *L'Académie française sous l'Ancien Régime*. Paris: 1909.

– Franklin, A. et Perrot, G., *L'Institut de France*. Paris: 1907 (consulté dans l'édition de 1909) [BN: Rés. g. R. 28-29].

Bonnin, T., *Opuscules et Mélanges historiques sur la ville d'Évreux et le departement de l'Eure*. Évreux: J, Ancelle, 1845. [BN: Lk⁷. 2704]

Boutiot, *Histoire de la ville de Troyes et de la Champagne méridionale*. Paris: A. Aubry, 1870-1880 [BN: Lk⁷.15490].

Bray, B., *La Formation de la doctrine classique en France*. Paris: Nizet, 1951.

Bryant, L. M., «La Cérémonie de l'entrée à Paris au Moyen Age», *Annales ESC,* 41^e^ année, n° 3 (mai-juin 1986), p. 513-542.

Cahné, P.A., *Le Philosophe et son langage*. Paris: Vrin, 1980.

Cahour, abbé A. H., *Notre Dame de Fourvière, ou Recherches historiques sur l'autel tutélaire des Lyonnais et sur les principaux événements qui en ont retardé ou hâté la gloire*. Lyon-Paris: Pelagaud et Lesne, 1830 [BN: Lk⁷. 4476].

Canel, A., *Histoire de la vllle de Pont-Audemer*. Pont-Audemer: impr. administrative, 1885 (2 vol.) [BN: Lk⁷.24074].

– «Quelques notes sur les entrées des rois dans la ville de Pont-Audemer», *Recueil de la Société d'Agriculture du département de l'Eure,* 2^e^ série, t. IV, 1843, p. 263-272. [BN: S 19495-96].

Castries, René de la Croix, duc de, *La Vieille Dare du quai Conti*. Paris: Librairie Perrin, 1978.

Chabrier, A., *Les Orateurs politiques de la France. La tradition et l'esprit français en politique. Choix de discours prononcés dans les assemblées politiques françaises, États-Généraux, Conseils, Parlements, Chambres (1302-1830)*. 4^e^ éd., Paris: Hachette, 1905 [BN: Le¹.100B].

Charles, M., *Rhétorique de la lecture*. Paris: Le Seuil, 1977.

Chaunu, P., *La Civilisation de l'Europe classique*. Paris: Arthaud, 1966.

Cioranescu, A., *Bibliographie de la littérature française du 17e et du 18e siècles*. Paris: Éd. du CNRS, 1965-1970 (6 vol.).

Compagnon, A., *La Seconde Main ou le travail de la citation*. Paris: Le Seuil, 1979.

*Critique et création littéraires en France au XVIIe siècle*. Paris: Éd. du CNRS, 1977.

Curtius, E. R., *La Littérature européenne et le moyen âge latin*. Paris: Presses Universitaires de France, 1956.

Dainville, Fr. de, S. J., *Les jésuites et l'éducation dans la société française, la naissance de l'humanisme moderne*... Paris: Beauchêne et fils, 1940.

Davidson, H. M., *Audience, Words and Art. Studies in Seventeenth-century French Rhetoric*. Columbus: Ohio State univ. Press, 1965.

Declercq, G., «Le Lieu commun dans les tragédies de Racine: topique, poétique et mémoire à l'âge classique», *XVIIe SIÈCLE*, 150 (janv.-mars 1686), p. 43-60.

– «Stylistique et rhétorique au XVIIe siècle; l'analyse du texte littéraire classique», *XVIIe SIÈCLE*, 152 (juillet-sept. 1986), p. 207-222.

Delhez-Sarlet, Cl., «L'Académie française du temps du cardinal de Richelieu», *Marche Romane, Cahiers de l'A.R.U.Lg.*, t. XXIX, 21-2, 1979, p. 41-60.

Delon, J., *Le Cardinal de Retz, orateur*. Paris: Aux Amateurs de Livres, 1989.

Desmaze, Ch., *Le Parlement de Paris*. Paris: M. Levy frères, 1859 [BN: Lf25.21].

Doyen, C.-L., *Histoire de la ville de Beauvais, depuis le XIVe siècle, par C.-L. Doyen, pour faire suite à l'histoire ... de M.E. de La Fontaine*. Beauvais: Moisand, 1842 (2 vol.) [BN: 8° Lk7.873].

Dubedat, J.-B., *Histoire du Parlement de Toulouse*... Paris: A. Rousseau, 1885 (2 vol.) [BN: 8° Lf25.218].

Ducrot, O., et Todorov, T., *Dictionnaire encyclopédique des sciences du langage*. Paris: Le Seuil, 1972.

Fabre, A., *Recherches historiques sur le pélerinage des rois de France à Notre-Dame d'Embrun*. Grenoble-Paris: Maisonville fils et Jourdan, 1866 [BN: 8° Lk7.2602A].

Faure, H., *Histoire de Moulins (Xe siècle-1830)*. Moulins: Crépin-Leblond, 1900 (2 vol.) [BN: 4° Lk7.32707].

Fayard, E. D., *Aperçu historique sur le Parlement de Paris*. Lyon: N. Scheuruint, 1876-1878 (2 vol.) [BN: 8° Lf25.197].

Ferrier-Caverivière, N., *L'image de Louis XIV dans la littérature française de 1660 à 1715*. Paris: Presses Universitaires de France, 1981.

– «La littérature encômiastique et la Révocation: un témoignage de fanatisme», *Bulletin de la Société de l'Histoire du Protestantisme français*. 131e année (juillet-août-septembre 1985), p. 289-300.

– «Rhétorique et société: l'exemple du généthliaque», dans *Critique et création littéraire*. Paris: Éd. du CNRS, 1977, p. 433-446.

Fontanier, P., *Les Figures du discours*. G. Genette éd., Paris: Flammarion, 1968.

France, P., *Racine's Rhetoric*. Oxford: Clarendon Press, 1965.

Fumaroli, M., «La Coupole», dans P. Nora éd., *Les Lieux de mémoire*. Paris: Gallimard, t. II, 1986, vol. 3, p. 321-386.

– *L'Age de l'éloquence. Rhétorique et «res literaria» de la Renaissance du seuil de l'époque classique*. Genève: Droz, 1980.

– «L'Apologétique de la langue française classique», *Rhetorica* II, 2 (Summer 1984), p. 139-161.

Gams, P.B., *Series episcoporum ecclesiae catholicae quotquot innotuerunt. A beato Petro apostolo....* Ratisbonne: J. Manz, 1873 [BN: Usuel, salle de lecture des imprimés, A 101].

Garnier, J., *Inventaire sommaire des archives départementales antérieures à 1790. Côte d'Or*. Paris: P. Dupont. [BN: Usuel, Salle des Catalogues].

Giesey, R. E., *Cérémonial et puissance souveraine*. Trad. J. Carlier, Paris: Armand Colin, 1987.

– «Modèles de pouvoir dans les rites royaux en France», *Annales ESC*, 41e année, n° 3 (mai-juin 1986), p. 579-699.

Giraudet, *Histoire de la ville de Tours*. Tours: 1873 [BN: 8° Lk7.17282].

Girbal, Fr., *Bernard Lamy. Étude biographique et bibliographique*. Paris: Presses Universitaires de France, 1964.

Goubert, P., *L'Ancien Régime*. Paris: A. Colin, 1973 (2 vol.).

– *Louis XIV et vingt millions de Français*. Paris: Fayard, 1966.

Grell, Ch. et Michel, Ch., *L'escole du prince ou Alexandre disgrâcié. Essai sur le mythe monarchique de la France absolutiste*. Paris: Les Belles Lettres, 1987.

Grell, Ch. et Laplanche, Fr. éds., *La Monarchie absolutiste et l'histoire en France. Théories du pouvoir, propagandes monarchiques et mythologiques nationales*. Paris: Presses de l'Université de Paris-Sorbonne, 1987.

Grosley, P.-J., *Éphémérides*. L. M. Patris-Debreuil éd., Paris: Durand, 1811 (2 vol.) [BN: 8° Lk7.9961].

– *Mémoires historiques et critiques pour l'histoire de Troyes*. Paris: Vve Duchesne, 1774-1812 (2 vol.) [BN: 8° Lk7.9945].

Guénée, B. et Lehoux, F., *Les Entrées royales françaises de 1328 à 1515*. Paris: Éd. du CNRS, 1968.

Hazard, P., *La Crise de la conscience européenne*. Paris: Fayard, 1961.

Hennequin, J., *Henri IV dans ses oraisons funèbres, ou la naissance d'une légende*. Paris: Kincksieck, 1977.

Howard, V. et Salomon, M., *Public Welfare, Science and Propaganda. The Innovations of Théophraste Renaudot*. Princeton: Princeton Univ. Press, 1972.

Jakobson, R., *Essais de linguistique générale*. Paris: Le Seuil, 1970.

Kerviler, R., *Le Chancelier Séguier, second protecteur de l'Académie française*. Paris: Didier, 1874.

– *Essai d'une bibliographie raisonnée de l'Académie française*. Paris: Libr. de la Société Bibliographique, 1877.

Kibedi-Varga, A., *Rhétorique et littérature*. Paris: Didier, 1970.

Kleinclausz, A., *Histoire de Lyon*. Lyon: 1939.

La Gorce, J. de, *Bérain, dessinateur du Roi-Soleil*. Paris: Herscher, 1986.

Lagrange, A. de, *Les Entrées des souverains à Tournai*. Tournai: H. Casterman, 1885 [BN: 8° M 16663 bis (20-21): extrait du *Bulletin de la Société historique de Tournai*, t. XIX, 1885, p. 7-321].

Latzarus, B., «Louis XIV et l'Académie de Nîmes», *Mémoires de l'Académie de Nîmes*, 1936-1938, p. 61-74 [BN: Z 28502].

Lavisse, E., *Louis XIV*. Paris: Tallandier, 1978.

Lebègue, R., «Malherbe: Harangue pour le Prince de Joinville. Malherbe et l'éloquence d'apparat», *Revue d'Histoire littéraire de la France*, t. LV (1955), p. 435-468.

Le Hir, Y., *Rhétorique et stylistique de la Pléiade au Parnasse*. Paris: Presses Universitaires de France, 1960.

Le Roy Ladurie, E., dir., *Les Monarchies*. Paris: Presses Universitaires de France (Centre d'Analyse Comparative des Systèmes Politiques), 1986.

Le Vayer, P., *Les Entrées solennelles à Paris. Bibliographie sommaire*. Paris: Impr. nationale, 1896 [BN: Fol. Q 144].

Magendie, M., *La Politesse mondaine et les théories de l'honnêteté, en France, au XVIIe siècle, de 1600 à 1660*. Paris: Presses Universitaires de France, 1925.

Mandrou, R., *Louis XIV et son temps, 1661-1715*. Paris: Presses Universitaires de France, 1973.

Marcou, F.-L., *Étude sur la vie et les œuvres de Pellisson*. Paris: Didier, 1859.

Marin, L., *Le Portrait du roi*. Paris: Éditions de Minuit, 1981.

Marion, M., *Dictionnaire des Institutions de la France aux XVIIe et XVIIIe siècles*. Paris: Picard, 1979.

Martin, H.-J., «Un grand éditeur parisien du XVIIe, Sébastien Cramoisy», *Gutenberg Jahrbuch*, 1957, p. 179-188.

– *Livre, pouvoirs et société à Paris au XVIIe siècle*. Genève: Droz, 1969.

Masson, F., *L'Académie française 1629-1793*. Paris: Soc. d'éditions littéraires et artistiques, Librairie P. Ollendorff, 2e éd. s.d. (1912).

Michel, E., *Histoire du Parlement de Metz*. Paris: Techener, 1845 [BN: Lf25.146].

Morier, H., *Dictionnaire de poétique et de rhétorique*. Paris: Presses universitaires de France, 2e éd. 1975.

Mousnier, R., *Les Hiérarchies sociales de 1450 à nos jours*. Paris: Presses Universitaires de France, 1969.

– *Les Institutions de la France sous la monarchie absolue*. Paris: PUF, t. 1: *Société et État*, 1974; t. 2: *Les Organes de l'État et la Société*, 1980.

– *Paris au XVIIe siècle*. Paris: CDU, s.d.

– «Problèmes de méthode dans l'étude des structures sociales des seizième, dix-septième, dix-huitième siècles», in: *Mélanges Braubach: Spiegel der Geschichte*. Munster: 1964.

Munier-Jolain, J., *Les Époques de l'éloquence judiciaire en France*. Paris: Librairie Perrin, 1888 [BN: 8° X 4217].

Néraudeau, J.-P., *L'Olympe du Roi-Soleil. Mythologie et idéologie royale au Grand Siècle*. Paris: Les Belles Lettres, coll. Nouveaux Confluents, 1986.

«Notice sur l'Académie de Soissons», *Bulletin de la Société archéologique, historique et scientifique de Soissons*, t. XX, 3e série, 1913-1921, p. 79-249.

Orcibal, J., *Louis XIV et les protestants*. Paris: Vrin, 1951.

Ourliac, P., «Un nouveau style du Parlement de Paris», *Mélanges d'Architecture et d'Histoire de l'École française de Rome*, 1937, p. 301-343 [BN: 4° G 484].

Pariset, E., «Souvenirs lyonnais de 1496 à 1896. Les entrées solennelles...», *Mémoires de l'Académie des Sciences, Belles Lettres, et Arts de Lyon,* 8e série, t. V, p. 41-181. [BN: Z 5163].

Pas, J. de, *Entrée et réception de souverains et gouverneurs d'Arras à Saint-Omer (XVe, XVIe et XVIIe siècles)*. Saint-Omer: 1908 [BN: 8 Lk7.36691].

Pernot, L., «Les *Topoi* de l'éloge chez Ménandros le rhéteur», *Revue des études grecques* XCIC, n° 470-471, jan.-juin 1986, p. 33-53.

– «Lieu et lieu commun dans la rhétorique antique», *Bulletin de l'Association Guillaume Budé*, octobre 1986, p. 253-284.

«Points de vue sur la Rhétorique», n° spécial de *XVIIe SIÈCLE*, 80-81 (1968).

Rancé-Bourrey, Abbé A.-J., *L'Académie d'Arles au XVIIe siècle*. Paris: Librairie de la société bibliographique, 1886-1890 (3 vol.) [BN: 8° Z 10837].

Ranum, O., *Artisans of Glory*. Chapell Hill: Univ. of North Carolina Press, 1980.

– *Les Parisiens du XVIIe siècle*. Paris: Armand Colin, 1973.

«Recherches rhétoriques», *Communications* 16, 1970.

Regalado, N. Freeman, «Staging the *Roman de Renart*: Medieval Theater and the Diffusion of Political Concerns into Popular Culture», *Mediævalia* 18 (1995), p. 111-129.

«Rhétorique du geste et de la voix à l'âge classique», *XVIIe SIÈCLE* 132 (1981).

Robertson, D. Maclaren, *A History of the French Academy, 1635-1910*. New York: G. W. Dillingham, 1910 [BN: 8° Z 18562].

Roche, D., *Le Siècle des Lumières. Académies et académiciens provinciaux. 1680-1789*. Paris-La Haye: Mouton, 1978 (2 vol.).

Ronzeaud, P., *Peuple et représentations sous le règne de Louis XIV*. Aix-en-Provence: Université d'Aix-en-Provence, 1988.

Salazar, Ph.-J., *Le Culte de la voix au XVIIe siècle. Formes esthétiques de la parole à l'âge de l'imprimé*. Paris: Champion, coll. Lumière classique, 1995.

Searle, J., *Les Actes de langage. Essai de philosophie du langage*. Paris: Hermann, 1972.

Söter, I., *La Doctrine stylistique des rhétoriques du XVIIe siècle*. Budapest: Librairie Eggenberger: 1937.

Starobinski, J., «La Chaire, la tribune, le barreau», dans P. Nora, éd., *Les Lieux de mémoire*, t. III vol. 2. Paris: Gallimard, 1986, p. 425-485.

Stein, H., *Le Palais de Justice et la Sainte-Chapelle de Paris*. Paris: D. A. Longuet, 1912 [BN: 8° Lk7.37671].

Storer, M. E., «Informations Furnished by the Mercure Galant on the French Provincial Academies in the 17th Century», *PMLA*, 1935, p. 444-468 [BN: 8° X 11057].

Strosetzki, Ch., *Rhétorique de la conversation: sa dimension littéraire et linguistique dans la société française du XVIIe siècle*. Trad. S. Seubert, Paris-Seattle-Tübingen: PFSCL (coll. Biblio 17), 1984.

Todorov, T., *Théories du symbole*. Paris: Le Seuil, 1977.

Truchet, J., *Bossuet panégyriste*. Paris: Éd. du Cerf, 1962.

– «Pastiches, parodies, contrefaçons du discours religieux dans la littérature française du XVII^e siècle», dans *Écriture de la religion, écriture du roman. Mélanges d'histoire de la littérature et de critique offerts à J. Tans,* Ch. Grivel, éd. (Groningue et Lille: 1979), p. 29-40.

– *La Prédication de Bossuet,* Paris: Éd. du Cerf, 1960 (2 vol.).

– «Tradition et invention dans l'éloquence de Bossuet», dans J. Pommier éd., *Collège de France. Chaire d'histoire des créations littéraires en France. Six Conférences.* S.l.n.d. [1964], p. 35-42.

Uzureau, abbé F., «Ancienne Académie d'Angers [Membres de l'Académie. Travaux de l'Académie]», *Mémoires de la Société Nationale d'Agriculture, Sciences et Arts d'Angers,* 1901, p. 259-362.

– «Ancienne Académie d'Angers. Séance d'inauguration (1er juillet 1686)». *Mémoires de la Société Nationale d'Agriculture, Sciences et Arts d'Angers* 1903, p. 21-63 (outre la relation composée à l'époque par Pétrineau des Noulis, Uzureau donne le texte des discours du marquis de Nointel, intendant qui représente le Roi, et de Gourreau).

– «Prix décernés par l'ancienne Académie d'Angers», *Anjou historique* 1900-1901, p. 101-108.

Vaissette, dom J. et Vic, dom Cl. de, *Histoire générale du Languedoc.* Toulouse: 1872-1892, 15 t. [BN: 4° Lk². 83413 (1-15)].

Valensine, M., «Le Sacre du roi: stratégie symbolique et doctrine politique de la monarchie française», *Annales ESC,* 41e année, n° 3 (mai-juin 1986), p. 543-577.

Valesio, P., *Novantiqua: Rhetoric as a Contemporary Theory.* Bloomington: Indiana University Press, 1981.

Van Delft, L., *Le Moraliste classique.* Genève: Droz, 1982.

Viala, A., *Naissance de l'écrivain.* Paris: Éditions de Minuit, 1985.

Vian, L., *Les Lamoignon, une vielle famille de robe.* Paris: Lethielleux, 1896 [BN: 8° Lm³. 2407].

Yates, Fr., *The French Academies of the 16th Century.* Londres, The Warburg Institute, University of London: Cartault, 1947 [BN: 4° Z 3466 (15)].

Zeller, G., *Les Temps modernes,* t. III de l'*Histoire des relations internationales.* Paris: Hachette, 1955.

Zoberman, P., «Appareil et apparat: le discours cérémoniel en son lieu», dans *Lieux de mémoire et fabrique de l'œuvre.* V. kapp éd., Tübingen: Biblio 17, 1993, p. 231-243.

– «Le Cardinal de Richelieu, protecteur des lettres dans les discours de l'Académie française», dans *L'Age d'or du mécénat (1598-1661).* J. Mesnard et R. Mousnier éds., Paris: Éd. du CNRS, 1985, p. 171-181.

– «Éloquence d'apparat et représentation institutionnelle: pouvoir du magistrat et autorité de l'orateur», *The Romanic Review* 79, 2 (mars 1988), p. 262-268.

– «L'Éloquence d'apparat et le style», *Littératures classiques* 28, automne 1996, p. 255-271.

– «Éloquence et communication: la question de la vraie éloquence en France à la fin du XVII^e s. et au début du XVIII^e s.», *Actes du XI^e congrès de l'Association Guillaume Budé.* Paris: Les Belles Lettres, 1985, t. II, p. 164-165.

– «Entendre raillerie», dans *Thèmes et genres littéraires aux* XVII^e^ *et* XVIII^e^ *siècles (Mélanges en l'honneur de Jacques Truchet)*. Paris: PUF, 1992, p. 179-185.
– «Généalogie d'une image: l'éloge spéculaire», *XVII^e^ SIÈCLE* 146 (janv.-mars 1985), p. 79-91.
– *Les Panégyriques du Roi prononcés dans l'Académie française (1671-1689)*. Paris: Presses de l'Université de Paris-Sorbonne, 1991.
– «Plagiarism as a Theory of Writing», *Papers on French seventeeth Century Literature*, X, 18 (1983), p. 99-110.
– «Suréna: le théâtre et son trouble», *Actes de Baton Rouge*. Tübingen: Bibio 17, 1986, p. 143-150.
Zuber, R., «Atticisme et classicisme», dans *Critique et création littéraires*... (*voir* ce titre), p.375-387.
– *«Les Belles Infidèles» et la formation du goût classique. Perrot d'Ablancourt et Guez de Balzac*. Paris: Armand Colin, 1968. Rééd. avec une postface d'Emmanuel Bury, Paris: Albin Michel, 1995.
– «Boileau traducteur: de la rhétorique à la littérature», dans *Le langage littéraire au* XVII^e^ *s*. Chr. Wentzlaft-Eggebert éd., Tübingen: Grunter Narr Verlag, 1991.
– *Les Émerveillements de la raison. Classicismes littéraires du XVII^e^ siècle français*. Paris: Klincksieck, 1997.

# INDEX

Dans les index qui suivent, on trouvera en caractères romains les références au corps du texte et en italiques les renvois aux notes, ce qui explique que la même page puisse figurer deux fois, en caractères romains et en italiques.

L'Index des noms de lieux et d'institutions et l'Index des institutions et fonctions institutionnelles se recoupent partiellement, mais offrent deux voies d'accès bien différentes aux données toponymiques et institutionnelles.

# I. – INDEX DES NOMS DE PERSONNES[1]



[1] On ne trouvera pas ici de référence à Louis XIV, dont le nom apparaît constamment dans le texte pour qu'une mention en index ait un sens.

[2] J'emploie indifféremment le nom de Donneau de Visé ou le titre *Mercure galant*. De ce fait, la liste des mentions du nom n'est guère significative.

N

# II. – INDEX DES NOMS DE LIEUX ET DES INSTITUTIONS

Ne figurent pas dans cet index les lieux de publication qui apparaissent dans les références bibliographiques.

Figurent dans l'index des noms de lieux et d'institutions la plupart des charges et offices individuels, dans la mesure où ils ont valeur institutionnelle.



[1] Selon les cas, on a séparé l'article des membres des institutions de celui des institutions correspondantes ou on les a regroupées avec lui (par exemple: «Arles, Académie et académiciens», mais «Angers, Maire» et «Angers, municipalité»).

[2] D'une manière générale, on ne trouvera pas les titres (tels que «duc de Bourgogne»). Cette règle n'a pas toujours été respectée pour les couronnes (par exemple, on trouvera la mention «Espagne, reine d'»).

# III. – INDEX DES INSTITUTIONS ET DES FONCTIONS INSTITUTIONNELLES

L'ouvrage est organisé autour des institutions et des groupes institutionnels. Certaines *sections* sont donc globalement consacrées à tel ou tel groupe spécifique. On se reportera à la table des matières générale pour les identifier. L'index renvoie à des mentions spécifiques.

Dans la mesure où cet index a pour but de donner accès rapidement aux mentions des groupes institutionnels qui sont l'*objet* de la présente étude, on n'y trouvera pas les sociétés savantes modernes d'où procèdent certaines monographies et recherches sur les institutions locales et qui figurent dans l'«Index des lieux et des institutions» (exemple : «Bibliothèque municipale»).

La liste des fonctions individuelles n'aurait pu être exhaustive sans que son maniement ne devienne fort incommode. On pourra compléter les lacunes au moyen de l'«Index des noms de personnes».



[1] Sur le regroupement «Académie et académiciens», voir Index des noms de lieux, n. 1.

# TABLE DES MATIÈRES

## DEUXIÈME PARTIE

## PARLEMENTS ET INSTITUTIONS JUDICIAIRES

NOTTINGHAM
UNIVERSITY LIBRARY

*Achevé d'imprimer en 1998*
*à Genève-Suisse*